SUR LES TITRES
DES PSAUMES

SOURCES CHRÉTIENNES

N° 466

GRÉGOIRE DE NYSSE

SUR LES TITRES
DES PSAUMES

INTRODUCTION, TEXTE CRITIQUE, TRADUCTION, NOTES ET INDEX

PAR

Jean REYNARD

Docteur de l'École Pratique des Hautes Études

Ouvrage publié avec le concours de l'Œuvre d'Orient

LES ÉDITIONS DU CERF, 29, Bd Latour-Maubourg, PARIS 7ᵉ

2002

*La publication de cet ouvrage a été préparée avec le concours
de l'Institut des « Sources chrétiennes »
(U.M.R. 5035 du Centre National de la Recherche Scientifique).*

AVANT-PROPOS

Ce volume reprend une partie d'une thèse de doctorat soutenue à l'École Pratique des Hautes Études (V^e section) le 31 janvier 1998. Le commentaire développé qui la complétait doit paraître dans la Bibliothèque des Hautes Études. Qu'on me permette de remercier M. Jean-Noël Guinot qui fut l'initiateur de ce travail, M. Alain Le Boulluec qui accepta de le diriger et en soutint l'élaboration et les autres membres du jury dont les indications et les remarques m'ont été précieuses : Mme Monique Alexandre, MM. Gilles Dorival et Jean-Daniel Dubois. Qu'ils veuillent bien trouver ici l'expression de ma vive reconnaissance.

INTRODUCTION

CHAPITRE PREMIER

UN TRAITÉ SUR LES TITRES DES PSAUMES
DATE ET CIRCONSTANCES DE COMPOSITION

Un traité sur les titres des psaumes

Grégoire de Nysse entreprend de rédiger un traité sur les
titres des psaumes pour répondre à la demande pressante
d'un ami qui lui demande d'éclairer leur sens. Cette requête
n'avait rien de surprenant : les titres des psaumes, ces courtes
notices inscrites en tête des poèmes [1], avaient de quoi intri-
guer et ont suscité très tôt l'intérêt des auteurs chrétiens
anciens qui ont traité les problèmes qu'ils posaient dans les
homélies et les commentaires qu'ils consacraient aux psaumes. La question semble être abordée pour la première fois

---

1. Leur sens fait toujours l'objet de débats : on y voit des indications
diverses, sur le genre littéraire, sur l'exécution musicale, sur les circonstances dans lesquelles un psaume a été composé, sur la liturgie ou sur les
collections primitives qui ont constitué progressivement le Psautier, voir E.
Beaucamp, art. *Psaumes* dans le *Dictionnaire de la Bible, Supplément* 9,
1979, col. 137-140. On peut mesurer les problèmes que ces titres continuent
à poser par cette citation d'un exégète contemporain qui fait part de sa
perplexité — qui devait être aussi celle des chrétiens cultivés du IVe s. — en
ces termes : « Celui qui lit ou prie les psaumes demeurera toujours perplexe
face à ces titres qui obscurcissent plus qu'ils n'éclairent le contenu des
psaumes. Vient un moment pour lui où surgit la question suivante : en fin de
compte, suis-je sûr de bien comprendre ces textes dont les titres me sont si
obscurs ? Le contenu d'un psaume ne m'échappe-t-il pas si je n'en ai pas saisi
le sens ? » (D. Bourguet, « La structure des titres des psaumes », *RHPhR*,
t. 61, 1981, p. 109-110).

par Hippolyte dans son *Homélie sur les psaumes* [1]. Origène
traite la question des titres dans un passage de l'introduction
à son commentaire, sans doute écrit à Césarée, qu'on a
conservé (*PG* 12, 1060 C – 1072 B) [2]. Eusèbe, de son côté,
commente au fur et à mesure les titres des psaumes qu'il
explique.

En se présentant comme une étude systématique des titres
des psaumes, le traité de Grégoire occupe une place singu-
lière dans cette tradition : c'est en effet l'un des seuls exemples – sinon le seul – d'un commentaire intitulé *Sur les titres
des psaumes* et dont le projet initial se rapporte exclusivement à ceux-ci [3]. Jérôme cite bien un *De titulis Psalmorum*
(*Vir. ill.*, 87), mais il en crédite, par erreur, semble-t-il,
Athanase, si bien que M.-J. Rondeau s'est demandé si
« Jérôme ne songerait pas tout simplement à l'ouvrage de
Grégoire de Nysse [4] ». D'autre part, parmi les œuvres exégétiques de Grégoire de Nysse, il présente la particularité de
n'être pas constitué d'homélies prononcées devant un auditoire, comme les huit *Homélies sur l'Ecclésiaste* ou les
quinze *Homélies sur le Cantique des Cantiques*, de n'être
pas construit autour de la vie d'une figure centrale de
l'Ancien Testament comme Moïse, mais de présenter le
résultat élaboré d'une recherche sur un livre biblique, le
Psautier.

---

1. Éditée par P. Nautin, *Le dossier d'Hippolyte et Méliton*, Paris 1953,
p. 166-183.

2. Sur les trois commentaires d'Origène, voir P. Nautin, *Origène*, p. 261-
292.

3. D'après le témoignage de Théodoret qui en cite de brefs passages,
Eustathe d'Antioche a écrit *Sur les titres d'inscription sur une stèle* (λόγος
εἰς τὰς ἐπιγραφὰς τῆς στηλογραφίας) et *Sur les titres des psaumes des
montées* (λόγος εἰς τὰς ἐπιγραφὰς τῶν ἀναβαθμῶν), voir M. Spanneut,
Recherches sur les écrits d'Eustathe d'Antioche, Lille 1948, p. 65 et 70-71,
qui pense qu'il s'agit d'homélies. Les extraits conservés ne présentent pas de
points communs avec le traité de Grégoire.

4. *Commentaires* I, p. 84.

LA DATE DU TRAITÉ

Les spécialistes s'accordent, à la suite de J. Daniélou [1], pour placer l'*In inscriptiones Psalmorum* assez tôt dans la chronologie des œuvres de Grégoire, le situant peu après le *Traité sur la virginité*, daté de 371, dans une période qui précèderait, en tout cas, la mort de Basile [2], et qui pourrait correspondre à celle de l'exil entre 376 et 378. C'est l'avis de M.-J. Rondeau [3], de G. May [4], de M. Canévet [5] et, dernièrement, de R. E. Heine [6], selon qui l'inachèvement du traité [7] pourrait s'expliquer par le rappel de Grégoire à Nysse et son engagement dans les querelles théologiques qui devaient le retenir les années suivantes. De la même époque est certainement son *Homélie sur le sixième psaume*.

J. Daniélou fait valoir l'importance des thèmes platoniciens qui l'apparenterait à des œuvres qui reflètent une problématique semblable comme le *De mortuis*, le *De oratione dominica*, le *De beatitudinibus*, le rôle joué par la recherche de l'ἀκολουθία, méthode qui apparaîtrait ici pour la première

1. « La chronologie des œuvres de Grégoire de Nysse », *StPatr* VII, Berlin 1966, p. 159-169. J. Daniélou y révise la première datation qu'il a proposée, selon laquelle le traité aurait été rédigé à la fin de 387, cf. « Sermons », p. 368-371.

2. Celle-ci est fixée traditonnellement à 379. Elle a été récemment reculée à 377 ou 378, par P. Maraval, voir son article « La date de la mort de Basile de Césarée », *REAug* 34, 1988, p. 25-38.

3. « Exégèse », p. 520 n. 3 ; *Commentaires* I, p. 115.

4. « Die Chronologie des Lebens und der Werke des Gregor von Nyssa », dans *Écriture et culture philosophique dans la pensée de Grégoire de Nysse*, Leyde 1971, p. 51-67.

5. *Grégoire de Nysse*, p. 9 s.

6. *Gregory*, p. 8-11.

7. Le traité que nous lisons se termine, en effet, brutalement et n'a pas de conclusion. Grégoire annonce, en outre, en 47, 67, une exégèse du Ps 103, sur lequel il ne revient pas. Il semble donc avoir dû modifier son projet initial, voir *infra*.

fois [1] ; M. J. Rondeau parle de « l'usage intempérant d'une technique d'exégèse scolaire peu adaptée », qui en ferait « une œuvre de jeunesse », et avance l'absence du thème spirituel de l'épectase et de la ténèbre ; M. Canévet met l'accent sur la polémique anti-judaïque dont témoignent certaines exégèses du traité et que Grégoire abandonnera, pour affirmer qu'« on peut qualifier la problématique de l'*In inscriptiones Psalmorum* de réflexion de jeunesse [2] ». Mais tous ces arguments apparaissent fragiles et la chronologie d'ensemble de l'œuvre assez floue.

Il faut garder à l'esprit que l'œuvre conservée semble s'étendre sur un nombre relativement limité d'années, une vingtaine tout au plus, entre 370 et 390 – voire une dizaine, si l'on tient compte de sa période la plus productive qui débute vers 378 –, écrite par un homme d'une cinquantaine d'années (on pense qu'il est né vers 330), en pleine possession de ses moyens. Il est donc délicat de parler d'évolution et de progrès, d'autant que les différences qu'on repère entre les ouvrages peuvent être largement dues à celles des genres auxquels ils appartiennent. Il est possible de montrer que bien des thèmes rapprochent ce traité, jusque dans l'emploi des mêmes expressions, de *la Vie de Moïse* et des *Homélies sur le Cantique*, œuvres datées des dernières années de la vie de Grégoire. Si l'on admet que l'œuvre date de l'exil, il faut reconnaître qu'elle semblera plus tard à l'auteur suffisamment importante pour qu'il lui emprunte certaines exégèses et reste fidèle à l'interprétation d'un texte de l'Écriture comme support d'une montée spirituelle. Le seul autre texte où il mentionne les titres des psaumes est sa première *Homélie sur les quarante martyrs*, cf. *In XL* I, 138, 3 s. : « Ces

---

1. Point de vue critiqué par M. ALEXANDRE (« La théorie de l'exégèse dans le *De hominis opificio* et l'*In Hexaemeron* » dans *Écriture et culture philosophique dans la pensée de Grégoire de Nysse*, *Actes du colloque de Chevetogne*, Leyde 1971, p. 95), selon qui la méthode aurait d'abord été appliquée dans le *De hominis opificio* et l'*In Hexaemeron*.

2. *Grégoire de Nysse*, p. 237.

mystères de la psalmodie, remémoration (ἀνάμνησις Ps 37, 1 ; 69, 1), inscription sur une stèle (στηλογραφία Ps 15, 1 ; 55, 1...), pressoir (ἐπιλήνιος Ps 8, 1 ; 80, 1 ; 83, 1), nous les avons compris dans les titres des psaumes qui nous ont été lus (ἐν ταῖς ἐπιγραφαῖς τῶν ὑπαναγνωσθέντων ἡμῖν ψαλμῶν κατανοήσαντες) et nous voyons que par ces énigmes un point de départ qui n'est pas mince est offert à notre discours. » Comme cette homélie a été prononcée à Sébaste après la mort de Basile et qu'elle est datée, selon une hypothèse de J. Daniélou [1] confirmée par J. Bernardi [2], du 9 mars 383, on peut admettre que c'est bien vers cette époque, après la mort de son frère, au début ou au milieu des années 80, que Grégoire a réfléchi sur les titres des psaumes et rédigé le traité. Il ne nous paraît pas, en effet, être une simple esquisse d'autres écrits spirituels plus tardifs, mais témoigner d'une maîtrise incontestable et, à maints égards, comparable à celle des dernières œuvres.

1. « Sermons », p. 362-363.
2. *La prédication des Pères Cappadociens*, Montpellier 1968, p. 262 et 303-304.

CHAPITRE II

LA STRUCTURE DU TRAITÉ
ET SES PRINCIPALES ARTICULATIONS

Si les manuscrits donnent très peu de renseignements sur les divisions du traité et si la division en chapitres que nous connaissons date du xviiᵉ siècle (voir l'histoire du texte), Grégoire prend soin de préciser son plan, les différents sujets qu'il se propose de traiter, d'annoncer et de conclure un développement avant d'en entamer un autre : aussi est-il relativement aisé de reconstituer la structure du traité. Il est vrai que l'exégète est aussi attentif aux articulations de son commentaire qu'il est soucieux d'éclairer celles du texte biblique.

Préface

Après l'évocation des circonstances de la rédaction du traité, Grégoire annonce son plan : il va, avant d'en venir à l'étude des titres qui fait l'objet de la requête de son interlocuteur, présenter « une sorte d'introduction (ἔφοδόν τινα) selon les règles de l'art (τεχνικήν) » du livre des psaumes qui l'éclairera. Cette introduction constitue la première partie qui obéit à des règles de présentation rigoureuses : elle comprend d'abord l'élucidation du but (σκοπός) du Psautier, puis une vue d'ensemble de l'enchaînement (cf. ἀκολουθία) de ses différentes parties, correspondant à la progression des idées, et de l'ordre dans lequel sont disposés les psaumes.

PREMIÈRE PARTIE : INTRODUCTION GÉNÉRALE

LE CHAPITRE I : LA DÉFINITION DE LA FIN DE LA VIE VERTUEUSE ET SON ILLUSTRATION PAR LE PSAUME 1

La béatitude, qui est la fin de la vie vertueuse, est un état proprement divin auquel Dieu, cependant, peut faire participer l'homme, comme le montre le Ps 1 qui décrit l'homme bienheureux. Elle constitue donc le but de l'enseignement des psaumes qui proposent un chemin, une méthode progressive (cf. ἀκολουθία) pour son acquisition. Celle-ci n'est pas arbitraire, mais à la fois « naturelle et conforme aux règles de l'art » (2, 28). Le Ps 1 en donne déjà « une idée (ἔννοια) » (2, 32), puisqu'il distingue trois étapes en déclarant successivement bienheureux le rejet du mal, la méditation du divin et la ressemblance à Dieu.

LE CHAPITRE II : LA DÉFINITION DES RÈGLES POUR L'ACQUISITION DE LA VERTU

L'acquisition de la vertu passe par un certain nombre de procédés ou de règles qui forment une « introduction (εἰσαγωγή) à la vie vertueuse » (4, 24) : le chapitre en propose « l'étude selon les règles de l'art (τεχνικὴ θεωρία) » (9, 3). Ils sont définis sans lien apparent avec les psaumes, bien qu'ils soient, en fait, élaborés par rapport à eux comme le prouvent les deux chapitres suivants qui en montrent l'application dans les psaumes, et ils suivent également un ordre progressif « selon les règles de l'art » (3, 4). Ce sont les suivants :

savoir distinguer vie honnête et vie mauvaise, louer le bien
et blâmer le mal, rappeler l'exemple d'hommes vertueux
et d'hommes mauvais, détailler par des conseils la manière
de se détourner du mal. Enfin, vient en complément
de chacun des précédents, celui qui consiste à rendre sédui-
sant l'apprentissage de la vertu en y joignant le plaisir sensible.

Le chapitre III : l'illustration du rôle du plaisir dans l'apprentissage de la vertu par la musique des psaumes

La nécessité d'une séduction par le plaisir est illustrée par
celui que procure le chant des psaumes, ce qui donne lieu à
un ample développement sur la musique en général et les
raisons pour lesquelles elle est source de plaisir.

Le chapitre IV : l'illustration par différents psaumes des autres règles pour acquérir la vertu

C'est surtout le Ps 4 qui est cité et commenté : il illustre les
deux premières règles en montrant ce qui distingue la vertu
du vice et en quoi la première est préférable au second ; il est
complété, pour illustrer le thème de la condamnation du
vice, par des versets tirés des Ps 36 et 10. La règle des bons et
des mauvais exemples est illustrée par divers personnages
que mentionnent les Ps 98, 105 et 82. Enfin, Grégoire précise
que tout le Psautier peut servir à illustrer la dernière règle.

Les chapitres V-IX : la division du Psautier et le commentaire du premier psaume de chaque section (Ps. 1 ; 41 ; 72 ; 89 ; 106) et du dernier psaume (Ps 150)

Le chapitre V commence par présenter la division du
Psautier en cinq sections sur laquelle Grégoire fonde son

interprétation. Celles-ci sont délimitées par les quatre doxologies semblables qui figurent en finale des Ps 40, 71, 88 et
105 et qui marquent la fin des différentes sections.

A cette division qui ne doit rien au hasard, mais qui est
« conforme aux règles de l'art » (11, 2) correspond « un ordre
(τάξις) conforme aux règles de l'art » (12, 1), que Grégoire va
mettre en lumière par l'étude des psaumes initiaux de chaque
section. Ainsi la suite du ch. V commente les Ps 1 et 41 et
montre la progression de l'un à l'autre : au Ps 1, le pécheur,
invité à s'éloigner des voies du mal, goûte pour la première
fois au bien ; ainsi initié à la vertu, il aspire ardemment,
comme le cerf du Ps 41, à se désaltérer à la source des eaux,
c'est-à-dire à la plénitude divine et, quand il la rencontre, il
peut satisfaire son désir.

Le ch. VI commente le Ps 72 qui décrit l'étape suivante de
l'ascension spirituelle. Ayant donc puisé à la source divine au
stade précédent et ayant été transformé par elle, l'homme
bénéficie de la puissance contemplative de Dieu et peut
scruter la nature des êtres. Il ne s'arrête pas au spectacle de la
situation présente qui célèbre le bonheur du méchant et le
malheur du juste, mais il discerne, grâce à sa proximité avec
la nature divine, le sort réservé en espérance aux hommes de
bien.

L'ascension se poursuit dans la quatrième section dont le
sens est donné par le Ps 89 que commente le ch. VII. Celui
qui a atteint cette intimité avec Dieu au point de voir la vraie
valeur des choses monte dans cette partie avec Moïse à qui le
titre attribue le psaume, étant devenu tel « qu'il n'a plus
recours à la loi comme pédagogue, mais qu'il introduit la loi
auprès des autres » (14, 10). Le prophète, médiateur entre
Dieu et les hommes, lui montre l'exemple par la perfection de
sa vie et lui fait dépasser définitivement les illusions trompeuses de la vie matérielle en le faisant réfléchir sur lui-
même, sur sa nature muable qui certes le différencie de la
nature divine, mais lui donne aussi la liberté de choisir le
bien.

Le ch. VIII est une explication du Ps 106 dont le sens définit celui du cinquième et dernier degré. Après lui avoir fait franchir, d'un vol décidé, le monde des vanités inconsistantes, le psalmiste guide celui qui l'accompagne vers la cime de la contemplation, la récapitulation des nombreuses grâces divines reçues au cours de l'histoire du salut et la révélation de la rédemption universelle par le Christ.

Le ch. IX, enfin, porte sur le Ps 150 qui clôt à la fois le Psautier et sa dernière section. Terme d'une ascension dont il est la cime, le psaume célèbre la conséquence de la rédemption, la disparition du mal et l'unité retrouvée de tous les hommes qui pourront à nouveau danser en chœur avec les anges en louant Dieu et en jouissant d'une béatitude sans cesse grandissante.

DEUXIÈME PARTIE

Les chapitres I-IX : la question des titres

Au seuil de ce nouveau développement, Grégoire définit d'abord son programme : il se propose de présenter « une introduction selon les règles de l'art (τεχνικήν τινα ἔφοδον) » à l'étude proprement dite des titres, qui est le pendant de l'introduction à l'ensemble du Psautier qu'il annonçait dans sa préface et qu'il vient d'achever. Les termes de l'annonce en sont presque identiques : il insiste sur le rôle que joue le sens (διάνοια 29, 4) des titres sur le « chemin de la vertu » – thème sur lequel portait la demande d'éclaircissement faite à Grégoire – au service du « but (σκοπός) » de l'enseignement des psaumes qui peut maintenant, au terme des analyses qui précèdent, être précisé : « conduire l'esprit vers la béatitude véritable. » Par contraste avec la première, cette introduction est qualifiée de courte puisqu'elle s'étend jusqu'en 29, 62 avant l'examen des psaumes (πρὸ τῆς τῶν ψαλμῶν θεωρίας 29, 6).

L'objet du premier chapitre est d'opérer un classement, une division, ce que Grégoire appelle une διαφορά (29, 57) ou une διαίρεσις (30, 1) entre les titres. Ce souci de présenter une division entre les titres correspond à celui d'en présenter une entre les différentes parties du Psautier : comme ses sections ont servi de fil conducteur à l'introduction générale, la division entre les titres oriente ce nouveau développement. La principale division que met en évidence Grégoire est la suivante : en dehors du cas rare des psaumes sans titre, les titres sont soit identiques dans la LXX et en hébreu – cas de la plupart des psaumes –, soit différents, c'est-à-dire présents en grec et absents de l'hébreu. Les titres identiques et différents sont eux-mêmes l'objet de divisions plus fines : un grand nombre est cité au ch. I où ils sont répartis en différents groupes selon divers critères comme la présence d'un seul nom ou l'association de plusieurs termes. Mais c'est la première division qui commande le plan qui est présenté au début du ch. II : tout d'abord l'étude du cas le plus fréquent, celui des titres identiques, que Grégoire appelle γενικωτέρα ἑρμηνεία (30, 2-3) ou διάνοια (29, 61), et qui fait l'objet des ch. II à VII ; ensuite l'étude du cas particulier des titres différents, l'ἰδικωτέρα ἐξέτασις (30, 22-23), proposée aux ch. VIII et IX. En fait, ces deux derniers chapitres ne respectent pas tout à fait la symétrie comme on le verra.

Le parallèle avec le début du traité se poursuit au ch. II qui commence par mettre en évidence le but non plus du Psautier, mais des titres : s'il peut apparaître à première vue double – indiquer le sujet ou, souvent, montrer un action vertueuse –, Grégoire s'empresse de souligner son unité réelle qui est de conduire au bien. Il écarte l'objection que pourraient constituer les titres à contenu historique, dont la portée immédiate n'est pas spirituelle, en laissant entendre qu'ils ont un sens plus élevé, et annonce de la sorte des développements ultérieurs. Ainsi, dès le ch. IV, à propos du

titre du Ps 59, il écrit : « Il serait à la fois long et superflu de
faire le récit détaillé de la succession de l'histoire. Car que
retirerions-nous de plus, si nous connaissions le récit suivi de
ce qui s'est passé ? Il est préférable, selon moi, de montrer
brièvement par mon propos vers quoi conduit, de manière
figurée, le souvenir historique » (34, 37 s.). Et toute la suite
du traité montrera que n'importe quel titre vise l'unique but
de conduire au bien, qu'il s'agisse de titres identiques ou
différents, de même que la première partie avait montré que
le Psautier et ses cinq sections visaient la béatitude qui est
aussi le but ultime des titres. Telle est « l'idée (ἔννοια) », dit-il
en conclusion (30, 21), qu'il faut avoir au sujet des titres,
formule qui fait écho à celle du ch. I de la première partie (2,
32) qui, d'une brève analyse du Ps 1, « tirait une certaine idée
de l'objet proposé ».

Grégoire passe alors à l'analyse de différents titres présents aussi dans le TM jusqu'à la fin du ch. VII. Il commence
par examiner certaines expressions brèves qui reviennent
souvent dans les titres. La première, fréquente et énigmatique, « pour la fin », est présentée dans la suite du ch. II d'une
façon conforme aux règles de l'art – Grégoire qualifiera plus
loin cet exposé de τεχνολογία (55, 59) – : il définit son sens –
la fin des combats, c'est-à-dire la victoire –, puis son rôle –
encourager les combattants –, enfin il la relie aux formules
qui la suivent. Viennent ensuite « psaume », « chant »,
« éloge », « hymne », « prière » (ch. III). Puis il passe à des
titres isolés et plus longs : « au sujet de ceux qui seront
changés » (ch. IV), « au sujet des secrets du fils », « au sujet de
celle qui hérite », « au sujet de la protection matinale », « au
sujet du huitième jour », « au sujet des pressoirs » (ch. V),
« au sujet de Maeleth », « sortie de la tente », « inauguration
de la maison de David », « sortie de soi », « pour la remémoration », « pour la confession », « ne fais pas périr » (ch. VI).
Enfin l'examen de l'« alléluia » clôt cette section (ch. VII) et
permet un nouveau parallèle avec la première partie puisque
ce titre figure essentiellement dans la dernière section du

Psautier et que son sens – la louange de Dieu – correspond à celui de cette section. Ainsi est suggérée une relation entre l'organisation du Psautier et la disposition des titres et attestée une dépendance entre le sens des psaumes et celui de leurs titres.

Avec le ch. VIII devrait commencer l'ἰδικωτέρα ἐξέτασις des titres propres à la LXX. Mais il débute en fait par l'annonce inattendue d'un développement sur les psaumes sans titre, sur leur raison (αἰτία) d'être, qui offre un caractère personnel appuyé comme le montre la remarque suivante : « Nos découvertes, dans cette partie (μέρει), nous les proposons à l'appréciation des lecteurs » (40, 2). Parmi ces psaumes, Grégoire dégage tout d'abord (cf. προεκτιθέναι 40, 20) une « différence » ou une « division », celle qui sépare les psaumes sans titre « aussi bien chez les Hébreux que chez nous » et ceux dont le titre, propre à l'Église, « traduit le mystère de sa piété » : le chapitre va ensuite examiner successivement les premiers et les seconds. Si ces derniers relèvent bien de l'ἰδικωτέρα ἐξέτασις, ce n'est pas le cas des premiers – il s'agit seulement des Ps 1 et 2 qui ont la particularité d'être sans titre en grec comme en hébreu –, et leur examen rentre mal dans le cadre de celui des titres identiques puisque ces psaumes n'en ont pas : leur cas était bien évoqué au ch. I (29, 10), mais comme une catégorie à part. D'autre part, on note que les ch. VIII et IX ne se contentent pas d'expliquer seulement les titres de la LXX absents du TM comme dans les chapitres précédents où ils étaient étudiés en eux-mêmes, mais qu'ils associent à leur analyse celle du psaume dont ils forment l'en-tête ; pour certains psaumes il arrive même que le titre ne soit pas cité et que l'exégèse porte exclusivement sur le corps du psaume, ainsi du Ps 32. Autant d'éléments qui montrent qu'un nouveau plan est venu concurrencer l'ancien. L'une des raisons est sans doute que Grégoire tenait à commenter les Ps 1 et 2 qui s'inséraient mal dans le plan initial. Mais l'association de l'étude des titres et de celle des psaumes indique qu'à ce moment de son commentaire l'exégète ne peut plus isoler l'une de l'autre : il a bien conscience d'entamer un nouveau développement puisqu'il parle d'une nouvelle « partie ».

Sont ainsi successivement commentés au ch. VIII les Ps 32, 42, 70, 73, 90, 92, 93, au ch. IX les Ps 94, 95, 96, 98 et 103 dont le titre, absent de la Bible hébraïque, figure dans la LXX. Ils sont rejetés par les Juifs parce qu'ils révèlent le mystère chrétien et annoncent la venue du Christ.

LE CHAPITRE X : LE SENS DU *DIAPSALMA*

Ce chapitre a un statut particulier dans le traité puisque l'étude du terme *diapsalma* ne rentre pas directement dans son sujet : le mot, présent dans plusieurs psaumes, n'apparaît, en effet, dans aucun titre [1]. Cependant, comme il marque une coupure dans les psaumes dont l'importance est soulignée par l'interprétation qu'en donne Grégoire, il peut passer pour une sorte de titre, d'inscription en tête d'un nouveau développement.

Ce que propose l'exégète pour le *diapsalma*, c'est à nouveau « une introduction à la compréhension » (52, 30-31), expression qui reprend celle de la préface. Elle vise à donner un principe global d'interprétation qui permette d'éclairer toutes les occurrences du mot : Grégoire commence par l'établir en définissant le *diapsalma* comme l'intervalle durant lequel le prophète est inspiré par l'Esprit, puis l'illustre d'abord par l'étude de sa place dans le Psautier, ensuite par l'examen précis de sa fonction dans les Ps 3, 4 et 7 et du cas que représente le Ps 9. Au terme de cette introduction, il tient pour acquis un accord sur ce principe (« un sujet qui fait l'objet d'un accord » 52, 34), comme la conclusion de l'étude

---

1. Il traduit l'hébreu *selah* dont le sens est discuté : il semble désigner une prostration rituelle ou faire allusion à une bénédiction du prêtre ou aux acclamations de l'assistance, voir R. Schwab, introduction au fascicule *Psaumes* de la *Bible de Jérusalem*, p. 41.

introductive sur les titres se concluait aussi sur un accord concernant leur but (30, 20) : ici aussi l'auteur souligne les étapes de la démonstration logique et les articulations du raisonnement. D'autre part, son étude sur la place du *diapsalma* dans le livre des psaumes permet à Grégoire de valider son interprétation de la division du Psautier : ces deux types de division – celle en sections et celle introduite par les *diapsalmas* – ont une même cause, celle de l'ascension spirituelle. En effet l'absence du *diapsalma* dans la dernière section confirme la raison d'être de cette dernière étape du cheminement spirituel : être réservée aux parfaits, à ceux qui chantent « un hymne continu et ininterrompu » (49, 10) sans avoir besoin de s'arrêter pour recevoir un enseignement plus élevé. Grégoire montre ainsi que le Psautier présente une grande cohérence qui fait se correspondre sa structure générale et ses divisions mineures.

LES CHAPITRES XI-XVI : L'ABSENCE DE CORRESPONDANCE ENTRE L'ORDRE DES PSAUMES ET L'ORDRE HISTORIQUE

Cette dernière partie est consacrée à un problème depuis longtemps soulevé par l'exégèse, mais auquel Grégoire devait être particulièrement sensible parce qu'il touchait l'organisation du texte et sa logique : la contradiction entre l'ordre des psaumes et la chronologie des événements rapportés par leur titre. Origène, dans la préface à son *Commentaire des Psaumes* (*PG* 12, 1073 C – 1076 B), posait déjà la question de l'ordre des psaumes en remarquant que la plupart des psaumes qui suivent le Ps 50 ont été prononcés avant lui, si l'on en croit leur titre. Mais si le problème est ancien [1], la façon qu'a Grégoire de le traiter lui est personnelle par l'insistance mise sur l'ordre qui régit la disposition des psau-

---

1. Il est également posé par le Talmud où un rabbin défend l'idée que le classement adopté n'est pas celui de la chronologie, mais du rapprochement des idées, voir J.-M. Auwers, *Composition*, p. 11.

mes, établi en fonction du but général du Psautier qui est de conduire à la vertu.

Il avait déjà signalé au début de la seconde partie que les titres historiques avaient un but spirituel : cette même idée est reprise et étendue à l'ordre dans lequel ils sont disposés. Cet ordre, s'il n'est pas historique, n'en a pas moins sa logique qu'il revient à l'exégète de préciser, celle « d'attirer à l'existence véritable » (53, 13) : « L'ordre des psaumes est cohérent, puisque ce que recherche l'Esprit, comme on l'a dit, n'est pas de nous enseigner simplement l'histoire, mais de conformer nos âmes par la vertu à Dieu, selon ce que poursuit l'enchaînement du sens de ce qui est écrit dans les psaumes, non selon les exigences de l'enchaînement historique » (54, 4 s.). C'est cette cohérence que veut montrer ce dernier développement du traité à partir de deux séries de psaumes, les Ps 1-11 et les Ps 40-48, 50-58.

Le ch. XI l'illustre tout d'abord par l'exemple de la sculpture : le sculpteur, pour réaliser une statue correspondant à son modèle, obéit aux règles de son art qui lui font utiliser dans un certain ordre différents instruments, sans que leur date de fabrication détermine le meilleur moment pour leur emploi : ainsi en va-t-il des psaumes dont il importe peu de savoir quand ils ont été prononcés, du moment qu'ils sculptent l'âme en la rendant semblable à son modèle divin, ce qui suppose ici aussi de procéder selon un autre ordre que celui, chronologique, de leur composition.

En prenant alors l'exemple des onze premiers psaumes, Grégoire rédige une introduction, ce qu'il appelle à nouveau une ἔφοδος (57, 48), à la question de l'enchaînement des psaumes ; il y montre que les onze premiers – inaugurant le Psautier, ils en constituent un échantillon représentatif –, à la fois par leur titre et par leur ordre de succession, indiquent une progression vers le mieux. Cette introduction en fait la démonstration – sans aborder directement le problème d'une contradiction avec l'ordre de l'histoire que les psaumes étudiés ne posent pas – en associant exégèse des titres et exégèse des psaumes, titres et psaumes étant indissociables dans une analyse qui vise à prouver l'enchaînement du texte. Celui qui s'est éloigné au Ps 1 du mal se tourne vers le Christ au Ps 2 qui annonce l'incarnation, et corègne avec lui, puis est déchu au Ps 3 de sa royauté par Absalom, figure du mal et de l'adversaire, qu'il doit fuir, mais dont il est finalement victorieux par le bois de la Croix et le nom du Christ, victoire confirmée par le titre du Ps 4. Ce dernier, en effet, et ceux qui le suivent, mentionnent la « fin » victorieuse. Ils sont autant de victoires remportées sur l'adversaire, victoires qui sont la conséquence l'une de l'autre. Le Ps 4 célèbre la victoire sur les plaisirs matériels, le Ps 5 celle de la foi sur la loi, le Ps 6 celle du huitième jour dont le rappel est une incitation au repentir qui est le thème du psaume. Celui qui est absous au Ps 6 peut engager au Ps 7 un nouveau combat contre Absalom qui aboutit au suicide d'Achitophel – le mal se condamnant lui-même. Le Ps 8 consacre cette victoire en mentionnant la destruction de l'ennemi et en faisant observer la supériorité de l'homme sur les bêtes et sa parenté avec les anges. Au Ps 9, il dépasse le visible pour aborder les mystères du Logos et met fin à l'orgueil de l'ennemi qui lui dresse des embuscades. Le Ps 10 chante alors la confiance en Dieu, devenue plus parfaite, et le Ps 11, en rappelant la victoire du huitième jour, célèbre le jour de l'anéantissement des impies menteurs et du salut des justes.

Le même type de démonstration est fait au ch. XII sur les Ps 40-48 que Grégoire retient parce qu'ils ont la particularité, pour le Ps 40 de conclure la première section du Psautier, et pour les autres d'inaugurer la seconde – leurs titres ne contiennent pas de références historiques et le problème d'une contradiction avec la chronologie ne se pose pas. Le Ps 40 lui-même témoigne de la progression réalisée au long de la première section et fait office de conclusion : son macarisme initial fait écho à celui du Ps 1, mais il célèbre non plus la séparation du mal, mais la connaissance du Dieu monogène. Une nouvelle ascension commence au Ps 41.

Celui qui abandonne son père malfaisant et apostat, Coré, devient le fils adoptif du père véritable et triomphe des mauvaises pensées : il a soif de la nature divine au Ps 41 et devient jeune au Ps 42. Le Ps 43 célèbre la victoire des descendants de Coré sur l'ennemi, victoire prolongée au Ps 44 par la connaissance du bien-aimé qui révèle sa nature et reprise de façon plus mystérieuse au Ps 45 qui annonce l'incarnation du Seigneur que toutes les nations chantent au Ps 46. Le Ps 47 révèle le mystère de la foi au Christ et le Ps 48 l'universalité du salut.

La dernière séquence de psaumes examinée par Grégoire à partir du ch. XIII (Ps 50-58), qui attestent chacun la fin victorieuse d'un combat, pose explicitement, à la différence des précédentes, le problème de l'ordre de succession des psaumes puisque le Ps 50, 2 se réfère à l'épisode de Bersabée situé bien après celui de Doèk mentionné au Ps 51, 2 qui est lui-même situé après celui de la tentative de meurtre de Saül indiqué au Ps 58, 1. Ceci explique la longueur du développement que Grégoire consacre à cette série de psaumes : il occupe en effet plus du quart du traité.

Le ch. XIII, qui porte sur les Ps 50-54, commence par évoquer rapidement le Ps 50, psaume dont le titre indique qu'il a été prononcé par David après qu'il est allé vers Bersabée : il célèbre la victoire de celui qui a établi en lui le repentir. Celui qui parvient au Ps 51 s'identifie toujours à David et est victorieux de Doèk qui ne peut l'affronter de face, mais a recours à la dénonciation – berger des mules stériles, il attire l'âme vers le mal. Enraciné en Dieu, il s'en prend au Ps 52 à l'insensé qui nie l'existence de Dieu et célèbre par des chœurs de danse sa victoire. Au Ps 53, il l'emporte sur les Ziphéens, nation des démons qui est impuissante à lui barrer la voie des Évangiles. Puis il est à nouveau vainqueur, cette fois d'un adversaire plus puissant, la population maléfique qui habite la cité décrite au Ps 54.

Le ch. XIV, qui commente les Ps 55 et 56, commence par un résumé de la lutte remportée au Ps 54. Celui qui en est sorti raffermi est victorieux au Ps 55 grâce à l'alliance de celui qui combat pour le salut de l'humanité séparée de Dieu, et retrouve l'intimité avec Dieu perdue après la chute. Au Ps 56, suivant l'exemple de David qui épargne Saül – exemple évoqué par le titre qui mentionne l'expression « ne fais pas périr » –, il devient maître de ses passions et parvient, grâce à la miséricorde divine, à s'élever suffisamment au-dessus de ses opposants pour s'éloigner de la terre et pour glorifier Dieu.

Le ch. XV porte sur le Ps 57 qui décrit une victoire encore supérieure aux précédentes, même si son titre est un abrégé de celui du Ps 56 et reprend l'expression « ne fais pas périr » : celui qui est parvenu à cet échelon, s'il est saisi de colère, sait désormais l'apaiser en suivant la parole directement inspirée à David par l'Esprit saint et atteint les hauteurs célestes d'où il domine ses adversaires sans avoir plus besoin de solliciter la miséricorde divine et d'où il peut adresser des reproches aux pécheurs.

Enfin, le ch. XVI contient le commentaire du Ps 58 sur lequel se conclut le traité. C'est une nouvelle étape, plus élevée, du cheminement spirituel. Il célèbre plus explicitement la vertu de magnanimité puisque, si le titre du psaume cite à nouveau la parole « ne fais pas périr », la grandeur de cette dernière ressort par contraste avec la volonté meurtrière de Saül explicitement affirmée. En harmonie avec le titre, les versets du psaume sont un appel adressé à Dieu par le juste persécuté alors qu'il n'a fait de tort à personne et une description de la vie misérable de ses adversaires, puis ils annoncent l'économie du salut et la victoire par la disparition du mal.

Un traité inachevé ?

Le traité s'arrête brutalement sur le Ps 58,17 : inachèvement ou accident ? Deux érudits de la Renaissance ont remarqué que le traité ne couvrait pas tous les psaumes et se sont interrogés : M. Deuarius s'est demandé si c'était bien la totalité du traité qui figurait dans son exemplaire (remarque figurant à la fin du *Vat. gr. 452*, voir *infra* p. 115) ; J. Vaz Motta, dans l'introduction qui précède sa traduction latine, écarte l'hypothèse d'un exemplaire incomplet et est d'avis que Grégoire n'est pas allé au-delà (fol. 29 : *credo certe magis scriptorem ipsum non ulterius fuisse progressum*). C'est le point de vue le plus vraisemblable. Reste la question posée par la fin brutale et la remarque sur le Ps 103 (« De ce psaume, nous exposerons au moment opportun le sens » 47, 67) qui font penser que Grégoire projetait d'examiner d'autres psaumes. Pourtant on ne doit pas négliger plusieurs arguments qui peuvent être invoqués en faveur de l'achèvement du traité. D'abord, au terme du ch. XVI, la plupart des titres du Psautier ont été étudiés (voir *infra* p. 45) et la question traditionnelle de la contradiction de leur succession avec l'histoire traitée. Ensuite deux indices permettent de supposer que l'examen du Ps 58 conclut la série de psaumes de la troisième section que Grégoire comptait commenter : l'étendue et la richesse uniques de l'exégèse du titre du Ps 58 qui en font un sommet, d'une part ; la longue interprétation du titre du Ps 59 au ch. IV qui dispensait d'y revenir, d'autre part — sans compter que Grégoire aurait eu du mal à concevoir un progrès entre les deux psaumes. Enfin, comme les seules notices historiques restantes, susceptibles d'être commentées, étaient celles des Ps 62 et 141 qui se référaient aux mêmes moments de la vie de David, Grégoire aurait dû aborder un nouveau thème après l'exégèse du Ps 58. Or, rien, ni dans l'introduction ni dans la suite, n'annonce un tel développement, hormis l'indication sur le Ps 103 qui peut très bien relever de l'effet rhétorique. Il est donc probable que nous lisons le traité sous sa forme achevée et qu'il constituait ainsi, aux yeux de Grégoire, un ensemble cohérent. L'impression d'inachèvement qu'il laisse est même sans doute voulue : elle correspond bien à une pensée attachée à la progression indéfinie des étapes spirituelles.

CHAPITRE III

PRINCIPES HERMÉNEUTIQUES
ET MÉTHODE EXÉGÉTIQUE

L'inspiration des titres

L'*In inscriptiones Psalmorum* est pourvu d'un titre trompeur, car, si la question des titres est bien le sujet explicite de l'œuvre comme le montre la préface, seuls les sept premiers chapitres de la deuxième partie lui sont exclusivement consacrés : ils sont absents, à l'exception du titre du Ps 89, de la première partie et, dans la deuxième, en dehors des ch. I à VII, sont traités en liaison avec le psaume dont ils constituent l'en-tête. De fait, Grégoire prend soin de ne pas les séparer du contexte auquel ils appartiennent, sans, pour autant, chercher à minimiser leur valeur. Celle-ci est à ses yeux indiscutable. Or, un des problèmes traditionnels qu'ils posaient était celui de leur inspiration. Hippolyte avait défendu, contre de mystérieux hérétiques, la thèse que les titres ont un sens inspiré et n'ont pas été introduits après coup. Origène les avait également tenus pour dignes de foi, avait expliqué leur sens et leur adéquation au contenu des psaumes qu'ils précèdent. Mais, à l'époque de Grégoire de Nysse, un antiochien, Diodore de Tarse, se montre critique à l'égard de leur authenticité et de leur exactitude : « les titres sont le plus souvent fautifs [1] », écrit-il, ils sont sans lien avec le contenu

1. *In Ps*, Praef. p. 6, l. 120.

du psaume, exacts seulement dans vingt-et-un cas, bref peu dignes d'intérêt [1]. A l'inverse, Grégoire reconnaît qu'ils correspondent aux psaumes : ainsi, il affirme du Ps 55 qu'« on ne peut prétendre que le sens du psaume ne concorde pas avec les énigmes du titre » (70, 10), et il souligne l'enchaînement du titre et des versets du Ps 3 qui s'enchaîne lui-même au titre du Ps 4 : « C'est après avoir fui au moment opportun celui qui se lève contre lui (cf. Ps 3, 1)... et avoir dit : 'Ils se sont multipliés, ceux qui me persécutent et ils sont nombreux à se lever contre moi' (Ps 3, 2) et toute la suite du psaume, qu'a lieu le commencement de la victoire (cf. Ps 4, 1) » (55, 50 s.). Loin, donc, de contester le caractère inspiré des titres, il fonde au contraire sur lui son exégèse qui ne présente pas le caractère critique de celle de Diodore. Aussi, bien que la demande adressée à Grégoire témoigne surtout d'une préoccupation spirituelle − faire voir à tous que ces notices énigmatiques sont susceptibles de mener à la vertu −, il est possible qu'elle traduise aussi la volonté de démontrer contre certains que les titres ne doivent pas être négligés, mais qu'ils font partie intégrante de l'Écriture inspirée et s'y insèrent parfaitement. Il n'est donc pas exclu que le traité présente un arrière-plan polémique.

L'ENCHAÎNEMENT DU TEXTE

En soulignant l'insertion des titres dans leur contexte, Grégoire est fidèle à sa grille de lecture habituelle, la recherche de l'ἀκολουθία du texte [2]. D'une façon plus générale, on aura pu mesurer combien il se montre soucieux, tout au long du traité, de faire apparaître un enchaînement rigoureux entre les psaumes qui inaugurent les différentes sections et entre plusieurs psaumes consécutifs d'une même section, de rechercher un ordre derrière des contradictions apparentes,

1. Voir J.-N. GUINOT, L'exégèse de Théodoret de Cyr, Paris 1995, p. 686.
2. Voir J. DANIÉLOU, Être, ch. 2.

de porter une grande attention à la place qu'occupent dans l'ensemble du livre les *diapsalmas*.

Il part du principe que les mots du texte, les stiques, les psaumes et les sections du Psautier ne sont pas disposés au hasard, mais que leur place a une raison d'être. Cette raison, c'est qu'ils sont enchaînés les uns aux autres, qu'ils suivent un ordre : chacun possède une θέσις, mais est également inséré dans une τάξις. L'ἀκολουθία se situe, en effet, à plusieurs niveaux : celui du stique puisque la suite des mots d'un titre constitue une ἀκολουθία (63, 2), celui du psaume puisque, pour chaque psaume, il y a une τάξις τῆς ἀκολουθίας (41, 8), celui de la section car les psaumes s'y succèdent logiquement, enfin celui du Psautier, puisque chaque section est enchaînée à la précédente. Grégoire s'emploie à démontrer sa présence à tous ces niveaux, car il associe à l'idée d'enchaînement celle de progrès : le sens ultime de l'ἀκολουθία est d'être une ascension progressive vers Dieu, autre thème majeur de la pensée grégorienne.

Une anabase spirituelle [1]

Le traité a un enjeu, affirmé dans la Préface, celui de montrer que les titres des psaumes conduisent à la vertu. Un esprit aussi synthétique que Grégoire ne pouvait se contenter de passer en revue les différents titres et d'illustrer, pour chacun d'eux séparément, le thème proposé, en montrant que chaque titre offre une leçon de vertu. Il a donc d'abord considéré que l'étude des titres ne pouvait faire l'économie de celle du livre dont ils relevaient, étude seule susceptible d'éviter l'éparpillement. Aussi s'est-il représenté les cinq parties du Psautier, telles que les définissait la division traditionnelle, comme autant d'étapes d'un cheminement, dont le premier psaume offre l'idée générale et le dernier l'aboutis-

1. Cf. M.-J. Rondeau, « Exégèse », p. 517-531.

sement. Après avoir précisé qu'il existe une dynamique de
la vie morale et fixé un but à la vie vertueuse, la béatitude,
il montre que le Psautier n'offre pas seulement un enseignement des vertus disséminé tout au long des psaumes,
mais qu'il obéit, lui aussi, à une dynamique, en proposant
une progression, à travers ses cinq sections, jusqu'à la béatitude.

Cette exégèse correspond au souci constant chez Grégoire
de considérer la vie spirituelle, par opposition à la vie sensible, comme un mouvement vers le haut, une amélioration.
C'est là un thème qui inspire, par exemple, sa lecture des
Béatitudes [1], de la *Vie de Moïse* ou du *Cantique des Cantiques* et dont l'importance était déjà soulignée par Origène :
« Celui qui fait route vers la vertu progresse en marchant
pour y parvenir peu à peu, par les nombreux progrès de son
cheminement. Faisant donc route et marchant comme avec
des pas, il dépasse toujours et va au-delà de ce qu'il a expliqué, et, laissant ce qui est derrière lui, il se porte vers ce qui
est en avant. Passant donc il va d'abord au-delà du lieu de la
méchanceté, et de là s'avançant par des pas et des marches, il
dépasse les autres pointes du péché, puis les rochers escarpés
de la perversité et ceux, glissants et à pic, des vices. Or quand
il a franchi tout cela, 'se portant toujours vers ce qui est en
avant', il ne lui reste guère de méchanceté, mais tout ce qui
favorise sa route [2]. » Ce texte est étonnamment proche de la
spiritualité grégorienne et on aura reconnu les formules pauliniennes chères au cappadocien. Mais la particularité du
traité est la rigueur avec laquelle Grégoire applique à un livre
de l'Écriture ce schéma spirituel. Il retient, en effet, pour
définir le sens de chaque étape de cette « anabase » celui qu'il
tire du psaume initial de chaque section, en accordant une
place privilégiée au Ps 1 qui définit par son premier mot le
but général du livre – la béatitude – et, dans ses premiers
versets, à la fois résume toute la montée ultérieure et indique

---

1. La montée comprend, dans cette œuvre, huit étapes.
2. *Hom. in Ps* 36, 23 (36, IV, 1, *SC* 411, p. 183).

la portée limitée de la première étape comme détachement du mal. A ce psaume initial correspond le psaume final auquel il consacre un chapitre et qui témoigne de la réalisation du but progressivement approché par l'éloignement du mal au Ps 1, le désir de l'union à Dieu au Ps 41, l'acquisition d'un regard pénétrant sur la réalité au Ps 72, le dépassement définitif, à l'exemple de Moïse, du sensible au Ps 89, enfin la révélation du salut apporté par le Christ au Ps 106. Si ces étapes ne sont pas définies d'une façon arbitraire à partir de ces différents psaumes et si elles ne correspondent pas à un schéma prédéterminé [1], cependant, ce qui est manifestement essentiel aux yeux de Grégoire, ce n'est pas leur nombre, le contenu exact et distinct de chacune d'elles qui peut parfois paraître n'avoir rien de spécifique – tel le rejet du mal, présent à tous les niveaux –, mais le fait qu'elles forment une échelle, que chacune témoigne d'un progrès par rapport à la précédente, ne serait-ce que parce qu'elle lui succède. Il en est de même dans la série des psaumes commentés dans les derniers chapitres de la deuxième partie où l'exégète s'évertue à démontrer qu'il existe une progression entre plusiers psaumes consécutifs. Une telle perspective est révélatrice d'une pensée préoccupée avant tout de dynamisme spirituel.

L'ORIGINALITÉ DU TRAITÉ

C'est dans sa première partie, où Grégoire dégage de la division du livre en cinq sections un schéma de progrès spirituel en cinq étapes, qu'apparaît le mieux son originalité par rapport aux commentaires du Psautier antérieurs, c'est-

1. Comme celui, mentionné par GRÉGOIRE (cf. *Cant* 17), de l'éthique, de la physique et de l'époptie, auxquelles Origène fait correspondre la trilogie des livres de Salomon, cf. M.-J. RONDEAU, « Exégèse », p. 521 : « Les traits du schéma origénien sont redistribués par Grégoire selon un ordre qui n'est plus celui d'Origène. »

à-dire ceux d'Origène, d'Eusèbe [1] et les homélies de Basile. La deuxième partie est, elle, plus traditionnelle et Grégoire y dépend visiblement de ses prédécesseurs. On repère chez ces derniers une étude des mêmes questions que Grégoire reprend : exégèse des titres, étude du *diapsalma* et problème de l'ordre des titres par rapport à l'histoire. Si, pour chacun de ces thèmes, Grégoire, en apportant sa propre contribution personnelle, notamment par la mise en lumière de l'enchaînement, tout en évitant d'aborder certaines questions [2], se montre novateur, il hérite néanmoins d'un schéma général fixé par la tradition, comme l'indique le fait qu'il se sente tenu de traiter du *diapsalma*, mot qui ne rentrait pas directement dans le champ de l'étude des titres. S'il y consacre un chapitre, d'ailleurs, c'est non seulement parce qu'il semble être de règle d'étudier l'expression quand on commente les psaumes, mais aussi parce qu'il peut montrer le bien-fondé de l'interprétation générale du Psautier qu'il a d'abord donnée [3].

UNE INFLUENCE NÉOPLATONICIENNE ?

On a voulu voir dans la systématicité de la méthode exposée dans la première partie et dans la volonté de déterminer un but unique du texte une influence néoplatonicienne. M.-J. Rondeau [4] a appliqué, en effet, à Grégoire de Nysse la thèse défendue par A. Kerrigan [5] à propos de Cyrille d'Alexandrie

1. Dans la mesure où ce que nous en avons conservé permet la comparaison.

2. Par exemple, les questions d'historicité, comme celles portant sur l'identité de l'auteur des psaumes ou sur le contexte précis de leur rédaction, questions posées par Origène et par l'école d'Antioche, et qui ne rentrent pas dans la problématique spirituelle qui intéresse, au premier chef, Grégoire.

3. L'absence du *diapsalma* dans la dernière étape montre qu'on y est parvenu à la perfection.

4. « D'où vient », p. 263-287.

5. *St Cyril of Alexandria's interpretation of the Old Testament*, Rome 1952, p. 87 s. La thèse est rappelée par M.-O. BOULNOIS dans *Le paradoxe trinitaire chez Cyrille d'Alexandrie*, Paris 1994, p. 76-86.

qui recherche, lui aussi, le *skopos* des différents livres qu'il explique. Voici un texte significatif, non cité par A. Kerrigan, tiré des *Glaphyra in Exodum* I [1] : « Après avoir distingué chacun des chapitres (ἀποδιελόντες ἕκαστα τῶν κεφαλαίων) qui se trouvent dans les cinq livres de Moïse (τοῖς πέντε Μωσέως βίβλοις) et bien considéré le but de la pensée qu'ils contiennent (τῆς ἐν αὐτῷ θεωρίας τὸν σκοπὸν εὖ μάλα προθεωρήσαντες), nous avons réuni opportunément, je veux dire dans un ordre qui convient tout à fait à chacun (συντεθείκαμεν ἐπὶ καιροῦ καὶ ὡς ἐν τάξει δὴ λέγω τῇ ἑκάστῳ πρεπωδεστάτῃ), tout ce qui était nécessaire et le plus profitable pour les prescriptions morales (ταῖς ἠθικαῖς ὑφηγήσεσιν) [...] Nous composerons donc le commentaire du livre (τοῦ βιβλίου συγγραφήν) en procédant non pas de façon continue et suivie (οὐκ ἀπαραλείπτως καὶ ἐφεξῆς) en passant par chaque chapitre ; mais, en examinant autant que possible avec exactitude et subtilité ce dont on constatera l'utilité pour le but proposé (ἃ δ'ἂν ὁρῷτο λοιπὸν τῷ προκειμένῳ σκοπῷ χρήσιμα), nous atteindrons directement la vérité. Or puisque le but du livre (ὁ τοῦ βιβλίου σκοπός) se rapporte à la délivrance par le Christ, il est absolument nécessaire (πᾶσά πως ἀνάγκη) de montrer que le genre humain a auparavant été en péril ». A. Kerrigan note que les néo-platoniciens commençaient leur commentaire des dialogues de Platon en déterminant leur *skopos*, selon la règle de l'εἷς σκοπός qui aurait été fixée par Jamblique [2]. L'auteur cite Jean Chrysostome qui souligne

---

1. *PG* 69, 385 B-388 B.

2. C'était la première des sept questions préalables au commentaire des textes de Platon et d'Aristote posées par les néoplatoniciens. Venaient ensuite celles de l'utilité du livre (τὸ χρήσιμον), de son authenticité, de sa place dans l'ordre de la lecture (ἡ τάξις τῆς ἀναγνώσεως), de la raison d'être de son titre (ἡ αἰτία τῆς ἐπιγραφῆς), de la partie de la philosophie dont il relevait, enfin de sa division en chapitres (ἡ εἰς τὰ κεφάλαια διαίρεσις), cf. I. HADOT, « Les introductions aux commentaires exégétiques chez les auteurs néoplatoniciens et les auteurs chrétiens », dans *Les Règles de l'interprétation*, éd. M. Tardieu, Paris 1987, p. 99-122. L'auteur a montré qu'Origène

également son rôle pour une lecture utile de l'Écriture :
« Comme un bâtiment sans fondation est de piètre qualité, de
même l'Écriture, sans la découverte de son but (ἄνευ τῆς
εὑρέσεως τοῦ σκοποῦ), est sans utilité (οὐκ ὠφελεῖ) [1]. » Il
remarque que ce principe exégétique est adopté par Athanase, Théodore de Mopsueste et Grégoire de Nysse (dont il
cite *Eccl* VII, 2, 79). A son tour, M.-J. Rondeau voit dans la
lecture systématique du Psautier proposée par Grégoire –
recherche de la visée unique, de l'enchaînement significatif,
rôle de l'initiale prégnante – un témoignage d'une influence
de l'école néoplatonicienne, particulièrement de Jamblique :
« Grégoire, du fait du *skopos* unique, propose une lecture
uniquement sapientielle du Psautier [...] il ordonne les éléments prophétiques ou typologiques, quand il les discerne, à
ce qui lui paraît le dessein d'ensemble du Psautier : mener
l'homme à la béatitude [...] Si le Christ apparaît parfois dans
l'*In Inscriptiones Psalmorum*, ce n'est pas au niveau de sa
personne considérée en elle-même, mais toujours en fonction
de l'optique sapientielle et dans le cadre d'une théologie de la
vie spirituelle. Cette façon de résoudre par intégration et
superposition une éventuelle dualité de *skopos* rappelle la
démarche de Proclus [2] » ; « Grégoire, comme Eusèbe, analyse l'enchaînement significatif de quelques séquences de
Psaumes (Ps 1/10, 44/48, 51/58), mais la nature de cet
enchaînement, partout identique, lui est dictée par le *skopos*
unique du Psautier. C'est la catégorie du *skopos* unique,
inconnue d'Eusèbe, qui donne à l'*akolouthia* grégorienne
son caractère continu, unitaire et systématique [3]. »

L'hypothèse d'une telle influence sur les catégories exégétiques de Grégoire dans ce traité est reprise par A. Le Boul-

---

était déjà le témoin de la plupart de ces règles scolaires dans la préface de son
Commentaire sur le Cantique.
1. *In Ps* 3, *PG* 55, 35.
2. « D'où vient », p. 270.
3. *Ibid.*, p. 281.

luec [1] qui ne lui fait pas moins d'importantes objections : il
récuse l'hypothèse d'un emprunt d'une « règle de l'initiale
prégnante » à l'exégèse néo-platonicienne, puisque cette
règle, en fait, n'existe pas, et il souligne que le choix de la
béatitude comme but du Psautier doit plus à la valeur de
cette notion dans le christianisme qu'à sa première place
dans le Psautier [2]. Il nous semble, pour notre part, que
l'hypothèse d'un emprunt direct par Grégoire de règles
exégétiques en vigueur dans l'école néoplatonicienne est
improbable [3]. Ni le rôle qu'il fait jouer aux premiers
mots [4], ni le souci de déterminer le but du Psautier et des

1. « L'unité du texte : la visée du psautier selon Grégoire de Nysse », dans
Études de littérature ancienne, t. 3. Le texte et ses représentations, Paris
1987, p. 159-166. R. E. HEINE, pour sa part, sans apporter d'arguments
nouveaux, va jusqu'à écrire en conclusion de son étude : « His treatise on the
inscriptions of the psalms may, in fact, be one of the best preserved
examples of the influence of Iamblichus' hermeneutics on Christian exege-
sis of the Bible » (*Gregory*, p. 80).

2. Grégoire a sans doute lui-même été frappé par l'heureuse coïncidence
entre la nature du mot et sa place dans le Ps 1. Il ne s'appuie d'ailleurs pas
sur cette place pour déterminer le but du Psautier, mais sur une citation
paulinienne et une définition philosophique, auxquelles il rattache les premiers versets du Ps 1, comme illustration de ce but, car ils permettent
d'avoir « une certaine idée du sujet » (2, 32-33). Quand il emploie la formule
εἶς σκοπός (30, 12) à propos du texte [il affirme aussi que la vie morale ne
doit avoir qu'un but 19, 21], il la réserve à l'unité du psaume, pour préciser
qu'un titre de psaume n'a qu'un but, celui de conduire à un bien, même s'il
a aussi comme but l'indication du sens du psaume, car les deux finissent par
coïncider. On notera, en outre, qu'il accorde de l'importance au début d'un
texte, mais que la détermination de ce début est variable : ce peut être le titre
pour le Ps 89 ou le premier verset qui le suit pour le Ps 72. Tout dépend de
l'interprétation que Grégoire souhaite donner.

3. En outre, dans le détail du texte, Grégoire est beaucoup moins dépen-
dant d'une influence néoplatonicienne qu'on ne l'a dit, et, même là où on
constate une thématique proche de celle d'un Plotin, celle-ci doit plutôt être
mise au compte de la culture générale d'un esprit cultivé du IVe s.

4. L'idée que le début d'une œuvre ou d'une section d'œuvre contient en
germe tout le développement qui suit était enseignée dans les écoles de
rhétorique, voir ARISTOTE, *Rhét.* III, 14 ; CICÉRON, *De Or.* II, 79, 320 ;
QUINTILIEN, *Inst. Or.* IV, 1.

psaumes [1], ni celui de chercher un enchaînement des psaumes ne peuvent constituer un indice suffisant et probant.

L'ART DE LA CONSTRUCTION

D'ailleurs, s'il est vrai que Grégoire accorde, dans son
exégèse, une grande importance au début du Psautier ou des
différents psaumes qu'il explique, il en accorde autant à la fin
aussi bien du Psautier (Ps 150) que des psaumes particuliers.
Car, à ses yeux, début et fin renvoient l'un à l'autre. Le début
est déjà gros d'un développement dont le terme marque
l'aboutissement et la conclusion, en écho aux indications
initiales. C'est ce qui explique que le psaume initial d'une
section soit supposé en déterminer le sens, sans qu'il soit
nécessaire d'examiner tous les psaumes, et que le dernier
psaume de chaque section circonscrive, par sa doxologie
conclusive, en écho à son psaume initial, le chemin parcouru
(cf. 27, 5). Ce souci de la construction apparaît d'autant plus
nécessaire que le risque d'éparpillement, avec un livre
comme le Psautier, est grand et s'explique par l'importance
que revêt la démonstration d'un enchaînement d'un psaume
à l'autre qui impose de s'arrêter particulièrement au début et
à la fin de chaque poème. Il en résulte un jeu de symétrie

4. Voir aussi M. HARL, « Le guetteur et la cible : les deux sens de
ΣΚΟΠΟΣ », dans *La langue de Japhet*, p. 221, n. 35 : « Est-il nécessaire de
rattacher à Jamblique la méthode exégétique qui consiste à se demander
quel était le σκοπός de l'écrivain dont on commente le texte [...] puisqu'elle
est si nettement exposée dans le traité d'herméneutique d'Origène ? » Cf.
l'introduction à la *Philocalie*, *SC* 302, p. 75 s. à propos de Ph 1, 14-21 (= *Peri
Archôn* 4, 1, 14-21) sur l'exposé des deux buts (σκοποί) de l'Esprit, révélation des mystères du salut et dissimulation de ces mystères et p. 90 : « Sous
l'enchaînement, ἀκολουθία, du texte superficiel (la continuité des textes lus
dans leur littéralité), il y a l'« enchaînement » des vérités sous-jacentes aux
textes, l'εἱρμὸς τῶν πνευματικῶν (§ 16) ». S'il y a ici influence du néoplatonisme sur Grégoire, c'est par l'intermédiaire d'Origène : les règles qu'Origène avait empruntées, selon I. Hadot, à l'école platonicienne, devaient être
connues de Grégoire par son intermédiaire un siècle plus tard.

auquel Grégoire est manifestement sensible. Cette symétrie, il la découvre à l'œuvre au niveau de l'organisation du Psautier, mais il cherche aussi à la mettre en évidence en expliquant certains psaumes, comme le Ps 106, dont il privilégie les premiers et derniers versets en insistant sur leur complémentarité.

Et cette règle, il l'applique à la propre construction de son commentaire, en reprenant, au terme de ses exégèses, les expressions et les thèmes qui les introduisent, lestés alors de toute la richesse des interprétations qui ont précédé, et en veillant avec soin aux transitions. C'est ainsi que, dans la première partie, le ch. IX renvoie au ch. I, comme le Ps 150 au Ps 1. D'une façon générale, on a pu voir que Grégoire soumettait ses développements à un plan toujours défini avec précision et aux articulations étudiées, qu'il cherchait à rendre la plus claire possible l'ἀκολουθία du traité. Ainsi c'est seulement après avoir délimité et fixé un cadre général qu'il développe son exégèse de détail, comme le montre le plan de l'ouvrage : l'introduction à l'étude du Psautier de la première partie précède l'exégèse de leurs titres dans la seconde, la mise en évidence des différentes règles d'acquisition de la vertu leur illustration par les psaumes, la description des sections l'analyse de leur sens et de leur enchaînement, la présentation et le classement des titres leur commentaire. Ce qui est vrai de l'ensemble l'est également du détail d'une exégèse : qu'il propose des psaumes une explication continue en citant et expliquant tous les versets, ou qu'il en retienne les plus significatifs à ses yeux, il en souligne souvent les grandes divisions et l'organisation générale dans un souci de synthèse particulièrement adapté à une interprétation des psaumes comme autant d'échelons d'une ascension. Dans ce cadre, il peut alors, sans rejeter le sens littéral, lui superposer des interprétations allégoriques et des exposés anthropologiques ou théologiques, ce qu'il appelle des enseignements doctrinaux, par exemple sur la nature du mal ou la notion de liberté.

Une systématisation artificielle ?

La maîtrise de l'art rhétorique de la construction et de la transition, la méthode exégétique utilisée pour démontrer l'enchaînement des psaumes prouvent le talent de Grégoire, qui réussit à exploiter les articulations et à faire ressortir le mouvement du texte de l'Écriture. Ces procédés, héritage en partie scolaire, sont au service d'une vision religieuse de la croissance progressive de l'homme vers Dieu : « L'idée directrice d'une identité foncière entre le dynamisme du Psautier et celui de la vie spirituelle est [...] ce qui fait du traité une grande œuvre [1]. » Mais, considérés en eux-mêmes, ils peuvent paraître forcer le sens du texte sur lequel ils sont appliqués, donner l'impression de faire d'un livre poétique touffu qui se prête mal à une telle grille de lecture un écrit trop structuré. Comment, par exemple, admettre – ce que Grégoire fait implicitement – que le sens du psaume initial d'une section, que l'exégète a mis en lumière, puisse correspondre à celui de tous les psaumes de la section ? L'exégète ferait-il preuve d'un « radicalisme méthodologique [2] » intempérant ? C'est le sentiment d'un J. Gribomont qui formule ce jugement aussi rapide que définitif : « Poussant à l'extrême le besoin de systématisation qui le caractérise, Grégoire prétend trouver dans la disposition des cent cinquante psaumes un plan progressif. C'est faire place à l'ingéniosité aux dépens de l'intelligence du texte [...] On voudrait croire qu'un tel ouvrage ne représente qu'une prouesse d'adolescent [3]. » A quoi l'on peut cependant répondre tout d'abord que Grégoire ne pousse pas sa méthode jusqu'à des conséquences absurdes. On en a une preuve en ce qu'il ne cherche nullement à montrer ni même à prétendre, quand il aborde dans la deuxième partie l'exégèse d'une série de psaumes de

1. M.-J. Rondeau, « Exégèse », p. 531.
2. L'expression est de M.-J. Rondeau.
3. *DECA*, art. Grégoire de Nysse I, p. 1113.

la première et seconde sections, que le thème de ces psaumes correspond à celui indiqué dans la première partie pour définir le sens de ces sections – il est trop respectueux du sens fondamental d'un psaume pour lui imposer une signification prédéterminée. Il n'est donc pas soumis au schéma qu'il a d'abord adopté et ne veut pas énoncer des catégories rigides qui définiraient une fois pour toutes le sens du Psautier. L'important, quelle que soit l'exégèse proposée, c'est de préserver le principe d'une progression d'un psaume à l'autre.

Ensuite, le Psautier n'est pas un livre aussi peu construit qu'on pourrait le penser au premier abord : les exégètes contemporains de ce livre biblique sont au contraire de plus en plus sensibles à son organisation. Ils se sont avisés « que le Psautier n'était pas un simple amalgame de poèmes accumulés au cours des siècles, mais un 'livre', au plein sens du terme, dont la forme même est porteuse d'une intention théologique qui rejaillit sur la signification des pièces individuelles [1] » et qu'un psaume doit être interprété à partir de ses rapports avec les psaumes voisins et de sa place dans telle ou telle partie du Psautier. Ces perspectives ont suscité de nouvelles recherches, ainsi celle qui a permis à l'un des représentants de l'exégèse canonique du Psautier, G. H. Wilson, de repérer une progression de la pensée relative à la royauté et à l'alliance davidique entre les psaumes royaux (Ps 2, 40, 71, 88) dont les trois derniers concluent les trois premiers livres [2]. On peut également citer l'observation d'un exégète

1. J.-M. Auwers, *Composition*, p. 5.
2. Cet exemple d'interprétation canonique est donné par J.-L. Vesco (« L'approche canonique du Psautier », dans *Revue Thomiste*, t. 92, 1992, p. 493). Plus généralement, l'auteur se demande si les rapprochements des psaumes suggérés par la récurrence des mêmes thèmes, la présence d'*incipit* et de conclusions identiques et la présence de mots-crochets « ne refléteraient pas le propos délibéré d'une organisation des poèmes due à un éditeur qui se serait livré pour atteindre son but à diverses techniques » (p. 496) et appelle de ses vœux « une lecture globale » capable de « renouer les fils qui unissent entre eux les différents psaumes et de dégager la théologie de leurs mutuelles relations » (p. 500).

contemporain, M. Tate, selon qui le quatrième livre est le « livre de Moïse » – sous l'autorité duquel Grégoire place son quatrième degré – car son nom revient sept fois entre le Ps 90 [LXX 89] et le Ps 106 [105], alors qu'il n'apparaît qu'une seule fois dans le reste du Psautier, au Ps 77, 21 [76, 21] [1]. D'autre part, de nombreux commentateurs admettent aujourd'hui que « les titres biographiques représentent l'exégèse la plus anciennement attestée de certains psaumes [2] » : en leur faisant perdre leur contexte liturgique, en les reliant à des épisodes douloureux de la vie de David, comme celui de la persécution de Saül, les rédacteurs ont voulu donner le prophète en modèle et permettre à tout juif pieux, confronté à une situation similaire, de s'identifier à lui, de s'approprier ses mots. De la même manière, Grégoire réinterprète en chrétien les titres des Ps 56-58 en donnant en exemple aux lecteurs du Psautier la vertu de longanimité dont témoigne David. A la lumière de cette évolution récente dans l'approche herméneutique du Psautier, l'exégèse de Grégoire apparaît nettement moins artificielle et forcée.

1. Voir J.-M. AUWERS, *Composition*, p. 115.
2. J.-M. AUWERS, *Composition*, p. 149.

CHAPITRE IV

GRÉGOIRE DE NYSSE,
EXÉGÈTE AU TRAVAIL

1. LES PSAUMES ET LES TITRES COMMENTÉS

Grégoire n'a pas prétendu écrire un véritable commentaire des psaumes et, de fait, il propose une exégèse de moins du tiers des psaumes, où souvent même il n'est question que de quelques versets : il s'agit des Ps 1 à 11, du Ps 32, des Ps 40 à 48 et 50 à 58, des Ps 70, 72 et 73, des Ps 89 et 90, des Ps 92 à 96, des Ps 98 et 103, enfin des Ps 106 et 150, soit un total de 44 psaumes auxquels s'ajoutent quelques versets isolés d'autres psaumes. En revanche, il a commenté un grand nombre de titres qui étaient l'objet même de son étude. Seule une minorité soit a été juste signalée soit n'a pas du tout été mentionnée. Les titres seulement cités le sont pratiquement tous en II, 1 :

Ps 17 « Pour la fin, au fils du Seigneur, ce qu'il disait au Seigneur, les paroles de ce chant, le jour où le Seigneur l'a arraché de la main de tous ses ennemis et de la main de Saül et où il a dit »

Ps 23 « Psaume à David, du premier jour des sabbats »

Ps 33 « A David quand il a changé son visage devant Abimélech et qu'il l'a libéré et qu'il est parti »

Ps 35 « Pour la fin, au serviteur du Seigneur, à David »

Ps 38, 61 et 76 « Pour la fin, à Idithoum »

Ps 49, 72 à 82 « Psaume à Asaph » (série de psaumes mentionnant Asaph)

Ps 62 « Psaume à David quand il est dans le désert de Judée »

Ps 71 « Pour Salomon »

Ps 87 « Chant de psaume aux fils de Coré, pour la fin, au sujet de Maeleth du fait d'être exclu, d'intelligence à Éman l'Israëlite »

Ps 91 « Psaume de chant pour le jour du sabbat »

Ps 141 « D'intelligence à David quand il est dans la grotte, prière »

Ps 145 à 148 « Allélouia d'Aggée et de Zacharie »

Enfin un titre absent de l'édition Rahlfs, l'« Allélouia de Jérémie et d'Ézéchiel ».

On peut ajouter à cette série les titres qui ont la seule mention « De David » (Ps 25, 27, 36) ou « A David » (Ps 32, 34, 102, 103, 136, 137) dont il signale l'existence en II, 1 sans y revenir ensuite, ainsi que le titre des Ps 119 à 133, « Chant des degrés », auquel il fait une rapide allusion (49, 12). Si Grégoire n'a commenté précisément aucun de ces titres, on note cependant qu'ils ont en commun avec d'autres plusieurs éléments qui, eux, sont expliqués. Il en est de même des titres suivants qui sont les seuls auxquels il ne fait pas allusion :

Ps 26 « De David, avant d'être oint »

Ps 64 « Pour la fin, psaume à David, chant de Jérémie et d'Ézéchiel, à partir de leur discours d'exil quand ils devaient s'éloigner »

Ps 88 « D'intelligence à Éthan l'Israélite »

Ps 142 « Psaume à David quand son fils le poursuit »

Ps 143 « A David contre Goliath »

Cinq titres seulement sont donc complètement ignorés. On peut en conclure que Grégoire a mené une recherche quasi-exhaustive sur les différents titres.

2. Les composantes de l'exégèse

L'exégète se livre à un travail d'observation et d'examen du texte biblique, que Grégoire appelle ἐξέτασις, ἐξήγησις, θεωρία ou παρατήρησις. Il s'aide de nombreux moyens qui sont à sa disposition, moyens qui vont de la terminologie biblique aux connaissances scientifiques en passant par l'art rhétorique.

Le Psautier

Le vocabulaire

Le Psautier qu'étudie Grégoire est composé de 150 psaumes – il ne mentionne pas le Ps 151. Pour le désigner, il emploie plusieurs termes : « livre des psaumes » (1, 6 ; 39, 30 ; 52, 2) [1], « cet écrit (γραφή) » (1, 12), « le livre (τὸ βίβλιον) » (1, 16), « cette partie de l'Écriture » (52, 10) ou, simplement, « les psaumes » (11, 1) ; mais le mot le plus employé est « psalmodie (ψαλμῳδία) », au singulier comme au pluriel, qu'il précise parfois en parlant de « toute la psalmodie » (1, 9), de « la divine Écriture de la psalmodie » (2, 27) ou de « tout le livre de la psalmodie » (10, 13 ; 49, 4-5). Ce dernier terme est utilisé également plus souvent que ψαλμός pour désigner un psaume.

L'auteur

Quel est son auteur ? La question, qui est, en général, posée dans les commentaires des psaumes, ne l'est pas par Grégoire. Quand il cite un psaume, il ne précise pas l'identité de l'auteur : il emploie soit une troisième personne anonyme,

---

1. La plus ancienne attestation chrétienne du titre du livre se lit chez Luc (Lc 20, 42 et Ac 1, 20) sous cette forme : ἐν βίβλῳ ψαλμῶν.

soit mentionne le psalmiste (ψαλμῳδός), le prophète, la prophétie ou même l'interprète de l'Esprit (50, 3). Mais il est sûr
que, pour Grégoire, David est bien l'auteur des psaumes en
général, puisque l'Esprit lui inspire les pensées de la prophétie (52, 14). Il paraît cependant, pour quelques psaumes
particuliers, admettre d'autres auteurs, puisque le Ps 89 est
bien, selon lui, une prière de Moïse (15, 7).

Les divisions

Joue un grand rôle dans son commentaire la division en
cinq sections – nommées τμήματα (par ex. 1, 16 ; 49, 9) ou,
une fois, μέρη (12, 28) – qui sont composées d'un nombre
inégal de psaumes, respectivement 40, 31, 17, 17 et 45 (11,
6 s.). Il la tient de ses prédécesseurs, notamment Origène qui
la présente comme une donnée éditoriale juive : « Les
Hébreux divisent le Psautier en cinq livres, dont le premier
[...] va jusqu'à la fin du Ps 40, le second [...] jusqu'au Ps 71,
le troisième jusqu'au Ps 88, le quatrième [...] jusqu'au Ps
105, et le cinquième jusqu'à la fin [1]. » Chaque section est
définie par une unité clairement délimitée, une περιγραφή (1,
17 ; 11, 3) [2] et possède un début et une fin (ἀρχή et τέλος 49,
9). Pour désigner la fin du livre des psaumes Grégoire
emploie τὰ τελευταῖα (39, 29).

Chaque section est formée de psaumes dont le titre est dit
ἐπιγραφή – ce qui est exactement une inscription placée en
tête d'un psaume – et une fois προγραφή (49, 18) – cf. aussi,
dans un emploi proche, le terme ὑπόθεσις, « argument » (60,
8). Les psaumes sont rarement cités sans référence précise (7,
18 ; 26, 11), mais sont identifiés soit par leur titre, soit par
leur numéro d'ordre, soit par des expressions plus générales :

---

1. *In Ps, Pr., PG* 12, 1056 A. Trad. P. NAUTIN dans *Origène*, p. 277. Sur la
question, voir J.-M. AUWERS, « Organisation », p. 37-54, et *Composition*,
p. 77-86.
2. Ce terme est employé dans les traités de rhétorique, voir HERMOGÈNE,
L'art rhétorique 120, 14 (trad. M. Patillon, Paris 1997, p. 233 et la note 1).

ὁ τελευταῖος ψαλμός (27, 19), ὁ μετ᾽ αὐτὸν ψαλμός (46, 1). Les différents stiques des psaumes n'étant pas numérotés, Grégoire s'y réfère en indiquant de façon vague leur place : voulant signaler le Ps 1, 1, il mentionne « le début (ἀρχή) du macarisme » (40, 28) ; pour désigner les Ps 57, 4 et 96, 1, il évoque également leur début (78, 36 ; 46, 12), mais quand il cite les Ps 40, 2 et 52, 2 et les Ps 56, 2 et 95, 1, il parle de leur prologue (ἐν προοιμίοις 58, 14 ; 45, 29 ; 74, 30 ; 64, 21). Il évoque le milieu (κατὰ τὸ μέσον) du Ps 41 (58, 36). Il parle du τέλος du Ps 94 (45, 8) et du Ps 98 (47, 14), du πέρας du Ps 53 (66, 33) et du Ps 96 (47, 2). A deux reprises (26, 63 ; 46, 38), il associe à la fin le mot « sceau ». Pour désigner notre verset, il parle une fois d'un élément, d'un point (μόριον) du discours (13, 30). Un autre élément de division est le *diapsalma* qui sépare des parties (μέρη) du Psautier (50, 5) ou d'un psaume (50, 8). Au Ps 48, Grégoire indique une division au niveau du premier *diapsalma* (verset 14) : il sépare le Ps 48 en deux, une première partie ou une première division (πρώτη διαίρεσις) qu'il fait commencer au verset 8 et le reste (61, 40 ; 61, 61). La mise en évidence de ce genre de subdivisions dans un psaume résulte d'analyses exégétiques, rhétoriques et prosopologiques (voir *infra*).

La critique textuelle

Le texte original

Grégoire n'a qu'une connaissance indirecte de l'hébreu et y recourt rarement : il connaît la signification d'Israël, le voyant (13, 1), il utilise une analyse linguistique fantaisiste du mot « allélouia » en II, 7 – selon laquelle la finale -ou d'allélou indiquerait un nominatif en hébreu et non un génitif comme en grec –, il sait que la nature divine reçoit en hébreu différents noms dont le sens est symbolique (39, 11), il se sert de l'étymologie de « Melchol », la fille de David

(83, 11) et il exploite la formule figurant dans les titres de son Psautier, « anépigraphe en hébreu ». Enfin, il s'aide des versions pour interpréter le mot « Maeleth ».

Les autres traducteurs

Grégoire cite seulement à cinq reprises ceux qu'il appelle « les autres (οἱ λοιποί) traducteurs de la même Écriture » (31, 3). Ce qui justifie ces citations, c'est qu'elles permettent d'éclairer l'Écriture (cf. σαφηνίζω 31, 3 ; 31, 44 ; φανερόν 34, 73). Les traducteurs ne sont pas nommés à l'exception de Symmaque qui l'est une fois (52, 28), sans doute à cause de l'excellente réputation de clarté dont jouit sa version parmi les exégètes chrétiens [1].

Il donne (31, 4) les trois traductions de l'expression récurrente « pour la fin », celle d'Aquila (« à celui qui rend victorieux »), celle de Symmaque (« chant de victoire ») et celle de Théodotion (« pour la victoire »). Il a pu les emprunter directement à son frère Basile qui les cite (cf. *In Ps* 48, *PG* 29, 432 BC) comme Eusèbe et Origène. Pour éclairer le terme « Maeleth » (Ps 52, 1 ; 87, 1), il indique la version des autres traducteurs : « danse chorale » (31, 44). Le recours à cette traduction est traditionnel, cf. Eusèbe, *In Ps* 52, *PG* 23, 453 A : « Aquila a traduit ' pour une danse chorale ', Symmaque ' par un chœur ', Théodotion ' au sujet de la danse chorale ' et la cinquième de même. » Pour l'expression « au sujet de ceux qui seront changés » qui figure dans plusieurs titres, il mentionne deux traductions (34, 75) : « L'un a traduit ' au sujet des fleurs ' (= Symmaque), l'autre ' au sujet des lis ' (= Aquila et Théodotion). » Il a pu emprunter ces traduc-

---

1. Cf. les remarques de D. Barthélémy dans « Eusèbe, la Septante et 'les autres' », art. repris dans *Études d'histoire du texte de l'Ancien Testament*, Fribourg 1978, p. 180 : « Trente-quatre fois Eusèbe juge que Symmaque traduit plus clairement que ne l'avait fait la Septante et il use pour cela du qualificatif σαφέστερον. Or ce même qualificatif avait été déjà attribué à Symmaque par Origène [...] il a vite donné naissance à un lieu commun. »

tions à ses prédécesseurs (cf. Eusèbe, *In Ps* 59, *PG* 23 556 A, et Basile, *In Ps* 44, *PG* 29, 389 A).

En dehors des titres, deux cas suscitent le recours aux autres versions. C'est d'abord la mystérieuse expression « diapsalma » : « Certains traducteurs, au lieu de ' diapsalma ', écrivent ' toujours ' » (48, 34). En fait il semble ne s'agir que d'Aquila, cf. Origène, *In Ps*, *PG* 12, 1072 B : « Dans les psaumes où l'on trouve le mot *diapsalma*, Aquila traduit, au lieu de *diapsalma* : ' toujours ', et la ' V^e ' édition : ' perpétuellement '. Dans nos exemplaires et chez Symmaque, il semble que *diapsalma* soit le signe d'une certaine mélodie ou d'un changement de rythme [1]. » La dernière indication d'Origène correspond à la traduction de Symmaque citée plus loin par Grégoire : « L'enseignement de l'Esprit, c'était sa ' mélodie ' selon l'expression de Symmaque » (52, 27). Ensuite, pour favoriser la compréhension du sens du Ps 57, 9b, il cite « un autre traducteur » (78, 32) qui propose : « Un avorton de femme ne verra pas (οὐχ ὁραματισθήσεται) le soleil. » Il semble s'agir d'Aquila à qui Field [2] attribue cette traduction sous une forme légèrement différente (οὐ μὴ ὁραματισθῶσιν).

En résumé, Grégoire ne cite qu'exceptionnellement les autres traducteurs – ce qui le distingue d'un commentateur comme Eusèbe – : il le fait pour éclairer trois expressions obscures de titres, auxquelles on peut ajouter le *diapsalma* qui constitue une espèce de titre, et un demi-verset à l'intérieur d'un psaume. Le but est toujours de permettre ou de faciliter une interprétation allégorique. D'où tire-t-il ces traductions ? Peut-être directement des *Hexaples*, mais c'est peu probable, car il semble plutôt dépendre des commentateurs qui l'ont précédé comme Basile, Eusèbe ou Origène.

---

1. Trad. P. Nautin, *Origène*, p. 276.
2. *Origenis Hexaplorum quae supersunt*, II, p. 185. Eusèbe, pour sa part, cite Symmaque, cf. *In Ps* 57,9, *PG* 23, 528 A : « Symmaque a éclairé quelque peu le sens en traduisant de cette manière : διαφωνείη ἔκτρωμα γυναικὸς, ἵνα μὴ ἴδωσιν ἥλιον. »

Une hypothèse de critique textuelle

Grégoire fait une hypothèse de critique textuelle à propos du Ps 9, 17 : « Il ne dit pas simplement ' diapsalma ', mais ' chant d'un diapsalma '. Peut-être l'expression a-t-elle été intervertie par une erreur de scribe, si bien qu'il faudrait lire plutôt ' diapsalma d'un chant ' et non ' chant d'un diapsalma ' » (52, 3 s.). Cette hypothèse critique est aussitôt écartée par respect pour la lettre de l'Écriture, c'est-à-dire l'ἀκολουθία de ses mots (52, 10), malgré le sens immédiatement satisfaisant qu'elle donne (l'intervalle d'un chant), et l'exégète doit trouver une explication nouvelle qui rende compte de cette *lectio difficilior* (pendant l'intervalle, le prophète chante). On voit bien qu'ici Grégoire applique au niveau du détail l'un de ses principes exégétiques favoris qui est de chercher le sens de l'enchaînement, qu'il s'agisse de la structure du texte ou de l'ordre de ses mots. Une particularité du texte – division en cinq sections, absence de titres en hébreu ou ordre peu compréhensible des mots – suscite la volonté d'en saisir la cause (αἰτία 49, 6 ; 40, 1 ; 52, 11). Ceci est vrai également pour l'analyse du style.

Un aperçu général sur le style des psaumes

A la fin de I, 3, Grégoire distingue poésie biblique et poésie profane pour souligner la supériorité de la première sur la seconde : « Ces chants n'ont pas été composés à la manière des poètes lyriques étrangers à notre sagesse. La mélodie, en effet, n'est pas fondée sur l'accent des mots, comme on peut le voir chez ces derniers chez qui le rythme est obtenu à partir de telle ou telle combinaison d'éléments prosodiques – l'accent dans les sons est grave ou aigu, bref ou long ; au contraire, David, en introduisant une mélodie sans apprêt et sans recherche dans les paroles divines, veut traduire par son jeu l'intention des paroles et révéler autant que possible par tel ou tel assemblage de l'accent vocal le sens fixé dans les mots » (8, 28 s.).

Grégoire oppose à la poésie lyrique païenne, savamment construite, la simplicité des psaumes dont l'expression est mise avant tout au service du sens. « Cherchant à comprendre pourquoi les psaumes sont reçus avec tant de faveur, il ne s'arrête pas un seul instant à considérer leur aspect proprement littéraire, le niveau proprement poétique auquel un commentateur moderne ne manquerait pas de consacrer un développement [...] Il ne se pose pas le problème de l'*hebraica ueritas* (il n'est pas de ceux qui, sur la foi d'Origène, imaginaient que l'original hébreu de l'Ancien Testament connaissait l'équivalent d'hexamètres, tri-, tétra- ou pentamètres), peut-être ne peut-il concevoir de poésie sinon en vers réguliers : c'est ce que semble suggérer une phrase particulièrement embarrassée et donc obscure à la fin de notre passage [1]. » Grégoire ne semble pas cependant exclure toute forme d'art dans l'usage des psaumes. Ils ne contiennent certes aucun élément prosodique, puisqu'il a pour conséquence de dissimuler le sens – la poésie profane perd en sens ce qu'elle gagne en effets esthétiques, ce que Grégoire appelle ' l'accent des mots ' –, mais ' l'accent de la voix ', lui, n'est pas exclu en ce qu'il permet de faire ressortir le sens. Sans doute entend-il par là le fait d'élever ou d'infléchir la voix comme le recommandait Athanase d'après Augustin : « Il demandait au lecteur d'infléchir légèrement la voix, si bien que cela tenait plus du récitatif que du chant [2]. » Ce jugement peut être rapproché de la position de Basile [3] : « La disposition harmonieuse des mots n'est pas l'objet de nos soins, car il n'y a pas chez nous de ciseleurs de mots : ce n'est pas à la sonorité des noms, mais à l'exacte signification des termes que nous réservons partout notre estime. »

1. H.-I. MARROU, « Théologie de la musique », p. 503.
2. *Conf.* X, 33 (trad. P. Cambronne, Paris 1998).
3. *Hom. Hex.* VI, *PG* 29, 121 A.

Il arrive rarement à Grégoire d'appliquer à des psaumes
précis un jugement stylistique, mais il en émet sur le choix
judicieux de certains termes qu'il qualifie de beau et d'approprié : « C'est de manière heureuse et avec à propos (καλῶς καὶ
προσφυῶς) qu'il appelle les fautes des riens » (16, 13) ; il fait
de même à propos de l'enchaînement d'un psaume à l'autre :
« C'est de manière heureuse et avec à propos que le début du
psaume sans titre suivant se rattache à la fin de ce psaume »
(47, 1, cf. 64, 18). Il souligne également volontiers l'exactitude (ἀκριβεία) du logos biblique (par ex. 40, 17). Dans ces
appréciations, il est donc surtout sensible aux effets de sens.
Mais la priorité donnée à la signification ne l'empêche pas de
recourir à toutes les subtilités de l'analyse littéraire dans son
exégèse.

Les auxiliaires de l'exégèse

Les particularités lexicographiques et grammaticales du
texte biblique

Le texte sacré est un texte particulier qui a ses propres
règles et son propre langage dont le sens véritable, de nature
spirituelle, est dissimulé et que l'exégète cherche à décrypter,
quand c'est nécessaire, au moyen de brèves indications qui
sont l'équivalent de notices de dictionnaire ou de grammaire
sur lesquelles va se fonder l'interprétation. En voici plusieurs
exemples : l'usage (συνήθεια) de l'Écriture est d'appeler le
matin ' aurore ' (35, 22), le sens du mot ' confession ' est
double dans l'usage de l'Écriture (38, 35), « l'abîme est souvent dans l'Écriture le repaire des démons » (24, 31). Le
terme ὠλιγώθησαν du Ps 106, 39 est ainsi glosé : « Il exprime
la petitesse et le resserrement qui se fait de ce qui est élevé et
grand vers ce qui est bas, car la diminution exprime l'idée de
ce qu'il y a de plus petit » (26, 6). Le sens du mot ἐξουδένωσις
du Ps 106, 40 s'explique par celui du verbe ἐξουδενοῦσθαι,

' être dans rien ', tel qu'il ressort d'une analyse comparative de l'emploi de verbes de formation similaire (26, 26 s.). Sur le plan grammatical, Grégoire note une autre particularité biblique, celle de l'emploi des temps, qu'il analyse à partir des versets 3 et 9 du Ps 53 où « le texte présente ce qui a eu lieu comme une réalité attendue, l'Écriture négligeant ainsi l'exactitude temporelle. Et, de fait, la prophétie décrit souvent ce qui se passera comme passé et ce qui est arrivé comme une réalité attendue [1]. » L'indication a, comme les précédentes, une implication théologique : « Par là, nous apprenons que pour Dieu rien n'est à venir ni n'est passé, mais que tout réside dans le présent » (66, 30 s.).

La grammaire et la rhétorique

Grégoire emploie d'assez nombreux termes de grammaire et de rhétorique qui lui permettent d'éclairer le texte. En voici une série d'exemples. Il appelle συζυγία la combinaison des différents mots d'un titre (29, 19. 24. 49 ; 32, 11) ou d'un psaume – au Ps 48, 2-3, il distingue trois couples (συζυγίαι), nations et habitants du monde, enfants de la terre et fils d'hommes, riche et pauvre (61, 12) [2]. Il dit également du mot ' homme ' du Ps 55, 2 (70, 21) et de l'adjectif ' tout ' du Ps 106, 42 (26, 57) que ce sont des termes génériques ou collectifs (περιληπτική) [3] pour désigner les passions. L'exégète dit

---

1. L'« énallage » (le mot n'est pas grégorien) des temps verbaux est encore considéré comme une constante (συνηθῶς) de la traduction des LXX par Théodoret, voir J.-N. Guinot, *L'exégèse de Théodoret de Cyr*, Paris 1995, p. 347-349. C'est une caractéristique de l'exégèse antiochienne de supposer très souvent des « énallages ». Mais ce type d'« énallage » était déjà enseigné à Clément par Pantène.
2. Il s'agit d'un terme de grammaire, voir p. ex. A. Hilgard, *Grammatici Graeci* IV, 2 (scolie de Georgios Choiroboscos) p. 415, 20 : συζυγία ἐστὶ δύο ἢ καὶ πλειόνων εἰς ταὐτὸ σύνοδος καὶ συνάφεια.
3. Sur l'usage grammatical du mot et son emploi en *Op hom* 184 B, voir M. Alexandre, « La théorie de l'exégèse dans le *De hominis opificio* et l'*In*

de l'image de la plante au Ps 89, 5-6 qu'elle est un exemple pour « mettre clairement sous les yeux » la précarité de la vie humaine (17, 3), ce qui est la définition de l'*ekphrasis* donnée par Aelius Théon [1]. Il note encore la reprise (ἐπανάληψις) d'un verset (85, 31), l'emploi d'un pluriel ou le passage du singulier au pluriel (19, 22) [2], indications textuelles qu'il exploite pour développer une interprétation spirituelle : la reprise (ἐπανάληψις) au verset 15 du verset 7 du Ps 57 indique que la situation décrite initialement se prolongera dans l'au-delà (85, 31), le pluriel du Ps 3, 2 (« ils sont nombreux à se lever contre moi ») suggère que l'adversaire « est un par nature, mais devient une foule par son alliance maléfique » (55, 51). De même, au Ps 89, 17, la répétition de l'expression « les œuvres de nos mains » sous la forme, au singulier, « l'œuvre de nos mains » signifie l'unification des différentes activités vertueuses au service d'un but unique (19, 21).

Il précise également de quel genre littéraire relève tel psaume : une partie du Ps 7 est qualifiée de « parole de demande (ὁ τῆς ἐντεύξεως λόγος) » (51, 18), les versets 4-5 du Ps 57 sont « ouvertement une lamentation (θρῆνος) » (77, 34), le verset 6 du Ps 4 est un cri (cf. 51, 13). Le locuteur du Ps 72 (13, 31 s.) peut célébrer (μεγαλύνω), faire preuve d'admiration (θαυμαστικῶς) ou, au contraire, témoigner du mépris et de la raillerie (καταφρονητικῶς καὶ σκωπτικῶς). Le style de la fin du Ps 94 est décrit grâce à un terme signalé dans les manuels : « Il lance une menace particulièrement violente

---

hexaemeron », dans *Écriture et culture philosophique*, Leyde 1971, p. 100 n. 2.

1. *Progymnasmata* 118, 7-8 : « Discours qui présente en détail et met sous les yeux de façon évidente (λόγος περιηγηματικὸς ἐναργῶς ὑπ'ὄψιν ἄγων) ce qu'il donne à connaître » (*CUF*, 1997, trad. M. Patillon).

2. Le mot πληθυντικῶς est le terme technique employé par les grammairiens (voir DENYS DE THRACE, *Ars gramm.* 12) par opposition à ἑνικῶς et est déjà utilisé par Origène (voir B. NEUSCHÄFER, *Origines als Philologe*, Bâle 1987, p. 215).

(καταφορικωτέραν) contre les incroyants » (45, 8) [1]. Tel verset indique « la manière (ὁ τρόπος) » dont se passe une action mentionnée précédemment (13, 51 ; 34, 16 ; 44, 57). Grégoire résume l'enseignement moral du Ps 7 par « une maxime (γνώμη) » (56, 41), définit le Ps 106 comme une « récapitulation (ἀνακεφαλαίωσις) » (20, 19) et la description des malheurs des hommes qu'il propose comme une « représentation (διασκευή) » (20, 31 ; 21, 3). Tous ces termes sont définis avec précision dans les manuels de rhétorique [2].

Divers types de figures sont aussi utilisés à l'occasion. Ainsi, Grégoire emploie l'argument *e silentio*, sous la forme κατὰ τὸ σιωπώμενον, dans son exégèse du Ps 55, 4 (70, 32) et, sous la forme διὰ τῆς σιωπῆς, dans celle du Ps 4 (10, 8) [3]. L'exégète a aussi recours à la figure du « parallèle (σύγκρισις) » [4] pour faire ressortir le sens de certains versets : ainsi du Ps 8, 6 où l'homme est mis en parallèle avec l'ange (57, 28), du Ps 57, 11 où la pureté des mains du juste est mise en parallèle avec son contraire (79, 33), et du Ps 98, 5 où « l'escabeau des pieds » de Dieu évoque la pensée humaine par comparaison avec la hauteur divine (47, 56). Une autre manière de mettre en valeur une idée est de souligner une opposition : le psalmiste, au Ps 4, 8, « oppose (ἀντιδιαστέλλει) à la joie du cœur (v. 8a) cette abondance matérielle et vitale (v. 8b) » (9, 37), et, au Ps 72, 24 (« avec gloire tu m'as pris en plus avec toi »), il « a raison d'opposer (ἀντιδιαστέλλει) à la honte la gloire » (13, 58) – le motif négatif de la honte, absent du psaume, est introduit ici par l'exégète pour préciser la nature de la gloire.

1. HERMOGÈNE emploie le même adjectif pour qualifier un discours, cf. *Ars rhetorica* 223, 15 (trad. M. Patillon, Paris 1997, p. 328).

2. Voir HERMOGÈNE, *Ars rhetorica* 8, 15 ; 239, 14 ; 427, 10 (trad. M. Patillon, Paris 1997, p. 135, 344, 524).

3. Sous l'expression κατὰ τὸ σιωπώμενον, il est bien attesté : on le trouve utilisé dans l'exégèse homérique, par ex. *Schol. V* à *Od.* XIII, 185.

4. Sur cette figure, voir HERMOGÈNE, *Ars rhetorica* 18-20 (trad. M. Patillon, Paris 1997, p. 144).

Une autre technique rhétorique a pour but de redonner à un verset toute sa force en le rendant plus clair : c'est la paraphrase, explicitement signalée par Grégoire une fois dans un bref passage où il l'utilise. C'est une figure bien répertoriée dans les traités de rhétorique [1]. Elle a pour but de rendre intelligible un texte obscur : le commentateur byzantin d'Hermogène, Grégoire de Corinthe, note qu'elle fait passer ἀπὸ τοῦ ἀσαφεστέρου ἐπὶ τὸ σαφέστερον et prend comme exemple la paraphrase que fait Thémistios d'Aristote [2]. Elle diffère de la paraphrase grammaticale par une certaine recherche stylistique, en employant, par exemple, la figure interrogative (τῷ κατ'ἐρώτησιν σχήματι) [3], et Théon, dans ses *Exercices préparatoires* [4], parle également de la grande variété stylistique de la paraphrase et, notamment, de la possibilité d'employer soit l'affirmation directe, soit l'interrogation rhétorique. Grégoire suit ces règles dans sa paraphrase du Ps 57, 2-3 où il fait suivre une interrogation d'une affirmation (« Hommes, de quoi parlez-vous et que faites-vous ? [...] Je vois bien que vos cœurs sont sur terre ... ») avant de conclure : « C'est par souci de clarté qu'en les paraphrasant quelque peu j'ai présenté les mots du texte » (77, 14).

Un autre moyen de rendre plus vivant le commentaire tout en facilitant la compréhension du texte peut être de répondre à une question laissée en suspens du psalmiste (cf. 13, 63) ou de prêter à un personnage un discours fictif. Il peut s'agir du narrateur du Ps 72, un pécheur converti, qui s'écrie : « A quels spectacles – le soleil, les astres, toute la beauté du ciel –, j'ai préféré les ténèbres auxquelles j'étais accoutumé » (13, 37) ; ou bien d'un libre penseur livré aux passions dont les objections sont réfutées par le psalmiste : « Le désir n'est rien, la colère n'est rien et chaque chose de ce genre n'est

---

1. Voir M. Roberts, *Biblical Epic and Rhetorical Paraphrase in Late Antiquity*, Liverpool 1985, p. 54-58.
2. VII 1294. 3-4 éd. Walz.
3. VII 1293. 23-25 Walz.
4. 62, 10 s.

rien, car ce sont des mouvements de la nature et la nature est l'œuvre de Dieu » (16, 18).

L'exégèse prosopologique

Technique scolaire à l'origine, cette forme d'exégèse, qui vise à identifier les personnes qui parlent, celles auxquelles elles s'adressent et celles dont il est question, distingue l'interprétation du Psautier, selon M.-J. Rondeau [1]. Elle est cependant assez peu représentée dans le commentaire de Grégoire qui n'en fournit que quelques exemples − il ne s'arrête guère plus sur la question des différents locuteurs que sur celle de l'auteur lui-même.

Qui parle ?

L'identification du locuteur peut permettre de mieux suivre la logique du psaume, d'en indiquer une division ou de lever une ambiguïté. Ainsi, le titre du Ps 70 indique la personne qui parle, les captifs : « Il dit comme si la parole venait de la personne (ἐκ προσώπου) du captif » (42, 18). Ou encore, le « moi » qui intervient au verset 10 du Ps 51 (« moi, comme un olivier ... ») est le locuteur du psaume : « Celui qui est enraciné ' comme un olivier qui porte des fruits dans la maison de Dieu ' compose contre le tyran ces paroles que nous entendons dans le psaume » (63, 40). Le verset 9 du Ps 47 marque, lui, un changement de locuteur [2] : « Comme si le texte avait été partagé pour deux personnes, tandis que, dans ce qui précède, il endosse la personne (ὑποδύεται τὸ πρόσωπον) de celui qui annonce, dans la suite il représente (ὑποκρίνεται) les voix de ceux qui ont accueilli la parole » (60, 55). Dans quelques cas, cette exégèse se conjugue à l'exégèse allégorique, quand le locuteur devient le porte-parole du Christ : au Ps 3, 6 le psalmiste « revêt la personne même du

---

1. *Commentaires* II, p. 7.
2. Origène était soucieux de signaler les changements de personnages, voir M.-J. Rondeau, *Commentaires* II, p. 63-64.

maître (τὸ πρόσωπον τὸ δεσποτικόν) et dit : ' Pour ma part, je me suis endormi et j'ai dormi ; je me suis réveillé car le Seigneur me soutiendra ' » (50, 17) [1] ; au Ps 89, 3 (« Et tu as dit : Convertissez-vous, fils d'hommes »), le psalmiste « se met au service de la parole du maître » (15, 29). Ou encore à propos d'une citation d'Isaïe qui « dit au nom du Seigneur (ἐκ προσώπου Κυρίου) : ' Il m'a établi comme une flèche élue ' » (55, 38). Ou bien au Ps 58, « la prophétie divise le texte, car une partie est adressée pour nous à Dieu, de la part de notre nature dans son ensemble (versets 2 à 6) ; l'autre nous est destinée de la part de celui qui a souffert pour nous la passion » (84, 2 s.). L'identité du locuteur et celle du destinataire sont alors précisées en même temps.

A qui le psalmiste s'adresse-t-il ?

L'identité du destinataire – Dieu ou les hommes – est indiquée quand il change. Ainsi, au Ps 93, 12 : « Comme, malgré ses cris contre ces hommes, il n'a pas été entendu, il tourne son discours vers le Seigneur » (44, 31). Inversement, au Ps 98, Grégoire souligne qu'aux versets 5 et 9 (« Exaltez le Seigneur »), le prophète « se tourne vers nous (πρὸς ἡμᾶς τρέψας) » (47, 43) : c'est effectivement le seul verset où le psalmiste ni ne s'adresse à Dieu (v. 4 et 8) ni ne s'exprime à la troisième personne. Au Ps 4, 3, il précise que l'apostrophe « fils des hommes » s'adresse « à toute la nature humaine » (51, 1).

De qui s'agit-il ?

L'exégète précise la personne dont il est question quand elle est différente, selon son interprétation, de celle que le lecteur identifie immédiatement. Ainsi le titre du Ps 96 est consacré à David, mais le pronom ne renvoie pas à lui : « ' A David, quand sa terre a été rétablie '. Or le mot ' sa ' se réfère évidemment non à David, mais à Dieu » (46, 5). De même,

---

1. Exégèse origénienne, voir M.-J. Rondeau, *Commentaires* II, p. 120.

au Ps 89, 7, « ta colère » ne désigne pas la colère divine, mais celle issue d'un mouvement de rébellion (17, 15). Au Ps 106, 25 (« Il a parlé et s'est levé un souffle d'ouragan ») a lieu un changement de personne : « Cette réflexion ne doit pas être appliquée à Dieu, mais à l'adversaire, car c'est la parole de l'ennemi qui produit le souffle de l'ouragan » (24, 16).

L'exégèse par concordance

Il arrive également à Grégoire d'utiliser des passages concordants pour élucider le sens d'un verset de psaume. Il recourt alors aussi bien au Psautier qu'à d'autres passages de l'Écriture : ainsi « le saint » du Ps 4, 4a est-il éclairé par une citation de Dt 32, 4 (« Juste et saint le Seigneur ») où le mot vise plus clairement, dans l'interprétation traditionnellement reçue, le Christ (51, 7). Is 19, 1 vient attester que « la colonne de nuée » du Ps 98, 7 annonce la chair dans laquelle se manifestera le Christ (47, 30). Pour comprendre convenablement le sens (χαίριον νόημα) du trait qui tue Absalom, Grégoire se réfère à Is 49, 2 (55, 38).

Pour justifier le sens qu'il donne au Ps 57, 4 de la matrice comme figure de l'amour de Dieu qui modèle ses enfants, il invoque (77, 26 s.) Gn 1, 26, le Ps 32, 15 (« celui qui a modelé un à un leurs cœurs ») et Is 1, 2 (« J'ai enfanté des fils et je les ai élevés, mais eux m'ont rejeté »). L'expression « tribulation des maux et douleur » du Ps 106, 39 est interprétée comme signifiant l'aboutissement du péché à la lumière d'une citation du Ps 114, 3 qui emploie les mêmes termes et d'une autre de Mt 5, 6 (26, 11 s.).

Les connaissances scientifiques

Dans un souci de dévoiler toute la richesse et tous les sous-entendus du texte biblique, Grégoire fait appel dans son exégèse à plusieurs sciences dont les données renforcent ses interprétations spirituelles. Il témoigne d'un savoir éclectique dont il hérite à travers les grands auteurs, Platon, Aristote, Philon, des écrits stoïciens et toute une tradition scolaire sans compter les exégètes qui l'ont précédé. Ainsi, de sa cosmologie en I, 3 qu'il développe à propos du chant des psaumes : il mentionne la théorie du microcosme et du macrocosme, celle de la musique des sphères, celle du mouvement circulaire de la sphère des fixes et du mouvement inverse des planètes, le principe de l'opposition des contraires qu'on relève déjà dans le *De mundo*. En musique, il mentionne la technique du plectre, décrit le psaltérion dont la caisse de résonnance est située dans la partie supérieure (II, 3).

En médecine, il se sert de la théorie du bouillonnement du sang autour du cœur tirée d'Aristote (76, 60), de celle qui fait du foie la source du sang (83, 29), de celle du cycle réplétion-évacuation (12, 36), nomme l'hydrophobie – la rage – (42, 11 ; 65, 21), emploie des termes techniques (ναυτιώδης 25, 26 ; σκότωσις 24, 33 ; ὑπερδιψάω 12, 16). On peut relever aussi ses notices sur la nature des mules stériles (63, 13), sur la physiologie des lions (78, 11), des cerfs (12, 21 ; 58, 28) et des aspics (77, 41), ces deux dernières proches de celles du *Physiologus* : le cerf dont la nature est de s'engraisser en mangeant des serpents se dessèche au contact de leurs humeurs ; l'aspic se gonfle comme une outre en retenant l'air, ce qui le laisse insensible aux traitements par les charmes et les ' antipathies ' qu'emploient les savants [1] ; ainsi que la notice sur une plante, le nerprun, espèce la plus redoutable du genre des épines (79, 5).

3. La forme et l'organisation du commentaire

Si le plan et la structure générale du commentaire, présentés au ch. II, témoignent d'un grand souci d'organisation,

1. Il est décrit par le *Physiologus* comme le serpent-naja ou cobra (2ᵉ version, éd. F. Sbordone, Milan 1936, p. 222, 276, 322, 324).

une certaine diversité se constate dans la forme que prennent dans le détail l'interprétation du texte biblique et la manière dont elle s'organise.

Les résumés historiques

Le fait que des titres mentionnent le nom de Moïse ou comportent des notices biographiques assez obscures relatives à David invitait l'exégète à raconter certains épisodes de la vie de ces deux grandes figures. De fait, Grégoire réécrit à sa façon plusieurs récits bibliques, mais ce n'est pas systématique : il n'exploite pas tous les titres historiques de cette manière. S'il retrace tel moment de la vie de David, c'est seulement quand il peut être riche par lui-même d'enseignements. Sinon, il passe immédiatement à l'interprétation allégorique sans développer le contexte historique. C'est ce qu'il fait pour le titre du Ps 7 (cf. 56, 27 s.) ou pour celui du Ps 59 à propos duquel il juge « long et superflu de faire le récit détaillé de la succession de l'histoire, car que retirerions-nous de plus ? » (34, 37).

Vie de Moïse

Le titre du Ps 89, qui l'attribue à Moïse, fournit à Grégoire l'occasion de proposer une brève vie du prophète qui énumère les moments principaux de son existence en scandant l'énoncé de ses différentes actions par l'article ὁ (14, 12 s.) [1] : le refus de la royauté, la vie solitaire et contemplative au désert, la révélation du buisson ardent, la victoire sur les Égyptiens et la sortie d'Égypte, puis divers épisodes du séjour au désert – la transformation de l'eau amère, du rocher en source, la découverte de la manne, les tables de la loi, la

---

1. GRÉGOIRE résume à plusieurs reprises dans son œuvre la vie de Moïse, dans la *Vie de Moïse* bien sûr, mais, également, dans son commentaire du *Cantique* (XII) et dans ses éloges de Basile et de Grégoire le Thaumaturge, tous deux comparés à Moïse.

condamnation des rebelles, la rencontre de Balaam –, enfin sa mort sublime. Tous ces épisodes sont évoqués d'une phrase et leur réunion en l'espace d'une page accentue le portrait de Moïse comme être à la frontière de l'humain et du divin.

L'histoire de David et Saül

Comme plusieurs titres font allusion de façon elliptique à l'histoire du conflit qui oppose David à Saül, Grégoire, pour les rendre intelligibles, résume à plusieurs reprises le texte du premier livre des *Règnes*. Il n'écrit donc pas une vie de David comparable à celle de Moïse qui va de sa jeunesse à sa mort, mais se limite à la période qui précède la mort de Saül. Ce rappel de l'ἱστορία est suivi de son exégèse allégorique. Ainsi, le Ps 55 se réfère à un épisode de la vie de David, celui de son arrestation par des étrangers à Gueth : selon les exégètes contemporains [1], le titre se référerait à 1 R 21, 11-16, passage qui raconte que David, arrivé chez Ankhous, roi de Gueth, est saisi de peur et doit jouer la comédie pour s'en tirer sain et sauf ; mais, selon le récit qu'en fait Grégoire (69), l'épisode est celui de 1 R 27, 1-7, où David, réfugié chez le même Ankhous, roi de Gueth, avec ses hommes et ses deux épouses, Akhinaam l'Israélite et Abigaia, la femme de Nabal, devient son vassal et où Ankhous lui donne la ville de Sékélak. Si le premier passage correspond mieux au titre qui mentionne une arrestation, puisque David apparaît prisonnier des Guethéens et menacé par eux, le second passage est retenu par Grégoire parce qu'il peut en développer « le contexte historique (ἡ κατὰ τὴν ἱστορίαν σύμφρασις) » (69, 28) qui se prête à une riche interprétation allégorique.

Le titre du Ps 56 fait allusion à la fuite de David devant Saül dans une grotte. Ici aussi deux passages des *Règnes* peuvent être invoqués : l'un (1 R 22, 1) indique que David se réfugie dans la grotte d'Odollam avec sa famille, l'autre (1 R

---

1. J.-M. Auwers, *Composition*, p. 144. Voir aussi *BA* 9, 1 *ad loc.*

24) décrit la rencontre de Saül et de David dans une grotte du désert d'Engaddi. C'est ce second épisode que retient Grégoire parce qu'il correspond à la formule mystérieuse du titre, ' Ne fais pas périr '. Le chapitre 24 raconte en effet que David se refuse à tuer Saül qui est à sa merci, qu'il retient ses hommes tentés de le faire et qu'il se contente de détacher le pan de son manteau qu'il présente, une fois sorti de la grotte, à Saül. Grégoire décrit longuement l'épisode tout en avertissant ainsi ses lecteurs : « Même si ces événements historiques sont bien connus de tous ceux qui ne se préoccupent pas accessoirement des choses divines, nous les exposerons pourtant brièvement en en résumant et en en abrégeant autant que possible le récit » (72, 24 s.). Avertissement purement rhétorique, car il propose en fait une réécriture du passage biblique en ajoutant des précisions absentes du texte, comme l'existence d'une unique ouverture qui éclaire Saül dans la grotte qualifiée de ' spacieuse ' ou la mention de l'épée de David. De même, il affirme qu' « il calma son écuyer alors qu'il se précipitait pour tuer Saül, en s'adressant à lui avec cette parole fameuse : ' Ne fais pas périr l'oint du Seigneur ' » (73, 6) : en fait, la formule ne se trouve pas au ch. 24, mais au ch. 26 dans un épisode parallèle que Grégoire va évoquer à propos du titre du Ps 57. Cette réécriture a pour but de souligner l'exploit de David et de donner ainsi en exemple sa vertu de longanimité et sa maîtrise des passions. Le but est d'abord moral.

Le titre du Ps 57 mentionne seulement la formule ' Ne fais pas périr ' : il se réfère donc aussi bien à 1 R 24 qu'à 1 R 26, passage symétrique qui raconte comment David surprend Saül dans son sommeil, lui laisse la vie sauve et empêche son serviteur de le tuer, se contentant de lui dérober sa lance et sa gourde. Dans son commentaire du psaume, Grégoire évoque brièvement les deux récits au terme d'une page où il résume tout ce qu'a subi David de la part de Saül (76). Le résumé biblique vise ici à montrer combien David, le bienfaiteur persécuté, ne pouvait que vouloir se venger de

Saül, pour mieux souligner le caractère divin de sa conduite. La description qui est faite de sa situation est saisissante par l'accumulation des verbes qui décrivent son état d'exilé sans jamais citer son nom, lui qui n'est qu'un homme poursuivi par un autre homme. Ainsi de cette phrase où l'effet que produit la reprise des interrogatifs suggère bien le malheur d'un homme aux abois, cerné de tous côtés : « Il cherchait ensuite partout à savoir en quels lieux il campait, où il s'était réfugié, aux côtés de qui il se déplaçait et chez qui il se trouvait banni » (76, 37). Par conséquent, si, dans l'état qui était le sien, David a prononcé la parole citée qui dépassait ses forces humaines, c'est qu'elle lui était inspirée directement par Dieu.

Le commentaire du titre du Ps 58 (« Ne fais pas périr, à David, pour une inscription sur une stèle, quand Saül envoya des gens dans sa maison pour le mettre à mort ») est encore l'occasion d'un résumé de la geste davidique (80-81). Le titre fait allusion à 1 R 19, 11-12 (David échappe de nuit à Saül qui a fait surveiller sa maison dans l'intention de le tuer au petit matin). Grégoire encadre l'épisode par deux scènes : d'abord celle, parallèle, qui précède immédiatement, dans laquelle David échappe à la lance de Saül (1 R 19, 9-10), ensuite celle de 1 R 26 déjà évoquée à propos du Ps 57, où David dit à son écuyer : ' Ne fais pas périr '. Ainsi cette réécriture du récit biblique réunit deux épisodes éloignés qui sont même combinés entre eux puisque Grégoire rapporte que David a profité du délai d'une nuit accordé par Saül (sa mort ne doit intervenir qu'au matin, indication donnée en 1 R 19, 11) pour venir le surprendre dans son sommeil (1 R 26). Le texte biblique est donc recomposé en fonction de la logique du récit telle qu'elle apparaît dans le titre et telle qu'elle est explicitée par l'exégète. Ainsi le résumé synthétique de l'histoire retient les épisodes marquants ou les scènes spectaculaires et vise à mettre en valeur les actes mémorables du prophète, qu'il s'agisse de Moïse ou de David.

Les résumés exégétiques : l'art de la transition

Cependant l'essentiel du traité n'est pas constitué de résumés historiques, mais de commentaires exégétiques. Très soucieux de montrer l'enchaînement entre les psaumes et entre les diverses parties du Psautier, Grégoire est attentif à conclure ses explications par des récapitulatifs qui introduisent en même temps au commentaire suivant, fidèle en cela à la tradition rhétorique du « résumé / sommaire » : la clarté de l'exposé en est renforcée, la continuité logique mieux établie. Ainsi, à la fin de l'exégèse du Ps 89, un bref résumé met en valeur l'essentiel des idées dégagées, le dépassement de ce qui est vain (19, 27-32). Le début du chapitre suivant (I, 8) reprend le thème de la vanité avec l'image qu'y associait le Ps 89 de l'araignée, lui oppose le vol sublime et l'acuité du regard de l'aigle, symbole de la cinquième et dernière ascension [1], enfin résume la méditation théologique de Moïse au Ps 89 sur la nature immuable de Dieu et sur la possibilité pour l'homme de se convertir au bien (20, 1-27). La fin de I, 9 non seulement résume l'essentiel du Ps 150, mais récapitule tous les degrés de l'ascension décrits dans les chapitres précédents. Un autre long récapitulatif assure la transition entre le Ps 54 et le Ps 55 (68, 1-38). Il est introduit par une comparaison avec les grimpeurs qui savent se ménager une halte dans leur ascension. L'image suggère que la fonction du résumé est de permettre de faire le point sur le chemin parcouru avant de poursuivre, c'est-à-dire de ressaisir clairement et sans confusion l'enchaînement logique du psaume examiné – d'où l'invitation faite au lecteur de lire les paroles

---

1. Cette place du symbole dans les résumés des étapes spirituelles est soulignée dans les *Homélies sur le Cantique* par M. CANÉVET qui écrit (*Grégoire de Nysse*, p. 295, n. 10) : « Ces résumés présentent une caractéristique remarquable : plutôt que de rappeler les interprétations chrétiennes que Grégoire a proposées, ils ont tendance à ne reprendre, au contraire, que l'énoncé des symboles. »

inspirées elles-mêmes de peur que la longueur de l'explication ne soit source de confusion (cf. 68, 2). A la différence de
celui du Ps 89, le résumé du Ps 54 ne consiste pas tant en une
nouvelle présentation des thèmes qu'en une véritable réécriture avec reprise des mots mêmes du psaume qui sont intégrés dans le discours et l'argumentation de l'exégète au lieu
d'être cités littéralement comme ils pouvaient l'être dans le
commentaire. En se concluant sur la citation du titre du Ps
55 qui semble ainsi prendre la suite naturelle du Ps 54, il a
également pour fonction d'assurer la continuité logique
entre les deux psaumes de telle sorte qu'il n'y ait plus de
césure perceptible entre eux. Ce qu'illustre une image, celle
du passage imperceptible d'une couleur à une autre :
« Comme l'éclat multicolore passe imperceptiblement dans
la variété des fleurs de sa teinte à une autre couleur, en
mélangeant avec à propos les unes aux autres les extrémités
des couleurs éclatantes, de même il est également possible de
voir, à l'extrémité de ce psaume, le rayon de la pensée
s'enchaîner et se mêler à la lumière du prologue du présent
psaume, de telle sorte que l'entre-deux reste imperceptible »
(64, 16 s.). Éviter le risque d'éparpillement et de confusion
que peut entraîner un long commentaire linéaire, faciliter, au
contraire, l'intelligibilité de l'ἀκολουθία d'un psaume et favoriser la transition avec un autre en accompagnant le dynamisme de la pensée, tel est donc le rôle que joue le résumé
exégétique. C'est un procédé également présent dans les
Homélies sur le Cantique où il est appelé ' résumé symbolique ' par M. Canévet qui le définit ainsi : « De temps à autre,
il s'accorde le loisir de contempler les étapes parcourues et de
les rassembler en un souffle nouveau pour une course supérieure [1]. »

---

1. *Grégoire de Nysse*, p. 357. L'auteur retient trois traits caractéristiques
des résumés qu'elle étudie, qui sont peu ou prou valables aussi pour ceux du
traité (*ibid.* p. 358) : « Il ne retient que les symboles [= les images du texte]
sans leur exégèse [...] il omet les symboles trop précis [...] et sélectionne
parmi les symboles ceux qui sont créateurs de mouvement. »

Les commentaires suivis et les commentaires sélectifs

Ces buts sont aussi ceux qui régissent l'organisation des deux types de commentaires que propose Grégoire, l'un suivi et l'autre sélectif. Le premier est un commentaire intégral comme celui des Ps 58, 89 et 106, où à peu près tous les versets sont littéralement cités ; relèvent du second aussi bien le résumé où figurent seulement des mots isolés que le commentaire de quelques versets caractéristiques, comme celui des Ps 41, 72 ou 96. Dans tous les cas, les citations sont brèves et correspondent en général à notre verset ou demi-verset (on ne trouve pas de séquence formée de plus de trois versets).

Le commentaire suivi d'un psaume, beaucoup plus long, témoigne de l'importance que l'exégète lui accorde : c'est le cas des psaumes initiaux des deux dernières sections et du psaume final qui concluent l'ascension spirituelle, des Ps 55 à 58 qui représentent aussi le terme d'une montée. Il prend des formes variables : celui du Ps 89, par exemple (I, 7), commence par dégager le sens du psaume – il est présenté comme une prière d'intercession de Moïse –, puis donne celui des différents versets avant de les citer – selon une méthode que Grégoire formule ainsi : « Puisque nous avons exposé le sens du texte, il serait logique de présenter aussi les paroles inspirées elles-mêmes » (18, 13), présentation qui peut avoir l'aspect d'un bref développement théologique. Il ne s'agit d'ailleurs pas de l'exposé d'une méthode contraignante sur la place respective de la citation et de son commentaire, car Grégoire est loin de s'y soumettre systématiquement et elle ne l'empêche pas, pour ce même Ps 89, d'intégrer à son texte des mots d'un verset qu'il ne prend pas la peine de citer. L'exégète veille surtout à souligner l'enchaînement des versets successifs (notamment par l'emploi de particules comme ' donc ', ' c'est pourquoi ', de conjonctions...), la reprise de thèmes identiques (' à nouveau ') ; ou, à défaut, il intro-

duit au moins les nouveaux passages par un adverbe comme
' ensuite ' ou le verbe ' il ajoute '. Dans le cas du Ps 106, sa
longueur lui imposait de varier la place de son commentaire,
qui peut suivre ou précéder la citation, et de proposer une
division du psaume qui en souligne l'unité : les trois premiers
versets constituent une brève προέκθεσις (21, 1) qui annonce
la bienfaisance divine, les cinq derniers une ἀνακεφαλαίωσις
(26, 1) qui contient une reprise du thème initial de la rédemption universelle [1].

La seconde forme d'exégèse, qu'on peut qualifier de synthétique, est plus fréquente. Elle se justifie par le désir
maintes fois rappelé de ne pas allonger inconsidérément
l'explication en présentant tout mot à mot : « Que celui qui ne
recule pas devant l'effort lise lui-même les paroles inspirées
du psaume, de peur que nous n'introduisions de la confusion
dans le texte en présentant tout mot à mot et en allongeant
l'examen à propos de chaque pensée » (68, 1 s., cf. 52, 33 ; 62,
1). Elle s'applique particulièrement bien dans les cas où
Grégoire veut faire ressortir le sens général du psaume et
souligner qu'il témoigne d'une nouvelle étape dans l'ascension : ainsi pour le Ps 9 où il se contente de citer deux versets
significatifs, le verset 30 qui indique l'ennemi, la bête qui
épie, et le dernier verset qui suffit à traduire l'idée de victoire
contenue dans le titre (cf. 57, 37) ; également pour le Ps 54
(cf. 67) où les citations littérales sont rares – Grégoire prend
cependant soin d'encadrer son commentaire par la citation
littérale des deux premiers versets et du dernier –, mais où la
reprise de nombreux mots du psalmiste dans une paraphrase
qui cherche la cohérence logique aboutit à restituer l'enchaînement de la narration sans entrer dans le détail du texte.
L'exégèse du Ps 72 (13) est, quant à elle, encadrée par la

---

1. Cf. M.-J. RONDEAU, « Exégèse », p. 527 : « De tous les exégètes antiques,
Grégoire est celui qui a le mieux mis en lumière la structure de ce poème fait,
entre une ouverture et une amplification finale, de la quadruple récurrence
d'un schéma ainsi constitué : malheur de l'homme, appel à Dieu, miséricorde de Dieu, action de grâces. »

citation du premier (« Comme Dieu est bon pour Israël ») et du dernier versets (« Pour moi, m'attacher à Dieu est un bien »), qui, interprétés comme un témoignage d'intimité avec Dieu, récapitulent le sens du psaume et de la troisième section. Le sens général étant ainsi dégagé, après un bref résumé de sa première moitié, seule une séquence de quatre versets (v. 22-25) fait l'objet d'un commentaire développé (cf. 13, 29-67). Ce dernier est lui-même encadré par la citation du verset 25 (« Qu'y a-t-il pour moi dans le ciel et de toi qu'ai-je désiré sur la terre ? ») qui sert d'axe à l'interprétation du passage, car il résume le sens de la séquence qu'il conclut : il est compris comme une célébration des réalités célestes dans sa première moitié et comme une condamnation de la quête antérieure des biens terrestres dans sa seconde, récapitulant le cheminement du psalmiste conduit par Dieu d'un état d'aveuglement à la révélation du bien véritable. Le commentaire a ceci de particulier qu'il commence par donner un aperçu du sens général de la séquence en insistant sur la proximité du psalmiste avec le Verbe – « lorsqu'il fut avec Dieu, or le Verbe est Dieu ... » –, et qu'ensuite il cite les versets en les faisant suivre d'une exégèse plus précise qui en épouse le mouvement, visant à souligner « la manière dont s'effectue le rapprochement avec Dieu ».

Cette exégèse convient également quand il veut montrer que le psaume annonce le salut apporté par le Christ : quelques versets choisis pour leur ' clarté ' suffisent à indiquer le caractère de prophétie chrétienne du psaume et à expliquer le refus du titre par les Juifs, le rôle de l'exégèse étant alors de confirmer une idée générale avancée à titre d'hypothèse – le refus de certains titres de la part des Juifs pour motif d'incrédulité – en la confrontant à la lettre du texte (cf. 41, 19). Par exemple, au Ps 70, Grégoire distingue d'une part l'appel à l'aide adressé à Dieu par le captif qui constitue la majeure partie du psaume et dont il cite un verset significatif (v. 4), d'autre part la fin de la captivité et le retour qui sont signifiés par les v. 20-21 qu'il cite également. Ainsi, en citant trois

versets, il rend compte du sens général du psaume selon la
perspective interprétative qui est la sienne, la libération par
l'Incarnation et la Passion du Christ (cf. 42, 1 s.). Le principe
d'organisation qui paraît à l'œuvre est celui, déjà rencontré,
qui veut que le sens du psaume soit donné par son introduction et sa conclusion qui se font écho l'une à l'autre : il
interprète alors le reste du psaume en fonction de ce cadre.
C'est particulièrement vrai du commentaire du Ps 94 : Grégoire commence par citer le verset 1 (« Venez, exultons dans
le Seigneur »), puis passe aux deux derniers versets qu'il
paraphrase en insistant particulièrement sur le dernier mot
« repos (κατάπαυσις) » repris trois fois (45, 12. 16. 19) qui
donne la clef de la joie initiale : c'est le repos offert par
l'Évangile et refusé par les Juifs qui ont choisi d'abord la voie
de l'errance au désert avant celle de l'incroyance. Pour le
Ps 95, il distingue le prologue constitué des six premiers
versets – il se contente d'en citer le premier, suffisamment
représentatif : « Chantez au Seigneur un chant nouveau » – et
la suite commençant par le verset 7 qui fait lui-même fonction de titre : Grégoire dit en effet que « la prophétie place en
tête (ἐπιγράφει), à l'adresse des hommes des nations, la
parole : ' Apportez, Seigneur, aux familles des nations ' » (45,
33). Ici aussi c'est l'organisation du psaume qui est soulignée
car elle permet d'en éclairer le sens : le développement à
partir du verset 7 « annonce le déplacement de la bénédiction
vers les nations » et explicite l'annonce du prologue, celle de
« la bonne nouvelle du mystère de la nouvelle alliance ». Pour
le Ps 98 également, Grégoire choisit de laisser de côté certains versets (v. 2-4) par souci de respecter l'enchaînement du
psaume par rapport au but préalablement défini, l'Incarnation du Christ : « Je laisse de côté la suite pour ne pas trop
gêner la logique de l'explication (τῇ ἀκολουθίᾳ τῆς
ἐξηγήσεως), me contentant de souligner que tout vise un seul
et même but (σκοπός) jusqu'à la fin du psaume » (47, 12). La
sélection des versets cités s'opère donc en fonction du but du
psaume qu'ils éclairent mieux que les autres. Mais ce n'est

pas une règle rigide : dans le même psaume, Grégoire commente un verset qui s'intègre mal dans l'argumentation générale, mais qu'il juge important pour son intérêt doctrinal. En effet, le verset « Prosternez-vous devant l'escabeau de ses pieds » ne concerne pas le Christ, mais le caractère inaccessible de Dieu.

Une certaine liberté dans la composition s'observe dans la manière dont le commentaire, pour tel psaume, alterne citations littérales et allusions ou bien, pour tel autre, se contente d'un résumé – comme dans le cas du Ps 1 –, ou pour tel autre encore, n'emploie que des citations littérales. Par exemple, pour le Ps 93, seuls quelques versets sont intégralement cités, mais Grégoire reprend plusieurs mots essentiels du psaume au fil de son exégèse, si bien qu'une grande partie du psaume est finalement expliquée. En revanche, dans un cas extrême, le Ps 90, il se contente de citer le titre, puis renvoie le lecteur au reste du psaume dont il ne dit rien, sinon que l'idée présente dans le titre y est également exprimée sans être dissimulée (cf. 43, 11). Pour le Ps 96, il laisse de côté plus de la moitié des versets, mais cite littéralement tous ceux qu'il commente. Dans ce cas, les citations viennent le plus souvent illustrer le commentaire qui vient d'être fait (elles sont souvent introduites par διό ou διὰ τοῦτο), mais parfois elles le relancent quand elles contiennent un passage qui n'a pas encore fait l'objet d'une explication. Ainsi pour le Ps 96, 1 : « Le début du psaume annonce cette bonne nouvelle : puisque le Seigneur a régné, la terre se réjouit [...] Tel est le texte : ' Le Seigneur a régné, que la terre exulte, que de nombreuses îles se réjouissent. ' Il a heureusement nommé les âmes de ceux qui montrent au milieu des tentations fermeté et stabilité des ' îles ' » (46, 12 s.). Une certaine impression de variété est de la sorte préservée.

L'organisation d'un commentaire de titre de psaume : l'exemple du titre *Sur les pressoirs*

La construction d'un développement exégétique est également très étudiée dans le cas du commentaire du seul titre. Ainsi en est-il, par exemple, de celui qui concerne le titre « au sujet des pressoirs » (39). Grégoire commence par évoquer la culture toute profane de la vigne et donne une définition du pressoir : « Le pressoir est un atelier où l'on produit le vin en foulant les grappes de raisin. » Il met alors d'emblée en évidence, dans une présentation en chiasme, deux défauts majeurs que sont susceptibles de présenter le raisin et le vin. Le premier risque, c'est, s'il est récolté trop tard, d'être pourri, s'il l'est trop tôt, d'être vert ; il en résulte un vin imbuvable à cause soit de son acidité soit de son état de moisissure. Or c'est le beau raisin de bonne qualité, mûr, qui, après être passé par le pressoir, donnera le bon vin. La notion de temps est alors introduite car le bon vin, en vieillissant, s'améliore. Ce sont là autant de conseils en vue d'une vinification réussie. Une question rhétorique permet alors de faire rebondir l'exposé et de préparer l'allégorisation du thème : quelle est « l'énigme », le sens figuré de la culture du raisin ? pourquoi se préoccuper de produire du vin et de le faire vieillir dans le cellier ? L'exégète fait alors basculer le récit en enseignement spirituel par un premier jeu d'équivalences : le cellier qui laisse espérer beaucoup figure l'esprit qui espère, le raisin la préparation en quoi consiste la vie. Une citation évangélique vient ici opportunément amplifier l'allégorie et la christianiser : « Je suis la vigne et vous êtes les sarments » (Jn 15, 5). Dès lors la nouvelle thématique se met en place, qui développe et reprend la double opposition initiale, cette fois au plan moral et religieux de la conscience, entre le bon et le mauvais raisin d'une part, entre le bon et le mauvais vin d'autre part : les raisins doivent être dignes de la vigne – le Christ – qui les nourrit, en n'étant ni verts ni moisis, ce qui, traduit en de nouvelles équivalences, revient à dire que les actions humaines ne doivent être soumises ni à la colère ni au plaisir. La perspective morale est encore soulignée par la substitution au cellier de l'esprit du pressoir de la conscience dans laquelle se joue la vie future, d'où sortent soit le vin source de jouissance pour les bienheureux vignerons soit le vin nuisible. Ainsi au vin aigre et moisi dont la description ouvrait le développement correspond à son terme le vin pernicieux et destructeur, fruit des sarments de Sodome. La construction est remarquable : Grégoire réussit à faire progresser son récit en enchaînant les thèmes de telle façon qu'ils se fassent écho, et à mettre en évidence l'essentiel en le plaçant au centre du développement et en repoussant au début et à la fin ce qu'il faut éviter. Cependant, ce commentaire de titre n'offre pas seulement un exemple de construction, mais aussi d'exégèse allégorique, qui est largement présente dans le traité.

4. L'exégèse allégorique

Ce que recherche l'exégète des psaumes, c'est leur signification, que Grégoire nomme διάνοια, ἔννοια, νόημα, σημασία, ἑρμηνεία ou νοῦς. Généralement, il est respectueux du sens fondamental des psaumes qu'il explique : « Ce Grégoire, qu'on range si volontiers parmi les allégorisants, ne l'est guère ici qu'au niveau du détail [1]. » Cette remarque qui est vraie pour la première partie l'est cependant moins pour la seconde. La plupart des caractéristiques de son exégèse dégagées jusqu'ici – remarques linguistiques, grammaticales, rhétoriques, organisation du commentaire – visent certes à éclairer le sens littéral, mais elles ont aussi pour fonction de favoriser la découverte du sens allégorique. Si Grégoire peut

---

1. M.-J. Rondeau, « Exégèse », p. 520.

se contenter d'indiquer le sens obvie d'un passage – généralement en le paraphrasant, en introduisant des liens logiques, en notant une tournure ou en résumant l'histoire –, il veut souvent élucider ce que le psalmiste laisse entendre en recourant au sens figuré – d'où les nombreux préfixes aux diverses nuances des verbes comme ὑποδείκνυμι, διασημαίνω, ἀποσημαίνω, ὑποσημαίνω, παρασημαίνω, ἐκκαλύπτω, ἀνακαλύπτω, ὑποτίθεμαι. Aussi distingue-t-il (9, 11) l'exégèse selon le sens littéral (κατὰ τὸ πρόχειρον) et selon le sens spirituel ou profond (κατὰ τὴν ἐν τῷ βάθει κειμένην θεωρίαν). Un petit nombre d'expressions spécifiques, en dehors des termes précédemment cités qui ne lui sont pas réservés, lui servent parfois à désigner le sens allégorique : τροπικῶς (45, 43), κατὰ τὸ βαθύτερον (62, 32), μυστικός (40, 11) pour désigner le sens chrétien des titres propres à l'Église, ἡ θεωρία (74, 8) et surtout τὸ αἴνιγμα, très employé [1] à la différence d'αἰνίσσομαι (une seule occurrence 2, 41) ; également, à propos de David, l'expression προτυποῖ συμβολικῶς (62, 7) et, à propos du Ps 67, 28, la formule : « Par certains signes et symboles (διὰ σημείων τινῶν καὶ συμβόλων), la prophétie signifie à l'avance (προσημαίνει) les caractéristiques de la race des disciples » (69, 50). D'autres verbes qui signifient annoncer (la venue du Christ) indiquent une interprétation allégorique, comme προαναφωνέω, προαγορεύω, προοράω, προμηνύω.

Différents éléments jouent en faveur du choix du sens figuré et de l'allégorie :

– la valeur admise de prophétie chrétienne de l'AT et particulièrement des psaumes avec la tradition d'une typologie de la vie de David, figure du Christ,

---

1. Notamment dans l'expression « les énigmes de l'histoire » (55, 31 ; 56, 36 ; 65, 45 ; 69, 1 ; 72, 7 ; 82, 21) à laquelle il préfère une fois le simple « ce qui est recherché dans l'histoire » (82, 2).

- les besoins de la polémique, surtout anti-juive [1] (l'absence d'un titre en hébreu est une indication de son sens chrétien),
- le rôle donné à tel verset d'illustrer une doctrine élaborée par ailleurs, comme celle de la non-existence du mal ou de la liberté de choix (cf. la formule : « le logos philosophe » 74, 30),
- l'absence de sens littéral vraisemblable d'un passage (ainsi, le sein d'Abraham de Lc 16, 22 ne peut que représenter la plénitude des biens, cf. 37, 45) ou l'obscurité d'un titre, ou bien, au contraire, de façon paradoxale, l'évidence du sens allégorique d'un verset, comme le montre l'emploi de l'adjectif γυμνός et de l'adverbe γυμνῶς pour qualifier l'interprétation allégorique du verset 20 du Ps 106 qui, plus même que les Évangiles, « crie le mystère d'une façon nue » (23, 26) et du Ps 90 qui montre de façon plus nue que son titre la théophanie du Christ (43, 11) [2], tandis que l'exégèse typologique du Ps 55 consiste à « dénuder (ἀπογυμνῶσαι) de façon plus pénétrante le texte » (69, 33) [3].

Un trait de l'allégorie est sa polysémie : Grégoire admet fort bien le pluralisme exégétique. De même qu'il estime légitime d'ajouter sa propre exégèse à celle de ses prédécesseurs (« Pour notre part, sans rejeter les conceptions des

1. La polémique peut orienter le sens d'une interprétation, qui, même littérale à première vue, comme celle du Ps 4, 6 (« Sacrifiez un sacrifice de justice et espérez dans le Seigneur »), n'en inclut pas moins une légère critique du culte juif : « Il affirme que l'homme qui cherche la purification de l'âme ne place pas ses espoirs dans l'égorgement des bêtes sans raison » (51, 14).

2. De même, la valeur de prophétie messianique du Ps 92 ne fait aucun doute (οὐδεμία ἀμφιβολία 43, 42).

3. A la suite de Philon, en contexte platonisant avec l'idée de dévoilement, plusieurs auteurs, parmi lesquels Basile, parlent de la « vérité nue », (γυμνὴ ἀλήθεια), voir P. COURCELLE, « Verissima Philosophia », dans *Epektasis*, p. 653-659, particulièrement p. 657.

Pères, nous ne craindrons pas d'avoir aussi notre propre idée sur le sens de ce mot » 48, 3 s.) tant le message divin est riche de sens multiples, il peut proposer deux interprétations différentes à quelques pages d'intervalle. Ainsi en est-il du Ps 5 et de son titre, « au sujet de l'héritière » : selon la première, l'héritière représente l'âme qui, déchue de son héritage par la faute d'Adam, vit un nouveau matin et retrouve son héritage par le Christ (cf. 35, 13 s.) ; selon la seconde, elle figure l'Église qui succède à la Synagogue privée de son héritage, la victoire de la foi sur la loi (cf. 56, 1 s.). Cependant, si ces deux exégèses ne s'annulent pas ni ne sont exclusives l'une de l'autre, cet exemple reste un cas isolé : les exégèses, en général, privilégient un aspect, souvent ce qui est relatif à l'âme, et on ne peut que souscrire à l'affirmation de M. Canévet selon qui « Grégoire ne cherche plus aussi régulièrement [qu'Origène], à propos de chaque verset, les trois sens de l'Écriture, ou du moins plusieurs de ces sens. Un seul suffit souvent, et il en résulte une certaine simplification de l'exégèse, source d'appauvrissement, il est vrai, mais aussi de vigueur et de pureté de ligne [...] les premières *Orationes in Canticum*, par exemple, sélectionnent les interprétations origéniennes qui ont trait à l'âme individuelle, au mépris fréquent de celles qui touchent à l'Église [1]. »

La place de l'exégèse allégorique

Aucun psaume ne se prête à une interprétation entièrement spirituelle ou typologique, seuls des passages sont exploités en ce sens, souvent le titre et seulement certains versets. Les psaumes présentent donc différents niveaux de lecture que le commentaire superpose. Par exemple l'exégèse du Ps 51 paraît, dans son ensemble, littérale : elle insiste sur la correspondance entre le titre et le psaume en soulignant

1. *Grégoire de Nysse*, p. 349.

que les paroles du psaume décrivent bien la perversité de Doèk. En cela, elle ne diffère guère de l'exégèse contemporaine qui reconnaît que, « bien qu'il n'y ait aucune rencontre verbale directe entre les deux textes [titre et psaume], le psaume peut de part en part être appliqué à l'Édomite [1] ». Cependant plusieurs éléments orientent l'exégèse du titre vers l'allégorie : l'interprétation du terme ' fin ' entendu comme victoire, de Doèk comme figure de l'adversaire, celle, philosophico-théologique, de la stérilité des mules ; de même, dans le psaume, l'interprétation de l'image du rasoir aiguisé du verset 3 qui est associée à la figure de Samson victime de Dalila (cf. 63). Dans l'exégèse du Ps 52 (cf. 65), le titre est laissé de côté, tout juste mentionné à la fin. En revanche, le reste du psaume est commenté allégoriquement et divers types d'interprétation se succèdent : théologique pour le verset 2 sur l'être véritable de Dieu, messianique pour le verset 3 (l'indication que Dieu s'est penché du ciel sur les fils des hommes annonce la venue du Christ), antijuive pour le verset 6 (les dévorateurs du peuple sont les chefs des prêtres) et morale pour le verset 7 (la captivité du peuple est celle que réalise le mal).

Un titre et un psaume peuvent recevoir un commentaire différent, l'un littéral, l'autre allégorique. Grégoire distingue ainsi le sens du titre du Ps 55 qui concerne le Christ et celui du psaume qui se rapporte à David : « Quant aux paroles mêmes du psaume, elles semblent plutôt viser non pas tant celui qui, descendant de David, a été proclamé roi que David lui-même, le combattant du mal et le pratiquant de la vertu » (70, 7). Mais il souligne aussitôt que les paroles du psaume et son titre sont complémentaires comme le sont la vie et la foi, la vertu et la connaissance de Dieu. Inversement, l'interprétation du titre du Ps 56 se limite à décrire la conduite morale de David qui sait maîtriser ses passions et épargne Saül, tandis que le psaume est nettement interprété allégoriquement – Grégoire

1. J.-M. Auwers, *Composition*, p. 143.

veut en comprendre la θεωρία (74, 8) – : il est présenté comme
commençant par un exposé doctrinal sur la nature du mal et se
terminant sur le rappel de la double bénédiction de Dieu en
faveur des Juifs et des chrétiens (cf. 74, 1 s.). Il en va de même
pour le Ps 57 dont le titre est entendu au sens littéral comme
une célébration de l'attitude exemplaire de David, mais dont
plusieurs versets ont un sens allégorique, notamment le verset 9 qui vise le rejet du Christ par les Juifs (cf. 78, 45).

Il semble que l'interprétation allégorique soit dominante
dans les psaumes jugés les plus importants : c'est le cas du
Ps 106 qui révèle le sens de l'ultime section (cf. I, 8), du
Ps 150 qui clôt le Psautier et du Ps 58 qui termine le traité et
conclut une ascension. Ainsi, le Ps 106, seul psaume, avec le
Ps 150, dont le commentaire dans la première partie du traité
fasse une large place à l'exégèse allégorique, est une prophétie messianique (son titre n'est pas cité, car son examen
relève de la deuxième partie) : les rachetés du verset 2 le sont
par le Christ, les égarés du verset 4 ont perdu la voie du
Seigneur qui parle dans l'Évangile, la nourriture dont ils sont
affamés au verset 5 est le Seigneur qui s'offre lui-même
comme aliment véritable (sens sacramentel), le verset 20 (« il
a envoyé son logos ») est une annonce de la venue du Christ,
les flots du verset 29 figurent le démon auquel le Christ
impose le silence, le verset 32 évoque les Églises. Autant dire
qu'au Ps 106, « Grégoire lit en clair dans le drame du salut de
l'humanité le rôle du Christ [1]. »

Exemples d'exégèse allégorique

Interprétations spirituelles et morales

Ce type d'allégorie contient surtout des interprétations
fondées sur l'opposition entre la vertu et le vice, le charnel et

---

1. M.-J. RONDEAU, « Exégèse », p. 528.

le spirituel. Certaines sont couramment admises et se pas-
sent de justifications, comme celle de l'obscurité qui « signifie de manière figurée en maints endroits de l'Écriture la
malice » (35, 25). Pour d'autres en revanche, moins recon-
nues, des explications sont données : la lumière de la face de
Dieu imprimée sur l'homme selon le Ps 4, 7 figure les vertus
(9, 31) — le sens figuré est introduit comme une lecture
personnelle (« le prophète ne me semble pas entendre autre
chose que les vertus ») ; la mélodie apaisante conseille de
manière figurée d'étouffer les passions (cf. 8, 24) ; le cheval et
le géant du Ps 32, 16-17 signifient l'interprétation charnelle
de la loi par les Juifs (cf. 41, 43) — si l'idée de course charnelle
est invoquée pour justifier le sens de cheval, rien ne vient
étayer celui de géant qui est d'ailleurs prudemment présenté
au conditionnel ; le nom ' Borée ' du Ps 47, 3 est celui de la
puissance adverse (cf. 60, 30), parce que c'est une région inaccessible aux rayons du soleil ; la cité du Ps 58, 7 représente la
vie vertueuse et civilisée tandis que l'extérieur figure le mal et
l'intempérance (cf. 84, 36) ; les plaines du Ps 95, 12 (« les plaines se réjouiront ») qui ne se situent ni sur les montagnes ni au
fond des vallées désignent la vie vertueuse qui sait éviter les
excès ou les manques (cf. 45, 49) ; les îles du Ps 96, 1 représentent les âmes vertueuses qui résistent au mal assimilé aux flots
(cf. 46, 18) ; l'ensemencement des champs et la plantation des
vignes évoqués au Ps 106, 37 figurent respectivement les
commandements divins et les vertus (cf. 25, 29). Un exemple
se réfère à la nature divine : la nuée et la ténèbre du Ps 96, 2
sont l'image de l'invisibilité de Dieu (cf. 46, 22).

Se démarque, par son étendue, de ces interprétations isolées celle du titre du Ps 59, une notice historique qui évoque
la destruction de la Mésopotamie de Syrie et de la Syrie de
Soba par Joab (cf. 34). La Mésopotamie de Syrie figure les
passions mauvaises et la Syrie de Soba les doctrines funestes
du maître du monde, de l'ennemi de Dieu. Joab, qui préfigure sans doute le Christ sans que cela soit explicite — l'exégèse typologique est à peine esquissée —, est vainqueur de ces

deux adversaires et assure la paix. Dans cet exemple, la notice historique du titre suit la formule « au sujet de ceux qui seront changés », entendue comme prescription du changement en bien, dont elle constitue « le contexte (ἡ σύμφρασις) » : à ce titre, elle l'éclaire en énonçant « la manière » de changer (34, 16), c'est-à-dire l'élimination des passions et des mauvaises doctrines.

Interprétations chrétiennes

Nombreuses sont celles que présente la série des psaumes auxquels Grégoire reconnaît, de façon générale, une valeur de prophétie messianique parce que leur titre est rejeté par les Juifs. Mais elles figurent également ailleurs. Ainsi, les voix des fleuves du Ps 92, 3 représentent les Évangiles (cf. 43, 40) – exégèse avancée prudemment comme une opinion personnelle –, les éclairs du Ps 96, 4 les paroles de « l'illumination évangélique (ἡ εὐαγγελικὴ φωταγωγία) » (46, 28), « l'inscription sur une stèle » du Ps 55, 1 l'Écriture inspirée (cf. 69, 26). Le saint du Ps 4, 4 que le Seigneur a jugé admirable désigne le Christ (cf. 51, 6) et les sources d'eaux du Ps 41, 2 la nature divine comme unité et triade (cf. 58, 30). L'Église est figurée par la ville du grand roi aux forteresses dans lesquelles Dieu est connu du Ps 47, 3-4 (cf. 60, 26), par la maison du Seigneur du Ps 92, 5 à laquelle convient la sainteté de l'Esprit (cf. 43, 45), mais aussi par la cité que David a fondée parmi les étrangers (cf. 69, 39), dont la mention ne figure pas dans les psaumes, mais que la notice du titre du Ps 55 permet d'évoquer.

Exégèse typologique

Cette dernière exégèse rentre dans le cadre de vastes constructions allégoriques, élaborées à partir des notices biographiques liées à la vie de David. C'est en effet tout un épisode, avec ses nombreux détails, qui est rapporté à l'histoire néotestamentaire.

Un premier exemple est celui du commentaire du titre du Ps 3 (la fuite de David devant Absalom son fils). Grégoire n'y fait pas précéder son interprétation de l'épisode par le rappel de l'histoire, mais passe immédiatement à l'exégèse. Celle-ci, fondée sur l'assimilation traditionnelle d'Absalom au mal et au diable, est encore mixte : spirituelle au début, elle est typologique seulement à la fin quand elle se réfère au mystère du salut (cf. 55). Les différents moments de l'histoire reçoivent les significations suivantes selon une série d'équivalences :

- la révolte d'Absalom contre son père : l'homme est lui-même l'auteur du mal auquel il donne naissance ;
- Absalom s'appoche des concubines de son père aux yeux de tout Israël : le mal prend le pouvoir en l'homme quand il souille les vertus et rend publique leur corruption ;
- David fuit devant son fils : l'homme qui n'est pas en état d'affronter le mal doit le fuir pour affermir ses forces ;
- Absalom est suspendu au bois d'un arbre par sa chevelure : les péchés sont cloués au bois de la Croix ;
- Absalom est tué par trois traits : le dernier adversaire est détruit par le mystère de la triade.

Dans le cas du titre du Ps 55, l'interprétation est proposée après le résumé de l'histoire et révèle de « grands mystères » (70, 1-2). Elle est nettement introduite par une formule de transition : « s'il faut dévoiler … » (69, 32). David qui habite une cité au milieu d'étrangers avec deux épouses, l'une de la race d'Israël, l'autre d'origine étrangère, représente le Christ qui est rejeté par le peuple d'Israël et qui fonde parmi les étrangers l'Église : elle comprend à la fois une part de la noblesse d'Israël – les apôtres – figurée par l'épouse israélite et des étrangers qui ont sa faveur, comme Abigaia est l'épouse préférée (cf. 69, 37 s.).

Le titre du Ps 58 concerne le conflit entre David et Saül rapporté en 1 R 19, 9-16, qui est d'abord brièvement résumé. La typologie qui suit, nettement plus étendue que les précé-

dentes, a les proportions d'une vaste fresque. Qualifiée de
« parfaitement claire » (82, 21), elle suit précisément l'enchaînement de l'histoire (cf. 82-83) :

- David utilise un instrument, la cithare, dont le chant
  chasse les démons qui tourmentent Saül : le Christ a
  recours à l'incarnation pour faire entendre sa parole qui
  fait disparaître l'égarement provoqué par les démons ;
- la lance de Saül ne touche pas David, mais le mur : la
  crucifixion concerne non la divinité du Christ qui échappe
  à la Passion, mais son corps [1] ;
- David se rend dans sa maison, auprès de Melchol, sa
  femme, la fille de Saül : le Christ va dans le royaume de la
  mort dont le diable est le père ;
- David s'échappe par une fenêtre : le Christ revient à la
  lumière après avoir affronté l'ombre de la mort ;
- à la place de David, ses poursuivants trouvent sur son lit
  des cénotaphes et un foie de chèvre : à la place du Seigneur,
  ceux qui cherchent Jésus voient des vêtements funéraires,
  signes de sa résurrection – le foie figurant le sang versé
  pour l'expiation des péchés et la chèvre étant l'animal
  réservé aux sacrifices d'expiation.

Le sens des titres

Vu la variété des interprétations de titres, il a paru com-
mode de donner un bref aperçu du sens de chacun d'eux.

1. Cf. l'exégèse du sacrifice d'Isaac dans le *Trid spat* 275, 1 s. d'après
laquelle Isaac figure la nature divine du Christ et le chevreau son humanité
mortelle ; cf. aussi *CE* III, 137, 11 commentant Rm 6, 10 : « Il mourut au
péché, c'est-à-dire dans son corps ; il vit en Dieu, c'est-à-dire dans sa
divinité. » Pour Eustathe d'Antioche aussi, qui met l'accent sur la distinction des natures, ce n'est pas le Verbe incorporel qui est crucifié, cf.
frgt 26 : οὐ τρῶσιν ὑπομένει, οὐχ ἥλοις προσηλοῦται, οὐ θανάτῳ κοινωνεῖ
(édition de M. Spanneut, *Recherches sur les écrits d'Eustathe d'Antioche*,
Lille 1948, p. 103).

Sens spirituel et moral

Formules récurrentes dans les titres :

- fin = victoire (31)
- ceux qui seront changés = changement du vice vers la vertu (31)
- les fils de Coré = Coré figure l'adversaire dont il faut s'écarter (31, 58)
- psaume = bien spirituel (32)
- chant = bonne tenue extérieure de la vie (32)
- psaume de chant ou chant de psaume : alliance de la philosophie morale et de la philosophie contemplative (32)
- hymnes = méditation des réalités célestes (32-33)
- l'intelligence = l'intelligence spirituelle (33)
- l'alléluia = la louange de Dieu avec les anges (39)

Ps 3   David s'est enfui devant Absalom son fils = l'homme doit fuir le mal qu'il engendre (55)

Ps 5   L'héritière = l'âme qui hérite du Royaume de Dieu ou l'Église (35 ; 56)

Ps 7   Les paroles de Chousi = la sentence qui nous sauve devient la pendaison de l'ennemi (56)

Ps 8   Les pressoirs = la conscience (36)

Ps 16, 85   Prière à David = modèle de prière (33)

Ps 21   La protection matinale = le lever de la vie vertueuse par la protection divine (35)

Ps 28   La sortie de la tente = la sortie du sensible et de la vie corporelle (38)

Ps 29   L'inauguration de la maison de David = l'habitation de l'âme par Dieu (38)

Ps 30   La sortie de soi (l'extase) = la sortie de ce qui est nuisible (38)

Ps 37, 69   La remémoration = remémoration du commandement divin (38)

Ps 50   Nathan est venu vers David après qu'il se fut approché de Bersabée = exemple de repentir (62)

Ps 51   Doèk dénonce David à Saül = le mal attire l'âme par des moyens détournés (63)

Ps 56   Ne fais pas périr, à David quand il fuit loin de Saül dans une grotte = il faut être maître de ses passions et plus fort que son courroux (72-73)

Ps 57   Pour une inscription sur une stèle, ne fais pas périr = garder en mémoire la vertu de longanimité (38 ; 76)

Ps 59   Victoire sur la Mésopotamie de Syrie et la Syrie de Soba : victoire sur les passions et les mauvaises doctrines (34)

Ps 89   Prière à Moïse = la proximité avec Dieu par la prière suppose la séparation de ce monde pour devenir l'homme du Dieu unique (33)

Ps 99   La confession = la confession des fautes et l'action de grâces (38)

Ps 101, 1   Prière au pauvre = la conscience de la pauvreté spirituelle élève vers Dieu (33)

Ps 144   Louange de David = exhortation à imiter David pour être capable de louer Dieu (32)

Sens chrétien, ecclésial et messianique

Ps 9   Les secrets du fils = la foi envers le Fils (35)

Ps 44   Le bien-aimé = le Christ (58)

Ps 47   Le deuxième jour du sabbat = jour du mystère de la foi au Christ (60)

Ps 53   Les Ziphéens dénoncent à Saül la présence de David chez eux, dans leur défilé = les démons sont incapables de barrer la voie étroite du salut évangélique (66)

Ps 55 Au sujet du peuple qui s'est éloigné des saints, à David lorsque les étrangers s'emparèrent de lui à Gueth = le Christ appelle l'humanité séparée de Dieu par le péché et institue l'Église (69)

Ps 58 Saül a cherché à tuer David dans sa maison = le mystère de la passion et de la résurrection (80-83)

Ps 70 Les premiers captifs = les captifs du péché et de la mort sauvés par le Christ (42)

Ps 92 Le jour du sabbat quand la terre a été fondée = le Christ enseveli détruit la mort pendant le sabbat (43)

Ps 93 Le quatrième jour des sabbats = jour du rachat par le Christ de l'humanité quand il est vendu par Judas (44)

Ps 95 La maison a été bâtie après la captivité = l'organisation de notre nature a été rebâtie (45)

Ps 96 A David, quand sa terre a été rétablie = l'humanité soumise à l'instabilité du mal a retrouvé la stabilité du bien (46)

Ps 103 La genèse du monde = le Dieu Monogène est la cause de l'organisation de l'univers (47)

Sens eschatologique

Ps 6, 11 Le huitième jour = l'éternité future (35 ; 56)

Ps 52, 87 Maeleth = participation à la danse angélique (37)

CHAPITRE V

LANGUE ET STYLE
COMPARAISONS,
MÉTAPHORES ET SYMBOLES

Grégoire, comme les autres écrivains de son temps, écrit une prose d'art très travaillée dont témoignent aussi bien la variété de son vocabulaire que le recours fréquent aux figures de rhétorique. Mais l'une des caractéristiques majeures de son style est aussi son goût pour les images qu'il développe en s'inspirant de celles des psaumes.

Le lexique

La richesse du lexique employé par l'exégète se mesure aux nombreuses formes composées et suffixées (dont quelques hapax) qui émaillent le commentaire [1] :
διεξετάζω 13, 6 (rares emplois tardifs), ἐκπεριλαμβάνω 26, 4 (absent du *LSJ*), ἐναποκρύπτω 66, 20 (deux réf. à Julien et Strabon), ἐπανατρέχω 38, 59 (réf. à Flavius Josèphe, Diodore de Sicile), προεξετάζω 1, 20 (réf. à Galien, Lucien, Thémistios), προκατανοέω 1, 18 (réf. à Énée le Tacticien, Galien), προεξάλλομαι 28, 9 (seules réf. à Thémistios), προδιανύω 14, 5 (une réf. à Dion Cassius), συνδιεξάγω 32, 30 (cité dans le

---

1. L'enquête se fonde sur les notices du *LSJ*.

Supplément du *LSJ* avec réf. au *Supp. Épigr.*) ; συγκαταρρέω 78, 22 (une réf. à Énée le tacticien), συγκαθέλκω 23, 7 (une réf. à Eschyle), συμβαδίζω 48, 14 (trois réf. à Flauius Josèphe, Élien et Dion Cassius), συμπαραβάλλω 44, 40, συμπαρα-γράφω 29, 13, συμπαραδέχομαι 4, 18, συμπαραζεύγνυμι 10, 32 (absents du *LSJ*), συμπαραδηλόω 51, 30 (une réf. à Strabon), συμπαρατείνω 64, 28 (réf. à Galien, Zosime, Plotin, Simplicius).

A ces verbes s'ajoute un vocabulaire recherché et rare : ainsi le verbe περιλιχνεύειν 20, 6 qui désigne l'attachement aux réalités terrestres (cf. Philon, *Migr.* 64 ; *Contempl.* 55), ἀποστενόω 66, 13, ὀξυωπέω 14, 32, ἐνδεσμέω 20, 7, νωτο-φορέω 25, 39, ἀετώδης 20, 11 (réf. à Philostrate et Lucien), λάκτισμα 63, 38, μουσουργία 32, 18, θέλγητρον 77, 45 ; les adverbes ἐλεγκτικῶς 77, 8, μικροπρεπῶς 13, 27, ἐπιθανατίως 83, 43, ἐπιστρεπτικῶς 21, 24. Plusieurs mots sont absents du *LSJ* : ἀχάλαστος 27, 35, λιθογλυφικός 54, 19, παρεξόδιος 10, 1, σκωπτικῶς 13, 33, ἀμετεωρίστως 14, 16, προναυαγεῖν 24, 38. Des termes techniques renforcent cet aspect recherché : σμιλοειδῶς 54, 14 (absent du *LSJ*), σκώληξ 36, 7, ὀμφακίζω 36, 4 (se lit cependant en Is 18, 5), ἑτεροχρούς 64, 18 (réf. à Théophraste et Nonnos), ἐξυδαρόω 26, 29 (réf. à Aristote, Alexandre d'Aphrodise), ἐναπόληψις 77, 44 et ἐμπεριέχω 15, 19 (réf. à Aristote, Théophraste), ἑλικοειδῶς 54, 13.

On peut aussi mentionner l'emploi de termes poétiques comme πάνσοφος 6, 29 à propos du mouvement harmonieux du ciel (réf. à Homère et aux Tragiques), στροφάλιγξ 24, 20 (plusieurs attestations homériques), συγκαθέλκω 23, 7 (une réf. à Eschyle), τροπίας 36, 5 (réf. à Aristophane, Alciphron). Le mot βρωτήρ est, lui aussi, rare et poétique : l'image grégorienne est celle des dents des pécheurs « dévoratrices du fruit de la désobéissance » (78, 6). Grégoire l'emploie dans la *Lettre* 11, 6 quand il évoque les prétendants de Pénélope qui « dévorent (βρωτῆρες) les biens de celle qu'ils cherchent à épouser ».

LES EFFETS STYLISTIQUES

Grégoire de Nysse a la réputation de connaître et d'utiliser les ressources de la rhétorique. L. Méridier a pu ainsi énumérer les nombreuses figures dont son œuvre est remplie et qui ne sont pas absentes du traité : pléonasmes, paronomases, allitérations, parallèles et antithèses, hyperbates [1]... On en relèvera ici quelques exemples précis qui montreront comment Grégoire les met au service de son exégèse.

En affirmant à plusieurs reprises son souci de ne pas s'étendre inutilement, Grégoire se conforme aux règles des traités d'art oratoire. Ainsi quand il déclare à propos du sens du titre du Ps 58 : « Je crois superflu d'introduire maintenant une parenthèse dans notre discours tandis qu'il se hâte vers d'autres questions » (82, 1), parenthèse qu'il s'empresse, au contraire, de longuement développer. La déclaration faite à propos du Ps 3 : « Il serait superflu d'exposer précisément le sens de chaque expression, alors que le discours nous presse vers d'autres » (50, 19 s.), est différente en ce qu'elle n'est pas seulement un subterfuge rhétorique, mais exprime un choix personnel, la préférence grégorienne pour la simple reprise de l'image biblique qui se suffit à elle-même plutôt que pour la recherche d'équivalences allégoriques détaillées : « Il importe de ne pas détruire l'effet par les lenteurs et l'abstraction d'une analyse minutieuse à l'excès [2]. »

Quelques passages peuvent suffire à témoigner de la maîtrise avec laquelle il sait jouer des effets de langue pour servir son propos. Un simple souci de variation stylistique lui fait écrire tantôt μετὰ συζυγίας (29, 19), tantôt διὰ συζυγίας (29, 24), tantôt κατὰ συζυγίαν (29, 49). Mais l'enjeu peut être plus grand si les ressources du style renforcent le sens d'une interprétation. Ainsi en est-il quand il explique le Ps 70, 20-21 :

---

1. *L'influence de la seconde sophistique sur l'œuvre de Grégoire de Nysse*, Rennes 1906.
2. M. CANÉVET, *Grégoire de Nysse*, p. 307.

« Quand dans l'abîme de la mort le captif était retenu par la mort (ἐν τῇ ἀβύσσῳ τοῦ θανάτου κατεχομένου τοῦ αἰχμαλώτου ὑπὸ τοῦ θανάτου), il est descendu par sa passion dans cet abîme pour ramener avec lui dans les hauteurs l'abîme » (42, 39 s.). La répétition du mot θάνατος, renforcée par les homéotéleutes, a pour effet de rendre sensible l'impression d'enfermement, de captivité dans la mort, d'autant que la phrase est scandée par le mot ' abîme ' par lequel elle débute et sur lequel elle s'achève (sous la forme légèrement différente βύθιον).

Le motif de l'unité et de la totalité, tiré du Ps 48, 2, scande le passage suivant où πᾶς et εἷς alternent en chiasmes (61, 3-8) :

χεῖλος ἓν πᾶσιν καὶ μία φωνή
πάντα τὰ ἔθνη καὶ ἡ οἰκουμένη πᾶσα καὶ πάντες ἄνθρωποι
μία ἀκοὴ καὶ καρδία μία
ἑνὸς τοῖς πᾶσιν τοῦ λόγου / πᾶσαν τὴν ἀνθρωπίνην φύσιν καὶ
ἓν τὸν κόσμον ὅλον...κοινῇ τοῖς πᾶσιν.

Pour donner tout son sens au Ps 48, 12 (« Ils invoquèrent leur nom sur leurs terres »), Grégoire oppose à la renommée terrestre l'anonymat céleste en jouant sur la reprise du terme : « Eux qui n'ont pas écrit leur nom dans les cieux par une vie plus élevée, mais ont désiré se faire un nom sur la terre, se sont rendus anonymes dans la cité d'en haut » (61, 54 s.).

Dans le commentaire du Ps 52, 2 où l'insensé affirme que Dieu n'existe pas, il a recours à un effet de parallélisme pour prouver la folie d'une telle affirmation. La symétrie de la construction soulignée par la répétiton de εἶναι et les homéo-téleutes a l'air de mettre sur le même plan l'homme et Dieu, mais fait en réalité ressortir la dépendance du premier par rapport au second (65, 6 s.) :

ὁ ἐκβάλλων τῆς ἑαυτοῦ διανοίας
    τοῦ θεοῦ τὸ εἶναι
        ἐκ τοῦ ἐκεῖνον μὴ εἶναι λέγειν
    ἑαυτοῦ τὸ εἶναι
διέφθειρεν ἔξω τοῦ ὄντος γενόμενος.

Les images

Pour faciliter la compréhension de ses développements, Grégoire les parsème de comparaisons empruntées à la vie quotidienne et à l'expérience familière et concrète, ce que montrent les exemples suivants : « Comme, souvent, des gens qui font route ensemble ou qui parlent entre eux à des festins ou à des réunions, si soudain un bruit vient à frapper leurs oreilles, s'arrêtent de parler et dirigent toute leur attention vers le bruit ... » (48, 13 s.) ; « de la même manière que ceux qui gravissent une route montante et difficile à emprunter, quand, en chemin, ils ont trouvé un endroit où s'asseoir, y relâchent la grande tension de leur effort ... » (68, 5 s.) ; « comme si quelqu'un, en cas d'attaque soudaine d'un voleur ou d'un meurtrier, appelait des amis au secours, parce qu'il ne peut à soi seul échapper aux dangers ... » (70, 17 s.) ; « comme ceux qui cherchent à rendre plus distinctes les figures sur la pierre, gravent en profondeur les caractères en ciselant les lettres ... » (76, 48 s.). S'ajoute à ce goût pour les comparaisons celui des images, qui va plus loin que la simple recherche des équivalences allégoriques généralement transmises par la tradition. Nombreuses, elles sont souvent inspirées par celles du texte biblique, mais correspondent aussi aux grandes tendances de l'imaginaire grégorien où dominent, selon l'analyse proposée par M. Canévet à partir des *Homélies sur le Cantique*, trois grands schèmes, ceux de division, de verticalité et d'intériorité [1]. On verra, dans la présentation qui suit, que les images du traité, même si elles sont loin d'être aussi riches et approfondies que dans cette dernière œuvre, les reflètent déjà souvent. Celui de verticalité est surtout présent dans les images de hauteur et celui d'intériorité dans celles de la maison, mais plusieurs peuvent être mêlés dans une même image. Le schème de la division

---

1. Cf. M. Canévet, *Grégoire de Nysse*, p. 291-361.

revient le plus souvent, puisque ce qui fonde le choix des images, dans ce traité à dominante morale, est fréquemment le souci de souligner la séparation de la vertu et du vice.

– La hauteur

L'une des images récurrentes du traité est celle de l'ascension qui sépare le haut du bas, le bien étant situé en haut et le péché en bas (cf. 15, 28). Le mal, d'après le Ps 106, 17, est chose pesante qui entraîne dans son gouffre (cf. 23, 6) et le péché, selon le Ps 70, 21 attire dans l'abîme (cf. 42, 30), tandis que les cieux du Ps 96, 6 symbolisent « la hauteur des mystères évangéliques » (46, 31).

Les différentes sections du Psautier qui guident l'ascension spirituelle sont comparées aux échelons d'une échelle (cf. 14, 3 ; 19, 27 ; 20, 2 ; 27, 2) comme l'est une fois un psaume, le Ps 57 (cf. 77, 2) [1]. Comme le psaltérion retentit dans ses parties supérieures, l'homme est invité à faire de sa vie un psaume qui ne résonne pas des bruits de la terre, mais de ceux du ciel (cf. 32, 20). La gloire avec laquelle Dieu s'est saisi du psalmiste au Ps 72, 24 est « comme un véhicule et une aile » (13, 59) qui le conduisent vers le bien (cf. *Phédon* 85 d). Au Ps 72, le psalmiste se trouve sur un promontoire ou un observatoire (13, 20, cf. *Rép.* 445 e) d'où il domine la terre, et, au Ps 57, « parvenu à cette hauteur, comme d'un observatoire élevé, à ceux qui vivent en bas dans les creux du piémont qu'est la vie humaine, il crie ... » (77, 6). Parvenu, au Ps 150, dans le chœur divin et participant à la danse angélique (cf. 27-28 ; 37), il écarte « ce qui est terrestre, muet et sans voix » (27, 31, cf. 8, 13) et « imite l'harmonie de l'univers par la diversité des vertus » (27, 27). Une image frappante décrit le salut opéré par le Christ qui fait disparaître l'abîme en

---

1. Dans les *Homélies sur le Cantique*, selon M. CANÉVET (*Grégoire de Nysse*, p. 314), « l'échelle est encore un trait d'union entre la terre et le ciel, mais un trait d'union qui s'étire indéfiniment sans atteindre le but ; c'est une échelle sans échelon ultime. »

l'entraînant avec lui au ciel : « Il ramène avec lui dans les hauteurs l'abîme » (42, 42).

Dans l'exégèse du titre du Ps 53, « la montagne spirituelle (ὄρος τῶν νοημάτων) » où est caché David (66, 2) est interprétée à la fois comme hauteur du psaume, montagne des Ziphéens, colline du *Cantique des Cantiques* et sommet évangélique (66). Mais l'image de la montagne n'est pas univoque et peut s'inverser, en vertu du procédé grégorien qui « consiste à redoubler une même image en symbole de bien et symbole de mal [1] » : « le sol plat et uni » de la vie vertueuse s'oppose ainsi à la hauteur du vice (85, 12), et les plaines du Ps 95, 12, à la différence des vallées et des montagnes, représentent la vie unie, sans aspérité, de la vertu (45, 49) [2]. Au Ps 45, 4, le mouvement des montagnes, « ces pensées terrestres du mal », suggère l'agitation des démons lors de l'Incarnation (59, 9). Dans les *Homélies sur le Cantique* également, la montagne « n'évoque pas nécessairement, ni avec force, le bien [3] ».

– Le combat

Les images de combat et de compétition sportive, d'inspiration paulinienne, scandent la seconde partie du traité en traduisant les conflits contre les adversaires qui se présentent au fur et à mesure de l'ascension spirituelle : la présence de la notion de victoire dans de nombreux titres, selon l'interprétation du sens de l'expression ' Pour la fin ', invitait Grégoire à les développer. Les images du combat physique fournissent les références de la lutte pour la vertu sur « le stade de la vie » (31, 10) et les thèmes sont constamment transposés d'un domaine à l'autre : perspective de la victoire qui dissi-

1. M. Canévet, *Grégoire de Nysse*, p. 302.
2. L'image de la montagne et celle de la vallée sont symétriques : « Les montagnes mauvaises sont liées à la métaphore du creux, car le mal paraît être ce que justement il n'est pas : bien quand il est mal, hauteur quand il est abîme » (M. Canévet, *Grégoire de Nysse*, p. 312).
3. M. Canévet, *Grégoire de Nysse*, p. 312.

mule les souffrances du corps à corps et accroît le zèle (cf. 31, 13 s.), remise des prix de la victoire par le président des jeux, l'ἀγωνοθέτης (cf. 56, 4 ; 76, 17), frottement d'huile réalisé par la Parole pour combattre les tentations (cf. 56, 21), entraînement par les victoires successives (cf. 62, 35), malheurs entendus comme autant de prises appliquées au lutteur par ses rivaux et rapportées au président des jeux (cf. 67, 17), David assimilé à un combattant de la longanimité réalisant un exploit et tendant comme un trophée une frange du manteau de Saül (cf. 73, 14) et le psalmiste revêtu, grâce à l'alliance divine, d'une armure de vertus (cf. 74, 35).

En outre, passer d'un psaume à l'autre, c'est accomplir « une course » qui conduit d'une victoire à l'autre (65, 43), et, à chaque fois, affronter de nouveaux concurrents toujours plus puissants selon une progression indéfinie qui est celle de la croissance vertueuse, selon une image parallèle à celle de l'échelle. Deux comparaisons le montrent : « Comme, dans les combats physiques, les athlètes ne gardent pas les mêmes adversaires qu'ils dominent à la palestre dans leur jeunesse, mais, avec le développement de leur force, se dévêtent pour affronter des rivaux plus grands et plus vigoureux et, s'ils les dominent, se frottent de poussière pour affronter des lutteurs encore supérieurs, combattant toujours d'une manière proportionnée à la croissance de leur force contre des adversaires plus puissants ... » (67, 1 s.) ; « Comme entre coureurs, celui qui a dépassé le vainqueur des autres, a remporté une gloire plus grande que le précédent en s'étant révélé meilleur que celui qui courait en tête, de même le psaume cinquante-sept ... » (76, 3 s.). Derrière les images complémentaires de la lutte et de la course, ce qui importe est l'idée d'un mouvement victorieux perpétuel.

– La médecine

Les images médicales concernent, de façon traditionnelle, les Juifs et l'âme, les premiers malades de leur incrédulité, la seconde de ses péchés. Les Juifs sont comme des malades des yeux et des hydrophobes (42, 7) qui gardent les yeux fermés s'ils aperçoivent le soleil ou l'eau, eux qui ont, dit-il plus loin en reprenant l'image des hydrophobes qui refusent la boisson du salut, « les sens de leur âme saisis par la rage de l'incrédulité » (65, 27). Les Juifs comme les pécheurs ont glissé hors de la matrice où ils étaient appelés à une croissance naturelle : ils sont devenus « avortons » (78, 41), les uns par leur incrédulité, les autres par leur vice selon l'interprétation du Ps 57, 4. Le péché, lui, rend les hommes « mortellement malades » (83, 43). Or ils refusent « le soin de celui qui soigne (ἡ ἰατρεία παρὰ τοῦ ἰατρεύοντος) » (44, 49), « le traitement (θεραπεία) donné par la grâce » (61, 66), celui que leur appliquent les maîtres (77, 48), bien que leurs maux puissent être guéris par le bon usage de leur liberté (15, 33), grâce au remède du repentir (62, 34) et à la mémoire du commandement, « antidote (ἀντιφάρμακος) de la maladie de l'oubli » (38, 31).

Ce qui intéresse d'autre part Grégoire dans l'observation de l'état du corps, c'est l'évidence de la limite qui sépare la santé de la maladie, la veille du sommeil ou la croissance de la maturité. Le thème de la limite entre deux états incompatibles relève bien de ce que M. Canévet appelle le « schème diaïrétique » et se fonde sur l'opposition morale et spirituelle du bien et du mal : « Ce sont des entités contradictoires au mélange impossible [1]. » Une première comparaison cherche à rendre sensible l'affirmation de la disparition du mal à la fin des temps : « Comme le terme de la maladie est la santé et le terme du sommeil le réveil – pas plus le dormeur, tant que dure son sommeil, ne met un terme à son sommeil que le malade ne sent un terme à son malaise ; mais, quand la santé a remplacé le malaise chez l'un et le réveil le sommeil chez l'autre, nous disons que chacun d'eux est arrivé au terme de l'état où il était, l'un le sommeil, l'autre la maladie – ... »

---

1. M. Canévet, *Grégoire de Nysse*, p. 257.

(51, 41 s.). L'impression de séparation est accentuée par le jeu des chiasmes : maladie/sommeil, dormeur/malade, malade/dormeur, sommeil/maladie. La seconde comparaison n'oppose plus deux états cycliques, mais deux périodes de la vie, celle de croissance physique et celle de stagnation qui suit : « Comme il en est de la croissance du corps suivant l'âge qui a pour limite l'état naturel au-delà duquel il n'admet plus d'accroissement, mais demeure tel qu'il est pendant tout le temps qui lui reste, ainsi en va-t-il du développement et de la stabilité des enseignements divins » (49, 24).

– La lumière

Par opposition au vice qui relève de l'hiver, de l'obscurité (cf. Rm 13, 12) et du noir (cf. 35, 76 s.), la vertu est du côté du jour (cf. 19, 3), de l'aurore (cf. Ps 5, 4), du printemps, de la fleur, de la blancheur du lis (cf. 34, 80 s.) [1]. La couleur blanche, signe de la pureté du juste, contraste également avec le sang du pécheur (cf. 79, 31) au Ps 57, 11 (« ses mains, il les lavera dans le sang du pécheur »). Comme Dieu est comparé à l'éclat du soleil (cf. 46, 14), celui qui ignore Dieu l'est à un homme né en prison qui ne sait rien de la lumière du jour (cf. 13, 34) ou à un aveugle qui ne sait pas mesurer la valeur d'une pierre précieuse (cf. 26, 75). Le soleil est également un symbole du Christ comme les éclairs du Ps 96, 4 le sont des Évangiles (cf. 46, 28), et certains titres sont pour le Juif incrédule comme le soleil pour l'aveugle (cf. 41, 42). L'exégèse du Ps 55 (cf. 70-71) résume cette opposition entre lumière et obscurité : l'attaque de l'ennemi a lieu dans l'obscurité, où règnent secret et honte, tandis que le salut réside dans la lumière qui abolit l'obscurité, « lumière des vivants » du dernier verset qui est à la fois celle, à l'origine, du Paradis, contrastant avec l'ombre du figuier, et celle qui est promise

---

1. Dans les *Homélies sur le Cantique*, si le lis est symbole de pureté, sa qualité naturelle, la couleur, n'est cependant jamais évoquée, voir M. CANÉVET, *Grégoire de Nysse*, p. 304.

en espérance. Mais, plus profondément, quand il s'agit de
suggérer l'infinité divine, l'ombre peut devenir un symbole
de vertu : si les ailes de Dieu du Ps 56, 2 représentent la
nature divine inaccessible qui vole au-delà de la raison
humaine, leur ombre figure ce qu'elle laisse transparaître, les
vertus. Ceux qui regardent la nature ineffable en reçoivent
une certaine empreinte constituée par le dessin ombré,
l'esquisse (σκιαγραφία) des vertus en eux (cf. 75, 38 s.) [1].
Enfin, au plan de la composition du Psautier, le mélange
graduel des couleurs symbolise l'art de la transition d'un
psaume à l'autre par lequel « le rayon de la pensée [du pre-
mier] s'enchaîne et se mêle à la lumière » du suivant (64, 20),
puisque la prophétie est « une illumination (ἔλλαμψις) » produite par le Saint-Esprit (50, 17).

– La nourriture

Les images liées à la nourriture sont fréquentes. Le chant
des psaumes est comme le miel dont les médecins recouvrent
les remèdes amers (4, 20 s.), « l'accompagnement du repas
qui permet d'adoucir comme par un assaisonnement la nourriture des enseignements » (8, 37), qui constitue « le banquet
des vertus » (9, 1). Les psaumes offrent, selon qu'ils sont
placés au début ou à la fin du Psautier, une nourriture qui
correspond aux différents âges, conformément à l'opposition
paulinienne (cf. He 5, 12-14) entre le lait approprié aux
enfants, image du premier enseignement, et la nourriture
solide réservée aux parfaits (cf. 49, 28 s.). Le débutant « a
goûté » à la vertu au Ps 1 (12, 13). « Assaisonné par le sel de
l'enseignement divin » (25, 18), il a soif de Dieu après « avoir
avalé en lui toute pensée bestiale et venimeuse » (58, 27) et
après « avoir dévoré, à la place des bêtes, les passions », tel le
cerf du Ps 41, « avec les dents de la tempérance » (12, 30) qui
s'opposent à la fois aux « dents blasphématrices » des guides

1. L'image est d'origine platonicienne, cf. *Rsp.* 365 c.

de l'incrédulité, prêtres, pharisiens et scribes, qui « déchirent
le peuple et le dévorent » (65, 18) [1], et aux « dents dévoratrices du fruit de la désobéissance » (78, 5) [2]. L'initié, lui, accède
à la source vivifiante et divine du Ps 41, 2 (cf. 12, 32 s.), à la
source, symbole du Seigneur (cf. 21, 20 ; 65, 26), qui, à la
différence de la source de bourbier (26, 52), peut le désaltérer, et à « la nourriture céleste (ἡ οὐρανία τροφή) » qui arrache
l'âme à la mort (41, 49, cf. 21, 20). A cette nourriture saine et
bénéfique s'opposent « la chair et le sang, qui sont les nourritures privilégiées pour la nature des lions » (78, 17), les
souillures et les excréments dont le pécheur, tel un chien
errant, est avide (cf. 84, 50 s.) – le mal appelle l'image de la
pourriture et du miasme qui évoquent la mort. Enfin, il peut
en résulter le refus même de s'alimenter, la nausée et l'ano-
rexie qui sont le signe d'une âme pleine de vices, qui n'a pas
faim de justice (cf. 25, 26).

– Les autres sens

L'âme possède des sens (cf. 5, 7 ; 49, 32 ; 65, 28) même s'ils
s'opposent à ceux de la chair (cf. 4, 8 ; 6, 26). Elle a les
apparences et les qualités d'un corps – puisque les ennemis
« démettent le raisonnement comme s'il était un membre de
l'âme » (31, 30) – : pourvue d'un « œil contemplatif et visionnaire » (13, 24) et capable de goûter, elle sait aussi écouter,
sentir et toucher.

L'ouïe

L'image de l'écoute spirituelle s'oppose à celle de la surdité
volontaire des Juifs : l'esprit se fait l'auditeur de la mélodie
cosmique qui raconte la gloire de Dieu (6, 25), « l'oreille de
l'âme » (48, 22) de David écoute l'enseignement de l'Esprit
et, inversement, le psalmiste invite « l'oreille divine » à écou-

1. Image inspirée du Ps 52, 5 : les malfaisants « mangent mon peuple
comme un morceau de pain ».
2. Image tirée du Ps 57, 7 : « Dieu a brisé leurs dents. »

ter son action de grâces (66, 43). Au contraire, alors que le titre du Ps 70 crie l'économie de l'incarnation du Christ, les Hébreux bouchent leurs oreilles : le contraste est souligné par l'allitération des deux verbes qui se suivent βοώσης βύουσι (42, 48) [1].

L'odorat

Ce sens est très peu sollicité, contrairement à ce qui se passe dans les *Homélies sur le Cantique*, et les rares images qui lui sont liées ont trait à l'odeur repoussante du mal : la bouche d'iniquité du Ps 106, 42 est comparée à « une source de bourbier » à l'odeur malsaine (26, 51 s.) et « l'haleine déplaisante de ceux qui utilisent leur bouche pour blasphémer », qu'évoque la gueule des lions du Ps 57, 7 empeste « l'odeur fétide du péché » (78, 16-17).

Le toucher

L'image du toucher est employée pour décrire le rapport de l'âme à Dieu [2] : celle-ci jouit, en effet, du contact, de la proximité (σύναφεια) avec Dieu (13, 52, cf. 19, 16) – auquel elle peut même être collée (13, 71 ; 14, 7) d'après la métaphore du Ps 72, 28 – ou avec les anges (27, 39 ; 37, 23).

– Le monde animal

Nombreux sont les animaux évoqués qui sont des symboles du mal. Le diable lui-même est appelé « le premier chien, carnivore et homicide » (84, 56) et l'homme vicieux, à son tour, est un chien qui se rassasie des ordures rejetées par la cité (cf. 84, 45 s.). Il subit l'assaut du serpent qui, couvert de tous côtés des écailles des passions, encercle et traverse le chemin de la vie humaine (cf. 61, 37 s.), et il peut même ressembler à l'aspic du Ps 57, 5 qui reste sourd à la voix des enchanteurs (cf. 77, 38). Il est également comparé au lion,

---

1. Le verbe « crier » est repris en 44, 21 à propos du Ps 93.
2. Sur ce thème, voir M. Canévet, *Grégoire de Nysse*, p. 60.

caractérisé par son goût pour la chair et le sang et par une déviation oculaire (cf. 78, 10) [1], image de l'homme retors qui respire le blasphème. De plus, le lion et le sanglier ont en commun avec le plaisir de laisser des traces [2]. Le « cheval menteur » du Ps 32, 17 représente « la course de la loi selon la chair » à laquelle restent attachés les Juifs (41, 42), mais qui est devenue inutile au salut. Au Ps 51, Doèk est le berger des mules qui sont l'image du mal parce que leur stérilité les empêche de subsister par elles-mêmes (cf. 63, 12 s.) : le pécheur peut devenir asinien si sa nature chevaline s'unit à celle de l'âne comme dans le cas des mules (cf. 63, 28 s.) et, d'une façon générale, peut, en prenant la forme du mal, devenir une bête à l'image des petits fauves ou des petits de lions à la gueule terrible et aux griffes acérées du Ps 56, 5 qui symbolisent les péchés (cf. 74, 54). L'homme charnel est, d'après le Ps 48, 13. 21, celui qui « est resté au rang du bétail » (44, 40).

Mais l'animal n'est pas seulement un symbole négatif : la description des bêtes de somme du Ps 106, 38, inspirée par celle du char platonicien, en fait des auxiliaires de la vertu. Elles représentent cette fois la partie irascible et concupiscible et portent l'âme sur leur dos vers le haut sous le contrôle de la raison qui tient les rênes de cet attelage (25, 35-36). De même, l'homme vertueux ressemble au cerf, dont la propriété est de manger les serpents et d'en être assoiffé (cf. 12,

---

1. Le lion carnivore et amateur de sang a l'œil ἐνδιάστροφος. Cet adjectif rare, déjà utilisé par Basile, qualifie en *Virg* XXII, 2, p. 517 le poulain indocile aux ordres du conducteur du char, dans un passage inspiré du *Phèdre* et de son attelage : « Le conducteur de char, s'il conduit des poulains qui ne vont pas du même train, ne presse pas du fouet le plus rapide, ne serre pas les rênes du plus lent et ne laisse pas non plus le poulain vicieux (ἐνδιάστροφον) ou rétif libre de se porter au désordre selon ses propres impulsions. »

2. Cf. 9, 54 s. : « Si donc le sanglier ou le lion se signalent par leurs traces particulières, il est tout à fait logique également de repérer la nature du plaisir à la trace qu'il a laissée. »

21 ; 58, 26) [1], et, comme ce dernier, « supprime toute forme
rampante de désir en lui » (12, 29). Enfin, à l'araignée qui
tisse ses toiles inconsistantes (cf. Ps 89, 9 où nos années sont
comparées à une toile d'araignée), figurant les vanités de
l'existence, où viennent se prendre les mouches – c'est-à-dire
les hommes sans résistance devant les tentations –, s'oppose
l'aigle que caractérise son vol vigoureux et rapide (cf. 20, 3
s.).

– Le monde végétal

A côté des images traditionnelles qui associent le raisin
vert à la colère et le raisin moisi au plaisir (cf. 36, 23) ou la
plante qui fleurit et se fane du Ps 89, 5-6 à la précarité de
l'existence humaine (cf. 17, 5), celle de l'arbre « toujours
vert » (2, 41 ; 28, 18), de l'arbre planté près des cours d'eau
du Ps 1, 3, symbolise la perfection et la ressemblance avec le
divin : elle combine le motif de la verticalité à celui de
l'intériorité grâce à la vigueur permanente assurée par l'irrigation et l'enracinement. Ce thème revient à plusieurs reprises, avec l'idée que « s'enracine, à la manière d'une plante, la
disposition au mieux irriguée par les divins enseignements »
(12, 9) ou avec l'invitation à semer en soi (cf. l'ensemencement des champs du Ps 106, 37) les commandements divins
pour en tirer une riche moisson (cf. 25, 30 s.). A l'inverse,
contrastant avec le raisin issu des travaux de l'homme et
nourri par l'humidité du Seigneur qui produit le vin du salut
(cf. 36, 22), avec « la terre bénie pour sa fécondité
(καρποφορία) en vertus » (45, 46), ainsi qu'avec l'olivier
chargé de fruits du Ps 51, 10 (cf. 65, 64), « l'herbe sur un toit,
sans racine, sans semailles ni labours » (74, 22), formule
composite inspirée d'Is 37, 27 et d'Homère, représente le mal
sans consistance, tandis que le nerprun du Ps 57, 10, la pire
espèce d'épines avec ses pointes dangereuses et vénéneuses,

1. Sur le thème du cerf, voir H.-Ch. Puech, *Sur le manichéisme et autres
essais*, Paris 1979, « Le cerf et le serpent », p. 429-480.

figure le pécheur dont la vie n'est qu'un nom sans substance (79, 5).

– Le feu

De l'image du feu dans les psaumes, Grégoire retient celle de force destructrice. Il est l'arme de la puissance rétributrice du Ps 96, 3 qui embrase les ennemis de Dieu (cf. 46, 26), mais il est aussi celle du « funeste archer de nos âmes », d'après le Ps 57, 8 (« il tend son arc »), qui lance les traits enflammés (cf. Ep 6, 16) du péché sur l'homme (78, 23). Si le feu purificateur de Joab (cf. Ps 59, 2) brûle les passions et les doctrines funestes (cf. 34, 63), le pécheur, lui, est un feu pour lui-même par son choix matériel (cf. 78, 43), selon l'interprétation du Ps 57, 9 (« un feu est tombé »), puisque le souvenir du péché brûle (cf. 38, 43). Ces images rejoignent celle, évangélique, de la flamme qui tourmente le riche privé du sein d'Abraham (cf. 84, 27).

– Les flots

Beaucoup plus que le feu, les nombreuses images maritimes du Psautier inspirent souvent Grégoire. Par opposition à la terre ferme du jardin d'Éden, la mer, telle qu'elle est décrite à partir des versets 23-27 du Ps 106 (cf. 24, 3 s.), est le domaine du mal, de l'ennemi. Mer mouvementée et instable battue par l'ouragan à l'image des passions, flots qui provoquent le naufrage de l'âme et son engloutissement – la nature humaine peut « librement s'écouler (ἀπορρεῖ) dans le mal » (20, 25) –, les vastes eaux ont pour effet de faire couler l'activité des hommes. La description de l'ouragan (cf. 24, 18 s.) n'est pas seulement une *ekphrasis* témoignant du talent rhétorique de Grégoire, elle accentue l'aspect négatif de la violence du vent et de la mobilité de l'eau, projetée dans les hauteurs et précipitée dans l'abîme : l'image évoque alors celle des montagnes mauvaises qui s'enfoncent dans la mer.

La métaphore du silence des flots au Ps 106, 29 indique qu'ils symbolisent une puissance animée, un être vivant et libre, le diable (cf. 24, 47). Le retour à la terre, grâce à une brise, est l'image de la rédemption opérée par « la grâce de l'Esprit qui fait mouiller, grâce aux voiles spirituelles, l'âme au port divin, pendant que la Parole est au gouvernail et qu'elle dirige la navigation » (24, 51). Selon l'exégèse du Ps 95, 11 (« Que les cieux se réjouissent et que la terre exulte, que la mer et tout ce qu'elle renferme soient agités »), la mer s'oppose à la fois à la terre et au ciel puisque « la puissance contraire est troublée et ébranlée quand nous devenons des cieux racontant la gloire de Dieu ou une terre bénie » (45, 44).

Cependant, le Ps 106, 33-35 qui évoque la transformation des fleuves en désert et du désert en cours d'eau conduit l'exégète à distinguer deux types d'affluents : les premiers traduisent l'enchaînement des vices, la traînée (ὁλκός) de la malice qui s'étire « comme un torrent » (25, 15) – le péché s'est répandu des premiers hommes aux générations suivantes « comme un torrent », dit-il encore (26, 33) –, les seconds le courant des vertus qui se réunissent en nappe d'eau (cf. 25, 22). L'image négative de la dispersion et du flux qui s'écoule est alors atténuée et même inversée par celle du « rassemblement (συστροφή) » des vertus en un lac ou une nappe d'eau (λίμνη), comme elle l'est dans la comparaison du sein d'Abraham avec « l'immense pourtour (περιοχή) de l'océan » (37, 44) : dans les deux cas, les flots ne sont plus un élément incontrôlable et redoutable. Néanmoins, en dehors encore de son rôle bénéfique d'irrigation (cf. 12, 10) et de boisson régénératrice, l'eau est surtout un symbole négatif : le courant désordonné des passions encercle et traverse (διαλαμ- βάνει) l'âme (34, 60) ; la nature humaine est secouée et tangue (cf. Ps 92, 1) sous l'effet du mal tant qu'elle n'est pas affermie par Dieu (cf. 43, 37) ; la mer du vice sépare, traverse de tous côtés les âmes vertueuses – les îles (cf. Ps 96, 1) – suffisamment solides pour résister à la houle des tentations (cf. 46, 19) ; « les navires de l'apostasie flottent vicieusement sur la

mer de la vie » (60, 49), navires identifiés à celui de Jonas, et
sont finalement brisés par le vent de la Pentecôte (cf. Ps 47,
8) ; « la nature instable du flux des réalités matérielles
emporte » les pécheurs (78, 20), comme le laisse entendre le
Ps 57, 8 (« ils seront anéantis comme de l'eau qui se
répand »). On peut rapprocher de celle de l'eau l'image de la
cire (cf.Ps 57, 9) qui épouse toutes les formes du péché (cf.
78, 28) : le motif dominant associé à l'eau est, en effet, celui
de la fluidité, du mouvement variable et instable, de l'éparpillement sans limitation.

– La maison

Au contraire, l'image d'une maison ou d'une construction
évoque la permanence et la solidité, alors que le mal déstabi-
lise, place l'homme dans le mouvant par opposition à la
stabilité dans le bien que donne Dieu (τὸ στάσιμον 46, 8 ;
στάσις 46, 12 ; τὸ ἑδραῖόν τε καὶ ἀμετάθετον 46, 19 ; τὸ πάγιον
46, 21) : c'est ainsi que les forteresses du Ps 47, 4 sont le signe
de « l'édification solide des hautes tours des vertus » que
laissent voir les âmes des saints (60, 36), selon un symbolisme
qui associe au motif de la solidité celui de la hauteur visible
de tous. Mais l'image de la maison relève d'abord du schème
de l'intériorité, comme le suggèrent les images associées à
certains bâtiments : le pressoir n'est autre que la conscience
(cf. 36, 25), et le cellier représente l'esprit (cf. 36, 12), qui sait
seulement conserver la vertu, non le plaisir, car « pour l'instant de jouissance que les hommes éprouvent, il n'y a pas
dans la nature de cellier qui leur permettrait de tenir en
réserve le plaisir qu'ils cherchent à obtenir de toute leur
force » (9, 44 s.). C'est que la véritable demeure de l'homme
n'est pas la tente sensible qu'il doit quitter, mais l'âme où
Dieu vient habiter (cf. 38, 8 s.). Le Christ, en effet, recons-
truit notre habitation détruite selon l'interprétation du titre
du Ps 92 (cf. 43, 21) et rebâtit l'organisation défaite de notre
nature d'après l'exégèse du titre du Ps 95 (cf. 45, 25), tandis

que la maison du Ps 92, 5 figure l'Église (cf. 43, 46). De l'image du Christ bâtisseur, on peut rapprocher celle de Dieu qui sculpte l'âme à l'image du Christ par l'intermédiaire des psaumes qu'il dispose dans ce but (cf. 53-54). Ce sont encore des lieux d'intimité qui traduisent la proximité de l'homme et de Dieu que le carquois, symbole de l'âme, où est élevée la flèche du Verbe destructrice des ennemis selon l'interprétation d'Is 49, 2 (cf. 55, 48) et que le sein d'Abraham, métaphore de « la plénitude des biens » (37, 45), qui accueille Lazare.

Le Psautier fournit à Grégoire un matériau riche en images diverses qui trouvent un écho dans son imaginaire particulièrement sensible aux thèmes de l'ascension et de la chute, de l'opposition et du combat, de la lumière et de l'obscurité, du mouvement et de la stabilité. On voit, selon les analyses de M. Canévet [1], que Grégoire échappe par talent poétique au risque de « dissoudre le symbole dans sa traduction », de réduire l'univers du symbole à celui du signe. Loin de se contenter de simplement juxtaposer des traditions antérieures pour lesquelles « construire une maison signifie bâtir l'Église ou notre âme propre, combattre l'ennemi, c'est combattre les vices, le lis exhorte à la pureté », il parvient à « doubler le sens des symboles par celui que leur confèrent les schèmes naturels auxquels ils appartiennent ». Ainsi la course victorieuse, le vol de l'aigle, la verticalité de l'arbre, la sculpture de l'âme ou l'ombre des ailes sont autant d'images plus ou moins suggérées par les psaumes, mais surtout retenues et développées pour faire percevoir une autre dimension et traduire « le libre engagement de l'âme qui entre dans le mystère chrétien ».

1. *Grégoire de Nysse*, p. 297.

CHAPITRE VI

UN THÈME RÉCURRENT DU TRAITÉ
ET SA RÉCEPTION :
L'APOCATASTASE

Le traité propose, à partir de certains versets, de brefs exposés, les uns psychologiques sur des sentiments comme la honte ou la crainte, d'autres philosophiques ou théologiques sur des thèmes comme la liberté, la création ou la Trinité. Parmi eux, aucun ne revient aussi souvent que celui de l'apocatastase (cf. Ac 3, 21), de la restauration de la création dans le bien à la fin des temps. Son évocation, à dix reprises, dans le traité s'explique par la place qu'y tient la perspective eschatologique.

Elle est développée surtout dans deux chapitres, I, 9 et II, 6, qui commentent respectivement le Ps 150 et le titre ' Maeleth '. Ce dernier, traduit par danse chorale et associé au motif de la victoire finale, fait allusion, selon Grégoire, au sort futur de l'humanité qui est décrit en un tableau grandiose (37, 7 s.). A l'image du chœur dansant des jeunes filles qui attendent David à son retour de sa victoire sur Goliath et le récompensent de sa peine, un autre chœur attend le lutteur spirituel, celui des anges qui évoluent dans leur danse en suivant le rythme donné par le coryphée : cette danse finale à laquelle l'homme est convié correspond au chœur initial qui réunissait déjà l'ensemble de la nature raisonnable, hommes compris, sous le commandement du coryphée, et que le péché est venu dissoudre. Le combat contre le péché sépara-teur – une chute au sens propre puisque le péché a versé la

tromperie qui fait glisser sous les pieds des hommes – vise à
retrouver cette situation primitive où l'homme jouissait de sa
συνάφεια, sa proximité avec la nature angélique. Si c'était une
éminente figure de l'Ancienne Alliance, David, qui ouvrait le
commentaire du titre et annonçait de manière figurée la
danse eschatologique, c'est un personnage du Nouveau Testament, Lazare, qui incarne la participation effective au
chœur angélique et annonce le retour à la symphonie première, récompense des efforts de chacun. L'exégèse du Ps
150, ultime étape de l'ascension spirituelle, décrit aussi cette
réconciliation de la nature humaine et de la nature angélique
représentées chacune par une cymbale : elle célèbre « le
concours du monde angélique et du monde humain, quand la
nature humaine sera rendue à son lot originel » (27, 40), « le
concours de la cymbale avec la cymbale » (27, 46) qui reten-
tiront à nouveau ensemble, à égalité d'honneur, pour procla-
mer Jésus Seigneur.

Mais la réalisation du concert du monde humain et du
monde angélique suppose que « Dieu soit devenu tout en
tous » (1 Co 15, 28) et donc que « le dernier ennemi soit
détruit, la mort » (1 Co 15, 26). Ces formules pauliniennes
sont à l'arrière-plan du thème récurrent dans le traité de la
disparition totale de la mort physique, du mal et du démon à
la fin des temps, conditions de la réunification de toutes les
créatures et de la restauration dans son état originel et bienheureux de l'humanité tout entière. Ce thème définit l'apocatastase aux yeux de Grégoire qui est influencé par les
représentations eschatologiques d'Origène [1]. Comme on va
le voir, les passages où il figure se trouvent dans la première
comme dans la seconde partie du traité, parfois à une place

1. Voir J. Daniélou, *Être*, p. 221 s. ; M. Alexandre, « Protologie et
eschatologie chez Grégoire de Nysse », dans *Archè e Telos. L'antropologia
di Origene e di Gregorio di Nissa, Analisi storico-religiosa*, Milan 1981,
p. 122-159, surtout p. 152 s. ; A. A. Mosshammer, « Historical Time and the
Apokatastasis according to Gregory of Nyssa » dans *Studia Patristica* 27
(Acts of the Eleventh Conference on Patristic Studies, Oxford 1991), Louvain 1993, p. 70-93.

significative : il apparaît ainsi dans l'exégèse de trois versets du Ps 106, récapitulation du cinquième degré et dans celle du Ps 150, cime de l'ascension, et symétriquement dans celle du Ps 58, terme du traité et d'une autre progression. D'autre part, deux manuscrits nous ont conservé, pour ces mêmes passages, un autre texte qui témoigne, chez un lecteur postérieur, du refus d'admettre la position de Grégoire. Voici la présentation et l'analyse de ces deux versions, authentique et falsifiée.

Seulement deux versets sont interprétés de la destruction de la mort, les versets 2 et 14 du Ps 106 – les interpolations sont entre crochets doubles :

Ps 106, 2 « Qu'ils le disent, dit-il, les rachetés du Seigneur, qu'il a rachetés d'une main ennemie » : « La parole annonce la bonne nouvelle du retour complet de la race humaine vers le bien [[= du retour des hommes vers le bien lors de la parousie du Christ]] ... Dieu s'est donné lui-même en rançon pour ceux qui sont au pouvoir de la mort à celui qui avait le pouvoir de la mort, et puisque tous étaient dans la prison de la mort, tous il les rachète bel et bien par cette rançon, [...] car il n'est plus possible que quelqu'un soit dans la mort, si la mort n'existe pas [[= Dieu, ayant pris la forme de l'esclave, a libéré tous les hommes de l'esclavage et les a reconduits à leur demeure primitive]] » (20, 47 s.).

Ps 106, 14 « Il les a tirés, dit-il, des ténèbres et de l'ombre de la mort et leurs liens il les a brisés » : « Il détruit la mort [[= l'errance]], brise les liens [[= les liens de l'incrédulité]] [...] Qu'on proclame donc avec des louanges, dit-il, cette grâce, puisque la prison de la mort [[= l'errance de l'idolâtrie]] dont on ne s'enfuit pas a été détruite [...] » (22, 24 s.).

On constate que l'interpolateur supprime toute allusion à la réunification totale de l'humanité à la fin des temps et à la destruction de la mort qui résulte du rachat au démon par le Christ-rançon de tous les hommes prisonniers de la mort, et qu'il élimine le terme même de mort au profit de ceux d'errance, d'incrédulité et d'idolâtrie : il efface ainsi la perspective eschatologique en reportant au passé, à la rédemption déjà accomplie par le Christ lors de sa venue qui met fin à l'idolâtrie ce qui concerne, aux yeux de Grégoire, le sort futur de l'humanité.

Tous les autres versets sont interprétés de la destruction du péché et parfois explicitement de celle du diable, de l'ennemi et des démons. Grégoire signale rapidement à propos du Ps 106, 42 que la béatitude espérée consiste en la suppression de tout ce qui s'oppose au bien et donc à la perte de son pouvoir maléfique par l'inventeur de l'iniquité condamné à avoir la bouche fermée (cf. 26, 53 s.). Ici l'interpolateur n'est pas intervenu. Grégoire s'étend à propos du Ps 150, terme de l'ascension où la réunificaton non plus seulement des hommes, mais des créatures est totale, sur la destruction de l'ennemi et la disparition du péché, thème qui était seulement esquissé à la fin du Ps 106, début du cinquième degré : « Un chant de victoire dans un concert commun célébrera la destruction de l'ennemi. Quand celui-ci sera complètement détruit et retourné au néant, sans cesse, en tout ce qui respire, à égalité d'honneur, s'accomplira à jamais la louange adressée à Dieu. En effet [...] il n'y aura plus de pécheur, car le péché n'existera pas » (27, 55 s.). L'interpolateur supprime le passage qu'il remplace par un développement sur « la symphonie harmonieuse formée comme d'un unique instrument par la réconciliation et la proximité (καταλλαγῇ καὶ συναφείᾳ) de ce qui était séparé », éliminant non la perspective eschatologique, mais le thème de la disparition du péché. Il en est de même pour une autre allusion, à propos du Ps 150, à « la totale destruction du mal » (28, 23) remplacée par la mention de « la proximité (συνάφεια) et la réconciliation (συναλληλία) des anges et des hommes en un unique rassemblement ».

Le verset 20 du Ps 93 (« un trône d'iniquité ne s'alliera pas avec toi ») est interprété du caractère temporaire du mal qui, n'ayant pas toujours existé, n'existera pas toujours : à la place, l'interpolateur dénonce la doctrine manichéenne de la coexistence, dès l'origine, de Dieu et du mal et se contente d'affirmer que ce dernier ne coexiste pas et ne coexistera pas avec Dieu. Quant au verset 23 (« selon leur méchanceté le Seigneur Dieu les fera disparaître. »), il enseigne la disparition future du mal, mais non celle de la nature des pécheurs, puisque, une fois toute empreinte mauvaise détruite du fait que le mal n'a pas d'existence, tous seront conformés au Christ (cf. 44, 50 s.) : le passage est omis par l'interpolateur qui fait seulement allusion à la destruction de Béliar par le Christ (cf. 2 Co 6, 15) et au salut qu'il a offert à la race des hommes. Le thème du caractère passager du mal est à nouveau évoqué à propos du Ps 56, 2 (' jusqu'à ce que l'iniquité soit passée ') et est fondé sur l'idée que le mal n'existe pas vraiment puisqu'il n'a pas reçu l'être lors de la création et que, par conséquent, étant en dehors de celui qui est, il disparaîtra « au temps qui convient, lors de la restauration de l'univers (ἐν τῇ τοῦ παντὸς ἀποκαταστάσει) dans le bien [...] si bien qu'aucune trace du mal qui nous domine ne demeurera dans la vie qui nous est proposée en espérance » (74, 14 s.). Malgré la ressemblance de cette exégèse avec celle du Ps 93, l'interpolateur n'est pas intervenu, alors qu'il supprime la simple exégèse du Ps 45, 4 : « la nature des démons gronde et est ébranlée » (59, 8), qui décrit la conséquence de l'Incarnation.

Le Ps 7, 7 (« sois exalté jusqu'aux termes de mes adversaires ») est également interprété comme faisant référence à la disparition du mal et à son anéantissement (cf. 51, 34 s.). A la place, l'interpolateur parle de « défaite (κατάλυσις) du diable » et écrit : « On ne se tromperait pas en appelant le diable ' malice ' ; son terme c'est sa puissance, car avant la venue du Sauveur il remplissait l'univers en régnant sur tous les êtres nés de la terre et en usurpant la majesté divine ; mais après sa parousie il a été privé de sa puissance et enchaîné comme un fugitif ; celui qui jadis était un tyran a été condamné à être moqué et foulé aux pieds par ceux qui lui étaient soumis, selon la parole du Seigneur : ' Voici que je vous ai donné le pouvoir de fouler aux pieds serpents et scorpions et toute la force de l'ennemi '. Et le prophète sait parfaitement cela quand il prie avec ces mots : Seigneur dans ta colère aussi sois exalté, étant victorieux du diable et conduisant sa royauté à son terme. » A nouveau la perspective eschatologique est évacuée au profit de la victoire du Christ lors de sa venue.

Le Ps 53, 9 (« mon œil a jeté un regard de mépris sur mes ennemis ») est compris comme une référence à la disparition des adversaires dont le nom même ne subsistera pas (cf. 66, 54 s.). L'interpolateur remplace le thème de la disparition des ennemis par celui de leur contrition et se contente d'une allusion à la révélation déjà réalisée de la paix universelle qui a empêché la puissance des ennemis de subsister. Enfin, trois versets du Ps 58 (autant que pour le Ps 106), les versets 12 (« ne les tue pas ») et 13-14 (« péché de leur bouche et parole de leurs lèvres [...] dans la colère de l'accomplissement, ne subsisteront pas ») annoncent non la disparition des hommes, car la création divine n'est pas menacée d'inexistence, mais l'anéantissement total du péché (cf. 85, 17 s.). L'exégèse proposée à la place par l'interpolateur ne diffère pas des précédentes et renvoie à l'Incarnation : la connaissance divine (ἡ θεία γνῶσις) procurée par la venue du Christ a chassé l'incrédulité, l'idolâtrie et le péché du plus grand nombre.

De l'examen des divers passages relatifs à l'apocatastase, il résulte que très peu ont échappé à la vigilance de l'interpolateur. D'autre part, quand il est intervenu, son intention apparaît clairement : effacer toute trace de l'idée d'un retour complet, à la fin des temps, des créatures à un état où n'existe plus le péché. Ces interpolations, qui nous ont été conservées dans deux témoins, V et B, du IXe et XIe siècles aux leçons quasi-identiques, ont été étudiées par J. Daniélou [1] qui a

---

1. « Interpolations antiorigénistes chez Grégoire de Nysse », dans *Überlieferungsgeschichtliche Untersuchungen herausgegeben von F. Paschke*, Berlin 1981, p. 135-139.

tenté d'en reconstituer l'histoire. Si les passages cités du traité ont posé probème à certains de ses lecteurs, c'est qu'ils reprenaient la doctrine origénienne, condamnée à maintes reprises, de la restauration de toutes les créatures dans leur béatitude première, diable y compris. Comme elle figure dans de nombreuses œuvres de Grégoire, ce dernier a été accusé d'origénisme par plusieurs auteurs, comme Étienne Gobar au vi[e] siècle, ou bien ce sont les origénistes qui s'en réclamaient qui se sont vu reprocher leur lecture tendancieuse. Mais certains, pour qui il était impossible de mettre en doute l'orthodoxie du théologien cappadocien, ont voulu y voir des ajouts faits par les origénistes eux-mêmes qui auraient falsifié le texte pour faire de Grégoire de Nysse le tenant des thèses incriminées. Le premier à soutenir cette idée semble avoir été Germain de Constantinople, qui fut patriarche de 715 à 730, et qui repéra et marqua de l'obèle des passages qu'il considérait comme des additions inauthentiques dans trois œuvres, le dialogue *Sur l'âme et la résurrection*, le *Discours catéchétique* et la *Vie de Moïse*. Vraisemblablement, c'est sous son influence et dans son entourage qu'on soumit l'*In inscriptiones* au même traitement et qu'un moine jugea bon de remplacer les passages obélisés par des interpolations. J. Daniélou propose donc de dater le manuscrit-source du milieu du viiie s. De plus, le texte interpolé présente des points de contact indiscutables avec l'exégèse d'Hésychius de Jérusalem et s'inspire de très près, dans la longue exégèse du Ps 7, de la *Vie d'Antoine* d'Athanase (cf. 24, 4-5, *SC* 400, p. 202), ce qui lui fait supposer que « le traité devait être surtout connu dans le milieu des moines, où il était une lecture spirituelle [1]. »

---

1. *Ibid.*, p. 137.

CHAPITRE VII

L'HISTOIRE DU TEXTE

I. LA TRADITION MANUSCRITE

1. La tradition directe

L'étude de la tradition directe a été faite par J. Mc Donough dans le volume des *GNO* publié en 1962 [1]. Elle est fondamentale et donne une description de quarante manuscrits échelonnés du ixᵉ au xviiᵉ s. Mais son édition, comme nous l'avons constaté à la suite de quelques sondages, présente un grand nombre d'inexactitudes et d'erreurs de lecture ou d'impression. Aussi avons-nous décidé de relire intégralement les sept manuscrits principaux, qui sont aussi les plus anciens, retenus pour figurer dans l'apparat. C'est cette édition corrigée et complétée par l'apport de nouveaux manuscrits qu'on lira plus loin.

A. Présentation des manuscrits

Le texte a été transmis en tradition directe par quarante-six manuscrits. La liste qui suit reprend les quarante manuscrits étudiés par J. Mc Donough et le classement par familles qu'il propose en précisant quelques points, et en ajoute six

1. *Gregorii Nysseni Opera*, V, Leyde 1962, p. 3-22.

autres, trois de l'Athos et trois de Moscou qui sont suivis d'un astérisque. Sur ces quarante-six manuscrits, vingt-cinq datent du xvie s. Les manuscrits sont accompagnés de leur sigle (nous proposons B pour le plus ancien manuscrit de Moscou).

Première classe de manuscrits

Famille A

1. A   Venise, *Marcianus gr. 68*, xiie s., parch., f. 52^v-127^v
2. T   Vatican, *gr. 424*, xiiie-xive s., parch., f. 298-339^v
3.   Munich, *gr. 23*, xvie s., papier, f. 295-333 [1]
4.   Munich, *gr. 47*, xvie s., papier, f. 52-120
5.   Leyde, *Vulcanianus 27*, xvie s., papier, f. 1 [2]
6.   Vatican, *Urbinas gr. 12*, xviie s., papier, f. 162^v-235

Famille V

7. V   Vatican, *gr. 2066*, ixe s., parch., f. 172^v-253^v
8. B   Moscou, Bibl. Syn., *gr. 71* (Vladimir 157), xie s., parch., f. 110^v-215*

Deuxième classe de manuscrits

Famille D et X

9. D   Vatican, *gr. 401*, xiiie s., papier, f. 226^v-286
10.   Vatican, *gr. 452*, xvie s., papier, f. 1-117 [3]
11.   Vatican, *gr. 1082*, xvie s., papier, f. 1-206
12. X   Vatican, *gr. 2225*, xive s., papier, f. 68-165
13. β   Vatican, *Barberinianus gr. 423*, xve s., papier, f. 53-131
14.   Venise, *Marcianus gr. II, 57* (olim *Nanianus 78*), xvie s., papier, f. 363^v-434^v

---

1. Le texte du traité est incomplet et s'arrête en 50, 16.

2. Ce manuscrit contient seulement la préface et le début du premier chapitre.

3. D'après R. Devreesse (*Codices Vaticani graeci*, t. II, Vatican 1937), le manuscrit a été écrit par Franciscus Syropulus et corrigé par Matthaeus Devarius qui note à la fin (f. 117) : « Videndum an autor finem operi hunc imposuerit ommiseritque ea quae de reliquorum Psalmorum continuatione et ordine dicere potuisset, an potius in exemplari desint. »

15.   Vienne, *Suppl. gr. 10*, xvie s., papier, f. 51-126 [1]
16. H   Vatican, *gr. 1766*, xvie s., papier, f. 68-140^v [2]

Famille F

17. F   Paris, BN, *gr. 1268*, xii^e s., parch., f. 226-290^v
18.   Athos, *Philotheou 103*, xiv^e s. (1320), papier, f. 7-47 [3]
19.   Leipzig, *Bibliothecae Universitatis 13*, xive s., papier, f. 34-70
20. Y   Oxford, *Bodleianus Clarkianus 2*, xve s., papier, f. 140^v (suivi de 1^{rv})-190^v

Manuscrits composites

Famille S

21. S   Vatican, *gr. 1907*, xiie-xiiie s., papier, f. 93-108^v
22. Z   Vatican, *gr. 1433*, xiiie s., parch., f. 258^v-307

1. Ce manuscrit, daté de la seconde moitié du xvie s., a été copié par Constantin Rhésinos (voir E. GAMILLSCHEG — D. HARLFINGER, *Repertorium*, I, p. 127).

2. Ce manuscrit a été copié par Aloysius Lollinus. Il est cité dans l'inventaire des manuscrits grecs de Lollino, dans P. CANART, *Les ' Vaticani Graeci 1487-1962 ': notes et documents pour l'histoire d'un fonds de manuscrits de la Vaticane*, Rome 1979, p. 221.

3. Ce manuscrit, qui ne compte que 47 folios, est incomplet et des folios sont déplacés. Entre les folios 13^v et 14 manquent deux folios (la lacune va de 7, 42 à 9, 20) ; entre les folios 17^v-18 manquent plusieurs folios (la lacune va de 12, 21 à 13, 67) ; entre les folios 23^v-24 manquent des folios (la lacune va de 18, 8 à 20, 10) ; entre les folios 28^v-29 manque un folio (la lacune va de 24, 25 à 25, 3) ; entre le folio 35^v-36 manquent des folios (la lacune va de 28, 40 à 30, 4) ; au folio 39, deux lignes blanches signalent une lacune entre 32, 18-20 ; entre les folios 39^v-40 manquent des folios (la lacune va de 32, 47 à 34, 84) ; le folio 40^v s'arrête en 35, 30 ; le folio 41 est déplacé, il va de 33, 13 à 33, 44 ; le folio 42 reprend en 37, 36 jusqu'à 38, 19 ; le folio 43 revient à 37, 7 jusqu'à 37, 37 ; le folio 44 revient à 35, 31 ; le folio 45 s'arrête en 37, 7 ; le folio 46 reprend en 32, 47 jusqu'à 33, 13 ; le folio 47 reprend en 34, 24 jusqu'à 34, 54. S. P. Lambros signale dans son catalogue (*Catalogue of the Greek Manuscripts on Mount Athos*, t. I, p. 159, Cambridge 1895) que les feuillets manquants du *Philotheou 103* se trouvent dans le recueil composite de fragments *Philotheou 81*.

23. Londres, *Musei Britannici Add. 11868*, xive s., parch. [1]
24. Athos, *M. Vatopediou gr. 130*, xiv^e s., papier, f. 76-93* [2]
25. Rome, *Bibl. Casanatensis gr. 39*, xvi^e s., papier, f. 1-110^v
26. Paris, BN, *Suppl. gr. 399*, xvi^e s., papier, f. 11-45
27. Bruxelles, *Bibliothecae Regiae 21 836*, xvi^e s., papier, f. 3-92
28. Vienne, *Suppl. gr. 170*, xvi^e s., papier, f. 4-93^v
29. Paris, BN, *gr. 1004*, xvi^e s., papier, f. 1-131
30. Vienne, *juridicus gr. 13*, xvi^e s., papier, f. 264-316
31. Milan, *Ambrosianus Q 121 sup.*, xvi^e s., papier, f. 301-315^v [3]
32. Vatican, *Ottobonianus gr. 190*, xvi^e s., papier, f. 3^v-123
33. Athos, *M. Xeropot. gr. 223*, xvi^e s., papier, f. 1-106*
34. Moscou, Bibl. Syn., *gr. 289* (Vladimir 158), xvi^e s., papier, f. 3-104*
35. Moscou, Bibl. syn., *gr. 434* (Vladimir 435), xvii^e s., papier, f. 167-265^v*
36. Athos, *M. Vatopediou gr. 133*, xvii^e s., papier, f. 72-182*

Famille L

37. L Florence, *Laurentianus Plut. 7.1*, xe s., parch., f. 1-70 [4]
38. Vatican, *Ottobonianus gr. 41*, xvii^e s., papier, f. 61-139

Famille Q

39. Q Turin, *289 (C. I. 11)*, xiv^e s., papier, f. 166-193
40. Milan, *Ambrosianus I 16 inf.*, xvie s., papier, f. 1-91
41. Vatican, *Ottobonianus gr. 119*, xvie s., papier, f. 162-238
42. Madrid, *3179* (olim *Regius. Palat. 13*, nunc *Salamantinensis Univers. 2728*), xvie s., papier, f. 171-264 [5]
43. Escorial, *gr. 578 (Ω IV 26)*, xvie s., papier, f. 1-216^v

1. Ce manuscrit, copié par Chariton et daté par J. Mc Donough du xve s. (cf. M. Richard, *Inventaire des manuscrits grecs du British Museum*, Paris 1952, p. 19), est aujourd'hui daté de la seconde moitié du xive s. (voir E. Gamillscheg — D. Harlfinger, *Repertorium*, p. 187).
2. Ce manuscrit contient seulement une section du texte, 11, 1 – 28, 43.
3. Le texte du traité s'arrête en 20, 62.
4. M. Hostens (qui analyse le manuscrit dans son édition d'une œuvre anonyme, la *Dissertatio contra Iudaeos*, CSG 14, 1986, p. XIII s.) le date de la première moitié du xe s.
5. Ce manuscrit contient les mêmes œuvres, disposées dans le même ordre, que le *Vall. 62*. Comme le *Scorialensis 578* et le *Parisinus 1003*, il a été copié par A. Darmarius.

44.   Paris, BN, *gr. 1003*, xvie s., papier, f. 1-220
45.   Oxford, *Bodleianus Canonicianus 104*, xvie s., papier,
           f. 1-78
46.   Rome, *Vallicellianus 62* (olim *D 56*), xvie s., papier,
           f. 2-71[v] [1]

B. Étude de quelques manuscrits

La tradition directe se divise clairement en deux classes,
comme le montre le stemma de Mc Donough (p. 22), l'une
qui réunit les manuscrits VB d'un côté et AT de l'autre
(quatre témoins des xvie-xviie s. se rattachent à A), l'autre
sous laquelle on peut regrouper les manuscrits DX d'un côté
(deux témoins dérivent du premier et quatre du second) et F
de l'autre (dont dépendent trois témoins). Trois autres
manuscrits S, L et Q présentent un texte contaminé par les
deux classes principales : si L est trop composite pour qu'une
source dominante soit identifiable, S se rattache principale-
ment à la tradition de X et Q à celle de F. C'est en fait d'eux,
tout particulièrement de S et Q, que dérive la majorité des
manuscrits. Si, d'une manière générale, cette opposition
entre deux groupes de témoins ne nous semble pas devoir
être remise en cause et si les nouveaux manuscrits trouvent
facilement leur place dans le classement proposé, la collation
de quelques témoins déjà examinés nous a conduit à le
préciser. C'est l'objet des remarques suivantes.

a. Les manuscrits étudiés par J. Mc Donough

Vaticanus gr. 424, xiiie-xive s. (T)

Il est présenté aux p. 5-6 de sa préface par l'éditeur qui le
rattache à la famille du manuscrit A. Il faut néanmoins noter

---

1. Ce manuscrit, datant de la première moitié du xvie s., a été copié par
Michel Damascène Cretenis en Italie (il dépend d'un codex de Turin, le *Taur.
C. III. 14*).

qu'à partir de 74, 49 et jusqu'à la fin, il ne suit plus les leçons de cette famille, mais celles des manuscrits SLQXF. Par exemple : 75, 5 τὰς πτερυγὰς SQXFT : τὰ περίγεια AVL ; 75, 9 περιτρέπεσθαι SQXFT : περιστρέφεσθαι AVL ; 75, 16 καὶ² AV : om. SLQXFT ; 75, 28 καὶ ἐν SLQXFT : καὶ AV ; 76, 24 μὲν AVLS : αἰτίαν QXFT ; 76, 61 λελυπηκότος AV : προλυπήσαντος SLQXFT ; 77, 10 προσάγετε AVX : προάγετε SLQFT ; 77, 21 τῆς AVL : om. SQXFT ; 78, 5 ἢ A : om. SLQXFT ; τοὺς τῆς παρακοῆς VSLQXFT : om. A ; 79, 11 ἀλλ' AVQ : ἀλλὰ SLXT ; 79, 18 δὲ ζωῇ SQXFT : ζωῆ AVL ; 80, 8 οὐδὲν AVL : οὐ SQXFT ; 80, 38 ἐξέδραμεν δὲ AV : καὶ ὃς ἐκδραμὼν SLQXFT ; 81, 3 ἐπειδὴ μόλις SLQXFT : μόλις AV ; 83, 10 σαοὺλ διαφθορᾶς SLXT : σαοὺλ AVQF ; 83, 23 δι' – ὁ AVSL : οὐκοῦν νοοῦμεν QXFT ; 85, 35 ἀλλὰ AV : καὶ SLQXFT ; 85, 41-43 om. SLQXFT.

Il s'agit donc d'un manuscrit contaminé puisque, dans les dernières pages, le copiste abandonne la tradition de la famille A et suit un manuscrit très proche de X (il a en commun avec X la quasi-totalité de ses leçons) qui est lui-même postérieur à T. On ne peut savoir si le copiste est lui-même ou non à l'origine de cette rupture – on ne remarque pas, en tout cas, l'apparition d'une écriture différente, il s'agit bien du même copiste, lui-même différent de celui des autres œuvres du codex, mais appartenant à la même époque selon Mc Donough (p. 5). Contrairement à ce qu'affirme l'éditeur (qui dit ne pas le citer, bien qu'il le fasse p. 153,7), ce manuscrit présente un certain nombre de leçons correctes qu'il est le seul à posséder – sans doute sont-elles le résultat de conjectures – et que nous intégrons dans notre édition. Ce sont les suivantes : 15, 13 μήτε ; 17, 10 ἀνθήσαι ; 20, 38 ἀγαθὸς ; 26, 53 καταμολύνον ; 29, 25 ἐντεταγμένον ; 33, 30 ὥστε ; 38, 4 τῷ² ; 62, 23 διηγήματος ; 62, 26 πνευματικῷ ; 72, 13 καὶ¹ : ὡς ; 72, 54 δεικνυούσης ; 73, 9 οὖν.

Athous Philotheou 103, xive s. (1320)

Le manuscrit est décrit sommairement par l'éditeur (p. 11) : selon lui, il aurait été copié sur F ou sur un exemplaire très semblable à F. Mais il présente parfois des leçons communes avec S différentes de F (πάσης προθυμίας 1, 1 ; γραφῶν 1, 19 ; προκειμένης 3, 6 ; 85, 4), et de nombreuses leçons diffèrent de F (2, 22 ; 6, 11 ; 6, 18 ; 9, 32 ; τῷ τόπω 10, 1 ; διὰ τῆς 10, 9 ; τριῶν ἀνόδων 14, 48 ; τῷ τρεπτῷ 15, 24 ; 17, 1 ; ἐναερίοις 17, 36 ; 17, 43 ; 23, 22. 25 ; 26, 2. 75 ; θεόν 27, 20 ; 27, 54 ; 30, 21 ; 31, 6. 10. 17. 32. 51 ; 32, 8 ; 33, 5 ; 36, 10. 20. 30 ; 37, 24. 45 ; 38, 11). Malgré sa parenté incontestable avec F, il n'a donc pas pu être copié sur F ou sur un manuscrit très proche de F. On notera que le scribe, qui copie d'une belle écriture soignée, laisse un blanc quand il ne peut lire un mot sur le manuscrit d'origine.

Oxoniensis Bodleianus Clarkianus 2, xve s. (Y)

Ce manuscrit dépendrait, selon J. Mc Donough (p. 11), étroitement de F (comme l'*Athous Phil. 103.* et le *Lips. univ. 13*). En fait, un examen attentif permet de nuancer cette affirmation. Il s'agit d'un manuscrit composite. S'il suit la tradition de F, en présentant quelques leçons propres (par exemple en 13, 51 τὸν² om. QY) jusqu'en 17, il est ensuite très proche de Q, comme on peut le constater (les deux manuscrits présentent notamment les mêmes omissions) :

17, 17 ὅτι om. QY ; 17, 46-47 om. QY ; 19, 5 om. AQvY ; 19, 15 πρὸς : εἰς QY ; 24, 51 νοητῶν QY : νοητικῶν F ; 25, 9 γὰρ QY : om. F ; 26, 72 ἐστιν QY : om. F ; 30, 4 προσάγειν QY : προάγειν F ; 31, 19 εἷς om. QY ; 33, 15 ὑπερκοσμίων QY : ὑπερκειμένων F ; 34, 23 ἀλλῶν QY : ἀλῶν F ; 35, 49 δυσμαῖς ἡλίου QY : δυσμαῖς F ; 37, 5 ἀγαθῶν QY : ἀγώνων F ; 37, 48-49 ἀγαθὸν − ἴσον om. QY ; 38, 55 ἡμῶν QY : om. F ; 41, 8 πρᾶξιν QY : τάξιν F ; 44, 8-11 οὕτω − πωλεῖται om. QY ;

47, 4 γίνεται om. QY ; 52, 22 παρὰ : διὰ QY ; 56, 5 τῆς −
κατάστασιν om. QY ; 58, 51 μέν − οὗ : δὲ QY ; 60, 39
προαποδεδειγμένοις QY : προαποδεδομένοις F ; 62, 18-20
τοῦτο − μετὰ om. QY ; 65, 43 λόγος QY : δρόμος F ; 66, 34 μου
+ ἐν τοῖς ἐχθροῖς μου QY ; 66, 59 ὥς QY : καθώς F ; 68, 12
προτείνεται QY : συντείνεται F ; 69, 46 οἰκήτορες QY : οἱ
κήρυκες F ; 70, 31 διὰ − φησιν om. QY ; 72, 38 στομίου QY :
στόματος F ; 72, 48 γινωσκομένων QY : γινομένων F ; 75, 43
ἐπαυξομένη QY : ἐπαυξανομένης F ; 76, 25 ὁρμὴν QY :
ἀφορμὴν F ; 76, 63-64 ἀνεστήσατο − δαβὶδ om. QY ; 79, 24
δικαίων QY : ἰδίων F ; 80, 3 λέξεως QY : τάξεως F ; 80, 32
πτόησις πνεύματος QY : ποίησις πνεύματος F ; 83, 6 ἀπὸ τοῦ
QY : ἀπὸ F ; 83, 38 εἴτε QY : ὅτε F ; 85, 8 ἐκγελάσῃς QY :
ἐκγελάσῃ F.

Cependant, s'il suit bien la tradition de Q, il n'en conserve
pas moins quelques leçons communes avec F et un certain
nombre d'autres qui lui sont propres :

33, 44 κατανοῶμεν FY : κατανοήσομεν Q ; 35, 16 προσάγει τῷ
θεῷ FY : τῷ θεῷ προσάγει Q ; 36, 16 κυρίου FY : θεοῦ Q ; 38,
11 δὲ FY ; 41, 23 ἐξ FY : om. Q ; 42, 35 γὰρ FY : καὶ Q ; 48, 38
λόγος FY : om. Q ; 50, 3 ἐκδιδαχθῆναι FY : εἰσδιδαχθῆναι Q ;
60, 29-30 ἀεὶ − χάριν FY : om. Q ; 60, 48 βιαίου FY : ἁγίου Q ;
61, 37 ὄφις FY : ἄφεσις Q ; 62, 32 περιέχει FY : προέχει Q ; 65,
40-41 συνέσεως − μαελεὶθ FY : om. AQ ; 72, 10 κατὰ προκοπὴν
δι'ἀρετῆς FY : κατ'ἀρετῆς διὰ προκοπὴν Q ; 75, 5 ἐπουρανίοις
FY : οὐρανίοις Q ; 79, 15 ἀλλ'ὥς ὀργὴ FY : om. Q ; 83, 25
τρωθέντος FY : σταυρωθέντος Q ; 83, 30 τοῦ FY : om. Q.

Selon l'éditeur, Q a été copié sur un manuscrit de la famille
F, vu le grand nombre de leçons communes aux deux manuscrits (le relevé précédent permet d'identifier les divergences
notables). Mais Q est lui-même un manuscrit composite qui
est proche de A jusqu'en 18, ce qui permet de supposer que le
copiste a utilisé un manuscrit de la première classe jusqu'à cet
endroit. Or Y suit la tradition de Q à partir presque du même

paragraphe. Le manuscrit Y donne donc peut-être un état de la tradition Q antérieur à sa contamination par A.

b. Les nouveaux manuscrits

Mosquensis Bibl. Syn. gr. 71 (Vladimir 157), xie s., 311 f., 33, 3 × 26, 6 cm (B)

Ce manuscrit, écrit très lisiblement sur deux colonnes de 27/28 lignes, est le seul manuscrit conservé qui appartienne à la même famille que le manuscrit V [1]. O. Lendle, qui a édité l'*In Basilium fratrem* que contiennent ces deux manuscrits, a observé également leur parenté [2]. Cette particularité et son ancienneté imposaient de le faire figurer dans l'apparat critique. Il a l'avantage de ne pas offrir les nombreuses erreurs orthographiques qui déparent V (omissions de lettres notamment) dont il ne dépend pas directement – car il comble ses lacunes –, mais ses leçons propres semblent dues à des fautes de copiste(s) négligent(s) et apportent peu à l'édition. En revanche, il a l'intérêt de présenter les mêmes interpolations anti-origénistes que V [3]. Ce nouveau manuscrit a donc la même origine et, comparé à V, permet de reconstituer assez bien leur source commune.

Athous M. Vatopediou gr. 130, xive s.

Ce manuscrit, écrit pleine page, est composé de 205 folios qui contiennent des extraits tirés d'œuvres de Grégoire de Nysse. Aux folios 76-93 on lit les paragraphes 11 à 28 du traité, soit les chapitres V-IX de la première partie sur la division du Psautier et les psaumes initiaux. Le texte semble copié sur le manuscrit S dont il présente la plupart des leçons tout en ajoutant les siennes propres qui sont des erreurs de

---

1. Lequel est étudié par W. JAEGER, « Greek Uncial Fragments in the Library of Congress of Washington », *Traditio* 5, 1947, p. 79-102.
2. *GNO* X, 1, CCXXVII. Voir aussi *GNO* X, 2, p. 61-64.
3. Sur ces interpolations, voir le chapitre VI sur l'apocatastase.

copiste (12, 15 ἀπαθείας ; 13, 35 ἀνετράφη ; 13, 56 οὐ δὲ γὰρ).

L'extrait du traité est précédé dans le manuscrit par l'*Homélie sur le Psaume 6* et est introduit au folio 75 par un texte qui pose le problème du titre du livre des psaumes, de son attribution à David et de la division du Psautier en cinq livres : « Tous les psaumes ne sont pas de David, mais également d'autres prophètes qui ont prophétisé en chantant des psaumes ; c'est pourquoi l'ensemble de l'écrit chez les Hébreux n'a pas pour titre 'de David' (οὐ τοῦ Δαβὶδ ἐπιγράφει), mais est nommé de manière indéfinie 'livre des psaumes' (ἀδιορίστως βίβλος ψαλμῶν ὀνομάζεται), et les enfants des Hébreux divisent l'ensemble du livre des psaumes en cinq parties. » Suit la description de ces parties et l'auteur conclut que « le grand Grégoire de Nysse divise ainsi également ce livre. »

Les quatre manuscrits suivants se rattachent à la série des six manuscrits du XVIᵉ s. – numérotés 27 à 32 dans notre liste – identifiée par J. Mc Donough (voir sa préface p. 15-16). De la même famille que S, ils présentent une division du texte en 77 chapitres récapitulés par un pinax :

Athous M. Xeropot. gr. 223, XVIᵉ s.

Ce manuscrit, écrit pleine page, qui ne contient que le traité, offre un excellent texte, proche de celui des deux manuscrits suivants de Moscou dont il s'écarte cependant pour certaines leçons.

Mosquensis Bibl. Syn. gr. 289 (Vladimir 158), XVIᵉ s.

Ce manuscrit, écrit pleine page (qui contient un folio non numéroté entre le f. 70 et le f. 71), est soigné et n'offre pas les nombreuses erreurs de copiste du *Paris. gr. 1004*.

Mosquensis Bibl. syn. gr. 434 (Vladimir 435), XVIIᵉ s.

Comme le précédent dont il est très proche (il en dépend peut-être directement, même s'il offre un texte où l'on relève

ça et là des leçons erronées absentes du premier), ce manuscrit est écrit pleine page. On constate au folio 183^{r-v} (13, 10) et
à partir du folio 208 (30, 3) un changement d'écriture : une
seconde main prend ici le relais de la première (elle a également ajouté en marge des passages omis par la première, par
exemple au f. 198).

Athous M.Vatopediou gr. 133, XVIIe s.

Ce manuscrit, écrit pleine page, compte 182 folios. Souvent fautif, il présente un certain nombre de leçons identiques à celles du *Par. gr. 1004* dont il ne dépend cependant pas
directement. On peut noter une remarque intéressante au f.
182^v : « On trouve des faux disséminés pernicieusement dans
cet ouvrage qui sont l'œuvre d'hérétiques (νόθα τινῶν αἱρε-
τικῶν εἰσι διεσπαρμένα κακῶς) ; il faut y prendre garde et
fuir celui qui les répand. » Il s'agit d'une allusion aux passages sur l'apocatastase qui ont été supprimés dans les manuscrits V et B.

C. Les divisions du traité dans les manuscrits

L'*In inscriptiones* dans sa forme actuelle se compose de
deux grandes parties, la première comprenant une préface
suivie de neuf chapitres, la seconde seize chapitres. Qu'en
est-il dans les manuscrits ? Les indications qu'on relève dans
les témoins anciens sont rares et se limitent à deux principales : tous les manuscrits figurant dans l'apparat, à l'exception
de F, notent au seuil de la deuxième partie, dans le corps
même du texte, le commencement d'une section nouvelle
consacrée à l'étude des titres – ainsi, ἀπὸ ὧδε περὶ τῶν ἐπιγραφῶν ἐξετάζει (AVB), ἕως ὧδε περὶ τῶν πέντε μερῶν τοῦ
ψαλτηρίου· ἀπὸ τοῦ ὧδε περὶ τῶν ἐπιγραφῶν ἐξετάζει (ZX) –,
et tous à nouveau, à l'exception d'AB, signalent dans la
marge le début du développement sur le diapsalma (48) que
certains séparent nettement de l'étude des titres qui précè-

dent – ainsi περὶ τοῦ διαψάλματος ἑρμηνεία (V), ἕως ὧδε περὶ τῶν ἐπιγραφῶν, ἀπὸ τῶν ὧδε περὶ τοῦ διαψάλματος (Z) [1]. On peut ajouter deux indications isolées : A signale par le mot « ἀρχή » placé devant « ἀρκτέον » (1, 20) le début du corps du traité après la préface, B mentionne dans la marge le numéro des Ps 90, 92-96 et 103 en tête de leur commentaire (43-47). La tradition ancienne distingue donc deux sections, précédées, selon un témoin (A), d'un prologue (sans que le mot néanmoins y figure), qui peuvent faire penser aux deux parties actuelles ; cependant elle n'introduit pas de numérotation et indique seulement une coupure et non deux ensembles clairement délimités qui correspondraient à nos deux parties. Cela est d'autant plus vrai que des copistes se sont avisés de la difficulté qu'il y avait à faire rentrer sous l'intitulé « au sujet des titres » le développement relatif au diapsalma et l'ont donc distingué de ce qui précédait. Il n'en reste pas moins que la division en deux ensembles séparés par un titre inséré dans les alinéas est sans doute plus ancienne que celle qui, en 48, ne signale que dans la marge le début de l'étude du diapsalma. Enfin, on notera que, dans les deux cas, l'intitulé des sections ne fait que reprendre les mots mêmes du texte de Grégoire qui annonce lui-même qu'il passe à un nouveau thème, et les met en évidence pour guider le lecteur.

Mais ces rares divisions, introduites probablement assez tôt, étaient très insuffisantes pour permettre un repérage satisfaisant dans la masse du texte qui ne présentait pas un commentaire suivi du Psautier. Aussi des érudits en ont-ils créé de nouvelles. Il faut surtout mentionner un découpage en 77 chapitres munis chacun d'un titre, qui ne sont pas eux-mêmes regroupés en deux ou plusieurs parties, très bien représenté dans la tradition manuscrite puisque dix manuscrits du seizième siècle l'attestent (cf. p. 123). Il est avant tout remarquable par sa précision puisque son auteur a voulu rendre compte dans le détail des différents points abordés :

---

1. La version longue de ZX et de Z (qui est une copie de S) est sans doute postérieure à celle d'AVB et de V.

ainsi non seulement chaque psaume commenté fait l'objet d'un chapitre, mais il arrive que l'auteur distingue entre le commentaire du titre et celui du reste du psaume en introduisant un nouveau chapitre (ainsi pour les ch. 8 et 9 ou 62 et 63). Pour éviter que le lecteur ne s'égare, il distingue également entre le commentaire bref d'un titre et son commentaire développé : ainsi, à propos de « Maeleth » au ch. 16 et au ch. 32. Cette précision aboutit évidemment à morceler le texte dont les grandes articulations apparaissent peu : ainsi le ch. 13 indique la coupure entre notre première et seconde partie seulement par un titre plus long emprunté aux manuscrits. Inversement des unités de sens ne sont pas mises en valeur comme la préface. On notera enfin que l'érudit intitule parfois l'exégèse d'un psaume « explication abrégée » alors que Grégoire commente tous les versets du psaume : ainsi au ch. 9 à propos du Ps 89. Peut-être veut-il indiquer le caractère succinct du commentaire. Voici ces chapitres tels qu'ils sont présentés dans le *Par. gr. 1004* :

1. Sur le but de l'ensemble du livre des psaumes (1 – 5)
2. Pourquoi nous pratiquons la méditation des psaumes avec accompagnement mélodique (6 – 9, 13)
3. Explication abrégée (ἀνάπτυξις ἐν ἐπιτομῇ) du Ps 4 faite en passant (9, 13 – 10)
4. Sur la division en cinq sections de toute la matière des psaumes (11)
5. De la raison de la division en cinq du livre des psaumes et du but du prophète dans la première section (12, 1-12)
6. De la seconde section des psaumes et du fait qu'elle commence au Ps 41 (12, 13-40)
7. Sur la troisième section des psaumes et examen du Ps 72 (13)
8. Sur la quatrième section des psaumes où est fait l'éloge (ἐγκώμιον) de Moïse (14 – 15, 17)
9. Explication abrégée du Ps 89 (15, 17 – 19, 26)
10. Sur la cinquième section des psaumes (19, 27 – 20, 37)
11. Explication du Ps 106 qui commence la cinquième partie du Psautier (20, 37 – 27, 19)
12. Explication abrégée du Ps 150 qui termine la cinquième partie du Psautier (27, 20 – 28)

13. Ici commence le développement sur les titres (ἐντεῦθεν περὶ τῶν ἐπιγραφῶν ποιεῖται τὸν λόγον). De la division des titres des psaumes (29 – 30)
14. Exégèse du titre « Pour la fin » (31, 1-36)
15. Exégèse de « Au sujet de ceux qui seront changés » (31, 36-40)
16. Sur Maeleth (31, 40-60)
17. Sur psaume, chant, louange, hymne et prière (32, 1-45)
18. Sur le sens (τί βούλεται) de « hymne de chant » ou « louange de chant » (32, 46-60)
19. Sur le sens de la louange (32, 61-66)
20. Sur le sens du psaume avec hymnes (33, 1-17)
21. Sur le sens de l'intelligence dans les titres (33, 17-35)
22. Sur le sens de « Prière à David » (33, 35-39)
23. Sur le sens de « Prière au pauvre » (33, 39-48)
24. Prière à Moïse (33, 48-51)
25. Au sujet de ceux qui seront changés (34, 1-18)
26. Sur le titre du Ps 59 (34, 19-86)
27. Sur le titre du Ps 9 (35, 1-12)
28. Sur le titre du Ps 5 (35, 13-20)
29. Sur le titre du Ps 21 (35, 21-31)
30. Sur le sens du titre de la huitième (35, 32-50)
31. Sur le sens du titre « Au sujet des pressoirs » du Ps 8 (36)
32. Sur Maeleth de façon plus développée (37)
33. Sur le titre du Ps 28 et du Ps 29 (38, 1-20)
34. Sur le titre du Ps 30 (38, 21-25)
35. Sur le sens de « Pour la remémoration » (38, 26-33)
36. Sur le sens de la confession (38, 34-46)
37. Sur le sens de « Ne fais pas périr » (38, 47-52)
38. Sur l'inscription sur une stèle (38, 52-60)
39. Sur l'alléariana (39)
40. Sur les psaumes sans titre chez les Hébreux et pourquoi ils n'ont pas reçu de titres chez eux (40, 1-22)
41. Pourquoi le Ps 1 est sans titre (40, 23-27)
42. Explication du Ps 2 (40, 28 – 41, 20)
43. Explication du Ps 32 (41, 21-64)
44. Sur le titre du Ps 70 (42)
45. Pourquoi le Ps 90 est sans titre chez les Hébreux (43, 1-12)
46. Sur le titre du Ps 92 et pourquoi il est sans titre chez les Hébreux (43, 13-47)
47. Sur le titre du Ps 93 (44)
48. Sur le titre du Ps 94 (45, 1-21)
49. Sur le titre du Ps 95 (45, 22-57)
50. Sur le titre du Ps 96 (46)
51. Sur le Ps 98 (47, 1-57)

52. Explication abrégée du Ps 103 (47, 58-70)
53. Sur le diapsalma (48 – 52)
54. Pourquoi l'ordre des psaumes ne correspond pas à la suite de l'histoire (53 – 58, 41)
55. Sur le titre du Ps 43 (58, 41-48)
56. Sur le titre du Ps 44 (58, 49 – 59, 4)
57. Sur le titre du Ps 45 (59, 4-14)
58. Sur le titre du Ps 46 (60, 1-6)
59. Sur le titre du Ps 47 et son explication en abrégé (60, 6-67)
60. Explication abrégée du Ps 48 (61 – 62, 5)
61. Sur le Ps 50 (62, 5-19)
62. Sur le Ps 51 et son titre (62, 20 – 63, 42)
63. Explication abrégée du Ps 51 (63, 42 – 64, 35)
64. Explication abrégée du Ps 52 (64, 35 – 66, 2)
65. Sur le titre du Ps 53 (66, 2-28)
66. Explication abrégée du Ps 53 (66, 28-67)
67. Sur le titre du Ps 54 (66, 67 – 67, 12)
68. Explication abrégée du Ps 54 (67, 12 – 68, 35)
69. Sur le titre du Ps 55 (68, 35 – 70, 6)
70. Explication abrégée du Ps 55 (70, 7 – 72, 3)
71. Sur le but du Ps 56 (72, 3 – 73)
72. Explication abrégée du Ps 56 (74 – 76, 13)
73. Sur le titre du Ps 57 (76, 13-66)
74. Sur le Ps 57 (77, 1-16)
75. Explication abrégée du Ps 57 (77, 16 – 80, 2)
76. Sur le titre du Ps 58 (80, 2 – 83)
77. Explication du Ps 58 (84 – 85)

Deux manuscrits du seizième siècle, également dérivés de S, le *Rom. Cas. gr. 39* et le *Par. Suppl. gr. 399*, contiennent de nombreuses indications marginales qui équivalent à des titres. Enfin, le *Vat. Urb. gr. 12* reprend la division actuelle en deux parties et vingt-cinq chapitres introduite par J. Gretser dans son édition de 1600 et passée dans Migne.

2. LA TRADITION INDIRECTE

A. L'IN INSCRIPTIONES PSALMORUM DANS LES CHAÎNES

a. Les chaînes sur les psaumes [1]

Le traité est abondamment cité en tradition indirecte par les très nombreuses chaînes exégétiques sur les Psaumes qui font suivre chaque verset d'une série d'exégèses tirées des différents commentaires des Pères. Ces citations n'ont encore fait l'objet d'aucune enquête précise, car il est très difficile de s'orienter dans ces énormes recueils de textes aux auteurs multiples. Récemment, l'étude systématique qu'en a proposée G. Dorival [2] a fourni les repères nécessaires en proposant un historique de ces chaînes et un classement sûr entre leurs différents types. C'est ce classement que nous reprenons ici. Tout d'abord, on notera que tous les types de chaînes ne citent pas Grégoire de Nysse : il est absent des plus anciennes et des chaînes-scholies. En revanche, il est cité par les chaînes mixtes et par les chaînes constantinopolitaines. La chaîne de Nicétas offre la sélection la plus complète du traité, puisqu'elle en cite intégralement les deux tiers. Quant au texte cité par les chaînes, il appartient toujours à la même tradition, celle de la famille AVB de la tradition directe [3].

1. B. CORDERIUS (*Expositio Patrum graecorum in Psalmos*, II, Antuerpiae 1646) cite le traité, seulement au tome 2, pour les psaumes suivants (d'après *Biblia Patristica* 5, Paris 1991 où le repérage des extraits se fonde sur les sigles d'auteur) : Ps 89 (16, 2-9), Ps 93 (44, 4-8.10-12), Ps 98 (47, 46-57). Les citations sont faites d'après les *Monacens. 12* et *13* (XVIe s.), le *Vindobonensis 8* (X^e-XIe s.) et les *Vindobon. 17* et *297* (XIe s.), voir R. DEVREESSE, « Chaînes exégétiques grecques », dans *Suppl. Dict. Bible* 1, col. 1083-1234.
2. *Les chaînes exégétiques grecques sur les psaumes. Contribution à l'étude d'une forme littéraire*, t. 1-4, Leyde, 1986-1996.
3. Notre enquête se fonde sur une lecture cursive, mais autant que possible attentive, des chaînes, aux différents psaumes où le traité est

α. Les chaînes mixtes palestiniennes

Avec ce type de chaînes, apparaît, selon G. Dorival [1], « une volonté d'enrichir et de renouveler les sources traditionnelles [2] », ce dont témoigne l'apparition des citations de Grégoire de Nysse. Le *Vaticanus 754* (xe s.) est « l'exemplaire le plus proche de l'état initial de la chaîne originale [3] ». Cette chaîne présente une sélection importante de l'*In inscr.* avec 106 fragments (environ la moitié du traité à laquelle on doit ajouter une dizaine de pages d'introduction) [4]. Le caténiste a relevé dans le traité l'exégèse de 44 Psaumes sur les 123 que Grégoire commente ou auxquels il fait allusion (le caténiste a écarté les simples allusions et sélectionné seulement les passages substantiels) : les Ps 2 et 4, les Ps 6 à 9, les Ps 21, 29, 30, 32 et 37, les Ps 40 à 42, 44 à 48, 50 à 57, les Ps 59, 70, 89 et 90, les Ps 92 à 96, les Ps 98, 99, 101, 103, 104, 106, 119 et 150. Son texte est parfois intéressant : ainsi le *Vat. gr. 754* confirme la leçon correcte de S en 60, 20.

___

susceptible d'être cité. Il n'est donc pas exclu que certains fragments nous aient échappé, la difficulté tenant au fait que les sigles d'auteur sont souvent soit absents, soit erronés.

1. Cf. *Chaînes*, tome 2, 1989, p. 237 s.
2. *Ibid.*, p. 237.
3. *Ibid.*, p. 238.
4. Dépendent d'elle trois sélections (voir G. Dorival, *Chaînes*, t. 2, p. 283) : le *Coislin 10*, le *Genuensis 3* et le *Vindobonensis th. gr. 298*, enfin les *Parisini 166* et *167*. Le *Coislin 10* en « propose la sélection la plus abondante » (p. 284) : 23 fragments du traité sont absents sur 90 que possède le *Vat. 754* (en tenant compte des lacunes du Coislin) et 19 fragments sont abrégés (le Coislin ne possède aucun fragment propre) ; les leçons des manuscrits sont identiques à quelques variations près. La moitié des fragments est donc identique, un quart est abrégé et un quart est éliminé, ce qui confirme les conclusions de G. Dorival sur l'ensemble des psaumes de son sondage (p. 297-300). Les *Parisini gr. 166* et *167* offrent une sélection de la chaîne qui élimine plus de fragments que les autres sélections (voir p. 339-342) : c'est particulièrement net pour notre traité dont ils ne retiennent que cinq fragments répartis sur quatre psaumes.

Préface du *Vaticanus 754*

Cette chaîne s'ouvre par une préface qui présente trois extraits du traité qui sont reproduits dans de nombreux autres manuscrits. Le caténiste explique qu'ils proviennent d'un exemplaire très endommagé du traité :

– le premier extrait est introduit ainsi au folio 28^v : τοῦ ἁγίου γρηγορίου νύσσης· ὅτι ἀνακολούθω (sic) τῇ ζωῇ τοῦ Δαυιδ ἡ τῶν ψαλμῶν ἀκολουθία.

Suivent les extraits suivants tirés du chapitre XI de la deuxième partie sur l'opposition entre l'ordre des psaumes et la chronologie : 53, 1-10 (πάντα) ; 53, 13-23 ; 53, 26-37 ; 54, 1-12 ; 54, 14-27 ; 55, 12-18 ; 54, 30 – 55, 27 ; 55, 28 – 56, 1 (νικᾷς).

Les manuscrits suivants reproduisent cet extrait : *Laurentianus VI 3* (xie s.), f. 32^v ; *Mosquensis Synod. gr. 358* (V 47) (xi^e s.) ; *Hierosolymitanus S. Cr. 1* (xv^e s.), f. 11^v ; *Oxoniensis. Barocc. gr. 223* (xvi^e s.), f. 14^v ; *Vat. Borgiani gr. 2-4* (xvi^e s.), f. 21 ; *Matritensis 120* (xvi^e s.), f. 30^v-36 ; *Monacensis gr. 295* (xvi^e s.), f. 108-114 ; *Parisinus gr. 937* (xvi^e s.), f. 107-110^v ; *Atheniensis Metochion Sina 02* (xvie s.), f. 13^v-14.

– le second extrait commence au folio 30 par cette explication : συλλογαὶ ἀπὸ βιβλίου διεφθορότος ὑποβρυχίου γεγονότος, τοῦ ἐν ἁγίοις πατρὸς ἡμῶν γρηγορίου ἐπισκόπου νύσης· εἰς τὰς ἐπιγραφὰς τῶν ψαλμῶν.

Suit le passage suivant qui porte sur les chapitres II à IV de la première partie : 3, 8 (χρή) – 4, 34 (insertion du titre suivant : τοῦ ἁγίου γρηγορίου ἐπισκόπου νύσης· ἐκ τῆς ἑρμηνείας τῶν ἐπιγραφῶν τῶν ψαλμῶν) ; 4, 34 – 10, 7 (κατορθουμένην).

Parallèles : *Laur. VI 3*, f. 34^v ; *Hier. S. Cr. 1*, f. 12^v ; *Ox. Barocc. 223*, f. 20 ; *Vat. Borg. 2-4*, f. 22^v ; *Matritensis 120*, f. 36 ; *Monacensis gr. 295*, f. 114-117. 138-149 ; *Parisi-*

nus gr. 937, f. 110^v-118 ; *Atheniensis Metochion Sina 02*, f. 14-16.

– le troisième extrait est intitulé au folio 36^v : εἰς τὸ διάψαλμα.

Suit un bref passage du chapitre X de la deuxième partie : 48, 2-16 (τῇ δια). Il est en fait interrompu à cause d'un folio manquant. Il se termine dans les autres manuscrits en 49, 4.

Parallèles : *Vat. gr. 744* (xe s.), f. 161^v ; *Laur. VI 3*, f. 38^v [1] ; *Ox. Bodl. Thomas Roe 4* (xive s.) [2], f. 6 ; *Ambr. B 106 sup* (xve s.), f. 11 ; *Hier. Staur. 69* (xve s.), f. 10 ; *Hier. S. Cr. 1*, f. 17^v ; *Ox. Barocc. 223*, f. 23 ;*Vat. Borg. 2-4*, f. 31^v ; *Scorialensis III, 13* (xvi^e s.), f. 9^v-11 ; *Matritensis 263* (xvie s.), f. 12-13^v ; *Matritensis 120*, f. 36^v-37^v ; *Monacensis gr. 295*, f. 120-122 ; *Parisinus gr. 937*, f. 118^v-120 ; *Atheniensis Metochion Sina 02*, f. 19^v-20.

β. Les chaînes mixtes constantinopolitaines

Parmi elles, G. Dorival distingue les chaînes isolées et les chaînes primaires. L'*Oxoniensis Barocc. gr. 223* (xvie s.) est un témoin des premières [3] et compte une vingtaine de citations du traité souvent fautives. Les secondes ont pour principal témoin la chaîne de Nicétas.

---

1. Ce manuscrit comporte également un autre extrait, f. 163^v : 16, 3 (τί οὖν)-24. Le même extrait, avec des leçons très proches, se lit dans le *Vat. 744* (xe s.), f. 88.

2. Le manuscrit est décrit par G. DORIVAL, *Chaînes*, t. 4, p. 325 s. Il comporte d'autres extraits du traité dans sa préface. Il s'agit d'extraits de la chaîne de Nicétas, dans un état médiocre, tirés des Ps 58, 59, et à partir du f. 6^v, de sa préface. Le manuscrit est cité par J. Mc DONOUGH dans son apparat p. 170.

3. Voir G. DORIVAL, *Chaînes*, t. 3, p. 327-440.

La chaîne de Nicétas [1]

Cette chaîne présente la sélection la plus importante du traité avec 213 fragments (auxquels s'ajoutent les dix fragments de la préface, soit environ les deux tiers du traité) qui donnent le commentaire de Grégoire sur 49 psaumes, soit six psaumes de plus que la chaîne du *Vat. 754*, les Ps 1, 3, 5, 11, 58 et 72 et un de moins, le Ps 21. Il s'agit bien d'une « compilation neuve et originale [2] ». L'état du texte est souvent excellent au point que nous avons cru pouvoir retenir certaines leçons pour l'établissement du texte. Il ne fait, en effet, pas de doute que Nicétas s'est référé à la tradition directe, en tirant son texte d'un manuscrit appartenant à la même tradition que nos manuscrits A, V et B. La chaîne confirme également les bonnes leçons de manuscrits isolés : S en 32, 4 (d'après le *Taurinensis B I 5*) et 82, 7 (d'après l'*Athous Dion. 114*), une conjecture de v en 77, 15 (d'après l'*Athos Dion. 114*). On trouvera un relevé de toutes les citations du traité en appendice.

γ. Les chaînes secondaires constantinopolitaines. Les chaînes complexes de type variable

Ce type est représenté par la chaîne marginale du *Vaticanus Reginensis gr. 40* (XIIIᵉ s.). Une chaîne proche du *Vat. gr. 754* a servi de source à la chaîne du *Mosquensis gr. 194* et du *Vat. Ottob. gr. 398* [3] qui a servi elle-même de source au *Vat.*

1. Cf. G. Dorival, *Chaînes*, t. 3, p. 492-565. Nous avons utilisé le *Vat. Palat. gr. 247* (fin XIIᵉ-début XIIIᵉ s.) qui propose la chaîne jusqu'au Ps 76, le *Taurinensis B I 5* (qui donne la chaîne des Ps 1 à 150) et l'*Athos Dionysiou 114* (qui donne la chaîne des Ps 9, 4 à 150), tous deux du XIIIᵉ s. A partir du Ps 80, nous nous sommes contenté de lire le *Paris. Coislinianus 190* (fin XIIIᵉ-début XIVᵉ s.) qui donne la chaîne du Ps 80 au Ps 150 et offre un texte complet.

2. *Ibid.*, p. 493.

3. Pour l'analyse de cette chaîne qui relève du genre des chaînes complexes de type stable, voir G. Dorival, *Chaînes*, t. 4, p. 262-297.

Reg. gr. 40 [1]. Cette filiation se remarque dans le cas de l'*In inscr.* par la particularité de la citation sur le Ps 98, qui est commune au *Vat. 754* et au *Vat. Reg. 40*. Le traité y est rarement cité, puisque nous n'avons relevé que cinq courts extraits relatifs aux Ps 4, 96, 98 et 106.

b. Les autres chaînes

Seules deux autres chaînes citent brièvement le traité [2] :

– Les chaînes sur l'Octateuque et les *Rois*

Ces chaînes citent le commentaire du titre du Ps 58, cf. Nikephoros Hieromonachos, Σειρὰ...εἰς τὴν Ὀκτάτευχον καὶ τὰ τῶν βασιλειῶν, t. II, Leipzig 1773 : p. 412, 9 – 413, 58 (= 82 – 83) et p. 459, 33-57 (= 81, 6-24).

– Les chaînes sur *Matthieu*

B. Corderius (*Symbolarum in Matthaeum tomus alter...*, Toulouse 1647) donne p. 315, 25-39, sous le sigle ΝΥΣΣΗΣ l'extrait suivant à propos de Mt 8, 27 : « Θάλασσα μεγάλη καὶ εὐρύχωρος ὁ βίος ἐστὶν οὗτος· ἕως μὲν ὁ Κύριος τὴν τῆς μακροθυμίας ὕπνον καθεύδει, τὸ πονηρὸν πνεῦμα τῆς καταιγίδος διαταράττει ταύτην τὴν θάλασσαν, καὶ τὰ κύματα τῶν παθῶν ἐπαίρεται, καὶ τῆς εἰς τὴν ἄβυσσον καταβάσεως γίνεται αἴτια· ἄβυσσον δὲ πολλαχοῦ τῆς γραφῆς τὸ τῶν δαιμόνων ἐνδιαίτημα μεμαθήκαμεν. Εἶτα ὥσπερ ἐξ ὕπνου ἀναστὰς ὁ δεσπότης ἐπετίμα τοῖς πνεύμασι τῆς πονηρίας, καὶ μεγαλὴν γαλήνην ἐργάζεται, καὶ τῷ πράῳ καὶ ἀγαθῷ πνεύματι τοὺς χειμαζομένους εἰς λιμένα σωτηρίας ἐγκαθορμίζει. » On reconnaît une citation retouchée du traité (24, 28 s.).

---

1. Voir G. Dorival, *Chaînes*, t. 2, p. 343
2. Cf. *Biblia Patristica* 5, p. 101 et 109.

B. Extraits du traité dans différents manuscrits

En dehors des chaînes, on trouve cités dans des manuscrits isolés de courts extraits du traité sélectionnés pour leur importance doctrinale et pastorale : ainsi, l'*Ox. Bodl. Laud. gr. 42* (XIIe s.) contient au folio 278 le passage 15, 30 (καί^2) – 16, 24 [1] (comme le *Ven. gr. I, 44*, XVIIe s.) sur le thème de la conversion inspiré du Ps 89, 3-4, et le *Leid. Voss. gr. O. 1* (XIVe s.) au folio 87 le passage 84, 42 (μέγα) – 55 (φύσεως) sur l'opposition de l'homme véritable et du chien tirée du Ps 58, 7.

II. L'HISTOIRE DES ÉDITIONS

1. Les différentes éditions et traductions du traité

On connaît trois traductions latines du traité parues dans la seconde moitié du seizième siècle [2]. La première date de

---

1. Le texte, plutôt médiocre, ne présente pas les mêmes leçons que le *Vat. 754*.

2. Cf. *Catalogus translationum et commentariorum : Mediaeval and Renaissance Latin Translations and Commentaries*, volume V [Gregorius Nyssenus, by Helen Brown Wicher], Washington 1984, p. 111-117. Le traité a été également traduit, au moins partiellement, dans d'autres langues. A date ancienne, il était connu dans le monde syriaque, notamment de Denys Bar Salibi († 1171) qui, dans son commentaire sur Lc 2, 21, se réfère explicitement à Grégoire de Nysse à propos du huitième jour et fait allusion à 56, 13 s. : « Etiam Gregorius dicit : Dies octavus mundum novum figurat, et in die octavo, qui est typus mundi novi, revelanda sunt velamina operum omnium hominum, sive bona sint, sive mala » (*CSCO* 113, syr. 60 p. 278 ; trad. lat. par A. Vaschalde, *CSCO* 114, syr. 61, 1940), cf. M. F. G. Parmentier, « Syriac Translations of Gregory of Nyssa », dans *Orientalia Lovaniensia Periodica* 20, 1989, p. 166. Il existe aussi une version arabe faite sur l'édition de Gretser, cf. G. Graf, *Geschichte der Christlichen Arabischen Literatur*, t. I, Vatican 1944, p. 333.

1582 et est connue par un seul manuscrit autographe (*Vat. Reg. lat. 1795*) : elle est l'œuvre d'un portugais exilé à Rome, J. Vaz Motta, qui dédie sa traduction au pape Grégoire XIII. Il reconnaît avoir eu de grandes difficultés à traduire cette œuvre pour laquelle il ne disposait que d'un manuscrit de piètre qualité que nous n'avons pas identifié précisément (c'est un manuscrit romain de la deuxième classe). Trois ans plus tard, en 1585, paraît à Venise une traduction due à Maximus Margunius [1], évêque de Cythère, qui a été faite sur l'un des manuscrits aux 77 chapitres puiqu'elle présente cette division.

C'est en 1600, à Ingolstadt, que paraît la première édition du texte grec accompagnée d'une traduction latine : les deux sont l'œuvre de J. Gretser [2]. Celui-ci se fonde pour éditer son texte, dit-il dans son avertissement au lecteur, sur deux manuscrits de la Bibliothèque de Bavière, l'un complet et l'autre mutilé, que J. Mc Donough a identifiés comme étant respectivement le *Monac. gr. 47* et le *Monac. gr. 23*, tous deux dérivés de A. Il est l'auteur de la division reçue du traité

---

1. Sur Margunius, voir G. FEDALTO, *Massimo Margunio e il suo commento al ' De Trinitate ' di S. Agostino (1588)*, Brescia Paideia Editrice, 1967 (l'auteur mentionne cette traduction p. 264). Nommé évêque de Cythère, il n'a jamais exercé cette fonction faute de l'accord des autorités de Venise, ville où il obtint un poste de professeur de latin et grec. Il existe au moins deux exemplaires de cette édition, l'un à Venise (Bibl. Marciana), l'autre à la BNF. Le titre porte : *Divi Gregorii Nyssae, episcopi ac theologi praestantissimi, in Psalmorum inscriptiones atque textus mystica eminentissimaque explicatio, nunc primum a Maximo Margunio, episcopo Cytherensi, e graeca latina facta*, Venetiis apud Lorium de Loriis Vtinensem, 1585. L'ouvrage comporte 8 folios non numérotés, puis 108 numérotés. Au début se trouve une lettre de l'éditeur Lorius qui explique qu'il a lui-même commandé cette traduction à Margunius (on lit aussi, mais seulement dans l'exemplaire de Venise, une lettre de Margunius au Sénat, datée du 20 octobre 1585). La traduction est précédée d'un pinax où sont indiqués les titres des 77 chapitres qui divisent l'œuvre.

2. C'est cette traduction qui figure dans l'édition latine des œuvres de Grégoire de Nysse publiée par Fronton du Duc à Paris en 1605 (t. II, col. 1). Et une page de cette traduction est citée en 1662 dans la *Bibliotheca Patrum Concionatoria* de F. Combefis (t. III, p. 279 = 65, 13-35).

en deux parties et 25 chapitres précédés d'une préface, que les éditions ultérieures – celles de Paris parues en 1615 et 1638 (t. I, p. 257), celles de Regensburg en 1740 (t. 14, p. 9) et de Migne en 1858 – conserveront, modifiant seulement les débuts et fins de paragraphes. Il a pu tirer des manuscrits en sa possession l'esquisse d'un découpage en deux parties et une préface, comme on l'a vu, mais non celui en chapitres qu'il introduit lui-même. Il le justifie, dans son adresse au lecteur, par son intention d'empêcher que la suite ininterrompue du discours ne provoque en lui de la lassitude, et il explique qu'il a divisé le commentaire en chapitres « comme semblait le réclamer le sujet traité ». Gretser donne également à chacun des chapitres un titre [1]. Beaucoup moins

1. Ces titres, qui n'ont pas été conservés par Migne, sont les suivants :

I.

Praefatio ad amicum quemdam
  1. Quis fit humanae vitae finis
  2. Quomodo virtutis amor in animo auditoris sit excitandus
  3. Cur Psalmi omni hominum generi sint tam grati
  4. Virtutis studium in Psalmis tradi, ostenditur exemplo quarti Psalmi
  5. Quot partes Psalmorum liber contineat, primumque quid prima et secunda sectione doceamur
  6. De tertia Psalmorum sectione, quid virtutis studiosum doceat
  7. Quid quarta sectione Psalmorum nobis tradatur, docet exemplo psalmi 89
  8. De quinta et postrema Psalmorum sectione
  9. Conclusio de quinque psalmorum sectionibus et quis singularum fit finis

II.

  1. Quot sint inscriptionum genera
  2. Quis sit sensus inscriptionis : In finem
  3. Quid sit Psalmus, Canticus, Laudatio, Hymnus et Oratio
  4. De inscriptione pro iis qui commutabuntur Deus immutabilis et quare
  5. De inscriptionibus, pro arcanis, pro occultis filiis, pro octava et aliis nonnullis
  6. Quidnam inscriptio pro Maeleth et alia quaedam nos doceant
  7. Quid significet inscriptio Alleluia
  8. De psalmis, qui inscriptione carent
  9. De psalmis 94, 95, 96, 97, 103. Cur inscriptione apud Hebraeos careant

fouillée et précise que la division en 77 chapitres qu'il igno-
rait, celle qu'il propose a l'avantage d'être plus synthétique.
Mais, malgré son souci de faire correspondre sujets et chapitres, il lui arrive de proposer un découpage qui permet,
certes, d'éviter de longues sections, mais qui est peu satisfaisant du point de vue du contenu, comme en II, 8 et 9 où les
deux chapitres devraient n'en faire qu'un. Si cette division
s'est imposée en étant reprise par Migne, le texte de la vulgate
qu'il donne présente quelques changements car il résulte
d'une révision de celui de Gretser faite à partir de manuscrits
des familles S et Q (un érudit a mentionné en notes quelques-
unes des leçons primitives de Gretser).

Il existe deux traductions récentes publiées, l'une à Rome
par A. Traverso (*Gregorio di Nissa, Sui titoli dei Salmi*,
1994) et l'autre à Oxford par R. E. Heine (*Gregory of Nyssa's
Treatise on the Inscriptions of the Psalms*, 1995).

2. LES PRINCIPES DE LA PRÉSENTE ÉDITION

Cette édition ne remet pas en cause les principes d'établissement du texte qui ont guidé J. Mc Donough. Les meilleures
leçons sont empruntées aux différentes familles qui semblent
toutes remonter à un même archétype comme le montre le
stemma. Les divergences entre les deux classes de manuscrits
ne sont, en effet, pas telles qu'on ne puisse les rattacher à un
original unique. Il n'est donc pas possible de privilégier l'une
des deux classes de manuscrits, aucune d'elles n'offrant un
texte toujours satisfaisant : par exemple, si en 4, 5, en 13,
52-53, en 34, 53 et en 84, 4 les manuscrits de la deuxième classe

10. Quid sit diapsalma. Et in quibus psalmis reperiatur
11. Cur in psalmis ordo historiae non observetur
12. Quomodo per Psalmos secundae sectionis ad virtutem erudiamur
13. De psalmis 50, 51, 53, 54
14. De psalmis 55, 56
15. De psalmo 57
16. De psalmo 58

donnent le seul texte correct, en 1, 13 c'est la leçon d'AVB qu'il faut retenir, en 34, 65-66 celle de VB, en 53, 27 celle d'AVBS et en 82, 15, celle d'AVBL. Il arrive également que le *Vaticanus 1907* (S), copié, selon W. Jaeger, par un « vir doctus Byzantinus » (*GNO* 8, 1, p. 7), propose une correction qu'on doit adopter comme en 64, 27 ou en 70, 30. Le texte édité est donc un texte composite (pour l'édition des citations bibliques, voir l'appendice).

Le titre pose déjà un problème particulier. Aucun des manuscrits, en effet, ne donne le texte choisi, à juste titre, par Mc Donough : *De Grégoire, évêque de Nysse, Sur les titres des Psaumes*. La première moitié ne fait pas difficulté : nous avons conservé la forme brève de V et B. Mais ensuite, A et V ont *Sur le titre des Psaumes* (B ajoutant λόγος), tandis que S et F offrent une version développée qui laisse penser à un ajout tardif, *Brève interprétation sur les titres des Psaumes* : le pluriel est sans doute une correction, car L et X, de la même famille, ont comme finale respectivement, εἰς τὴν ἐπιγραφὴν et εἰς τὴν Γραφὴν. On a donc retenu le texte bref de A et V, mais en le corrigeant d'après la bonne leçon de S et F. Ce choix est confirmé par la reprise, sous cette forme, du titre à l'extrême fin du traité par A (85, 43).

Par rapport à celle de 1962, notre édition apporte une cinquantaine de modifications qu'on trouvera citées plus bas. Elles se répartissent en cinq types. D'abord nous rectifions des négligences ou des erreurs de lecture de Mc Donough ou de Migne que Mc Donough n'a pas corrigées (13, 26 ; 16, 10 ; 17, 43 ; 19, 15 ; 22, 15 ; 29, 17 ; 39, 30 ; 49, 5 ; 55, 10). Puis nous faisons le choix d'une famille de manuscrits plutôt que d'une autre pour divers motifs, dont le souci de conserver la logique des idées et d'améliorer leur expression (3, 11 ; 7, 10 ; 13, 26 ; 17, 44 ; 20, 33 ; 25, 25 ; 26, 2 ; 30, 14. 22 ; 31, 14 ; 33, 21 ; 34, 53 ; 47, 18 ; 56, 6 ; 60, 59 ; 64, 27 ; 67, 18 ; 75, 16. 28. 45). Ensuite nous rejetons telle ou telle correction pour revenir au texte des manuscrits qui nous semble satisfaisant (26, 56 ; 27, 16 ; 28, 5 ; 33, 6 ; 37, 17-18 ; 47, 51. 57 ; 48, 22 ;

49, 16 ; 56, 6 ; 60, 5 ; 64, 24 ; 68, 23-24 ; 70, 21 ; 76, 34 ; 83, 8). Puis nous adoptons certaines leçons intéressantes de la chaîne de Nicétas (33, 44 ; 44, 15 ; 72, 53 ; 79, 17 ; 83, 9). Enfin, nous proposons une fois de corriger le texte (59, 5). Nous avons également confirmé certaines conjectures heureuses du précédent éditeur en citant à leur appui les mêmes leçons données par un unique manuscrit, apportant trop peu par ailleurs pour figurer dans l'apparat : c'est le cas de T comme nous l'avons montré et de D (*Vaticanus Graecus 401*) en 24, 20 et 33, 18, ainsi que de divers témoins des chaînes.

Nous indiquons en marge le numéro de la colonne de la Patrologie et la pagination de l'édition Mc Donough. Pour des raisons de commodité, nous avons introduit un nouveau découpage du texte réparti en 85 sections numérotées qui correspondent à des unités de sens. Mais nous conservons la division traditionnelle en deux parties et vingt-cinq chapitres. Par souci de clarté, nous avons réduit la longueur de certains paragraphes et modifié quelques autres. De même, nous avons rectifié la ponctuation quand le sens l'imposait. L'apparat critique a été entièrement revu (plusieurs centaines de modifications ont été apportées), et il est enrichi des leçons d'un nouveau manuscrit, B. Les nombreuses citations scripturaires sont mises entre guillemets quand il s'agit de citations précises ou seulement signalées quand il s'agit d'allusions ou de citations libres et approximatives.

Notre traduction se veut avant tout précise et fidèle. Nous essayons le plus possible de traduire le même terme grec par le même mot français, mais la polysémie de λόγος est un défi insurmontable pour le traducteur : même si nous avons varié les traductions, aucun équivalent n'est pleinement satisfaisant (parole, texte, raison, Verbe...) et il faut se souvenir qu'en presque chacun de ses emplois le mot est riche de ses multiples sens.

STEMMA

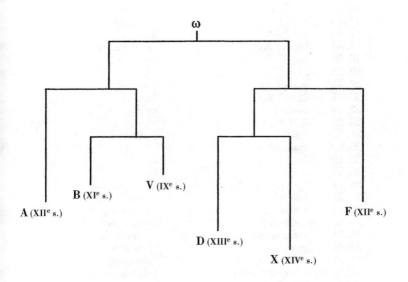

MODIFICATIONS AU TEXTE DE L'ÉDITION DE J. MC DONOUGH

	GNO	SC
3, 11	κοινούντων	κοινωνούντων
7, 10	πλανητῶν	πλανήτων
13, 26	τι	τὸ
16, 2	κύριε	—
16, 10	παρῆλθε	παρείθη
17, 43	τὰ οἷς	τὰ τοιαῦτα οἷς
17, 44	τοῦ θεοῦ	θεοῦ
17, 44	θεραπεύοντος	τοῦ θεραπεύοντος
18, 18	μοι	—
19, 15	ἐν	—
20, 33	γενομένην	γινομένην
20, 33	ἐκ τοῦ θεοῦ	ἐκ θεοῦ
22, 15	τροφῆς	τρυφῆς
25, 25	διψῶντες	πεινῶντες
26, 2	διελθὼν	διεξελθὼν
26, 56	ἐξαιρεῖσθαι	—
27, 16	ἕως	ὡς
28, 5	ἕως	ὡς
30, 14	προσγεγραμμένον	προγεγραμμένον
30, 22	ἐνόντων	ἐχόντων
31, 14	στέφανος	ὁ στέφανος
33, 6	συμβαίνῃ	σημαίνηται
33, 21	ἀνεξετάστω	ἀνεξετάστως
33, 44	γίνεται	γενήσεται
34, 53	ἀντίκεινται	ἀνάκεινται
37, 17-18	ἐνδιδομένην αὐτοῦ	ἐνδεδομένην αὐτῷ
39, 30	ἐφευρίσκονται	ἐνευρίσκονται
44, 15	καὶ ἀποδοῦναι	ἀποδοῦναί τε
47, 18	τοῦ Σαμουήλ	Σαμουήλ
47, 51	ὅταν	ὅσον ἂν
47, 57	διερμηνεῦον	διερμηνεύων
48, 22	τῷ πνεύματι τῷ	τῷ πνευματικῶς
49, 5	πενταχῇ	τῆς πενταχῇ
49, 16	τι	—
55, 10	σε	—
56, 6	τοῦ	—
59, 5	κλῆσιν	κλίσιν
60, 5	ὃς	ᾧ
60, 59	προηγουμένων	προηγορευμένων

61, 34	κοσμογενίας	κοσμογενείας
64, 24	κατενεχθείσης	καταμιχθείσης
64, 27	ἐλαίου	ἐλέους
65, 41	τῷ	τὸ
67, 18	γινόμενα	καταγινόμενα
68, 15	—	ἡ
68, 23-24	ἐνοικούντων	ἐποικούντων
70, 21	λέγω ὅσα	λέγων ὅλα
70, 30	ἀπὸ	ὑπὸ
71, 21	μηδενὸς	μηθενὸς
72, 53	διὰ τῆς…τομῆς	τῇ…τομῇ
75, 16	καὶ οὐκ	οὐκ
75, 28	καὶ ἔθνεσι	καὶ ἐν ἔθνεσι
75, 45	δοξολογοῦσιν	δοξάζουσι
76, 31	[ἐν]	ἐν
76, 34	αὐτοχειρὶ	αὐτοχειρίᾳ
77, 21	τῆς γαστρὸς	γαστρὸς
78, 27	ἀσθενήσωσι	ἀσθενήσουσι
79, 17	οὐκ	οὔτε
80, 27	ἐνστηλιτεύῃ	ἐνστηλιτεύει
83, 8	πάντων	παντὸς
83, 9	τῆς ὑπὸ	τῆς γενομένης ὑπὸ
83, 10	Σαοὺλ γενομένης γίνεται	Σαοὺλ γίνεται

BIBLIOGRAPHIE

I. TEXTES ET TRADUCTIONS

A. Grégoire de Nysse

Les sigles et abréviations sont, à quelques exceptions près, ceux proposés par B. Pottier, *Dieu et le Christ selon Grégoire de Nysse*, Louvain-Namur 1994, p. 499-500. Les sigles *GNO, SC, PG* renvoient aux *Gregorii Nysseni Opera*, Leyde 1952 s., aux *Sources Chrétiennes*, 1940 s., à la *Patrologie grecque*, 1857-66.

An et res	*De anima et resurrectione*	*PG* 46
Ascens	*In ascensionem Christi oratio*	*GNO* IX
Bas	*In Basilium fratrem*	*GNO* X, 1
Beat	*De beatitudinibus*	*GNO* VII, 2
Benef	*De beneficentia*	*GNO* IX
Cant	*In Canticum canticorum*	*GNO* VI
CE I-II	*Contra Eunomium* I-II	*GNO* I
CE III	*Contra Enomium* III	*GNO* II
Diem lum	*In diem luminum*	*GNO* IX
Eccl	*In Ecclesiasten homiliae*	*SC* 416
Epist	*Epistulae*	*SC* 363
Hex	*Apologia in Hexaemeron*	*PG* 44
In illud	*In illud : Tunc et ipse filius*	*GNO* III, 2
In XL I,II	*In XL Martyres* Ia, Ib, II	*GNO* X, 1
Infant	*De infantibus praemature abreptis*	*GNO* III, 2
Inscr	*In inscriptiones Psalmorum*	*GNO* V
Maced	*Adversus Macedonianos, De spiritu sancto*	*GNO* III, 1
Macr	*Vita Macrinae*	*SC* 178
Melet	*Oratio funebris in Meletium episcopum*	*GNO* IX
Occ dom	*De occursu domini*	*PG* 46

Op hom	De hominis opificio	PG 44
Or cat	Oratio catechetica magna	GNO III, 4
Pent	De spiritu sancto sive in Pentecosten	GNO X, 2
Perf	De perfectione	GNO VIII, 1
Pulcher	Oratio consolatoria in Pulcheriam	GNO IX
Quat uni	In illud : Quatenus uni ex his fecistis mihi fecistis	GNO IX
Ref	Refutatio confessionis Eunomii	GNO II
Sanct Pasch	In sanctum Pascha	GNO IX
Salut Pasch	In sanctum et salutare Pascha	GNO IX
Sext ps	In sextum Psalmum	GNO V
Steph I, II	In sanctum Stephanum I, II	GNO X, 1
Thaum	De vita Gregorii Thaumaturgi	GNO X, 1
Theod	De sancto Theodoro	GNO X, 1
Theoph	Ad Theophilum, Adversus Apolinaristas	GNO III, 1
Trid spat	De tridui spatio	GNO IX
Usur	Contra usurarios oratio	GNO IX
Virg	De virginitate	SC 119
Vit Moys	De vita Moysis	SC 1bis

Traductions françaises

Traductions avec le texte grec :

- *Discours catéchétique*, trad. L. Méridier, Picard, Paris 1908 (reprend le texte de J. H. Strawley, *The cathecetical oration of Gregory of Nyssa*, Cambridge Patristic Texts 2, 1903, 1956[2]).

- *Discours catéchétique*, SC 453, R. Winling, 2000.

- *Traité de la Virginité*, SC 119, M. Aubineau, 1966.

- *La Vie de Moïse*, SC 1 bis, J. Daniélou, 1968.

- *La Vie de Sainte Macrine*, SC 178, P. Maraval, 1971.

- *Lettres*, SC 363, P. Maraval, 1990.

- *Homélies sur l'Ecclésiaste*, SC 416, F. Vinel, 1996.

Traductions seules :

- *La création de l'homme*, SC 6, J. Laplace, J. Daniélou, 1943.
- *Les Béatitudes*, coll. *Les Pères dans la foi*, Paris 1979.

- *La Prière du Seigneur. Homélies sur le Notre Père et textes choisis*, coll. *Les Pères dans la foi*, Paris 1982.
- *La création de l'homme*, coll. *Les Pères dans la foi*, Paris 1982.
- *Écrits spirituels*, coll. *Les Pères dans la foi*, Paris 1990.
- *Le Cantique des cantiques*, coll. *Les Pères dans la foi*, Paris 1992.
- *Le Christ Pascal*, coll. *Les Pères dans la foi*, Paris 1994.
- *Sur l'âme et la résurrection*, J. Terrieux, coll. *Sagesses chrétiennes*, Paris 1995.

B. Autres auteurs anciens

AELIUS THÉON : *Les exercices préparatoires*, M. Patillon, G. Bolognesi, *CUF*, 1997.

PS.-ATHANASE : *Expositiones Psalmorum*, PG 27, 55-590.

AUGUSTIN : *Enarrationes in Psalmos*, CSL 38-40, éd. Dekkers-Fraipont, 1956.

BASILE DE CÉSARÉE : *Aux jeunes gens sur la manière de tirer profit des lettres helléniques*, F. Boulenger, *CUF*, 1965[3].

- *Homiliae super psalmos* (=*In Ps*), *PG* 29, 209-494.

La chaîne palestinienne sur le psaume 118, I-II, M. Harl, G. Dorival, *SC* 189-190, 1972.

La grammaire de Denys le Thrace, traduction annotée par J. Lallot, Paris 1989.

CYRILLE D'ALEXANDRIE :*Glaphyra in Pentateuchum*, PG 69, 9-678.

DIODORE DE TARSE : *Commentarii in Psalmos I-L* (=*In Ps*), *CSG* 6, éd. J.-M. Olivier, Turnhout-Louvain 1980.

EUSÈBE DE CÉSARÉE : *Commentarii in Psalmos* (=*In Ps*), *PG* 23 ; éd. J. B. Pitra. *Analecta sacra spicileg. Solesm.* III, Venetiis 1883, p. 365-520.

Die Fragmente der Vorsokratiker, H. Diels et W. Kranz, I-III, Dublin-Zürich 1967-1969.

HERMOGÈNE : *Opera*, H. Rabe, Leipzig 1913.

HÉSYCHIUS : *De titulis Psalmorum*, PG 27, 649-1344.

148   BIBLIOGRAPHIE

HIPPOLYTE : *Werke*, H. Achelis, N. Bonwetsch,*GCS* 1, Leipzig 1897.

- *Homilia in Psalmos*, éd. P. Nautin, *Le dossier d'Hippolyte et de Méliton*, Paris 1953, p. 167-183.

JEAN CHRYSOSTOME : *De Davide et Saule homiliae* I-III, *PG* 54, 675-708.

- *Expositiones in Psalmos* (=*In Ps*), *PG* 55, 39-498.

JÉRÔME : *Tractatus in Librum Psalmorum*, G. Morin, *CSL* 78, 1958, p. 3-352.

- *Commentarioli in Psalmos*, G. Morin, *CSL* 72, 1959, p. 163-245.

- *Lettres* I, J. Labourt, *CUF*, 1982.

JULIEN : *Oeuvres complètes*, *Discours de Julien empereur*, Ch. Lacombrade, *CUF*, 1964.

ORIGÈNE : *Commentarii in Psalmos* (=*In Ps*), *PG* 12, 1053-1686 ; éd. J. B. Pitra, *Analecta sacra spicileg. Solesm.* II, Tusculum, 1884, p. 444-483 ; III, Venetiis, 1883, p. 1-364, 521-522.

- *De Origenis prologis in Psalterium quaestiones selectae*, éd. G. Rietz (Diss. Iena), 1914.

- *Homélies sur les psaumes 36 à 38*, E. Prinzivalli, H. Crouzel, L. Brésard, *SC* 411, 1995.

- *Contre Celse*, M. Borret, *SC* 132, 136, 147, 150, 227, 1967-1976.

- *Homélies sur les Nombres*, A. Méhat, *SC* 29, 1951.

- *De oratione*, *PG* 11, 416-562 ; éd. P. Koetschau, *GCS* 3, 1899, p. 297-403.

- *Philocalie 1-20* et *Lettre à Africanus*, M. Harl, N. de Lange, *SC* 302, 1983.

- *Traité des principes*, H. Crouzel, M. Simonetti, *SC* 252-253, 268-269, 312, 1978, 1980, 1984.

- *Origenis Hexaplorum Quae Supersunt* (= *Origenis*), t. I-II, F. Field, Oxford 1875, réimpr. Hildesheim 1964.

PHILON : *Les œuvres de Philon d'Alexandrie*, publiées sous la direction de R. Arnaldez, C. Mondésert, J. Pouilloux, Texte original et traduction française, Paris 1961 s. (= *OPA*).

PLATON : *Banquet*, L. Robin, P. Vicaire, *CUF*, 1989.

- *Phédon*, L. Robin, P. Vicaire, *CUF*, 1983.

- *Phèdre*, L. Robin, C. Moreschini, P. Vicaire, *CUF*, 1985.

- *Timée*, A. Rivaud, *CUF*, 1925 ; trad. par L. Brisson, Paris 1992.
- *République*, E. Chambry, *CUF*, 1932-1934.

Théodoret de Cyr : *Interpretatio in Psalmos* (=*In Ps.*), *PG* 80, 857-1997.

II. INSTRUMENTS DE TRAVAIL

A. Ouvrages de références

Altenburger M., Mann F. : *Bibliographie zu Gregor von Nyssa. Editionen – Übersetzungen – Literatur*, Leyde 1988.

Biblia Patristica, CNRS, Paris 1975-1991 (notamment Vol. 5 : *Basile de Césarée, Grégoire de Nazianze, Grégoire de Nysse, Amphiloque d'Iconium*, Paris 1991).

La Bible d'Alexandrie : I. La Genèse, M. Harl, Paris 1986. *II. L'Exode*, A. Le Boulluec, P. Sandevoir, Paris 1989. *III. Le Lévitique*, P. Harlé, D. Pralon, Paris 1988. *IV. Les Nombres*, G. Dorival, Paris 1994. *V. Le Deutéronome*, C. Dogniez, M. Harl, Paris 1992. *9.1. Premier Livre des Règnes*, B. Grillet, M. Lestienne (avec la collaboration de J. Massonnet et A. Méasson), Paris 1997.

Fabricius C.– Ridings D. : *A concordance to Gregory of Nyssa* (*SGLG* 50), Göteborg 1989.

Geerard M. : *Clavis Patrum Graecorum*, Turnhout I. 1983, II. 1974, III. 1979, IV. 1980, V. 1987, *Supplementum* 1998 (=*CPG*).

Harl M., Dorival G., Munnich O. : *La Bible grecque des Septante*, Paris 1988.

Novum Testamentum Graece post Eb. Nestle et Ern. Nestle communiter ediderunt K. Aland, M. Black, C. M. Martini, B. M. Metzger, A. Wikgren, Sttutgart 1979[26].

Lampe G. W. H. : *A Patristic Greek Lexicon*, Oxford 1987[8] (=*PGL*).

Liddel H. G., Scott R., Jones H. S. : *A Greek-English Lexicon*, Oxford 1996 (=*LSJ*).

RAHLFS A. : *Psalmi cum Odis*, Göttingen 1931, 1967.

– *Septuaginta*, 2 vol., Stuttgart 1935.

Septuaginta, Vetus testamentum graecum auctoritate societatis litterarum Gottingensis editum, Göttingen 1931 s.

Thesaurus Linguae Graecae, CD ROM, Univ. de Californie, Irvine 1992.

B. Manuscrits et problèmes textuels

BROOKS J. A. : *The New Testament of Gregory of Nyssa*, Atlanta 1991 (= *Testament*).

CANART P. : *Les ' Vaticani Graeci 1487-1962 ' : notes et documents pour l'histoire d'un fonds de manuscrits de la Vaticane*, Rome 1979.

DEVREESSE R. : *Codices vaticani graeci*, II, Vatican 1937.

– ' Chaînes exégétiques grecques ' dans *Suppl. Dict. Bible* 1, Paris 1928, c. 1084-1233.

DORIVAL G. : *Les chaînes exégétiques grecques sur les psaumes, Contribution à l'étude d'une forme littéraire*, t. 1-4, Louvain 1986-1996 (= *Chaînes*).

GAMILLSCHEG E.-HARLFINGER D. : *Repertorium der griechischen Kopisten 800-1600*, I, Vienne 1981 (= *Repertorium*).

JAEGER W. : « Greek Uncial Fragments in the Library of Congress of Washington », *Traditio* 5, 1947, p. 79-102.

KINZIG W. : *In Search of Asterius. Studies on the Autorship of the Homilies on the Psalms*, Göttingen 1990.

OLIVER H. H. : *The Text of the Four Gospels as quoted in the Moralia of Basil the Great*, Emory University 1961.

OLIVIER J. M. : *Répertoire des bibliothèques et des catalogues de manuscrits grecs de Marcel Richard*, 3e éd. entièrement refondue, Turnhout 1995.

RAHLFS A. : *Septuaginta-Studien*, 2, Göttingen 1907.

– *Verzeichnis der griechischen Handschriften des Alten Testaments*, Göttingen 1914.

RICHARD M. : *Inventaire des manuscrits grecs du British Museum*, Paris 1952.

VAGANAY L., AMPHOUX C. B. : *Initiation à la critique textuelle du Nouveau Testament*, Paris 1986.

III. COMMENTAIRES

A. Études sur l'œuvre de Grégoire de Nysse

ALEXANDRE M. : « La théorie de l'exégèse dans le De hominis opificio et l'In Hexaemeron » dans *Écriture et culture philosophique dans la pensée de Grégoire de Nysse, Actes du colloque de Chevetogne* (éd. M. Harl), Leyde 1971, p. 87-110.

- « L'interprétation de Luc 16, 19-31, chez Grégoire de Nysse » dans *Epektasis*, Paris 1972, p. 425-441.

- « Protologie et eschatologie chez Grégoire de Nysse », dans *Archè e Telos. L'antropologia di Origene e di Gregorio di Nissa, Analisi storico-religiosa*, Milan 1981, p. 122-159.

BALAS D. L. : Μετουσία θεοῦ : *Man's Participation in God's Perfections according to Saint Gregory of Nyssa*, Rome 1966.

BALTHASAR H. U. VON : *Présence et Pensée : Essai sur la philosophie religieuse de Grégoire de Nysse*, Paris 1942.

CANÉVET M. : *Grégoire de Nysse et l'herméneutique biblique*, Paris 1983 (= *Grégoire de Nysse*).

CORSINI E. : « L'harmonie du monde et l'homme microcosme dans le De hominis opificio », dans *Epektasis*, p. 455-462.

DANIÉLOU J. : *Platonisme et théologie mystique. Doctrine spirituelle de Saint Grégoire de Nysse*, Paris 1954[2] (= *Platonisme*).

- « La chronologie des sermons de Grégoire de Nysse », *RSR* 29, 1955, p. 346-372 (= « Sermons »).

- « La chronologie des œuvres de Grégoire de Nysse », dans *Studia Patristica* VII, Berlin 1966, p. 159-169.

- « La typologie biblique de Grégoire de Nysse », dans *Studi e Materiali di Storia delle Religioni* 38, 1967, p. 185-196.

- *L'Être et le Temps chez Grégoire de Nysse*, Leyde 1970 (= *Être*).

152   BIBLIOGRAPHIE

– « Interpolations antiorigénistes chez Grégoire de Nysse », dans *Überlieferungsgeschichtliche Untersuchungen herausgegeben von F. Paschke*, Berlin 1981, p. 135-139.

Dörrie H., Altenburger M., Schramm A. (éd.) : *Gregor von Nyssa und die Philosophie*, Leyde 1976.

Epektasis (Mélanges patristiques offerts au Cardinal Jean Daniélou réunis par J. Fontaine et C. Kannengiesser), Paris 1972.

Harl M. (éd.) : *Écriture et culture philosophique dans la pensée de Grégoire de Nysse* (Actes du colloque de Chevetogne), Leyde 1971.

Joly R. : « Sur deux thèmes mystiques de Grégoire de Nysse », *Byzantion* 36 (1966), p. 127-143.

May G. : « Die Chronologie des Lebens und der Werke des Gregor von Nyssa », dans *Écriture et culture philosophique dans la pensée de Grégoire de Nysse*, Leyde 1971, p. 51-67.

Méridier L. : *L'influence de la seconde sophistique sur l'œuvre de Grégoire de Nysse*, Rennes 1906.

Merki H. : Ὁμοίωσις θεῷ. *Von der platonischen Angleichung an Gott zur Gottähnlichkeit bei Gregor von Nyssa*, Fribourg 1952.

Mosshammer A. A. : « Nonbeing and Evil in Gregory of Nyssa », *VC* 44 (1990), p. 136-167.

– « Historical Time and the Apokatastasis according to Gregory of Nyssa », dans *Studia Patristica* 27 (Acts of the Eleventh Conference on Patristic Studies, Oxford 1991), Louvain 1993, p. 70-93.

Pottier B. : *Dieu et le Christ selon Grégoire de Nysse*, Louvain-Namur 1994.

Völker W. : *Gregor von Nyssa als Mystiker*, Steiner, Wiesbaden 1955.

B. Études sur le Psautier et sur Grégoire de Nysse exégète des Psaumes

Auwers J. M., « L'organisation du Psautier chez les Pères grecs », dans *Le Psautier chez les Pères*, Strasbourg 1994, p. 37-54 (= « Organisation »).

– *La composition littéraire du Psautier. Un état de la question*, Paris 2000 (= *Composition*).

DEVREESSE R. : *Les Anciens commentateurs grecs des Psaumes*, *ST* 264, Vatican 1970.

DORIVAL G. : « A propos de quelques titres des Psaumes de la *Septante* », dans *Le Psautier chez les Pères*, Strasbourg 1994, p. 21-36.

– « Autour des titres des Psaumes », *RevSR* 73 (1999), p. 165-176.

GUINOT J. N. : « L'*In Psalmos* de Théodoret : une relecture critique du commentaire de Diodore de Tarse », dans *Le Psautier chez les Pères (Cahiers de Biblia Patristica* 4), Strasbourg 1994, p. 97-134.

HEINE R. E. : *Gregory of Nyssa's Treatise on the Inscriptions of the Psalms* (Introduction, Translation and Notes), Oxford 1995 (= *Gregory*).

LE BOULLUEC A. : « L'unité du texte : la visée du psautier selon Grégoire de Nysse », dans *Études de littérature ancienne. t.3. Le texte et ses représentations*, Paris 1987, p. 159-166.

MARROU H.-I. : « Une théologie de la musique chez Grégoire de Nysse ? » dans *Epektasis : Mélanges patristiques offerts au Cardinal J. Daniélou*, Paris 1972, p. 501-508 (= « Théologie de la musique »).

MERCATI G. : *Osservazioni a proemi del salterio di Origene, Ippolito, Eusebio, Cirillo Alessandrino e altri con frammenti inediti*, *ST* 142, Vatican 1948.

RONDEAU M. J. : « Exégèse du Psautier et anabase spirituelle chez Grégoire de Nysse » dans *Epektasis*, Paris 1972, p. 517-531 (= « Exégèse »).

– « D'où vient la technique exégétique utilisée par Grégoire de Nysse dans son Traité ' Sur les titres des Psaumes ' ? » dans *Mélanges d'histoire des religions offerts à H. C. Puech*, Paris 1974, p. 263-287 (= « D'où vient »).

– *Les commentaires patristiques du Psautier (IIIe-Ve siècles) I. Les travaux des Pères grecs et latins sur le Psautier. Recherches et bilan*, Rome 1982. II. *Exégèse prosopologique et théologie*, Rome 1985 (= *Commentaires*).

C. Autres études

ALEXANDRE M. : *Le commencement du Livre, Genèse I-IV, la version grecque de la Septante et sa réception*, Paris 1988.

AUBINEAU M. : « Le thème du bourbier dans la littérature grecque profane et chrétienne », *RecSR* 47, 1959, p. 185-214, repris dans *Recherches Patristiques. Enquêtes sur des manuscrits. Textes inédits. Études*, Amsterdam 1974, p. 225-254.

BERNARDI J. : *La prédication des Pères Cappadociens*, Montpellier 1968.

BOUFFARTIGUE J. : *L'Empereur Julien et la culture de son temps*, Paris 1992 (= *L'Empereur Julien*).

Courcelle P. : *Connais-toi toi-même, de Socrate à Saint Bernard*, 3 vol., Paris 1974-1975.

DANIÉLOU J. : « David » dans *Reallexikon für Antike und Christentum*, t. 3, 1957, col. 594-603.

DEVOS P. : « Doèk dans l'hagiographie byzantine chez S. Augustin et dans une lettre de S. Basile », *AB*, 111, 1993, p. 69-80 et p. 258.

FESTUGIÈRE A. J. : *La révélation d'Hermès Trismégiste*, I-III, Paris 1950² (= *Révélation*).

– *Antioche païenne et chrétienne. Libanius, Chrysostome et les moines de Syrie*, Paris 1959.

GERO S. : « ' The new Doèk ' and ' light added to light ', Once more », *AB* 113, 1995, p. 155.

GUINOT J. N. : *L'exégèse de Théodoret de Cyr*, Paris 1995.

HADOT I. : « Les introductions aux commentaires exégétiques chez les auteurs néoplatoniciens et les auteurs chrétiens », dans *Les Règles de l'interprétation*, éd. M. Tardieu, Paris 1987, p. 99-122 (repris dans *Simplicius. Commentaire sur les Catégories*, traduction commentée sous la direction d'I. Hadot, fasc. I, Leyde-New York-Köbenhavn-Köln 1990, p. 21-47).

HADOT P. : *Exercices spirituels et philosophie antique*, Paris 1993².

HARL M. : *Le déchiffrement du sens*, Paris 1993.

– *La langue de Japhet. Quinze études sur la Septante et le grec des chrétiens*, Paris 1994.

HAUSHERR I. : *Penthos. La doctrine de la componction dans l'Orient chrétien*, Rome 1944.

IVANKA E. VON : *Plato Christianus. La réception critique du platonisme chez les Pères de l'Église*, Paris 1990.

KERRIGAN A. : *St Cyril of Alexandria's Interpretation of the Old Testament*, Rome 1952.

MALINGREY A. M. : ' *Philosophia* ', *étude d'un groupe de mots dans la littérature grecque, des Présocratiques au IVe siècle après J.-C.*, Paris 1961.

MARAVAL P. : « La date de la mort de Basile de Césarée », dans *REAug* 34, 1988, p. 25-38.

MÉASSON A. : *Du char ailé de Zeus à l'Arche d'Alliance, Images et mythes platoniciens chez Philon d'Alexandrie*, Paris 1986 (= *Du char ailé*).

MERCATI G. : *Note di letteratura biblica e cristiana antica*, *ST* 5, Rome 1901.

NAUTIN P. : *Le dossier d'Hippolyte et de Méliton*, Paris 1953.

– *Origène, sa vie et son œuvre*, Paris 1977 (= *Origène*).

NEUSCHÄFER B. : *Origenes als Philologe*, Bâle 1987.

PATILLON M. : *La théorie du discours chez Hermogène le rhéteur*, Paris 1988.

Le Psautier chez les Pères (Cahiers de Biblia Patristica 4), Strasbourg 1994.

PUECH H. C. : *Sur le manichéisme et autres essais*, Paris 1979.

ROBERTS M. : *Biblical Epic and Rhetorical Paraphrase in Late Antiquity*, Liverpool 1985.

SPANNEUT M. : *Le stoïcisme des Pères de l'Eglise*, Paris 1969².

– « L'impact de l'apatheia stoïcienne sur la pensée chrétienne jusqu'à saint Augustin », dans A. González Blanco – J. Mª. Blázquez Martínez, *Cristianismo y aculturación en tiempos del Imperio Romano*, Antig. crist. 7, Murcia 1990, p. 39-52.

– « Apatheia ancienne, apatheia chrétienne. Ire partie : L'apatheia ancienne », dans *Aufstieg und Niedergang der römischen Welt*, II. 36. 7, Berlin-New York 1994, p. 4641-4717.

IV. ABRÉVIATIONS ET SIGLES

AB — *Analecta Bollandiana*, Bruxelles
AT — Ancien Testament
BA — *Bible d'Alexandrie*, Paris
CSCO — *Corpus Scriptorum Christianorum Orientalium*, Louvain
CSG — *Corpus Christianorum, Series Graeca*, Turnhout-Louvain
CSL — *Corpus Christianorum, Series Latina*, Turnhout
CUF — *Les Belles Lettres*, Collection des Universités de France, Paris
DECA — *Dictionnaire encyclopédique du christianisme ancien*, Paris
GCS — *Die Griechischen Christlichen Schriftsteller*, Berlin-Leipzig
GNO — *Gregorii Nysseni Opera*, Leyde
LSJ — *A Greek English Lexicon*, Liddle, Scott, Jones, Oxford
LXX — Septante
NT — Nouveau Testament
OCP — *Orientalia Christiana Periodica*, Rome
OPA — *Œuvres de Philon d'Alexandrie*, Paris
PG — *Patrologia Graeca (J.-P. Migne)*, Paris
PGL — *A Patristic Greek Lexicon*, G. W. H. Lampe, Oxford
PL — *Patrologia Latina (J.-P. Migne)*, Paris
PO — *Patrologia Orientalis*, Paris
Rahlfs — *Septuaginta*, éd. A. Rahlfs, Stuttgart 1935
REAug — *Revue des Études Augustiniennes*, Paris
RecSR — *Recherches de Science Religieuse*, Paris
RevSR — *Revue des Sciences Religieuses*, Strasbourg
RHPhR — *Revue d'histoire et de philosophie religieuses*, Paris
SC — *Sources Chrétiennes*, Paris
ST — *Studi e Testi*, Rome
StPatr — *Studia Patristica*, Berlin-Louvain
TLG — *Thesaurus Linguae Graecae*, Irvine
TM — Texte Massorétique
VigChr — *Vigiliae Christianae*, Leyde

CONSPECTUS SIGLORUM

V	*Vaticanus gr. 2066*	IXe s.
L	*Florentianus Laurentianus Plut. 7.1*	Xe s.
B	*Mosquensis Bibl. Syn gr. 71*	XIe
A	*Venetus Marcianus gr. 68*	XIIe s.
F	*Parisinus gr. 1268*	
S	*Vaticanus gr. 1907*	XIIe-XIIIe s.
D	*Vaticanus gr. 401*	XIIIe s.
Z	*Vaticanus gr. 1433*	
T	*Vaticanus gr. 424*	XIIIe-XIVe s.
Q	*Taurinensis C.I. 11*	XIVe s.
X	*Vaticanus gr. 2225*	
Y	*Oxoniensis Bodleianus Clarkianus 2*	XVe s.
v	Migne, *PG* 44, 432-608	

Don	Édition J. Mc Donough, *GNO* V, p. 3-175
Jaeger	W. Jaeger cité par J. Mc Donough
Nicétas	Chaîne de Nicétas
sl	supra lineam

TEXTE ET TRADUCTION

ΤΟΥ ΑΓΙΟΥ ΓΡΗΓΟΡΙΟΥ
ΕΠΙΣΚΟΠΟΥ ΝΥΣΣΗΣ
ΕΙΣ ΤΑΣ ΕΠΙΓΡΑΦΑΣ ΤΩΝ ΨΑΛΜΩΝ

I

GNO V, p. 24

1. Ἐδεξάμην σου τὸ ἐπίταγμα μετὰ προθυμίας πάσης, ὦ ἄνθρωπε τοῦ Θεοῦ, κατὰ τὸ ἴσον ἐμοί τε καὶ σοὶ τὴν σπουδὴν χαριζόμενον, καὶ προσέσχον ταῖς τῶν ψαλμῶν ἐπιγραφαῖς. Τοῦτο γὰρ ἡμῖν ἐπέταξας διερευνήσασθαι τὴν ἐνθεωρουμένην
5 ταύταις διάνοιαν, ὡς πᾶσι γενέσθαι δῆλον τὸ διὰ τούτων ἡμᾶς πρὸς ἀρετὴν ὁδηγῆσαι δυνάμενον. Πάσῃ τοίνυν τῇ βίβλῳ τῶν ψαλμῶν μετὰ πλείονος τῆς προσοχῆς καθομιλήσας ἀναγκαῖον ᾠήθην μὴ ἀπὸ τῶν ἐπιγραφῶν ἄρξασθαι τῆς ἐξετάσεως, ἀλλὰ περὶ πάσης ὁμοῦ τῆς ψαλμῳδίας ἔφοδόν τινα πρὸς τὴν τῶν
10 νοημάτων κατανόησιν τεχνικὴν προεκθέσθαι, δι' ἧς ἐκ τοῦ ἀκολούθου καὶ ὁ περὶ τῶν ἐπιγραφῶν ἡμῖν σαφηνισθήσεται λόγος. Χρὴ τοίνυν πρῶτον μὲν τὸν σκοπὸν τῆς γραφῆς ταύτης

AVB SLQXF

Titulus 1-2 τοῦ – νύσσης : τοῦ ἐν ἁγίοις πατρὸς ἡμῶν γρηγορίου ἐπισκόπου νύσσης ALQ om. S τοῦ ἐν ἁγίοις πατρὸς ἡμῶν γρηγορίου νύσσης X τοῦ αὐτοῦ F ‖ 3 εἰς τὰς ἐπιγραφὰς : εἰς τὴν ἐπιγραφὴν AVQ λόγος εἰς τὴν ἐπιγραφὴν B ἑρμηνεία ἐπίτομος εἰς τὰς ἐπιγραφὰς SF ἑρμηνεία ἐπίτομος εἰς τὴν ἐπιγραφὴν L ἑρμηνεία ἐπίτομος εἰς τὴν γραφὴν X ‖ ψαλμῶν + καὶ τὰ κείμενα S ‖ λθ′ S^{mg} ‖ πρῶτον βιβλίον post titulum add. v

1 ante ἐδεξάμην add. προοίμιον πρὸς φίλον v ‖ πάσης om. AQv ‖ πάσης προθυμίας S ‖ **2** σοὶ : σὸν V^{ac} uel V^{2 ac} ‖ **3** προσέσχων Q ‖ **4** ἐπέταξας ἡμῖν XF ‖ **8** ἐξετάσεως : ὑποθέσεως AQv ‖ **9** ἔφοδόν : μέθοδον SQXFv ‖ **10** ἧς + ὁ L ‖ τοῦ : τῶν L ‖ **11** περὶ : V^{mg} ἐκ F

DE SAINT GRÉGOIRE ÉVÊQUE DE NYSSE
SUR LES TITRES DES PSAUMES

PREMIÈRE PARTIE

Préface

1. J'ai accédé avec un grand empressement à ton injonc-
tion, homme de Dieu, qui gratifie mon zèle aussi bien que le
tien [1], et je me suis consacré aux titres des psaumes. Tu nous
as, en effet, enjoint de rechercher le sens qu'on y observe,
pour que tous voient clairement en quoi ces titres peuvent
nous conduire à la vertu. J'ai donc fréquenté tout le livre des
psaumes avec la plus grande attention et j'ai cru nécessaire de
ne pas commencer par l'examen des titres, mais de placer en
tête, à propos de tous les psaumes à la fois, une introduction
à la compréhension des notions selon les règles de l'art. Elle
nous permettra d'éclaircir aussi, à partir de la progression

---

1. On ignore l'identité de ce destinataire. Peut-il s'agir d'un évêque ?
Grégoire utilise rarement le titre « homme de Dieu » (voir les références
données par P. Maraval dans la *Vie de Macrine*, *SC* 178, p. 275), et de ces
rares occurrences il est difficile de tirer une conclusion probante : il désigne
aussi bien dans l'*Epistula* I (*SC* 363, p. 82) l'évêque Flavien que, dans l'*In
Hexaemeron*, son frère Pierre qui, semble-t-il, n'est pas encore évêque de
Sébaste.

GNO 25 | πρὸς ὅ τι βλέπει κατανοῆσαι, εἶτα τὰς δι' ἀκολούθου πρὸς τὸ
προκείμενον τῶν νοημάτων κατασκευὰς συνιδεῖν, ἃς ὑπο-
15 δείκνυσιν ἥ τε τάξις τῶν ψαλμῶν πρὸς τὴν τοῦ σκοποῦ γνῶσιν

PG 433   εὖ διακειμένη καὶ τὰ τμήματα παντὸς τοῦ βιβλίου ἰδίαις τισὶ
περιγραφαῖς ὁριζόμενα, πενταχῇ πάσης τῆς ἐν τοῖς ψαλμοῖς
προφητείας διαιρεθείσης. Ὧν μετρίως προκατανοηθέντων
γνωριμωτέρα ἡμῖν ἡ ἐκ τῶν ἐπιγραφῶν ὠφέλεια γενήσεται διὰ
20 τῆς τῶν προεξετασθέντων κατανοήσεως φανερουμένη. Ἀρκτέον τοίνυν ἐντεῦθεν τῆς θεωρίας.

ΚΕΦΑΛΑΙΟΝ Α΄

2. Τέλος τοῦ κατ' ἀρετὴν βίου μακαριότης ἐστίν. Πᾶν γὰρ
τὸ κατὰ σπουδὴν κατορθούμενον πρός τι τὴν ἀναφορὰν πάντως ἔχει. Καὶ ὥσπερ ἡ μὲν ἰατρικὴ πρὸς τὴν ὑγίειαν ὁρᾷ, τῆς
δὲ γεωργίας ὁ σκοπὸς πρὸς τὸ ζῆν ἐστι παρασκευή, οὕτω καὶ
5 ἡ τῆς ἀρετῆς κτῆσις πρὸς τὸ μακάριον γενέσθαι τὸν κατ' αὐτὴν
ζῶντα βλέπει. Τοῦτο γὰρ παντὸς τοῦ κατὰ τὸ ἀγαθὸν
νοουμένου κεφάλαιον καὶ πέρας ἐστί. Τὸ μὲν οὖν ἀληθῶς τε
καὶ κυρίως ἐν τῷ ὑψηλῷ τούτῳ νοήματι θεωρούμενόν τε καὶ
νοούμενον ἡ θεία φύσις λέγοιτο ἂν εἰκότως. Οὕτω γὰρ ὁ μέγας
10 Παῦλος τὸν Θεὸν ὀνομάζει, πάντων τῶν θεολογικῶν ὀνομάτων προθεὶς τὸ μακάριον ἕν τινι τῶν ἐπιστολῶν οὑτωσὶ

AVB SLQXF

13 ὅ τι : τί SLXF ‖ εἶτα τὰς : εἶθ'οὕτως SLXF ‖ δι'ἀκολούθου :
ἀκολούθως LXF ‖ πρὸς : τὰς πρὸς SXF ‖ 14 κατασκευάσαι L ‖ 19 γραφῶν
ASLXv ‖ 20 τῶν Vˢˡ al. man. vid. ‖ 20-21 ad ἀρκτέον add. ἀρχή Aᵐᵍ
2 1 κεφάλαιον πρῶτον v : om. codd. ‖ ἀρχή add. in mg VB ‖ 2 σπουδήν +
τινα LXF ‖ κατορθούμενον : θεωρούμενον XF ‖ τῆς Vᵃᶜ ‖ 3 ὑγίειαν S : ὑγίαν
X ὑγείαν cett. ‖ 6 τὸ : τὸν V ‖ 10 ὀνομάζοι V ‖ 11 post μακάριον add. et
postea exp. νεσθαι τον καταυτην A

logique, la question des titres. Il faut donc d'abord comprendre le but de cet écrit, ce qu'il vise ; ensuite prendre une vue d'ensemble de l'organisation progressive des notions par rapport à l'objet proposé. Celle-ci est suggérée à la fois par l'ordre des psaumes, bien disposé pour la connaissance du but, et par les sections de tout le livre, définies par des délimitations propres, puisque toute la prophétie contenue dans les psaumes a été divisée en cinq parties [1]. Une fois que nous aurons acquis, sans nous étendre outre mesure, une compréhension préalable de ces matières, nous discernerons mieux le profit que nous pouvons retirer des titres, puisqu'il sera rendu manifeste par la compréhension de ce que nous aurons préalablement examiné. C'est donc par là qu'il faut commencer l'étude.

CHAPITRE I

La béatitude, but de la vie vertueuse

2. La fin de la vie vertueuse est la béatitude. Car tout ce que l'on accomplit avec zèle se rapporte toujours à un objet. De même que la médecine vise la santé, que le but de l'agriculture est de permettre de vivre [2], ainsi également l'acquisition de la vertu a pour fin de rendre bienheureux celui qui vit conformément à elle : c'est là le résumé et le sommet de tout ce qui est conçu en rapport avec le bien. Donc ce que véritablement et au sens propre l'on considère et l'on conçoit dans cette notion sublime, on pourrait appeler ainsi, à juste titre, la nature divine. C'est ainsi, en effet, que le grand Paul nomme Dieu quand il place avant tous les noms propres à définir Dieu le terme de bienheureux dans une de

---

1. Sur cette division, voir Introduction, p. 48.
2. La tradition scolaire associe la médecine et l'agriculture comme exemples d'arts qui assurent la permanence du corps, ainsi Julien Empereur, *C. Cyn.* 4, 183 c.

GNO 26

γράψας τοῖς ῥήμασιν· «Ὁ μακάριος καὶ μόνος δυνάστης, ὁ
βασιλεὺς τῶν βασιλευόντων καὶ κύριος τῶν κυριευόντων, ὁ
μόνος ἔχων ἀθανασίαν, φῶς| οἰκῶν ἀπρόσιτον, ὃν εἶδεν οὐδεὶς
15 ἀνθρώπων οὐδὲ ἰδεῖν δύναται, ᾧ τιμὴ καὶ κράτος αἰώνιον [a].»
Ταῦτα γὰρ πάντα τὰ ὑψηλὰ περὶ τὸ θεῖον νοήματα κατά γε τὸν
ἐμὸν λόγον ὁρισμὸς ἂν εἴη μακαριότητος. Εἰ γάρ τις ἐρω-
τηθείη τί ἐστι τὸ μακάριον, οὐκ ἂν τῆς εὐσεβοῦς ἀποκρίσεως
ἁμάρτοι ἐπακολουθήσας τῇ Παύλου φωνῇ καὶ εἰπὼν ὅτι
20 μακάριόν ἐστιν ὃ κυρίως τε καὶ πρώτως λέγεται ἡ τοῦ παντὸς
ἐπέκεινα φύσις· τὸ δὲ ἐν ἀνθρώποις μακάριον τῇ μεθέξει τοῦ
ὄντως ὄντος ἐκεῖνο ποσῶς γίνεταί τε καὶ ὀνομάζεται, ὅπερ ἡ
τοῦ μετεχομένου φύσις ἐστίν. Οὐκοῦν ὅρος ἐστὶ τῆς ἀνθρωπίνης μακαριότητος ἡ πρὸς τὸ θεῖον ὁμοίωσις. Ἐπεὶ οὖν τὸ
25 ἀληθῶς ἀγαθὸν ἤτοι τὸ ἐπέκεινα τοῦ ἀγαθοῦ, τοῦτο μόνον ἐστὶ
καὶ μακάριον καὶ ὀρεκτὸν τῇ φύσει, οὗ πᾶν τὸ μετέχον
μακάριον γίνεται, καλῶς ἡ θεία τῆς ψαλμῳδίας γραφὴ διά
τινος τεχνικῆς τε καὶ φυσικῆς ἀκολουθίας τὴν πρὸς τοῦτο ἡμῖν
ὁδὸν ὑποδείκνυσιν, ἐν ἁπλῇ κατὰ τὸ φαινόμενον καὶ ἀκατα-
30 σκεύῳ τῇ διδασκαλίᾳ ποικίλως τε καὶ πολυειδῶς τὴν μέθοδον
τῆς τοῦ μακαρισμοῦ κτήσεως τεχνολογοῦσα. Ἔξεστι μὲν οὖν
καὶ ἀπ᾽ αὐτῆς τῆς πρώτης ὑμνῳδίας ἔννοιάν τινα περὶ τοῦ
προκειμένου λαβεῖν, ὅπως τριχῇ τεμὼν τὴν ἀρετὴν ὁ λόγος

AVB SLQXF

12 καὶ iter. X ‖ 14 εἶδεν : ἴδεν AVL ‖ 15 καὶ A^sl prima manus vid. ‖ 16 θεῖον
+ ὀνόματά τε καὶ S ‖ 18 τίς V^ac ‖ 19 ἁμάρτη B^acF ‖ 20 λέγεται καὶ πρώτως
AQv ‖ 22 ἐκείνου F ‖ ὅτιπερ F ‖ 23-24 τοῖς ἀνθρωπίνοις X ‖ 26 καὶ^1 om. Q
‖ 28 τε καὶ φυσικῆς X^mg ‖ ἡμῖν SLQXF : μόνον AVB ‖ 29 δείκνυσιν Q ‖ 31
τῆς om. A ‖ κτίσεως Qv

a. 1 Tm 6, 15-16

ses lettres où il écrit ces mots : « Le bienheureux et unique
souverain, le roi des rois et le Seigneur des Seigneurs, le seul
qui possède l'immortalité, qui habite une lumière inaccessible, que nul d'entre les hommes n'a vu ni ne peut voir, à qui
appartiennent honneur et puissance à jamais [a]. » Toutes ces
notions sublimes relatives au divin pourraient, à mon avis,
constituer une définition de la béatitude. Si, en effet, on
demandait à quelqu'un ce qu'est l'état bienheureux, il ne
manquerait pas à la piété s'il répondait en suivant la parole de
Paul et en disant qu'est appelée bienheureuse, au sens propre
et premier, la nature qui est au-delà du tout ; mais chez
l'homme, l'état bienheureux se produit et mérite ce nom
proportionnellement, par participation à celui qui est véritablement ; or cet état, c'est la nature de l'être participé [1].
Donc la définition de la béatitude humaine, c'est la ressemblance avec le divin [2]. Puisque donc le bien véritable ou ce
qui est au-delà du bien, celui-là seul est à la fois bienheureux
et désirable par nature, lui qui procure la béatitude à tout ce
qui participe à lui, la divine Écriture du Psautier a raison de
suggérer, par une progression conforme aux règles de l'art et
à la nature, le chemin qui nous y conduit, en proposant selon
les règles de l'art, par un enseignement en apparence simple
et sans apprêt et des moyens divers et variés, la méthode pour
l'acquisition de l'état bienheureux. On peut donc déjà tirer
même du premier hymne une certaine idée de l'objet proposé
et voir comment le discours, en divisant la vertu en trois

---

1. En *Beat* 80-82, GRÉGOIRE distingue également la béatitude au sens
propre, celle de Dieu, et la béatitude au sens second, celle de l'homme.
2. L'homme, comme créature, peut accéder au divin seulement par
participation en se rendant semblable à Dieu. Sur le thème de l'ὁμοίωσις θεῷ
(cf. *Theaetetus* 176 b ; *Leges* 716 cd), voir W. VÖLKER, *Gregor von Nyssa als
Mystiker*, p. 43 ; D. L. BALAS, Μετουσία θεοῦ, p. 152 s. ; J. DANIÉLOU,
Platonisme, p. 99 s.

ἑκάστῳ τμήματι κατά τινα πρόσφορον ἀναλογίαν προσμαρ-
35 τυρεῖ τὸ μακάριον, νῦν μὲν τὴν ἀλλοτρίωσιν τοῦ κακοῦ

μακαρίζων, ὡς ἀρχὴν γινομένην τῆς ἐπὶ τὸ κρεῖττον ῥοπῆς,
μετὰ δὲ τοῦτο τὴν τῶν ὑψηλῶν τε καὶ θειοτέρων μελέτην, ὡς
ἕξιν ἐμποιοῦσαν ἤδη τοῦ κρείττονος· εἶτα τὴν διὰ τούτων
τοῖς τελειουμένοις κατορθουμένην πρὸς τὸ θεῖον ὁμοίωσιν, ἧς
40 χάριν λέγεται καὶ τὰ προλαβόντα μακάρια. Ταύτην δὲ τῷ
ἀειθαλεῖ ξύλῳ αἰνίσσεται, ᾧ ἡ τελειωθεῖσα δι’ ἀρετῆς
ὁμοιοῦται ζωή [b].

ΚΕΦΑΛΑΙΟΝ Β′

3. Ὡς δ’ ἂν ἀκριβέστερον ἐπισταίημεν τῇ περὶ τῶν ἀρετῶν
διδασκαλίᾳ, ἣν ὑφηγεῖται διὰ πάσης τῆς ψαλμικῆς ὁδηγίας ὁ
λόγος, καλῶς ἂν ἔχοι πρότερον ἡμᾶς ἐφ’ ἡμῶν αὐτῶν διελέ-
σθαι, οἷόν τινα τεχνικὸν λόγον ἐν τάξει δι’ ἀκολούθου προ-
5 άγοντας, πῶς ἔστιν ἐν ἀρετῇ γενέσθαι τὸν ἐραστὴν τοῦ τοιούτου βίου. Οὕτω γὰρ ἂν ἐπιγνοίημεν τῆς προδεικνυμένης
διδασκαλίας ἡμῖν τὸ ἀκόλουθον.

Χρὴ τοίνυν τὸν μέλλοντα πρὸς ἀρετὴν βλέπειν πρότερον μὲν
διακρῖναι τῷ λόγῳ τὸν βίον τόν τε ἀστεῖον καὶ τὸν ὑπαίτιον,
10 ἰδίοις ἑκάτερον ἐπισημειωσάμενον γνωρίσμασιν, ὡς ἂν ἀσύγ-
χυτος αὐτῶν ὁ λόγος εἴη μηδενὶ τῶν κοινωνούντων ἐπιθο-
λούμενος. Σημεῖα δὲ τῆς ἑκατέρου τούτων ἰδιότητος ἔστι μὲν
ἴσως καὶ ἄλλα τινά· τὰ δὲ γενικώτερα τῶν ἄλλων κατά γε τὴν
ἡμετέραν ὑπόληψίν ἐστι ταῦτα· τὸ μεμερίσθαι πρὸς αἴσθησίν
15 τε καὶ διάνοιαν τὴν ἐγγινομένην τοῖς ἀνθρώποις παρ’ αὐτῶν
εὐφροσύνην τῆς μὲν κακίας ἡδυνούσης τὴν αἴσθησιν, τῆς δὲ

AVB SLQXF

36 γενομένην SQv ‖ 37 τε om. Q ‖ 40 τῷ om. AQv ‖ 41 αἰνίσσεται : ἄσεται L
3 1 περὶ om. S ‖ 4-5 προάγοντος F ‖ 6 ἄν om. F ‖ προδεικνυμένης :
προκειμένης S ‖ 9 τὸν λόγον AQv ‖ τὸν βίον om. AQv ‖ 11 κοινωνούτων A
κοινούντων SLQXF Don ‖ 14 ἡμετέραν : ἐμὴν AQv

b. Cf. Ps 1, 1-3

parties, ajoute pour chaque section, selon une analogie adaptée, un témoignage de l'état bienheureux. Tout d'abord, c'est le rejet du mal qu'il dit bienheureux, puisqu'il est le principe de l'inclination vers le mieux ; puis c'est la méditation des réalités sublimes et plus divines car elle produit déjà en nous une disposition au mieux ; enfin c'est la ressemblance avec le divin que réalisent ceux qui, grâce à ces étapes, parviennent à la perfection, en vertu de laquelle sont également dites bienheureuses les étapes précédentes. Celle-ci est suggérée par l'arbre toujours vert auquel ressemble l'existence parvenue par la vertu à la perfection [b].

CHAPITRE II

L'ENSEIGNEMENT DE LA VERTU

3. Pour fixer plus précisément notre attention sur l'enseignement concernant les vertus qu'indique la parole tout au long du cheminement des psaumes, il serait bon, tout d'abord, de déterminer par rapport à nous-mêmes, en présentant un discours qui suive, pour ainsi dire, les règles de l'art selon un ordre progressif, comment l'amant d'une telle existence peut être vertueux. Ainsi nous pourrons découvrir la progression logique de l'enseignement que nous aurons préalablement exposé.

Celui qui veut garder les yeux fixés sur la vertu doit donc d'abord distinguer par la raison la vie honnête de celle qui est exposée au reproche, en notant pour chacune d'elles leurs signes particuliers, de telle sorte que leur principe ne soit pas confondu en n'étant troublé par aucun des traits qui leur seraient communs. Il existe sans doute d'autres signes caractéristiques de chacun de ces modes de vie, mais ceux qui ont une portée plus générale que les autres sont, selon notre conception, les suivants : ils consistent à faire la part de la sensation et de la pensée dans la joie qu'ils procurent aux hommes, puisque la malice charme la sensation tandis que la

ἀρετῆς τὴν ψυχὴν εὐφραινούσης. Ἐπὶ τούτοις ἂν εἴη ἀκόλουθον δι᾽ εὐφημίας τε καὶ διαβολῆς τὴν τῶν ἀκουόντων
διάνοιαν ἀπάγειν τε τοῦ χείρονος καὶ προσοικειοῦν τῷ βελτίονι
20 τῆς μὲν τοῦ πονηροῦ βίου διαβολῆς τὸ μῖσος πρὸς τὴν κακίαν
φερούσης, τοῦ δὲ τῶν ἀγαθῶν ἐπαίνου πρὸς τὸ εὐφημότερον
τὴν ἐπιθυμίαν ἐφελκομένου. Μετὰ τοῦτο δὲ ὡς ἂν ἐνεργότερον
τοῦ ἀγαθοῦ βίου τὸ ἐγκώμιον γένοιτο καὶ ἐμψυχότερος ὁ τοῦ
χείρονος ψόγος, αὐτῶν προσήκει τῶν ἐν ἀρετῇ θαυμασθέντων
25 καὶ τῶν ἐν κακίᾳ κατεγνωσμένων τὴν μνήμην ποιήσασθαι.
Ἐπίτασιν γάρ τινα τῆς ἐν τῇ ψυχῇ διαθέσεως ἐμποιεῖ καὶ
βεβαιότητα προφανέντα τῶν βίων τὰ ὑποδείγματα, πρὸς τὴν
GNO 28 τῶν ἀρίστων ὁμοτιμίαν τῆς ἐλπίδος τὴν | ψυχὴν ἐφελκομένης
καὶ τῆς ἐπὶ τῶν κατεγνωσμένων διαβολῆς πρὸς ἀποφυγήν τε
30 καὶ ἀλλοτρίωσιν τῶν ὁμοίων ἐπιτηδευμάτων παιδοτριβούσης.
Ἐπὶ πᾶσι δὲ τούτοις ἀναγκαῖον ἂν εἴη πρὸς ἑκάτερον τούτων
λεπτομερῆ τινα διδασκαλίαν ποιήσασθαι, ἢ καὶ τὸ κρεῖττον
ὑποδείξει καὶ ἀποτρέψει τοῦ χείρονος, πρὸς τοῦτο μὲν ὑποθήκαις τισὶν καὶ συμβουλαῖς ὁδηγοῦσα τὴν ἀκοήν, ἀπὸ δὲ τῶν
35 χειρόνων διὰ τῶν ἀποτρεπτικῶν ἀπείργουσα λόγων.

PG 437   **4.** Τούτων δὲ οὕτω διευκρινηθέντων, ἐπειδὴ δυσπαράδεκ-
τόν ἐστι τῇ φύσει πᾶν τὸ πρὸς ἡδονὴν ἀλλοτρίως ἔχον — ἡδονὴν
δὲ λέγω τὴν τοῦ σώματος φίλην· ἡ γὰρ τῆς ψυχῆς εὐφροσύνη
πολλῷ τῷ μέσῳ τῆς ἀλόγου τε καὶ ἀνδραποδώδους
5 ἡδυπαθείας ἀπῴκισται · ἴδιον δὲ σημεῖον ἑκατέρου τῶν βίων,
τοῦ ἐν ἀρετῇ τε καὶ κακίᾳ, τοῦτο προλαβόντες ἐπέ-
γνωμεν, ὅτι διὰ μὲν τῆς κακίας κολακεύεται ἡμῶν τὰ τῆς
σαρκὸς αἰσθητήρια, ἡ δὲ ἀρετὴ ψυχῆς εὐφροσύνη τοῖς κατ-
ορθώσασι γίνεται. Τοῖς δὲ νῦν εἰσαγομένοις πρὸς τὸν ὑψη-
10 λότερον βίον, οἷς ἔτι τοῦ καλοῦ κριτήριον ἡ αἴσθησις εἶναι
δοκεῖ, οὔπω ἱκανῶς ἔχει καθορᾶν τὸ ἀγαθὸν ἡ ψυχή,

AVB SLQXF

19 ἐπάγειν vid. V^{ac} ‖ 21 εὐφημότερον : εὐθυμότερον Q ‖ 27 βεβαίωσιν F ‖
τῶν : τῷ A^{ac}τὸν V^{ac} ‖ 33 ἀποστήσει S ἀποστρέψει F
4 4 πολλῶν V ‖ 5 ἀπῴκισται : ὑπόκειται AVBL ὑπέρκειται S ‖ 6-7
ἀπέγνωμεν A ‖ 8-9 κατορθοῦσι F ‖ 11 ἔχουσα B ‖ ἡ ψυχή om. B

vertu réjouit l'âme. Ensuite il serait logique, en employant louange et blâme, de détourner la pensée des auditeurs du mal et de l'appliquer au bien, puisque le blâme de la vie mauvaise suscite de la haine envers la malice, tandis que l'éloge de ce qui est bien tire le désir vers ce qui est plus louable. Puis, afin que la célébration de la vie bonne soit plus efficace et le reproche de la vie mauvaise plus vivant, il faut rappeler la mémoire de ceux qui ont été admirés pour leur vertu et de ceux qui ont été condamnés pour leur vice. Car les exemples tirés de ces vies, quand ils sont mis en avant, créent une intense et ferme disposition dans l'âme, puisque l'espoir tire l'âme vers les honneurs qui égalent ceux des meilleurs et que le blâme pour ceux qui ont été condamnés lui apprend à fuir et à éviter de semblables occupations [1]. En plus de tout cela, il serait nécessaire de donner un enseignement détaillé qui se rapporte à chacun de ces modes de vie : il montrera le mieux comme il détournera du mal, en guidant vers le premier l'auditeur par des règles et des conseils et en l'écartant des réalités mauvaises par des propos dissuasifs.

4. Une fois que ces genres de vie auront été ainsi correctement distingués, il reste difficile à la nature d'accepter tout ce qui est étranger au plaisir — par plaisir j'entends celui qui est l'ami du corps, car la joie de l'âme est éloignée par un grand écart de la jouissance déraisonnable et servile. Or le signe spécifique de chacun de ces genres de vie, celui qui relève de la vertu ou celui qui dépend de la malice, quand nous l'avons saisi, nous avons reconnu que, si par la malice sont flattés nos sens charnels, la vertu est une joie pour l'âme de ceux qui mènent une vie droite. Mais s'agissant de ceux qui viennent de s'initier à la vie plus sublime, à qui la sensation paraît encore un critère de ce qui est beau, leur âme

---

1. Sur le rôle des bons exemples, cf. *Vit Moys* 12 qui propose comme modèles Abraham et Sarah : « Comme la nature humaine est divisée en féminin et masculin et que la possibilité de choisir entre la vertu et le vice est donnée de façon égale à l'un et à l'autre, la parole divine a proposé un modèle de vertu qui corresponde à chaque sexe. »

170   SUR LES TITRES DES PSAUMES

ἀγύμναστος ἔτι καὶ ἀήθης οὖσα τῆς τοιαύτης κατανοήσεως.
Πρὸς δὲ τὸ μὴ γνωριζόμενον ἅπαν, κἂν ὅτι μάλιστα καλὸν ᾖ,
ἀκίνητος ἡμῶν ἡ ἐπιθυμία μένει, ἐπιθυμίας δὲ μὴ προϋπαρ-
15 χούσης, οὐδ᾽ ἂν ἡδονή τις ἐγγένοιτο τοῦ μὴ ποθουμένου
πράγματος. Ὁδὸς γὰρ εἰς ἡδονὴν ὁ πόθος γίνεται. Ἀναγκαίως
ἐπινοῆσαί τι χρὴ τοιοῦτον τοῖς μήπω τῆς ἀκηράτου καὶ θείας
ἡδονῆς γευσαμένοις, δι᾽ οὗ συμπαραδεχθήσεται τῆς ἀρετῆς τὰ
διδάγματα, διά τινος τῶν τὴν αἴσθησιν εὐφραινόντων ἐφηδυ-
20 νόμενα, καθάπερ καὶ τοῖς ἰατροῖς ποιεῖν σύνηθες, ὅταν τι
πικρόν τε καὶ δύσληπτον τῶν ἀλεξητηρίων φαρμάκων |
εὔληπτον ποιῶσι τοῖς ἀρρωστοῦσι τῇ τοῦ μέλιτος ἡδονῇ
παραρτύοντες.
Εἰ δὲ τελείως ἡμῖν ἡ εἰσαγωγὴ τοῦ κατ᾽ ἀρετὴν βίου διὰ τῶν
25 εἰρημένων τετεχνολόγηται, ὡς δεῖν πρότερον μὲν ἀπ᾽ ἀλλήλων
χωρίσαι τὰ ἐναντία τῶν ἐπιτηδευμάτων, εἶτα ἑκάτερον αὐτῶν
τῷ ἰδίῳ γνωρίσματι σημειώσασθαι, καὶ μετὰ τοῦτο τὸ μὲν
ἀποσεμνῦναι τῷ λόγῳ, τὸ δὲ φευκτὸν ἐκ διαβολῆς ἀπεργά-
σασθαι, τοῖς τε τῶν ἐπισήμων ἀνδρῶν ὑποδείγμασιν ἐπιρρῶ-
30 σαι πρὸς ἑκάτερον τὴν διάνοιαν, καὶ ταῖς μερικαῖς ὑποθήκαις
τήν τε πρὸς τὸ ἀγαθὸν ἄγουσαν ὁδὸν ὑποδεῖξαι καὶ ἀποτρέψαι
τοῦ χείρονος, τό τε κατεσκληκὸς καὶ ἀνδρῶδες τῆς ἀρετῆς ἡδὺ
ποιῆσαι τοῖς νηπιάζουσι διά τινος τῶν εὐφραινόντων τὴν
αἴσθησιν ἡμῶν γλυκαινόμενον, καιρὸς ἂν εἴη κατανοῆσαι πῶς
35 διὰ τῆς θεωρηθείσης ταύτης τεχνολογίας πᾶσα προῆκται ἡμῖν
ἡ διὰ τῶν ψαλμῶν διδασκαλία τῆς τε κακίας ἀπείργουσα καὶ
πρὸς ἀρετὴν ἐφελκομένη.

AVB SLQXF

16 ἀναγκαῖον B ‖ 17 ἐπινοηθῆναι X ‖ 19 εὐφρανόντων V ‖ 19-20
ἐφηδυνόμενα : ἐφ᾽ ᾧ ἡδυνόμεθα Q ‖ 20 τοῖς om. vid. Q ‖ 21 φαρμάκων + ἢ
XF ‖ 22 ποιοῦσι AVBLXFv (de Q non constat) ‖ 23 παραρτοίοντες (sic) V ‖
25 τεχνολογεῖται S ‖ 26 χωρῆσαι L ‖ ἑκάτερων (sic) V ‖ 31 ἀποστρέψαι F
(de Q non constat) ‖ 32 τοῦ : τῆς SLXF (de Q non constat)

n'est pas encore capable de discerner le bien, parce qu'elle n'est pas encore entraînée et habituée à une telle compréhension. Or, à l'égard de tout ce qui n'est pas connu, si beau que ce puisse être, notre désir reste sans mouvement et, s'il n'y a pas un désir qui préexiste, aucun plaisir non plus n'est possible sans objet convoité. Car le chemin qui mène au plaisir, c'est la convoitise. Il faut nécessairement imaginer quelque moyen de faire accepter en même temps à ceux qui n'ont pas encore goûté au plaisir pur et divin les leçons de la vertu : on les rendra agréables par un de ces procédés qui réjouissent les sens, comme le pratiquent aussi couramment les médecins, chaque fois qu'ils facilitent pour leurs malades la prise amère et pénible de quelque remède bienfaisant, en les agrémentant de miel.

Si nous avons achevé, avec ce qui a été dit, l'exposé dans les règles de l'art de l'introduction à la vie vertueuse – selon lequel il faut tout d'abord séparer les unes des autres les conduites opposées, puis caractériser chacune d'elles par un signe distinctif, ensuite célébrer par son discours l'une et faire fuir au moyen du blâme l'autre, fortifier la pensée face à chacune de ces conduites grâce aux exemples d'hommes remarquables, par des règles particulières montrer la voie qui conduit au bien et détourner du mal, rendre agréable ce que la vertu comporte d'austère et de viril à ceux qui sont encore des enfants, en l'adoucissant par l'un de ces procédés qui réjouissent nos sens [1] –, le moment est venu de reconnaître comment à travers ces règles de l'art que nous avons considérées nous est délivré tout l'enseignement des psaumes qui écarte de la malice et tire vers la vertu.

---

1. Image classique empruntée à la médecine qui recommandait le miel pour faire passer les potions amères (cf. LUCRÈCE, *De rerum natura* IV, 2) et déjà utilisée par BASILE, *In Ps 1*, *PG* 29, 212 B. Référence explicite est faite au miel au chapitre suivant.

ΚΕΦΑΛΑΙΟΝ Γ΄

5. Πρῶτον τοίνυν, ἐκ γὰρ τῶν τελευταίων ἀρχόμεθα τῆς ἐξετάσεως, σκοπήσωμεν τὴν ἐπίνοιαν, δι᾽ ἧς οὕτω σκληράν τε καὶ σύντονον οὖσαν τὴν κατ᾽ ἀρετὴν πολιτείαν τήν τε τῶν μυστηρίων αἰνιγματώδη διδασκαλίαν καὶ τὴν ἀπόρρητόν τε
5 καὶ κεκρυμμένην δυσεφίκτοις θεωρήμασι θεολογίαν οὕτως εὔληπτόν τε καὶ γλυκεῖαν ἐποίησεν, ὡς μὴ μόνον τελείοις *PG 440* ἀνδράσι τοῖς ἤδη κεκαθαρμένοις τὰ τῆς ψυχῆς αἰσθητήρια τὴν διδασκαλίαν ταύτην σπουδάζεσθαι, ἀλλὰ καὶ τῆς γυναι-κωνίτιδος ἴδιον γενέσθαι κτῆμα καὶ νηπίοις ὥς τι τῶν ἀθυρ- *GNO 30* 10 μάτων ἡδονὴν φέρειν καὶ τοῖς παρηλικεστέροις ἀντὶ | βακτη-ρίας τε καὶ ἀναπαύσεως γίνεσθαι, τόν τε φαιδρυνόμενον ἑαυτοῦ νομίζειν εἶναι τῆς διδασκαλίας ταύτης τὸ δῶρον καὶ τὸν σκυθρωπῶς ἐκ περιστάσεως διακείμενον δι᾽ αὐτὸν οἴεσθαι τὴν τοιαύτην τῆς γραφῆς χάριν δεδόσθαι· ὁδοιποροῦντές τε
15 πρὸς τούτοις καὶ θαλαττεύοντες ἄνθρωποι, ἤ τισιν ἐπιδιφρίοις ἐργασίαις προσασχολούμενοι καὶ πάντες ἀπαξαπλῶς ἐν πᾶσιν ἐπιτηδεύμασιν ἄνδρες τε καὶ γυναῖκες, ἐν ὑγιείᾳ τε καὶ ἀρρωστίᾳ, ζημίαν ποιοῦνται τὸ μὴ διὰ στόματος τὴν ὑψηλὴν ταύτην διδασκαλίαν φέρειν. Ἤδη δὲ καὶ τὰ συμπόσια καὶ αἱ
20 γαμικαὶ φαιδρότητες ὡς μέρος εὐφροσύνης τὴν φιλοσοφίαν ταύτην ἐν ταῖς θυμηδίαις παραλαμβάνουσιν, ἵνα παρῶμεν τὴν

AVB SLQXF

5 5 θεωρήμασι + διδασκαλίαν τε καὶ B ‖ οὕτως : ὁμοίως L ‖ 6 ἄληπ-τον Q ‖ μόνον : πόνον V ‖ 9 γίνεσθαι S ‖ 10 φέρει F ‖ 12 ταύτης ante τῆς F ‖ 13 τὸν : τῶν V ‖ διακειμένων F ‖ αὐτῶν L ‖ 15 θαλαττεύοντες + οἱ B ‖ 16 πάντες + οἱ A ‖ 17 ὑγιείᾳ ABSLQv ὑγίᾳ V

CHAPITRE III

LA MUSIQUE

Le plaisir musical

5. Tout d'abord, puisque nous commençons par ces derniers points l'examen [1], observons le dessein qui a rendu la
conduite vertueuse, qui est dure et vigoureuse, l'enseignement énigmatique des mystères et le discours sur Dieu qui
est ineffable et dissimulé en des doctrines difficiles, tellement
aisés et agréables que les hommes parfaits dont les sens de
l'âme sont déjà purifiés ne sont pas les seuls à rechercher cet
enseignement : c'est également un bien propre aux gynécées,
il plaît aux enfants comme un jouet, aux vieillards il sert de
bâton de repos ; l'homme heureux croit bénéficier du don de
cet enseignement et l'homme qu'un malheur a assombri
pense que c'est pour lui qu'a été donnée une pareille grâce de
l'Écriture. En outre, les hommes, qu'ils voyagent par terre ou
par mer ou qu'ils s'adonnent à des travaux sédentaires, tous
également sans exception, hommes et femmes, dans toutes
leurs occupations, bien portants ou malades, trouvent dom-
mageable de ne pas avoir à la bouche ce sublime enseignement. Et déjà les banquets comme les festivités nuptiales
accueillent dans leurs célébrations cette philosophie comme
faisant partie de leurs réjouissances, pour ne pas parler des
hymnes divins chantés grâce aux psaumes dans les vigiles et

---

1. Sur ce chapitre, voir H.-I. MARROU, « Théologie de la musique »,
p. 501-508.

ἔνθεον ἐν ταῖς παννυχίσι διὰ τούτων ὑμνῳδίαν καὶ τὴν τῶν
23 ἐκκλησιῶν ἐσπουδασμένην ἐν τούτοις φιλοσοφίαν.

6. Τίς οὖν ἡ ἐπίνοια τῆς ἀφράστου ταύτης καὶ θείας ἡδονῆς,
ἣν κατέχεε τῶν διδαγμάτων ὁ μέγας Δαβίδ, δι᾽ ἧς οὕτω
γέγονεν εὐπαράδεκτον τῇ φύσει τῶν ἀνθρώπων τὸ μάθημα ;
Πρόχειρον μὲν ἴσως παντὶ τὸ εἰπεῖν τὴν αἰτίαν, καθ᾽ ἣν ἐν
5 ἡδονῇ τὴν ἐν τούτοις μελέτην ποιούμεθα· τὸ γὰρ μελῳδεῖν τὰ
ῥήματα εἴποι τις ἂν αἴτιον εἶναι τοῦ μεθ᾽ ἡδονῆς περὶ τούτων
διεξιέναι. Ἐγὼ δὲ κἂν ἀληθὲς ᾖ τοῦτο, φημὶ δεῖν μὴ παριδεῖν
ἀθεώρητον. Ἔοικε γὰρ μεῖζόν τι ἢ κατὰ τὴν τῶν πολλῶν
διάνοιαν ὑποσημαίνειν ἡ διὰ τῆς μελῳδίας φιλοσοφία. Τί οὖν
10 ἐστιν ὃ φημί ; Ἤκουσά τινος τῶν σοφῶν τὸν περὶ τῆς φύσεως
ἡμῶν διεξιόντος λόγον, ὅτι μικρός τις κόσμος ἐστὶν ὁ ἄνθρωπος πάντα ἔχων ἐν ἑαυτῷ τὰ τοῦ μεγάλου κόσμου. Ἡ δὲ τοῦ
παντὸς διακόσμησις ἁρμονία τίς ἐστι μουσικὴ πολυειδῶς καὶ
ποικίλως κατά τινα τάξιν καὶ ῥυθμὸν πρὸς ἑαυτὴν ἡρμοσμένη
15 καὶ ἑαυτῇ συνᾴδουσα καὶ μηδέποτε τῆς συμφωνίας ταύτης
διασπωμένη, εἰ καὶ πολλή τις ἐν | τοῖς καθ᾽ ἕκαστον ἡ τῶν

GNO 31

AVB SLQXF
22 τὴν om. AQv
6 2 διὰ v ‖ 4 τὸ L : τῷ XF τω S om. AVBQv ‖ 8 τῶν om. Q ‖ 10 τὸν : τῶν
V ‖ 11 διεξιόντων XF ‖ 12 τοῦ² om. B ‖ 15 ἑαυτῆς A ‖ μήποτε AVB

1. Le thème de la popularité des psaumes est un *topos* que Grégoire
emprunte directement à son frère, cf. BASILE, *In Ps* 1, *PG* 29, 213 A : « C'est
une arme contre les craintes nocturnes et un repos pour les fatigues de la
journée ; une aide pour les enfants, un ornement pour les jeunes gens, une
consolation pour les vieillards, une parure très séante aux femmes (νηπίοις
ἀσφάλεια, ἀκμάζουσιν ἐγκαλλώπισμα, πρεσβυτέροις παρηγορία, γυναιξὶ
κόσμος ἁρμοδιώτατος) ; [...] pour ceux qui s'initient un livre de rudiments,
pour ceux qui sont avancés un moyen de progresser, pour ceux qui ont atteint
la perfection un soutien (εἰσαγομένοις στοιχείωσις, προκοπτόντων αὔξησις,
τελειουμένων στήριγμα) ; [...] il illumine les fêtes, grâce à lui la tristesse se
vit en rapport avec Dieu (τὰς ἑορτὰς φαιδρύνει, τὴν κατὰ Θεὸν λύπην
δημιουργεῖ). » Mais, note MARROU (« Théologie de la musique », p. 503), « la
popularité, et si l'on veut la banalité, de ce thème littéraire ne peuvent suffire
à nous faire douter de la réalité du plaisir que les chrétiens du IVe siècle
prenaient au chant des psaumes. »

de la philosophie des Églises ardemment recherchée en eux [1].

La mélodie cosmique

6. Quel est donc le sens de ce plaisir indicible et divin, que le grand David a répandu sur ses enseignements en en rendant de la sorte le savoir facilement assimilable par la nature humaine ? Il serait sans doute facile à chacun de préciser la raison pour laquelle nous prenons plaisir à méditer ceux-ci : chanter les paroles, dira-t-on, explique le plaisir que nous prenons à les parcourir. Mais, pour ma part, même si cela est vrai, je dis qu'il ne faut pas passer sur ce point sans examen approfondi. En effet, la philosophie qui passe par le chant a une signification, semble-t-il, trop grande pour être comprise du grand nombre. Qu'est-ce à dire ? J'ai entendu un sage énoncer à propos de notre nature la théorie selon laquelle l'homme est un microcosme parce qu'il contient en lui tous les éléments de l'immense cosmos [2]. Or la disposition ordonnée de l'univers [3] constitue une espèce d'harmonie musicale, accordée à elle-même de façon multiforme et variée, selon un certain ordre et un certain rythme, chantant de concert avec elle-même sans être jamais distraite de cet accord parfait, bien que la différence observée entre les réalités singu-

2. Le thème de l'analogie entre macrocosme et microcosme, qui remonte à Démocrite, « apparaît trois fois chez Grégoire (cf. *An et res* 28 C et *Op hom* 177 D) et les trois fois il est rapporté soit à un des sages, soit à certains du dehors, expressions qui désignent toujours des philosophes païens » (J. Daniélou, *Être*, p. 53). Il est certes devenu un lieu commun dès l'époque hellénistique, mais la manière dont il est introduit donne l'impression, selon la remarque de Marrou (« Théologie de la musique », p. 503), que « l'auteur s'avance avec précaution à la rencontre d'un secret. »

3. La διακόσμησις est un terme stoïcien employé d'abord par Chrysippe pour définir le cosmos. Sa définition est reprise par l'auteur d'un ouvrage éclectique de l'époque de Philon, cf. *De mundo* 391 b : « ' Monde ' se dit aussi de l'ordre et de l'arrangement de la Nature universelle » (ἡ τῶν ὅλων τάξις τε καὶ διακόσμησις ; trad. A.-J. Festugière dans *Révélation*, II, p. 461).

ὄντων διαφορὰ θεωρεῖται. Οἷον γὰρ ἐπὶ τοῦ πλήκτρου γίνεται
τοῦ τεχνικῶς ἁπτομένου τῶν τόνων καὶ τὸ μέλος ἐν τῇ ποι-
κιλίᾳ τῶν φθόγγων προάγοντος, ὡς εἴγε μονοειδής τις ἐν
20 πᾶσιν ὁ φθόγγος ἦν, οὐδ' ἂν συνέστη πάντως τὸ μέλος· οὕτως
καὶ ἡ τοῦ παντὸς κρᾶσις ἐν ποικίλοις τῶν καθ' ἕκαστον ἐν τῷ
κόσμῳ θεωρουμένων διά τινος τεταγμένου τε καὶ ἀπαραβάτου
ῥυθμοῦ αὐτὴ ἑαυτῆς ἁπτομένη καὶ τὴν τῶν μερῶν πρὸς τὸ ὅλον
εὐαρμοστίαν ἐργαζομένη τὴν παναρμόνιον ταύτην ἐν τῷ παντὶ
25 μουσουργεῖ μελῳδίαν, ἧς ἀκροατὴς ὁ νοῦς γίνεται κατ' οὐδὲν
τῇ ἀκοῇ ταύτῃ συγχρώμενος, ἀλλ' ὑπερκύπτων τὰ τῆς σαρκὸς
αἰσθητήρια καὶ ἄνω γενόμενος, οὕτως ἐπαίει τῆς τῶν οὐρανῶν
ὑμνῳδίας. Ὡς μοι δοκεῖ καὶ ὁ μέγας ἀκηκοέναι Δαβίδ, ὅτε διὰ

PG 441

τῆς θεωρουμένης αὐτοῖς τεχνικῆς τε καὶ πανσόφου κινήσεως,
30 τὴν δόξαν τοῦ ἐν αὐτοῖς ταῦτα ἐνεργοῦντος Θεοῦ διηγου-
μένων [a] ἐπηκροάσατο.

7. Ἀληθῶς γὰρ τῆς ἀνεφίκτου τε καὶ ἀφράστου Θεοῦ δόξης
ὕμνος ἐστὶ τῷ τοιούτῳ ῥυθμῷ προαγόμενος ἡ τῆς κτίσεως
πάσης πρὸς ἑαυτὴν συνῳδία διὰ τῶν ἐναντίων συγκεκραμένη.
Ἐναντίως γὰρ ἔχει πρὸς ἄλληλα στάσις καὶ κίνησις, ταῦτα δὲ
5 κέκραται μετ' ἀλλήλων ἐν τῇ φύσει τῶν ὄντων καί τις ἀμή-
χανος ἐν αὐτοῖς καθορᾶται τῶν ἀντικειμένων μίξις, ὡς καὶ ἐν
τῇ κινήσει τὸ στάσιμον δείκνυσθαι καὶ ἐν τῷ μὴ κινουμένῳ τὸ
ἀεικίνητον. Κινεῖται μὲν γὰρ τὰ κατ' οὐρανὸν ἀεὶ πάντα ἢ τῷ
ἀπλανεῖ συμπεριπολοῦντα κύκλῳ ἢ κατὰ τὸ ἐναντίον διὰ τῶν

AVB SLQXF

17 ὄντων : ὄν (των sl al. man. vid.) V ‖ 18 τὸ : τοῦ F ‖ 19 τῶν : τὸν A ‖ φθόγγον A^ac ‖ προσάγοντος S ‖ 21 τῶν : τὴν Q ‖ 22 θεωρουμένη S -μένης
L ‖ 23 ἀπομένη V ‖ 26 ὑπεκύπτων (ρ sl) V ‖ 27 ἐπαείη AVB^acL ‖ οὐρανίων V
7 2 προσαγόμενος SLQXFv ‖ 6 ἑαυτοῖς SL ‖ 9 ἀπλανῆ A

a. Cf. Ps 18, 2

1. La doctrine de l'harmonie de l'univers fait d'éléments divers remonte
au *Timée* de Platon, est passée dans le stoïcisme et chez divers auteurs dont
Philon (voir les nombreuses références données par M. Harl dans son
édition du *Quis heres*, *OPA* 15, p. 68-70). Voir pour Grégoire le chapitre
« Conspiration » de J. Daniélou dans *Être*, p. 54 s.

lières soit grande [1]. Prenons en effet l'exemple du plectre : il
s'unit avec art aux cordes et produit la mélodie par la variété
des sons, de telle sorte qu'aucune mélodie, s'il arrivait que le
son soit partout uniforme, ne pourrait se former [2]. De la
même façon, le mélange universel des réalités singulières
observées dans le cosmos, uni à lui-même selon un certain
rythme ordonné et immuable et produisant la belle harmonie
des parties avec le tout, fait résonner dans l'univers cette
mélodie pleinement harmonieuse. L'esprit en est l'auditeur,
sans recourir au sens de l'ouïe ; au contraire, il domine les
sensations de la chair et il s'élève pour percevoir ainsi
l'hymne céleste. De la même façon le grand David aussi, me
semble-t-il, l'a perçu, quand à travers le mouvement systématique et parfaitement réglé qu'il contemplait dans les cieux, il
entendit ceux-ci raconter la gloire de Dieu [a] qui effectuait
cela en eux.

7. Car, en vérité, c'est bien un hymne à la gloire inaccessible et indicible de Dieu, produit par un tel rythme, que le
concert de toute la création avec elle-même, dans le mélange
des contraires [3]. La stabilité et le mouvement s'opposent en
effet l'un à l'autre, mais ils sont mélangés dans la nature des
êtres : on y observe un prodigieux mélange des contraires qui
fait que dans le mouvement se montre le stable et dans ce qui
ne se meut pas le mouvement perpétuel [4]. Car tout ce qui est
éternellement dans le ciel se meut, soit en circulant avec la
sphère des fixes, soit en tournant en sens contraire avec les

---

2. Cf. PHILON, *Cher.* 110 : « A la façon d'une lyre dont l'accord est fait de
sons différents (ἐξ ἀνομοίων ἡρμοσμένης φθόγγων), les choses devraient
arriver à une communauté, à une symphonie et s'harmoniser. »

3. Sur le mélange des contraires dans le cosmos qui produit une belle
harmonie, cf. par exemple *De mundo* 396 b : « Une harmonie unique, par le
mélange des principes les plus contraires, a ordonné la composition de
l'univers, je veux dire du ciel, de la terre et du monde entier » (trad. A.-J.
Festugière, *Révélation*, II, p. 468).

4. Le thème de la coexistence du mouvement et du repos dans l'univers
est souvent développé par GRÉGOIRE, cf. *Op hom* 128 BC ; *An et res* 25 BC ;
Hex 108.

GNO 32

10 πλανήτων ἀνελισσόμενα. Ἕστηκε δὲ πάντοτε καὶ ἐπὶ τῆς
ταυτότητος μένει ὁ ἐν τούτοις εἱρμὸς οὐδέ ποτε ἀπὸ τοῦ ἐν ᾧ
ἔστιν ἐφ' ἕτερόν τι καινὸν | μεθιστάμενος, ἀλλ' ἀεὶ ὡσαύτως
ἔχων καὶ ἐν τῷ αὐτῷ διαμένων. Ἡ τοίνυν τοῦ ἑστῶτος πρὸς τὸ
κινούμενον σύνοδος ἐν τεταγμένῃ τινὶ καὶ ἀπαραβάτῳ γινο-
15 μένη διὰ παντὸς εὐαρμοστίᾳ μουσική τίς ἐστιν ἁρμονία
σύγκρατον καὶ θεσπεσίαν τῆς τὸ πᾶν διακρατούσης δυνάμεως
ὑμνῳδίαν ἀποτελοῦσα. Ἧς μοι δοκεῖ καὶ ὁ μέγας Δαβὶδ ἐν
ἀκροάσει γενόμενος εἰπεῖν ἔν τινι τῶν ψαλμῶν, ὅτι αἰνοῦσι τὸν
Θεὸν αἵ τε ἄλλαι δυνάμεις [a] αἱ κατ' οὐρανὸν πᾶσαι καὶ τὸ
20 ἀστρῷον φῶς, ὅ τε ἥλιος καὶ ἡ σελήνη καὶ οἱ τῶν οὐρανῶν
οὐρανοὶ [b] καὶ τὸ ὑπερουράνιον ὕδωρ [c], ὅτι ποτὲ τὸ ὕδωρ λέγει,
καὶ τὰ ἑξῆς πάντα ὅσα ἡ κτίσις ἔχει. Ἡ γὰρ τῶν πάντων πρὸς
ἄλληλα σύμπνοιά τε καὶ συμπάθεια τάξει καὶ κόσμῳ καὶ
ἀκολουθίᾳ διοικουμένη ἡ πρώτη τε καὶ ἀρχέτυπος καὶ ἀληθής
25 ἐστι μουσική· ἣν ὁ τοῦ παντὸς ἁρμοστὴς τῷ ἀρρήτῳ τῆς
σοφίας λόγῳ διὰ τῶν ἀεὶ γινομένων τεχνικῶς ἀνακρούεται. Εἰ
οὖν ὁ διάκοσμος ὅλος μουσική τις ἁρμονία ἐστίν, « ἧς τεχνίτης
καὶ δημιουργὸς ὁ Θεός [d] », καθώς φησιν ὁ ἀπόστολος, μικρὸς
δὲ κόσμος ὁ ἄνθρωπος, ὁ δὲ αὐτὸς οὗτος καὶ μίμημα τοῦ
30 ἁρμοσαμένου τὸν κόσμον πεποίηται [e], ὅπερ ἐπὶ τοῦ μεγάλου
κόσμου οἶδεν ὁ λόγος, τοῦτο κατὰ τὸ εἰκὸς καὶ ἐν τῷ μικρῷ
βλέπει· τὸ γὰρ μέρος τοῦ ὅλου ὁμογενές ἐστι πάντως τῷ ὅλῳ.
Ὥσπερ γὰρ ἐν τῷ ψήγματι βραχείας ὑάλου κατὰ τὸ στίλβον
μέρος ὅλον ἔστιν ἰδεῖν ὡς ἐν κατόπτρῳ τὸν κύκλον τοῦ ἡλίου
35 δεικνύμενον, καθὼς χωρεῖ ἡ βραχύτης τοῦ στίλβοντος, οὕτω

AVB SLQXF

10 πλανητῶν AVBSL Don ‖ ἀνειλισσόμενα L ‖ 11 ὡς V ‖ 13 ἐν : ἐν (ν sl al. man. vid.) V ‖ ἐνεστῶτος B ‖ 14 τεταγμένῳ F ‖ 19 δυνάμεις + καὶ A ‖ 21 ὅτι − ὕδωρ om. ex homoeotel. AVB ‖ 22 τῶν πάντων om. S ‖ 23 σύμπνοια (ν sl al. man. vid.) V ‖ καὶ² om. V ‖ 26 ἀεὶ om. XF ‖ ἐγγινομένων QXFν ‖ γινομένων + ἐν σοφίᾳ codd. (scholium ad τεχνικῶς coni. Don) ‖ 27 ἐστιν ἁρμονία S ‖ ἢ Vᵃᶜ ‖ ἧς + ὁ B ‖ 28 μακρὸς vid. S ‖ 31 ἴδεν L εἶδεν XF ‖ 32 τῷ om. A ‖ 33 τῷ om. Q ‖ 34 κύκλῳ X

a. Cf. Ps 148, 1-2   b. Cf. Ps 148, 3-4a   c. Cf. Ps 148, 4b ; Gn 1, 7   d. He
11, 10   e. Cf. Gn 1, 26-27

planètes [1]. D'autre part, l'enchaînement dans ces mouvements est toujours fixe et demeure identique, sans jamais
passer de l'état où il se trouve à un autre différent, mais est
toujours le même et continue à demeurer dans le même état.
Le concours, donc, du stable et du mouvant, qui reste continuellement dans une harmonie ordonnée et immuable, est
une sorte d'harmonie musicale qui fait retentir l'hymne
admirablement varié de la puissance qui domine l'univers.
C'est en l'entendant, me semble-t-il également, que le grand
David a dit dans un de ses psaumes que les autres puissances,
toutes celles du ciel, louent Dieu [a] – la lumière des astres, le
soleil et la lune, les cieux des cieux [b] et l'eau au-dessus des
cieux [c], puisqu'il cite alors l'eau – et successivement tous les
êtres que contient la création. En effet l'accord et la sympa-
thie de toutes les choses les unes avec les autres, qui sont
soumis à un ordre régulier et à un enchaînement, constituent
la musique première, archétypale et véritable, que l'accor-
deur de l'univers, dans la raison indicible de sa sagesse, fait
résonner avec art dans la continuité des phénomènes. Si donc
le cosmos entier est une sorte d'harmonie musicale, « dont
l'artiste et le créateur est Dieu [d] », comme dit l'apôtre, et
l'homme un microcosme, si ce même homme a également
été fait à l'imitation de celui qui a harmonisé le cosmos [e],
ce que la raison connaît dans le cas de l'immense cosmos,
il est normal qu'elle l'observe aussi dans le microcosme.
La partie du tout est, en effet, parfaitement homogène
au tout : de même que dans l'éclat d'un petit morceau de
verre, il est possible de voir, montré en entier dans la partie
brillante comme dans un miroir, le cercle du soleil, autant
que le contient la petitesse de la partie brillante [2], ainsi

---

1. Cf. PHILON, *Her.* 208 : « Sont contraires [...] dans le ciel : la sphère des
fixes et celle des planètes (ἡ ἀπλανὴς τῇ πεπλανημένῃ φορᾷ) ».
2. Autre image du morceau de verre reflétant le soleil dans *Virg* 392, 1 s.
où l'accent est mis sur la pureté de la surface du miroir qui n'admet pas la
souillure.

καὶ ἐν τῷ μικρῷ κόσμῳ, τῇ ἀνθρωπίνῃ λέγω φύσει, πᾶσα ἡ ἐν
τῷ παντὶ θεωρουμένη μουσικὴ καθορᾶται ἀναλογοῦσα τῷ ὅλῳ
διὰ | τοῦ μέρους, ὡς χωρεῖται τὸ ὅλον ὑπὸ τοῦ μέρους. Δείκ-
νυσι δὲ τοῦτο καὶ ἡ ὀργανικὴ τοῦ σώματος ἡμῶν δια-
40 σκευὴ πρὸς ἐργασίαν μουσικῆς φιλοτεχνηθεῖσα παρὰ τῆς
φύσεως. Ὁρᾷς τὸν τῆς ἀρτηρίας αὐλόν, τὴν τῆς ὑπερῴας
μαγάδα, τὴν διὰ γλώττης καὶ παρειῶν καὶ στόματος, ὡς διὰ
χορδῶν καὶ πλήκτρου, κιθαρῳδίαν ;
 8. Ἐπεὶ οὖν πᾶν τὸ κατὰ φύσιν φίλον τῇ φύσει, ἀπεδείχθη
δὲ κατὰ φύσιν ἡμῖν οὖσα ἡ μουσική, τούτου χάριν ὁ μέγας
Δαβὶδ τῇ περὶ τῶν ἀρετῶν φιλοσοφίᾳ τὴν μελῳδίαν κατέμιξεν,
οἷόν τινα μέλιτος ἡδονὴν τῶν ὑψηλῶν καταχέας δογμάτων, δι᾽
5 ἧς ἑαυτὴν ἀναθεωρεῖ τρόπον τινὰ καὶ θεραπεύει ἡ φύσις.
Θεραπεία γὰρ φύσεώς ἐστιν ἡ τῆς ζωῆς εὐρυθμία, ἥν μοι δοκεῖ
συμβουλεύειν δι᾽ αἰνιγμάτων ἡ μελῳδία. Τάχα γὰρ αὐτὸ τοῦτο
πρὸς τὴν ὑψηλοτέραν τοῦ βίου κατάστασιν παραίνεσις γίνεται
τὸ μὴ δεῖν ἄμουσόν τε καὶ ἔκτροπον καὶ παρηχημένον τῶν ἐν
10 ἀρετῇ ζώντων εἶναι τὸ ἦθος, μήτε πέρα τοῦ μέτρου τῆς χορδῆς
ὀξυτονούσης· ῥήγνυται γὰρ πάντως ὑπερτεινόμενον τῆς
χορδῆς τὸ εὐάρμοστον· μήτ᾽ αὖ πρὸς τὸ ἐναντίον ἐν ἀμετρίᾳ δι᾽
ἡδονῆς ὑποχαλᾶν τὸν τόνον· κωφὴ γὰρ καὶ ἄναυδος γίνεται ἡ
ψυχὴ τοῖς τοιούτοις πάθεσιν ἐγχαυνωθεῖσα· καὶ τὰ ἄλλα πάντα
15 ὡσαύτως ἐπιτείνειν τε κατὰ καιρὸν καὶ ὑφιέναι τοῦ τόνου·
πρὸς τοῦτο βλέποντας, ὅπως ἂν ἡμῖν διὰ παντὸς εὐμελής τε
καὶ εὔρυθμος ὁ ἐν τοῖς ἤθεσι διαμένοι τρόπος μήτε ἀμέτρως
λυόμενος μήτε πέρα τοῦ μέτρου ὑπερτεινόμενος. Ὅθεν καὶ τὰ

AVB SLQXF

 38 χρωρεῖται (sic) V
 8 4 ἡδονὴ B ‖ 6 εὐθυμία Q ‖ 7 τοῦτο + τὸ A ‖ 9 τῶν : τὸν A ‖ 10 χορδῆς :
ὀργῆς S ‖ 12 διὰ LX ‖ 13 ἄναυλος L ‖ 16 ἐμμελής SXF ‖ 17 ἔνρυθμος V ‖
τοῖς : τούτοις v ‖ διαμένη B διαμένει vid. Q ‖ 18 διαλύομενος Q ‖ τὰ om.
B

également on observe dans le microcosme – je veux dire la
nature humaine – toute la musique contemplée dans l'univers puisqu'elle est, dans la partie, analogue au tout, autant
que le tout est contenu par la partie. Ce que montre aussi la
disposition des organes de notre corps savamment constituée
par la nature pour la pratique musicale : vois-tu la flûte qu'est
la trachée, le chevalet d'une cithare qu'est le palais, le chant
de la cithare qui passe par la langue, les joues et la bouche
comme à travers cordes et plectre ?

La musique, thérapie de l'âme

8. Donc puisque tout ce qui est conforme à la nature plaît
à la nature et que nous avons montré que la musique en nous
est conforme à la nature, pour cette raison le grand David a
mêlé la mélodie à la philosophie concernant les vertus, ver-
sant, pour ainsi dire, la douceur du miel sur les doctrines
sublimes, permettant par là à la nature de se reconnaître en
quelque sorte elle-même et de se soigner. C'est bien en effet
une thérapie de la nature, le rythme juste de la vie que
recommande, me semble-t-il, énigmatiquement la mélodie [1].
Car il y a peut-être là une invitation à un état plus sublime de
l'existence : veiller à ce que le caractère de ceux qui vivent
dans la vertu ne soit pas discordant, dissonant ni disharmo-
nieux – car la corde ne doit pas être tendue outre mesure sous
peine, en cas de surtension, de voir sa juste harmonie se
rompre totalement, pas plus qu'il ne faut inversement relâcher sans mesure la tension dans le plaisir, sous peine de voir
l'âme devenir muette et silencieuse sous l'effet de l'amollis-
sement entraîné par de telles passions. Et dans tous les autres
domaines il faut pareillement, au bon moment, tendre ou
relâcher la tension en veillant à ce que notre manière cou-
rante de vivre demeure continuellement mélodieuse et justement rythmée, sans être ni relâchée à l'excès ni tendue outre

1. Ces thèmes – rôle de la nature, juste mesure –, chers à plusieurs écoles
philosophiques (pythagoriciens, aristotéliciens, stoïciens...), sont passés dans
la culture commune. MARROU (« Théologie de la musique », p. 506, n. 32) rappelle que la conformité de la musique à la nature est une idée qui traverse toute
l'antiquité (cf. G. WILLE, *Musica Romana*, Amsterdam 1967, p. 359-467).

κατορθώματα τῆς θείας ταύτης μουσικῆς προσμαρτυρεῖ τῷ
20 Δαβὶδ ἡ ἱστορία· ὅτι παράφορόν ποτε καταλαβὼν τὸν Σαοὺλ
καὶ ἐξεστηκότα τῆς διανοίας οὕτως ἐξιάσατο κατεπάδων τοῦ
πάθους, ὥστε αὐτῷ πάλιν πρὸς τὸ κατὰ φύσιν ἐπανελθεῖν τὴν
διάνοιαν ᵃ. Δῆλον οὖν ἐκ τούτων ἐστὶ πρὸς ὅ τι βλέπει τῆς
μελῳδίας τὸ αἴνιγμα, ὅτι τὴν τῶν παθημάτων καταστολὴν
GNO 34 25 συμβουλεύει | ποιεῖσθαι τῶν διαφόρως ἡμῖν ἐγγινομένων ἐκ
τῶν βιωτικῶν περιστάσεων.

Ἀλλὰ καὶ τοῦτο προσήκει μὴ παραδραμεῖν ἀθεώρητον, ὅτι
οὐ κατὰ τοὺς ἔξω τῆς ἡμετέρας σοφίας μελοποιοὺς καὶ ταῦτα
τὰ μέλη πεποίηται· οὐ γὰρ ἐν τῷ τῶν λέξεων τόνῳ κεῖται τὸ
30 μέλος, ὥσπερ ἐν ἐκείνοις ἔστιν ἰδεῖν, παρ' οἷς ἐν τῇ ποιᾷ τῶν
προσῳδιῶν συνθήκῃ, τοῦ ἐν τοῖς φθόγγοις τόνου βαρυνομένου
τε καὶ ὀξυτονοῦντος καὶ βραχυνομένου τε καὶ παρατείνοντος, ὁ
ῥυθμὸς ἀποτίκτεται, ἀλλὰ ἀκατάσκευόν τε καὶ ἀνεπιτήδευτον
τοῖς θείοις λόγοις ἐνείρας τὸ μέλος, ἑρμηνεύειν τῇ μελῳδίᾳ τὴν
35 τῶν λεγομένων διάνοιαν βούλεται, τῇ ποιᾷ συνδιαθέσει τοῦ
κατὰ τὴν φωνὴν τόνου τὸν ἐγκείμενον τοῖς ῥήμασι νοῦν ὡς
δυνατὸν ἐκκαλύπτων. Τὸ μὲν οὖν προσόψημα τῆς ἐδωδῆς
τοιοῦτον, ᾧ καταγλυκαίνεται καθάπερ τισὶν ἡδύσμασιν ἡ τῶν
διδαγμάτων τροφή.

AVB SLQXF

19 προμαρτυρεῖ vid. V ‖ 20 λαβὼν B ‖ 23 ὅ τι : τί XF ‖ 24 τὴν om. B ‖ 32
καὶ² om. AVB ‖ τε² om. S ‖ 33 ἀλλ' V (vid.) S ‖ ἀλλὰ + καὶ QXFv ‖
ἀνεπίδευτον (sic) Q ἀνεπιτηδεύτων Fᵃᶜ ‖ 36 κατὰ Fᵖᶜ ‖ 37 ἀδύνατον L ‖
ἐγκαλύπτοντα AL ἐκκαλύπτοντα VBS ‖ παρόψημα Q ‖ 38 ᾧ om. L

a. Cf. 1 Rg 16, 23

1. Dans le *De Virginitate*, Grégoire met sur le même plan les excès de
l'ascétisme et le relâchement du plaisir qu'il dénonce, car « c'est d'une manière
semblable que s'opposent au perfectionnement de l'âme la prospérité exces-
sive du corps et son accablement sans mesure » (titre du ch. XXII, p. 511).
2. L'emploi du verbe κατεπάδειν est traditionnel pour désigner le pouvoir ensorcelant des psaumes de David, cf. Grégoire de Nazianze, *Or.* 9 (*SC*
405, p. 304, 20-21) et Basile, *In Ps* 1, PG 29, 212 C.
3. « Les signes prosodiques (αἱ προσῳδίαι) » ou « signes diacritiques »

mesure [1]. De là également les succès de cette musique que l'histoire attribue à David : un jour qu'il avait trouvé Saül en proie à la folie et privé de sa raison, il soigna si bien sa passion en l'ensorcelant de son chant [2], qu'il retrouva l'usage naturel de sa raison [a]. On voit donc clairement par là ce que vise l'énigme de la mélodie : elle invite à réfréner les passions que les vicissitudes de la vie produisent diversement en nous.

Les psaumes, des chants sans recherche

Mais il ne faut pas non plus, sans examen, négliger ce fait : ces chants n'ont pas été composés à la manière des poètes lyriques étrangers à notre sagesse. La mélodie, en effet, n'est pas fondée sur l'accent des mots, comme on peut le voir chez ces derniers chez qui le rythme est obtenu à partir de telle ou telle combinaison d'éléments prosodiques – l'accent dans les sons est grave ou aigu, bref ou long [3] ; au contraire, David, en introduisant une mélodie sans apprêt et sans recherche dans les paroles divines, veut traduire par son jeu l'intention des paroles et révéler autant que possible par tel ou tel assemblage de l'accent vocal le sens fixé dans les mots [4]. Tel est donc l'accompagnement du repas qui permet d'adoucir comme par un assaisonnement la nourriture des enseignements.

selon la traduction de J. LALLOT (*La grammaire de Denys de Thrace*, Paris 1989) désignent les accents (τόνοι), les esprits (πνεύματα) et les signes de durée vocalique (χρόνοι) (*ibid.*, p. 84). Ici le mot τόνος paraît désigner à la fois les accents et les signes de durée. Dans la théorie du discours d'Hermogène, le rythme résulte de l'assemblage (συνθήκη) des syllabes et des lettres, où jouent un rôle important la longueur ou la brièveté de la syllabe et l'accent (τόνος), voir M. PATILLON, *La théorie du discours chez Hermogène le rhéteur*, Paris 1988, p. 202 et 290 (sur la poésie).

4. Sur ce passage, voir Introduction, p. 52.

ΚΕΦΑΛΑΙΟΝ Δ΄

9. Καιρὸς δ᾿ ἂν εἴη καὶ αὐτὴν ἤδη τὴν τῶν ἀρετῶν πανδαι-
σίαν κατανοῆσαι τῷ λόγῳ κατὰ τὴν προεκτεθεῖσαν ἡμῖν
τεχνικὴν θεωρίαν. Πρῶτον μὲν γὰρ φανεροῖς σημείοις διακε-
κριμένην ἔστιν εὑρεῖν τὴν ἀρετὴν ἐκ τῆς κακίας, ὡς ἀσύγχυτον
5 εἶναι τὴν ἑκατέρου τούτων πρὸς τὸ ἐναντίον διαφοράν. Ἐκ γὰρ
τῆς ἐγγινομένης ἡμῖν ἀπ᾿ αὐτῶν εὐφροσύνης τὸ ἐξαίρετον τῆς
τῶν ἐπιτηδευμάτων ἰδιότητος δείκνυται, τῆς μὲν κακίας τὰς
περὶ τὸ σῶμα αἰσθήσεις, τῆς δὲ ἀρετῆς τὴν ψυχὴν εὐφραι-
νούσης· ὡς ἀπλανῆ τε καὶ ἀναμφίβολον εἶναι τὴν ἐκ τῶν
10 σημείων τούτων εὑρισκομένην τοῦ ὑποκειμένου φύσιν. Καὶ
τοῦτο ἐξ ἄλλων τέ τινων κατά τε τὸ πρόχειρον καὶ κατὰ τὴν ἐν
τῷ βάθει κειμένην θεωρίαν τῶν νοημάτων | ἐν πολλοῖς τῆς
ψαλμῳδίας ἔστιν εὑρεῖν, καὶ μάλιστά γε κατὰ τὸν τέταρτον
ψαλμόν, ἐν ᾧ φησι βαρυκαρδίους εἶναι τοὺς τὸ ψεῦδος καὶ τὸ
15 μάταιον τῆς ἀληθείας μὴ διακρίνοντας [a], ἀλλ᾿ ἀγαπῶντας μὲν
τὸ ἀνύπαρκτον, περιορῶντας δὲ τὸ μένον καὶ τοῦ ἀγαπᾶσθαι
ἄξιον. Μόνην γὰρ εἶπε θαυμαστὴν ἀληθῶς εἶναι τὴν ὁσιό-
τητα [b], τὰ δὲ ἄλλα πάντα τὰ ἀντὶ τῶν ἀγαθῶν σπουδαζόμενα
τοῖς ἀνθρώποις ἐν ὑπολήψει κεῖσθαι, ἐφ᾿ ἑαυτῶν οὐκ ὄντα,
20 ἀλλ᾿ ἐν τῇ ματαίᾳ τῶν ἀνθρώπων οἰήσει τὸ εἶναι ἔχειν
δοκοῦντα. Καὶ ὡς ἂν φανερώτερον ἐκκαλύψειε τὸ περὶ τούτων
δόγμα, προϊὼν φησιν, ὅτι οἱ πολλοὶ τὸ ἀγαθὸν ἐν τοῖς φαινο-
μένοις ὁρίζονται, λέγοντες ἐκεῖνο μόνον εἶναι ἀγαθόν, ὅπερ ἄν
τις τῇ αἰσθήσει προδείξῃ· « Πολλοὶ γάρ, φησί, λέγουσι Τίς

AVB SLQXF

9 2 τῷ F^mg ‖ 9 ἀμφίβολον Q ‖ 11 τοῦτο + οὐκ AVB ‖ 15 μὴ om. A ‖
16 μόνον VB ‖ 18 ἀντὶ (ν sl al. man. vid.) V ‖ 22 οἱ om. V ‖ 23 εἶναι om.
Q ‖ 24 προδείξει AV προσδείξει L

a. Cf. Ps 4, 3   b. Cf. Ps 4, 4

CHAPITRE IV

L'OPPOSITION DU VICE ET DE LA VERTU SELON LE *PSAUME* 4

9. C'est désormais le moment d'examiner en lui-même le banquet des vertus en suivant, par le raisonnement, l'étude selon les règles de l'art que nous avons exposée. Tout d'abord, c'est à des signes évidents qu'on peut reconnaître que la vertu est distincte de la malice : aussi n'y a-t-il rien de confus dans la différence qui sépare l'une de son contraire. En effet, la joie qu'elles provoquent en nous révèle ce qui distingue ces genres de vie dans leur particularité : la malice réjouit les sensations du corps, la vertu l'âme. Aussi la nature de l'objet en question reconnue grâce à ces signes est-elle bien établie et sans équivoque. Et s'il est possible de découvrir ce point à partir d'autres passages, en se fondant sur le sens obvie ou le sens spirituel présent dans la profondeur du texte, en bien des endroits du Psautier, on le peut particulièrement d'après le quatrième psaume où il dit qu'ils ont le cœur lourd ceux qui ne distinguent pas le mensonge et la vanité de la vérité [a], mais aiment le non-être et dédaignent ce qui demeure et mérite d'être aimé. En effet, ajoute-t-il, seule la sainteté est vraiment admirable [b] ; tout le reste que les hommes recherchent à la place du bien repose sur une opinion, n'ayant pas d'existence en soi, mais semblant en avoir dans la vaine croyance des hommes. Et, pour révéler plus clairement la doctrine sur ce point, il ajoute que la plupart des hommes limitent le bien aux apparences, eux qui affirment que seul est bien ce que l'on peut montrer à la sensation : « Ils sont

25 δείξει ἡμῖν τὰ ἀγαθά ᶜ ;» Ὁ δὲ πρὸς τὴν ἀρετὴν βλέπων τὴν
μὲν ἀνδραποδώδη ταύτην τοῦ καλοῦ κρίσιν περιορᾷ. Ἐν δὲ τῷ
φωτὶ τὸ καλὸν βλέπει. Καὶ οὕτως ἐπισημειοῦται τὴν θεοειδῆ
τε καὶ ὑψηλὴν εὐφροσύνην· φῶς δὲ ἐκεῖνο λέγει τὸ ἐκ τοῦ θείου
προσώπου ἀπαυγαζόμενον, οὗ καθικέσθαι ἡ αἴσθησις φύσιν
30 οὐκ ἔχει. « Ἐσημειώθη γάρ, φησίν, ἐφ᾽ ἡμᾶς τὸ φῶς τοῦ
προσώπου σου, Κύριε ᵈ.» Θεοῦ γὰρ πρόσωπον ἐν χαρακ-
τῆρσί τισι θεωρούμενον οὔ μοι δοκεῖ ἕτερον παρὰ τὰς ἀρετὰς
νοεῖν ὁ προφήτης· ταύταις γὰρ τὸ θεῖον εἶδος χαρακτηρίζεται.
Καὶ τοῦτο εἰπὼν τὸ τέλειον γνώρισμα λέγει τῆς ἀρετῆς·
35 « Ἔδωκας εὐφροσύνην εἰς τὴν καρδίαν μου ᵉ », ἀντὶ τῆς ψυχῆς
καὶ τοῦ νοῦ τὴν καρδίαν λέγων. Οὐ γὰρ ἔστι τοῖς ἐκ κακίας
δελεάσμασι τὸν νοῦν ἡσθῆναι. Ἀντιδιαστέλλει δὲ τῇ τῆς
καρδίας εὐφροσύνῃ τὴν ὑλώδη ταύτην καὶ βιωτικὴν εὐθηνίαν,
λέγων τοῖς τὸ παρὸν ὁρῶσι τὴν γαστέρα τοῦ καλοῦ
GNO 36 40 κριτήριον γίνεσθαι ᶠ. Σῖτον γὰρ | καὶ οἶνον εἰπὼν τοῖς τοιού-
τοις πληθύνεσθαι ᵍ, ἀπὸ μέρους πάσας τὰς περὶ γαστέρα καὶ
θοίνην ἡδονὰς τῷ λόγῳ συμπεριέλαβεν, αἳ πάσης ἄρχουσιν
ὑλικῆς ἀσχολίας, περὶ ἃ ἡ σπουδὴ εἰς οὐδὲν εὐοδοῦται πέρας.
PG 448   Οὐ γάρ ἐστι τῆς ἐν ἀκαρεῖ γινομένης τοῖς ἀνθρώποις ἀπο-
45 λαύσεως ἐν τῇ φύσει ταμιεῖον οὐδέν, ὥστε ἀπόθετον ἑαυτοῖς
ποιεῖσθαι τὴν ἡδονήν, ἣν κατὰ πᾶσαν κτῶνται σπουδήν, ἀλλ᾽
ὥσπερ τι τῶν ἀπατηλῶν φαντασμάτων κεκρατῆσθαι παρὰ
τῶν φιληδόνων δόξαν εὐθὺς ἠφανίσθη καὶ εἰς τὸ μὴ ὂν μετε-
χώρησε. Τοῦ δὲ τοιούτου φάσματος ἓν ἴχνος καταλείπεται

AVB SLQXF

25 τὴν¹ om. Q ‖ ἀρετὴν Vˢˡ al. man. ‖ 26 ἐν δὲ : οὐδὲν Q ‖ 28 τε Vˢˡ al.
man. ‖ 29 ἀπαύγασμα XF ‖ 32 τισι : τρισὶ SF om. Vv ‖ 34 γνώριμα (sic)
A ‖ τῆς ἀρετῆς ante λέγει VSLXF om. B ‖ 36 καὶ om. B ‖ 37 δελεάμασι
AF ‖ 39 λέγω X ‖ 40 γενέσθαι V ‖ 42 ἄρχουσαι F ‖ 43 ἃ : ἂν Vᵃᶜ ‖ 44
γενομένης V ‖ 45 αὐτοῖς L αυτοῖς (ἑ sl) F ‖ 46 κτῶντε (-οντε a.c.) F ‖ 47 ὥπερ
(σ sl al. man. vid.) V ‖ καὶ κρατῆσθαι V ‖ 48 δόξαν (δόξαι L) + ἂν AVBL ‖
49 καταλέλειπται XF

c. Ps 4, 7a   d. Ps 4, 7b   e. Ps 4, 8a   f. Cf. Ph 3, 19   g. Cf. Ps 4, 8b

nombreux à dire : Qui nous montrera ce qui est bien [c] ? » Au contraire, celui qui a les yeux fixés sur la vertu dédaigne cette façon servile de discerner le beau et contemple le beau dans la lumière. Ainsi il signale la joie divine et sublime et affirme que cette lumière, c'est ce qui resplendit de la face de Dieu, que la sensation, par nature, ne peut atteindre : « La lumière de ta face a été signalée sur nous, Seigneur [d]. » Par « face » de Dieu contemplée dans des empreintes, je crois que le prophète ne conçoit rien d'autre que les vertus, car c'est par elles que la forme divine est imprimée. Après cette parole, il nomme la marque parfaite de la vertu : « Tu as mis la joie en mon cœur [e] », nommant le cœur à la place de l'âme et de l'esprit. L'esprit ne peut en effet se réjouir des appâts du mal [1]. Puis il oppose à la joie du cœur cette abondance matérielle et vitale en disant que le ventre, quand on regarde les biens présents, est le critère du beau [f]. En affirmant, en effet, que blé et vin abondent pour de tels hommes [g], il a embrassé par cette notation partielle tous les plaisirs du ventre et de la table. Ceux-ci commandent toutes les formes d'occupation matérielles qui tournent autour de biens dont la recherche se poursuit sans parvenir à un terme.

Car, pour l'instant de jouissance que les hommes éprouvent, il n'y a pas dans la nature de cellier qui leur permettrait de tenir en réserve le plaisir qu'ils cherchent à obtenir de toute leur force ; au contraire, à la manière de ces images trompeuses dont les amateurs de plaisirs croient s'être emparés, il s'évanouit aussitôt et retourne au néant. D'un pareil mirage, une seule trace subsiste après sa disparition, la honte [2] : elle imprime en eux profondément et durablement

1. Sur le plaisir comme appât du mal (cf. *Timaeus* 69 d), voir P. COURCELLE, *Connais-toi toi-même*, II, Paris 1975, p. 429-436.
2. Ces images évoquent les visions ou les représentations, dont parle ÉVAGRE, qui viennent tourmenter les moines, cf. *Practicus* 71 (*SC* 171, p. 658) : « Les chants démoniaques déclenchent notre concupiscence et jettent l'âme dans des imaginations honteuses (εἰς αἰσχρὰς φαντασίας) ; mais ' les psaumes, les hymnes et les chants spirituels ' (Ep 5, 19) invitent l'intellect au souvenir constant de la vertu, en refroidissant notre irascibilité bouillonnante et en éteignant nos désirs. »

50 μετὰ τὴν ἀναχώρησιν, ἡ αἰσχύνη, βαθύν τε καὶ δυσεξάλειπτον
ἐνσημηναμένη τούτοις τὸν τύπον τούτων, δι' ὧν ἂν παρέλθῃ,
ὡς δυνατὸν εἶναι, κατὰ τὴν τέχνην τῶν θηρευόντων τοῖς ἴχνεσι
διαγινώσκειν τοῦ θηρίου τὴν φύσιν. Καὶ γὰρ ἐκεῖνοι, ὅταν
ἀφανὲς ᾖ τὸ θήραμα, διὰ τοῦ ἴχνους τὸ ζῷον γνωρίζουσιν. Εἰ
55 οὖν ὁ σῦς ἢ ὁ λέων τοῖς ἴχνεσι τοῖς ἰδίοις καταμηνύονται, ἀκόλουθον πάντως καὶ τῆς ἡδονῆς τὴν φύσιν ἐν τῷ ὑπολειφθέντι
αὐτῆς ἴχνει γνωρίζεσθαι. Ἀλλὰ μὴν τὸ ἴχνος αὐτῆς αἰσχύνη
ἐστίν. Ἄρα καὶ ἡ ἐνσημηναμένη τῇ ψυχῇ τὸν τοιοῦτον τύπον ἢ
αὐτὸ πάντως αἰσχύνη ἐστὶν ἢ ποιητικὴ τῆς αἰσχύνης.

10. Ἀλλὰ τοῦτο μὲν ἡμῖν ἐν παρεξοδίῳ προεθεωρήθη τῷ
τόπῳ· δεῖξαι γὰρ κατὰ τὸ προηγούμενον ἔδει διὰ τῆς ψαλμῳδίας, οἷον ἑκατέρου τῶν κατ' ἀρετήν τε καὶ κακίαν ἐπιτηδευμάτων ἐστὶ τὸ πέρας. Ἐν τοίνυν τῷ προειρημένῳ ψαλμῷ τὸ
5 τῆς ἀρετῆς εἰπὼν τέλος εἰρήνην εἶναι καὶ ἄνεσιν καὶ τὴν
μονοειδῆ τε καὶ ἀνεπίμικτον πρὸς τὰ πάθη κατοίκησιν τὴν ἐπ'
ἐλπίδι τῆς τοῦ Θεοῦ μετουσίας κατορθουμένῃ [a] τὸ ἀντικεί-
μενον | τούτῳ ἐνταῦθα μὲν διὰ τῆς σιωπῆς ἐνεδείξατο, πολ-
λαχῇ δὲ διὰ τῆς ψαλμῳδίας βοᾷ λέγων· « Οἱ δὲ παράνομοι
10 ἐξολοθρευθήσονται [b] », καὶ « Σπέρμα ἀσεβῶν ἐξολοθρευθήσεται [c] », καὶ «Ὁ ἀγαπῶν τὴν ἀδικίαν μισεῖ τὴν ἑαυτοῦ
ψυχήν», καὶ « Ἐπιβρέξει ἐπὶ ἁμαρτωλοὺς παγίδας [d] », καὶ
ἄλλα μυρία τούτοις ὁμοιότροπα. Γέμει δὲ πᾶσα τῆς ψαλμῳδίας ἡ βίβλος τῶν τε τῆς ἀρετῆς ἐπαίνων καὶ τῆς κατηγορίας
15 τῶν ἐν κακίᾳ ζώντων. Ἥ τε τῶν ἱστοριῶν μνήμη πρὸς τοὺς δύο
σκοποὺς μεριζομένη, ζηλωτὴν μὲν ποιεῖ τὴν ἀρετὴν τῶν εὐδο-

GNO 37

AVB SLQXF

50 τε : δὲ VB ‖ δυσεξάλ<ει>πτον A ‖ 51 τούτων : τοῦτον BSLQXFv ‖
57 ἴχνει : ἴχνη A ‖ χωρίζεσθαι V ‖ 58 ἄρα : ὅρα V ‖ 59 αὐτῷ AVB ‖ ποιοτικὴ
(sic) F
10 1 ἡμῖν om. B ‖ παρεξοδίου XF ‖ τῷ om. XF ‖ 2 τὸ om. L ‖ 3 ἀκακίαν
V ‖ 6 ἀνεπίδεκτον F ‖ ἐπ' om. F ‖ 9 διὰ om. VBSLXF ‖ 12 ἐπιβρέξῃ F[ac] ‖
13 ἄλλα + τοιαῦτα S ‖ 13-14 πᾶσα ἡ βίβλος τῆς ψαλμῳδίας B ‖ 16 ἀρετὴν +
διὰ Q

a. Cf. Ps 4, 9   b. Ps 36, 38   c. Ps 36, 28   d. Ps 10, 5-6

la marque de ce qui a provoqué sa venue, de telle sorte qu'on peut, grâce à l'art des chasseurs, reconnaître à ses traces la nature de la bête – de fait, ceux-ci, quand la proie n'est pas visible, repèrent l'animal à sa trace. Si donc le sanglier ou le lion se signalent par leurs traces particulières, il est tout à fait logique également de repérer la nature du plaisir à la trace qu'il a laissée. Or sa trace, c'est la honte. Par conséquent, ce qui imprime en l'âme une telle marque, c'est soit, prise absolument en elle-même, la honte, soit ce qui produit la honte.

10. Ce point, nous l'avons examiné précédemment en un lieu digressif, car il fallait montrer, d'après ce qui précède, à travers le Psautier, quel est le terme de chacune de ces deux activités, la vertu et la malice. Ainsi, dans le psaume qui vient d'être cité, en disant que la fin de la vertu, c'est la paix, la détente, le séjour uniforme et sans mélange avec les passions qui s'accomplit dans l'espérance [a] de la participation à Dieu, le prophète a montré là tacitement ce qui s'oppose à cette conduite ; mais il le crie bien souvent à travers le Psautier, disant : « Les transgresseurs seront anéantis [b] », « La semence des impies sera anéantie [c] », « Qui aime l'injustice hait sa propre âme » et « Il fera pleuvoir sur les pécheurs des filets [d] », et bien d'autres paroles semblables. Tout le livre des psaumes est plein d'éloges de la vertu et de l'accusation de ceux qui vivent dans le vice, et deux buts se partagent la mention des récits historiques : susciter l'envie pour la vertu des personnages honorés, provoquer la fuite de la méchan-

κίμων προσώπων, φευκτὴν δὲ διὰ τῶν κατεγνωσμένων τὴν
πονηρίαν. Ὅταν μὲν γάρ σε πρὸς ἀρετὴν ἐπεγείρῃ τῷ ὑποδείγ-
ματι, λέγει· « Μωυσῆς καὶ Ἀαρὼν ἐν τοῖς ἱερεῦσιν αὐτοῦ καὶ
20 Σαμουὴλ ἐν τοῖς ἐπικαλουμένοις αὐτόν. Ἐπεκαλοῦντο τὸν
Κύριον, καὶ αὐτὸς εἰσήκουεν αὐτῶν. Ἐν στύλῳ νεφέλης ἐλάλει
πρὸς αὐτούς ᶜ. » Ὅταν δὲ τὸ πονηρὸν τῆς κακίας ὑποδεικνύει
πέρας, τὰ πάθη τῶν ἐν πονηρίᾳ κατεγνωσμένων διέξεισιν·
« Ἠνοίχθη ἡ γῆ καὶ κατέπιεν Δαθάν, καὶ ἐκάλυψεν ἐπὶ τὴν
25 συναγωγὴν Ἀβειρών. Φλὸξ κατέφλεξεν ἁμαρτωλούς ᶠ »· καὶ
« Ποίησον αὐτοὺς ὡς τὴν Μαδιὰμ καὶ τὸν Σισάρα ᵍ »· καὶ
« Θοῦ τοὺς ἄρχοντας αὐτῶν ὡς τὸν Ὠρὴβ καὶ Ζὴβ καὶ Ζεβεὲ
καὶ Σαλμανά, πάντας τοὺς ἄρχοντας αὐτῶν ʰ »· καὶ πολλὰ
ἕτερα τοιαῦτα· τάς τε μερικὰς συμβουλὰς πάσας σοι βοᾷ ἀπ'
30 ἀρχῆς εἰς τέλος ἡ ψαλμῳδία, ἐν οὐδενὶ μέρει τὴν πρὸς τὸ καλὸν
προτροπὴν παραλείπουσα, καὶ δι' ὧν ἄν τις φύγοι τὴν κακίαν·
πάντα ταῖς πρὸς τὸ καλὸν ὁδηγούσαις συμπαρέζευκται
γνώμαις. | Ἡ γὰρ τοῦ ἀγαθοῦ κτῆσις φυγὴ τοῦ ἐναντίου καὶ
ἀναίρεσις γίνεται. Παρέλκον δ' ἂν εἴη πάντα ταῦτα δι' ἀκρι-
35 βείας ἐκτίθεσθαι, φανερᾶς οὔσης τοῖς ἐντυγχάνουσι τῇ Γραφῇ
ταύτῃ τῆς περὶ τὰ τοιαῦτα σπουδῆς τοῦ λόγου.

PG 449

GNO 38

AVB SLQXF

18 τῷ om. X ‖ 19 μωϋσῆς Α μωσῆς SL ‖ 21 εἰσήκουσεν L ‖
22 ὑποδεικνυη (χνυ sl) V -δεικνυη S -δείκνυσι XF (de Q non constat) ‖
23 κατεγνωρισμένων LX ‖ διεξεσιν (sic) X ‖ 25 ἀδηρών VL ‖ 26 αὐτοῖς Q ‖
τῇ S (vid.) QXFv ‖ μαδιὰν Αν μαδιᾶ Q ‖ τὸν : τῷ SQXFv ‖ 28 σαλμανὰ V
σαλμανὰν LQX σαλμανᾶς (ἀν forte a.c.) F σαλμανὰν Sv ‖ πάντας – αὐτῶν
om. VBSLXF ‖ 29 τοιαῦτα ἕτερα SLXF ‖ 31 τροπὴν v (de Q non constat) ‖
33 φύγῃ Β ‖ 34 ἀναίρεσις (ς p.c.) F ‖ δὲ LXF ‖ ταῦτα πάντα Q ‖ 36 τῷ
λόγῳ S

e. Ps 98, 6-7   f. Ps 105, 17-18   g. Ps 82, 10   h. Ps 82, 12 ceté par l'exemple des hommes qui ont été condamnés. En effet, quand il t'encourage à la vertu par l'exemple, il dit : « Moïse et Aaron étaient parmi ses prêtres, et Samuel parmi ceux qui l'invoquaient. Ils invoquaient le Seigneur et lui les entendit. Dans une colonne de nuée, il leur parlait [e]. » Mais quand il veut montrer le terme de la perversité du mal, il retrace les souffrances de ceux qui ont été condamnés dans leur malice : « La terre s'ouvrit et engloutit Dathan, et elle recouvrit jusqu'à la bande d'Abiron. La flamme consuma les pécheurs [f] », « Traite-les comme Madiam et Sisara [g] », « Rends leurs chefs comme Oreb et Zèb, Zébéé et Salmana, tous leurs chefs [h] » et bien d'autres paroles de ce genre. Et le Psautier, du début à la fin, te crie les conseils particuliers de toutes sortes, sans omettre dans aucune partie l'exhortation au beau et les moyens de fuir la malice : tout est relié par des pensées qui conduisent au beau. L'acquisition du bien, en effet, c'est la fuite et la destruction de ce qui lui est opposé. Il serait superflu d'exposer tout ceci avec minutie, puisque les lecteurs de cet Écrit voient bien l'intérêt de la parole pour ces matières.

ΚΕΦΑΛΑΙΟΝ Ε΄

11. Τέτμηται δὲ πενταχῇ πᾶσα ἡ τῶν ψαλμῶν πραγματεία, καί τίς ἐστιν ἐν τοῖς τμήμασι τούτοις τεχνικὴ διασκευὴ καὶ διαίρεσις. Ἡ δὲ περιγραφὴ τῶν τμημάτων φανερὰ γίνεται θείαις τισὶ δοξολογίαις ὁμοιοτρόπως ἐναπολήγουσα, ἃς 5 ἔξεστιν ἐπιγνῶναι κατὰ τὴν παρ᾽ ἡμῶν ὑποδεικνυμένην ἐν ταῖς ψαλμῳδίαις διαίρεσιν. Ἔστι δὲ ἑκάστου τμήματος ἀριθμὸς τῶν ψαλμῳδιῶν οὗτος· τοῦ πρώτου τεσσαράκοντα· τοῦ δευτέρου εἷς καὶ τριάκοντα· ἑπτὰ καὶ δέκα δὲ τοῦ τρίτου, καὶ τοῦ τετάρτου τοσοῦτοι· τοῦ δὲ πέμπτου πέντε καὶ τεσσαράκοντα. 10 Ἵσταται οὖν τὸ πρῶτον μέρος ἐπὶ τὸν τεσσαρακοστὸν ἐκ τοῦ πρώτου, οὗ πέρας ἐστὶν· « Εὐλογητὸς Κύριος ὁ Θεὸς Ἰσραὴλ ἀπὸ τοῦ αἰῶνος καὶ εἰς τὸν αἰῶνα, γένοιτο, γένοιτο [a]. » Τὸ δεύτερον ἐπὶ τὸν ἑβδομηκοστόν τε καὶ πρῶτον, οὗ τὸ τέλος οὕτως ἔχει· « Εὐλογητὸς Κύριος ὁ Θεὸς Ἰσραὴλ ὁ ποιῶν θαυμάσια 15 μόνος, καὶ εὐλογητὸν τὸ ὄνομα τῆς δόξης αὐτοῦ εἰς τὸν αἰῶνα καὶ εἰς τὸν αἰῶνα τοῦ αἰῶνος. Καὶ πληρωθήσεται τῆς δόξης αὐτοῦ πᾶσα ἡ γῆ, γένοιτο, γένοιτο [b]. » Τὸ τρίτον ἐπὶ τὸν ὀγδοηκοστόν τε καὶ ὄγδοον, καταλήγει δὲ καὶ τοῦτο εἰς ὅμοιον πέρας. Ἔχει γὰρ οὕτως· « Εὐλογητὸς Κύριος εἰς τὸν αἰῶνα, 20 γένοιτο, γένοιτο [c]. » Τοῦ δὲ τετάρτου τμήματος πέρας ὁ ἑκατοστός τε καὶ πέμπτος, οὗ τὸ τέλος τοῖς λοιποῖς παραπλήσιον·

AVB SLQXF

11 1 δὲ om. XF ‖ 2 καί τις XF ‖ 5 ἀποδεικνυμένην A ‖ 6 ἀριθμὸς om. B ‖ 7 οὕτως VB ‖ 8 τριάκοντα : λᾶ L ‖ τοῦ τρίτου ante ἑπτὰ B ‖ 9 πέντε om. A ‖ τεσσαρά (-κοντα sl vid.) F ‖ 10 οὖν : τοίνυν VBSLXF ‖ 11 θεὸς + τοῦ L ‖ 12 supra γένοιτο[1] B scr. F[2] ‖ γένοιτο[2] om. XF ‖ 13 οὗ : τοῦ vid. S[ac] ‖ τὸ om. F ‖ 16 αἰῶνα : αἰῶ V

a. Ps 40, 14   b. Ps 71, 18-19   c. Ps 88, 53

CHAPITRE V

La division du Psautier

11. Tout le contenu du Psautier a été divisé en cinq sections [1] et il y a dans ces sections une disposition et une division selon les règles de l'art. La délimitation des sections est claire, puisqu'elles finissent de manière identique par des paroles à la gloire de Dieu que l'on peut reconnaître d'après la division que nous montrons dans le Psautier. Voici le nombre des psaumes de chaque section : dans la première quarante, dans la seconde trente et un, dix-sept dans la troisième et autant dans la quatrième, dans la cinquième quarante-cinq. La première partie, donc, s'étend du psaume un jusqu'au psaume quarante qui a pour conclusion : « Béni soit le Seigneur, le Dieu d'Israël depuis l'éternité et pour l'éternité, que cela soit, que cela soit [a] ! » ; la deuxième jusqu'au psaume soixante-et-onze dont la finale est la suivante : « Béni soit le Seigneur, le Dieu d'Israël, seul à faire des merveilles, et béni soit le nom de sa gloire pour l'éternité et pour l'éternité de l'éternité. Et toute la terre sera remplie de sa gloire, que cela soit, que cela soit [b] ! » ; la troisième jusqu'au psaume quatre-vingt-huit. Celle-ci s'achève aussi par une conclusion semblable, car elle a cette forme : « Béni soit le Seigneur pour l'éternité, que cela soit, que cela soit [c] ! » ; la quatrième section se conclut par le psaume cent cinq, dont la finale est semblable aux autres : « Béni soit

---

1. Sur cette division, voir Introduction, p. 48.

194   SUR LES TITRES DES PSAUMES

GNO 39   « Εὐλογητὸς Κύριος ὁ| Θεὸς Ἰσραὴλ ἀπὸ τοῦ αἰῶνος καὶ ἕως
τοῦ αἰῶνος, καὶ ἐρεῖ πᾶς ὁ λαός· γένοιτο, γένοιτο ᵈ. » Πέμπτον
δὲ μέρος ἐστὶν ἀπὸ τούτου εἰς τὸν ἔσχατον, οὗ πέρας· « Πᾶσα
25 πνοὴ αἰνεσάτω τὸν Κύριον ᵉ. »
    12. Τίνα τοίνυν τὴν ἐν τούτοις τεχνικὴν τάξιν κατενοήσα-
μεν, καιρὸς ἂν εἴη δι᾽ ὀλίγων εἰπεῖν. Ἐν τῷ πρώτῳ τοὺς ἐν
κακίᾳ ζῶντας ἵστησι μὲν τῆς ἀτόπου πλάνης, ἐφέλκεται δὲ
πρὸς τὴν τοῦ κρείττονος αἵρεσιν, ὡς μηκέτι ταῖς τῶν ἀσεβῶν
5 ἀπάταις ἐπιπορεύεσθαι, μηδὲ τῇ πονηρᾷ τρίβῳ τῆς ἁμαρτίας
διὰ βάθους ἐνίστασθαι, μηδὲ ἀκίνητόν τε καὶ καθιδρυμένην
ἑαυτοῖς τὴν κακίαν ἐπιτηδεύειν, ἀλλὰ τῷ θείῳ συνάπτεσθαι
νόμῳ διὰ μελέτης τὴν ἀπλανῆ πορείαν ἑαυτοῖς κατορθώ-
σαντας, ὡς ἂν ἐνριζωθείη φυτοῦ δίκην αὐτοῖς ἡ πρὸς τὸ
PG 452 10 κρεῖττον ἕξις ταῖς θείαις διδασκαλίαις ἐπαρδομένη ᵃ. Ἡ οὖν
πρώτη πρὸς τὸ ἀγαθὸν εἴσοδος ἡ τῶν ἐναντίων ἐστὶν ἀπόστασις, δι᾽ ἧς γίνεται ἡ μετοχὴ τοῦ βελτίονος.
    Ὁ δὲ γευσάμενος ἤδη τῆς ἀρετῆς καὶ τῇ καθ᾽ ἑαυτὸν πείρᾳ
τοῦ ἀγαθοῦ τὴν φύσιν κατανοήσας, οὐκέτι τοιοῦτός ἐστιν, ὡς
15 ἀνάγκῃ τινὶ καὶ νουθεσίᾳ ᵇ τῆς πρὸς τὴν κακίαν προσπαθείας
ἀφέλκεσθαι καὶ πρὸς τὴν ἀρετὴν βλέπειν, ἀλλ᾽ ὑπερδιψῇ τοῦ
βελτίονος. Τὸ γὰρ ἄσχετόν τε καὶ σφοδρὸν τῆς ἐπιθυμίας τῇ
δίψῃ προσεικάζει ὁ λόγος, ἐπιζητήσας τὴν διψωδεστάτην ἐν
τοῖς ζῴοις φύσιν, ὡς ἂν μάλιστα τὸ ἐπιτεταμένον τῆς
20 ἐπιθυμίας διὰ τοῦ ὑπερβαλλόντως ἐν δίψῃ γινομένου ζῴου
ἐπιδειχθείη. Τοῦτο δὲ τὸ ζῷον ἔλαφον λέγει, ᾧ φύσις ἐστὶ τῇ

AVB SLQXF

22 θεὸς + τοῦ F ‖ 24 τὸ Qv ‖ πέρας + ἐστὶ XF
12 l τὴν om. S Fˢˡ ‖ 1-2 κατανοήσομεν X ‖ 2 τῷ : τὸ Vᵃᶜ ‖ 3 ἀκακίᾳ AᵃᶜVᵃᶜ ‖
4 πρὸς om. AVBL ‖ 5 ἐπισορεύεσθαι A ‖ 8 μελέτην L ‖ 9 ἐρριζωθείη
AVBSQv ‖ 10-11 θείαις – πρώτη om. A ‖ διδασλίαις (sic) V ‖ 11 ἢ v ‖ 12 ἡ
om. L ‖ 16 ἐφέλκεσθαι A ‖ ὑπερδιψεῖ AV ὑπερδιψᾷ SQXFv ‖ 17 τὸ : τὸν VB
‖ 18 διψεῖ Q ‖ 20 ὑπερβαλλόντως (-τος Vᵃᶜ) VQ ὑπερβάλλοντος BXF ‖ ἐν + τῇ
AQv ‖ γενομένου V ‖ 21 ὡς VL

---

d. Ps 105, 48   e. Ps 150, 6
a. Cf. Ps 1, 1-3   b. Cf. 2 Co 10, 11

le Seigneur, le Dieu d'Israël depuis l'éternité et pour l'éternité. Et tout le peuple dira : que cela soit, que cela soit [d] ! » ; la cinquième partie va de là au dernier psaume qui a pour conclusion : « Que tout ce qui respire loue le Seigneur [e] ! »

LE SENS DES DEUX PREMIÈRES SECTIONS

L'éloignement du mal selon le *Psaume* 1

12. Quel ordre conforme aux règles de l'art nous avons saisi dans ces parties, le moment est donc venu de l'exposer brièvement. Dans la première, il cherche à éloigner ceux qui vivent dans le mal de leur égarement insensé et les attire vers le choix du mieux : il fait en sorte qu'ils n'empruntent plus les chemins trompeurs des impies, qu'ils ne s'arrêtent pas profondément dans la voie mauvaise du péché, qu'ils ne s'adonnent pas à la malice qui se fixe et s'incruste en eux, mais qu'ils s'attachent à la loi divine et accomplissent en eux-mêmes, par la méditation, la marche droite, afin que s'enracine en eux, à la manière d'une plante, leur propension au mieux irriguée par les divins enseignements [a]. La première entrée dans le bien, c'est donc l'éloignement de son contraire : il permet de participer à une réalité meilleure.

La soif de Dieu selon le *Psaume* 41

Celui qui a déjà goûté à la vertu et, par expérience personnelle, a compris la nature du bien, n'est plus tel qu'il faille une contrainte ou une admonestation [b] pour qu'il soit détourné de son inclination pour la malice et vise la vertu, mais il a une soif ardente de s'améliorer. En effet, ce que le désir a d'irrésistible et d'impétueux, le texte le compare à la soif, en allant rechercher parmi les êtres vivants la nature la plus assoiffée pour faire ressortir avant tout l'intensité du désir en le comparant à l'animal qui est la proie d'une soif démesurée. Cet animal, c'est, dit-il, le cerf dont la nature est

GNO 40   ἐδωδῇ τῶν ἰοβόλων θηρίων πιαίνεσθαι. Θερμοὶ δὲ καὶ | δια-
καεῖς οἱ χυμοὶ τῶν θηρίων, ὧν ἐμφαγοῦσα ἡ ἔλαφος, ξηροτέρα
γίνεται κατ' ἀνάγκην φαρμακευθεῖσα τῷ τῶν θηρίων χυμῷ.
25 Καὶ διὰ τοῦτο σφοδρότερον ἐπιθυμεῖ τοῦ ὕδατος, ἵνα θερα-
πεύσῃ τὴν ἐκ τῆς τοιαύτης βρώσεως αὐτῇ ἐγγινομένην
ξηρότητα. Ὁ τοίνυν προτελεσθεὶς τὴν ἐν ἀρετῇ ζωὴν ἐν τῷ
πρώτῳ μέρει τῆς ψαλμῳδίας καὶ τὸ γλυκὺ τοῦ ποθουμένου τῇ
γεύσει γνωρίσας, δαπανήσας δὲ πᾶν ἑρπυστικὸν ἐπιθυμίας
30 εἶδος ἐν ἑαυτῷ καὶ τοῖς τῆς σωφροσύνης ὀδοῦσι διαφαγὼν ἀντὶ
θηρίων τὰ πάθη, διψῇ τῆς τοῦ Θεοῦ μετουσίας πλέον ἢ καθ'
ὅσον « ποθεῖ τὰς πηγὰς τῶν ὑδάτων ἡ ἔλαφος ᶜ ». Ἕπεται δὲ
τῷ τῆς πηγῆς ἐπιτυχόντι μετὰ τὴν ὑπερβάλλουσαν δίψαν
τοσοῦτον σπάσαι τοῦ ὕδατος, ὅσον ἡ ἐπιθυμία κατ' ἐξουσίαν
35 ἐφέλκεται. Ὁ δὲ λαβὼν ἐν ἑαυτῷ τὸ ποθούμενον πλήρης ἐστὶν
οὗ ἐπόθησεν. Οὐ γὰρ καθ' ὁμοιότητα τῆς ἐν σώματι πλησ-
μονῆς κενοῦται πάλιν τὸ πλῆρες γενόμενον οὐδὲ ἀργὸν ἐν
ἑαυτῷ τὸ ποτὸν διαμένει, ἀλλ' ἡ θεία πηγή, ἐν ᾧπερ ἂν
γένηται, πρὸς ἑαυτὴν μεταποιεῖ τὸν ἁψάμενον καὶ συμμε-
40 ταδίδωσι τῆς ἰδίας δυνάμεως ᵈ.

AVB SLQXF

24 κατὰ V ‖ τῷ : τὸ A ‖ 26 αὐτῇ om. v ‖ ἐγγινομένη V · ‖ 28 προτέρῳ Q ‖
29 ἑρπεστικὸν A ἑρπηστικὸν X ‖ 31 διψεῖ AVLX διψᾷ SQv ‖ 34 ἡ om.
SLXF ‖ 35 λαβὼ A ‖ 36 ἐν + τῷ F ‖ σώμασι V ‖ 39 γένηται om. B

c. Ps 41, 2   d. Cf. Jn 4, 13-14

de s'engraisser en mangeant les bêtes venimeuses. Or, les humeurs de ces bêtes sont chaudes et brûlantes ; le cerf, en les avalant, se dessèche inévitablement, puisqu'il est empoisonné par l'humeur de ces bêtes. Voilà pourquoi il a un désir si impétueux de l'eau : il veut guérir le dessèchement qu'a provoqué en lui un tel aliment. Celui, donc, qui a débuté son initiation [1] à la vie vertueuse dans la première partie du Psautier, qui a connu, pour y avoir goûté, la douceur de ce à quoi il aspire, qui a supprimé toute forme rampante de désir en lui et qui, avec les dents de la tempérance, a dévoré, à la place des bêtes, les passions, celui-là a soif de la participation à Dieu plus que « le cerf ne languit après les sources d'eaux [c] ». Aussi celui qui a trouvé la source après avoir éprouvé une soif démesurée n'a plus qu'à puiser de l'eau autant que son désir souverainement l'y attire. Or celui qui a reçu en lui ce à quoi il aspire se remplit de ce à quoi il aspirait, car cette plénitude ne retourne pas au vide comme dans la réplétion corporelle [2], pas plus que la boisson ne reste en elle-même sans effet. Au contraire la source divine, partout où elle se trouve, transforme en elle-même celui qui l'a touchée et lui donne part à sa propre puissance [d].

1. C'est la προτέλεια, le premier degré, préalable de l'initiation. Sur ce terme, voir PHILON, *Congr.* 5 (et M. ALEXANDRE, *OPA* 16, p. 64-65).

2. Les notions de réplétion (πλησμονή) et d'évacuation (κένωσις) étaient importantes dans les travaux des médecins de l'antiquité et dans l'anthropologie platonicienne, cf. *Gorgias* 493 a, où la partie de l'âme désirante est comparée à un tonneau percé qui ne garde rien, mais que l'insensé ne cesse de remplir à cause de sa nature insatiable (cf. l'analyse du plaisir et de la honte au chapitre suivant) ; *Conv.* 186 c, où la médecine est qualifiée de « science des phénomènes érotiques relatifs au corps sous le rapport de la réplétion et de l'évacuation » ; *Phil.* 34 e. Voir Y. BRÈS, *La psychologie de Platon*, Paris 1973², p. 295 s.

ΚΕΦΑΛΑΙΟΝ ϛ'

13. Ἀλλὰ μὴν ἴδιόν ἐστι τῆς θεότητος ἡ ἐποπτικὴ τῶν ὄντων δύναμίς τε καὶ ἐνέργεια. Οὐκοῦν ὁ ἐν ἑαυτῷ ἔχων ὅπερ ἐπόθησε, καὶ αὐτὸς ἐποπτικὸς γίνεται καὶ τὴν τῶν ὄντων διασκοπεῖται φύσιν. Διὰ τοῦτο τοῦ τρίτου τμήματος τῆς ψαλ-
5 μῳδίας ταύτην πεποίηται τὴν ἀρχήν [a], ἐν ᾧ τοῦτο μάλιστα διεξετάζει ὁ λόγος, πῶς τὸ δίκαιον τῆς θείας κρίσεως ἐν τῇ ἀνωμαλίᾳ τοῦ βίου διασωθήσεται, οὐ κατὰ τὴν ἀξίαν τῶν προαιρέσεων τῆς κατὰ τὸν βίον τοῦτον εὐκληρίας ὡς τὰ πολλὰ
GNO 41 τοῖς ἀνθρώποις ἐγγινομένης. Πολλάκις γὰρ περὶ | τὸν αὐτὸν
10 τὰς δύο κατιδεῖν ἔστιν ἀκρότητας, τὸ ἔσχατον ἐν κακίᾳ καὶ τὸ κατὰ τὴν εὐημερίαν ἀκρότατον. Πρὸς ὅν τις βλέπων ὀκλάζει [b] πως τὴν διάνοιαν, μή ποτε κρεῖττον ᾖ τῇ ἀνθρωπίνῃ φύσει τὸ
PG 453 χεῖρον λεγόμενον, καὶ τὸ ἔμπαλιν κακὸν ἐκεῖνο, ὃ ἐν τῇ τοῦ κρείττονος ἀριθμεῖται μοίρᾳ. Εἰ γὰρ ἐπαινεῖται μὲν ἡ δικαιο-
15 σύνη, πράττει δὲ κακῶς ὁ περὶ ταύτην ἐσπουδακώς, διαβάλλε-ται δὲ ἡ κακία καὶ πάντων τῶν σπουδαζομένων διαρκεῖς τὰς ἀπολαύσεις τοῖς περὶ αὐτὴν ἐσπουδακόσι χαρίζεται, πῶς ἔστι

AVB SLQXF

13 2 αὐτῷ QXFv ‖ 3 ἐπεπόθησε Q ‖ 5 ἀρ<χ>ήν V ‖ 9 ἐγγίνεται L ‖ τῶν αὐτῶν AVBL ‖ 10 ἔστιν AXF ‖ τὸ[1] : τὸν AVB ‖ κακίᾳ (ᾳ p.c.) F ‖ τὸ[2] : τὸν AVB ‖ 11 ἀκρότητα X ‖ προσόν AVL πρὸς ὃ QXFv ‖ 12 πως : πρὸς F ‖ ποτε + τὸ XF ‖ 15 ταύτης V[ac] ‖ 16 καὶ : διὰ L ‖ 17 ἐστι F

---

a. Cf. Ps 72, 1   b. Cf. Ps 72, 2

---

1. Le mot *époptie* (cf. 32, 33) apparaît chez Plutarque, Théon, Clément d'Alexandrie et Origène pour désigner la théologie (le mot est emprunté au *Banquet* 210 a), voir I. Hadot, « Les introductions aux commentaires

CHAPITRE VI

LE SENS DE LA TROISIÈME SECTION SELON LE *PSAUME* 72

Le regard visionnaire de l'âme

13. Or le propre de la divinité, c'est la puissance et l'activité contemplatives des êtres [1]. Donc celui qui possède en lui-même ce à quoi il a aspiré, devient à son tour contemplatif et scrute la nature des êtres. Voilà pourquoi le psalmiste a commencé ainsi la troisième section du Psautier [a][2], dans laquelle le texte examine avant tout la façon de préserver le caractère équitable du jugement divin face aux inégalités de la vie, car ce n'est pas d'après la valeur de leurs choix qu'un sort heureux en cette vie échoit la plupart du temps aux hommes. On peut, en effet, souvent observer chez le même homme deux extrêmes, le dernier degré du vice et le sommet de la prospérité. Cette considération fait en quelque sorte fléchir l'esprit [b] : on craint que ne soit finalement mieux pour la nature humaine ce qui est réputé le pire et qu'à l'inverse ne soit un mal ce qui est compté au nombre du mieux. Si, en effet, on loue la justice, mais que celui qui s'y applique vive dans le malheur, si, d'autre part, on dénonce la malice, mais qu'elle gratifie ses zélateurs de jouir suffisamment de tout ce qu'ils recherchent, comment ne pas croire qu'au regard du choix de l'existence la malice vaut mieux que la vertu, que

exégétiques chez les auteurs néoplatoniciens et les auteurs chrétiens », dans *Les Règles de l'interprétation*, éd. M. Tardieu, Paris 1987, p. 117. Le rapport entre puissance et acte, d'origine philosophique, est un motif patristique et grégorien, cf. *Hex* 72 B (et *infra* 41, 25).

2. Le Ps 72, 1 est le suivant : « Comme Dieu est bon pour Israël ! » Or, selon une étymologie répandue depuis PHILON (cf. *Mutat.* 81), Israël signifie « celui qui voit ». Ce dernier hérite de Dieu sa capacité à scruter les êtres.

μὴ προτιμοτέραν πρὸς βίου αἵρεσιν οἴεσθαι τὴν κακίαν τῆς
ἀρετῆς, τὴν κατεγνωσμένην τῆς ἐγκωμιαζομένης [c] ; Ὁ τοί-
20 νυν ὑψηλὸς τὴν διάνοιαν καὶ οἷον ἀπό τινος σκοπιᾶς ἐξεχούσης
τοῖς ἀφεστηκόσι τὸν ὀφθαλμὸν ἐπεκτείνων εἶδεν ἐν ᾧ ἐστι τῆς
κακίας πρὸς τὴν ἀρετὴν τὸ διάφορον, ὅτι ἐκ τῶν ἐσχάτων [d],
οὐκ ἐκ τῶν παρόντων ἡ τούτων γίνεται κρίσις. Τῷ γὰρ ἐποπ-
τικῷ τε καὶ διορατικῷ τῆς ψυχῆς ὀφθαλμῷ ὡς παρὸν κατα-
25 νοήσας τὸ δι᾽ ἐλπίδος τοῖς ἀγαθοῖς ἀποκείμενον [e], καὶ παρ-
ελθὼν τῇ ψυχῇ πᾶν τὸ φαινόμενον, ἐντός τε τῶν οὐρανίων
ἀδύτων παραδὺς [f] καθάπτεται τῆς ἀκρισίας τῶν μικροπρεπῶς
τὴν τοῦ καλοῦ κρίσιν τοῖς αἰσθητικοῖς μορίοις ἐπιτρεπόντων,
δι᾽ ὧν φησιν· « Τί γάρ μοι ὑπάρχει ἐν τῷ οὐρανῷ, καὶ παρὰ σοῦ
30 τί ἠθέλησα ἐπὶ τῆς γῆς [g] ; » Τῷ αὐτῷ μορίῳ τοῦ λόγου τὸ μὲν
οὐράνιον θαυμαστικῶς μεγαλύνων τε καὶ ἐξαίρων τῷ λόγῳ, τὸ
δὲ ἐπὶ γῆς τοῖς τῶν ἀνοήτων ὀφθαλμοῖς σπουδαζόμενον καταφρονητικῶς τε καὶ σκωπτικῶς ἐξευτελίζων τε καὶ μυσαττό-
μενος. Ὡς εἴ τις τῶν ἐν φυλακῇ τεχθέντων μέγα τι κρίνων
35 ἀγαθὸν εἶναι τὸν ζόφον, ᾧ ἐνετράφη τε καὶ συνηύξησεν, εἶτα
τῆς ὑπαίθρου| χάριτος μετασχὼν καταγινώσκει τῆς προτέρας
αὐτοῦ κρίσεως, λέγων οἵων θεαμάτων ἡλίου τε καὶ ἀστέρων
καὶ παντὸς τοῦ περὶ τὸν οὐρανὸν κάλλους προετίθην τὸν
συνήθη ζόφον δι᾽ ἀπειρίαν τοῦ κρείττονος.
40   Οὗ χάριν προκαταγινώσκει τῷ λόγῳ τῆς περὶ τὸ καλὸν ἀκρισίας, κτηνώδη λέγων ἑαυτὸν εἶναι, ἕως ἐν ἐκείνοις τὸ ἀγαθὸν

AVB SLQXF

18 μὴ om. AVB ‖ 19 ὁ : ω vid. F[ac] ‖ 20 κοπιᾶς V ‖ 21 ἴδεν AVv ‖ 22-23 οὐκ
ἐκ τῶν παρόντων post ὅτι F ‖ παρόντων + ἀλλ᾽ F ‖ 25 δὲ vid. F[ac] ‖ 26 τὸ : τι
QF *Don* ‖ 27 ἀκρασίας VBLX ‖ 28 αἰσθητοῖς X ‖ 29 ὣ V ‖ 34 κρίνον A ‖
36 μετέσχων V ‖ 37 ἄστρων S ‖ 38 προετίθη (-θει vid. a.c.) A προετίθει VBL
προετίθουν S ‖ 39 ζόφον om. S ‖ 40 τῆς : τῇ A

c. Cf. Ps 72, 3-16   d. Cf. Ps 72, 17   e. Cf. Col 1, 5   f. Cf. Ps 72, 17   g.
Ps 72, 25

celle qui fait l'objet d'une condamnation vaut mieux que celle qui fait l'objet d'une louange [c] ? Mais l'homme qui a élevé son esprit et qui étend, comme d'un observatoire éminent, son regard sur ceux qui se tiennent au loin voit en quoi consiste la différence entre la malice et la vertu, puisque c'est d'après les réalités dernières [d] et non d'après les réalités présentes que s'opère le discernement entre elles. En effet, grâce au regard contemplatif et visionnaire de son âme, il saisit comme déjà présent ce que l'espérance réserve aux hommes de bien [e] et il franchit grâce à son âme toute l'apparence sensible pour pénétrer dans les sanctuaires célestes [f] ; il blâme alors le manque de jugement de ceux qui ont la mesquinerie de confier le discernement du beau aux organes des sens par ces mots : « Car qu'y a-t-il pour moi dans le ciel et, de toi, qu'ai-je désiré sur la terre [g] ? » Dans le même élément du texte, il célèbre et exalte avec admiration, par son discours, la réalité céleste tout en dépréciant et rendant odieux avec un mépris railleur ce qui sur terre est recherché par les yeux des insensés. Il est comme quelqu'un qui, né en prison [1], aurait tenu pour un grand bien les ténèbres où il a été élevé et a grandi ; prenant part ensuite à la beauté du jour, il condamnerait son précédent jugement en disant : « A quels spectacles – le soleil, les astres, toute la beauté du ciel –, j'ai préféré les ténèbres auxquelles j'étais accoutumé, faute d'avoir connu une réalité meilleure ! »

La juste appréciation des réalités terrestres

C'est pourquoi il condamne tout d'abord par son discours son manque de jugement sur le beau et avoue qu'il était une brute tant qu'il voyait le bien dans ces réalités-là. Et après

---

1. Sur le thème de la prison (cf. *Rsp.* 514-516), voir J. DANIÉLOU, *Être*, p. 167.

ἑώρα. Ἐπεὶ δὲ ἐγένετο μετὰ τοῦ Θεοῦ, Θεὸς δὲ ὁ λόγος [h], καὶ
πρὸς τὸ δεξιὸν ὡδηγήθη, ὁδηγὸς δὲ γίνεται αὐτῷ δεξιὸς διὰ τῆς
βουλῆς ὁ λόγος, καὶ εἶδε τὴν ἐν ἀρετῇ δόξαν, δι᾽ ἧς γίνεται τοῖς
45 πρὸς τὸν οὐρανὸν βλέπουσιν ἡ ἀνάληψις, τότε χρῆται ταῖς
φωναῖς ἐκείναις, ὧν ἡ μὲν ἐν θαύματι ποιεῖται τὸ ἐν οὐρανοῖς
ἀγαθόν, ἡ δὲ τὸ οὐτιδανόν τε καὶ μάταιον τῆς ἠπατημένης περὶ
τὸν βίον σπουδῆς διαπτύει. Ἔχει δὲ πᾶσα ἡ λέξις οὕτως·
« Κτηνώδης, φησίν, ἐγενόμην παρὰ σοί [i] », τὴν ἄλογον ἐν τοῖς
50 τοιούτοις διασημαίνων προσπάθειαν, εἶτα ἐπάγει· « Ἐγὼ δὲ
διὰ παντὸς μετὰ σοῦ [j]. » Τοῦτο δὲ εἰπὼν καὶ τὸν τρόπον τῆς
πρὸς τὸν Θεὸν συναφείας προστίθησιν, ὡς ἂν καὶ ἡμεῖς μάθοιμεν, πῶς ὁ πρότερον κτηνώδης μετὰ ταῦτα τῷ Θεῷ συνάπτε-
ται· « Ἐκράτησας γάρ, φησί, τῆς χειρὸς τῆς δεξιᾶς μου [k]. »
55 Θεοῦ ἀντίληψιν λέγει, τὴν πρὸς τὰ δεξιὰ τῆς διανοίας ὁρμήν·
« Καὶ ἐν τῇ βουλῇ σου ὡδήγησάς με [l] »· οὐ γὰρ ἄνευ θείας βουλῆς γίνεται ἡ ἐπὶ τὸ καλὸν ὁδηγία. « Καὶ μετὰ δόξης προσελάβου με [m] »· καλῶς ἀντιδιαστέλλει τῇ αἰσχύνῃ τὴν δόξαν, ἥτις
PG 456   καθάπερ ὄχημά τι καὶ πτερὸν γίνεται τοῦ ὑπὸ τῆς θείας
60 προσλαμβανομένου χειρός, ὅταν τις ἑαυτὸν τῶν κατ᾽ αἰσχύνην
ἔργων ἀλλοτριώσῃ. Καὶ οὕτω τοῖς ῥηθεῖσιν ἐπήγαγε· « Τί γάρ
GNO 43 | μοι ὑπάρχει ἐν τῷ οὐρανῷ, καὶ παρὰ σοῦ τί ἠθέλησα ἐπὶ τῆς
γῆς [n] ; » Ὃ δὴ ποιοῦσι μέχρι τοῦ νῦν οἱ πολλοὶ τῶν ἀνθρώπων·
τοιούτων αὐτοῖς κατ᾽ ἐξουσίαν ὑπαρχόντων ἐν τῷ οὐρανῷ,
65 ὅμως ἐν εὐχῆς μέρει ποιοῦνται τὸ παρὰ τοῦ Θεοῦ γενέσθαι τὰς
φαντασιώδεις ἀπάτας, δυναστείαν τινὰ ἢ τιμὴν ἢ πλοῦτον ἢ τὸ

AVB SLQXF

43 γίνεται δὲ B ‖ 44 ἴδεν AVLv ‖ τοῖς om. Q ‖ 45 ἡ F^sl ‖ 46 οὐρανοῖς :
ἀνθρώποις AVB ‖ 47 οὗ τι δ᾽ἂν ὂν L ‖ 48 ἡ πᾶσα F ‖ 49 τοῖς V^sl al. man. vid.
‖ 50 διασημένων (-νον a.c.) F ‖ εἶτα ἐπάγει X^mg ‖ δὲ om. V ‖ 51 μετε (sic) V
‖ 52 τὸν om. Q ‖ 53 πρότερον SLXF : πρῶτον AVBQv ‖ 55 τῆς om. L ‖
56 ὁδήγησάς L ‖ με om. Q ‖ 57 ἡ om. v ‖ 57-58 προσελάβου με : προσελάβου-
μαι Q ‖ 58 καλὸς V^ac ‖ 59 ὀχήματι L ‖ 61 ἔργων (ρ sl) V ‖ 62 ὑπάρχει μοι
SLXF ‖ ὑπάρχῃ V^ac ‖ σοῦ : σοὶ AVB

h. Cf. Jn 1, 1   i. Ps 72, 22   j. Ps 72, 23a   k. Ps 72, 23b   l. Ps 72,
24a   m. Ps 72, 24b   n. Ps 72, 25

avoir été avec Dieu – or le Verbe est Dieu [h] –, avoir été
conduit à la droite – le Verbe par son conseil est un guide qui
est à la droite – et avoir vu la gloire qui est dans la vertu, grâce
à laquelle a lieu pour ceux qui ont les yeux fixés sur le ciel
l'adoption, alors il emploie ces paroles : l'une tient pour
admirable le bien qui est dans les cieux, l'autre conspue
l'inanité et la vanité des égarements du zèle qui concerne
cette vie. Tel est l'ensemble du texte : « J'étais une brute près
de toi [i] », dit-il, voulant signifier par de tels propos l'inclination irrationnelle, puis il poursuit : « Mais moi je suis continuellement avec toi [j]. » A ces mots, il ajoute la manière dont
s'effectue le rapprochement avec Dieu, pour que nous aussi
nous apprenions comment celui qui a d'abord été une brute
s'approche ensuite de Dieu : « Tu t'es emparé de ma main
droite [k]. » Il désigne par la saisie de Dieu l'élan de l'esprit
vers ce qui est droit. « Et par ton conseil tu m'as guidé [l] », car
sans conseil divin on n'est pas guidé vers le beau. « Et avec
gloire tu m'as pris en plus avec toi [m]. » Il a raison d'opposer à
la honte la gloire, qui sert en quelque sorte de véhicule ou
d'aile à celui qui est pris par la main de Dieu, quand il s'est
rendu étranger aux actions honteuses. Puis il a poursuivi
ainsi après ce qu'il venait de dire : « Qu'y a-t-il pour moi dans
le ciel et, de toi, qu'ai-je désiré sur la terre [n] », sinon ce que
font jusqu'à aujourd'hui la plupart des hommes ? Alors qu'ils
ont de tels biens à volonté au ciel, ils tiennent cependant
comme un élément de la prière le fait de chercher à obtenir de
Dieu les chimères trompeuses de la domination, des hon-

δύστηνον τοῦτο δοξάριον, περὶ ὃ μέμηνεν ἡ ἀνθρωπίνη φύσις.
Ὁ δὲ ἐν τούτοις γενόμενος δι᾿ ἀκολούθου ἐπάγει τὸ· « Ἐμοὶ δὲ
τὸ προσκολλᾶσθαι τῷ Θεῷ ἀγαθόν ἐστι, τίθεσθαι ἐν τῷ Κυρίῳ
70 τὴν ἐλπίδα μου ° », τοῦτο δεικνύς, ὅτι συμφύεται τρόπον τινὰ
τῷ Θεῷ ὁ πρὸς αὐτὸν διὰ τῶν ἐλπίδων κολλώμενος καὶ ἓν πρὸς
ἐκεῖνον γενόμενος ᴾ.

ΚΕΦΑΛΑΙΟΝ Ζ′

14. Τοιαύτης τοίνυν γενομένης ἐν τῷ τρίτῳ τμήματι τῆς ἐπὶ
τὸ ὕψος ἀνόδου, ὁ ἐπὶ τοσοῦτον ἀναληφθεὶς τὴν διάνοιαν πάλιν
τοῦ ὑπερκειμένου βαθμοῦ λαβόμενος γίνεται αὐτὸς ἑαυτοῦ
μείζων καὶ ὑψηλότερος ἐν τῷ τετάρτῳ μέρει οἰονεὶ τρίτον τινὰ
5 κατὰ τὸν Παῦλον διαβὰς οὐρανὸν ᵃ καὶ τῶν προδιηνυσμένων ὑψωμάτων γεγονὼς ὑψηλότερος. Διαδέχεται γὰρ ταῦτα
οὐκέτι ὁ κοινὸς ἄνθρωπος, ἀλλ᾿ ὁ προσκολληθεὶς ἤδη καὶ
συνημμένος Θεῷ. Φησὶ δὲ οὕτως ὁ λόγος τοῦ ἐφεξῆς μέρους
ἀρχόμενος· « Προσευχὴ τῷ Μωυσῇ ἀνθρώπῳ τοῦ Θεοῦ ᵇ. »
10 Τοιοῦτος γὰρ ἤδη οὗτος, ὡς μηκέτι παιδαγωγεῖσθαι νόμῳ ᶜ,
ἀλλ᾿ εἰσηγητὴς ἑτέροις γίνεσθαι νόμου.
    Οἷος ἦν Μωυσῆς ἐκεῖνος ὁ ὑψηλός, ὃν ἀκούομεν, ὁ τὴν
βασιλικὴν ἀξίαν καθάπερ τινὰ κόνιν περισπασθεῖσαν τῇ βάσει
τῶν ποδῶν ἑκουσίως ἐκτιναξάμενος ᵈ· ὁ τεσσαράκοντα ἔτεσι

AVB SLQXF

71 ὁ om. LXF ‖ 72 γινόμενος SXF
14 4 μείζον Q ‖ 9 μωϋσεῖ V μωσεῖ (ϋσῇ sl S al. man. vid.) SXF μωσῇ Lv
‖ 11 ἀλλὰ SLXF ‖ νόμων SLXF ‖ 12 ἦν + ὁ L ‖ μωσῆς v ‖ ὁ¹ Xˢˡ ‖
13 περιπασθεῖσαν VBSLXF

o. Ps 72, 28   p. Cf. 1 Co 6, 17

a. Cf. 2 Co 12, 2   b. Ps 89, 1   c. Cf. Ga 3, 24-25   d. Cf. He 11, 24-26 ;
Lc 9, 5

neurs, de la richesse ou de cette misérable gloriole pour laquelle la nature humaine est saisie de délire. Mais celui qui se trouve parmi ces biens poursuit logiquement : « Pour moi, le bien c'est de m'attacher à Dieu, de mettre dans le Seigneur mon espérance [o] », montrant que devient d'une certaine manière connaturel à Dieu celui qui s'attache à lui par ses espérances et ne fait plus qu'un avec lui [p].

CHAPITRE VII

Le sens de la quatrième section selon le *Psaume* 89

14. Telle est donc l'ascension vers le sublime qui se produit dans la troisième section. Celui dont l'esprit a été élevé jusque-là, saisissant à nouveau l'échelon supérieur, se grandit lui-même et se rend plus sublime dans la quatrième partie, comme s'il avait franchi un troisième ciel, selon le mot de Paul [a], et qu'il était devenu plus sublime que les hauteurs précédemment parcourues. En effet, ce n'est plus l'homme ordinaire qui accède à ce niveau, mais celui qui a déjà été attaché à Dieu et se trouve tout proche de lui. Voici ce que dit le texte qui ouvre la partie suivante : « Prière à Moïse, homme de Dieu [b]. » Car celui-ci désormais est tel qu'il n'a plus recours à la loi comme pédagogue [c], mais qu'il introduit la loi auprès des autres.

Vie de Moïse

Tel était Moïse, cet homme sublime que nous écoutons : il jeta volontairement à terre la dignité royale comme de la poussière que l'on traîne à la plante de ses pieds [d] ; pendant quarante ans il s'est tenu à l'écart du commerce des hom-

GNO 44   15 τῆς μετὰ | τῶν ἀνθρώπων ἐπιμιξίας ἑαυτὸν ἀποικίσας ᵉ καὶ
μόνος μόνῳ συζῶν ἑαυτῷ καὶ διὰ ἡσυχίας ἀμετεωρίστως τῇ
θεωρίᾳ τῶν ἀοράτων ἐνατενίζων ᶠ· ὁ τῷ φωτὶ μετὰ ταῦτα τῷ
ἀρρήτῳ καταυγασθεὶς ᵍ καὶ τῆς δερματίνης τε καὶ νεκρᾶς
περιβολῆς ἐκλύσας τῆς ψυχῆς τὴν βάσιν ʰ· ὁ τὸν Αἰγύπτιον
20 στρατόν τε καὶ τύραννον ταῖς ἐπαλλήλοις ἐκτρίψας πληγαῖς ⁱ,
τὸν δὲ Ἰσραὴλ ἐλευθερώσας τῆς τυραννίδος διὰ τοῦ φωτὸς καὶ
τοῦ ὕδατος ʲ· ᾧ μετὰ τὴν Αἴγυπτον ὁ χρόνος ἅπας μία κατὰ
τὸ συνεχὲς ἡμέρα ἦν, οὐδέποτε τῆς νυκτὸς μελαινομένης τῷ
ζόφῳ· διεδέχετο γὰρ μετὰ τὸν ἡμερήσιον δρόμον τὰς τῶν
25 ἀκτίνων αὐγὰς ἕτερον φῶς ἐκ νεφέλης καινοτομούμενον, ὥστε
τὸν μὲν ἥλιον κατὰ τὴν ἀναγκαίαν περίοδον αὐτοῖς ἐπιδύεσθαι,
τὸ δὲ φῶς συνεχές τε μένειν καὶ ἀδιάδοχον τῆς ἐκ τοῦ στύλου
λαμπηδόνος ἀδιαστάτως τὰς αὐγὰς τῶν ἡλιακῶν ἀκτίνων
ἐκδεχομένης ᵏ· ὁ τὸ πικρόν τε καὶ ἄποτον ὕδωρ ἡδύνας τῷ
PG 457   30 ξύλῳ ˡ καὶ τὴν πέτραν εἰς πηγὴν τοῖς διψῶσι μεταποιήσας ᵐ· ὁ
τῆς γηΐνης τροφῆς τὴν οὐράνιον διαμειψάμενος ⁿ· ὁ ἐν τῷ θείῳ
γνόφῳ ὀξυωπῶν καὶ βλέπων ἐν αὐτῷ τὸν ἀόρατον ᵒ· ὁ τὴν
σκηνὴν τὴν ἀχειροποίητον ἱστορήσας ᵖ καὶ τὸν ἱερωσύνης
κόσμον ἀξίως κατανοήσας �q· ὁ τὰς θεοτεύκτους πλάκας δεξά-
35 μενος ʳ καὶ συντριβείσας πάλιν ἀναχαράξας ˢ· ὁ τῆς ἐμφανισ-
θείσης αὐτῷ θείας δυνάμεως ἐπὶ τοῦ προσώπου φέρων τὰ

AVB SLQXF

15 ἀποικήσας V ‖ 17 ἀοράτων : ἀρετῶν S ‖ 17-18 τῷ ἀρρήτῳ μετὰ ταῦτα
AQv ‖ 18 δερματίνης : ἐμπαθοῦς VB ‖ τε om. VB ‖ 20 ἐτρίψας (κ sl) V
ἐκτρέψας Χ ‖ 22 τὴν om. Q ‖ μιᾷ L ‖ 22-24 ᾧ – ζόφῳ om. AVB ‖ 23 τῷ :
τὸ F ‖ 26 μὲν om. B ‖ 28 ἀδιστάκτως A ‖ 31 οὐρανίαν VBSLX ‖ τῷ Vᵖᶜ vid.
‖ 32 ἑαυτῷ VᵃᶜF αὐτῷ (spat. uacuum ante α) S ‖ τὸν : τὸ L ‖ 33 τὸν : τῆς V
+ τῆς ABSX ‖ 35 συντριβῆσαι F ‖ 35-36 ἐμφανισθήσεις V

e. Cf. Ex 2, 15 ; Ac 7, 29-30   f. Cf. He 11, 27   g. Cf. Ex 3, 2   h. Cf. Ex 3,
5   i. Cf. Ex 7 – 12   j. Cf. Ex 14, 19-31   k. Cf. Ex 13, 21-22   l. Cf. Ex 15,
23-25   m. Cf. Ex 17, 5-6 ; Nb 20, 8-11   n. Cf. Ex 16   o. Cf. Ex 20, 21
p. Cf. Ex 26   q. Cf. Ex 28   r. Cf. Ex 31, 18   s. Cf. Ex 32, 19 ; 34, 4. 28 ;
Dt 9, 17

mes [e] et, vivant seul à seul [1] avec lui-même, il s'est appliqué dans la tranquillité, sans distraction, à la contemplation des réalités invisibles [f] ; il fut ensuite éclairé par l'éclat de la lumière ineffable [g] et dépouilla les pieds de son âme de leur enveloppe de peau morte [h] ; il anéantit l'armée d'Égypte et son tyran par les plaies successives [i] et il libéra de la tyrannie par la lumière et l'eau Israël [j], pour qui, après l'Égypte, tout le temps n'était qu'une seule journée continue, sans que la nuit soit obscurcie par les ténèbres, car, après la course diurne du soleil, une autre lumière, lumière nouvelle produite par la nuée, remplaçait l'éclat de ses rayons ; ainsi, tandis que le soleil, selon les lois de sa révolution, se couchait sur eux, la lumière restait continue et sans successeur grâce à la luminosité de la colonne qui remplaçait, sans qu'il y ait d'interruption, l'éclat des rayons solaires [k] ; il adoucit par le bois l'eau amère et imbuvable [l] et, pour les assoiffés, il changea le rocher en source [m] ; il reçut en échange de la nourriture terrestre la nourriture céleste [n] ; il porta dans la ténèbre divine un regard perçant et y vit l'invisible [o] ; il observa la tente non faite de main d'homme [p] et il comprit quelle parure convenait au sacerdoce [q] ; il reçut les tables faites par Dieu [r] et, quand elles furent brisées, il les grava à nouveau [s] ; il portait au visage les signes de la puissance divine qui lui était apparue et, par la luminosité qui émanait de lui, tel l'éclat des

1. Sur l'expression d'origine platonicienne, reprise par le néoplatonisme, μόνος μόνῳ, voir A.-J. FESTUGIÈRE, *Révélation*, IV, p. 129 et 272 ; *Antioche païenne et chrétienne*, Paris 1959, p. 223 ; E. R. DODDS, *Les sources de Plotin* (Entretien de la Fondation Hardt V, 1960), p. 16-17.

208   SUR LES TITRES DES PSAUMES (PS 89)

σύμβολα, καὶ τῇ ἐξ αὐτοῦ λαμπηδόνι οἷόν τισιν ἀκτίνων αὐγαῖς
τῶν ἀναξίως ἐντυγχανόντων ἀποστρέφων τὰς ὄψεις ᵗ· ὁ πυρὶ
καὶ χάσματι τοὺς ἐπαναστάντας τῇ ἱερωσύνῃ καταδικάσας
40 καὶ τοὺς εἰς τὴν θείαν χάριν ὑβρίσαντας ἐξαφανίσας ᵘ· ὁ τὴν
γοητείαν τοῦ Βαλαὰμ μεταβαλὼν εἰς εὐσέβειαν ᵛ· οὗ ἡ τελευτὴ
τῆς ζωῆς ἱστόρηται ὑψηλοτέρα· ὁ ἐπὶ τῆς ἀκρωρείας τοῦ ὄρους
GNO 45 | γενόμενος, καὶ μηδὲν ἴχνος, μηδὲ μνημόσυνον τῆς γηΐνης
ἀχθηδόνος τῷ βίῳ ὑπολειπόμενος ᵂ· ὁ μὴ παραλλάξας τὸν
45 χαρακτῆρα τοῦ κάλλους ὑπὸ τοῦ χρόνου, ἀλλὰ διασώσας ἐν τῇ
τρεπτῇ φύσει τὸ ἐν καλῷ ἀναλλοίωτον ˣ.

Οὗτός ἐστιν ὁ τῆς τετάρτης κατάρχων ἡμῖν ἀναβάσεως καὶ
συνεπαίρων ἑαυτῷ τὸν διὰ τῶν τριῶν ἤδη τῶν προδιηνυσμένων ἀνόδων μέγαν γενόμενον. Ὁ γὰρ ἐν τούτῳ τῷ ὕψει
50 γενόμενος μεθόριος τρόπον τινὰ τῆς τρεπτῆς τε καὶ ἀτρέπτου
φύσεως ἵσταται, καὶ μεσιτεύει καταλλήλως τοῖς ἄκροις, τῷ
μὲν Θεῷ ἱκετηρίας ὑπὲρ τῶν ἀλλοιωθέντων ἐξ ἁμαρτίας προσ-
άγων ʸ, τῆς δὲ ὑπερκειμένης ἐξουσίας τὸν ἔλεον ἐπὶ τοὺς
δεομένους τοῦ ἐλέου διαπορθμεύων, ὡς ἂν καὶ διὰ τούτου
55 μάθοιμεν, ὅτι ὅσῳ τις πλέον τῶν χθαμαλῶν τε καὶ γηΐνων
ἀφίσταται, τοσούτῳ μᾶλλον προσοικειοῦται τῇ « πάντα νοῦν
ὑπερεχούσῃ ᶻ » φύσει· καὶ μιμεῖται δι' εὐποιίας τὸ θεῖον,
ἐκεῖνο ποιῶν ὃ τῆς θείας ἐστὶ φύσεως ἴδιον· λέγω δὲ τὸ
εὐεργετεῖν πᾶν τὸ εὐεργεσίας δεόμενον, ὅσον ἐπιδεὲς τῆς
60 εὐποιίας ἐστί.

AVB SLQXF

37 σύμβουλα Vᵃᶜ ‖ τῆς Vᵃᶜ ‖ ἑαυτοῦ SX ‖ αὐγας (ι sl al. man. vid.) V ‖ 40
ἐξυβρίσαντας Q ‖ 42 ἱστορεῖται SL ‖ 43 μηδὲν : μηδὲ L ‖ 44 βίῳ : ἡλίῳ
v ‖ 44-45 τὸν χαρακτῆρα om. S ‖ 46 τὸ : τῷ A ‖ 47 καὶ + ὁ AVBv ‖ 48 τῶν
τριῶν : τὸν τρίτον L τῶν τρίτων XF ‖ τῶν² om. Q ‖ 49 ἀνόδων : ἀγώνων F
αἰώνων v ‖ 55 τίς F ‖ 56 τοσοῦτο A τοσοῦτον VBL ‖ 58 φύσεως ἐστι X ‖ δὲ :
δὴ S ‖ τὸ : τοῦ AVB ‖ 59 πᾶν om. F ‖ 59-60 τῇ (ς sl al. man.) εὐποιίᾳ V

t. Cf. Ex 34, 29-30 ; 2 Co 3, 7   u. Cf. Nb 16, 31-35   v. Cf. Nb 22 – 24
w. Cf. Dt 34, 6   x. Cf. Dt 34, 7   y. Cf. Ex 32, 11-13. 31-32   z. Ph 4, 7

rayons du soleil, il faisait se détourner les yeux de ceux qui étaient indignes de le rencontrer [t] ; il condamna au feu et à l'abîme ceux qui s'étaient révoltés contre le sacerdoce et il fit disparaître ceux qui avaient porté outrage à la grâce divine [u] ; il transforma la magie de Balaam en piété [v]. On rapporte que sa fin fut plus sublime que sa vie : parvenu au faîte de la montagne, il ne laissa à la vie ni trace ni mémorial du fardeau terrestre [w] ; le temps n'altéra pas la beauté qui le marquait, mais il conserva dans la nature muable l'état inaltéré du beau [x] [1].

Moïse médiateur

Tel est celui qui nous donne le signal de la quatrième ascension : il élève avec lui l'homme que les trois précédentes montées ont déjà grandi. Car celui qui est parvenu à cette hauteur se dresse, en quelque sorte, à la frontière de la nature muable et de la nature immuable et il est le médiateur approprié entre les extrêmes : il présente à Dieu des supplications pour ceux qui ont été altérés par le péché [y] et il transmet la compassion de la puissance transcendante à ceux qui ont besoin de cette compassion [2]. Aussi pouvons-nous également apprendre grâce à lui que plus on s'écarte de ce qui est bas et terrestre, plus on s'apparente à la nature « qui surpasse tout esprit [z] » : il imite en bienfaisance la divinité, faisant ce qui est le propre de la nature divine, je veux dire combler de bienfaits tout être qui a besoin d'un bienfait, en proportion du besoin qu'il ressent de cette bienfaisance.

1. Sur ce résumé de la vie de Moïse, voir Introduction, p. 63.
2. Grégoire christianise ce que PLATON dit du démon médiateur, qui, « entre le monde mortel et le monde immortel, a le pouvoir de traduire et de transmettre (διαπορθμεῦον) aux dieux les messages des hommes et aux hommes les messages des dieux » (*Conv.* 202 de). Il est l'héritier de PHILON qui fait jouer ce rôle au Logos-médiateur qui, « se tenant au milieu (μεθόριος) pour séparer le créé du créateur, est à la fois l'intercesseur (ἱκέτης) du mortel [...] et l'ambassadeur du souverain » (*Her.* 205).

15. Τοιαύτην δὴ κατελάβομεν τῆς ψαλμῳδίας ταύτης τὴν ἔννοιαν, ἧς ἡ ἐπιγραφή ἐστιν· « Προσευχὴ τῷ Μωυσῇ ἀνθρώπῳ τοῦ Θεοῦ. » Ἐπειδὴ γὰρ κεκράτητο τῷ τῆς ἁμαρτίας κακῷ τὸ ἀνθρώπινον καὶ τῆς πρὸς τὸ ἀγαθὸν ἑνώσεως ἀπορραγὲν τοῖς ἐναντίοις συνεφύρετο πάθεσι καί τινος ἐδεῖτο πρεσβείας πρὸς τὸν ἀνακαλέσασθαι τῆς ἀπωλείας δυνάμενον, ἀντὶ πρέσβεως ὁ τοῦ Θεοῦ ἄνθρωπος γίνεται, ὑπεραπολογούμενος μὲν τοῦ τῶν ὁμοφύλων πτώματος [a], εἰς δὲ τὸν τῶν ἀπολωλότων οἶκτον δυσωπῶν τὸ θεῖον. Εὐθὺς γὰρ οἷον δικαιολογεῖται πρὸς τὸν ἀκούοντα καί φησι μόνῳ προσεῖναι τῷ Θεῷ
GNO 46 τὸ ἐν | παντὶ ἀγαθῷ πάγιόν τε καὶ ἀκίνητον καὶ ἀεὶ ὡσαύτως ἔχον· ἐν τροπῇ δὲ καὶ ἀλλοιώσει τὸ ἀνθρώπινον κείμενον μηδέποτε ἐπὶ τοῦ αὐτοῦ μένειν, μήτε εἰ πρὸς τὸ κρεῖττον ἀνίοι, μήτε εἰ ἐκπίπτοι τῆς μετουσίας τοῦ κρείττονος. Οὗ χάριν καταφυγὴν εἰς σωτηρίαν ἀξιοῖ κατὰ πᾶσαν γενεὰν γίνεσθαι τοῦ πλανωμένου τὸν ἀμετάθετον.

PG 460 Ἔχει δὲ ἡ λέξις οὕτως· « Κύριε, καταφυγὴ ἐγενήθης ἡμῖν ἐν γενεᾷ καὶ γενεᾷ [b]. » Διὰ τί τοῦτο λέγων ; Ὅτι σύ, φησίν, πρὸ τῆς κτίσεως εἶ, πᾶν τὸ αἰώνιον ἐμπεριέχων διάστημα, ἀφ᾽ οὗ τε ἀρχὴν ἔσχεν ἡ τοῦ αἰῶνος φύσις καὶ εἰς ὅ τι προελεύσεται πέρας· πέρας δὲ τοῦ ἀτελευτήτου ἡ ἀπειρία. « Πρὸ τοῦ ὄρη γάρ, φησί, γενηθῆναι καὶ πλασθῆναι τὴν γῆν καὶ τὴν οἰκουμένην, καὶ ἀπὸ τοῦ αἰῶνος καὶ ἕως τοῦ αἰῶνος σὺ εἶ [c]. » Τὸ δὲ ἀνθρώπινον τῷ τρεπτῷ τῆς φύσεως ἐκ τοῦ ὕψους τῶν ἀγαθῶν

AVB SLQXF T (l. 13)

15 1 δὴ : δὲ SLXF ‖ κατελάβομεν L coni. *Jaeger* : κατελαβόμην cett. ‖ ταύτης : ταύτην B ‖ 2 ἡ om. SQ^{ac}XF ‖ μωϋσεῖ AV μῶ S μωσῇ L μωσεῖ XF ‖ 6 δυνάμενον τῆς ἀπωλείας B ‖ 8 τὸν : τὸ V ‖ 10 ἀκούτα (ον sl al. man. vid.) V ‖ 11 τὸ : τῷ A ‖ ἐν : ἐ V ‖ 13 μήτε T coni. *Don* : μηδὲ cett. ‖ ἀνεῖοι AV ἀνήει B ἂν εἴοι L ‖ 14 μήτε : μήποτε B ‖ ἐκπίπτει B ‖ 16 τὸν : τὸ AQv ‖ 17 δὲ X^{sl} ‖ ἐγεννήθης L ‖ 18 τί V^{sl} al. man. vid. ‖ 19 κτήσεως A ‖ ἐκπεριέχων L ‖ 22 καὶ πλασθῆναι iter. et postea exp. A ‖ 22 τὴν – καὶ om. ex homoeolet. VB ‖ 23 καὶ^{1} om. A ‖ 24 τὸ τρεπτὸν F τὸ τρεπτὸν – ἀγαθῶν F^{mg}

a. Cf. Ex 32, 11-13. 31-32 b. Ps 89, 1 c. Ps 89, 2

15. Voilà comment nous avons compris le sens de ce psaume intitulé : « Prière à Moïse, homme de Dieu. » Quand, en effet, l'humanité s'est trouvée sous la domination du mal constitué par le péché et, qu'arrachée à l'union au bien, elle était empêtrée dans les passions contraires, elle a eu besoin d'une intercession auprès de celui qui était capable de la rappeler de la perdition ; l'homme de Dieu fait alors office d'intercesseur, prenant la défense de ses congénères déchus [a] et importune la divinité pour susciter sa pitié envers les êtres perdus. D'emblée, en effet, comme s'il plaidait sa cause en audience, il affirme que Dieu est seul à posséder la stabilité en toutes formes de bien, l'immobilité et l'identité perpétuelle ; l'humanité, pour sa part, vivant dans la mutation et l'altération, ne demeure jamais dans le même état, soit qu'elle accède à un mieux, soit qu'elle déchoie du mieux auquel elle participait. Voilà pourquoi il demande que l'être immuable soit un refuge de salut à chaque génération pour celui qui erre.

Mutabilité humaine et immutabilité divine

Le texte est le suivant : « Seigneur, tu as été un refuge pour nous de génération en génération [b]. » Pourquoi ces mots ? Parce que toi, dit-il, tu es avant la création, car tu embrasses tout l'intervalle des temps, depuis le moment où la nature du temps a eu un commencement jusqu'à celui où elle s'avancera vers son terme – tandis que le terme pour celui qui est infini, c'est l'indéterminé. Il dit en effet : « Avant que les montagnes naissent et que soient modelés la terre et le monde, depuis l'éternité et pour l'éternité toi, tu es [c]. » L'humanité, au contraire, que le caractère muable de sa

25 πρὸς τὸ ταπεινόν τε καὶ ὀλισθηρὸν τῆς ἁμαρτίας κατενεχθὲν
κατεσύρη· οὐκοῦν ὄρεξον, φησί, χεῖρα ὁ ἄπτωτος τῷ ὀλισθή-
σαντι, ὅπερ εἶ τῇ φύσει, καὶ ἡμῖν τοῦτο γινόμενος, καὶ μὴ
ἀποστρέψῃς αὐτὸν ἐκ τοῦ παρὰ σοὶ ὕψους εἰς τὴν τῆς ἁμαρτίας
ταπείνωσιν ᵈ. Εἶτα τῆς δεσποτικῆς φωνῆς διάκονος γίνεται
30 καὶ προφέρει τὴν φιλάνθρωπον ῥῆσιν λέγων ὅτι· « Καὶ εἶπας·
Ἐπιστρέψατε, υἱοὶ τῶν ἀνθρώπων ᵉ. » Ἡ δὲ τοιαύτη φωνὴ
δόγμα ἐστί· βλέπει γὰρ πρὸς τὴν φύσιν ὁ λόγος καὶ τὴν
θεραπείαν τῶν κακῶν ὑποτίθεται. Ἐπειδὴ γάρ, φησί, τρεπτοὶ
ὄντες τοῦ ἀγαθοῦ ἀπερρύητε, χρήσασθε πάλιν πρὸς τὸ καλὸν
35 τῇ τροπῇ· καὶ ὅθεν ἐκπεπτώκατε, ἐπὶ τὸ αὐτὸ πάλιν ἐπανα-
στρέψατε· ὡς ἐν τῇ προαιρέσει τῶν ἀνθρώπων εἶναι τὸ
GNO 47   ἑαυτοῖς νέμειν| κατ᾽ ἐξουσίαν ἃ βούλονται, εἴτε τὸ ἀγαθὸν εἴτε
τὸ φαῦλον.
    16. Τὸ δὲ ἐφεξῆς ἕτερον δόγμα ἐστί. Φησὶ γάρ· « Ὅτι χίλια
ἔτη ἐν ὀφθαλμοῖς σου ὡς ἡ ἡμέρα ἡ ἐχθές, ἥτις διῆλθε ᵃ », « τὰ
δὲ ἐξουδενώματα αὐτῶν ἔτη ἔσονται ᵇ. » Τί οὖν ἐν τούτοις
δογματικῶς παιδευόμεθα ; Ὅτι τῷ ἐξ ἐπιστροφῆς πάλιν πρὸς
5 τὸ ἀγαθὸν ἀναλύσαντι, κἂν μυρίοις ὁ βίος καταστιχθῇ πλημ-
μελήμασιν, ὡς χιλίων ἐτῶν δοκεῖν εἶναι τῶν κακῶν τὸ
ἄθροισμα, ἀντ᾽ οὐδενός ἐστι τῷ Θεῷ ἐπὶ τοῦ ἐπιστραφέντος· ὁ
γὰρ θεῖος ὀφθαλμὸς τὸ ἐνεστὸς ἀεὶ βλέπει, τὸ δὲ παρῳχηκὸς οὐ
λογίζεται, ἀλλ᾽ ἀντὶ μιᾶς ἡμέρας ἢ μέρους νυκτὸς ᶜ παρὰ τῷ
10 Θεῷ κρίνεται, ἥτις παρείθη τε καὶ παρέδραμε. Τὸ δὲ ἐνεστὸς

AVB SLQXF

25 κατενεχθὲν : προενεχθὲν AVB προσενεχθὲν L παρεχθὲν X ‖ 27 γινόμενος τοῦτο B ‖ γενόμενος S ‖ 28 ἀποτρέψῃς (σ sl) V ‖ σοῦ VB ‖ τὴν + ἐκ
AVBL ‖ 34 χρήσασθαι V ‖ 37 ἑαυτοῖς : ἐν αὐτοῖς AVBL ἐν ἑαυτοῖς S
16 2 ἔτη : ἔτι V ‖ σου + κύριε AQ Don ‖ ὡς ἡ : ὡσεὶ B ὡς S ‖ χθὲς BQF
‖ 3 ἐξουδενώμα V ἐξουδενήματα L ‖ ἔτι Vᵃᶜ (vid.) LQ ‖ 4 τῷ : τὸ V ‖ 5 ἀνα-
δύντι SXF ἀναδύσαντι L ‖ 8 ἐνεστὼς ASLQFv ‖ 10 ἥτις : εἴ τις L ‖ παρῆλθε
ν Don ‖ ἐνεστὼς SQFv

d. Cf. Ps 89, 3a   e. Ps 89, 3b

a. Ps 89, 4ab   b. Ps 89, 5a   c. Cf. Ps 89, 4c

nature a précipitée du sommet des biens sur le terrain bas et
glissant du péché, a été déchue. Tends donc, dit-il, une main,
toi qui ne peux tomber, à celui qui a glissé ; ce que tu es par
nature, sois-le pour nous aussi et ne le repousse pas du
sommet où tu te trouves dans l'humiliation [d] du péché. Puis
il se met au service de la parole du maître et prononce cette
parole d'amitié envers l'humanité en ces termes : « Et tu as
dit : Convertissez-vous, fils d'hommes [e]. » Une telle parole
contient un enseignement doctrinal, car ce texte vise notre
nature et propose la guérison de ses maux. En effet, puisque,
dit-il, du fait de votre nature muable, vous vous êtes détachés
du bien, employez cette mutabilité pour revenir à ce qui est
beau ; et au point même d'où vous êtes tombés, remontez, car
il relève du libre choix des hommes [1] de décider pour eux-
mêmes souverainement ce qu'ils veulent, soit le bien, soit le
mal.

La conversion annule les fautes

16. La suite contient un autre enseignement, car elle dit :
« Parce que mille ans à tes yeux sont comme le jour d'hier qui
a passé [a] », mais « ce qu'ils considèrent comme rien équivaudra à des années [b]. » Quel enseignement doctrinal recevons-
nous donc là ? Celui-ci : dans le cas de l'homme que sa
conversion a fait revenir au bien, sa vie serait-elle souillée par
dix mille fautes au point que l'amas de ses vices semblerait
s'étendre sur mille ans, ce n'est rien pour Dieu du moment
qu'il s'est converti, car l'œil divin contemple toujours le
présent et ne tient pas compte du passé. Au contraire, Dieu
tient celui-ci pour l'équivalent d'un seul jour ou d'une partie
de la nuit [c], qui se sont écoulés et s'en sont allés. Mais le
présent dans le mal, même s'il n'est rien aux yeux méprisants

---

1. Sur cette notion, voir G. Dal Toso, *La nozione di* proairesis *in
Gregorio di Nissa*, Francfort 1998, particulièrement p. 39 s.

214   SUR LES TITRES DES PSAUMES (PS 89)

ἐν κακίᾳ, κἂν ὡς μηδὲν παρὰ τῶν ἁμαρτανόντων ἐξευτε-
λίζηται, ὡς ἐτῶν πλῆθος τῷ Θεῷ καθορᾶται. Φησὶ γὰρ· « Τὰ
ἐξουδενώματα αὐτῶν ἔτη ἔσονται.» Καλῶς δὲ καὶ προσφυῶς
ἐξουδενώματα ὀνομάζει τὰ πλημμελήματα· ὅτι πέφυκέ πως ὁ
15 τὸ κακὸν ἐνεργῶν ἀντ᾽ οὐδενὸς ἡγεῖσθαι τὸ πλημμελούμενον
καί τινας ἑκάστου τῶν κατὰ κακίαν γινομένων παρευρίσ-
κειν ἀπολογίας, ὥστε πρόχειρον εἶναι τὸ ἐφ᾽ ἑκάστῳ λέγειν·
« Οὐδὲν ἡ ἐπιθυμία καὶ οὐδὲν ἡ ὀργὴ καὶ οὐδὲν ἕκαστον τῶν
τοιούτων ἐστί· φύσεως γὰρ ταῦτα κινήματα, ἡ δὲ φύσις ἔργον
PG 461   20 Θεοῦ. Οὐκ ἄν τι τούτων ἕν τινι νομισθείη κακῷ τῷ ἐφορῶντι
τὴν ἀνθρωπίνην ζωήν.» Διὰ τοῦτό φησιν ὅτι τὰ ἐξουδενώματα
ταῦτα, ὅταν παρῇ τῇ προαιρέσει τοῦ ἐνεργοῦντος καὶ μὴ
παρέλθῃ, ὡς πλάτος ἐτῶν παρὰ τῷ θείῳ ὀφθαλμῷ τὰ καθ᾽
ἕκαστον κρίνεται.

17. Πάλιν τὸ παροδικὸν τῆς φύσεως ἡμῶν ὑπογράφει τῷ
λόγῳ, ὡς ἂν μᾶλλον εἰς ἔλεον τὸν Θεὸν δυσωπήσειε. Λέγει
GNO 48   γάρ, ἐναργῶς ὑπ᾽ ὄψιν ἄγων τῷ ὑποδείγματι, τί χρὴ νομίζειν|
εἶναι τὴν τῆς φύσεως ἡμῶν ἀθλιότητα, πρωίαν καὶ ἑσπέραν,
5 τουτέστι νεότητα καὶ γῆρας· χλόην ἐν τῷ ὄρθρῳ καὶ ἄνθος καὶ
πάροδον. Καὶ μετὰ τοῦτο τῆς κατὰ τὴν ἡλικίαν νοτίδος ἀνα-
λωθείσης καὶ τοῦ φυτοῦ ἀπανθήσαντος τῆς τε συμφυοῦς ὥρας
διαπνευσθείσης, ξηρότης καὶ μαρασμὸς τὸ λειπόμενον. Οὕτω
γάρ φησιν ὁ λόγος ὅτι· « Τὸ πρωὶ ὡσεὶ χλόη παρέλθοι, τὸ πρωὶ
10 ἀνθήσαι καὶ παρέλθοι, τὸ ἑσπέρας ἀποπέσοι, σκληρυνθείη καὶ
ξηρανθείη ᵃ.» Τοῦτο ἡ ἀνθρωπίνη φύσις. Ἐν δὲ τοῖς ἐφεξῆς
πλέον κατοικτίζεται τὸ ἀνθρώπινον, λέγων δεδαπανῆσθαι τῇ

AVB SLQXF T (l. 10)

11 παρὰ om. F ‖ 11-12 ἐξευτελίζεται AVBL ‖ 13 ἔτι L ‖ 17 τὸ : τῷ V ‖
18 ἕκασ (τὸν sl al. man.) V ‖ 20 οὐκ : διὸ praem. S ‖ ἄν (ν sl) V ‖ τι : τις Α ‖ 22
ταῦτα : αὐτῶν A ‖ 23 αἴτων Q
17 1 τὸ : τῷ F ‖ 4 εἶναι om. A ‖ 8 ξηρότητος Q ‖ 9 ὅτι (ὁ p.c.) F ‖ τὸ¹ : τῷ
LX ‖ ὡσεὶ : ὡς ἡ AV om. Q (vid.) XFv ‖ χλόη om. Q (vid.) XFv ‖ παρέλθοι
– πρωὶ om. AQXFv ‖ τὸ² : τῷ L ‖ 10 ἀνθήσαι T : om. A ἀνθήσοι VBLQFv
ἀνθήσει SX ‖ καὶ¹ om. A ‖ 10-11 καὶ ξηρανθείη Fᵐᵍ ‖ 12 κατοικίζεται A
κατοικτειρίζεται L ‖ λέγω V

a. Ps 89, 5-6

des pécheurs, Dieu le regarde comme une foule d'années. Il
dit en effet : « Ce qu'ils considèrent comme rien équivaudra à
des années. » C'est de manière heureuse et avec à propos qu'il
nomme les fautes des riens, car c'est, en quelque sorte, dans
la nature de celui qui commet le mal de tenir pour rien la
faute et pour chacun des actes que guide la malice de trouver
des justifications, si bien qu'il a une réponse prête pour
chacun : « Le désir n'est rien, la colère n'est rien et chaque
chose de ce genre n'est rien, car ce sont des mouvements de la
nature et la nature est l'œuvre de Dieu. Pas un de ces mouvements ne saurait passer pour un vice aux yeux de celui qui
veille sur l'existence humaine. » C'est pourquoi il affirme que
ces riens, quand ils sont présents par le libre choix de celui
qui les commet et n'appartiennent pas au passé, sont tenus
chacun par l'œil divin comme l'équivalent d'une quantité
d'années.

La misère de l'homme

17. Il décrit à nouveau le caractère passager de notre
nature dans son discours, pour importuner Dieu et susciter
davantage sa pitié. Il dit en effet, en le donnant clairement à
voir par un exemple, en quoi consiste, il faut bien l'admettre,
la misère de notre nature : elle est un matin et un soir,
c'est-à-dire jeunesse et vieillesse, jeune pousse à l'aurore qui
fleurit, puis qui passe. Puis, quand l'humidité de son jeune
âge a disparu, que la plante s'est fanée et que la saison de la
croissance s'est évaporée, ce n'est plus que sécheresse et
consomption. Le texte est, en effet, le suivant : « Le matin,
comme une pousse, il peut s'élancer, le matin il peut fleurir et
s'élancer, le soir il peut tomber, devenir rigide et se dessé-
cher [a]. » Telle est la nature humaine. Dans ce qui suit, il se
lamente encore davantage sur l'humanité : par la colère,
dit-il, les hommes ruinent leur existence, qui est agitée,

ὀργῇ τὴν τῶν ἀνθρώπων ζωὴν οἷόν τινι ἀνέμῳ τῇ τοῦ θυμοῦ προσβολῇ χειμαζομένην. Δῆλον δὲ ὅτι διὰ τῆς ὀργῆς καὶ τοῦ
15 θυμοῦ τὴν ἀποστατικὴν διασημαίνει ἐνέργειαν, δι' ἧς ἔκλειψις μὲν γίνεται τῆς ζωῆς τοῖς ἀνθρώποις, ταραχὴ δὲ τοῦ ἡσυχάζοντος. Οὕτω δὲ ἡ λέξις ἔχει, ὅτι « Ἐξελίπομεν ἐν τῇ ὀργῇ σου καὶ ἐν τῷ θυμῷ σου ἐταράχθημεν [b]. »

Καὶ τούτοις ἐπάγει δι' ἀκολούθου τὸ μὴ πρέπειν Θεῷ θέαμα
20 ποιεῖσθαι τὴν ἀνθρωπίνην κακίαν, μηδὲ δεῖν φαίνεσθαι τῷ ἀκηράτῳ προσώπῳ τὸν ἐμμολυνθέντα ταῖς ἁμαρτίαις ἡμῶν αἰῶνα [c]. Λέγει δὲ οὑτωσὶ τῇ φωνῇ τὴν τοιαύτην ἑρμηνεύων διάνοιαν· « Ἔθου τὰς ἀνομίας ἡμῶν ἐναντίον σοῦ [d]. » Ὡς ἂν εἴ τις τὸ ἵνα τί προσθεὶς ἐπὶ τὸ σαφέστερον προάγοι τὸν λόγον,
25 ὡς εἶναι τοιαύτην τοῦ ῥήματος τὴν διάνοιαν, ὅτι ' Σοὶ πρέπει τὰ καλὰ ἐν ὀφθαλμοῖς ἔχειν, τὸ δὲ ἄνομον τοῦ παρὰ σοῦ ὁρᾶσθαι ἀνάξιον. Τοιοῦτον οὖν ποίησον τὸ ἀνθρώπινον, ὡς τῆς σῆς ἐπισκοπῆς μὴ ἀνάξιον εἶναι, ἀλλὰ γενέσθαι τὸν αἰῶνα ἡμῶν τοῦ σοὶ φαίνεσθαι ἄξιον· ὡς τό γε νῦν ἔχον « πᾶσαι αἱ
30 ἡμέραι ἡμῶν ἐξέλιπον [e]. » Τὸ γὰρ ἐν σοὶ μὴ εἶναι, οὐδέ ἐστιν
GNO 49 ὅλως εἶναι.' Ὧν γὰρ ἐπικρατήσει ἡ τῆς ὀργῆς | δυναστεία, ἀνυπόστατός τε καὶ σκιοειδής ἐστιν ἡ ζωὴ καθ' ὁμοιότητα τοῦ ἀραχνίου νήματος· ὡς γὰρ ἐκεῖνο φαίνεται μέν, ἕως ἂν συνεστὸς τύχῃ, εἰ δέ τις ἐπαγάγοι τὴν χεῖρα, παραχρῆμα πρὸς τὴν
35 ἐπαφὴν τῶν δακτύλων διαρρυὲν ἀφανίζεται· οὕτως καὶ ὁ ἀνθρώπινος βίος ταῖς ἀνυποστάτοις σπουδαῖς οἷόν τισιν ἐναερίοις νήμασιν ἀεὶ συμπλεκόμενος μάτην ἐξυφαίνει ἑαυτῷ τὴν

AVB SLQXF

15 διασημαίνειν A διασημαίνων B ‖ 16 ἐγγίνεται S ‖ 17 ὅτι om. Qv ‖ ἐξελείπομεν AL ‖ 22 οὕτως AVBL (vid.) ‖ 26 τοῦ om. QXFv ‖ σοῦ : σοι S ‖ 27 τὸ : τὸν V^{ac} ‖ 28 σῆς om. SLQFv X^{mg} ‖ 28-30 ἀλλὰ — εἶναι om. ex homoeotel. A ‖ 29 ἔχων X^{ac} ‖ 32 ἀνυπόστατός : ἡ praem. V ‖ τε om. QFv ‖ σκιώδης F ‖ 33-34 συνετὸς V συνεστὼς SLQXFv ‖ 34 ἐπάγοι S ‖ 36-37 ἐναερίοις : ἀραχνίοις QF ‖ 37 ἑαυτῷ : αὐτῷ A om. QFv

---

b. Ps 89, 7   c. Cf. Ps 89, 8b   d. Ps 89, 8a   e. Ps 89, 9a

comme par une bourrasque, par des accès de fureur. Il est clair que par la colère et la fureur il désigne l'activité de rébellion, qui consume l'existence humaine et bouleverse la personne calme. Le texte est le suivant : « Nous avons été consumés par ta colère et par ta fureur nous avons été bouleversés [b]. »

Là-dessus, il ajoute logiquement qu'il ne convient pas d'offrir à Dieu le spectacle de la malice humaine pas plus qu'il ne faut présenter devant sa face pure notre temps [c] souillé par nos péchés. En prononçant la parole suivante, il traduit un tel sens : « Tu as mis nos iniquités devant toi [d] ». Comme on le verrait si on ajoutait « en vue de quoi » pour donner plus de clarté au discours, de telle sorte que le sens de l'expression soit le suivant : ' Il te convient d'avoir ce qui est beau sous les yeux, mais ce qui est inique est indigne d'être vu de toi. Fais donc en sorte que l'humanité ne soit pas indigne de ton attention, mais que notre temps soit digne de paraître devant toi, car, dans l'état actuel, ' tous nos jours ont été consumés [e]. ' En effet, n'être pas en toi, c'est aussi bien n'être absolument pas. ' Car, pour ceux que dominera la force de la colère, l'existence est sans fondement, elle a l'apparence d'une ombre, pareille aux fils d'une toile d'araignée. Ceux-ci, en effet, restent visibles tant qu'ils conservent leur consistance, mais qu'on avance la main, aussitôt, au contact des doigts, ils se déchirent et disparaissent ; de la même façon, la vie humaine, sans cesse prise dans l'entrelacs d'ardeurs sans fondement semblables à des fils aériens, se tisse en vain une toile inconsistante ;

ἀνύπαρκτον ἱστουργίαν. Οὗπερ εἴ τις καθάψαιτο στερρῷ
λογισμῷ, διαδιδράσκει τὴν λαβὴν ἡ ματαία σπουδὴ καὶ εἰς
40 οὐδὲν ἀφανίζεται· πάντα γὰρ τὰ κατὰ τὴν ζωὴν ταύτην σπου-
PG 464   δαζόμενα οἴησίς ἐστι καὶ οὐχ ὑπόστασις· οἴησις ἡ τιμή, τὸ
ἀξίωμα, τὸ γένος, ὁ τῦφος, ὁ ὄγκος, ὁ πλοῦτος, πάντα τὰ
τοιαῦτα οἷς ἐμμελετῶσιν αἱ τοῦ βίου ἀράχναι [f], οὗ χάριν τὰ
τοιαῦτα Θεοῦ δεῖται τοῦ θεραπεύοντος. Ταύτην γὰρ ἡγοῦμαι
45 τοῦ ῥητοῦ τὴν διάνοιαν τοῦ λέγοντος ὅτι « Αἱ ἡμέραι τῶν ἐτῶν
ἡμῶν ἐν αὐτοῖς ἑβδομήκοντα ἔτη· ἐὰν δὲ ἐν δυναστείαις ὀγδοή-
κοντα ἔτη, καὶ τὸ πλεῖον αὐτῶν κόπος καὶ πόνος [g]. » Οὐχ ὅτι
τῷ ὑπὲρ τὸ μέτρον τοῦτο ζῶντι ὁ βίος ἐπίπονος, ἀλλ' ὅτι τῆς
οὕτω βραχείας ζωῆς ἐν κόπῳ τὸ πλέον ἐστὶ καὶ πόνῳ. Πόνος,
50 ἡ νηπιότης· κόπος, ἡ νεότης· ὁ ἐν τῷ μέσῳ βίος πλέον τοῖς
πόνοις ἐνδαψιλεύεται. Τὸ δὲ γῆρας διαφερόντως αὐτῇ τῇ
πολιᾷ καὶ ταῖς ῥυτίσι τὸν πλεονασμὸν τοῦ κόπου μαρτύρεται.
18. Πάλιν ἕτερον ἐπινοεῖ τρόπον, ὅπως ἂν τοῖς ἀνθρώποις
ἱλεωθείη τὸ θεῖον. Τοιαύτη δὲ τῶν λεγομένων ἐστὶν ἡ διάνοια·
ὁ μὲν τῶν ἁμαρτιῶν ἡμῶν ὄγκος μεγάλην ἐφέλκεται τὴν τιμω-
ρίαν· οὐτιδανὴ δὲ τῆς φύσεως ἡ ὑπόστασις, ὡς μὴ χωρῆσαι τὴν
5 κατ' ἀξίαν ἐπὶ τοῖς πλημμεληθεῖσιν ὀργήν. Ἀλλὰ κἂν πρᾶον ᾖ
τὸ ἐπαγόμενον εἰς τιμωρίαν ἡμῖν, ἱκανὸν ἔσται πρὸς παιδείαν
GNO 50   τοῖς ὑπομένουσιν· εἰ οὖν τὸ | πρᾶον τῆς ἀντιδόσεως πρὸς παί-
δευσίν τε καὶ τιμωρίαν ἐξήρκεσεν, τίς τὸ κράτος τῆς ὀργῆς
ὑποστήσεται ; Ἢ τίς ἀριθμὸς τοῦ θυμοῦ τὸν φόβον ἐκμετρῆ-
10 σαι δυνήσεται ; Εἰ οὖν ἀνυπόστατος μὲν ἡ ὀργή, χωρητὴ δὲ ἡ
κατὰ φιλανθρωπίαν ἐνέργεια, οὕτως γνώρισον ἡμῖν τὴν δεξιάν
σου, ὡς χωρῆσαι δυνάμεθα ἐν σοφίᾳ, οὐκ ἐν τιμωρίᾳ, παρὰ σοῦ
τῆς παιδεύσεως ἡμῖν ἐνεργουμένης. Προεκτεθείσης τοίνυν
ἡμῖν τῆς διανοίας, ἀκόλουθον ἂν εἴη καὶ αὐτὰ ἐπαγαγεῖν τὰ

AVB SLQXF

38 καθάψαιτο S *Don* : καθάψοιτο cett. ‖ 39 διαδιδράσκοι F ‖ 43 τοιαῦτα
om. F *Don* ‖ 44 τοιαῦτα + τοῦ LQF *Don* ‖ τοῦ om. LQFv *Don* ‖ 46-47 ἐὰν –
ἔτη om. ex homoeolet. Q ‖ 48 τῷ : τὸ AVQ ‖ τοῦτο : τοῦ τῷ L ‖ 49 βραχεία
(ς sl) V ‖ πλεῖον AVB
18 12 τιμωρία : τῇ μωρίᾳ A ‖ 13 ἐνεργουμένης ἡμῖν S ‖ ἡμῖν om. XF

f. Cf. Ps 89, 9c   g. Ps 89, 10a-c

qu'on la saisisse avec un raisonnement ferme, cette vaine
ardeur échappe à la prise et disparaît dans le néant. Car tout
ce qui fait l'objet d'une ardente recherche dans cette forme
d'existence est opinion et non fondement : opinions que
l'honneur, le rang, la naissance, les fumées de l'orgueil, le
faste, la richesse et toutes les réalités de ce genre auxquelles
s'appliquent les araignées [f] de la vie. C'est pour cette raison
que de telles choses réclament les soins de Dieu. Tel est, en
effet, selon moi, le sens du passage qui dit : « Les jours de nos
années parmi eux ? Soixante-dix ans ; pour les plus robustes,
quatre-vingts, et leur part plus grande n'est que souffrance et
peine [g]. » Ce n'est pas que la vie soit particulièrement pénible
pour celui qui vit au-delà de cette limite, mais que la plus
grande part d'une vie si courte se passe dans la souffrance et
la peine. Peine, la prime enfance ; souffrance, la jeunesse ; le
milieu de la vie est encore plus prodigue en peines ; quant à la
vieillesse, à un degré supérieur, avec ses cheveux blancs et ses
rides, elle atteste la prédominance de la souffrance.

L'éducation divine

18. A nouveau, il songe à un autre moyen de rendre la
divinité favorable aux hommes. Tel est le sens de ce qui est
dit : la masse de nos péchés attire un lourd châtiment, mais la
résistance de notre nature est si faible qu'elle ne peut recevoir
la colère qui s'exercerait selon ce qu'ils méritent sur les
fautifs. Cependant, si doux que soit ce qui s'applique à nous
en guise de châtiment, ce sera suffisant pour éduquer ceux
qui le subissent. Si donc la douceur de la rétribution a suffi
pour éduquer comme pour châtier, qui résistera à la force de
la colère ? Quel nombre pourra mesurer la crainte que produit la fureur ? Si donc on ne peut résister à la colère, mais
qu'on puisse recevoir l'acte de ton amitié, fais-nous connaître
ainsi ta droite, de telle sorte que nous puissions la recevoir
tandis que dans la sagesse et non dans le châtiment tu accom-
plirais notre éducation. Puisque donc nous avons exposé le
sens du texte, il serait logique de présenter les paroles inspi-

15 θεόπνευστα ῥήματα τοῦτον ἔχοντα τὸν τρόπον· « Ὅτι ἐπῆλθε
πραότης ἐφ᾽ ἡμᾶς καὶ παιδευθησόμεθα. Τίς γινώσκει τὸ
κράτος τῆς ὀργῆς σου, καὶ ἀπὸ τοῦ φόβου σου τὸν θυμόν σου
ἐξαριθμήσασθαι ; Τὴν δεξιάν σου οὕτως γνώρισόν καὶ τοὺς
πεπαιδευμένους τὴν καρδίαν ἐν σοφίᾳ ἐπίστρεψον [a]. » Καλὴ δὲ
20 ἡ λέξις ἡ κατὰ τὸ ἀκόλουθον ἐπαχθεῖσα τοῖς εἰρημένοις. Λέγει
γὰρ ὅτι οὐ χωροῦμεν δι᾽ ἀσθένειαν φύσεως τὸ τῆς ὀργῆς
μέγεθος, ὃ κινεῖ καθ᾽ ἡμῶν ἡ ἁμαρτία, χρήζομεν δὲ τοῦ παι-
δευθῆναι. Παιδευσάτω ἡμᾶς ἡ δι᾽ ἐπιστροφῆς σωτηρία
μᾶλλον ἤπερ ἡ ἐπὶ τοῖς ἁμαρτήμασιν ἡμῶν τιμωρία. Οὐκοῦν
25 ἐπίστρεψον ἡμᾶς, Κύριε, μηδὲν πρὸς τὴν χάριν ἀναβαλλό-
μενος· τὸ γὰρ « Ἕως πότε » σημαίνει τὸ ἐπισπεῦσαι τὴν
χάριν, « Καὶ παρακλήθητι, φησίν, ἐπὶ τοῖς δούλοις σου [b]. » Οὐ
γὰρ ἀλλοτρίοις, φησίν, ἀλλ᾽ ἰδίοις καταλλαγήσῃ δούλοις.

19. Εἶτα ὡς τυχὼν ἤδη τῆς χάριτος καὶ ἰδὼν ἐκεῖνο τὸ φῶς,
δι᾽ οὗ τὸ σκότος τῶν ἐν τῷ βίῳ πλανωμένων καταφωτίζεται,
καὶ ὅθεν τε ἡ κατ᾽ ἀρετὴν ἡμέρα ἄρχεται, « Ἐνεπλήσθημεν,
φησίν, τὸ πρωῒ τοῦ ἐλέους σου, καὶ ἠγαλλιασάμεθα καὶ εὐφρ-
5 άνθημεν, ἐν πάσαις ταῖς ἡμέραις ἡμῶν εὐφράνθημεν [a]. » Διε-
δέξατο γὰρ ἡ ἐν σοὶ χαρὰ τὸν ἐν τῇ ταπεινώσει τῆς | ἁμαρτίας
χρόνον, καὶ παρῆλθε τὰ τῆς κακίας ἔτη. Οὕτω γὰρ νοοῦμεν τὸ
« Ἀνθ᾽ ὧν ἡμερῶν ἐταπείνωσας ἡμᾶς, ἐτῶν ὧν εἴδομεν
κακά [b]. » Καὶ οὕτω θαρσεῖ, τέκνα τῶν ἔργων τοῦ Θεοῦ τοὺς δι᾽

GNO 51
PG 465

AVB SLQXF

16 ἐφ᾽ἡμᾶς om. L ‖ 18 γνώρισόν + μοι AQXˢˡ Don ‖ 19 πεπεδημένους
AVBSL ‖ τῇ καρδίᾳ AVBL ‖ ἐπίστρεψον om. A ‖ 24 ἤπερ Q ‖ ἡ om. Q ‖ 25-26
ἀναβαλόμενος S ‖ 27 τοὺς δούλους VB ‖ 28 καταλλαγήσει L
19 3 κατὰ QF ‖ 4 τὸ : τῷ LQF ‖ σου + κύριε S ‖ 5 ἐν − εὐφράνθημεν
om. ex homoeolet. AQv ‖ εὐφράνθημεν² : εὐφράθημεν V ‖ 6 ἡ X̄ˢˡ ‖ 7 τὰ Fˢˡ ‖
8 ἐτῶν : ἐκ τῶν V ‖ ἴδομεν ALX ἴδωμεν V ‖ 9 θάρσει L

a. Ps 89, 10d-13   b. Ps 89, 13
a. Ps 89, 14-15   b. Ps 89, 15

rées elles-mêmes qui ont cette forme : « Parce que la douceur est venue sur nous, nous serons aussi éduqués. Qui connaît la force de ta colère et apprend par la peur que tu inspires à évaluer ta fureur ? Fais connaître ainsi ta droite et convertis ceux dont le cœur a été éduqué dans la sagesse [a]. » C'est alors un beau texte qui prend logiquement la suite de ce qui vient d'être dit. Il affirme, en effet, que nous ne pouvons pas recevoir, à cause de la faiblesse de notre nature, la grandeur de la colère que suscite contre nous le péché, mais que nous avons besoin d'être éduqués. Puisse le salut opéré par la conversion nous éduquer plutôt que le châtiment pour nos péchés. Aussi, convertis-nous, Seigneur, sans différer ta grâce, car les mots « Jusques à quand » indiquent l'empressement de la grâce ; « Et laisse-toi fléchir, dit-il, pour tes serviteurs [b]. » Ce n'est pas, en effet, avec les serviteurs d'autrui, dit-il, mais avec les tiens propres que tu te réconcilieras.

La lumière divine

19. Ensuite, comme s'il avait déjà reçu la grâce et qu'il voyait cette lumière qui illumine l'obscurité où vivent ceux qui errent et qui permet au jour vertueux de commencer, il dit : « Nous avons été comblés au matin de ta compassion, nous avons connu la joie et l'allégresse, tout au long de nos jours nous avons été dans l'allégresse [a]. » Car la joie qui se trouve en toi a succédé au temps passé dans l'humiliation du péché et les années de malice s'en sont allées. C'est ainsi, en effet, que nous comprenons les mots : « Au lieu des jours où tu nous as humiliés, des années où nous avons vu le malheur [b]. » Et ainsi il est plein de confiance puisqu'il nomme

10 ἐπιστροφῆς πεφωτισμένους κατονομάζων. « Ἴδε γάρ, φησίν,
ἐπὶ τοὺς δούλους σου καὶ ἐπὶ τὰ ἔργα σου ᶜ »· τοὺς περὶ τὸν
Ἀβραὰμ πατριάρχας ἐνδείκνυται. Οὗτοι γὰρ ὡς ἀληθῶς Θεοῦ
ἔργα εἰσί. « Καὶ ὁδήγησον τοὺς υἱοὺς αὐτῶν ᵈ. » Οἱ γὰρ τὰ
ἔργα ποιοῦντες τοῦ Ἀβραὰμ τέκνα γίνονται τῶν πατριαρχῶν,
15 δι' ἀρετῆς πρὸς τὴν συγγένειαν αὐτῶν εἰσποιούμενοι ᵉ. Εἶτα
τοῖς τελευταίοις συνάπτει διὰ καθαρότητος τῷ Θεῷ τὸ
ἀνθρώπινον, ἐπευχόμενος τοῦ Θεοῦ τὴν λαμπρότητα καὶ τῷ
ἡμετέρῳ βίῳ διὰ καθαρᾶς ζωῆς ἐπαστράπτειν· « Ἔστω γάρ,
φησίν, ἡ λαμπρότης Κυρίου τοῦ Θεοῦ ἡμῶν ἐφ' ἡμᾶς ᶠ », ὡς
20 πάντα τὰ ἐπιτηδεύματα τῆς ζωῆς ἡμῶν καρπὸν φέρειν σωτήριον ᵍ καὶ πάντα ἃ πράττομεν πρὸς ἕνα σκοπὸν βλέπειν. Διὰ
τοῦτο πληθυντικῶς εἰπὼν ὅτι « Καὶ τὰ ἔργα τῶν χειρῶν ἡμῶν
κατεύθυνον ἐφ' ἡμᾶς », εἰς ἓν ἔργον τὰ πολλὰ συστείλας
ἐπάγει, ὅτι « Καὶ τὸ ἔργον τῶν χειρῶν ἡμῶν κατεύθυνον ʰ. »
25 Ἡ γὰρ ποικίλη τε καὶ πολυειδὴς τῶν ἀρετῶν ἐπιμέλεια ἓν
ἔργον γίνεται. Τοῦτο δέ ἐστιν ἡ τοῦ κατορθοῦντος σωτηρία.

Οὕτω δὲ τετάρτῳ βαθμῷ τῆς ψαλμικῆς ἀναβάσεως ἐπάρας
ὁ προφήτης τῶν συνανιόντων αὐτῷ τὴν διάνοιαν, καὶ ὑπερθεὶς
πάσης τῆς κατὰ τὸν βίον τοῦτον σπουδαζομένης τοῖς πολλοῖς
30 ματαιότητος, ἐν τῷ δεῖξαι τὴν ἀραχνώδη τε καὶ ἀνυπόστατον
τοῦ ὑλικοῦ βίου ἀπάτην εἰς οὐδὲν πέρας ἀγαθὸν προϊοῦσαν τοῖς
ματαιάζουσι.

AVB SLQXF

14 γίνονται + καὶ SQFv ‖ τῷ (v sl al. man. vid.) V ‖ 15 πρὸς : εἰς Q ‖ εἶτα
+ ἐν v Don ‖ 18 καθαρᾶς ζωῆς : καθαρότητος F ‖ ἀπαστράπτειν V ‖
19 κυρίου Xˢˡ ‖ 20 καρποφορεῖν L ‖ 21 βλέπειν : φέρεσθαι QF ‖ 22 ἔργα (ρ sl)
V ‖ 23 ἓν om. AVBL ‖ συντείνας vid. L ‖ 25-26 ἓν ἔργον : ἐνεργὸς AVBv
ἐντεῦθεν L ἐν ἔργῳ vid. Q ‖ 28 ὑπερθείας V ‖ 30 ἀραχνιώδη LQXFv ‖
31 ἀγαθῶν AVBL

c. Ps 89, 16a   d. Ps 89, 16b   e. Cf. Jn 8, 39   f. Ps 89, 17a   g. Cf. Jn 15,
2   h. Ps 89, 17bc

enfants des œuvres de Dieu ceux que la conversion a illumi-
nés. Il dit en effet : « Jette un regard sur tes serviteurs et
tes œuvres [c] », désignant les patriarches réunis autour
d'Abraham, car ce sont eux, véritablement, les œuvres de
Dieu. « Et guide leurs fils [d] », car ceux qui font les œuvres
d'Abraham deviennent les enfants des patriarches, introduits par la vertu dans leur famille [e]. Puis, dans ses dernières
paroles, il rapproche par la pureté l'humanité de Dieu, en
priant pour que l'éclat de Dieu fasse briller aussi notre vie
par une existence pure. Il dit en effet : « Que l'éclat du
Seigneur notre Dieu soit sur nous [f] », de manière à ce que
toutes les occupations de notre existence portent un fruit de
salut [g] et que toutes nos activités visent un seul but. C'est
pourquoi il dit en employant le pluriel : « Et les œuvres de
nos mains dirige-les pour nous », puis il ajoute après avoir
rassemblé leur grand nombre en une seule œuvre : « Et
l'œuvre de nos mains dirige-la [h]. » Car le soin multiple et
varié des vertus constitue une seule œuvre, qui est le salut de
celui qui les accomplit.

Ainsi un quatrième échelon dans l'ascension psalmique a
permis au prophète d'élever la pensée de ceux qui montent
avec lui et de la placer au-dessus de toute la vanité que
recherche le grand nombre dans cette vie, en montrant que le
caractère trompeur, arachnéen et sans fondement de la vie
matérielle ne mène à aucun terme qui soit bon ceux qui
poursuivent les choses vaines.

ΚΕΦΑΛΑΙΟΝ Η΄

GNO 52   **20.** | Δι' ἀκολούθου καθάπερ τινὶ κορυφῇ τῷ ὑψηλοτάτῳ
τῆς θεωρίας βαθμῷ διὰ τοῦ πέμπτου μέρους προσάγει τὸν
ἀκολουθῆσαι πρὸς τὸ ὕψος δυνάμενον, διαπτάντα τὰς τῶν
βιωτικῶν ἀραχνίων διαπλοκὰς στερρῷ τῷ πτερῷ. Οἱ γὰρ
5 χνοώδεις τε καὶ ἐξίτηλοι ἐν ἀσθενεῖ καὶ ἀτόνῳ τῇ πτήσει
μυιῶν δίκην τὰ γλίσχρα τοῦ βίου περιλιχνεύοντες ἐμπλέκονται
καὶ ἐνδεσμοῦνται καθάπερ τισὶ δικτύοις τῇ τῶν τοιούτων
νημάτων περιβολῇ· λέγω δὴ τρυφαῖς καὶ τιμαῖς καὶ δόξαις καὶ
ταῖς ποικίλαις ἐπιθυμίαις [a] οἷόν τισιν ἀραχνίοις ὑφάσμασιν
10 ἐνειλούμενοι, θήραμα καὶ βρῶμα γινόμενοι τοῦ θηρίου ἐκείνου
τοῦ διὰ τῶν τοιούτων θηρεύοντος. Εἰ δέ τις ἀετώδης τὴν φύσιν
ὢν ὀξυτέρως πρὸς τὴν ἀκτῖνα τοῦ φωτὸς βλέπων ἀτρέπτῳ τῷ
τῆς ψυχῆς ὀφθαλμῷ καὶ πρὸς τὸ ὕψος ἑαυτὸν συντείνων τοῖς
τοιούτοις ἐμπελάσειεν ἀραχνίοις, μόνη τῇ αὔρᾳ τῶν ὠκυπ-
15 τέρων ἐν τῷ ῥοίζῳ τῆς πτήσεως ἐξαφανίζει πᾶν τὸ τοιοῦτον,
ὅτιπερ ἂν πλησιάσῃ, τῇ τῶν πτερύγων ὁρμῇ. Τὸν οὖν τοιοῦτον
PG 468   ἑαυτῷ συνεπάρας ὁ ὑψηλὸς προφήτης ἐπὶ τὴν ἀκρώρειαν τῆς
πέμπτης ἀναβάσεως ἄγει, ἐν ᾗ πᾶσα οἷόν τις συμπλήρωσίς τε

AVB SLQXF

20 2 βαθμῷ τῆς θεωρίας B ‖ 3 ἀκολουθῇ V ‖ δυνάμενον + τὸν SLQXFv ‖
6 μυῶν ASX ‖ 8 νημάτων Fᵖᶜ ‖ τρυφῆς L ‖ 10 ἐκείνου om. Q ‖ 12 ὀξύτερον
S ὀξύτερος L ‖ 13 ἑαυτῷ A ‖ 14 ἀραχνίοις + καὶ L ‖ 14-15 ἀκυπτέρων Q ‖
15 πτήσεως : πίστεως B ‖ 15-16 ἐξαφανίζει post ὁρμῇ AVB ‖ 16 πλησιάσει
Qv ‖ 18 πέμπτης (sic) V ‖ ἐν ᾗ : ἔνθα vid. Q ‖ ᾗ : ᾖ F

a. Cf. Tt 3, 3 ; 2 Tm 3, 6

CHAPITRE VIII

Le sens de la cinquième section selon le *Psaume* 106

La récapitulation du salut

20. Par un enchaînement logique, il conduit, par la cinquième partie, comme à une cime, à l'échelon le plus haut de la contemplation, celui qui peut l'accompagner vers la hauteur, après avoir franchi les toiles d'araignée de cette vie grâce à la fermeté de son aile. Car ceux qui, duveteux et sans force, tournent comme des mouches, d'un vol sans énergie et sans vigueur, autour des glus de la vie pour les lécher [1], sont enlacés et ligotés comme en des rets par l'emprise de tels fils : je veux dire qu'ils sont enveloppés par des jouissances, des honneurs, des réputations et des désirs variés [a] comme par des trames d'araignées, et ils deviennent la proie et la nourriture de cette bête qui chasse par de tels moyens. Mais si quelqu'un, doué d'une nature d'aigle, fixe avec plus d'acuité le rayon de la lumière grâce à l'œil immuable de son âme et qu'en se tendant vers le haut il s'approche de telles toiles d'araignée, alors par le seul souffle de ses ailes rapides, dans le sifflement de son vol, il détruit toutes les réalités semblables dont il s'approche par l'élan de ses ailes. Ayant donc élevé avec lui un tel homme, le sublime prophète le conduit au sommet de la cinquième ascension, où se trouvent comme un achèvement et une récapitulation complets du salut de

---

1. L'emploi du verbe rare περιλιχνεύειν pour désigner l'attachement aux réalités terrestres est philonien, cf. *Migr.* 64 ; *Contempl.* 55. Sur les glus de la vie, voir P. Courcelle, *Connais-toi toi-même*, II, 1975, ch. XIII (L'âme fixée au corps), p. 325-345.

καὶ ἀνακεφαλαίωσις τῆς ἀνθρωπίνης σωτηρίας ἐστίν. Ἐν γὰρ
20 τῷ πρὸ τούτων διὰ τῆς τοῦ Μωϋσέως φωνῆς πολλὰ περὶ τοῦ
τρεπτοῦ τε καὶ ἀτρέπτου φιλοσοφήσας, ὡς τοῦ μὲν ἀεὶ ὄντος
ὅπερ ἐστίν, τοῦ δὲ πάντοτε γινομένου ὅπερ οὐκ ἔστιν – τοῦτο
γάρ ἐστιν ἡ τροπή, ἡ ἀπὸ τοῦ ἐν ᾧ ἐστιν εἰς τὸ ἐν ᾧ οὐκ ἔστι
GNO 53   μετάβασις – καὶ δείξας ὅτι τῇ αὐτῇ δυνάμει | κατ᾽ ἐξουσίαν ἡ
25 φύσις πρός τε τὸ κακὸν ἀπορρέει, καὶ πάλιν δι᾽ ἐπιστροφῆς
πρὸς τὸ ἀγαθὸν ἐπανάγεται, ὡς δυνατὸν εἶναι τὴν τοῦ Θεοῦ
λαμπρότητα τῇ ἀνθρωπίνῃ πάλιν ἐπιλάμψαι ζωῇ [b], νῦν πᾶσαν
τὴν ἐκ Θεοῦ γινομένην χάριν ἡμῖν ἀνακαλύπτει τῷ λόγῳ πολυτρόπως αὐτὴν ὑπ᾽ ὄψιν ἄγων τοῖς ἀπὸ τοῦ ὕψους καθορῶσι τὰ
30 θεῖα θαύματα. Οὐ γὰρ ἠρκέσθη δι᾽ ἑνὸς τρόπου παραδηλῶσαι
τὴν χάριν, ἀλλὰ ποικίλως μὲν διασκευάζει τὰς συμφοράς, αἷς
διὰ τῆς πρὸς τὸ κακὸν ῥοπῆς συνεπέσομεν. Πολυτρόπως δὲ
τὴν γινομένην ἡμῖν ἐκ Θεοῦ πρὸς τὸ ἀγαθὸν συμμαχίαν
ἐκδιηγεῖται, ὡς ἂν τὰς εἰς τὸ εὐχαριστεῖν ἀφορμὰς πλεονά-
35 σειε, πρὸς λόγον τῶν ἀγαθῶν καὶ τῆς εὐχαριστίας πρὸς τὸν
Θεὸν πλεοναζούσης [c].

Εὐθὺς γάρ φησι τοῦ λόγου ἀρχόμενος· « Ἐξομολογεῖσθε τῷ
Κυρίῳ, ὅτι ἀγαθός, ὅτι εἰς τὸν αἰῶνα τὸ ἔλεος αὐτοῦ [d]. » Τῆς
γὰρ ἐξομολογήσεως ἐπὶ τῆς εὐχαριστίας νῦν, οὐκ ἐπὶ τῆς
40 ἐξαγορεύσεως νοουμένης, ἐπὶ τῇ ἀγαθότητι τὸν Θεὸν δοξάζειν

AVB SLQXF T (l. 38)

19 post ἀνθρωπίνης add. et postea exp. φύσεως V ‖ 20 τῷ : τὸ Q ‖ μωϋσέος
(-σέως a.c. F) SF ‖ πολλὰ + τε Q ‖ 22 γενομένου πάντοτε (α supra πάντοτε et
β supra γενομένου scr.) F ‖ γενομένου LQXFv ‖ 25 ἀπορρεῖ V ‖ 27 ζωῇ post
ἀνθρωπίνῃ B ‖ 27-28 νῦν πᾶσαν post θεοῦ B ‖ 28 ἐκ + τοῦ QFv ‖ γενομένην
Q ‖ 30 διὰ LF ‖ 31 μὲν V[sl] al. man. ‖ 32 καλὸν V ‖ συνεπέσαμεν VBQ ‖ 33
γενομένην SLQXF Don ‖ ἐκ + τοῦ SLQXF Don ‖ συμμαχίαν : συμμαχίας
ἡμῖν A ‖ 35-36 πρὸς – θεὸν om. S ‖ 37 φησι om. VB ‖ ἐξομολογεῖσθαι V ‖ 38
ἀγαθός Tv : ἀγαθόν cett. ‖ 40 ἐννοουμένης V²

b. Cf. Ps 89, 17a   c. Cf. 2 Co 4, 15   d. Ps 106, 1

l'humanité. En effet, dans ce qui précède, il a beaucoup médité en philosophe, par la voix de Moïse, sur le muable et l'immuable, c'est-à-dire sur ce qui est toujours ce qu'il est et sur ce qui ne cesse de devenir ce qu'il n'est pas, car la mutation, c'est le passage de ce en quoi l'on est à ce en quoi l'on n'est pas. Il a aussi montré que c'est par la même faculté que librement la nature déchoit vers le mal et qu'inversement, par conversion, elle remonte vers le bien, de sorte qu'il est possible que l'éclat de Dieu illumine à nouveau l'existence des hommes [b]. Maintenant donc, il dévoile toute la grâce qui nous vient de Dieu en la mettant par son discours de bien des manières différentes sous les yeux de ceux qui regardent d'en haut les merveilles de Dieu. Il ne s'est pas contenté, en effet, de laisser entendre d'une seule manière la grâce ; au contraire, s'il représente de façons diverses les malheurs où nous a fait tomber notre penchant pour le mal, il expose aussi de bien des manières différentes l'alliance qui nous vient de Dieu pour aller vers le bien, de telle sorte qu'il peut multiplier les occasions de rendre grâces, puisque c'est en proportion des biens reçus que l'action de grâces envers Dieu se multiplie [c].

La rédemption universelle

D'emblée il déclare en commençant son discours : « Confessez le Seigneur, car il est bon, car pour l'éternité est sa miséricorde [d]. » Comme la confession se comprend ici au sens d'action de grâces et non au sens d'expression des fautes, il prescrit de glorifier Dieu pour sa seule bonté : ce

διακελεύεται μόνη, τοῦτο σημαίνων, ὅτι ὅσα γέγονεν ἐκ Θεοῦ
τοῖς ἀνθρώποις ἀγαθὰ καὶ σωτήρια, χάριτι πάντα καὶ ἀγαθότητι γέγονεν. Οὐδεμίαν ἡμῶν πρὸς τὸ ἀγαθὸν αἰτίαν παρα-
σχομένων, τοὐναντίον μὲν οὖν ἐν πάσῃ κακίᾳ γεγονότων ἡμῶν,
45 ἐκεῖνος τῆς ἰδίας οὐκ ἐξίσταται φύσεως, ἀλλ' ὅπερ ἐστί, τοῦτο
ποιεῖ. Οὐδὲ γὰρ εἰκὸς ἦν τὸν ἀγαθὸν τῇ φύσει ἄλλο τι παρ' ὃ
πέφυκεν ἐνεργῆσαι. « Εἰπάτωσαν, φησίν, οἱ λελυτρωμένοι ὑπὸ
Κυρίου, οὓς ἐλυτρώσατο ἐκ χειρὸς ἐχθροῦ, καὶ ἐκ τῶν χωρῶν
συνήγαγεν αὐτούς, ἀπὸ ἀνατολῶν καὶ δυσμῶν καὶ βορρᾶ καὶ
GNO 54 50 θαλάσσης [e]. » Τὴν παντελῆ τοῦ | γένους τῶν ἀνθρώπων πρὸς
τὸ ἀγαθὸν ἐπάνοδον ὁ λόγος εὐαγγελίζεται. Ἡ γὰρ λύτρωσις
τὴν ἀπὸ τῆς αἰχμαλωσίας ἀνάκλησιν ἑρμηνεύει τῷ ῥήματι. Ὁ
δὲ Θεὸς λύτρον [f] δέδωκεν ἑαυτὸν ὑπὲρ τῶν κεκρατημένων ὑπὸ
τοῦ θανάτου τῷ τὸ κράτος ἔχοντι τοῦ θανάτου [g]· καὶ ἐπειδὴ
55 πάντες ἦσαν ἐν τῇ τοῦ θανάτου φρουρᾷ [h], πάντας δηλονότι
ἐξωνεῖται τῷ λύτρῳ, ὡς μηδένα καταλειφθῆναι τῇ δυναστείᾳ
τοῦ θανάτου μετὰ τὴν γινομένην τοῦ παντὸς ἀπολύτρωσιν.
Οὐδὲ γάρ ἐστι δυνατὸν ἐν θανάτῳ τινὰ εἶναι, τοῦ θανάτου μὴ
ὄντος. Διὸ τετραχῇ τῆς οἰκουμένης ἁπάσης κατὰ τὴν θέσιν
PG 469 60 διῃρημένης, οὐδὲν ὁ λόγος ὑπελείπετο μέρος τῆς θείας
λυτρώσεως ἄμοιρον. Φησὶ γάρ· « Ἀπὸ ἀνατολῶν καὶ δυσμῶν
καὶ βορρᾶ καὶ θαλάσσης », θαλάσσῃ διασημαίνων τὸ νότιον.

AVB SLQXF

43 αἰτίαν post ἡμῶν A ‖ 46 ἄλλο τι : ἀλλ' ὅτι AVL ‖ 48 καὶ om. L ‖ τῶν (ν
sl al. man.) V ‖ 50 παντελῆ – γένους om. VB ‖ 51 ἐπάνοδον + ἐπὶ τὴν τοῦ
χριστοῦ γενομένην παρουσίαν V + ἐπὶ τῆς τοῦ χριστοῦ γενομένης παρουσίας
Β ‖ 53 δὲ : γὰρ VB ‖ 53-59 λύτρον – ὄντος : ἐν τῇ τοῦ δούλου μορφῇ γενόμενος
πάντας τῆς δουλείας ἠλευθέρωσεν, καὶ πρὸς τὸ ἀρχαῖον ἐπανήγαγεν
οἰκιτήριον VB ‖ 53 ἔδωκεν S ‖ 55 πάντες – πάντας F[mg] ‖
57 γενομένην S ‖ 58 δυνατὸν om. S ‖ ἐν + τῷ S ‖ 60 ὑπέλιπε S ‖ μέρος om.
S ‖ 61 ἀπὸ iter. V

e. Ps 106, 2-3   f. Cf. Mt 20, 28 ; 1 Tm 2, 6   g. Cf. He 2, 14   h. Cf. 1 P 3,
19 ; Ps 106, 10

qu'il veut signifier, c'est que tout ce qui advient aux hommes de bon et de salutaire de la part de Dieu, advient en totalité par grâce et bonté. Alors que nous n'offrons aucune raison de recevoir le bien et qu'au contraire nous sommes plutôt plongés dans toutes sortes de vices, lui ne sort pas de sa propre nature, mais ce qu'il est, il le fait. Car il ne conviendrait pas à celui qui est bon par nature d'agir autrement qu'il n'est naturellement [1]. « Qu'ils le disent, dit-il, les rachetés du Seigneur, qu'il a rachetés d'une main ennemie, et qu'il rassembla des pays du levant et du couchant, du nord et de la mer [e]. » La parole annonce la bonne nouvelle du retour complet de la race humaine vers le bien. Car le rachat exprime, sous une forme verbale, le rappel de captivité. Dieu s'est donné lui-même en rançon [f] pour ceux qui sont au pouvoir de la mort à celui qui avait le pouvoir de la mort [g]. Et puisque tous étaient dans la prison de la mort [h], tous il les rachète bel et bien par cette rançon, de sorte qu'aucun ne soit laissé sous l'empire de la mort, une fois venu le rachat de l'univers. Car il n'est plus possible que quelqu'un soit dans la mort, si la mort n'existe pas. C'est pourquoi, puisque le monde entier est divisé, d'après la position, en quatre régions, la parole n'a laissé aucune parcelle exclue du rachat divin. Il dit en effet : « Du levant et du couchant, du nord et de la mer », désignant par mer le midi.

---

1. Sur ce thème de la théologie de la création, l'union en Dieu de l'essence et de la puissance, cf. déjà 13, 2.

21. Ἐν κεφαλαίῳ τοίνυν τὴν τοῦ Θεοῦ προεκθέμενος
εὐποιΐαν, ἣν ἐπὶ πάσης τῆς ἀνθρωπίνης ἐνήργησε φύσεως,
μετὰ τοῦτο διασκευαῖς τισι τήν τε πρὸς τὸ κακὸν ἀπορροὴν
τῶν ἀνθρώπων ἐκδιηγεῖται καὶ τὴν ἐφ᾽ ἑκάστῳ γεγενημένην
5 παρὰ τοῦ Θεοῦ πρὸς τὸ κρεῖττον χειραγωγίαν· λέγει δὲ οὕτως·
« Ἐπλανήθησαν ἐν τῇ ἐρήμῳ ἐν ἀνύδρῳ ὁδὸν ᵃ. » Ἀφέντες
γάρ, φησί, τὴν ὁδὸν — ὁδὸς δέ ἐστιν ὁ Κύριος ᵇ — ἐν τῇ ἐρήμῳ
ἔξω τῆς τοῦ Θεοῦ ἐπισκοπῆς ἐπλανῶντο, ἢ ξηρὰ ἦν πᾶσα καὶ
ἄνικμος τῆς πνευματικῆς δρόσου κεχωρισμένη. Διὰ
10 τοῦτο τὴν πόλιν τοῦ Θεοῦ, ἐν ᾗ τὸ κατοικητήριον τῶν ἀξίων
ἐστίν, ἐν τῇ ἀνοδίᾳ πλανώμενοι εὑρεῖν οὐκ ἠδύναντο. Φησὶ γὰρ
GNO 55   ὅτι | « πόλιν κατοικητηρίου οὐχ εὗρον πεινῶντες καὶ διψῶν-
τες ᶜ »· τῇ γὰρ ἀτροφίᾳ τῆς δυνάμεως αὐτῶν ἐκλειπούσης ᵈ, ἐν
ἐπιτάσει τὸ κακὸν αὐτοῖς ἦν. Πῶς γὰρ ἦν τροφὴ ἐν
15 αὐχμώσῃ τε καὶ ἀγόνῳ τῇ γῇ ; Πόθεν δὲ θεραπεῦσαι τὸ δίψος
ἐν τῇ ἀνύδρῳ ; Δῆλον δὲ ὅτι οὔτε τροφὴν τὸν ἄρτον οὔτε πόσιν
τὸ ὕδωρ ἡ προφητεία λέγει, ἀλλὰ τροφὴν μὲν τὴν ἀληθῆ
βρῶσιν ᵉ, πόσιν δὲ τὸ πνευματικὸν ἐκεῖνο πόμα ᶠ· τὰ δὲ δύο
ταῦτα ὁ Κύριος γίνεται, καταλλήλως τοῖς δεομένοις ἑαυτὸν
20 ἐμπαρέχων, τροφὴ μὲν τοῖς πεινῶσι, πηγὴ δὲ τοῖς διψῶσι
γινόμενος ᵍ. Τίς οὖν εὑρέθη τῆς τοιαύτης ἀμηχανίας ἡ λύσις,
τῆς πλάνης, τῆς ἐρημίας, τῆς ἐν ἀνύδρῳ ταλαιπωρίας, τῆς ἐκ
τοῦ λιμοῦ γινομένης λειποθυμίας ; Ὦ τοῦ θαύματος· μία
φωνὴ πρὸς τὸν Θεὸν ἐπιστρεπτικῶς γινομένη πάντα πρὸς τὸ

AVB SLQXF

21 2 ἧς A ‖ 3 τοῦτο : τοῦ (τοῦτο p.c. al. man.) F ‖ ἀπορροὴ (ν sl al. man.)
V ‖ 4 ἐκδιηγῆται Vᵃᶜ ‖ 5 τοῦ Sˢˡ ‖ 6 ἐν¹ (ν sl al. man.) V ‖ ὁδόν om. ν ‖ 13
ἐκλιπούσης S ‖ 14 τροφὴ : ἡ praem. AVB ‖ 15 ἀχμώσῃ A αὐχμῶσι L ‖ 16
οὔτε¹ : οὐδὲ SLQXFν ‖ 17 τροφὴ (o sl) V ‖ 23 λιμοῦ : θυμοῦ S ‖ γενομένης VQ
‖ λιποθυμίας LQXF ‖ 24 θεὸν : κύριον S ‖ ἐπιστρεπτικῶς (-κῶς al. man.) V
‖ γενομένη VBSL

a. Ps 106, 4   b. Cf. Jn 14, 6   c. Ps 106, 4-5a   d. Cf. Ps 106, 5b   e. Cf. Jn
6, 55   f. Cf. 1 Co 10, 4   g. Cf. Jn 7, 37-38

Errance et délivrance

21. Après avoir donc placé en tête brièvement la bienfaisance de Dieu, qu'il a déployée pour toute la nature humaine,
il décrit en détails la déchéance des hommes dans le mal et la
conduite de Dieu envers chacun pour l'amener au mieux. Il
dit ainsi : « Ils s'égarèrent, dans le désert, dans un pays aride,
du chemin [a]. » Ayant, en effet, dit-il, quitté le chemin – or, le
chemin, c'est le Seigneur [b] –, ils erraient loin de la protection
de Dieu dans le désert qui était tout aride et sec, privé de la
rosée spirituelle. Voilà pourquoi, la cité de Dieu, où se trouve
le séjour des justes, ils ne pouvaient, égarés dans des chemins
non frayés, la trouver. Il dit, en effet, qu'« ils ne trouvèrent
pas, affamés et assoiffés, de cité où séjourner [c] » : faute de
nourriture, leurs forces les abandonnaient [d] et leur mal était
intense. Comment y aurait-il eu de la nourriture sur une terre
desséchée et stérile ? Avec quoi apaiser la soif dans ce pays
aride ? Il est clair que par nourriture la prophétie ne désigne
pas le pain, ni par boisson l'eau, mais par nourriture le
véritable aliment [e] et par boisson ce breuvage spirituel [f]. Le
Seigneur devient l'un et l'autre quand il s'offre lui-même de
manière appropriée à ceux qui en ont besoin, devenant nourriture pour les affamés et source pour les assoiffés [g]. Où
trouver la délivrance d'une situation si difficile, l'errance, la
solitude, la souffrance dans un pays aride, l'évanouissement
causé par la faim ? O, merveille ! Une seule parole adressée en

25 καλὸν μετεποίησεν. « Ἐκέκραξαν γάρ, φησί, πρὸς Κύριον ἐν
τῷ θλίβεσθαι αὐτοὺς καὶ ἐκ τῶν ἀναγκῶν αὐτῶν ἐξήγαγεν
αὐτοὺς καὶ ὡδήγησεν αὐτοὺς εἰς ὁδὸν εὐθεῖαν τοῦ πορευθῆναι
εἰς πόλιν κατοικητηρίου ʰ. » Ὁδὸν λέγει αὐτὸν τὸν Κύριον, ἧς
ἀπεσφάλησαν. Λέγει δὲ ἡ ὁδὸς αὕτη ἐν τῷ Εὐαγγελίῳ ὅτι·
30 « Οὐδεὶς ἔρχεται πρός με, ἐὰν μὴ ὁ Πατήρ μου βούληται
ἑλκύσαι αὐτόν ⁱ. » Διὰ τοῦτο ὁ Θεὸς τοὺς πεπλανημένους ἐπὶ
τὴν ὁδὸν ἄγει. Ὁ δὲ αὐτὸς οὗτος καὶ πόλις γίνεται κατοικητηρίου, καθώς φησιν ὁ ἀπόστολος ὅτι· « Ἐν αὐτῷ ζῶμεν καὶ
κινούμεθα καὶ ἐσμέν ʲ. » Καλῶς ἐπάγει τὴν προτρεπτικὴν τῆς
35 εὐχαριστίας φωνήν, ὅτι οἱ τούτων τετυχηκότες « ἐξομολο-
γησάσθωσαν τῷ Κυρίῳ τὰ ἐλέη αὐτοῦ καὶ τὰ θαυμάσια |
αὐτοῦ τοῖς υἱοῖς τῶν ἀνθρώπων ᵏ », τουτέστι μὴ σιωπῇ τὴν
εὐεργεσίαν ἐν ἀγνωμοσύνῃ κρυπτέτωσαν, ἀλλὰ διαβοάτωσαν
ἐν εὐχαριστίᾳ τὴν χάριν, ὅτι κενὴν οὖσαν τῶν ἀγαθῶν τὴν
40 ψυχὴν πλήρη ἐποίησεν. « Ἐχόρτασε γάρ, φησίν, ψυχὴν κενὴν
καὶ ψυχὴν πεινῶσαν ἐνέπλησεν ἀγαθῶν ˡ. »

22. Πάλιν ἑτέρῳ τρόπῳ τὴν συμφορὰν τῆς φύσεως ὑπ' ὄψιν
ἄγει, καὶ τὴν θείαν ἐκδιηγεῖται φιλανθρωπίαν, δι' ἧς πρὸς τὸ
κρεῖττον ἡ φύσις μετασκευάζεται. Ἃ δὲ λέγει τοιαῦτά ἐστιν·
ὅτι ἀπέστη τοῦ φωτὸς τὸ ἀνθρώπινον καὶ πρὸς τὴν ἁμαρτίαν
5 συνώκλασε καὶ οὐκέτι ἦν ἐν τῷ ὀρθίῳ τοῦ σχήματος καὶ τῆς

GNO 56

PG 472

AVB SLQXF

25 κύριον : τὸν praem. VᵃᶜL ‖ 26 τῷ : τὸ V ‖ θλίβεστεν V ‖ 27 προευθῦναι
v ‖ 29 ἐπεσφάλισαν A ‖ 30 ἐὰν : εἰ S ‖ μου om. VSX ‖ βούλεται AVBSL ‖
32 ἄγει : λέγει V ‖ 34 καλῶς + οὖν AVB ‖ 37 τὴν + αγνω (αγνω exp.) A ‖
40 πλήρις V πλήρης S πληρῇ L
22 1 ἐπ' X ‖ 3 μετεσκευάζεται V ‖ ταῦτα LXF ‖ 4 ἀπέστη (τη sl al. man.)
V ‖ 5 σχήματος : χρήματος Vᵃᶜ

---

h. Ps 106, 6-7   i. Jn 6, 44   j. Ac 17, 28   k. Ps 106, 8   l. Ps 106, 9

se tournant vers Dieu a changé toutes choses en bien : « Ils
crièrent vers le Seigneur, dit-il, dans leur détresse, et de leurs
misères, il les fit sortir, il les conduisit sur un chemin droit
pour qu'ils aillent vers une cité où séjourner [h]. » « Le chemin », loin duquel ils s'étaient fourvoyés, c'est, affirme-t-il, le
Seigneur lui-même. Ce « chemin » déclare dans l'Évangile :
« Nul ne vient à moi si mon Père ne veut l'attirer [i]. » C'est
pour cela que Dieu conduit sur le chemin les égarés. Et ce
même Seigneur est aussi une cité où l'on séjourne, comme le
dit l'apôtre : « En lui, nous vivons, nous nous mouvons et
nous sommes [j]. » Il a raison d'ajouter la parole qui invite à
l'action de grâces : que ceux qui ont reçu cela « confessent au
Seigneur ses miséricordes et ses merveilles accomplies pour
les fils des hommes [k] », c'est-à-dire qu'ils ne cachent pas, par
leur silence, le bienfait dans de l'indifférence, mais qu'ils
proclament dans une action de grâces cette faveur, puisque
leur âme était vide de biens et qu'il l'a comblée. En effet, « il
a rassasié, dit-il, l'âme vide et l'âme affamée, il l'a comblée de
biens [l]. »

22. A nouveau, d'une autre manière, il met sous les yeux
le malheur de notre nature et il raconte l'amitié divine envers
l'homme, qui transforme notre nature pour l'améliorer. Voici
ce qu'il veut dire : l'humanité s'est séparée de la lumière, elle
s'est penchée vers le péché, a perdu la droiture du maintien et
s'est rendue étrangère à la vie véritable. « En effet, ils sont,

ὄντως ἀπεξενώθη ζωῆς. « Καθημένους γάρ, φησίν, ἐν σκότει
καὶ σκιᾷ θανάτου, πεπεδημένους ἐν πτωχείᾳ καὶ σιδήρῳ ᵃ.»
Ἀκίνητον γὰρ ἦν ἀπὸ τοῦ κακοῦ τῇ βαρείᾳ κατεχόμενον πέδῃ.
Πέδη δὲ ἡ τοῦ καλοῦ πτωχεία ἐστίν, οἷόν τις σίδηρος περιτυ-
10 πωθεὶς ταῖς καρδίαις. Πάντων δὲ τούτων ὑπόθεσις ἦν ἡ τοῦ
θείου νόμου παρακοὴ καὶ ἡ τῆς βουλῆς τοῦ ὑψίστου ἀθέτησις.
Ταῦτα γὰρ σημαίνει λέγων « ὅτι παρεπίκραναν τὰ λόγια τοῦ
Θεοῦ καὶ τὴν βουλὴν τοῦ ὑψίστου παρώξυναν ᵇ ». Ἐπὶ τούτοις
κατὰ τὸ εἰκὸς κόπος καὶ ταπείνωσις τὴν ζωὴν τῶν τοιούτων
15 ἐκδέχεται, κόπος μὲν ὅτι τῆς τρυφῆς ἐχωρίσθησαν ᶜ, ταπείνωσις δὲ ὅτι ἐν τῷ ὑψίστῳ διαμεῖναι οὐκ ἠθουλήθησαν. « Ἐτα-
πεινώθη γάρ, φησί, ἐν κόποις ἡ καρδία αὐτῶν ᵈ. » Ὁ δὲ
χωρισμὸς τῆς δυνάμεως οὐδὲν ἄλλο ἐστὶν ἢ ἀσθένεια· τίς γὰρ
ἂν χωρὶς δυνάμεως εὑρεθείη βοήθεια ; Διό φησιν· « Ἠσθένη-
20 σαν καὶ οὐκ ἦν ὁ βοηθῶν ᵉ. »

Ἀλλὰ πάλιν μία φωνὴ πρὸς εὐφροσύνην τὰς συμφορὰς
μετεσκεύασεν. « Ἐκέκραξαν γάρ, φησί, πρὸς Κύριον ἐν τῷ |
θλίβεσθαι αὐτούς, καὶ ἐκ τῶν ἀναγκῶν αὐτῶν ἔσωσεν
αὐτούς ᶠ. » Ἀφανίζει τὸ σκότος, διαλύει τὸν θάνατον, τὰ
25 δεσμὰ διαρρήγνυσιν. « Ἐξήγαγεν γάρ, φησίν, αὐτοὺς ἐκ σκότους καὶ σκιᾶς θανάτου, καὶ τοὺς δεσμοὺς αὐτῶν διέρ-
ρηξεν ᵍ.» Οὐκοῦν ἀνακηρυττέσθω, φησί, δι' εὐφημίας ἡ

AVB SLQXF

6 ἀπεξενώθη (ἀ- p.c. al. man. vid.) V ‖ 9 δὲ : γὰρ S ‖ 9-10 περιτοιπωθεὶς
(sic) V ‖ 11 θείου om. XF (de Q non constat) ‖ 13 θεοῦ Vˢˡ vid. ‖ 15 τροφῆς
v Don ‖ 16 ὕψει Q ‖ ἐθουλήθησαν SLXF ‖ 17 κόπος A ‖ 18-19 οὐδὲν –
δυνάμεως om. ex homoeotel. A ‖ 19 ἠσθένησα (ν sl al. man. vid.) V ‖ 21 μιᾷ
φωνῇ AVB ‖ 22 πρὸς κύριον om. SLXF ‖ 24 τὸν θάνατον : τὴν πλάνην VB ‖
25 δεσμὰ + τῆς ἀπιστίας VB ‖ αὐτοὺς φησίν AVB ‖ 27 ἀνακηρυττέσθω (θ
corr. vid.) F

---

a. Ps 106, 10   b. Ps 106, 11   c. Cf. Gn 3, 23   d. Ps 106, 12a   e. Ps 106,
12b   f. Ps 106, 13   g. Ps 106, 14

dit-il, assis dans les ténèbres et à l'ombre de la mort, entravés par la pauvreté et le fer [a] ». Car l'humanité ne pouvait pas s'écarter du mal, prisonnière d'une pesante entrave. Or la pauvreté en beauté est une entrave, fixée comme un fer autour des cœurs. La cause de tout cela, c'était la désobéissance à la loi divine et le rejet de la volonté du Très-Haut. C'est ce qu'il signifie quand il dit « qu'ils avaient provoqué les paroles de Dieu et exaspéré la volonté du Très-Haut [b] ». Il s'ensuit naturellement que souffrance et humiliation attendent de tels individus durant leur existence, souffrance parce qu'ils ont été privés des délices [c], humiliation parce qu'ils n'ont pas voulu demeurer avec le Très-Haut. En effet, « leur cœur, dit-il, a été humilié au milieu des souffrances [d] ». Or, la séparation de la force n'est rien d'autre que de la faiblesse, car sans force quel secours pourrait-on trouver ? C'est pourquoi il dit : « Ils furent affaiblis et il n'y avait personne pour les secourir [e]. »

Mais, à nouveau, une seule parole a transformé en joie leurs malheurs. Car « ils crièrent, dit-il, vers le Seigneur dans leur détresse et de leurs misères il les a sauvés [f] ». Il fait disparaître les ténèbres, détruit la mort, brise les liens. En effet, « il les a tirés, dit-il, des ténèbres et de l'ombre de la mort et leurs liens il les a brisés [g] ». Qu'on proclame donc,

χάρις, ὅτι ἡ ἄφυκτος τοῦ θανάτου φρουρὰ διελύθη, ἡ ταῖς
χαλκαῖς πύλαις καὶ τοῖς σιδηροῖς ἠσφαλισμένη μοχλοῖς,
30 καθώς φησιν ὁ προφήτης. Τοιαύτη γάρ τις ἡ περὶ τὸν θάνατον
ἰσχὺς ἐνομίζετο, ἕως οὔπω τῇ παρουσίᾳ τῆς ὄντως ζωῆς
ἐξηφανίσθη τοῦ θανάτου τὸ κράτος ʰ, ὅτι πᾶν τὸ ἐντὸς ἐκείνου γενόμενον ὥσπερ τισὶ μοχλοῖς σιδηροῖς καὶ πύλαις
ἀτρίπτοις κρατούμενον ἀναπόδραστον ἔμενεν, ἀλλὰ « συνέ-
35 τριψε, φησί, πύλας χαλκᾶς καὶ μοχλοὺς σιδηροῦς συνέθλασε ⁱ »· τοῦτο δέ ἐστι τὸ τὴν ὁδὸν τῆς ἀνομίας αὐτῶν ἀφανίσαι καὶ μετασκευασθῆναι τὴν ζωὴν πρὸς εὐσέβειαν. Οὗτος ὁ
ἀφανισμὸς τῶν πυλῶν ἐκείνων ἐστὶ τὸ εἰς δικαιοσύνην μεταρ-
ρυθμισθῆναι τὸν βίον. « Ἀντελάβετο γάρ, φησίν, αὐτῶν ἐξ
40 ὁδοῦ ἀνομίας αὐτῶν ʲ. »

23. Πάλιν ἑτέρως τὴν ἀνθρωπίνην ἀθλιότητα τῷ λόγῳ
παρίστησι. Λέγει δὲ τὴν διάνοιαν ταύτην, ὅτι ταπείνωσίς
ἐστιν ἡ ἀνομία καὶ καλῶς τὸ τοιοῦτόν φησιν· συμφέρεται γάρ
τις καὶ ἄλλου προφήτου λόγος τῷ τοιούτῳ νοήματι, ὅς φησιν
5 ἐπὶ τάλαντον μολίβδου καθῆσθαι τὴν ἀνομίαν ᵃ, ἐνδεικνύμενος
ὅτι βαρεῖά τίς ἐστι καὶ κατωφερὴς ἡ κακία, τὸν ἐν ὑψηλοῖς διὰ
τὴν πρὸς τὸ θεῖον ὁμοίωσιν ὄντα εἰς τὸν βόθυνον ἑαυτῆς | συγ-
καθέλκουσα· φησὶ γάρ, ὅτι « διὰ τὰς ἀνομίας αὐτῶν ἐταπει-
νώθησαν ᵇ ». Καὶ διὰ τοῦτο τὴν παντοδύναμον ἐκείνην τροφὴν

GNO 58
PG 473

28 ἄφυκτος – φρουρά : τῆς εἰδωλολατρίας πλάνη VB ‖ ταῖς : δίκην VB ‖
29-30 τοῖς – προφήτης : μοχλοῖς σιδηροῖς τοὺς ἐν αὐτῇ ἐμπεσόντας
κατέχουσα VB ‖ 30 τις om. VB ‖ τὸν θάνατον : τὴν θανατηφόρον αὐτῆς VB
‖ 31 ζωῆς + τὸ ταύτης VB ‖ 32 τοῦ – τὸ¹ om. VB ‖ 32-33 ἐντὸς ἐκείνου : ἐν
αὐτῇ VB ‖ 33 τισὶ : τι S ‖ 35-36 συνέκλασεν L ‖ 36 ἐστι + τί e dittographia
codd. (de Q non constat) ‖ 37 ὁ om. v ‖ 38-39 μεταρυθμῆσαι A μεταρυθμίσαι
VB μεταρυθμηθῆναι v ‖ 39 αὐτῶν om. A
23 3 τὸ τοιοῦτόν om. A ‖ 4 ἄλλος S ‖ τῷ τοιούτῳ : τῷ οὕτω (sic) V ‖
5 μολύβδου X ‖ καθεῖσθαι S ‖ 6 τὸν : τὸ A

h. Cf. He 2, 14   i. Ps 106, 16   j. Ps 106, 17a
a. Cf. Za 5, 7   b. Ps 106, 17b

dit-il, avec des louanges cette grâce, puisque la prison de la mort dont on ne s'enfuit pas a été détruite, malgré, comme dit le prophète, la protection des portes de bronze et des barres de fer. On tenait pour telle, en effet, la force de la mort, tant que l'avènement de la vie véritable n'avait pas encore fait disparaître « la puissance de la mort [h] » : tout ce qu'elle détenait en elle, sous l'emprise, pour ainsi dire, de barres de fer et de portes infrangibles, y demeurait sans pouvoir s'échapper ; mais « il a brisé, dit-il, des portes de bronze et il a fracassé des barres de fer [i] », c'est-à-dire qu'il a fait disparaître leur chemin d'iniquité et qu'il a changé leur vie en piété. Quant à la destruction de ces portes, cela revient à réformer l'existence pour la régler sur la justice. En effet, « il les a retirés, dit-il, de leur chemin d'iniquité [j] ».

L'humiliation du péché et le mystère du Verbe

23. A nouveau, mais autrement, il présente par son discours l'infortune des hommes. Il émet l'idée que l'iniquité est une humiliation et il a raison de l'affirmer, car une parole d'un autre prophète s'accorde à une telle pensée : il dit que l'iniquité est assise sur un talent de plomb [a], montrant que la malice est une chose pesante et qui entraîne vers le bas [1], attirant dans son propre gouffre celui que sa ressemblance au divin place dans les hauteurs. Il dit en effet : « A cause de leurs iniquités, ils ont été humiliés [b]. » Et, pour cette raison,

---

1. Cf. *Virg* XVIII, 5, 38 (*SC* 119, p. 484) : « C'est chose pesante que le péché, ' assis sur un talent de plomb '. »

10 ἀπεστράφησαν, περὶ ἧς λέγει πρὸς τοὺς πρώτους <ἀνθρώ-
πους> ὁ λόγος, ὅτι « ἀπὸ παντὸς ξύλου τοῦ ἐν τῷ παραδείσῳ
βρώσει φαγῇ ᶜ ». Ὡς γὰρ ἐκεῖ πᾶν ξύλον ὀνομάζει τὸ πλήρωμα
παντὸς ἀγαθοῦ, οὕτως ἐνταῦθα τὴν ἀληθῆ καὶ παντοδύναμον
βρῶσιν πᾶν βρῶμα ὀνομάζει ὁ λόγος, οὗ ἡ ἀποστροφὴ ποιεῖ
15 τὴν ἀσθένειαν τὴν εἰς θάνατον λήγουσαν. Λέγει δὲ οὕτως, ὅτι
« πᾶν βρῶμα ἐβδελύξατο ἡ ψυχὴ αὐτῶν καὶ ἤγγισαν ἕως τῶν
πυλῶν τοῦ θανάτου ᵈ ». Καὶ πάλιν ἡ πρὸς τὸν Θεὸν φωνὴ
εἰς πανήγυριν τὴν συμφορὰν ἀναστρέφει. « Ἐκέκραξαν γάρ,
φησί, πρὸς Κύριον ἐν τῷ θλίβεσθαι αὐτοὺς καὶ ἐκ τῶν ἀναγκῶν
20 αὐτῶν ἔσωσεν αὐτούς ᵉ », καὶ διηγεῖται τῆς σωτηρίας τὸν
τρόπον· Εὐαγγέλιον δὲ ἄντικρύς ἐστιν ἡ διήγησις· « Ἀπέστειλε γάρ, φησί, τὸν λόγον αὐτοῦ καὶ ἰάσατο αὐτοὺς καὶ
ἐρρύσατο αὐτοὺς ἐκ τῶν διαφθορῶν αὐτῶν ᶠ »· ὁρᾷς ζῶντα καὶ
ἔμψυχον λόγον ἐπὶ σωτηρίᾳ τῶν ἀπολλυμένων ἀποστελλό-
25 μενον καὶ τῆς φθορᾶς τὸν ἐν αὐτῇ γεγονότα ῥυόμενον. Ποῖος
εὐαγγελιστὴς οὕτω γυμνῶς ἐκβοᾷ τὸ μυστήριον ; Οὐκοῦν
ἀνευφημείσθω, φησί, παρὰ τῶν εὖ πεπονθότων ἡ χάρις, καὶ
ὕμνος ἐπὶ ταῖς εὐεργεσίαις ἡ εὐφημία γινέσθω. « Θυσάτωσαν
γὰρ αὐτῷ, φησί, θυσίαν αἰνέσεως, καὶ ἐξαγγειλάτωσαν τὰ
30 ἔργα αὐτοῦ ἐν ἀγαλλιάσει ᵍ. »
24. Μετὰ ταῦτα πάλιν διασκευάζει τὰ πάθη καὶ πάλιν
ἐπάγει τοῦ Θεοῦ μετὰ τὰ πάθη τὴν χάριν. Λέγει δὲ τὴν ἀβου-

AVB SLQXF

10-11 ἀνθρώπους add. *Don* (cf. 26, 33 ; 37, 20 ; 42, 37) ‖ 12 τὸ om. A ‖
17 ἡ om. v ‖ 20 διηγῆται Vᵃᶜ vid. ‖ 22 αὐτοῦ om. F ‖ 23 ὁρᾶ S ‖ 24 σωτηρίαν
L ‖ ἀπολυμένων V ‖ 25 τὸν : τῶν V αὐτῷ SLQXF ‖ 26 γυμνὸς B ‖
27 πεπονθότω (sic) V ‖ 28 ὕμνοις Q ‖ ταῖς om. v ‖ ἡ om. L ‖ 29 φησί om.
AVB
24 2 τοῦ θεοῦ post πάθη AVB

c. Gn 2, 16   d. Ps 106, 18   e. Ps 106, 19   f. Ps 106, 20   g. Ps 106,
22

ils se détournèrent de cette nourriture toute-puissante dont parle le discours adressé aux premiers hommes : « De tout arbre du jardin, tu mangeras pour te nourrir [c]. » Car, de même que là il appelle « tout arbre » la plénitude de tout bien, de même ici le discours appelle l'aliment véritable et tout-puissant « toute nourriture » dont le rejet produit l'affaiblissement qui aboutit à la mort. C'est ainsi qu'il dit : « Leur âme a eu le dégoût de toute nourriture et ils ont approché des portes de la mort [d]. » Et, de nouveau, la parole adressée à Dieu change le malheur en réjouissance : « Ils crièrent, dit-il, vers le Seigneur dans leur détresse, et de leurs misères il les a sauvés [e]. » Puis il raconte comment s'est opéré le salut ; or, ce récit, c'est sans conteste l'Évangile : « Il a envoyé, dit-il, sa parole, il les a guéris et les a arrachés à leur perte [f]. » Voilà sous tes yeux la Parole vivante et animée, envoyée pour le salut de ceux qui se perdent et arrachant à la perdition celui qui y est plongé. Quel évangéliste clame si ouvertement le mystère ? Que la grâce soit donc louée, dit-il, par ceux qui en ont profité et que la louange pour ses bienfaits devienne un hymne : « Qu'ils lui sacrifient, dit-il, un sacrifice de louange et qu'ils annoncent ses œuvres dans l'allégresse [g] ! »

Le naufrage de l'âme et son mouillage au port divin

24. Ensuite, il présente à nouveau les épreuves et mentionne à nouveau, après les épreuves, la grâce de Dieu. Il évoque l'imprudence des hommes qui les a conduits à aban-

λίαν τῶν ἀνθρώπων, ὅτι καταλιπόντες τὴν σταθερὰν καὶ ἀκλυδώνιστον ζωὴν πελάγιοι τῇ προαιρέσει ἐγένοντο· « Οἱ κατα-
5 βαίνοντες γάρ, φησίν, εἰς τὴν θάλασσαν ἐν πλοίοις ᵃ », καὶ ἀντὶ

GNO 59   τοῦ ἐργάζεσθαι τὸν παράδεισον ᵇ, ἐν ᾧ | πρότερον ἐτάχθησαν,
ὑποβρύχιον ποιούμενοι τὴν ἐργασίαν. Θάλασσαν δὲ λέγει τὴν
ὑλώδη ταύτην ζωὴν τὴν πᾶσι τοῖς τῶν πειρασμῶν ἀνέμοις
ταρασσομένην καὶ τοῖς ἐπαλλήλοις πάθεσι κυμαινομένην.
10 « Ποιοῦντες γάρ, φησίν, ἐργασίαν ἐν ὕδασι πολλοῖς ᶜ. » Καὶ
« Αὐτοὶ εἶδον τὰ ἔργα Κυρίου καὶ τὰ θαυμάσια αὐτοῦ ἐν τῷ
βυθῷ ᵈ ». Βύθιοι γὰρ ἐν τῇ κακίᾳ τοῦ βίου γενόμενοι καὶ πολλάκις τὰ πονηρὰ τῆς ψυχῆς παθόντες ναυάγια, εἶδον ἐφ᾽
ἑαυτῶν τὰ τῆς φιλανθρωπίας ἔργα τοῦ ἐκ τῶν βυθῶν ἡμᾶς
15 ἀνασώσαντος. « Εἶπεν γάρ, φησίν, καὶ ἔστη πνεῦμα καταιγίδος ᵉ. » Τοῦτο δὲ οὐκ εἰς τὸν Θεὸν ἀλλ᾽ εἰς τὸν ἐχθρὸν ἀνακ-
τέον τὸ νόημα. Ἡ γὰρ τοῦ ἀντικειμένου φωνὴ τὸ τῆς καταιγίδος πνεῦμα ἐργάζεται. Καταιγὶς δὲ λέγεται βίαιος ἄνεμος
οὐκ ἐπ᾽ εὐθείας προσπίπτων, ἀλλὰ περὶ ἑαυτὸν ἀνειλούμενος
20 δι᾽ ὀξείας στροφάλιγγος, ὃς ἐπειδὰν ἐμπέσῃ ποτὲ βιαίως τῷ

AVB SLQXF D (l. 20)

3 σταθηρὰν SQFv ‖ 3-4 ἀκλυδώνιστον + τῶν ἀνθρώπων A ‖ 5 τὴν om. Q ‖
6 ἐτάγησαν v ‖ 8 ὑδατώδη QXF ‖ 10 ὕδασν (sic) V ‖ 11 ἴδον AL ἴδων V ‖
ἔργα (γ sl) V ‖ κυρίου : τοῦ θεοῦ SL ‖ 12 γινόμενοι B ‖ 13 ἴδον AVL ‖ ἀφ
X ‖ 14 τὰ + ἐκ A ‖ τοῦ : τῷ V ‖ τὸν βυθὸν L ‖ 15 ἀνασῴζοντος AVBLX ‖ 19
ἐνειλούμενος AVB ‖ 20 ἐμπέσῃ D : ἐμπέσοι cett.

a. Ps 106, 23a   b. Cf. Gn 2, 15   c. Ps 106, 23b   d. Ps 106, 24   e. Ps 106,
25a

1. Le développement est d'inspiration origénienne. La décision de choisir
la vie maritime, les naufrages de l'âme, le séjour parmi les démons qui
peuplent les abîmes, la perte de la raison et la disparition de la volonté qui en
résulte évoquent De princ. I, 8, 4 (cité par l'empereur Justinien) : « L'âme
choisit (αἱρεῖται) d'être privée de la raison et de mener une vie pour ainsi
dire aquatique (τὸν ἔνυδρον βίον). » Dans le contexte, Origène traite du
diable et fait allusion aux monstres marins mentionnés dans la Bible, inter-

donner l'existence stable et à l'abri des flots pour choisir la
pleine mer [1] : « Ceux qui sont descendus, dit-il, en mer sur
des navires [a] », et qui, au lieu de travailler le jardin où ils
avaient tout d'abord été placés [b], font couler [2] leur travail.
Par mer, il désigne cette existence matérielle, battue par tous
les vents des tentations et agitée sans cesse par des passions
qui se succèdent : « Faisant, dit-il, un travail sur de vastes
eaux [c] », et « Ils virent eux-mêmes les œuvres du Seigneur et
ses merveilles dans l'abîme [d] ». Car, après s'être abîmés dans
la malice de la vie et avoir souvent subi les misérables naufrages de l'âme, ils ont vu mise en œuvre à leur profit l'amitié
envers les hommes de celui qui nous a sauvés des abîmes : « Il
a parlé, dit-il, et s'est levé un souffle d'ouragan [e]. » Cette
réflexion ne doit pas être appliquée à Dieu, mais à l'adversaire, car c'est la parole de l'ennemi qui produit le souffle de
l'ouragan. On appelle ouragan un vent violent qui ne s'abat
pas directement, mais tourne sur lui-même en un tourbillon
rapide ; lorsqu'avec violence il fond sur les eaux, comme si

---

prétés comme des incarnations du démon, voir P. Nautin, *Origène*, p. 122 s.
Grégoire retient l'aspect spirituel du thème du mauvais choix de l'âme.
    2. L'adjectif ὑποβρύχιος employé par Platon dans le *Phèdre* (248 a) pour
décrire le sort malheureux des âmes est repris par Philon, *Virt.* 14 :
« Lorsque l'organe de la pensée est en danger d'être submergé par le flot des
passions, la tempérance empêche qu'il coule au fond » (ὑποβρύχιον). A.
Méasson commente ainsi ce passage : « Le mouvement de descente de
l'intellect y est au moins esquissé, puisque le flot des passions risque de le
submerger et que la tempérance doit s'opposer à la poussée qui l'enverrait au
fond ; quant à la remontée, elle s'effectue grâce à la tempérance encore qui
tire l'intellect vers le haut » (*Du char ailé*, p. 190). S'appuyant sur d'autres
textes analogues, elle souligne que l'allégorie philonienne fait référence à un
double mouvement de descente et de remontée que l'âme est susceptible
d'effectuer dans le flot où elle se trouve plongée, double mouvement suggéré
par le *Phèdre*. Toutes ces images sont manifestement à l'arrière-plan de
l'exégèse de Grégoire qui est à la fois sollicité par les versets du psaume et
guidé par ce type d'interprétation d'inspiration platonicienne.

PG 476 ὕδατι, καθάπερ τινὸς πέτρας ἐγκαταβληθείσης μεγάλης, ὑπο-
κλυσθεῖσα τῷ βάρει ἡ θάλαττα σχίζεται κατ᾽ ἀνάγκην τῇ βίᾳ
τοῦ πνεύματος, ὅπουπερ ἂν ἐνσκήψῃ βρίσας ὁ ἄνεμος, τῆς τοῦ
βάρους ἐμπτώσεως ἔνθεν καὶ ἔνθεν ἐπὶ τὸ ἄνω τὸ ὕδωρ
25 ἀναπτυούσης. Διὰ τοῦτο προστίθησιν ἐναργῶς ὑπογράφων τὰ
φοβερά, ὅτι ὁμοῦ τῷ ἐνσκῆψαι τὸ πνεῦμα τῆς καταιγίδος
« ὑψώθη τὰ κύματα τῆς θαλάσσης ἀναβαίνοντα ἕως τῶν οὐρανῶν καὶ καταβαίνοντα ἕως τῶν ἀβύσσων ᶠ ». Τῷ ὄντι γὰρ ἡ εἰς
τὸ ὕψος τῶν τοιούτων κυμάτων ἔπαρσις, λέγω δὴ τὰ τῶν
30 παθῶν κύματα, τῆς εἰς τὴν ἄβυσσον καταβάσεως αἴτια γίνεται. Ἄβυσσον δὲ πολλαχῇ τῆς Γραφῆς τὸ τῶν δαιμόνων
ἐνδιαίτημα μεμαθήκαμεν. Οἱ δὲ τῇ ταραχῇ ταύτῃ καὶ τῷ
σάλῳ τῶν κυμάτων ἐγκυματισθέντες ἔκφρονες ὑπὸ σκο-
GNO 60 τώσεως γίνονται, | καθάπερ ὑπὸ μέθης τῆς κατὰ τὸν πλοῦν
35 τὸν τοιοῦτον ἀηδίας καρηβαρήσαντες· « Ἐταράχθησαν γάρ,
φησίν, καὶ ἐσαλεύθησαν ὡς ὁ μεθύων ᵍ. » Οἱ δὲ ἅπαξ τοῦ
φρονεῖν ἔξω γενόμενοι οὐδεμιᾶς εὐποροῦσι πρὸς σωτηρίαν
βουλῆς, ἀλλὰ προναυαγεῖ αὐτῶν ἡ σοφία καὶ προαπόλλυται.
Διὰ τοῦτό φησιν ὅτι « καὶ πᾶσα ἡ σοφία αὐτῶν κατεπόθη ʰ ».
40 Καὶ πάλιν καὶ τούτων ἐν τοσούτοις γεγονότων κακοῖς λύσις
γίνεται τῆς ἀμηχάνου ταύτης ταλαιπωρίας ἡ πρὸς τὸ θεῖον
φωνή. « Ἐκέκραξαν γάρ, φησί, πρὸς Κύριον ἐν τῷ θλίβεσθαι
αὐτούς, καὶ ἐκ τῶν ἀναγκῶν αὐτῶν ἐξήγαγεν αὐτούς ᶦ. » Καὶ
παραχρῆμα ἡ καταιγὶς εἰς πνεῦμα μετεβλήθη φορόν τε καὶ
45 πλόϊμον, καὶ γαληνιάζει ἐκ τῶν κυμάτων καταστορεσθεῖσα δι᾽

AVB SLQXF

21-22 ὑποκυλισθεῖσα VB ‖ 24 τὸ² om. B ‖ 26 τῷ : τὸ ASX ‖ 28 ἡ Lˢˡ ‖
29 τὰ post παθῶν A om. VB ‖ 30 αἰτία VBS ‖ 34-35 τὸν τοιοῦτον πλοῦν AVB
‖ 35 τῶν τοιούτων S ‖ 42 τῷ : τὸ V ‖ 44 τε : ται V ‖ 45 πλοΐμον vid. Vᵃᶜ
πρώϊμον LQF πλώϊμον Xv

f. Ps 106, 25b-26ab   g. Ps 106, 27a   h. Ps 106, 27b   i. Ps 106, 28

un énorme rocher y avait été précipité, la mer est repoussée par son poids et, soumise à la violence du souffle, doit se fendre à l'endroit même où le vent s'est abattu de toute sa masse, tandis que la chute de ce poids fait jaillir en l'air l'eau de tous côtés. C'est pourquoi il ajoute en décrivant claire- ment ces réalités terrifiantes qu'en même temps que s'est abattu le souffle de l'ouragan, « se sont soulevés les flots de la mer, montant jusqu'aux cieux et descendant jusqu'aux abî- mes [f] ». Car, vraiment, la montée de tels flots dans les hau- teurs, je veux parler des flots des passions, devient la cause de leur descente dans l'abîme. Or, nous savons que l'abîme est souvent dans l'Écriture le repaire des démons. Ceux qui ont été ballottés ainsi par l'agitation et le remous des flots sont saisis de vertige et perdent la raison : comme le ferait l'ivresse, l'écœurement d'une telle traversée alourdit leur tête. En effet, « ils ont été agités, dit-il, et secoués comme l'ivrogne [g] ». Et, une fois qu'ils ont perdu la raison, ils ne sont capables d'aucune décision qui les conduise au salut : leur sagesse a fait naufrage et a péri avant. C'est pourquoi il dit : « Et toute leur sagesse a été engloutie [h]. »

A nouveau, même quand ils sont plongés dans de si grands malheurs, il y a un moyen d'échapper à cette peine insurmon- table : la parole adressée à Dieu. En effet, « ils crièrent, dit-il, vers le Seigneur dans leur tribulation et, de leurs misères il les a tirés [i] ». Aussitôt, l'ouragan se changea en un souffle

ἡσυχίας [j] ἡ θάλασσα. «Ἔστησε γάρ, φησί, τὴν καταιγίδα εἰς αὔραν, καὶ ἐσίγησαν τὰ κύματα αὐτῆς [k].» Τάχα τῷ τῆς σιγῆς ὀνόματι προαιρετικάς τινας εἶναι δυνάμεις σημαίνει τὰ κύματα· δι᾽ ὧν τὴν ἀποστατικὴν φύσιν ἐνδείκνυται, πρὸς ἣν 50 εἶπεν ἐν τῷ Εὐαγγελίῳ ὁ Κύριος· «Σιώπα, πεφίμωσο [l].» Αὔραν δὲ λέγει τὴν τοῦ πνεύματος χάριν, ἣ διὰ τῶν νοητῶν ἱστίων τῷ θείῳ λιμένι τὴν ψυχὴν ἐνορμίζει, κυβερνῶντος τοῦ λόγου καὶ πρὸς τὸν πλοῦν κατευθύνοντος. «Ὡδήγησε γάρ, φησίν, αὐτοὺς ἐπὶ λιμένα θελήματος αὐτοῦ [m].»

25. Ἐπὶ τούτοις πάλιν ἀνυμνεῖν τὴν χάριν διακελεύεται λαόν τε καὶ ἐκκλησίαν, μόνον οὐχὶ τὴν παροῦσαν τῶν ἐκκλησιῶν ὑπογράφων τῷ λόγῳ κατάστασιν, ὅτι ἐν τῇ καθέδρᾳ τῶν προηγουμένων τοῦ λόγου ταῦτα κηρύσσεται τοῦ Θεοῦ «τὰ 5 θαυμάσια [a]», δι᾽ ὧν ἡ πίστις βεβαία γίνεται τοῖς ἀκούουσιν. «Ὑψωσάτωσαν γάρ, φησίν, αὐτὸν ἐν ἐκκλησίᾳ λαοῦ καὶ ἐν καθέδρᾳ πρεσβυτέρων αἰνεσάτωσαν αὐτόν [b].» Καὶ προστί-θησι τῶν εὐχαριστιῶν| τὰς αἰτίας, ὅτι παρὰ τοῦ Θεοῦ ποτα-μοὶ οἱ μὲν γίνονται, οἱ δὲ ἀπόλλυνται. Τὰ μὲν γὰρ ῥεύματα τῆς 10 κακίας ἐξαφανίζεται· αἱ δὲ τῶν ἀρετῶν διέξοδοι τοὺς τέως αὐχ-μῶντας ἐπικλύζουσι τόπους. «Ἔθετο γάρ, φησί, ποταμοὺς εἰς ἔρημον καὶ διεξόδους ὑδάτων εἰς δίψαν [c].» «Ποταμοὺς» δὲ λέγει τὰς τῶν παθημάτων ἐπιρροὰς καὶ «διεξόδους ὑδάτων»

GNO 61

PG 477

AVB SLQXF

46 τῇ καταιγίδι Q ‖ 50 πεφίμωσον V ‖ 51 ἦ : ἢ F ‖ 51-52 νοητῶν ἱστίων : νοημάτων ἱστίῳ AVB νοητικῶν ἱστίων F ‖ 52 τῆς ψυχῆς S ‖ ἐναρμόζει X ‖ κυβερνῶν (τος sl) V ‖ 54 ἐπὶ – αὐτοῦ om. ex homoeotel. QF ‖ αὐτοῦ : αὐτῶν v
25 1 ἀνυμνεῖ (ν sl) V ‖ 2 μονουχι (sic) F ‖ 4 τοῦ λόγου om. A ‖ 6 αὐτὸν φησίν AV ‖ 9 γὰρ om. F ‖ 10-11 ἀχμῶντας V αὐχμώδεις S ‖ 12 δὲ om. A ‖ 13 παθῶν AVB ‖ ἐπιρροίας V ‖ διεξους (sic) V

---

j. Cf. Ps 106, 30a   k. Ps 106, 29   l. Mc 4, 39   m. Ps 106, 30b
a. Ps 106, 31b   b. Ps 106, 32   c. Ps 106, 33

propice et favorable : la mer devient sereine, le calme [j] a apaisé les flots. Car « il a réduit, dit-il, l'ouragan à une brise et ses flots sont devenus silencieux [k] ». Peut-être, par le mot de silence, veut-il signifier que les flots sont des puissances volontaires et, par là, désigner la nature rebelle à qui, dans l'Évangile, le Seigneur a dit : « Silence, sois muselée [1]. » Mais il appelle « brise » la grâce de l'Esprit qui fait mouiller, grâce aux voiles spirituelles, l'âme au port divin, pendant que la Parole est au gouvernail et qu'elle dirige la navigation [1] : « Il les a conduits au port de sa volonté [m]. »

Le triomphe de la vertu

25. Là-dessus, il invite à nouveau peuple et assemblée à célébrer la grâce en décrivant par son discours presque la situation actuelle des assemblées, puisque c'est de leur chaire que ceux qui ont la priorité de parole proclament ces « merveilles [a] » de Dieu, qui affermissent la foi des auditeurs : « Qu'ils l'exaltent, dit-il, à l'assemblée du peuple et sur la chaire des anciens qu'ils le louent [b]. » Il ajoute alors les motifs de l'action de grâces : Dieu fait exister des fleuves et en fait périr d'autres. Car les torrents de la malice disparaissent tandis que les affluents des vertus inondent les régions jusqu'alors desséchées : « Il a changé, dit-il, des fleuves en un désert et des affluents d'eaux en soif [c]. » Par « fleuves », il veut dire le flux des passions et par « affluents des eaux » l'enchaî-

---

1. Mêmes images en *Virg* XXIII, 6, 22 et 7, 4 (voir les nombreuses références philoniennes données par M. Aubineau).

τὰς τῶν κακῶν ἀκολουθίας, ὅταν ἀεὶ πονηρὰ πονηροῖς ἐπισυ-
15 νάπτοντες οἱ ἄνθρωποι, καθάπερ τι ῥεῦμα τὸν ὁλκὸν τῆς
κακίας ἀπομηκύνωσιν. Ἀλλὰ καὶ τὴν « γῆν, φησίν, καρπο-
φόρον εἰς ἅλμην ᵈ » ἐποίησεν· ἡ γὰρ τῶν κακῶν εὔφορος ψυχὴ
μεταποιηθεῖσα διψώδης ἐγένετο τῷ θείῳ ἅλατι τῆς διδασκαλίας ἐπαρτυθεῖσα, ὡς μηκέτι « τὴν κακίαν τῶν κατοικούν-
20 των ᵉ » αὔξεσθαι ταῖς πονηραῖς τῶν ὑδάτων ἐπιρροαῖς τρεφο-
μένην, ἀλμῶσαν δὲ καὶ διψάδα ψυχὴν τὴν τὸ μακαριστὸν δίψος
ἀναλαβοῦσαν λίμνην γενέσθαι τῇ συστροφῇ τῶν ἀρετῶν
πελαγίζουσαν. « Ἔθετο γάρ, φησί, ἔρημον εἰς λίμνας ὑδάτων
καὶ γῆν ἄνυδρον εἰς διεξόδους ὑδάτων ᶠ. » Τοῦτο δὲ πόλις γίνε-
25 ται, ἣν « οἱ πεινῶντες τὴν δικαιοσύνην ᵍ » οἰκοῦσιν. Οὐδεὶς
γὰρ ναυτιώδης τε καὶ ἀνόρεκτος τῆς τοιαύτης λίμνης καὶ τῶν
τοιούτων ὑδάτων πρόσοικος γίνεται πλήσμιον ἐν κακίᾳ τὴν
ψυχὴν ἐπαγόμενος. « Σπείρουσι δὲ τοὺς ἀγροὺς καὶ φυτεύουσι
τοὺς ἀμπελῶνας ʰ »· τὰς θείας ἐντολὰς καὶ τὴν ἐνάρετον
30 πολιτείαν τοῖς τοιούτοις διασημαίνων αἰνίγμασι. Σπέρμα γὰρ
τῆς μελλούσης ἐπικαρπίας ⁱ ἐστὶν ἡ ἐντολή, ἀρετὴ δὲ ἡ
ἄμπελος ἡ διὰ τῶν λογικῶν βοτρύων τῷ τῆς σοφίας κρατῆρι
τὸν οἶνον ἐγχέουσα ʲ. Ταῦτα δὲ οὐδὲν ἄλλο ἢ εὐλογίας πλῆθός
ἐστιν. « Εὐλόγησε γάρ, φησίν, αὐτοὺς καὶ ἐπληθύνθησαν
35 σφόδρα, καὶ τὰ κτήνη αὐτῶν οὐκ ἐσμίκρυνεν ᵏ. » Κτήνη λέγει
τὴν ὑποχείριον τῶν τῆς ψυχῆς κινημάτων ὑπηρεσίαν, ὅταν
πρὸς ἀρετὴν| ἕκαστον τῶν ἐν ἡμῖν χρησιμεύῃ· ἀγαθὸν κτῆνός
ἐστιν ὁ θυμός, ὅταν τοῦ λογισμοῦ ὑποζύγιον γένηται· ἕτερον
τοιοῦτον κτῆνος ἡ ἐπιθυμία νωτοφοροῦσα τρόπον τινὰ καὶ

AVB SLQXF

19-20 κατοικούτων (sic) V ‖ 21 διψώδη v ‖ 25 πεινῶντες : πεινῶντες καὶ
διψῶντες S διψῶντες QXF Don ‖ 26 λίμνης om. B ‖ 27 τὴν iter. V ‖
28 φυτεύσουσι Vᵃᵉ ‖ 29 ἐντολὰς : ἀρετὰς S ‖ 31 ἡⁱ om. L ‖ ἀρετῇ F ‖ ἡ² om.
L ‖ 33 ἐκχέουσα AQv ‖ ἄλλο (ἄλλοις V) + ἐστιν AVB ‖ 34 αὐτούς φησιν
AVB ‖ 37 χρησιμεύει VᵃᶜL χρησιμεύσῃ S

---

d. Ps 106, 34a   e. Ps 106, 34b   f. Ps 106, 35   g. Mt 5, 6 ; cf. Ps 106,
36   h. Ps 106, 37a   i. Cf. Ps 106, 37b   j. Cf. Pr 9, 2   k. Ps 106, 38

nement des vices, chaque fois que les hommes, en accumulant continuellement perversité sur perversité, étirent comme un torrent la traînée de la malice. Mais il fait aussi, dit-il, de la « terre fertile une saline [d] » : l'âme féconde en vices est transformée et devient assoiffée en étant assaisonnée par le sel de l'enseignement divin si bien que « la malice de ses habitants [e] » ne peut plus croître en étant nourrie par les flux pervers des eaux ; mais l'âme, gorgée de sel et altérée, est prise d'une soif bienheureuse et devient, par la réunion des vertus, une nappe d'eau débordante. En effet, « il a changé, dit-il, un désert en nappes d'eau et une terre aride en affluents d'eaux [f] ». Cela devient une cité que « les affamés de justice [g] » habitent. Car nul, s'il est nauséeux et privé d'appétit, n'habite à proximité d'une telle nappe et de telles eaux, avec une âme saturée de malice. Et « ils ensemencent les champs et plantent les vignes [h] » : il veut signifier par de telles énigmes les commandements divins et la conduite vertueuse. Car le commandement est une semence pour la moisson [i] à venir et la vigne qui verse grâce à ses grappes spirituelles le vin dans le cratère de la sagesse [j] une vertu. Cela n'est rien d'autre qu'une abondance de bénédiction : « Il les bénit, dit-il, et ils se multiplièrent énormément, et leur bétail ne s'amoindrit pas [k]. » Le bétail, veut-il dire, c'est le service soumis des motions de l'âme, chaque fois que chacune de ces motions qui sont en nous est utile à la vertu : le cœur est du bon bétail, chaque fois qu'il est sous le joug de la raison ; le désir est un autre bétail du même genre, qui offre, en quelque

40 βαστάζουσα τὴν ψυχὴν καὶ ἐπὶ τὸ ὕψος ἀνάγουσα, ὅταν ἐπὶ τὰ
ἄνω τῇ ἡνίᾳ τῆς διανοίας εὐθύνηται. Καὶ τὰ ἄλλα πάντα κτήνη
ἐστὶν αὐξόμενα τῇ εὐλογίᾳ, ὅταν πρὸς τὰ μεγάλα γένηται ἡμῖν
ἡ παρὰ τούτων ὑπηρεσία. **26.** Εἶτα πάντων τῶν εἰρημένων ἀνακεφαλαίωσιν ἐν τῷ
ἐφεξῆς ποιεῖται λόγῳ. Πολυτρόπως γὰρ τά τε πάθη διεξελθὼν
καὶ τὰς θείας εὐεργεσίας ὑπ' ὄψιν ποιήσας νυνὶ δι' ὀλίγου πάλιν
ἐκπεριλαβὼν ἀνακεφαλαιοῦται τῷ λόγῳ, ἐν οἷς φησιν ὅτι
5 « ὠλιγώθησαν καὶ ἐκακώθησαν ἀπὸ θλίψεως κακῶν καὶ
ὀδύνης ᵃ », διὰ μὲν τοῦ ὀλίγου σημαίνων τὴν βραχύτητα καὶ
τὴν γενομένην ἀπὸ τοῦ ὕψους τε καὶ μεγέθους εἰς τὸ ταπεινὸν
συστολήν· τὸ γὰρ ὀλίγον τὸ βραχύτατον σημαίνει κατὰ τὴν
ἔννοιαν· τῇ δὲ κακώσει τὴν πρὸς τὸ κακὸν οἰκειότητα, θλῖψιν
10 δὲ καὶ ὀδύνην πανταχοῦ τὸ πέρας λέγει τῆς τῶν ἀγαθῶν
ἀποπτώσεως, ὡς ἐν ἑτέρῳ ψαλμῷ τὸ τοιοῦτον διέξεισι λέγων·
« Περιέσχον με ὠδῖνες θανάτου. Κίνδυνοι ᾅδου εὕροσάν με.
Θλῖψιν καὶ ὀδύνην εὗρον ᵇ. » « Ὠδῖνας θανάτου » καὶ
« κινδύνους ᾅδου » τὰς ἁμαρτίας εἰπὼν ἐπάγει τὸ πέρας εἰς ὃ
15 τελευτᾷ τῆς ἁμαρτίας ἡ φύσις· ὅπερ οὐδὲν ἄλλο ἢ θλῖψίς τε καὶ
ὀδύνη ἐστίν, οὕτω τοῦ Εὐαγγελίου διὰ « τοῦ κλαυθμοῦ καὶ
βρυγμοῦ τῶν ὀδόντων ᶜ » τὸ αὐτὸ τοῦτο διασημαίνοντος.

PG 480

Εἶτα προστίθησι δι' ἀκολούθου τὸ « Καὶ ἐξεχύθη ἐξουδένωσις ἐπ' ἄρχοντας αὐτῶν ᵈ ». Διδάσκει δὲ διὰ τούτων ὅτι τὸ μὲν

AVB SLQXF

40 τὰ : τὸ VBLXF ‖ 41 τῇ : τὰ AVB ‖ τἄλλα S ‖ 42 αὐξανόμενα AVBv
26 2 ποιεῖται + τῷ QF ‖ διελθὼν LQF Don ‖ 3 νῦν S ‖ δι : δὲ V ‖ 4 ἐμπε-
ριλαβὼν (ε supra π scr. et eras. vid.) F ‖ 5 θλίψεων F ‖ 7 γενομένην post
μεγέθους S ‖ 12 ᾅδου om. AVB ‖ 14 εἰ Vᵃᶜ ‖ 15 τε om. VB ‖ 16 ὀδύνης L ‖
17 βρυγμοῦ : τοῦ praem. S ‖ 18 καὶ τὸ S ‖ 19 αὐτῶν om. SLQXFv

a. Ps 106, 39   b. Ps 114, 3   c. Mt 8, 12   d. Ps 106, 40a

sorte, son dos à l'âme pour la porter et la conduire dans les hauteurs, chaque fois qu'il est dirigé vers les réalités d'en haut par les rênes de la pensée [1] ; et tout le reste du bétail est multiplié par la bénédiction, chaque fois qu'il nous prête son service pour atteindre de grands biens.

Récapitulation

26. Puis, dans la suite, il fait par son discours une récapitulation de tout ce qu'il a dit. En effet, après avoir, de bien des manières, évoqué les passions et mis sous nos yeux les bienfaits divins, il reprend à nouveau brièvement ces points pour les récapituler par son discours : il dit qu'« ils diminuèrent et devinrent malfaisants sous le coup de la tribulation des maux et de la douleur [a] ». Par le mot de diminution, il exprime la petitesse et le resserrement qui se fait de ce qui est élevé et grand vers ce qui est bas, car la diminution exprime l'idée de ce qu'il y a de plus petit ; par malfaisance, il désigne la familiarité avec le mal. Quant à la tribulation et à la douleur, c'est partout, dit-il, la fin ultime de la perte des biens, telle qu'il la décrit dans un autre psaume en ces mots : « Les affres de la mort m'ont entouré, les dangers de l'Hadès m'ont trouvé, j'ai trouvé tribulation et douleur [b]. » Ayant désigné par « affres de la mort » et « dangers de l'Hadès » les péchés, il ajoute la fin où trouve son achèvement la nature du péché, qui n'est autre que tribulation et douleur, cela même que l'Évangile signifie par « les pleurs et les grincements de dents [c] ».

Puis il ajoute par une suite logique : « Et l'anéantissement fut déversé sur les premiers d'entre eux [d]. » Il enseigne par là

---

1. Rappel du mythe de l'attelage ailé du *Phèdre* (246 a).

GNO 63 20 ἐν τῷ ὄντι ᵉ εἶναι ἀληθῶς | ἐστιν εἶναι. Εἰ δέ τι τοῦ ὄντος
ἐκπέπτωκεν, οὐδὲ ἐν τῷ εἶναι ἐστί. Τὸ γὰρ ἐν κακίᾳ εἶναι οὐκ
ἔστι κυρίως εἶναι, διότι αὐτὴ καθ' ἑαυτὴν ἡ κακία οὐκ ἔστιν,
ἀλλ' ἡ τοῦ καλοῦ ἀνυπαρξία κακία γίνεται. Ὥσπερ οὖν ὁ ἐν τῷ
ὄντι ὢν ἐν τῷ εἶναί ἐστιν, οὕτως ὁ ἐν τῷ οὐδενὶ γενόμενος –
25 τοῦτο δέ ἐστιν ἡ κακία – ἐξουδένωται, καθὼς ὀνομάζει ὁ
λόγος. Ἡ δὲ τοιαύτη τοῦ λόγου χρῆσις τέτριπταί πως ἐν τῇ
συνηθείᾳ τῶν κεχρημένων. Ὡς τὴν τροφὴν ἐν σαρκὶ γενομένην
ἀποσαρκοῦσθαι λέγομεν καὶ τὸν οἶνον ἐκχεθέντα τῷ ὕδατι
ἐξυδαροῦσθαι, καὶ ἐν τῷ πυρὶ τὸν σίδηρον ἐκπυροῦσθαί φαμεν,
30 οὕτω καὶ τὸν τοῦ ὄντος ἐκπεσόντα ἐν τῷ οὐδενὶ γενόμενον
ἐξουδενοῦσθαι· οὐκοῦν ἡ ἐξουδένωσις ἡ ἐν τῷ ἀγαθῷ ἀνυπαρξία ἐστίν. Αὕτη δὲ ἐπὶ τοὺς ἄρξαντας τῆς κακίας, τουτέστιν ἐπὶ τοὺς πρώτους ἀνθρώπους ἐλθοῦσα καθάπερ τι ῥεῦμα
πονηρὸν καὶ ἐπὶ τὴν τῶν ἐπιγινομένων διαδοχὴν ἐξεχέθη.
35 Ἐπεὶ οὖν ἐπτώχευσεν ἡ φύσις τοῦ τοιούτου κτήματος, τῆς
ζωῆς λέγω, καὶ πένης ὁ ἄνθρωπος ὑπὸ τοῦ κλέπτου ἐγένετο,
τὴν θείαν συληθεὶς εὐλογίαν, διὰ τοῦτό φησιν ὅτι « ἐβοήθησε
πένητι ἐκ πτωχείας ᶠ ». « Τῇ γὰρ ἐκείνου πτωχείᾳ ἡμεῖς
ἐπλουτήσαμεν ᵍ. » « Καὶ ἔθετο ʰ » αὐτοὺς « ὁ ποιμὴν ὁ
40 καλὸς ᶦ » ἀντὶ θηρίων « πρόβατα πατριᾶς ʰ »· « πατριὰν » δὲ
ὀνομάζει τὸ σύστημα τῶν εἰς τὸν θεῖον κατάλογον συντε-
λούντων. Ὡς καὶ ὁ ἀπόστολος λέγει· « Ἐξ οὗ πᾶσα πατριὰ ἐν
οὐρανῷ καὶ ἐπὶ γῆς ὀνομάζεται ʲ. » Εἶτα ἐπάγει ὅτι « ὄψονται
εὐθεῖς καὶ φοβηθήσονται ᵏ », διδάσκων διὰ τῶν εἰρημένων ὅτι
45 πρὸς τὴν φιλανθρωπίαν ταύτην βλέπων ὁ εὐθὴς φοβείσθω. Οὐ

AVB SLQXF

20 τις v ‖ 23 ἀνυπαρξία + καὶ V ‖ 27 γινομένην X ‖ 28 ἐγχεθέντα VBS ‖
30 τοῦ om. A ‖ ὄντως A ‖ 35 κλήματος SLX ‖ 41 τὸν : τὸ A ‖ 45 πρὸς –
φιλανθρωπίαν om. QF ‖ εὐθὺς v

e. Cf. Ex 3, 14   f. Ps 106, 41a   g. 2 Co 8, 9   h. Ps 106, 41b   i. Jn 10, 11.
14   j. Ep 3, 15   k. Ps 106, 42a

qu'exister dans celui qui est [e], c'est exister vraiment. Mais si quelque chose tombe en dehors de celui qui est, il n'est pas même dans l'être. Car être dans le mal, ce n'est pas, au sens propre, être. Voilà pourquoi la malice n'existe pas par elle-même : au contraire, c'est l'inexistence du beau qui constitue la malice [1]. Donc, comme celui qui existe dans celui qui est est dans l'être, ainsi celui qui est dans le néant – c'est-à-dire la malice – est anéanti, selon l'expression du texte. Un tel emploi du mot est assez familier dans l'usage des locuteurs. On dit bien que la nourriture, quand elle se trouve dans de la chair devient de la chair, que le vin versé dans l'eau se change en eau et que le fer dans le feu s'enflamme ; de la même manière, celui qui est tombé en dehors de celui qui est, puisqu'il se trouve dans le néant, est anéanti. C'est donc que l'anéantissement est l'inexistence dans le bien. Et celui-ci, quand il se répandit sur les initiateurs du mal, c'est-à-dire sur les premiers hommes, se déversa aussi comme un torrent pernicieux sur la lignée de leurs descendants. La nature a donc été appauvrie d'un tel bien, je veux dire la vie, et l'homme a été réduit à l'indigence par le voleur qui l'a dépouillé de la bénédiction divine : pour cette raison, il dit qu'« il a secouru l'indigent par la pauvreté [f] ». « Car c'est par sa pauvreté que nous, nous avons été enrichis [g]. » Et « le bon berger [i] » « a fait d'eux », au lieu de bêtes, « des brebis d'une famille [h] ». Il appelle « famille » la communauté de ceux qui appartiennent au registre divin, comme dit aussi l'apôtre : « De lui toute famille au ciel et sur terre tire son nom [j]. » Puis il ajoute : « Les hommes droits verront et craindront [k] », enseignant par ces mots que l'homme droit, à la vue de cette amitié envers l'homme, doit éprouver de la crainte. Car la

---

1. Sur le thème de la non-existence du mal, voir A. A. MOSSHAMMER, « Nonbeing and Evil in Gregory of Nyssa », *VC* 44 (1990), p. 136-167.

γὰρ μικρὸν τῶν ἀγαθῶν φυλακτήριον ὁ φόβος γίνεται, τῇ
μνήμῃ τῶν προγεγονότων πρὸς τὸ ἐφεξῆς σωφρονίζων τὸν ἐν
πάθει γενόμενον. Οὗ κατακρατοῦντος καὶ πᾶσαν τὴν διὰ χαυ-
νότητος πρὸς τὸ | κακὸν γινομένην εὐκολίαν ἡμῶν ἐξορίζον-
50 τος, « πᾶσα, φησίν, ἀνομία ἐμφράξει τὸ στόμα αὐτῆς [1] ». Ὡς
μακάριος ὁ βίος ἐκεῖνος, ἐν ᾧ τὸ τῆς ἀνομίας στόμα καθάπερ
τις βορβόρου πηγὴ εἰς τὸ διηνεκὲς ἐμφραγήσεται οὐκέτι τῇ
δυσωδίᾳ τὸν τῶν ἀνθρώπων βίον καταμολύνον. Αὕτη ἐστὶν ἡ
τῶν ἀγαθῶν κορυφή, τὸ τῶν ἐλπίδων κεφάλαιον, τὸ πέρας
55 πάσης μακαριότητος, τὸ μηκέτι διοχλεῖσθαι ὑπὸ κακίας τὴν
φύσιν, ἀλλὰ τὴν πᾶσαν ἀνομίαν — αὕτη δ᾽ ἂν εἴη ὁ εὑρετὴς τῆς
ἀνομίας [m]· τοῦτο γὰρ ἡ περιληπτικὴ διασημαίνει φωνή —
ἐμφράξαι τὸ στόμα ἐκεῖνο, οὗ ἡ φωνὴ τὸ κατ᾽ ἀρχὰς θανάτου
ὕλη τοῖς ἀνθρώποις ἐγένετο. Ὅταν οὖν ἐξαιρεθείη πᾶν τὸ τῷ
60 καλῷ ἀντικείμενον, ἐκείνη ἐκδέξεται ἡμᾶς ἡ κατάστασις, ἧς
οὐδεὶς λόγος μηνυτὴς εὑρεθήσεται, ἥτις ὑπὲρ αἴσθησίν τε καὶ
γνῶσιν εἶναι παρὰ τῆς θείας φωνῆς μεμαρτύρηται [n]. Τούτοις
ἐπάγει καθάπερ τινὰ σφραγῖδα τὰς ἐπὶ τέλει φωνὰς λέγων·
« Τίς σοφὸς καὶ φυλάξει ταῦτα· καὶ συνήσουσι τὰ ἐλέη τοῦ
65 Κυρίου [o] ; » Ἐπειδὴ γὰρ διπλῆ ἡ τῆς σοφίας ἐνέργεια, καὶ ἡ
μέν ἐστιν ἐρευνητική τε καὶ ζητητικὴ τῶν συμφερόντων, ἡ δὲ
φυλακτικὴ τῶν εὑρεθέντων, τὸ ἓν τῆς σοφίας ἔργον, τὸ ζητη-
τικὸν λέγω, πεπαῦσθαι τηνικαῦτα βούλεται. Εἰς τί γὰρ τῇ
ζητήσει χρησόμεθα τοῦ ζητουμένου παρόντος ; Ἓν ἔργον δὲ
70 μόνον κελεύει τὸ λειπόμενον γίνεσθαι, ὅπως ἂν φυλαχθείη τὸ

AVB SLQXF T (l. 53)

47-48 ἐμπάθει V ‖ 49 γενομένην VB ‖ εὐλογίαν S ‖ 50 ἐμφράξει (μ sl) V ‖
52 πηγή : τομή QXF ‖ 53 καταμολύνον T : -νων cett. ‖ 56 ἀνομίαν +
<ἐξαιρεῖσθαι> Don ‖ 58 ἐμφράξει S ‖ 60 ἐκδέξηται L ‖ 63 λέγων + οὕτως S
‖ 66 ζητικὴ X ‖ 69 ἓν ἔργον : ἐνεργὸν AVB

l. Ps 106, 42b   m. Cf. Rm 1, 30   n. Cf. Ph 4, 7 ; Ep 3, 19 ; 1 Co 2, 9
o. Ps 106, 43

crainte n'est pas un mince moyen de sauvegarder les biens, elle qui rappelle le passé pour, à l'avenir, rendre sensé l'homme qui a été en proie à la passion. Quand elle aura dominé et chassé toute notre disposition au mal qui vient d'un vain orgueil, « toute iniquité, dit-il, fermera sa bouche [1] ». Quelle bienheureuse vie que celle où la bouche de l'iniquité comme une source de bourbier [1] sera fermée pour toujours et ne souillera plus de son odeur fétide la vie des hommes ! La cime des biens, le couronnement des espérances, la fin de toute béatitude, c'est que la nature ne soit plus troublée par la malice, mais que toute iniquité – celle-ci peut désigner l'inventeur de l'iniquité [m], car c'est ce qu'indique le terme collectif – ferme cette bouche, dont la voix a été à l'origine pour les hommes matière de mort. Donc lorsque tout ce qui s'oppose au beau aura été supprimé, nous attendra cet état qu'aucun discours – on n'en trouvera pas – ne révélera, dont la divine parole atteste qu'il est au-delà de la sensation et de la connaissance [n]. Là-dessus, il ajoute comme un sceau ces paroles finales : « Qui est sage et gardera cela ? Et comprendront-ils les miséricordes du Seigneur [o] ? » Comme l'action de la sagesse est double – d'une part la recherche et la quête de ce qui est utile, d'autre part la garde de ce qu'on a trouvé –, il veut que cesse désormais une œuvre de la sagesse, je veux dire la quête. En effet, quel besoin aurions-nous de rechercher ce dont on dispose ? Il n'impose que la seule œuvre restante, garder le bien déjà acquis, puisque la sagesse nous apporte son concours pour

---

1. Sur ce mot, voir M. Aubineau, « Le thème du *Bourbier* (βόρϐορος) dans la littérature grecque, profane et chrétienne », *RecSR*, t. 47 (1959), p. 185-214.

πορισθὲν ἀγαθόν, πρὸς τοῦτο τῆς σοφίας ἡμῖν συνεργούσης.
Τίς δὲ ἡ σοφία καὶ τίς ἡ τῶν ἀγαθῶν ἐστιν φυλακή ; Τὸ μὴ
ἀσυνέτως τῆς θείας φιλανθρωπίας ἔχειν. Ὁ γὰρ συνεὶς ὢν
τετύχηκεν οὐκ ἂν πρόοιτο τὸ ἀγαθὸν οὗ ἠξίωται. Ὁ δὲ ἀσυ-
75 νέτως ἔχων τῆς χάριτος ταὐτὸν πείσεται τοῖς τυφλοῖς, οἳ
μαργαρίτην ἢ σμάραγδον ἤ τινα τῶν τιμίων| λίθων ἐν χερσὶ
λαβόντες, ὡς ψηφῖδά τινα τῶν εἰκαίων ἀπορρίπτουσιν ἀγνοίᾳ
τοῦ κάλλους ἀκουσίως ζημιωθέντες τοῦ κτήματος.

GNO 65

ΚΕΦΛΛΑΙΟΝ Θ′

27. Ταύτας δὲ τὰς πέντε τῶν ψαλμῶν διαιρέσεις, δι᾿ ὧν
καθάπερ τινὰς βαθμοὺς ἀλλήλων ὑπερανεστῶτας κατά τινα
τάξεως ἀκολουθίαν κατανοήσαντες ἐκ τῶν εἰρημένων διεκρί-
ναμεν σημείων, ὅτι ἑκάστου τμήματος ἡ τελευταία φωνὴ
5 στάσιν τινὰ τοῦ λόγου καὶ βάσιν τῆς διανοίας ἔχει περιγρά-
φουσαν ἐν ἑαυτῇ τῶν προηνυσμένων τὸ πέρας διὰ τῆς δοξολο-
γικῆς τε καὶ εὐχαρίστου φωνῆς τῆς λεγούσης· « Εὐλογητὸς
Κύριος εἰς τὸν αἰῶνα, γένοιτο, γένοιτο ᵃ. » Τὸ γὰρ νόημα
τούτων εὐχαριστία τίς ἐστιν εἰς τὸ διηνεκὲς παραμένουσα·
10 ἐπειδὴ οὐκ εἰσάπαξ εἰπὼν ὁ λόγος « γένοιτο » ἔστησε τὴν
εὐλογίαν, ἀλλὰ τῇ δισσῇ ἀναλήψει τῆς φωνῆς ἐν τῇ εὐχαριστίᾳ
νομοθετεῖ τὸ ἀΐδιον. Ἐν ἑκάστῳ δὲ μέρει τῶν κατὰ τὰ τμήματα ταῦτα διαιρεθέντων, ἴδιόν τι ἀγαθὸν ὁ λόγος ἐνεθεώρησε,
δι᾿ οὗ γίνεται ἡμῖν ἐκ Θεοῦ ἡ μακαριότης, κατά τινα τάξιν
15 ἀκόλουθον τῶν ἐν ἑκάστῳ θεωρουμένων ἀγαθῶν, ἀεὶ πρὸς τὸ
ὑψηλότερον τὴν ψυχὴν ὑπερτιθείς, ὡς ἂν ἐπὶ τὸ ἀκρότατον
ἀφίκηται τῶν ἀγαθῶν.

AVB SLQXF

72 ἐστιν om. F ‖ 75 τῇ χάριτι F ‖ οἳ : ἢ Q ‖ 77 ὡς : εἰς Q
27 2 ὑπερανεστῶσας Q ‖ 6-7 δοξολογητικης (sic) V ‖ 7 τῆς : ταῦτα vid.
Q ‖ 9 τίς om. A ‖ 10 εἰπὼν Xˢˡ ‖ 11 δισσῇ ἀναλήψει : δὶς ἐπαναλήψει S ‖
13 ἐθεώρησε L ‖ 16 ὑπερτιθῆς L ‖ ἕως coni. *Jaeger Don* ‖ 17 ἐφίκηται A

a. Ps 88, 53 ; cf. Ps 40, 14 ; 71, 19 ; 105, 48

cela. Qu'est-ce que la sagesse et qu'est-ce que la garde des biens ? C'est le fait de ne pas être dans l'inintelligence de l'amitié de Dieu pour les hommes. Car celui qui a compris ce qu'il a obtenu ne peut rejeter le bien dont il est honoré. Mais celui qui est dans l'inintelligence de la grâce sera dans la même situation que les aveugles qui, lorsqu'ils ont en main une perle, une émeraude ou une pierre précieuse, la jettent comme un vulgaire caillou et par ignorance de sa beauté sont lésés sans le vouloir de leur possession.

CHAPITRE IX

Le *Psaume* 150, cime de l'ascension

27. Telles sont les cinq divisions des psaumes où nous avons distingué, par un effort de compréhension, grâce aux signes qui ont été dits, comme des échelons qui se superposeraient les uns aux autres selon un ordre progressif. En effet, la formule qui achève chaque section contient un certain état du discours et une étape de la pensée qui circonscrit en elle la limite de ce qui a été accompli, avec la parole de glorification et d'action de grâces qui dit : « Béni soit le Seigneur pour l'éternité ! Que cela soit ! Que cela soit [a] ! » Car le sens de ces mots est celui d'une action de grâces qui subsiste pour toujours. La parole, en effet, ne s'est pas contenté de dire une fois « que cela soit ! » pour établir la bénédiction, mais, en reprenant la formule deux fois, elle prescrit l'éternité dans l'action de grâces. Et dans chaque partie de ce qui a été divisé selon ces sections, la parole a fait contempler un bien particulier, par lequel nous acquérons la béatitude qui vient de Dieu selon une certaine progression ordonnée des biens que l'on contemple dans chaque section, entraînant l'âme toujours plus haut, afin qu'elle parvienne à la plus haute cime des biens.

256   SUR LES TITRES DES PSAUMES (PS 150)

Τοῦτο δέ ἐστιν ὁ αἶνος τοῦ Θεοῦ ἐν πᾶσιν ἁγίοις ἀπο-
πληρούμενος, καθὼς περιέχει ὁ τελευταῖος ψαλμὸς λέγων
20 « Αἰνεῖτε τὸν Θεὸν ἐν τοῖς ἁγίοις αὐτοῦ ᵇ », ὅπου « τὸ στερέωμα τῆς δυνάμεως ᶜ » τὸ ἐκ τοῦ ἀγαθοῦ ἀμετάπτωτον διασημαίνει, καὶ « αἱ δυναστεῖαι ᵈ » τοῦ Θεοῦ τὸ μηκέτι ὑπὸ
PG 484 κακίας δυναστεύεσθαι τὴν φύσιν παραδηλοῦσιν, ὅτε χωρεῖ λοιπὸν ἡ ἀνθρωπίνη δύναμις « κατὰ τὸ πλῆθος τῆς μεγαλωσύνης
GNO 66 25 αὐτοῦ ᵉ » ποιεῖσθαι | τὸν αἶνον, οὐκέτι μικρὰ φθεγγομένη, ἀλλ᾽
ἤδη παριοῦσα τῇ μεγαλοφωνίᾳ τὰς σάλπιγγας. Φησὶ γὰρ
« Αἰνεῖτε τὸν Κύριον ἐν ἤχῳ σάλπιγγος ᶠ », ὅτε καὶ μιμεῖται
τὴν τοῦ παντὸς ἁρμονίαν τῷ ποικίλῳ τε καὶ πολυειδεῖ τῶν
ἀρετῶν, « ὄργανον ᵍ » ἐν ῥυθμῷ μελῳδίας τῷ Θεῷ γενομένη.
30 Ὀνομάζει δὲ τοῦτο διά τινος τροπικῆς σημασίας « ψαλτήριόν
τε καὶ κιθάραν ʰ » ὁ λόγος· μεθ᾽ ὃ πᾶν τὸ γεῶδές τε καὶ κωφὸν
καὶ ἄναυδον ἀποθεμένη ἐν τῇ τῶν τυμπάνων μεγαλοφωνίᾳ
ταῖς οὐρανίαις χορείαις συνάπτει τῶν ἰδίων χορδῶν τὸν ἦχον ⁱ.
Χορδαὶ δ᾽ ἂν εἶεν τῷ ὀργάνῳ ἐντεταμέναι τὸ ἐν ἑκάστῃ ἀρετῇ
35 πρὸς κακίαν ἀνένδοτόν τε καὶ ἀχάλαστον. Δι᾽ ὧν γίνεται ἡ
καλὴ συνῳδία τοῦ κυμβάλου ταῖς χορδαῖς μιγνυμένου, ὅταν ὁ
τῶν κυμβάλων ἦχος εἰς τὴν θείαν χοροστασίαν ἐπεγείρῃ τὴν
προθυμίαν. Ὅπερ μοι δοκεῖ τὴν πρὸς τοὺς ἀγγέλους τῆς
φύσεως ἡμῶν διερμηνεύειν συνάφειαν, ἐν ᾧ φησιν· « Αἰνεῖτε
40 τὸν Κύριον ἐν κυμβάλοις εὐήχοις ʲ. » Ἡ γὰρ τοιαύτη σύνοδος,
τοῦ ἀγγελικοῦ λέγω πρὸς τὸ ἀνθρώπινον, ὅταν ἐπαναχθῇ πρὸς
τὴν ἀρχαίαν λῆξιν ἡ ἀνθρωπίνη φύσις, τὸν γλυκὺν ἐκεῖνον διὰ

AVB SLQXF

20 αἰνεῖται F ‖ θεὸν : κύριον LQXF ‖ ὅπου + δὲ AVB ‖ 21-22 σημαίνει
QFv ‖ 26 τῆς σάλπιγγος A ‖ 28 πολυειδῆ A ‖ 29 γινομένη (-μένῳ vid. a.c. V)
AVBX γενόμενον S ‖ 31 ὃ : ὃν A ‖ τὸ om. v ‖ γεῶδες + φρόνημα VB ‖ τε om.
VB ‖ καὶ² + τὸ ASX ‖ 33 χορείαις : δυνάμεσι B ‖ 34 ἐντεταγμέναι AVB ‖
36 συνοδία v ‖ 37 ἐπεγείρει Q ‖ 39 φησιν : ἔφη V ‖ 42 ἀρχαίαν om. A

b. Ps 150, 1b   c. Ps 150, 1c   d. Ps 150, 2a   e. Ps 150, 2b   f. Ps 150,
3a   g. Ps 150, 4b   h. Ps 150, 3b   i. Cf. Ps 150, 4   j. Ps 150, 5a

Le concert de louanges des anges et des hommes

Cette cime, c'est la louange de Dieu qui se réalise dans tous les saints, comme l'indique le dernier psaume par ces mots : « Louez Dieu dans ses saints [b] » – là où « le firmament de la puissance [c] » signifie ce qui ne déchoit pas du bien, où « les dominations [d] » de Dieu laissent entendre que la malice ne domine plus la nature – lorsqu'enfin la puissance humaine est capable de faire sa louange « selon l'étendue de sa grandeur [e] », en n'émettant plus de faibles sons, mais en dépassant désormais par l'éclat de la voix les trompettes. Car il dit : « Louez le Seigneur au son d'une trompette [f] », lorsqu'également elle imite l'harmonie de l'univers par la variété et la diversité des vertus et devient pour Dieu « un instrument [g] » accordé au rythme d'une mélodie. C'est ce que le texte nomme au sens figuré « psaltérion et cithare [h] ». Ensuite, après avoir écarté tout ce qui est terrestre, muet et sans voix, elle rapproche des danses chorales célestes, dans l'éclat des tambours, le son de ses cordes [i] – les cordes tendues sur l'instrument pourraient être pour chaque vertu ce qui l'empêche de se livrer au vice et de s'y relâcher. Il en résulte le beau concert où la cymbale se mêle aux cordes, quand le son des cymbales éveille le désir d'entrer dans le chœur divin, ce qui me semble traduire le rapprochement de notre nature avec les anges. C'est le passage où il dit : « Louez le Seigneur avec des cymbales retentissantes [j]. » En effet, un tel concours, je veux dire celui du monde angélique et du monde humain, quand la nature humaine sera rendue à son lot originel, produira ce doux son de l'action de grâces par la rencontre des uns avec les autres, et, par les uns et les autres

τῆς πρὸς ἀλλήλους συμπτώσεως ἦχον τῆς εὐχαριστίας ἀπο-
τελέσει· καὶ δι' ἀλλήλων καὶ μετ' ἀλλήλων τὴν ἐπὶ τῇ φιλαν-
45 θρωπίᾳ εὐχαριστίαν τῷ Θεῷ γινομένην διὰ παντὸς ἀνυ-
μνήσει. Τοῦτο γὰρ ἡ τοῦ κυμβάλου πρὸς τὸ κύμβαλον ἐνδείκνυται σύνοδος· ἓν κύμβαλον ἡ ὑπερκόσμιος τῶν ἀγγέλων
φύσις· ἕτερον κύμβαλον ἡ λογικὴ τῶν ἀνθρώπων κτίσις. Ἀλλὰ
διέστησεν ἡ ἁμαρτία τοῦτο ἐκείνου· ὅταν οὖν πάλιν ἡ τοῦ Θεοῦ
50 φιλανθρωπία συνάψῃ ἀλλήλοις ἀμφότερα, τότε ἠχήσει τὸν
αἶνον ἐκεῖνον τὰ δύο μετ' ἀλλήλων γενόμενα, ὥς φησι καὶ ὁ
μέγας ἀπόστολος, ὅτι « Πᾶσα γλῶσσα ἐξομολογήσεται, ἐπουρανίων καὶ ἐπιγείων καὶ καταχθονίων ὅτι Κύριος Ἰησοῦς
GNO 67   Χριστὸς | εἰς δόξαν Θεοῦ Πατρός ᵏ ». Οὗ γενομένου ἐπινίκιον
55 ἀλαλάξει ¹ ὁ τῶν κυμβάλων τούτων ἦχος διὰ τῆς κοινῆς συνῳ-
δίας ἐπὶ τῷ ἀφανισμῷ τοῦ πολεμίου γενόμενος. Τούτου δὲ
παντελῶς ἀφανισθέντος καὶ εἰς τὸ μὴ εἶναι περιελθόντος
ἀδιαλείπτως ἐν πάσῃ πνοῇ ὁμοτίμως πρὸς τὸν Θεὸν ὁ αἶνος εἰς
ἀεὶ πληρωθήσεται. Ἐπειδὴ γὰρ « οὐχ ὡραῖος αἶνος ἐν στόματι
60 ἁμαρτωλοῦ ᵐ », ἁμαρτωλὸς δὲ τότε οὐκ ἔσται, τῆς ἁμαρτίας
οὐκ οὔσης, « πᾶσα πνοὴ » διὰ παντὸς τοῦ αἰῶνος « αἰνέσει τὸν
Κύριον ⁿ ».

28. Ἡ μὲν οὖν ὁδὸς πρὸς τὸ μακάριον τοιαύτη παρὰ τῆς
PG 485   μεγάλης ταύτης τῆς ἐν τοῖς ψαλμοῖς φιλοσοφίας ἡμῖν ὑπε-
δείχθη, ἀεὶ πρὸς τὸ μεῖζόν τε καὶ ὑψηλότερον τῆς ἐπὶ τὴν
ἀρετὴν πορείας ἐπείγουσα τοὺς διὰ τούτων πρὸς τὸ ὕψος ὁδη-

AVB SLQXF

42-43 ἦχον (ἔχον vid. a.c. Q) ante διὰ QFv ‖ 44 καὶ μετ' ἀλλήλων om. ex
homoeotel. QXF ‖ 48 κτῆσις AB ‖ 50 συνάψει Q ‖ 51 ἐκεῖνον + καὶ v ‖ καὶ
om. A ‖ 54 πατρός + ἀμὴν καὶ Q + ἀμὴν F ‖ 56-62 τῷ – κύριον : τῇ
καταλλαγῇ καὶ συναφείᾳ τῶν διεστώτων, ὡς ἑνὸς ὀργάνου παναρμόνιος
συμφωνία· τούτου δὲ γενομένου, ὡραῖος πρὸς τὸν θεὸν ὁ αἶνος γενήσεται
VB ‖ 56 πολέμου A ‖ 58 ἀδιάλειπτος ASLX ‖ ἐς v ‖ 59 ὡραῖος + ὁ A ‖
61 πνοὴ + ἡ SL ‖ διὰ παντὸς : πάντως ἡ διὰ A
28 1 πρὸ (ς sl) V ‖ 2 τῆς om. A ‖ 4 πορείας coni. *Don* : πολιτείς V πολιτείας
cett. ‖ ἐπεισάγουσα AVBv ἐπήγουσα L ἐπείγουσα Q

k. Ph 2, 11   l. Cf. Ps 150, 5b   m. Si 15, 9   n. Ps 150, 6

comme avec les uns et les autres, célébrera partout un hymne pour rendre grâces à Dieu de son amitié envers l'humanité. C'est ce que montre, en effet, le concours de la cymbale avec la cymbale : une cymbale est formée par la nature supraterrestre des anges, l'autre cymbale par la création rationnelle des hommes. Mais le péché a séparé l'une de l'autre. C'est donc lorsque l'amitié de Dieu pour l'homme les rapprochera de nouveau l'une et l'autre, que les deux, de concert l'une avec l'autre, feront alors retentir cette louange, ainsi que le dit, lui aussi, le grand apôtre : « Toute langue confessera, aux cieux, sur terre et sous terre, que Jésus-Christ est Seigneur à la gloire de Dieu le Père [k]. » Une fois cela accompli, le son de ces cymbales entonnera [l] un chant de victoire dans un concert commun qui célébrera la destruction de l'ennemi [1]. Quand celui-ci sera complètement détruit et retourné au néant, sans cesse, en tout ce qui respire, à égalité d'honneur, s'accomplira à jamais la louange adressée à Dieu. En effet, puisque « la louange ne sied pas à la bouche du pécheur [m] », il n'y aura plus de pécheur, car le péché n'existera pas, mais « tout ce qui respire » dans toute l'éternité « louera le Seigneur [n] ».

Le chœur de la création réunifiée

28. Voilà donc le chemin vers l'état bienheureux, tel qu'il nous a été suggéré par cette grande philosophie contenue dans les psaumes : il pousse sans cesse à un stade plus grand et plus élevé du trajet vers la vertu ceux qui, grâce à eux, sont conduits vers le haut, afin que quelqu'un parvienne à cette

---

1. Cf. II, 6 (37). La mention du « chant de victoire » qui célèbre le triomphe final sur l'ennemi maléfique annonce un des thèmes majeurs de la deuxième partie.

5 γουμένους, ὡς ἄν τις ἐπ᾽ ἐκεῖνο φθάσῃ τὸ μέτρον τῆς μακαριότητος, οὗ τὸ ἐπέκεινα οὔτε ἡ διάνοια χωρεῖ στοχασμοῖς τισι
καὶ ὑπονοίαις ἀναλογίσασθαι, οὔτε λόγος δι᾽ ἀκολούθου τὸ
ἐφεξῆς ἐξευρίσκει. Ἀλλὰ καὶ ἡ κατ᾽ ἐλπίδα κίνησις ἡ
πανταχοῦ τῆς ἐπιθυμίας ἡμῶν προεξαλλομένη τε καὶ προ-
10 τρέχουσα, ἐπειδὰν ἐμπελάσῃ τοῖς ἀνεικάστοις, ἀργὴ μένει, τὸ
δὲ ὑπὲρ τοῦτο κρεῖττον ἢ κατ᾽ ἐλπίδα ἐστίν, ὡς καὶ αὐτὴ διὰ
τῆς θεωρηθείσης τάξεως ἡ κατὰ τὴν ψαλμῳδίαν φιλοσοφία
μαρτύρεται, οἷόν τινα θύραν καὶ εἴσοδον ἐν τοῖς πρώτοις τῶν
λόγων ἐπὶ τὸν μακάριον βίον τὴν τοῦ κακοῦ ἀναχώρησιν ἡμῖν
15 ὑπανοίξασα. Τοῦτο γὰρ αἱ πρῶται φωναὶ τῆς ψαλμῳδίας
διδάσκουσιν ἀρχὴν | μακαριότητος λέγουσαι τὴν τοῦ κακοῦ
ἀλλοτρίωσιν [a]. Εἶτα τὴν ἐκ τοῦ νόμου χειραγωγίαν [b] τοῖς
πλανωμένοις προτείνασα τήν τε πρὸς τὸ ἀειθαλὲς ξύλον [c]
ὁμοίωσιν διὰ τοῦ τοιούτου βίου ὑποσχομένη καὶ τὰ σκυθρωπὰ
20 τῶν τὴν ἐναντίαν τρεπομένων ὁδὸν ὑποδείξασα διὰ τῶν ἐφεξῆς
ἀναβάσεων πρὸς τὸ ἀκρότατον ἄγει τοῦ μακαρισμοῦ τὸν τῇ
χειραγωγίᾳ ταύτῃ ἑπόμενον. Τοῦτο γάρ σοι ἐνδείκνυται ἡ τοῦ
τελευταίου ψαλμοῦ διάνοια, ἐν ᾧ μετὰ τὸν τῆς κακίας παντελῆ
ἀφανισμὸν πάντα ἐν τοῖς οὖσιν ἅγια ἔσται καὶ πάντα πρὸς τὸν
25 αἶνον τοῦ Θεοῦ συμφωνήσει, ἐπ᾽ ἴσης ἐν τῷ στερρῷ τῆς δυνάμεως τὸ πρὸς τὴν κακίαν ἄτρεπτον προσλαβόντα καὶ τῇ μεγα-
λωσύνῃ αὐτοῦ τὸν εὔφημον ἦχον οἷόν τινι μεγαλοφώνῳ
σάλπιγγι συνεπαίροντα [d]. Ὅταν εἰς μίαν χοροστασίαν συναρ-

5 ἕως coni. *Jaeger Don* ‖ 7 ἀναλογήσασθαι A ‖ 10 τὸ : τὰ S ‖ 14 λόγον
V ‖ 15 ὑπανοίξαι VB ‖ 18 προτείνουσα Q ‖ 23-24 κακίας – ἔσται : συναφείας
καὶ συναλληλίας· ἀγγέλων τε καὶ ἀνθρώπων ἀλαλαγμὸν μία πανήγυρις
γένηται VB ‖ 24 πάντα[1] – τὸν A[mg] ‖ 25 πρὸς τὸ στερρὸν QXF ‖ 26
προλαμβάνοντα Q ‖ 27 εὔφημον : εὔηχον X ‖ οἷόν F

a. Cf. Ps 1, 1   b. Cf. Ps 1, 2   c. Cf. Ps 1, 3   d. Cf. Ps 150, 1-3a

mesure de la béatitude dont la pensée ne peut, par des conjectures et des suppositions, se représenter analogiquement l'au-delà, pas plus que la raison n'en découvre par la logique le degré suivant. Mais même l'élan de l'espérance qui, partout, bondit et court devant notre désir, quand il s'approche de ce qui est inimaginable, reste inerte. Ce qui est au-delà est trop sublime pour être espéré, comme l'atteste aussi, à travers l'ordre que nous avons observé, la philosophie du Psautier : après nous avoir ouvert comme une porte d'entrée, dès ses premiers mots, vers la vie bienheureuse, avec l'abandon du mal – c'est en effet ce qu'enseignent les premières paroles du Psautier en affirmant que le rejet du mal est le principe de la béatitude [a] –, puis après avoir tendu la main directrice de la loi à ceux qui errent [b], promis par un tel genre de vie la ressemblance avec l'arbre [c] toujours vert et suggéré l'amertume de ceux qui prennent le chemin opposé, elle conduit par des ascensions successives au sommet de la béatitude celui qui suit cette main directrice. C'est ce que t'indique la pensée du dernier psaume : après la totale destruction du mal, tout dans les êtres sera saint et tout consonnera dans la louange de Dieu, après avoir acquis au même degré, grâce à la fermeté de sa puissance, l'immutabilité face à la malice et avoir élevé grâce, pour ainsi dire, à l'éclat d'une trompette, le son qui célèbre sa grandeur [d]. Quand toute la

μοσθῇ πᾶσα ἡ κτίσις, τῶν τε ὑπερκειμένων τῶν τε ὑποβε-
30 βηκότων ἁπάντων, καὶ κυμβάλου δίκην ἡ νοητὴ κτίσις καὶ ἡ
νῦν δι' ἁμαρτίας μεμερισμένη καὶ διεστῶσα τὸν ἀγαθὸν ἦχον
ἐκ τῆς ἡμετέρας συμφωνίας ἀποτελέσῃ. Ὅταν συνδράμῃ τῷ
ἀγγελικῷ τὸ ἡμέτερον, καὶ ἀναλαβοῦσα ἑαυτὴν ἐκ τῆς συγχύ-
σεως ἡ θεία παράταξις ἐπὶ τῷ φόνῳ τῶν πολεμίων ἀλαλάξῃ ᵉ
35 τῷ τροπαιούχῳ τὸ ἐπινίκιον, τότε γίνεται πάσης πνοῆς ᶠ ὁ
αἶνος εἰς ἀεὶ παρατείνων τὴν χάριν καὶ δι' αὐξήσεως πλεο-
νάζων εἰς τὸ διηνεκὲς τὸ μακάριον, ἐκεῖνο λέγω τὸ ὄντως
μακάριον· ἐφ' οὗ ἀργεῖ μὲν ἡ στοχαστικὴ περὶ τὴν γνῶσιν
διάνοια, ἀργεῖ δὲ καὶ ἡ ἐλπιστικὴ ἡμῶν ἐνέργεια, διαδέχεται
GNO 69 40 δὲ ἡ | ἄρρητός τε καὶ ἀκατανόητος καὶ πάσης κρείττων δια-
νοίας κατάστασις, ἣν « οὔτε ὀφθαλμὸς εἶδεν, οὔτε οὖς ἤκου-
σεν, οὔτε ἀνθρωπίνη καρδία ἐχώρησεν ᵍ ». Οὕτω γὰρ ὡρίσατο
τὰ ἀγαθὰ τὰ ἐν τῷ ἁγιασμῷ ἀποκείμενα ὁ θεῖος ἀπόστολος.

AVB SLQXF

29 πᾶσα ἡ : ἡ τῶν ἄνω καὶ τῶν κάτω διὰ τῆς ὁμοιώσεως VB ‖ τῶν
τε : καὶ τῶν VB ‖ 30 ἡ¹ om. L ‖ 31 τῶν ἀγαθῶν SLXFᵃᶜ ‖ 32 ἀποτελέσει
AVFv ἀποτελέσαι L ‖ 33 καταλαβοῦσα AVBL ‖ 34 τῷ φόνῳ : τῷ φανερῷ AL
τὴν ἥττην V τῇ ἥττῃ B ‖ ἀλαλάξει ALv ‖ 38 ἀργῇ Q vid. ‖ 40 δὲ Xˢˡ ‖
40 κρεῖττον LQXv ‖ 41 ἣν F ‖ ἴδεν AVL ‖ 43 τὰ² om. L

e. Cf. Ps 150, 5   f. Cf. Ps 150, 6   g. 1 Co 2, 9

création, celle de tous les êtres d'en haut et de tous ceux d'en bas, sera accordée en un chœur unique, et qu'à la manière d'une cymbale, la création intelligible et celle qui, aujourd'hui, s'en trouve séparée et a été divisée par le péché, produiront grâce à l'accord de nos voix le son juste ; quand notre condition concourra avec celle des anges et que les rangs de l'armée divine, s'étant ressaisis après la confusion, entonneront [e] pour célébrer le meurtre des ennemis le chant de victoire en l'honneur de celui qui remporte le trophée, alors la louange deviendra celle de tout ce qui respire [f], elle étendra pour toujours la grâce et elle augmentera continuellement, en l'accroissant, l'état bienheureux – je veux parler de ce véritable état bienheureux pour lequel cesse la pensée rationnelle qui procède par conjectures et cesse également notre faculté d'espérer. Vient ensuite l'état ineffable, incompréhensible et supérieur à toute pensée, que « ni l'œil n'a vu, ni l'oreille n'a entendu, ni le cœur humain n'a saisi [g] ». C'est ainsi, en effet, que le divin apôtre a défini les biens mis en réserve dans la sanctification [1].

1. Par « état bienheureux », Grégoire entend une condition qui n'a rien de statique ni de figé puisque la proximité de la présence divine appelle une nouvelle forme de croissance et de progrès que le théologien ne peut que mentionner sans la décrire car elle dépasse les limites de la raison comme ce que l'homme est en mesure d'espérer, et marque l'entrée dans la vie proprement divine, cf. *CE* I, 205, 5 s. : « La nature divine est séparée par un grand intervalle de la nature humaine, et l'expérience (πεῖρα) ne peut montrer là aucune chose telle qu'on se la figure (εἰκάζεται) à son sujet par des conjectures et des suppositions (στοχασμοῖς τισι καὶ ὑπονοίαις). »

ΚΕΦΑΛΑΙΟΝ Α΄

29. Τούτων οὖν οὕτως ἡμῖν διευκρινηθέντων καιρὸς ἂν εἴη καὶ τὸν περὶ τῶν ἐπιγραφῶν ἐξετασθῆναι λόγον. Οὐ μικρὰ γὰρ ἡμῖν πρὸς τὴν κατ᾽ ἀρετὴν ὁδὸν καὶ αὗται συμβάλλονται, ὡς ἔξεστιν ἐξ αὐτῆς τῆς διανοίας τῶν ἐπιγεγραμμένων μαθεῖν.
5 Ἀναγκαῖον δ᾽ ἂν εἴη πρῶτον τεχνικήν τινα τῶν ἐπιγραφῶν ἔφοδον δι᾽ ὀλίγων πρὸ τῆς τῶν ψαλμῶν θεωρίας ποιήσασθαι, ὡς ἂν μάλιστα γένοιτο δῆλον καὶ διὰ τούτων ἡμῖν, ὅτι πᾶς ὁ σκοπὸς τῆς θεοπνεύστου ταύτης διδασκαλίας [a] ἐστὶν ἐπὶ τὸ ὄντως μακάριον ἀναγαγεῖν τὴν διάνοιαν.
10 Τῶν τοίνυν ψαλμῶν οἱ μέν εἰσιν ἀνεπίγραφοι καθόλου· οἱ δὲ παρ᾽ ἡμῖν ἔχοντες τὴν ἐπιγραφὴν τοῦ προφήτου, παρὰ τοῖς Ἑβραίοις οὐκ ἔχουσι. Τοῖς δὲ ἐπιγραφή ἐστι ψιλὸν τοῦ Δαβὶδ τὸ ὄνομα, ἄλλοις μετὰ τοῦ ὀνόματος καὶ ἄλλο τι συμ-

---

AVB SZ (l. 1) LQXF

29 1 ante τούτων add. ἀπὸ ὧδε περὶ τῶν ἐπιγραφῶν ἐξετάζει AVB ἕως ὧδε περὶ τῶν πέντε μερῶν τοῦ ψαλτηρίου· ἀπὸ τοῦ ὧδε περὶ τῶν ἐπιγραφῶν ἐξετάζει Z (non legitur in S) L (vid.) τέλος τῶν πέντε μερῶν τοῦ ψαλτηρίου· ἔναρξις τῶν ἐπιγραφῶν ἀπὸ τῶν ὧδε X τὸ δεύτερον βιβλίον v || οὖν om. AVBS || καιρὸς : καὶ ὡς V || 2 τὸν : τῶν A || μικρὰν A || 3 κατ᾽ om. A || αὐταὶ ALv || 4 ἐπιγραμμένων (γε sl) V || 9 ἀναγαγεῖν A || 10 καθόλου post οἱ[2] A || 12-13 τὸ τοῦ δαβὶδ ὄνομα QFv

---

a. Cf. 2 Tm 3, 16

DEUXIÈME PARTIE

CHAPITRE I

Présentation des différents types de titres

29. Après avoir distingué ainsi ces étapes, le moment peut être venu d'examiner également la question des titres. Ceux-ci aussi, en effet, ne contribuent pas, à nos yeux, pour une faible part, au cheminement vertueux, comme on peut l'apprendre du sens même des intitulés. Il peut être nécessaire, tout d'abord, de présenter sommairement, avant l'étude des psaumes, une espèce d'introduction, selon les règles de l'art, des titres, pour que nous puissions constater par là aussi, avec une parfaite clarté, que tout ce que vise cet enseignement inspiré [a], c'est de conduire la pensée à la béatitude véritable.

Parmi les psaumes, les uns n'ont absolument aucun titre. D'autres, quand ils ont chez nous le titre du prophète, ne l'ont pas chez les Hébreux. Dans les uns, le titre, c'est juste le nom de David, dans d'autres, on trouve, avec le nom, la

παραγράφεται, ἢ «αἶνος ᵇ» ἢ «ᾠδὴ ᶜ» ἢ «αἴνεσις ᵈ» ἢ
15 «ψαλμὸς ᵉ» ἢ «συνέσεως ᶠ» ἢ «προσευχὴ ᵍ» ἢ «ἐξοδίου
σκηνῆς ʰ» ἢ «ἐγκαινισμοῦ ⁱ» ἢ «ἐκστάσεως ʲ» ἢ «εἰς
GNO 70   ἀνάμνησιν ᵏ» ἢ «εἰς ἐξομολόγησιν ˡ» | ἢ «τῷ δούλῳ
Κυρίου ᵐ» ἢ «τῷ Ἰδιθοὺμ ⁿ» ἢ «τῷ Αἰμὰν τῷ Ἰσραη-
λίτῃ °». Ἑτέροις δὲ μετὰ συζυγίας τινὸς τῶν ὀνομάτων
20 τούτων ἢ τῶν ῥημάτων ἀλλήλοις συγγραφομένων ἡ ἐπιγραφὴ
γίνεται· ἢ γὰρ «ᾠδὴ ψαλμοῦ ᵖ» ἢ «ψαλμὸς ᾠδῆς ᵠ» ἢ «ᾠδὴ»
ἢ «ψαλμὸς» ἢ «ἐν ὕμνοις ψαλμὸς ʳ» ἢ «ἐν ὕμνοις συνέσεως ˢ» ἢ «προσευχῆς τῷ Δαβὶδ ᵗ» ἢ «προσευχῆς τῷ
πτωχῷ ᵘ» ἢ «αἶνος ᾠδῆς ᵛ» ἤ τι τῶν τοιούτων διὰ συζυγίας
25 συντεταγμένον τῷ ὀνόματι τοῦ Δαβὶδ ἐπιγραφὴ γίνεται.

Πάλιν ἐφ᾽ ἑτέρων καὶ ἄλλα τινὰ τούτοις συνεπιγράφεται
προτεταγμένου μὲν ὡς τὰ πολλὰ τοῦ «εἰς τὸ τέλος», συγγραφομένων δὲ τῇ φωνῇ ταύτῃ ποικίλων τε καὶ διαφόρων· ἢ γὰρ
«ὑπὲρ τῶν ἀλλοιωθησομένων ʷ» προσγράφει ἢ «ὑπὲρ τῶν
30 κρυφίων ˣ» ἢ «ὑπὲρ τῆς κληρονομούσης ʸ» ἢ «ὑπὲρ τῆς
ὀγδόης ᶻ» ἢ «ὑπὲρ τῶν ληνῶν ᵃ» ἢ «ὑπὲρ τῆς ἀντιλήψεως

AVB SLQXF T (l. 25)

15 ψαλμὸς – ἢ³ om. ex homoeotel. QF ‖ 16 σκηνήυς (sic) A σκήνους VBLX
‖ εἰς om. LQXF ‖ 17 ἐπανάμνησιν AVBLQXFv ‖ 18 ἐμὰν AVBSLXv ‖ 18-19
ἰσραηλίτη (η p.c.) F ‖ 19 δὲ om. SLQXF ‖ 21-22 ᾠδὴ ἢ ψαλμὸς : ᾠδῆς ψαλμὸς
S ᾠδὴ ψαλμὸς Q ‖ 25 συντεταγμένον T : -μένων cett. ‖ τῷ : τὸ (τῷ a.c.) L ‖
ὄνομα L ‖ τοῦ : τῷ SLQXFv ‖ 26 καὶ post πάλιν Q ‖ 27 τοῦ : καὶ QF ‖ 29
προγράφει A ‖ 30-31 ἢ¹ – ὀγδόης om. ex homoeotel. QF

b. Ps 90, 1 ; 92, 1 ; 94, 1   c. Ps 4, 1 ; 38, 1 ; 44, 1 ; 64, 1 ; 65, 1 ; 75, 1 ; 82,
1 ; 87, 1 ; 95, 1 ; 107, 1 ; 119, 1 – 133, 1   d. Ps 144, 1   e. Ps 3, 1 ; 5, 1...
f. Ps 31, 1 ; 51, 1 – 54, 1 ; 141, 1   g. Ps 16, 1 ; 85, 1 ; 141, 1   h. Ps 28, 1
i. Ps 29, 1   j. Ps 30, 1   k. Ps 37, 1 ; 69, 1   l. Ps 99, 1   m. Ps 35, 1
n. Ps 38, 1   o. Ps 87, 1   p. Ps 65, 1 ; 82, 1 ; 87, 1 ; 107, 1   q. Ps 29, 1 ; 47,
1 ; 66, 1 ; 67, 1 ; 74, 1 ; 86, 1 ; 91, 1   r. Ps 6, 1 ; 66, 1 ; 75, 1   s. Ps 53, 1 ; 54,
1   t. Ps 16, 1 ; 85, 1   u. Ps 101, 1   v. Ps 90, 1 ; 92, 1 ; 94, 1   w. Ps 44, 1 ;
59, 1 ; 68, 1 ; 79, 1   x. Ps 45, 1   y. Ps 5, 1   z. Ps 6, 1 ; 11, 1   a. Ps 8, 1 ;
80, 1 ; 83, 1

mention d'autres termes, soit « éloge [b] », soit « chant [c] », soit « louange [d] », soit « psaume [e] », soit « de l'intelligence [f] », soit « prière [g] », soit « de la sortie de la tente [h] », soit « de l'inauguration [i] », soit « de la sortie de soi [j] », soit « pour la remémoration [k] », soit « pour la confession [l] », soit « au serviteur du Seigneur [m] », soit « à Idithoum [n] », soit « à Eman l'Israélite [o] ». Dans d'autres, le titre est le résultat d'une combinaison, quand l'un de ces noms ou l'une de ces expressions sont notés l'un avec l'autre : soit « chant d'un psaume [p] », soit « psaume d'un chant [q] », soit « chant », soit « psaume [1] », soit « psaume avec hymnes [r] », soit « avec hymnes de l'intelligence [s] », soit « d'une prière à David [t] », soit « d'une prière au pauvre [u] », soit « éloge d'un chant [v] », soit l'un de ces termes joint par combinaison au nom de David forme un titre.

On trouve encore, dans d'autres psaumes, certains autres termes joints à ces derniers : il y a, très souvent, placée en tête, l'expression « pour la fin », mais des termes divers et différents l'accompagnent. Il ajoute en effet : « au sujet de ceux qui seront changés [w] », « au sujet des secrets [x] », « au sujet de celle qui obtient l'héritage [y] », « au sujet du huitième jour [z] », « au sujet des pressoirs [a] », « au sujet de la protection

---

1. La mention ici de ces deux termes non combinés l'un à l'autre s'explique par un développement ultérieur (32, 41-45).

τῆς ἑωθινῆς ᵇ » ἢ « ὑπὲρ Μαελὲθ ᶜ » ἢ « ὑπὲρ τοῦ λαοῦ τοῦ
ἀπὸ τῶν ἁγίων μεμακρυμμένου ᵈ » ἢ « μὴ διαφθείρῃς ᵉ » ἢ
« εἰς στηλογραφίαν ᶠ » ἢ καὶ ἀμφότερα ταῦτα ᵍ ἢ « εἰς
35 Σολομῶντα ʰ » ἢ « ᾠδὴ ὑπὲρ τοῦ ἀγαπητοῦ ⁱ » ἢ « ὑπὲρ τῶν
κρυφίων τοῦ υἱοῦ ʲ » ἢ « εἰς ἐξομολόγησιν ᵏ » ἤ τις ἐξ ἱστορίας
περίστασις· οἷον ὅτε ἦν « ἐν τῷ σπηλαίῳ ˡ » ἢ ὅτε « ἐν τῇ
ἐρήμῳ ᵐ » ἢ « ὅτε ἀπέστειλε Σαοὺλ τοῦ θανατῶσαι αὐτὸν ⁿ » ἢ
« ὑπὲρ τῶν λόγων Χουσὶ ᵒ » ἢ « ὅτε ἠλλοίωσε τὸ
PG 489 40 πρόσωπον αὐτοῦ ἐναντίον Ἀβιμέλεχ ᵖ » ἢ « ἐν τῷ ἐλθεῖν τοὺς
Ζιφαίους ᑫ » ἢ « ἐν τῷ ἐλθεῖν Δωὴκ τὸν Ἰδουμαῖον καὶ
ἀναγγεῖλαι τῷ Σαοὺλ ʳ » ἢ « ἐν ἡμέραις, ὅτε ἐρρύσατο αὐτὸν
Κύριος ἐκ χειρὸς πάντων τῶν ἐχθρῶν αὐτοῦ καὶ ἐκ χειρὸς
Σαοὺλ ˢ » ἢ « ὅτε ἐπέστρεψεν Ἰωὰβ καὶ ἐπάταξε τὴν φάραγγα
GNO 71 45 τῶν ἁλῶν | δώδεκα χιλιάδας ᵗ » ἢ « ἐν τῷ ἐλθεῖν πρὸς αὐτὸν
Νάθαν τὸν προφήτην, ἡνίκα εἰσῆλθεν πρὸς Βηρσαβεέ ᵘ ».

Τισὶ δὲ τῶν ψαλμῶν ἐστιν ἐπιγραφὴ τὸ ἑβραϊκὸν ἀλληλούϊα
ἢ δὶς τὸ αὐτὸ ἢ ἅπαξ ἐπιγραφόμενον, ἐφ' ἑτέρων δὲ καὶ ὀνό-
μασί τινων προφητῶν αὐτῇ τῇ ἐπιγραφῇ κατὰ συζυγίαν συγ-
50 γράφεται, οἷον « ἀλληλούϊα Ἀγγαίου, καὶ Ζαχαρίου ᵛ », καὶ
« ἀλληλούϊα Ἰερεμίου, καὶ Ἰεζεκιήλ ʷ ». Καὶ πάλιν ἕτερον
ἐπιγραφῆς εἶδός ἐστιν· ἢ « τοῖς υἱοῖς Κορὲ ˣ » ἢ « τῷ Ἰδιθοὺμ ʸ » ἢ « τῷ Ἀσάφ ᶻ »· ἑνὶ δὲ κατ' ἐξαίρετον ἐπιγέ-

AVB SLQXF

32 μαλὲθ SLXF ‖ τοῦ¹ : τῶν vid. Sᵃᶜ ‖ λαο S ‖ 33 μιμακρυσμένου F ‖
35 σολομῶνα S ‖ 37 ἦν : τὴν AVBL ‖ 37-38 ἢ – ἐρήμῳ post αὐτὸν AVB ‖
40 αὐτοῦ Fᵖᶜ ‖ 40-41 ἢ – ζιφαίους Fˢˡ ‖ 41 ζηφαίους AVB ‖ δοηκ (δοηκὸν vid.
a.c. V) AVQv ‖ ἰδουμαῖων Fᵃᶜ ‖ 42 τῷ : τὸ Vᵃᶜ ‖ αὐτὸν + ὁ A ‖
44 φάλαγγα F ‖ 45 ἄλλων vid. Q ‖ 46 πρὸς : ειρὸς (sic) Vᵃᶜ ‖ 47 τισι QF τινὶ
X ‖ 51 ἐζεκιήλ Av ‖ 52-53 ἢ τῷ ἀσάφ ἢ τῷ ἰδιθοὺμ L

b. Ps 21, 1   c. Ps 52, 1 ; 87, 1   d. Ps 55, 1   e. Ps 56, 1 – 58, 1 ; 74, 1
f. Ps 55, 1 – 59, 1   g. Cf. Ps 56, 1 – 58, 1   h. Ps 71, 1   i. Ps 44, 1
j. Ps 9, 1   k. Ps 99, 1   l. Ps 141, 1   m. Ps 62, 1   n. Ps 58, 1
o. Ps 7, 1   p. Ps 33, 1   q. Ps 53, 2   r. Ps 51, 2   s. Ps 17, 1   t. Ps 59, 2
u. Ps 50, 2   v. Ps 145, 1 – 148, 1   w. Cf. Ps 64, 1   x. Ps 41, 1 ; 43, 1 – 48,
1 ; 83, 1 ; 84, 1 ; 86, 1 ; 87, 1   y. Ps 38, 1   z. Ps 49, 1 ; 72, 1 – 82, 1

matinale [b] », « au sujet de Maeleth [c] », « au sujet du peuple qui a été éloigné des choses saintes [d] », « ne fais pas périr [e] », « pour l'inscription sur une stèle [f] », ou même ces deux dernières expressions [g], « pour Salomon [h] », « chant au sujet du bien aimé [i] », « au sujet des secrets du fils [j] », « pour la confession [k] », ou une situation historique : par exemple, quand il était « dans la grotte [l] » ou « dans le désert [m] » ou « quand Saül envoya des hommes pour le tuer [n] », ou « au sujet des paroles de Chousi [o] », ou « quand il changea son visage devant Abimélech [p] », ou « quand les Ziphéens vinrent [q] », ou « lorsque Doèk l'Idouméen vint annoncer à Saül [r] », ou « durant les jours où le Seigneur l'arracha à la main de tous ses ennemis et à la main de Saül [s] », ou « quand Joab revint et frappa la vallée des Salines, douze mille hommes [t] », ou « lorsque le prophète Nathan vint le trouver, après qu'il se fut rendu chez Bersabée [u] ».

Certains psaumes ont pour titre l'allélouia hébraïque, noté une ou deux fois. Dans d'autres, il est uni et combiné aux noms de certains prophètes dans le titre lui-même : par exemple, « allélouia d'Aggée et de Zacharie [v] », « allélouia de Jérémie et d'Ézéchiel [w] [1] ». Et il existe encore une autre forme de titre : « aux fils de Coré [x] », « à Idithoum [y] », ou « à Asaph [z] ». Dans un seul, exceptionnellement, on trouve :

---

1. « L'allélouia de Jérémie et d'Ézéchiel » ne figure pas dans l'édition de Rahlfs. Le titre qui s'en rapproche le plus est celui du Ps 64 : « Chant de Jérémie et d'Ézéchiel. » Cependant, un texte édité par G. MERCATI (*Osservazioni a proemi del salterio*, Città del Vaticano, 1948, p. 145-154), l'Ἀκριϐολογία περὶ τῶν ἐπιγραφῶν, donne une indication intéressante, p. 151, 62 s. : « Il ne faut pas ignorer que, parmi les psaumes, nous en trouvons certains qui, même s'ils ne mentionnent pas dans leurs exemplaires plus exacts le nom de celui qui les a composés ou chantés, ont cependant comme intitulé dans quelques exemplaires des appellations étrangères (προσηγορίας ξένας), par exemple ' allélouia d'Aggée et Zacharie ' ou encore ' de Jérémie et Ézéchiel '. Les livres exacts ne comportent pas ces titres, mais l'interprète doit cependant faire un exposé relatif à eux. »

γραπται· « Προσευχὴ τῷ Μωυσεῖ ἀνθρώπῳ τοῦ Θεοῦ [a] ».
55 Τῶν δὲ κατὰ μὲν τὴν ἐκκλησιαστικὴν Γραφὴν ἐχόντων ἐπιγραφὰς ἃς περιέχουσι, παρ' Ἑβραίοις δὲ ἀνεπιγράφων ὄντων
ταύτην εὕρομεν τὴν διαφοράν· τοῖς μὲν γάρ τις ἀριθμὸς τῶν
κατὰ τὴν ἑβδομάδα ἡμερῶν συσσημαίνεται, ἢ « μία σαββάτων [b] » ἢ « τετράδος σαββάτων [c] » ἢ « εἰς τὴν ἡμέραν τοῦ σαβ-
60 βάτου [d] » ἢ « πρὸ τοῦ σαββάτου [e] »· ἄλλοι δὲ ἑτέραν τινὰ τῶν
ἐπιγραφῶν διάνοιαν ἔχουσιν ἢ καθόλου παρὰ τοῖς Ἑβραίοις
σεσίγηται.

ΚΕΦΑΛΑΙΟΝ Β΄

30. Ταύτης δὲ τῆς διαιρέσεως ἐν ταῖς ἐπιγραφαῖς ἡμῖν
τρανωθείσης, χρήσιμον ἂν εἴη πρῶτον μὲν γενικωτέραν τινὰ
τῶν ὁμοίως ἐχόντων τὴν ἑρμηνείαν ποιήσασθαι· εἶθ' οὕτως δι'
ἀκολούθου πρὸς τὰς φαινομένας διαφορὰς προαγαγεῖν τὴν
5 ἐξέτασιν. Καθόλου μὲν οὖν τῆς ἐπιγραφῆς ὁ λόγος διπλοῦν τὸν
σκοπὸν ἔχει. Ἢ γὰρ πρὸς ἔνδειξιν τοῦ ὑποκειμένου προγέ-
γραπται, ὥστε τὸν σκοπὸν τῆς ψαλμῳδίας προδιδαχθέντας
ἡμᾶς εὐμαθεστέρους γενέσθαι τῆς ἐν τοῖς ῥητοῖς διανοίας· ἢ
GNO 72   πολλάκις καὶ δι' ἑαυτῆς τι παιδεύει τὴν| ἀκοὴν ἡ ἐπιγραφὴ τῇ
10 ἐγκειμένη τοῖς ῥητοῖς διανοίᾳ τῶν κατ' ἀρετήν τι κατορθου-
μένων ὑποδεικνύουσα· μᾶλλον δὲ καθ' ἑκάτερον εἶδος τῆς τῶν
ἐπιγραφῶν θεωρίας εἷς ἐστιν ὁ σκοπὸς τὸ πρός τι τῶν ἀγαθῶν
καθηγήσασθαι, κἂν ἱστορικόν τι δηλοῦσθαι διὰ τῶν εἰρημένων
δοκῇ, κἂν ψιλόν τι ὄνομα προγεγραμμένον τύχῃ. Οὐ γὰρ ἐπὶ

AVB SLQXF

54 μῶς S μῶση LQF μῶσει XF^pc ‖ 55 μὲν om. AVB ‖ 60 δὲ : τε AVB ‖ τινὰ
om. A

30 4 προσάγειν Q προάγειν XF ‖ 5 οὖν om. A ‖ 6 κόπον Q ‖ 10 ἐγκειμένη
(γ sl) V ‖ τι κατ' ἀρετὴν L ‖ 11 ἐπιδεικνύουσα A ‖ 12 τὸ : τῷ Q ‖ 14 δοκεῖ
AQ ‖ προσγεγραμμένον VSLQXFv Don

a. Ps 89, 1   b. Ps 23, 1   c. Ps 93, 1   d. Ps 91, 1   e. Ps 92, 1

« Prière à Moïse, homme de Dieu [a] ». Entre les psaumes qui
ont selon l'Écriture reçue dans l'Église des titres qu'ils
contiennent, mais qui sont sans titre chez les Hébreux, nous
trouvons cette différence : avec les uns est indiqué un certain
nombre des jours de la semaine, soit « premier jour des
sabbats [b] » ou « au quatrième jour des sabbats [c] » ou « pour le
jour du sabbat [d] » ou « avant le sabbat [e] » ; d'autres possèdent
un autre sens relatif à leur titre qui a été complètement passé
sous silence chez les Hébreux.

CHAPITRE II

L'EXAMEN DES TITRES IDENTIQUES EN HÉBREU ET EN GREC

30. Puisque nous avons éclairci cette division entre les
titres, il serait utile de donner, tout d'abord, une interprétation générale de ceux qui sont semblables, puis alors, logiquement, de faire porter l'examen sur les différences évidentes [1].
D'une manière générale, donc, le texte du titre a un double
but : soit il est écrit en tête pour désigner le sujet, de sorte
qu'informés à l'avance du but du psaume, nous comprenions
mieux le sens des mots ; soit, également souvent, le titre
instruit en quelque sorte par lui-même l'auditeur, en montrant grâce au sens déposé dans les mots une action accomplie vertueusement. Ou plutôt, sous ses deux formes, le but
de l'observation des titres est unique : diriger vers l'un des
biens, même si le texte semble révéler une réalité historique,
même si un simple nom est écrit en tête. Car la divine

1. Il s'agit des titres identiques (cas général) ou différents (cas particulier) dans le TM et dans la LXX.

15 τούτῳ μόνῳ ἡ θεία Γραφὴ ταῖς ἱστορίαις συγκέχρηται, ὥστε
ἡμῖν πραγμάτων ἐγγενέσθαι γνῶσιν, δι᾽ ὧν ἔργα τινὰ καὶ πάθη
τῶν Ἀρχαιοτέρων μανθάνομεν, ἀλλ᾽ ὅπως ἂν διδασκαλίαν τινὰ
πρὸς τὸν κατ᾽ ἀρετὴν ἡμῖν ὑποδείξειε βίον, τῆς ἱστορικῆς θεωρίας μεταλαμβανομένης πρὸς τὴν ὑψηλοτέραν διάνοιαν. Τού-
20 του τοίνυν ἡμῖν διωμολογημένου, τοῦ δεῖν τοιαύτην περὶ τῶν
ἐπιγραφῶν ἔχειν τὴν ἔννοιαν, ἀκόλουθον ἂν εἴη, καθὼς φθά-
σαντες εἴπομεν, τῶν μὲν ὁμοίως ἐχόντων γενικωτέραν τινὰ
PG 492   προεκθέσθαι διάνοιαν, τῶν δὲ κατά τινα διαφορὰν ἐκτιθεμένων, ἰδικωτέραν ποιήσασθαι τὴν ἐξέτασιν.

31. Ἐπειδὴ τοίνυν ἡ « εἰς τὸ τέλος » φωνὴ τοῖς πλείστοις
τῶν ψαλμῶν ἐπιγέγραπται, τοῦτο οἶμαι δεῖν περὶ τούτου
γινώσκειν, ὅπερ ἡ τῶν λοιπῶν σαφηνίζει διάνοια τῶν τὴν
αὐτὴν μεθερμηνευσάντων Γραφήν. Ὁ μὲν γάρ τις ἀντὶ τοῦ
5 « εἰς τὸ τέλος », « τῷ νικοποιῷ [a] » φησιν, ὁ δὲ « ἐπινίκιον [b] », ὁ δὲ « εἰς τὸ νῖκος [c] ». Ἐπεὶ οὖν τέλος παντὸς ἀγῶνος
ἡ νίκη γίνεται, πρὸς ἣν βλέποντες οἱ πρὸς τοὺς ἀγῶνας ἀπο-
δυόμενοι τῆς ἀθλήσεως ἅπτονται, δοκεῖ μοι διὰ « τοῦ τέλους »
ὁ λόγος ἐκ βραχείας φωνῆς ἐπεγείρειν εἰς προθυμίαν τοὺς διὰ
10 τῶν ἀρετῶν ἀθλοῦντας ἐν τῷ σταδίῳ τοῦ βίου, ὡς ἂν εἰς τὸ
τέλος βλέποντες, ὅπερ ἐστὶν ἡ νίκη, τῇ τῶν στεφάνων ἐλπίδι
GNO 73   τὸν ἐν τοῖς| ἄθλοις πόνον ἐπικουφίζοιεν. Ὅπερ δὴ καὶ νῦν ἐν
τοῖς ἀγῶσιν ὁρῶμεν γινόμενον. Προδεικνύμενος γὰρ τοῖς πρὸς

AVB SLQXF

15 ταῖς om. V ‖ ἱστορίαι X ‖ 20 διωμολογουμένου AVB διομολογουμένου
v ‖ 21 ἀκόλουθον + δ᾽ A ‖ 21-22 προφθάσαντες F ‖ 22 εἴπαμεν AVBL ‖
ἐχόντων : ἐνόντων ALQXFv Don ‖ 24 ἰδιαιτέραν S εἰδικωτέραν Q
31 6 τὸ εἰς νῖκος SQXFv ‖ τέλος + τε vid. Q ‖ παντὸς om. F ‖ 7 γίνεται : ἐστὶ S ‖ ἣν F^{ac} ‖ 8 ἀθλήσεως : ἀληθείας Q ‖ 10 τὸ om. F ‖ 11 τῷ (ν sl al.
man. vid.) V ‖ 12 ἐπικουφίζομεν L ‖ 13 γενόμενον B ‖ γὰρ + ὁ X ‖ τοῖς : τῆς
Q

a. Ps 4, 1 ; 5, 1 ; 6, 1 ; 9, 1 ; 52, 1 (Aquila)   b. Ps 4, 1 ; 5, 1 ; 6, 1 ; 9, 1 ; 52,
1 (Symmaque)   c. Ps 4, 1 ; 6, 1 ; 52, 1 (Théodotion)

Écriture n'utilise pas l'histoire dans l'unique but de nous faire connaître des actions qui nous font apprendre ce qu'ont fait ou subi les Anciens, mais de façon à nous montrer un enseignement qui permette de vivre selon la vertu, puisque l'observation historique est interprétée en un sens plus élevé. Comme nous sommes d'accord sur la nécessité d'avoir un tel point de vue relatif aux titres, il peut être logique de proposer, comme nous l'avons dit précédemment, une conception générale des titres identiques et de faire de ceux qui se présentent différemment un examen particulier.

Les titres, des paroles athlétiques

31. Puisque la plupart des psaumes ont pour titre l'expression « pour la fin », il faut, selon moi, connaître à ce propos les éclaircissements qu'apporte la pensée des autres traducteurs de la même Écriture [1]. L'un dit, en effet, au lieu de « pour la fin », « à celui qui rend victorieux [a] », un autre « chant de victoire [b] », un autre « pour la victoire [c] ». Puisque, donc, la fin de tout combat, c'est la victoire, sur laquelle ont les yeux tournés ceux qui se dévêtent en vue des combats pour se livrer à la lutte, le texte, me semble-t-il, par le mot « fin », grâce à une expression brève, excite et encourage ceux qui luttent par les vertus sur le stade de la vie, de sorte que, les yeux tournés vers la fin, c'est-à-dire la victoire, ils trouvent dans l'espoir d'être couronnés un soulagement à la souffrance de leurs luttes. C'est ce que nous voyons encore se produire aujourd'hui lors des combats. La perspective de la

---

1. Grégoire n'est pas le premier à citer ces traductions que BASILE mentionne également, cf. *In Ps* 48, *PG* 29, 432 BC.

ἀλλήλους ἐν τοῖς σταδίοις συμπλεκομένοις ὁ στέφανος ἐπιρ-
15 ρώννυσι μᾶλλον αὐτῶν τὴν ὑπὲρ τῆς νίκης σπουδήν, τῶν
γινομένων αὐτοῖς διὰ τῆς συμπλοκῆς πόνων ὑπὸ τῆς ἐλπιζομένης εὐδοξίας ἐκκλεπτομένων. Πᾶσι τοίνυν ἠνεῳγμένου τοῦ
σταδίου πρὸς ἄθλησιν — στάδιον δὲ ὁ κοινὸς τῶν ἀνθρώπων
βίος ἐστίν —, ἐν ᾧ εἷς ἀντίπαλός ἐστιν ἡ κακία πολυτρόπως
20 τοῖς δολεροῖς παλαίσμασι καταγωνιζομένη τοὺς προσπαλαίοντας, διὰ τοῦτο ὁ ἀγαθὸς τῶν ψυχῶν παιδοτρίβης προ-
δείκνυσί σοι τῶν ἱδρώτων τὸ τέλος καὶ τὸν ἐκ τῶν στεφάνων
κόσμον καὶ τὴν ἐπὶ τῇ νίκῃ ἀνάρρησιν· ἵνα πρὸς ἐκεῖνο βλέπων
τὸ τέλος « τῷ νικοποιῷ » σεαυτὸν ἐπερείδης καὶ τὸ ἐπινίκιον
25 κήρυγμα σεαυτῷ παρασκευάζῃς.

Ὅσα δὲ τούτοις κατὰ τὸ ἀκόλουθον ὕπεστιν τῆς εἰς ἀρετὴν
διδασκαλίας νοήματα, φανερὰ πάντως ἂν εἴη τοῖς διὰ τῆς
ἀρχῆς ταύτης πρὸς τὸ ἀκόλουθον βλέπουσι. Δῆλον γὰρ ὅτι ὅσα
τῆς ψυχῆς πάθη ἐστίν, τοσαῦτα κρατήματα τῶν ἐχθρῶν
30 γίνεται καθ' ἡμῶν καὶ παλαίσματα, δι' ὧν καθάπερ τι μέλος
τῆς ψυχῆς ὁ λογισμὸς ἐξαρθροῦται πολλάκις καὶ ἐξαρμόζεται,
εἰ μή τις παρεσκευασμένος διὰ μελέτης τὸ ἀσφαλές τε καὶ
ἀκατάπτωτον ἐν τοῖς τοιούτοις ἀγῶσιν ἑαυτῷ κατορθώσειε
διὰ « τῆς νομίμου ἀθλήσεως », καθώς φησιν ὁ ἀπόστολος [d],
35 τὴν νίκην ἑαυτῷ κατακτώμενος, ἥτις ἐστὶν τῶν ἀγώνων τὸ
τέλος· τὰ δὲ συμπαραγραφόμενα τῇ « εἰς τέλος » φωνῇ ὑπο-
θῆκαί τινές εἰσι καὶ συμβουλαὶ πρὸς τὴν νίκην, δι' ὧν ἂν
κατορθωθείη τὸ σπουδαζόμενον.

AVB SLQXF

14 ἀλλήλοις A ‖ ὁ om. SLQXF Don ‖ στεφάνοις Q ‖ 16 ὑπὸ : ὑπὲρ S ‖
17 εὐδοκίας QF ‖ τοίνυν (-ν sl) V ‖ ἀνεῳγμένου S ‖ 19 εἷς om. Q ‖ 20 τοὺς om.
Q ‖ 20-21 παλαίοντας V ‖ 21 ψυχῶν + ἡμῶν L + καὶ Q ‖ 23 βλέποντες
AVB ‖ 25 κατασκευάζεις Q ‖ 26 ὑπέστη QF^{ac} ‖ 27 τοῖς : τίς L ‖ 31
ἐξορμίζεται (-μή- V) AVB ἐξαρμίζεται SQXFv ‖ 32 ἐμπαρασκευασμένος Q
ἐμπαρεσκευσμένος F

d. 2 Tm 2, 5

couronne offerte à ceux qui s'engagent au corps à corps les uns contre les autres sur les stades renforce davantage leur zèle pour la victoire, car l'espoir de la gloire dissimule les souffrances du corps à corps. Donc, parce que le stade s'est ouvert à tous pour la lutte – le stade, c'est-à-dire la vie commune des hommes –, où l'unique adversaire est la malice qui, par des moyens divers et des manœuvres perfides, combat ses opposants, pour cette raison le bon entraîneur des âmes te montre la fin des sueurs, la parure des couronnes et la proclamation de la victoire, afin que, les yeux fixés sur cette fin, tu prennes appui toi-même sur « celui qui rend victorieux » et te prépares à être proclamé vainqueur.

Et toutes les pensées de l'enseignement vertueux qui viennent logiquement à la suite de ces mots peuvent apparaître parfaitement à ceux qui, à travers ce début, considèrent ce qui suit. Il est clair, en effet, qu'autant il y a de passions de l'âme, autant il y a de prises et de manœuvres des adversaires contre nous : ils désarticulent et démettent souvent le raisonnement comme un membre de l'âme, si on ne s'est pas rendu soi-même, en s'y préparant avec soin, incapable de glisser et de tomber au milieu de tels combats par « la lutte légitime », selon le mot de l'apôtre [d][1], en acquérant pour soi la victoire, c'est-à-dire la fin des combats. Or, en même temps que l'expression « pour la fin », on trouve écrits des règles et des conseils en vue de la victoire, qui permettent d'obtenir ce qui est recherché.

1. D'autres passages inspirent ces développements sur la lutte spirituelle, ainsi 2 Tm 3, 7-8 : « J'ai combattu jusqu'au bout le bon combat, j'ai achevé ma course [...] voici qu'est préparée pour moi la couronne de justice. »

GNO 74   Ἥ τε γὰρ « τῶν ἀλλοιωθησομένων ᵉ » λέξις | τὴν πρὸς τὸ
40 κρεῖττον μεταποίησιν τῆς ψυχῆς ὑποτίθεται, καὶ ἡ τοῦ
    « Μαελὲθ ᶠ » ἑρμηνεία πρὸς μείζονα προθυμίαν ἐπεγείρει τὸν
PG 493   ἀθλητήν, τὴν μετὰ τὸ πέρας τῶν πόνων ἐκδεχομένην ἡμᾶς
    χοροστασίαν σημαίνουσα· οὕτω γὰρ ἡ λέξις αὕτη παρὰ τῶν
    λοιπῶν σεσαφήνισται διὰ « χορείας » τὸ Μαελὲθ ἑρμηνεύουσα.
45 Τό τε πρὸς « τὰ κρύφια ᵍ » βλέπειν καὶ « ὑπὲρ τοῦ ἀγαπητοῦ
    τὴν ᾠδὴν ʰ » ποιεῖσθαι καὶ « ὑπὲρ τῆς ἑωθινῆς ἀντιλήψεως ⁱ »
    ᾄδειν καὶ « τὴν ὀγδόην ʲ » πρὸ ὀφθαλμῶν ἔχειν καὶ πρὸς « τὴν
    κληρονομοῦσαν ᵏ » ὁρᾶν καὶ ὅπως ἂν ἔξω τῆς πρὸς τὸν Κορὲ
    συγγενείας ˡ γενοίμεθα, τήν τε μεγάλην ἐκείνην τοῦ Δαβὶδ
50 φωνὴν τὴν « μὴ διαφθείρῃς ᵐ », ἣν πρὸς τὸν ὑπασπιστὴν
    ἐποιήσατο πρὸς τὸν τοῦ Σαοὺλ φόνον ὁρμήσαντα ⁿ, ἐνστη-
    λογραφηθῆναι ἐν τῇ ἑκάστου ψυχῇ πρὸς ὑπόδειγμα μακρο-
    θυμίας συμβάλλει ὁ λόγος. Καὶ πάντα τὰ τοιαῦτα εὕροι τις ἂν
    δι' ἀκριβείας σκοπούμενος, ὅτι ἀθλητικαί τινές εἰσιν ὑπο-
55 φωνήσεις παρὰ τοῦ παιδοτρίβου πρὸς τοὺς ἀθλητὰς γινόμεναι,
    ὅπως ἄν τις πρὸς τὸ τῆς νίκης φθάσειε τέλος. Ὡσαύτως δὲ καὶ
    εἴ τι τῆς ἱστορίας συμπαραγέγραπται τῇ « εἰς τέλος » φωνῇ,
    πρὸς αὐτὸ τοῦτο βλέπει, ὡς ἂν διὰ τῶν ἱστορικῶν ὑποδειγ-
    μάτων μᾶλλον πρὸς τοὺς ἀγῶνας ἐπιρρωσθείημεν. Αὕτη μὲν ἡ
60 « εἰς τὸ τέλος » διάνοια.

AVB SLQXF

39 λέξις : τάξις S ‖ 39-43 τὴν – λέξις om. ex homoeotel. A uncis incl. v ‖
41 μαλὲθ S μαελὲτ L ‖ 42 τῶν om. B ‖ ἐκδεχομένων v ‖ 43 σημαίνουσα :
μηνύουσα VBL ‖ 44 τὸ om. Qv ‖ 49-50 φωνὴν τοῦ δαβὶδ S ‖ 51 τὸν Vˢˡ al.
man. ‖ τοῦ om. QFv ‖ 52 ἐν om. S ‖ 54-55 ἐπιφωνήσεις S ‖ 59 αὕτη : <α> υτο
Q ‖ 60 τὸ om. AVBv

e. Ps 44, 1 ; 59, 1 ; 68, 1 ; 79, 1   f. Ps 52, 1 ; 87, 1   g. Ps 9, 1 ; 45, 1
h. Ps 44, 1   i. Ps 21, 1   j. Ps 6, 1 ; 11, 1   k. Ps 5, 1   l. Cf. Ps 41, 1 ; 43,
1 – 48, 1 ; 83, 1 ; 84, 1 ; 86, 1 ; 87, 1   m. Ps 56, 1 – 58, 1 ; 74, 1   n. Cf. 1 Rg
26, 9

La mention de « ceux qui seront changés[e] » suppose en effet le changement de l'âme vers le mieux. Et l'interprétation de « Maeleth[f] » pousse l'athlète à développer son courage, en lui signifiant le chœur de danse qui, au terme des souffrances, nous attend : les autres traducteurs ont éclairé ainsi ce mot en rendant Maeleth par « danse chorale »[1]. Avoir les yeux fixés sur « les secrets[g] », exécuter « le chant au sujet du bien-aimé[h] », chanter « au sujet de la protection matinale[i] », avoir sous les yeux « le huitième jour[j] », regarder vers « celle qui obtient l'héritage[k] », veiller à rester en dehors de la famille de Coré[l], inscrire cette grande parole de David « ne fais pas périr[m] », adressée à son écuyer qui l'excitait à tuer Saül[n], dans l'âme de chacun comme exemple de longanimité : voilà ce que le texte réunit[2]. Et, à l'examiner avec soin, on trouverait toutes sortes d'expressions semblables, car ce sont, en quelque sorte, des paroles athlétiques adressées par l'entraîneur aux athlètes pour arriver à la victoire finale. De la même manière, si un épisode historique accompagne l'expression « pour la fin », il a la même visée : par des exemples historiques, nous fortifier davantage pour les combats. Tel est le sens de « pour la fin ».

1. Voir II, ch. 6.
2. Tous ces titres sont précédés de la mention « pour la fin ».

ΚΕΦΑΛΑΙΟΝ Γ΄

32. Ψαλμὸς δὲ καὶ ᾠδὴ καὶ αἴνεσις καὶ ὕμνος καὶ προσευχὴ τοιαύτην πρὸς ἄλληλα τὴν διαφορὰν ἔχει· ψαλμὸς μὲν γάρ ἐστιν ἡ διὰ τοῦ ὀργάνου τοῦ μουσικοῦ μελῳδία, ᾠδὴ δὲ ἡ διὰ στόματος γινομένη τοῦ μέλους μετὰ τῶν | ῥημάτων ἐκφώνη-
5 σις, ἡ δὲ προσευχὴ ἱκετηρία ἐστὶ περί τινος τῶν συμφερόντων προσαγομένη τῷ Θεῷ, ὕμνος δὲ ἡ ἐπὶ τοῖς ὑπάρχουσιν ἡμῖν ἀγαθοῖς ἀνατιθεμένη τῷ Θεῷ εὐφημία, αἶνος δὲ ἤτοι αἴνεσις – ταὐτὸν γὰρ ἐπ' ἀμφοτέρων τὸ σημαινόμενον – τῶν θείων θαυμάτων περιέχει τὸν ἔπαινον. Οὐδὲ γὰρ ἄλλο τί ἐστιν
10 ἔπαινος, εἰ μὴ τοῦ αἴνου ἐπίτασις. Πολλάκις δὲ ταῦτα ἀλλή- λοις ἐν ταῖς ἐπιγραφαῖς διά τινος συζυγίας συμπλέκεται, ὥστε ἓν τὰ δύο διὰ τῆς συμπλοκῆς γενέσθαι. Ἢ γὰρ « ψαλμὸς ᾠδῆς ᵃ » ἢ « ᾠδὴ ψαλμοῦ ᵇ » ἢ « ἐν ὕμνοις ψαλμὸς ᶜ » ἢ καθὼς ἐν τῷ Ἀμβακοὺμ μεμαθήκαμεν, καὶ « προσευχὴ μετ'
15 ᾠδῆς ᵈ ». Ἡ δὲ διάνοια, καθ' ἣν πρὸς ἀρετὴν ὁδηγούμεθα ὑπὸ τῶν ἐπιγραφῶν τούτων, ἐστὶ τοιαύτη· τὸ ψαλτήριον ὄργανόν ἐστι μουσικὸν ἐκ τῶν ἄνωθεν μερῶν τῆς κατασκευῆς ἀπο- τελοῦν τὸν ἦχον, ἡ δὲ τοῦ τοιούτου ὀργάνου μουσουργία

AVB SLQXF

32 1 ψαλμοὶ LQX ‖ 2 ἄλλη (λα sl al. man.) V ‖ μὲν om. B ‖ 4 γινομένη S *Taurin. B 15 (Nicétas)* : γενομένη cett. ‖ 6 τῷ om. AVB ‖ 7 ἀντιθεμένη B ‖ 8 ἀμφοτέροις BQF ‖ 9 οὐδὲν L ‖ 10 αἴνου : αἴνους A ‖ 14 ἀββακοὺμ S ἀβακοὺμ (6 sl X) Xv ‖ 17-18 ἀποτελούντων ἦχον vid. L

a. Ps 29, 1 ; 47, 1 ; 66, 1 ; 67, 1 ; 74, 1 ; 86, 1 ; 91, 1   b. Ps 65, 1 ; 82, 1 ; 87, 1 ; 107, 1   c. Ps 6, 1 ; 66, 1 ; 75, 1   d. Ha 3, 1

GNO 75

CHAPITRE III

Psaume, chant, louange, hymne et prière

32. Psaume, chant, louange, hymne et prière se distinguent les uns des autres de la façon suivante : un psaume est une mélodie produite par l'instrument de musique ; un chant est une expression mélodieuse accompagnée de mots proférée par la bouche [1] ; la prière est une supplique adressée à Dieu pour une chose profitable ; un hymne est l'acclamation que l'on élève vers Dieu pour les biens dont nous disposons ; un éloge ou une louange – les deux mots ont le même sens – comprennent l'éloge soutenu des merveilles divines, car un éloge soutenu n'est rien d'autre qu'une forme intense d'éloge. Souvent ces termes se combinent les uns aux autres dans les titres en étant réunis d'une certaine manière, si bien que deux termes n'en font plus qu'un en se combinant : soit « psaume de chant [a] », soit « chant de psaume [b] », soit « psaume avec hymnes [c] », soit même, comme nous l'avons appris dans Ambakoum, « prière avec chant [d] ». Le sens d'après lequel nous sommes guidés à la vertu par ces titres est le suivant : le psaltérion est un instrument de musique qui retentit depuis les parties supérieures de sa structure et la

---

1. Une distinction semblable du chant et du psaume se lit chez BASILE, *In Ps* 44, *PG* 29, 392 A.

« ψαλμὸς » λέγεται. Οὐκοῦν ἐκ τοῦ σχήματος τῆς κατασκευῆς
20 ὁ προτρεπτικὸς εἰς ἀρετὴν λόγος ἔμφασιν ἔχει. Τὸν γὰρ σὸν
βίον ψαλμὸν εἶναι διακελεύεται μὴ τοῖς γηΐνοις φθόγγοις
περιηχούμενον· φθόγγους δέ φημι τὰ νοήματα· ἀλλὰ καθαρόν
τε καὶ ἐξάκουστον ἐκ τῶν ἄνωθέν τε καὶ οὐρανίων τὸν ἦχον
ἀπεργαζόμενον. « Ὠιδὴν » δὲ ἀκούσαντες τὴν περὶ τὸ φαινό-
25 μενον εὐσχημοσύνην τοῦ βίου μανθάνομεν δι' αἰνίγματος.
Ὥσπερ γὰρ ἐκ τῶν μουσικῶν ὀργάνων μόνος ὁ ἦχος τῆς
μελῳδίας προσπίπτει ταῖς ἀκοαῖς, αὐτὰ δὲ τὰ μελῳδούμενα
ῥήματα οὐ διαρθροῦται τοῖς φθόγγοις· ἐν δὲ τῇ ᾠδῇ τὸ συν-
PG 496   αμφότερον γίνεται, καὶ ὁ τοῦ μέλους ῥυθμὸς καὶ τῶν ῥημάτων
30 ἡ δύναμις ἡ συνδιεξαγομένη μετὰ τοῦ μέλους, ἣν ἀγνοεῖσθαι
πᾶσα ἀνάγκη, ὅταν διὰ μόνων τῶν μουσικῶν ὀργάνων ἡ
μελῳδία γένηται· οὕτω καὶ ἐπὶ τῶν τὴν ἀρετὴν μετιόντων
GNO 76   συμβαίνει. Οἱ μὲν γὰρ τῇ θεωρητικῇ | τε καὶ ἐποπτικῇ τῶν
ὄντων φιλοσοφίᾳ τὸν νοῦν προσανέχοντες ἄδηλον τοῖς πολλοῖς
35 τὴν ἀρετὴν κατορθοῦσιν ἐν τῷ ἰδίῳ συνειδότι τὸ ἀγαθὸν κατα-
κλείοντες· οἷς δὲ καὶ τὸ ἦθος τοῦ βίου κατὰ σπουδὴν συγκατ-
ορθοῦται, οὗτοι τῇ περὶ τὸ φαινόμενον εὐσχημοσύνῃ καθάπερ
τινὶ λόγῳ τὴν τῆς ζωῆς ἑαυτῶν εὐρυθμίαν δημοσιεύουσιν.
Ὅταν τοίνυν δι' ἀμφοτέρων ᾖ τὸ ἀγαθὸν κατορθούμενον, τῆς
40 ἠθικῆς φιλοσοφίας πρὸς τὴν θεωρητικὴν συνδραμούσης, « ᾠδὴ

AVB SLQXF

30 ἡ² om. AVB ‖ 32 γίνηται vid. S ‖ 34 σοφίᾳ B ‖ 35 ἐν + δὲ A ‖ 38 τὴν om.
A

1. BASILE, après d'autres, propose également cette interprétation de la
forme du psaltérion, cf. In Ps 1, PG 29, 213B.
2. La mention de la « philosophie théorétique et époptique » évoque la
troisième partie, la plus haute, de la philosophie divisée dans la classification
néoplatonicienne en éthique, physique et époptique par allusion à l'initiation
suprême des mystères d'Éleusis. Ce schéma, fondé sur la notion de progrès spirituel, était bien connu de Clément d'Alexandrie et d'Origène. Sur
cette théorie, voir P. HADOT, « Les divisions des parties de la philosophie dans
l'Antiquité », dans Études de philosophie ancienne, Paris 1998, p. 145-151.
3. Dans le De Virginitate XXIII, 3, 20, Grégoire dénonce les adeptes du
Messalianisme qui, « au lieu de manger honnêtement (εὐσχημόνως) un pain

DEUXIÈME PARTIE, III, 32   281

musique produite par un tel instrument est dite « psaume ».
Donc la parole qui exhorte à la vertu a son image dans la
forme de cette structure [1]. Car elle t'invite à faire de ta vie
un psaume qui ne résonne pas des bruits de la terre – par
bruits, j'entends les pensées –, mais produise le son pur et
parfaitement audible qui vient des hauteurs et des régions
célestes. En entendant « chant », nous comprenons, de
manière figurée, la bonne tenue extérieure de la vie. Car, de
même que l'air de la mélodie qui sort des instruments de
musique est seul à parvenir aux oreilles et que les paroles qui
sont chantées, par elles-mêmes, ne sont pas unies aux sons,
tandis que, dans le chant, l'un et l'autre sont rassemblés – à
la fois le rythme de la mélodie et le sens des mots qui
accompagne la mélodie, sens qu'en toute nécessité on ne
reconnaît pas tant que les instruments de musique sont seuls
à produire la mélodie : ainsi en va-t-il également de ceux qui
poursuivent la vertu. En effet, ceux qui appliquent leur esprit
à la philosophie contemplative et scrutatrice de l'être [2] pratiquent la vertu d'une façon qui échappe à la foule, parce
qu'ils enferment le bien dans leur conscience. Mais pour ceux
qui mènent aussi avec ferveur une vie morale, leur bonne
tenue extérieure est comme un langage qui publie la belle
harmonie de leur vie [3]. Chaque fois, donc, que le bien est
accompli de l'une et l'autre manières et que la philosophie
morale accompagne la philosophie contemplative [4], il y a

qui leur appartienne, guignent celui d'autrui » ; cf. 1 Th 4, 12 : « Vous
mènerez une vie honorable (εὐσχημόνως) au regard de ceux du dehors. »
    4. Au IVe siècle, la division bipartite de la philosophie en une partie
théorétique et une partie pratique ou éthique (qui est une division de la
pratique) est admise aussi bien au sein des milieux philosophiques néoplatoniciens qu'en dehors (elle est connue, par exemple, de GRÉGOIRE DE
NAZIANZE, cf. Or. IV, 113, SC 309, p. 270), sans qu'on puisse préciser qui la
doit à qui : « L'idée a fait l'objet d'un échange entre la culture commune et la
spécialité philosophique, sans qu'on sache très bien si la philosophie néoplatonicienne l'a théorisée après l'avoir recueillie dans l'opinion commune,
ou si elle l'a diffusée dans la culture ambiante après l'avoir élaborée au sein
de l'école » (JEAN BOUFFARTIGUE, L'Empereur Julien, p. 211).

ψαλμοῦ » γίνεται ἢ « ψαλμὸς ᾠδῆς »· ὅταν δὲ τὸ ἕτερον ᾖ
τούτων ἐφ' ἑαυτοῦ τοῖς ἐπαίνοις προκείμενον, ἢ τὸ κατὰ
διάνοιαν ἀγαθὸν διὰ « τοῦ ψαλμοῦ » μόνον σημαίνεται ἢ τὸ
ἦθος καὶ ἡ περὶ τὸ φαινόμενον εὐσχημοσύνη διὰ « τῆς ᾠδῆς »
45 ἑρμηνεύεται.
    Ὕμνος δὲ ἢ αἶνος τῇ ᾠδῇ συμμιγνύμενος ᵉ παράγγελμα
γίνεται μὴ πρότερον ἡμᾶς κατατολμᾶν τῶν περὶ Θεοῦ νοημάτων, πρὶν ἂν τὸν βίον ἡμῶν τῆς τοιαύτης παρρησίας ποιήσωμεν ἄξιον. « Οὐ γὰρ ὡραῖος, φησίν, αἶνος ἐν στόματι
50 ἁμαρτωλοῦ ᶠ. » Καὶ « τῷ ἁμαρτωλῷ εἶπεν ὁ Θεὸς · Ἵνα τί σὺ
ἐκδιηγῇ τὰ δικαιώματά μου ᵍ ; » Ὡσαύτως δὲ καὶ « ἡ μετ'
ᾠδῆς προσευχὴ » τὸ ἴσον ἡμῖν ὑποτίθεται πρότερον περὶ τὸν
βίον σπουδάζειν, ὡς ἂν μή τις ἄρρυθμός τε καὶ παρηχημένος
τοῖς ἐπιτηδεύμασι τύχοι, καὶ τότε προσιέναι διὰ προσευχῆς τῷ
55 Θεῷ. Καί μοι δοκεῖ τὴν τοιαύτην ὁ Κύριος ἔννοιαν παραδιδόναι
τοῖς εἰποῦσι πρὸς αὐτὸν ὅτι « Δίδαξον ἡμᾶς προσεύχεσθαι ʰ »·
ὡς οὐκ ἐν ῥήμασι τῆς προσευχῆς, ἀλλ' ἐν τῷ βίῳ κατορθου-
μένης, ἐν οἷς φησιν ὅτι « Ἐὰν ἀφῆτε τοῖς ἀνθρώποις τὰ
παραπτώματα αὐτῶν, ἀφήσει καὶ ὑμῖν ὁ Πατὴρ ὁ οὐράνιος
60 τὰς ἁμαρτίας ὑμῶν ⁱ. »
    Ὅταν δὲ καθ' ἑαυτὴν « ἡ αἴνεσις » γράφηται, μαρτυρίαν |
GNO 77   τινὰ τοῦ ἀνατιθέντος τῷ Θεῷ τοὺς ἐπαίνους περιέχει τὸ νόημα.
Οὐ γὰρ ἄλλου τινός ἐστιν τὸ ἐπαινεῖν τὸν Θεόν, ἀλλ' « αἴνεσις,

AVB SLQXF

41 γίνεται post ᾠδῆς A ‖ ᾖ : ἢ Q ‖ 42 ἑαυτοῖς A ‖ 46 τῆς ᾠδῆς V ‖ 50
ἁμαρτωλοῦ – τῷ om. ex homoeotel. A ‖ καὶ – ἁμαρτωλῷ om. ex homoeotel.
VB ‖ 51 διηγὴ L διηγῇ XF ‖ 53 ἄρρυθμός v : ἄρυθμός AVBSL ῥάθυμός QXF
‖ 54 τύχοι S : τύχῃ cett. ‖ προσεῖναι L ‖ 58 ἀφῆται corr. vid. S vel S² ‖ 59 ὁ
πατὴρ ὑμῖν B ‖ 61 γράφεται Q ‖ 62 νόημα : ὄνομα QXF ‖ 63 τὸ : τοῦ A ‖
ἐπαινεῖν : αἰνεῖν AVB ‖ αἴνεσις : αἶνος S

e. Cf. Ps 66, 1 ; 75, 1 ; 90, 1 ; 92, 1 ; 94, 1   f. Si 15, 9   g. Ps 49, 16   h. Lc
11, 1   i. Mt 6, 14

« un chant de psaume » ou « un psaume de chant ». Et quand
l'un de ces termes se trouve seul à être proposé aux louanges,
soit c'est le bien spirituel seulement qui est désigné par le
mot « psaume », soit c'est la morale et la bonne tenue extérieure qui sont signifiées par le mot « chant ».

L'hymne ou la louange joints au chant [e] est une invitation
à ne pas affronter audacieusement les pensées qui concernent
Dieu avant d'avoir rendu notre vie digne d'une telle liberté de
parole [1]. Car, dit-il, « la louange ne convient pas dans la
bouche du pécheur [f] ». Et « au pécheur Dieu a dit : Pourquoi
racontes-tu mes actes de justice [g] ? » De même, « la prière
avec chant » nous enjoint également d'appliquer d'abord tout
notre zèle à notre existence, pour que notre genre de vie ne
soit ni sans rythme ni discordant, et alors de nous approcher
de Dieu par la prière. Et le Seigneur, me semble-t-il, confie
une idée semblable à ceux qui lui disent : « Apprends-nous à
prier [h] », en considérant que la prière n'est pas affaire de
mots, mais de vie, là où il dit : « Si vous remettez aux hommes
leurs fautes, à vous aussi le Père céleste remettra vos
péchés [i]. »

Mais, quand on trouve écrit le mot « louange » seul, le sens
comprend une certaine forme de témoignage pour celui qui a
adressé des louanges à Dieu. Car louer Dieu n'appartient à

1. Sur la notion de παρρησία, voir R. Joly, « Sur deux thèmes mystiques
de Grégoire de Nysse », *Byzantion* 46, 1966, p. 127-143 (c'est à l'origine une
vertu cynique). Sur ce mot et son emploi chez les chrétiens, notamment Jean
Chrysostome, voir également la note complémentaire de L. Brottier à son
édition des *Sermons sur la Genèse* (*SC* 433, p. 573-74).

φησί, τοῦ Δαβίδ ʲ », ὡς ἂν διὰ τούτου μάθοιμεν, ὅτι εἰ κατ'
65 ἐκεῖνον γενοίμεθα, τότε καὶ ἡμεῖς τὴν τοῦ αἰνεῖν τὸν Θεὸν
παρρησίαν ληψόμεθα.

33. Ὁ δὲ « ἐν ὕμνοις ψαλμὸς ᵃ » εἰς ὑψηλοτέραν ἡμᾶς ἀνάγει
κατάστασιν, ἣν ᾔδει καὶ ὁ θεῖος ἀπόστολος, καθὼς πρὸς Κορ-
ινθίους φησὶν « ἑαυτὸν νῦν μὲν τῷ πνεύματι ψάλλειν, νῦν δὲ τῷ
νοΐ ᵇ ». Οὐκοῦν ἡ μὲν τῷ νῷ συμμιγνυμένη ψαλμῳδία τὸν
5 προαποδοθέντα λόγον διερμηνεύει, τὸ δεῖν τὸ φαινόμενον
ἄξιον εἶναι τοῦ κεκρυμμένου, ἵνα ἡ ᾠδὴ σημαίνηται τῷ
τοιούτῳ νοήματι. Ἡ δὲ πνεύματι μόνῳ κατορθουμένη ψαλμῳδία τὴν ὑπερέχουσαν κατάστασιν τῶν ἁγίων ἐνδείκνυται, ὅταν
κρεῖττον ᾖ τῆς διὰ τῶν φαινομένων ἐνδείξεως τὸ τῷ Θεῷ
10 προσαγόμενον. Οὐ γὰρ ἐν ᾠδαῖς τισιν ὁ ψαλμὸς ταῖς διὰ
ῥημάτων διαρθρούσαις τῶν νοουμένων τὴν δύναμιν, ἀλλ' ἐν
ὕμνοις, φησίν, ὁ ψαλμός. Τοῦτο δέ ἐστι κατά γε τὴν ἐμὴν
κρίσιν, διδασκαλία, τί χρὴ ὑπὸ τοῦ ὕμνου γινώσκειν. Μανθάνομεν γὰρ ὅτι ὁ ὑψηλὸς βίος καὶ τὸ « τὰ ἄνω φρονεῖν ᶜ » καὶ ἐκ
15 τῶν οὐρανίων τε καὶ ὑπερκειμένων νοημάτων ἔχειν τὸ ἡμέτερον ὄργανον τοῦτο ὕμνος ἐστὶ τοῦ Θεοῦ, οὐκ ἐν δυνάμει
ῥημάτων, ἀλλ' ἐν τῷ ὑπερέχοντι κατορθούμενος βίῳ· ὅταν δὲ
τὴν « τῆς συνέσεως ᵈ » φωνὴν συγγράφῃ « τοῖς ὕμνοις »,
συμβουλίαν τινὰ δοκεῖ μοι ποιεῖσθαι ὁ λόγος μὴ ἀσυνέτως
20 ἔχειν τῶν εἰς δοξολογίαν τῷ Θεῷ ἀνατιθεμένων ῥημάτων, μή

AVB SLQXF T (l. 6) D (l. 18)

64 τοῦτο LX ‖ εἰ + καὶ A
33 2 ἤδη ALQ ‖ 3 νῦν¹ om. B ‖ 4 νῷ Sˢˡ vid. ‖ 5 ἀποδοθέντα B ‖ λόγον +
ἡμῖν S ‖ ἑρμηνεύει AVBS ‖ τὸ¹ : τοῦ QXFv ‖ δεῖν : δοκεῖν A ‖ 6 σημαίνηται
VBT : σημαίνεται A σημαίνῃ SLXv σημαίνει QF συμβαίνῃ coni. *Jaeger Don*
‖ 9 ἢ Q ‖ 11 διαρθρούσας A ‖ 15 ὑπερκειμένων : ὑπερκοσμίων Q ‖ 17 βίος
AVB ‖ 18 συγγράφῃ D : συγγράφοι AVBLX συγγράφ S γράφοι QF ‖ 19
συμβουλία (ν sl) V ‖ μοι om. Q ‖ πεποιῆσθαι vid. Q

j. Ps 144, 1

a. Ps 6, 1 ; 66, 1 ; 75, 1   b. 1 Co 14, 15   c. Col 3, 2   d. Ps 53, 1 ; 54, 1

personne d'autre, mais, dit-il, « la louange est de David [j] »,
pour que nous apprenions par là que, si nous devenons
semblables à lui, alors, nous aussi, nous pouvons acquérir la
liberté de louer Dieu.

33. Le « psaume avec hymnes [a] » nous élève à une condition plus haute, que le divin apôtre connaissait aussi, quand il
dit aux Corinthiens qu'« il psalmodie tantôt en esprit, tantôt
en intelligence [b] ». La psalmodie jointe à l'intelligence traduit
donc la parole dont on a rendu compte précédemment :
l'aspect extérieur doit être digne de ce qui est caché, s'il est
vrai que le chant est signifié par une telle pensée. Mais la
psalmodie accomplie par l'esprit seul montre la condition
supérieure des saints, quand ce qui s'applique à Dieu est
meilleur que ce que montrent les apparences. Car le psaume
n'est pas avec des chants qui articulent par des mots le sens
des pensées, mais, dit-il, le psaume est avec hymnes. Voilà
qui, selon mon jugement, enseigne ce qu'il faut entendre par
hymne. Nous apprenons, en effet, que la vie sublime qui
consiste pour notre instrument à « méditer les choses d'en
haut [c] » et à les saisir par des pensées célestes et transcendan-
tes, c'est cela l'hymne de Dieu, qui n'est pas accompli grâce
au sens des mots, mais par la vie supérieure. Mais, quand elle
mentionne « l'intelligence [d] » à côté du mot « hymnes », la
parole conseille, me semble-t-il, de ne pas être dans l'inintelligence des mots qui sont attribués à Dieu pour le glorifier, de

ποτε λάθοιμεν ἀνεξετάστως καὶ ἀσυνέτῳ τινὶ ὁρμῇ τὰ μὴ
πρέποντα τῇ θείᾳ μεγαλειότητι ἀνατιθέντες νοήματα· | οἷόν
ἐστι τὸ οἴεσθαι τοῖς κατὰ Θεὸν ζῶσιν ἐν τῇ τοῦ βίου τούτου
εὐκληρίᾳ προκεῖσθαι τὰς ἀμοιβὰς καὶ τὸ νομίζειν ἐκεῖνο καὶ
25 παρὰ τῷ Θεῷ καλὸν κρίνεσθαι, ὅπερ ἂν τῇ αἰσθήσει τῶν
ἀνθρώπων τοιοῦτον δόξῃ· καὶ πολλὰ τοιαῦτα δυνατόν ἐστιν
εὑρεθῆναι νοήματα ταῖς περὶ Θεοῦ ὑπολήψεσι παρὰ τῶν ἀσυ-
νέτων ἀνατιθέμενα. Σοὶ δὲ χρεία συνέσεως τοῦ ἐκεῖνα περὶ
αὐτοῦ γινώσκειν, ὅσα μὴ μῶμον φέρει προσφερόμενα. Τὸ μὲν
30 γὰρ ὄντως αὐτῷ πρέπον εἰς ἔπαινον κρεῖττόν ἐστιν ἢ ὥστε ὑπὸ
ἀνθρωπίνης φύσεως εὑρεθῆναι· ἡμῖν δὲ τοσοῦτον ἀγαπητὸν
οὐδὲ τὸ δέον περὶ αὐτοῦ γινώσκειν εὑρεῖν, ἀλλὰ τὸ μηδενὶ τῶν
ἀπεμφαινόντων συνενεχθῆναι.

Ὅπερ δὴ ἐπὶ τῆς αἰνέσεως τοῦ Δαβὶδ ἐνοήσαμεν, ὡς τῷ
35 τοιούτῳ μόνῳ πρεπούσης τῆς θείας αἰνέσεως, ταὐτόν μοι
δοκεῖ καὶ περὶ τῆς προσευχῆς γινώσκειν, ὅταν ἀκούσωμεν,
« Προσευχὴ τοῦ Δαβὶδ ᵉ », ὡς δέον καὶ τὸν ἡμέτερον βίον κατὰ
τὸν ἐκείνου σπουδάζειν εἶναι, ἵνα τοῦ προσεύχεσθαι τὴν
παρρησίαν κτησώμεθα. Οὕτω καὶ τὸ « Προσευχὴ τῷ πτωχῷ

AVB SLQXF T (l. 30)

21 ἀνεξετάστῳ Q *Don* ‖ ὁρμῇ : ὁρᾶν μὴ Vᵃᶜ ‖ 24 εὐκληρί V ‖ 25 κρίνεσθαι : γίνεσθαι QF ‖ 28 σοὶ : σὺ Q ‖ 29 αὐτὸν S ‖ ὅσα : ἃ S ‖ φέρῃ AVBX ‖ 30
ὄντως : οὕτως Bv ‖ ὥστε Tv : ὥσπερ cett. ‖ 32 τὸ² : τῷ AVBLX ‖ 37
προσευχῇ F ‖ 39 παρρησίαν (πα sl) V ‖ τὸ : περὶ τοῦ AVB τὸν L τῷ Q

e. Ps 16, 1 ; 85, 1

1. L'intelligence de l'Écriture seule permet d'éviter d'attribuer à Dieu
des pensées inconvenantes. La démarche exégétique consiste en effet « à
chercher dans chaque mot, symbole ou phrase, ce qui convient à la notion
que Grégoire se fait de Dieu, c'est-à-dire de son infinité divine » (M. CANÉ-
VET, *Grégoire de Nysse*, p. 61). Ce thème est traditionnel : un des principes
de l'exégèse d'Origène était de « trouver un sens qui soit ʻ digne de l'esprit
prophétique ʼ et qui réponde à la ʻ majesté ʼ divine » (H. DE LUBAC, *Histoire
et Esprit*, Paris 1950, p. 306).

peur qu'à notre insu, de façon irréfléchie et par une espèce d'élan insensé, nous n'attribuions à la grandeur divine des pensées qui ne conviennent pas [1] : comme estimer que ceux qui vivent selon Dieu se voient récompensés par le bonheur de cette vie, ou considérer qu'est également bon aux yeux de Dieu tout ce que les sens en l'homme jugent tel. Et il est possible de trouver beaucoup d'autres pensées de ce genre que les insensés placent dans leurs conceptions relatives à Dieu. Aussi as-tu besoin d'intelligence pour savoir à son sujet tout ce qu'on peut lui attribuer sans encourir de reproche. Car ce qui convient réellement à sa louange est trop grand pour être découvert par la nature humaine. Loin de vouloir trouver ce qu'il faut connaître à son sujet, nous avons à nous contenter seulement de rejeter tout accord à quoi que ce soit d'absurde [2].

Cela même que nous avons saisi à propos de la louange de David – à savoir que la louange divine convient seulement à un homme tel que lui –, il me semble bon de le reconnaître aussi à propos de la prière, quand nous entendons « Prière de David [e] » : il faut s'efforcer de rendre notre vie semblable à la sienne, afin d'avoir la liberté d'adresser des prières. Ainsi également de « Prière au pauvre, quand le cœur lui manque,

2. L'homme, comme créature, est incapable de connaître ce qui est digne de Dieu. C'est là une limite stricte aux prétentions de la raison : « Très souvent l'expression ' digne de Dieu ' est-elle liée à une interprétation théologique correcte, plus souvent encore à l'incompréhensibilité de la nature divine. A la limite même, parler dignement de l'essence divine se révèle impossible » (M. CANÉVET, *Grégoire de Nysse*, p. 62). Du moins l'homme peut-il savoir ce qui est indigne de Dieu, c'est-à-dire ce qu'il est absurde de lui attribuer. Le choix du concept peu fréquent τὸ ἀπεμφαῖνον (« l'absurde, l'incongru, l'invraisemblable ») est intéressant : mot de la langue philosophique, il est employé par l'empereur JULIEN à propos du mythe (*Héracl.* 14). Celui-ci admet pour son utilité l'invraisemblance de pensée qui caractérise certaines histoires mythiques. L'emploi rare du mot en ce sens et dans ce contexte, qui se retrouve ensuite chez Proclos, dériverait de Jamblique selon J. BOUFFARTIGUE (*L'Empereur Julien*, p. 514). Ce que vise donc probablement Grégoire, c'est aussi le genre d'absurdités que contiennent les mythes païens.

40 ὅταν ἀκηδιάσῃ καὶ ἐναντίον Κυρίου ἐκχέῃ τὴν δέησιν
αὐτοῦ ᶠ. » Πολλὴ γὰρ ἡμῖν χρεία τῆς κατὰ Θεὸν ἀναβάσεως,
ἵνα νοήσωμεν τίνων πτωχεύομεν· οὐ γὰρ ἂν εἰς ἐπιθυμίαν
ἔλθοιμεν τῶν ἀληθινῶν ἀγαθῶν, εἰ μὴ τὴν ἐν τοῖς τοιούτοις
ἑαυτῶν πτωχείαν κατανοήσαιμεν. Ἀλλ᾽ ἔμψυχός τις γενήσε-
45 ται καὶ ἐνδιάθετος τῆς προσευχῆς ὁ τόνος, ὅταν γνῶμεν τίνων
πτωχεύομεν καὶ πρὸς τὴν ἀναβολὴν τῶν ποθουμένων ἀκη-
διάσωμεν· καὶ οὕτως ἐκχεῖται ἡ δέησις ἡμῶν διὰ τῶν ὀφθαλ-
GNO 79   μῶν ἀντὶ ῥημάτων χρωμένη τοῖς δάκρυσιν. Οὕτω | νοήσεις
PG 500   καὶ τὸ « Προσευχὴ τῷ Μωυσεῖ ἀνθρώπῳ τοῦ Θεοῦ ᵍ », ὡς οὐκ
50 ἐνὸν ἄλλως προσελθεῖν διὰ προσευχῆς τῷ Θεῷ, εἰ μή τις τοῦ
κόσμου τούτου ἀποστὰς Θεοῦ μόνου γένοιτο ἄνθρωπος.

ΚΕΦΑΛΑΙΟΝ Δ΄

34. Ἡ δὲ « ὑπὲρ τῶν ἀλλοιωθησομένων ᵃ » ἐπιγραφὴ τοῦ-
τόν μοι δοκεῖ τὸν νοῦν ἔχειν, ὅτι μόνη κρείττων ἐστὶ τροπῆς τε
καὶ ἀλλοιώσεως ἡ θεία φύσις· οὐ γὰρ ἔχει πρὸς ὅ τι χρήσεται
τῇ τροπῇ, τοῦ μὲν κακοῦ ἀνεπίδεκτος οὖσα καθόλου, πρὸς δὲ
5 τὸ κρεῖττον τραπῆναι μὴ δυναμένη· οὐκ ἔστι γὰρ πρὸς ὅ τι
δέξεται τὴν ἀλλοίωσιν· οὐ γὰρ ἔχει τὸ ἑαυτῆς κρεῖττον, πρὸς ὃ
μεταβήσεται. Ἡμεῖς δὲ οἱ ἄνθρωποι ἐν τροπῇ τε καὶ ἀλλοιώσει

AVB SLQXF

41 πολλῆς AVB ‖ 42 πτωχεύωμεν B ‖ 43 τὴν : τῶν L ‖ τοῖς om. Av ‖
τούτοις A ‖ 44 αὐτῶν V ‖ κατανοήσαιμεν e corr. *Jaeger Don* : κατανοήσωμεν
AVBv κατανοήσομεν SQ κατανοῶμεν LXF ‖ 44-45 γενήσεται *Par. Coislin.*
190 (Nicétas) : γένηται cett. γίνεται *Don* ‖ 46 πτωχεύωμεν VB ‖ 47 ἐγχεῖται
L ‖ 49 τὸ : τῷ VL ‖ μῶς S μωσῇ L μωυσῇ Q μῶσεῖ F ‖ 49-50 οὐκενὸν ἀλλ᾽ ὡς
L ‖ 50 προσελθεῖν ante τῷ A προελθεῖν (σ sl) V
34 1 ἡ : εἰ A ‖ 2 ἔχειν ante δοκεῖ QF ‖ ἔχει X ‖ κρεῖττον AVQFᵃᶜ ‖ 3
χρήσηται AVBL ‖ 4 καθόλου : διόλου A ‖ 6 δέξηται AVBLXF

---

f. Ps 101, 1   g. Ps 89, 1
a. Ps 44, 1 ; 59, 1 ; 68, 1 ; 79, 1

et qu'en présence du Seigneur, il répand sa prière [f] ». Nous avons grand besoin, en effet, de nous élever vers Dieu pour savoir de quels biens nous sommes pauvres. Car nous ne parviendrions jamais à désirer les biens véritables, si nous n'examinions pas notre pauvreté en la matière. Mais la tension de notre prière prendra vie et s'intériorisera quand nous saurons de quels biens nous sommes pauvres, et quand, face à l'éloignement de ce que nous désirons, le cœur nous manquera. Et ainsi, notre demande se répand par nos yeux et, au lieu de mots, elle s'exprime par des larmes. Tu interpréteras également de la même façon le titre « Prière à Moïse, homme de Dieu [g] » : on ne peut s'approcher, par la prière, de Dieu que si, après s'être séparé de ce monde, on est devenu l'homme du Dieu unique.

CHAPITRE IV

L'incitation au bon changement

34. Le titre « au sujet de ceux qui seront changés [a] » a, selon moi, le sens suivant : seule la nature divine est supérieure à l'altération et au changement. On ne voit pas en quoi elle pourrait s'altérer, car, d'une façon générale, elle ne peut accueillir le mal pas plus qu'elle n'a la possibilité de se tourner vers le mieux. On ne voit pas, en effet, en quoi elle pourrait se changer : il n'y a rien de meilleur qu'elle-même, en quoi elle soit susceptible de se transformer. Mais nous, les hommes, nous trouvant dans l'altération et le changement à

κείμενοι κατ' ἀμφότερα διὰ τῆς ἀλλοιωτικῆς ἐνεργείας ἢ
χείρους ἢ βελτίους γινόμεθα· χείρους μέν, ὅταν τῆς μετουσίας
10 τῶν ἀγαθῶν ἀπορρέωμεν, ἀμείνους δὲ πάλιν, ὅταν πρὸς τὸ
κρεῖττον ἀλλοιούμενοι τύχωμεν. Ἐπεὶ οὖν τῷ κακῷ διὰ τῆς
τροπῆς συνηνέχθημεν, χρεία τῆς ἀγαθῆς ἡμῖν ἀλλοιώσεως, ὡς
ἂν διὰ ταύτης γένοιτο ἡμῖν ἡ πρὸς τὸ κρεῖττον μεταβολή· καὶ
τοῦτο δῆλόν ἐστιν ἐκ τῆς συμφράσεως τῶν « τοῖς ἀλλοιωθη-
15 σομένοις » συγγεγραμμένων· οὐ γὰρ μόνον τὸ δεῖν ἀλλοιωθῆ-
ναι συμβουλεύει ὁ λόγος, ἀλλὰ καὶ τρόπον τινὰ ὑποτίθεται,
ὅπως ἂν τὸ τοιοῦτον κατορθωθείη, δι' ὑποδειγμάτων τινῶν
τὴν πρὸς τὸ κρεῖττον μεταβολὴν προδεικνύων.

GNO 80   Ἔχει δὲ ἡ λέξις τῆς ἐπιγραφῆς οὕτως· « Εἰς τὸ τέλος | ὑπὲρ
20 τῶν ἀλλοιωθησομένων εἰς στηλογραφίαν τῷ Δαβὶδ εἰς
διδαχήν, ὁπότε ἐνεπύρισε τὴν Μεσοποταμίαν Συρίας καὶ τὴν
Συρίαν Σωβὰ καὶ ἐπέστρεψεν Ἰωὰβ καὶ ἐπάταξε τὴν φάραγγα
τῶν ἀλῶν δώδεκα χιλιάδας [b]. » Δῆλον γὰρ ἂν εἴη διὰ τῶν
εἰρημένων, ὅτι διδασκαλίαν τινὰ καὶ συμβουλὴν περιέχει ὁ
25 λόγος εἰπὼν ὅτι « Εἰς στηλογραφίαν τῷ Δαβὶδ εἰς διδαχήν. »
Οὐ γὰρ ἂν « ἡ διδαχὴ » προσέκειτο, μὴ πρὸς διδασκαλίαν τοῦ
λόγου βλέποντος. Ἡ δὲ « εἰς στηλογραφίαν » τὸ δεῖν ἀνεξά-
λειπτόν τε καὶ ἐντετυπωμένον ἔχειν τῇ μνήμῃ τὸν λόγον
ἐνδείκνυται, ὡς εἶναι στήλην μὲν τὸ μνημονικὸν τῆς ψυχῆς, τὰ
30 δὲ ἐπὶ τῆς στήλης χαράγματα τὰ τῶν ἀγαθῶν ὑποδείγματα.
Ταῦτα δὲ ἦν ἡ τοῦ ἀρχιστρατήγου τῆς δυνάμεως τοῦ Δαβὶδ
ἀριστεία, δι' ὧν διπλοῦν γίνεται κατὰ τῶν πολεμίων τὸ πάθος,

AVB SLQXF

9 ὅτε AVB ‖ συνουσίας L ‖ 10 ἀμείνους : βελτίους A ‖ ὅτε AVB ‖
15-16 ἀλλοιωθῆ V ‖ 22 σοβὰ SXF σωβᾶ L σοβὰλ Qv ‖ ἰὰβ B ‖ φάλαγγα S ‖
23 ἀλλῶν Q ‖ 24 ὅτι om. AVB ‖ 27 ἡ δὲ : ἤδη AVL ‖ στηλογραφίαν + δὲ
AVB ‖ τὸ : τοῦ SXF + τοῦ Qv ‖ 28 ἔχει X ‖ τοῦ λόγου Q ‖ 29 μνημονευτικὸν
X ‖ 30 τῆς om. A

b. Ps 59, 1-2

l'égard du bien comme du mal, nous devenons pires ou meilleurs par notre activité changeante. Pires, chaque fois que nous quittons la participation aux biens, meilleurs à l'inverse, chaque fois que nous changeons en mieux [1]. Puisque donc, par l'altération, nous avons été portés au mal, nous avons besoin d'un bon changement, afin que, grâce à lui, nous nous transformions en mieux. C'est clair d'après le contexte de ce qui est écrit avec « ceux qui seront changés » : la parole ne se contente pas d'inviter à la nécessité du changement, elle propose aussi une certaine manière pour le réussir, en montrant par des exemples la transformation en mieux.

Tel est le texte du titre : « Pour la fin, au sujet de ceux qui seront changés, pour une inscription sur une stèle en l'honneur de David, pour une instruction, lorsqu'il brûla la Mésopotamie de Syrie et la Syrie de Soba et que Joab revint et frappa la vallée des salines, douze mille hommes [b]. » On peut voir clairement d'après ce qui est dit que la parole disant : « Pour une inscription sur une stèle en l'honneur de David, pour une instruction », comprend un enseignement et un conseil. Car « l'instruction » n'y figurerait pas, si la parole ne visait un enseignement. L'expression « pour une inscription sur une stèle » montre qu'il faut garder ineffaçable et imprimée en sa mémoire cette parole : ainsi la stèle, ce sera la partie de l'âme où siège la mémoire, et les inscriptions sur la stèle, ce seront les exemples des biens. Ils étaient représentés par l'exploit du général en chef de l'armée de David. Grâce à eux, l'épreuve subie par les ennemis est double : les uns ont été

1. Ce développement sur le changement fait écho à celui de 15, 10 s.

τῶν μὲν πυρὶ δαπανηθέντων, τῶν δὲ διὰ πληγῆς ἐν ἀφανισμῷ
γενομένων. Ἡ μὲν γὰρ μέση τῶν ποταμῶν Συρία διὰ τοῦ
35 πυρὸς ἀναλίσκεται καὶ τὸ πρόσχωρον αὐτοῖς μέρος τῶν
Σύρων, ὡσαύτως δὲ καὶ ἡ φάραγξ τῶν ἁλῶν ἐν πολλαῖς
PG 501   χιλιάσι καταφονεύεται· ἀλλὰ τὸ μὲν δι᾽ ἀκριβείας τὴν ἱστο-
ρικὴν ἀκολουθίαν ἐκθέσθαι μακρὸν ἂν εἴη καὶ περιττὸν ἅμα. Τί
γὰρ ἂν γένοιτο πλέον ἡμῖν δι᾽ ἀκολούθου τὴν ἔκθεσιν τῶν
40 γεγονότων μαθοῦσιν ; Ἀλλὰ πρὸς τί φέρει τῆς ἱστορικῆς μνήμης τὸ αἴνιγμα κρεῖττον οἶμαι δι᾽ ὀλίγων προθεῖναι τῷ λόγῳ,
ὡς ἂν γένοιτο ἡμῖν ἡ τοιαύτη στηλογραφία εἰς διδαχὴν τοῦ
ἡμετέρου βίου. Τί οὖν ἐστιν ὅ φημι ; Ὅλον τὸ ἔθνος « Συρίαν »
ὠνόμασε, μερίζει δὲ τοῦτο εἰς δύο τμήματα ἕκαστον αὐτῶν
45 ἰδίοις γνωρίσμασι σημειούμενος· ἡ μὲν γὰρ αὐτῶν « Μεσο-
GNO 81   ποταμία Συρίας » λέγεται· ἡ δὲ ἑτέρα « τοῦ | Σωβὰ Συρία »
κατονομάζεται· καταπίμπραται δὲ καὶ αὕτη καὶ αὕτη. Καὶ
μετὰ τοῦτο ἐξ ἐπιστροφῆς τοῦ ἀρχιστρατήγου ἡ φάραγξ τῶν
ἁλῶν ἐν δυοκαίδεκα χιλιάσι τῷ θανάτῳ καταδικάζεται·
50 οὐκοῦν νοήσωμεν ὅτι διπλοῦν ἐστι τῆς Συρίας τὸ εἶδος. Οἱ μὲν
γὰρ αὐτῶν εἰσι τοῖς ποταμίοις ῥεύμασιν ἐν κύκλῳ διει-
λημμένοι· αὐτοὶ δ᾽ ἂν εἶεν οἱ τοῖς παθήμασι πανταχόθεν περιρ-
ρεόμενοι. Οἱ δὲ ἀνάκεινται τῷ Σωβὰ διὰ τοῦ ὀνόματος τούτου
τὴν τῆς ἀντικειμένης δυνάμεως τυραννίδα τοῦ λόγου σημαί-
55 νοντος· οὐκοῦν αὕτη γένοιτο ἂν ἡμῖν τῆς πρὸς τὸ κρεῖττον
ἀλλοιώσεως ἡ ὁδός, εἰ τῷ καθαρσίῳ πυρὶ τὸ διπλοῦν τοῦτο τῆς
κακίας ἔθνος ἀφανισθείη· ὡς γὰρ ἡ ἀρετὴ βίῳ καὶ διανοίᾳ

AVB SLQXF

33 δαπανηθέντων : παραδοθέντων A ‖ 34 ποταμῶ (ν sl) V ‖ 35 αὐτῆς F ‖
36 πολλοῖς L ‖ 38 εἴη : εἰ L ‖ 39 ἡμῖν post γὰρ AVB ‖ 41 προθῆναι VB ‖
45 σημειούμενος om. AVB ‖ 45-46 μεσοποταμίας S ‖ 46 συρία SL ‖ δὲ :
δ᾽ V ‖ σοβᾶ SF σωβᾶ L σοβᾶ X σοβὰλ ν ‖ 47 κατεμπίμπραται (-πειμπρᾶ- V)
AV κατεπίμπραται BX ‖ δὲ om. F ‖ αὐτῇ καὶ αὐτῇ L ‖ 48 φάραξ AS φάλαγξ
QF ‖ 51 μεσοποταμίοις QXFν ‖ 53 ἀντίκεινται AVB *Don* ‖ σοβᾶ S σοβᾶ XF
σοβάλ ν ‖ 54 τὴν om. V ‖ 54-55 σημήνοντος (sic) Vᵃᶜ ‖ 55 αὐτῇ L ‖ 56 εἰ : ἡ
AQ (vid.) ‖ 57 διάνοια (-α sl al. man.) V

consumés par le feu, les autres ont été détruits sous les coups. La Syrie du milieu des fleuves et la partie de la Syrie voisine périssent par le feu, de même que la vallée des salines est massacrée avec ses milliers d'hommes. Mais il serait à la fois long et superflu de faire le récit détaillé de la succession de l'histoire. Car que retirerions-nous de plus, si nous connaissions le récit suivi de ce qui s'est passé ? Mais il est préférable, selon moi, de montrer brièvement par mon propos vers quoi conduit, de manière figurée, le souvenir historique, afin que nous puissions disposer d'une telle inscription sur une stèle pour l'instruction de notre vie. Que veux-je donc dire ? La nation entière, il l'a nommée « Syrie » et il la partage en deux sections, en signifiant chacune d'elles par une marque particulière : l'une est dite « Mésopotamie de Syrie », l'autre est nommée « Syrie de Soba ». L'une et l'autre sont réduites en cendres. Puis, à la suite du retour du général en chef, la vallée des salines avec ses douze mille hommes est condamnée à mort. Considérons donc que la forme de la Syrie est double. Parmi ses habitants, les uns sont traversés, encerclés par le cours des fleuves : ce peut être ceux qui sont inondés de tous côtés par les passions. Les autres sont consacrés [1] à Soba : la parole désigne sous ce nom le pouvoir de la puissance ennemie. La voie du changement vers le mieux pourrait donc bien consister pour nous à voir, sous l'action du feu purificateur, disparaître cette double nation de malice. Comme la vertu s'imprime de manière distincte dans la vie et dans la pensée,

---

1. La leçon adoptée par J. Mc Donough, ἀντίκεινται, fait contresens.

χαρακτηρίζεται, οὕτω καὶ ἡ κακία τοῖς δύο τούτοις ἐνθεω-
ρεῖται· καὶ ἡ μὲν κατὰ τὸν βίον ἀταξία, ᾗ τὰ τῶν παθῶν ῥεύ-
60 ματα κύκλῳ τὴν ψυχὴν διαλαμβάνει, ἡ τῶν ποταμῶν λέγεται
μέση, ἡ δὲ διὰ τῶν πονηρῶν δογμάτων ἀνακειμένη « τῷ
ἄρχοντι τοῦ κόσμου ᶜ » « Σωβὰ Συρίας » κατονομάζεται· ὧν
τῷ καυστικῷ τε καὶ καθαρσίῳ λόγῳ δαπανηθέντων ἕπεται τὸ
τὴν ἄγονόν τε καὶ ἁλμῶσαν γῆν, ἥτις στρατόπεδόν ἐστι τῶν
65 ἀντικειμένων δυνάμεων, τῇ τοῦ ἀρχιστρατήγου πληγῇ πατα-
χθῆναι· οὐ γὰρ ἂν γένοιτο ἡμῖν ἡ κατὰ τῶν ἐχθρῶν νίκη, μὴ
τοῦ ἄρχοντος τῶν στρατιῶν ὑπερσχόντος τῇ χειρί. Τῇ δὲ τῶν
πολεμίων ἀπωλείᾳ εἰρήνη κατὰ τὸ ἀκόλουθον ἕπεται· καὶ
τοῦτό ἐστι τὸ ἀκόλουθον τῆς νίκης, πρὸς ὃ βλέπουσα ἡ ἐπι-
70 γραφὴ ἐνστηλιτεύει ταῖς μνήμαις ἡμῶν τὴν πρὸς τὸ ἀλλοι-
ωθῆναι ὑφήγησιν διὰ τῶν ἱστορικῶν ὑποδειγμάτων | τὴν
ἀπαλλαγὴν τῶν παθημάτων ὑποδεικνύουσα.

GNO 82

Μᾶλλον δ' ἂν ἡμῖν φανερὸν γένοιτο τὸ κατὰ τὴν ἀλλοίωσιν
μάθημα, εἰ τοῖς λοιποῖς τῶν ἑρμηνέων ἀκολουθήσαιμεν, ὧν ὁ
75 μὲν τὸ « ὑπὲρ τῶν ἀνθῶν ᵈ », ὁ δὲ « ὑπὲρ τῶν κρίνων ᵉ », ἀντὶ
τῆς ἀλλοιώσεως τῷ λόγῳ προσέγραψεν. Τό τε γὰρ ἄνθος
ἐνδείκνυται τοῦ χειμῶνος τὴν εἰς ἔαρ μεταβολήν, ὅπερ σημαί-

AVB SLQXF

59 ᾗ VB : ᾖ (ᾖ a.c. F) ALQXFv ᾗς S ‖ 62 σοβὰ SF σωβᾶ L σοβᾶ QX σοβὰλ
v ‖ 63 καυστικῷ : φωτιστικῷ AVBLX ‖ 65-66 παταχθῆναι VB : παραχθῆναι
ASLQXFv ‖ 66 ἡ : οὐ V ‖ 67 στρατειῶν AVL ‖ ὑπερέχοντος L ‖ 70 γραφὴ
A ‖ ἡμῖν L ‖ 72 παθαθημάτων (sic) V ‖ 74 εἰ : ἐν Vᵃᶜ ‖ λοποῖς A ‖ ἑρμηνευτῶν
AVB ἑρμηνειῶν L ‖ ἀκουλουθήσαιμεν S ‖ 75 τὸ om. QFv ‖ ἀνθῶν : ἀγαθῶν
Q ‖ κρίνων : κρινόντων B ‖ ἀντὶ (v sl) V ‖ 76 προσέγραψεν : προσέγρα SF
προσέγραψαν LQ

c. Jn 12, 31   d. Ps 44, 1 ; 59, 1 ; 79, 1 (Symmaque)   e. Ps 44, 1
(Theodotion) ; Ps 79, 1 (Aquila). Aux Ps 44 et 59, Aquila traduit : ἐπὶ
κρίνων.

ainsi la malice s'observe sous ces deux formes : d'une part, le désordre de l'existence qui permet au cours des passions d'encercler et de traverser l'âme [1] – c'est la forme dite du milieu des fleuves ; d'autre part, celle qui, par ses doctrines funestes, est consacrée « au maître du monde [c] » et est nommée « Soba de Syrie ». Une fois qu'elles ont été consumées par la parole brûlante et purificatrice, c'est au tour de la terre stérile et salée – c'est-à-dire le camp des forces ennemies – d'être frappée sous les coups du général en chef [2]. Nous n'obtiendrions pas, en effet, la victoire sur les ennemis si le chef des armées ne l'emportait de son bras. De la destruction des ennemis, s'ensuit logiquement la paix. Et c'est là la conséquence de la victoire, que vise le titre quand il inscrit en nos mémoires la prescription du changement, en montrant par des exemples historiques l'affranchissement des passions.

L'enseignement relatif au changement peut nous être encore plus clair si nous suivons le reste des traducteurs : l'un a ajouté au texte, au lieu de changement, « au sujet des fleurs [d] », un autre « au sujet des lis [e] » [3]. La fleur désigne la transformation de l'hiver en printemps, ce qui signifie le

1. Le passage rappelle PHILON, *Fug.* 49 : « ' Fuis en Mésopotamie ', c'est-à-dire au milieu du fleuve impétueux de la vie et ne te laisse pas submerger ni engloutir. » Philon et Grégoire dépendent de PLATON qui décrit (*Tim.* 43 ab) l'état de l'âme humaine lors de son incarnation, plongée dans un fleuve puissant et avançant sans aucun ordre (ἀτάκτως). Des emplois platoniciens de l'image du courant sont également sous-jacents, voir A. MÉASSON, *Du char ailé*, p. 177-79.

2. Il y a peut-être, par opposition au « chef de ce monde », une allusion au Christ dont l'un des titres est « général en chef (ἀρχιστράτηγος) », cf. JUSTIN, *Dial. cum Tryphone* 61, 1 : « Le Verbe se nomme lui-même ' général en chef ' lorsqu'il apparut sous forme humaine à Jésus, fils de Navè (cf. Jos 5, 14). »

3. Les autres traducteurs sont également cités par EUSÈBE, cf. *In Ps* 59, *PG* 23, 556 A, et BASILE, cf. *In Ps* 44, *PG* 29, 389 A.

νει τὴν ἀπὸ κακίας εἰς τὸν κατ' ἀρετὴν βίον μετάστασιν· ἥ τε
τοῦ κρίνου ὄψις πρὸς ὅ τι χρὴ γενέσθαι τὴν ἀλλοίωσιν διερ-
80 μηνεύει· ὁ γὰρ δι' ἀλλοιώσεως λαμπρὸς γινόμενος δηλονότι ἐκ
μέλανός τε καὶ ἐσκοτισμένου λαμπρόν τε καὶ χιονῶδες εἶδος
PG 504 μεταλαμβάνει. Κατὰ πᾶσαν τοίνυν ἐπιγραφήν, ᾗ τὸ « ὑπὲρ τῶν
ἀλλοιωθησομένων » προσγέγραπται, ταύτην οἶμαι δεῖν δέχε-
σθαι τὴν συμβουλὴν παρὰ τοῦ λόγου, τὸ δεῖν ἀεὶ διὰ προσευχῆς
85 τε καὶ ἐπιμελείας τοῦ βίου κτήσασθαι τὴν ἐπὶ τὸ κρεῖττον
ἀλλοίωσιν.

ΚΕΦΑΛΑΙΟΝ Ε΄

35. Ἡ δὲ « ὑπὲρ τῶν κρυφίων [a] » ἐπιγραφὴ τὸ περὶ τὴν
θεογνωσίαν ἀκριβὲς κατορθοῦν ὑποτίθεται. Ἐπειδὴ γὰρ τὸ
ἔσχατον πτῶμά ἐστι ψυχῆς ἡ διημαρτημένη περὶ τὸ θεῖον
ὑπόληψις — τί γὰρ ἄν τις ἀπόναιτο τῶν ἀγαθῶν αὐτὸ τὸ
5 ἀγαθὸν οὐκ ἔχων —, τούτου ἕνεκεν οἷόν τινα λύχνον σοι
προτείνει ἡ ἐπιγραφὴ τὸν ἐρευνητικὸν τῶν κρυφίων τῆς θεο-
γνωσίας λόγον, ἧς κεφάλαιόν ἐστιν ἡ εἰς τὸν Υἱὸν πίστις.
Οὕτω γάρ φησιν καὶ ἡ ἐπιγραφή· « Ὑπὲρ τῶν κρυφίων τοῦ
υἱοῦ [b]. » Κρύφιον γὰρ ὡς ἀληθῶς ἐκεῖνό ἐστιν τὸ ἀκατανόητόν
GNO 83 10 τε καὶ ἀόρατον | καὶ πάσης ὑπερκείμενον καταληπτικῆς ἐπι-
νοίας, ᾧπερ ὁ προσεγγίσας διὰ τῆς πίστεως εἰς τὸ τῆς νίκης
ἔφθασε τέλος.

AVB SLQXF

79 ὄψις : ὁ τις L ‖ προστό τι L ‖ 80 γενόμενος ABSQFv ‖ 84 τὸ : τοῦ AVSX
τοῦδε L ‖ δεῖν ἀεὶ : ἵνα ὤσει L ‖ 85 τε : V^sl al. man. om. Qv

35 4 ἀπόναιτο AVB ἀπώνετο L ἀπώνατο QFv ‖ 6 προτείνῃ A προτίνει L ‖
ἡ S^sl vid. ‖ τὸν ἐρευνητικὸν : τῶν ἐρευνητικῶν AVB τὸ ἀνερευνητικὸν L ‖
7 λόγων VB ‖ 9 ὡς om. AVB ‖ 10 ἀόρατον : ἄρρητον S ‖ 11 ᾧπερ : ὥσπερ L
ὅπερ BQ

---

a. Ps 9, 1 ; 45, 1   b. Ps 9, 1

passage du vice à la vie vertueuse. L'aspect du lis traduit ce à quoi doit aboutir le changement. Car on voit bien que celui qui devient, en changeant, éclatant, échange son aspect noir et sombre contre une forme éclatante et blanche comme neige. Ainsi, quel que soit le titre auquel la mention « au sujet de ceux qui seront changés » est ajoutée, il faut, je crois, recevoir de la parole le conseil de devoir constamment, par la prière et le soin donné à sa vie, acquérir le changement vers le mieux.

CHAPITRE V

Les secrets du fils

35. Le titre « au sujet des secrets [a] » expose l'accomplissement de ce qui est exact concernant la connaissance de Dieu. Car comme la chute ultime de l'âme consiste en la conception erronée de la divinité – de quel bien peut-on jouir, si on n'a pas le bien lui-même ? –, pour cette raison le titre te tend comme une lampe [1] la parole qui scrute les secrets de la connaissance de Dieu, dont le principal est la foi envers le Fils. Le titre est, en effet, le suivant : « Au sujet des secrets du fils [b]. » Car ce qui constitue vraiment un secret, c'est ce qui est incompréhensible, invisible et supérieur à toute saisie de l'intelligence : celui qui s'en est approché par la foi parvient à la victoire finale.

---

1. L'image est évangélique, cf. *Virg* XII, 3, 19 (*SC* 119, p. 415) : « Le Seigneur demande d' ' allumer la lampe ' (Lc 15, 8) pour signifier peut-être la raison ' qui met en lumière les choses cachées ' (cf. 1 Co 4, 5). »

Ὁ δὲ « ὑπὲρ τῆς κληρονομούσης ᶜ » λόγος δῆλός ἐστιν. Ὑπὲρ
γὰρ τῆς ψυχῆς τῆς τοῦ ἰδίου κλήρου ἀποπεσούσης, ὅτε ἐπέδυ
15 τῷ τὴν ἐντολὴν παραβεβηκότι ὁ ἥλιος, τὴν ἔντευξιν ταύτην
προσάγει τῷ Θεῷ ὁ προφήτης, ἵνα ἐν « πρωΐᾳ ᵉ » γένηται
πάλιν « ἀποθεμένη τὸ σκότος ᵈ » καὶ τῆς γλυκείας ἐκείνης
« φωνῆς ᵉ » ἀξία γένηται, ἥ φησι πρὸς τοὺς ἐκ δεξιῶν « Δεῦτε,
οἱ εὐλογημένοι τοῦ Πατρός μου, κληρονομήσατε τὴν ἡτοι-
20 μασμένην ὑμῖν βασιλείαν ἀπὸ καταβολῆς κόσμου ᶠ. »
Τὸ αὐτὸ τοῦτο καὶ « ὑπὲρ τῆς ἑωθινῆς ἀντιλήψεως ᵍ » τις
νοήσας οὐκ ἂν ἁμάρτοι τοῦ δέοντος. Ὄρθρον γὰρ τὴν ἑωθινὴν
ἡ τῆς Γραφῆς ὀνομάζει συνήθεια. Ὁ δὲ ὄρθρος χρόνος ἐστὶν
νυκτὸς καὶ ἡμέρας μεθόριος, καθ᾽ ὃν ἡ μὲν ἀφανίζεται, ἡ δὲ
25 ἄρχεται. Τῆς δὲ κακίας πολλαχοῦ τῆς Γραφῆς διὰ τοῦ σκότους
ἐν αἰνίγματι νοουμένης, ὅταν γένηται ἡμῖν ἐκ θείας ἀντιλήψεως ἡ τοῦ κατ᾽ ἀρετὴν βίου ἀνατολή, τότε πρὸς τὴν νίκην
φθάσομεν « ἀποθέμενοι τὰ ἔργα τοῦ σκότους » καὶ « ὡς ἐν
ἡμέρᾳ εὐσχημόνως περιπατοῦντες », καθώς φησιν ὁ ἀπό-
30 στολος ʰ.
Ἐγγὺς τῶν ἐξητασμένων καὶ ὁ « τῆς ὀγδόης » λόγος ἐστί.
Πᾶσα γὰρ ἐπιμέλεια τῆς ἐναρέτου ζωῆς πρὸς τὸν ἐφεξῆς
αἰῶνα βλέπει, οὗ ἡ ἀρχὴ ὀγδόη λέγεται τὸν αἰσθητὸν δια-
δεξαμένη χρόνον τὸν ἐν ἑβδομάσιν ἀνακυκλούμενον. Συμβου-
35 λεύει τοίνυν ἡ « ὑπὲρ τῆς ὀγδόης ⁱ » ἐπιγραφὴ μὴ πρὸς τὸν

AVB SLQXF

13 ὑπὲρ² : ὑπὸ QF ‖ 14 ὅτι Q ‖ 15 τὴν ἔντευξιν iter. A ‖ 16 προσάγειν V ‖
τῷ θεῷ προσάγει Q ‖ 22 ἁμάρτη F ‖ 24 νυκτὸς : δυκτὸς vid. Q ‖
28 φθάσωμεν AVBSL ‖ 33 ἡ om. A ‖ 35 ἡ om. L ‖ ὀγδόης + ἡ L² vid.

c. Ps 5, 1   d. Rm 13, 12   e. Ps 5, 4   f. Mt 25, 34   g. Ps 21, 1   h. Rm 13,
12-13   i. Ps 6, 1 ; 11, 1

L'héritière

Quant à la parole « au sujet de celle qui obtient l'héritage [c] », elle est claire : c'est au sujet de l'âme qui est tombée loin de son héritage propre, quand le soleil s'est couché sur celui qui a transgressé le commandement, que le prophète adresse à Dieu cette requête [1], afin qu'elle « abandonne l'obscurité [d] » pour retrouver « l'aurore » et être digne de cette douce « voix [e] » qui dit à ceux qui sont à sa droite : « Venez, les bénis de mon Père, héritez du royaume qui vous est préparé depuis la fondation du monde [f]. »

La protection du matin

En comprenant de cette même façon encore « au sujet de la protection matinale [g] », on ne manquerait pas ce qu'il faut penser. L'usage, en effet, de l'Écriture, est d'appeler aurore le matin. L'aurore est le moment de la nuit limitrophe du jour durant lequel l'une disparaît et l'autre commence. Et, puisque la méchanceté en bien des endroits de l'Écriture est signifiée de manière figurée par l'obscurité, quand nous adviendra grâce à la protection divine le lever de la vie vertueuse, alors nous parviendrons à la victoire « après avoir abandonné les œuvres de l'obscurité » et « nous cheminerons avec décence comme en plein jour », comme dit l'apôtre [h].

Le huitième jour

La parole « du huitième jour » est également proche de celles que nous avons examinées. Toute l'occupation de la vie vertueuse est tournée vers l'éternité future, dont le commencement est appelé huitième parce qu'il succède au temps sensible dont le cycle est de sept jours. Le titre « au sujet du huitième jour [i] » conseille donc de ne pas regarder le temps

---

1. Le terme ἔντευξις désigne la requête, la demande adressée à Dieu par la prière, cf. ORIGÈNE, *De oratione*, 14, 2.

παρόντα βλέπειν χρόνον, ἀλλὰ πρὸς τὴν ὀγδόην ὁρᾶν. Ὅταν
γὰρ ὁ ῥοώδης οὗτος καὶ παροδικὸς παύσηται χρόνος, ἐν ᾧ τὸ
μὲν γίνεται, τὸ δὲ λύεται, καὶ παρέλθη μὲν ἡ τοῦ | γενέσθαι
χρεία, μηκέτι δὲ τὸ λυόμενον ᾖ, τῆς ἐλπιζομένης ἀναστάσεως
40 εἰς ἄλλην τινὰ ζωῆς κατάστασιν μεταστοιχειούσης τὴν φύσιν,
καὶ ἡ παροδικὴ τοῦ χρόνου παύσηται φύσις, τῆς κατὰ γένεσιν
καὶ φθορὰν ἐνεργείας μηκέτι οὔσης, στήσεται πάντως καὶ ἡ
ἑβδομὰς ἡ ἐκμετροῦσα τὸν χρόνον, καὶ διαδέξεται ἡ ὀγδόη
ἐκείνη, ἥτις ἐστὶν ὁ ἐφεξῆς αἰὼν ὅλος μία ἡμέρα γενόμενος,
45 καθώς φησί τις τῶν προφητῶν « μεγάλην ἡμέραν [j] » τὴν ἐλπι-
ζομένην ὀνομάσας ζωήν. Ἐπειδὴ οὐχ ὁ αἰσθητὸς ἥλιος
φωτίζει τὴν ἡμέραν ἐκείνην, ἀλλὰ « τὸ ἀληθινὸν φῶς [k] », « ὁ
τῆς δικαιοσύνης ἥλιος [l] », ὃς « ἀνατολὴ [m] » ὑπὸ τῆς προφητείας κατονομάζεται διὰ τὸ μηδέποτε δυσμαῖς συγκα-
50 λύπτεσθαι.
   36. Τὸ δὲ αὐτὸ τοῦτο καὶ ἐν ταῖς « ὑπὲρ τῶν ληνῶν [a] »
ἐπιγραφαῖς ἐνοήσαμεν. Ἡ γὰρ ληνὸς οἴνου ἐστὶν ἐργαστήριον,
ἐν ᾗ τῶν βοτρύων συνθλιβομένων ὁ οἶνος γίνεται. Ἀλλ᾿ εἰ μὲν
ἐκ σεσηπότων ἢ ὀμφακιζόντων τῶν βοτρύων ἀπορρυῇ ὁ οἶνος,
5 τροπίας εὐθὺς καὶ ἄποτος γίνεται, εἰς δυσωδίαν τινὰ ἢ καὶ εἰς
ὀξώδη μεταβαλὼν ποιότητα διά τινος ἑτέρας διαφθορᾶς εἰς
σκωλήκων γένεσιν ἀλλοιούμενος. Εἰ δὲ εὐγενής τε καὶ ὡραῖος
ταῖς ληνοῖς ἐντεθείη ὁ βότρυς, ἡδύς τε καὶ ἀνθοσμίας ὁ οἶνος
τῶν βοτρύων ἀπορρυήσεται τῷ μακρῷ χρόνῳ συνεπιδιδοὺς εἰς

AVB SLQXF

36 χρόνον βλέπειν V ‖ 37 ῥοώδης : ἠρώδης vid. Q ‖ 38 γενέσθαι (ι sl al.
man.) V ‖ 40 ἄλλοις Q ‖ 41 χρόνου (ο sl) V ‖ 43 τὸν om. QF ‖ διαδέξηται L
‖ 44 ἥτης F^{ac} ‖ γινόμενος X ‖ 45 μεγάλη (ν sl) V ‖ 49 δυσμαῖς + ἡλίου Q
   36 4 τῶν om. Q ‖ ὁ οἶνος ἀπορρυῇ S ‖ 5 ἐντροπίας QXF ‖ δυσοδίαν F ‖
6 ὀζώδη V ‖ τινας V ‖ διαφορᾶς V ‖ 7 ὥριος SL ‖ 8 τοῖς AVB ‖ ἐντεθείη :
ἐναποτεθῇ A ἐντέθη S ἐντεθῇ ν

j. Ml 3, 22 ; Jl 2, 11 ; Jr 37, 7   k. Jn 1, 9 ; 1 Jn 2, 8   l. Ml 3, 20   m. Za 6,
12
   a. Ps 8, 1 ; 80, 1 ; 83, 1

présent, mais d'avoir les yeux tournés vers le huitième jour.
Lorsque ce temps fluent et passager cessera, qui voit naître
une chose et se dissoudre une autre, quand la nécessité de la
génération aura passé et qu'il n'y aura plus matière à dissolution, puisque la résurrection qu'on espère aura transformé
notre nature en une autre condition d'existence, quand la
nature passagère du temps cessera, puisque la puissance de la
génération et de la corruption n'existera plus, s'arrêtera
également complètement la période de sept jours qui mesure
ce temps et lui succédera ce huitième jour [1], c'est-à-dire
l'éternité future formant tout entier un seul jour, selon le mot
de l'un des prophètes qui appelle « grand jour [j] » l'existence
que nous espérons. Car ce n'est pas le soleil sensible qui
éclaire ce jour, mais « la vraie lumière [k] », « le soleil de justice [l] », que la prophétie nomme « orient [m] », parce qu'il n'est
plus caché par le couchant.

Le pressoir de l'âme

36. Nous avons compris de cette même façon encore les
titres « au sujet des pressoirs [a] ». Le pressoir à vin est un
atelier où l'on produit le vin en foulant les grappes de raisin.
Mais si le vin s'écoule de grappes pourries ou encore vertes, il
tourne aussitôt et devient imbuvable : il prend une odeur
fétide ou même une qualité acide ou se transforme, par un
autre processus de putréfaction, pour produire des vers. Mais
si le raisin placé dans les pressoirs est d'un bon cépage, s'il est
mûr, ce sera un vin agréable et fleuri qui s'écoulera des
grappes, le temps ajoutant à sa beauté et à la qualité de son

1. Pour un développement parallèle, cf. *In sextum Psalmum*, 188, 10 s.

10 κάλλος καὶ εὔπνοιαν. Τί οὖν τὸ αἴνιγμα βούλεται φροντίζειν
τοῦ βότρυος ὡς ἔνι μάλιστα ; Ὅπως ἂν ἡμῖν πλουτοίη τοῦ
ἀνθρωπίνου νοῦ ἡ ἀποθήκη· ἐλπὶς δέ ἐστιν ἡ ἀποθήκη ἐν ᾗ
πᾶσα ἡμῖν ἡ τοῦ βίου παρασκευὴ περιέχεται. Οὕτω δ᾽ ἂν
γένοιτο ἡμῖν πρόδηλος τῶν βοτρύων ἡ φύσις, εἰ φανείη πρῶτον
GNO 85   15 τὰ κλήματα καὶ ἡ περιεκτικὴ | τῶν τε βοτρύων καὶ κλημάτων
ἄμπελος. Ἀλλὰ τοῦτο φανερὸν ἐκ τῶν τοῦ Κυρίου λόγων
γενήσεται τοῦ εἰπόντος· « Ἐγὼ ἡ ἄμπελος, ὑμεῖς τὰ
κλήματα [b]. » Εἰ γὰρ ἀληθῶς « ἐν αὐτῷ » ἐσμεν, « ἐρριζω-
μένοι [c] », « καρποφοροῦντές τε καὶ αὐξανόμενοι [d] », καθὼς
20 φησιν ὁ ἀπόστολος, νοήσομεν διὰ τῶν εἰρημένων ὅτι « ἐν αὐτῷ
κτισθέντες [e] » καὶ ἄνευ αὐτοῦ μὴ ὄντες ἄξιον τῆς ὑπο-
τρεφούσης ἡμᾶς ἰκμάδος τὸν ἐκ τῶν ἔργων βότρυν παρ᾽ αὐτοῦ
ἀπαιτούμεθα μήτε δι᾽ ὀργῆς ὀμφακίζοντά τε καὶ κατα-
στύφοντα μήτε δι᾽ ἡδονῆς τινος ἐν σηπεδόνι φθειρόμενόν τε καὶ
25 λυόμενον. Ἐν γὰρ τῇ ληνῷ τῆς ἑκάστου ψυχῆς — ληνὸς δέ
ἐστιν ἡ συνείδησις — ὁ ἐκ τῶν ἔργων βότρυς τὸν οἶνον ἡμῖν εἰς
τὸν ἐφεξῆς ἀποθήσεται βίον. Καὶ πᾶσα ἀνάγκη τῶν ἰδίων
ἔκαστον ἐμφορεῖσθαι πόνων, οἷοί περ ἂν τύχωσιν ὄντες, ὡς
μακάριοί γε τῶν γεωργῶν ἐκεῖνοι, ὧν « ὁ οἶνος εὐφραίνει
30 καρδίαν [f] » ἐν ἀπολαύσει γινόμενος. Ἐλεεινοὶ δὲ ἐκ τοῦ
ἐναντίου καὶ θρήνων ἄξιοι, ὧν « θυμὸς δρακόντων ὁ οἶνος »
γίνεται, κατὰ τὴν Μωυσέως φωνὴν [g], εἰς δηλητηριώδη

AVB SLQXF

10 εὔπνοιαν : εὔνοιαν QF ‖ 12 ἐλπὶς – ἀποθήκη om. ex homoeotel. A ‖
15 τε : παραυτοῦ A παρ᾽ αὐτοῦ VB ‖ 16 κυρίου : θεοῦ Q ‖ 17 ἐγώ + εἰμι S ‖
18-19 ἐρριζομένοι (-ζό- L) VL ‖ 19 καρποφοροῦντες – αὐξανόμενοι om. S ‖ 20
νοήσωμεν AVBS ‖ ὅτι + οἱ AVBLQXF ‖ 21 αὐτοῦ : τοῦ (αὐ sl al. man.)
V ‖ ἄξιοι AV ‖ 22 τὸν : τῶν A ‖ παρ᾽ αὐτοῦ om. AVB ‖ 23 δι᾽ : δεῖ Fᵃᶜ ‖ 26
οἶνον : οἶον F (corr. F²) ‖ 28 οἷοί περ : οἷόν περ Vᵃᶜ οἵπερ L ‖ 29 ὁ om. L ‖ 30
καρδίαν + ἀνθρώπου QFv ‖ γενόμενος S ‖ 32 μωσέως SL

b. Jn 15, 5   c. Col 2, 7 ; Ep 3, 17   d. Col 1, 6. 10   e. Ep 2, 10   f. Ps 103,
15   g. Dt 32, 33

bouquet. Pourquoi donc ce passage mystérieux veut-il qu'on
se préoccupe le mieux possible du raisin ? Pour que notre
cellier, l'esprit humain, soit enrichi – et c'est l'espérance, ce
cellier où se trouve renfermée toute la préparation de notre
vie. Ainsi, la nature des grappes de raisin peut devenir à nos
yeux évidente si apparaissent d'abord les sarments et la vigne
qui comprend les grappes et les sarments. Mais cela deviendra manifeste avec les paroles du Seigneur qui dit : « Moi je
suis la vigne, vous les sarments [b]. » Si, en effet, nous sommes
vraiment « en lui », « enracinés [c] », « portant du fruit et croissant [d] », selon le mot de l'apôtre, nous comprendrons à travers ce qui est dit que, « créés en lui [e] » et sans lui n'existant
pas, nous lui demandons que le raisin issu de nos travaux soit
digne de l'humidité qui nous nourrit, qu'il ne soit pas, sous
l'effet de la colère, vert ou sec, ni que, sous l'effet du plaisir, il
ne produise, en se putréfiant, des purulences et ne se décompose. Car dans le pressoir de chaque âme – la conscience est
un pressoir [1] –, le raisin, issu de nos travaux, mettra en
réserve le vin pour notre vie future. Et, en toute nécessité,
chacun est rempli de ses peines particulières, quelles qu'elles
soient, de sorte que bienheureux parmi les vignerons sont
ceux dont « le vin réjouit le cœur [f] », devenant l'objet d'une
jouissance. Mais pitoyables, au contraire, et dignes de lamentations, ceux dont « le vin, courroux de dragons » passe, selon
la parole de Moïse [g], à une qualité pernicieuse, produisant la

---

1. Grégoire commente de même Ct 1, 14 (« Mon bien-aimé est une grappe
de cypre dans les vignes d'Engaddi »), cf. *Cant* 98, 8-12 : « Lorsqu'on devient
par ses travaux ce que le fiancé est, en observant la grappe de sa propre
conscience (τὸν τῆς ἰδίας συνειδήσεως βότρυν), on observe en elle le fiancé
lui-même car, par sa vie lumineuse et sans tache, on réfléchit la lumière de la
vérité. »

PG 508   μεταβαλὼν ποιότητα, ἐκ τῆς Σοδομιτικῆς « κληματίδος [h] »
          καρπογονῶν τὴν ἀπώλειαν. Εἰ τοίνυν περὶ τὴν ὀγδόην βλέπεις,
       35 μέμνησο, φησίν, « τῶν ληνῶν », ὡς ἄν σοι διὰ τῶν ἀγαθῶν
          ἔργων τοῦ ἀνθοσμίου « οἴνου, κατὰ τὸν παροιμιώδη λόγον [i], αἱ
          ληνοὶ ὑπερβλύζωσιν ».

                        ΚΕΦΑΛΑΙΟΝ ς′

            37. Ἡ δὲ « ὑπὲρ Μαελὲθ [a] » ἐπιγραφὴ σαφέστερον
GNO 86   ἐκδοθεῖσα | παρὰ τῶν μεταβαλόντων εἰς τὴν ἑλλάδα φωνὴν
          ταύτην τὴν λέξιν, προθυμίαν τινὰ τοῖς δι᾽ ἀρετῆς ἀγωνιζο-
          μένοις ἐντίθησι, τὸ πέρας τῶν ἄθλων οἷόν ἐστιν ὑποδεικ-
        5 νύουσα. Χορείας καὶ εὐφροσύνας τοῖς κεκρατηκόσι τῶν ἀγώ-
          νων προκεῖσθαι λέγουσα πρὸς ταύτην τὴν ἔμφασιν ἑρμη-
          νευθείσης τῆς λέξεως. Τὸ γὰρ « Μαελὲθ » ὄνομα διὰ
          « χορείας » τὴν ἑρμηνείαν ἔχει, οἷον δὴ καὶ ἐπὶ τῆς νίκης τοῦ
          Δαβὶδ διὰ τῆς ἱστορίας ἔγνωμεν ὅτι πεσόντος τοῦ Γολιὰθ ἐν τῇ
       10 μονομαχίᾳ τοῦ νέου θεραπεύουσι τὸν ἐναγώνιον αὐτοῦ πόνον
          ὑπαπαντῶσαι διὰ χορείας αἱ νεάνιδες [b]· οὕτως πᾶσαν νίκην
          ἱδρῶτί τε καὶ πόνῳ κατὰ τῶν ἀντιπάλων κατορθουμένην ἡ
          περὶ τοῦ Μαελὲθ ἐπιγραφὴ εὐφροσύνην λέγει καὶ χοροστασίαν
          ἐκδέχεσθαι, πάσης τῆς νοητῆς κτίσεως ἑαυτὴν καθάπερ ἐν

AVB SLQXF

37 ὑπερεκβλύζουσιν (-βύζ- V) AVB ὑπερβλύζουσιν L
37 2 ἐκδοθεῖσα (α sl) V ‖ μεταβαλλόντων VQFv ‖ 3 ἀρετὴν X ‖ 5 χορείας
+ τε A ‖ 5-6 ἀγώνων : ἀγαθῶν Q ‖ 6 λέγων AVBL λέγειν S ‖ 8 δὴ : δὲ V ‖
9 ἔγνωμεν (ἐγνώκαμεν B) : post δαβὶδ AVB ἐμάθομεν S ‖ 10 μοναχίᾳ (sic) A
‖ 11 νεάδες L ‖ 14 ἐν αὐτὴν Vᵃᶜ

h. Dt 32, 32   i. Pr 3, 10
a. Ps 52, 1 ; 87, 1   b. Cf. 1 Rg 18, 6-7

destruction en guise de fruit des « sarments [h] » de Sodome. Si, donc, tu considères le huitième jour, souviens-toi, dit-il, « des pressoirs », afin que, grâce à tes bons travaux, « les pressoirs regorgent, selon le mot des Proverbes [i], de vin » fleuri.

CHAPITRE VI

La participation à la danse chorale des anges

37. Le titre « au sujet de Maeleth [a] » transmis plus clairement par ceux qui ont traduit en langue grecque ce mot, propose un encouragement aux combattants de la vertu, en montrant quel est le terme de leurs luttes. Il veut dire que des danses chorales et des témoignages de joie sont réservés aux vainqueurs des combats, puisque le mot a été traduit avec cette signification : le nom « Maeleth » est en effet traduit par « danse chorale » [1]. Nous le savons également, par exemple, grâce au récit de la victoire de David : quand Goliath est tombé en combat singulier contre le jeune homme, les jeunes filles viennent en dansant en chœur au-devant de lui pour soulager la peine qu'il avait prise au combat [b]. Ainsi, toute victoire qui se gagne par la sueur et la peine contre les ennemis est accueillie, dit le titre relatif à Maeleth, par des témoignages de joie et des danses, pendant que toute la création spirituelle

---

1. Le recours à cette traduction est traditionnel, cf. Eusèbe, *In Ps* 52, *PG* 23, 453 A : « Aquila a traduit ' pour une danse chorale ', Symmaque ' par un chœur ', Théodotion ' au sujet de la danse chorale ' et la cinquième de même. »

15 χοροῦ συμφωνίᾳ τοῖς νικηταῖς συναρμοζούσης. Ἦν γὰρ ὅτε
μία τῆς λογικῆς φύσεως ἦν ἡ χοροστασία πρὸς ἕνα βλέπουσα
τὸν τοῦ χοροῦ κορυφαῖον, καὶ πρὸς τὴν ἐκεῖθεν ἐνδεδομένην
αὐτῷ τῇ κινήσει διὰ τῆς ἐντολῆς ἁρμονίαν τὸν χορὸν
ἀνελίσσουσα. Ἐπειδὴ δὲ τὴν ἔνθεον ἐκείνην διέλυσε τοῦ χοροῦ
20 συνῳδίαν παρεμπεσοῦσα ἡ ἁμαρτία καὶ τοῖς ποσὶ τῶν πρώτων
ἀνθρώπων τῶν ταῖς ἀγγελικαῖς δυνάμεσι συγχορευόντων τὸν
τῆς ἀπάτης ὄλισθον ὑποχέασα πτῶμα ἐποίησεν, ὅθεν διε-
σπάσθη τῆς πρὸς τοὺς ἀγγέλους συναφείας ὁ ἄνθρωπος, τοῦ
πτώματος τὴν συμβολὴν διαλύσαντος. Τούτου χάριν πολλῶν
25 ἱδρώτων χρεία τῷ πεπτωκότι καὶ πόνων, ἵνα τὸν ἐπικείμενον
αὐτοῦ τῷ πτώματι καταγωνισάμενός τε καὶ ἀνατρέψας πάλιν
ἀνορθωθῇ, γέρας τῆς κατὰ τοῦ παλαίοντος νίκης τὴν θείαν
χοροστασίαν δεξάμενος. Ὅταν οὖν ἀκούσῃς | τῆς ἐπιγραφῆς
συναπτούσης τὸ « ὑπὲρ Μαελὲθ » τῇ « εἰς τέλος » φωνῇ, τότε
30 γίνωσκε διὰ τοῦ αἰνίγματος συμβουλήν σοι προσάγεσθαι, μὴ
ἐγχαυνοῦσθαι τοῖς τῶν πειρασμῶν ἀγωνίσμασιν, ἀλλ' εἰς τὸ
τέλος τῆς νίκης βλέπειν. Τοῦτο δέ ἐστι τὸ καταταχθῆναι τῇ
ἀγγελικῇ χορείᾳ καὶ τὴν σὴν ψυχὴν τῇ προσβολῇ τῶν πει-

GNO 87

AVB SLQXF

16 προσαναβλέπουσα SL ‖ 17 ἐνδεδομένην B : ἐνδιδομένην cett. *Don* ‖ 18
αὐτῷ codd. v : αὐτοῦ e corr. *Jaeger Don* ‖ νικήσει A ‖ τῶν χορῶν AVBS ‖ 21
τῶν + ἐν AVBLv ‖ 24 συμβουλὴν VBSQXFv ‖ 29 συναπτούσης post φωνῇ S
‖ 32 τῇ : τῆς Vᵃᶜ ‖ 33 προβολῇ (σ sl) V

---

1. Cf. I, 9. Grégoire christianise des images qui remontent à Platon et qui
ont déjà été réinterprétées par PHILON, montrant « l'âme de celui qui aime
Dieu [...] désirant ardemment entrer dans le chœur (συγχορεύειν) que
forment le soleil, la lune et l'armée très sainte et très harmonieuse des autres
astres, sous le commandement et la direction de Dieu » (*Spec.* I, 207). Le
monde céleste des astres est aussi celui des anges qui forment « un chœur
très saint d'âmes sans corps » dont l'armée « disposée en bataillons appro-
priés a pour fonction de servir et d'honorer le chef qui l'a disposée et qu'elle
suit comme son commandant selon la justice et la loi » (*Confus.* 174). PHILON
écrit également, à propos d'Adam et d'Ève qui se cachent de la face de Dieu,

s'unit comme en une danse symphonique aux vainqueurs. Il fut, en effet, une époque où le chœur dansant de la nature raisonnable, ne faisant qu'un, regardait vers l'unique coryphée de la danse et, en suivant la mesure qu'il imprimait de là au mouvement par son commandement, déployait sa danse. Mais le péché, en survenant, a brisé cet accord inspiré du chœur, il a répandu sous les pieds des premiers hommes qui évoluaient en une danse chorale avec les puissances angéliques la tromperie glissante et a entraîné leur chute : il en résulta la rupture de la proximité de l'homme avec les anges, puisque la chute a brisé leur entente [1]. Aussi celui qui est tombé a-t-il besoin de bien des sueurs et des peines pour pouvoir, après avoir combattu et renversé celui qui recherche sa chute, se redresser à nouveau et recevoir la divine danse chorale comme un présent pour sa victoire remportée sur son adversaire. Quand donc tu entends le titre rapprocher « au sujet de Maeleth » de l'expression « pour la fin », saisis bien alors que t'est donné, de façon énigmatique, le conseil de ne pas te gonfler d'orgueil pour tes luttes contre les tentations, mais d'avoir les yeux fixés sur la victoire finale, qui est pour toi de prendre place [2] dans la danse du chœur angélique en

que le méchant « se trouve exilé du chœur divin » (*Leg.* III, 7). Pour l'image du coryphée, cf. *De mundo* 399 a : « De même que, dans un chœur, quand le coryphée a le premier entonné le chant, tout le chœur des hommes – ou des femmes, quand il est ainsi composé – fait suite à l'intonation et, par le mélange de voix diverses [...] fait une seule harmonie concertante, ainsi en va-t-il du Dieu qui gouverne l'univers » (trad. A. J. FESTUGIÈRE, dans *Révélation*, II, p. 472).

2. Le verbe κατατάσσω fait écho à la θεία παράταξις de I, 9 (28, 34) qui s'est relevée de la confusion (σύγχυσις) et du désordre qu'a provoqués le combat contre l'ennemi : l'image, seulement suggérée, de l'armée en ordre de bataille où chacun occupe le poste qui lui a été assigné est ainsi associée, comme chez Philon, à celle du chœur angélique où l'homme est placé à un rang fixe qui s'oppose à la fois au désordre du péché et à la migration des âmes selon la doctrine platonicienne. Le substantif κατάταξις, « coordination », est également employé par les penseurs néoplatoniciens pour désigner un rapport selon l'essence.

ρασμῶν ἐκκαθαρθεῖσαν. Οἷον δὴ καὶ ἐπὶ τοῦ Λαζάρου γενέ-
35 σθαι παρὰ τῆς φωνῆς τοῦ Κυρίου ἠκούσαμεν ᶜ. Ὃς ἐπειδὴ διὰ
τῆς ὑπομονῆς τῶν παθημάτων παρ' ὅλον τοῦ βίου τὸ στάδιον
ἐφύλαξεν ἑαυτὸν ἀκατάπτωτον, «διαλυθείσης αὐτῷ τῆς

PG 509   σκηνῆς ᵈ» καὶ ἡττηθέντος ἐν τῷ τῆς ζωῆς σταδίῳ τοῦ προσπαλαίοντος εὐθὺς ἐν ἀγγέλοις ἦν. «Ἐγένετο γάρ, φησίν,
40 ἀποθανεῖν τὸν πτωχὸν καὶ ἀπενεχθῆναι ὑπὸ τῶν ἀγγέλων ᵉ.»
Αὕτη ἐστὶν ἡ χορεία, ἡ μετὰ τῶν ἀγγέλων ὁδοιπορία, καὶ ὁ
κόλπος τοῦ πατριάρχου ὁ ἐν ἑαυτῷ συμπεριλαμβάνων τὸν
Λάζαρον· οὐδὲ αὐτὸς τῆς φαιδρᾶς τοῦ χοροῦ συμφωνίας ἔξω
νοεῖται. «Κόλπον» γὰρ ἀκούσας οἷόν τινα εὐρύχωρον πελά-
45 γους περιοχὴν τὸ τῶν ἀγαθῶν πλήρωμα, ᾧ ἐπωνομάσθη ὁ
πατριάρχης, νοήσας τις οὐκ ἂν ἁμάρτοι, ἐν ᾧ καὶ ὁ Λάζαρος
γίνεται. Τῶν γὰρ ἐν τοῖς ὁμοίοις ἀγῶσι διαφανέντων οὐδέν
ἐστιν ἴδιον οὐδενός, ἀλλὰ κοινὸν πάντων τὸ ἀγαθὸν γίνεται τῶν
διὰ τῆς αὐτῆς ἀρετῆς ἐπὶ τὸ ἴσον ἀγαθὸν συνδραμόντων.

38. Ἡ δὲ «τὸ ἐξόδιον» ἔχουσα «τῆς σκηνῆς» ἐπιγραφὴ
καὶ πάλιν ὑπὲρ «τοῦ ἐγκαινισμοῦ τοῦ οἴκου Δαβίδ» γειτνιῶ-
σιν ἀλλήλαις κατὰ τὴν θέσιν τε καὶ τὴν ἔννοιαν. Ἔστι γὰρ ἡ μὲν
ἐν τῷ εἰκοστῷ καὶ ὀγδόῳ, ἡ δὲ ἐν τῷ μετὰ τοῦτον. Ἡ δὲ λέξις ἐφ'

GNO 88 5 ἑκατέρου τοῦτον ἔχει τὸν τρόπον· ἐπὶ μὲν τῆς | προτέρας ἐπι-

36 βίου + ς V ‖ 41 ὁδοιπορίαν V ‖ 42 αὐτῷ AVBv ‖ συμπαραλαμβάνον
V ‖ 43 τοῦ χοροῦ om. A ‖ 45 τὸ : τε L ‖ ᾧ : ὃ QF ὡς v ‖ 46 ἁμάρτῃ QF ‖ ὁ
om. AVB ‖ 48-49 τῶν διὰ *Don* : διὰ τῶν AVBSLXF διὰ T ‖ ἀγαθὸν – ἴσον om.
ex homoeotel. Q ‖ 49 αὐτῆς om. F (add. in mg al. man.)
38 3 τὴν² om. S ‖ 4 καὶ om. S ‖ τῷ² Tv *Don* : τῇ cett. ‖ τούτων Lᵃᶜ

c. Cf. Lc 16, 19-31   d. 2 Co 5, 1   e. Lc 16, 22

1. Sur cette description de la condition isangélique des hommes avant la
chute et lors de la restauration finale, voir J. DANIÉLOU, « Notes et mélanges.
Notes sur trois textes eschatologiques de saint Grégoire de Nysse », *RecSR*

ayant l'âme purifiée de l'attaque des tentations [1]. Voilà ce qui arriva aussi à Lazare [2], comme nous l'avons entendu dire au Seigneur [c]. Il s'était, par sa patience dans les épreuves tout au long du stade de la vie, préservé de la chute. Aussi, quand « sa tente fut détruite [d] » et que son adversaire dans le stade de l'existence fut vaincu, aussitôt il fut au milieu des anges. Car, dit-il, « il arriva que le pauvre mourut et fut emporté par les anges [e] ». C'est là la danse chorale, le voyage avec les anges, et le sein du patriarche qui prend en lui Lazare ; il n'est pas, lui non plus, à concevoir en dehors de l'éclatante symphonie que forme le chœur de danse. Car, si on entend le mot « sein » comme l'immense pourtour de l'océan, si on le comprend au sens de la plénitude des biens, à laquelle est donné le nom du patriarche [3] et dans laquelle se trouve aussi Lazare, on ne peut se tromper. Rien, en effet, de ce qu'on voit dans de semblables luttes n'est propre à quiconque, le bien est commun à tous ceux qui concourent par la même vertu vers un bien égal.

La sortie de la tente charnelle

38. Le titre mentionnant « la sortie de la tente » et ensuite le titre au sujet de « l'inauguration de la maison de David » sont voisins l'un de l'autre selon la place et selon le sens : le premier figure dans le psaume vingt-huit, l'autre dans le suivant. Le texte de chacun d'eux se présente ainsi : pour le

30 (1940), p. 348-351 ; M. ALEXANDRE, « Protologie et eschatologie chez Grégoire de Nysse » dans *Archè e Telos. L'antropologia di Origene e di Gregorio di Nissa. Analisi storico-religiosa*, Milan 1981, p. 122-169, notamment p. 155-156 et 160 (l'auteur montre l'enracinement judéo-chrétien des représentations de la vie isangélique des premiers hommes).

2. Sur les différentes représentations de Lazare chez Grégoire, voir M. ALEXANDRE, « L'interprétation de *Luc* 16, 19-31 chez Grégoire de Nysse », *Epektasis*, Paris 1972, p. 425-441.

3. On pourrait également comprendre : « d'après laquelle le patriarche a été nommé », auquel cas Grégoire ferait allusion à l'étymologie d'Abraham, « père de la multitude ».

γραφῆς, « Ψαλμὸς τῷ Δαβὶδ ἐξοδίου σκηνῆς ᵃ »· ἐν δὲ τῷ
ἐφεξῆς, « Ψαλμὸς ᾠδῆς τοῦ ἐγκαινισμοῦ τοῦ οἴκου Δαβὶδ ᵇ ».
Ἐὰν γὰρ μὴ τῆς αἰσθητῆς σκηνῆς ἐξέλθωμεν, ὁ ἀληθινὸς
ἡμῶν οἶκος ᶜ οὐκ ἐγκαινίζεται. Τὸ δὲ λεγόμενον τοιοῦτόν
10 ἐστιν· δύο περὶ τὴν ἀνθρωπίνην νοεῖται φύσιν· ἥ τε σαρκώδης
ζωή, ἡ διὰ τῶν αἰσθήσεων ἐνεργουμένη, καὶ ἡ πνευματική τε
καὶ ἄϋλος, ἡ τῷ νοερῷ τε καὶ ἀσωμάτῳ τῆς ψυχῆς βίῳ
κατορθουμένη. Ἀλλ᾽ οὐκ ἔστι τῶν δύο κατὰ ταὐτὸν ἐν
μετουσίᾳ γενέσθαι. Ἡ γὰρ περὶ τὸ ἕτερον τούτων σπουδὴ τὴν
15 τοῦ ἑτέρου στέρησιν ἀπεργάζεται. Οὐκοῦν εἰ μέλλοιμεν οἰκη-
τήριον Θεοῦ ποιεῖν τὴν ψυχήν, ἐξελθεῖν προσήκει τῆς
σαρκώδους σκηνῆς. Οὐ γὰρ ἔστιν ἄλλως ἐγκαινισθῆναι τὸν
οἶκον ἡμῶν ὑπὸ τοῦ ἀνακαινίζοντος ἡμᾶς διὰ τῆς ἑαυτοῦ
ἐνοικήσεως, εἰ μὴ τὸ ἐξόδιον τῆς σκηνῆς διὰ τῆς τοῦ σωμα-
20 τικοῦ βίου ἀλλοτριώσεως κατορθωθείη.
 Ὁ δὲ τῆς ἐκστάσεως ψαλμὸς ὁ μετὰ τὸν ἐγκαινισμὸν τεταγ-
μένος, οὗ πρόκειται ἡ ἐπιγραφὴ αὕτη « Εἰς τὸ τέλος ψαλμὸς
τῷ Δαβὶδ ἐκστάσεως ᵈ », σύμφωνός ἐστι τοῖς προτεθεωρη-
μένοις, ἐκστῆναι συμβουλεύων ἐκείνων, ὧν ἐπιβλαβής ἐστιν ἡ
25 συνάφεια.
 Οἷς δὲ παράκειται τὸ « εἰς ἀνάμνησιν ᵉ », σύντομόν τινα
διδασκαλίαν ὁ λόγος ὑπὲρ τῆς σωτηρίας ἡμῖν ὑποτίθεται.
Ἐπειδὴ γὰρ ἡ παρακοὴ τῆς θείας ἐντολῆς « ὁδὸς εἰς ἀπώ-

AVB SLQXF

6 δὲ Vˢˡ ‖ τῷ : τὸ A ‖ 7 τοῦ οἴκου : τῷ οἴκῳ τοῦ S ‖ 8 γὰρ om. Q (vid.)
F ‖ 11 τε : δὲ SLXFv ‖ 13 καταυτὸν V ‖ 16 τῆς + σαρκιτῆς (sic) A ‖ 18 αὐτοῦ
(ἑ sl) V ‖ 22 πρόσκειται SLQXFv ‖ 27 ὑμῖν Q

a. Ps 28, 1   b. Ps 29, 1   c. Cf. 2 Co 5, 1   d. Ps 30, 1   e. Ps 37, 1 ; 69, 1

premier titre, « Psaume à David de la sortie de la tente [a] », pour celui qui le suit, « Psaume d'un chant de l'inauguration de la maison de David [b] ». En effet, si nous ne quittons pas la tente sensible, notre véritable maison [c] n'est pas inaugurée. Or voici ce qui est dit : il y a deux façons de concevoir la nature humaine, comme existence charnelle qui se réalise par les sens ou comme existence spirituelle et immatérielle qui s'accomplit par la vie intellectuelle et incorporelle de l'âme. Mais il n'est pas possible de participer aux deux selon le même rapport : la recherche fervente de l'une provoque la privation de l'autre. Donc, si nous devons faire de notre âme la demeure de Dieu, il faut quitter la tente charnelle. Car notre maison ne peut être inaugurée par celui qui nous renouvelle en habitant en nous [1] que si la sortie de la tente a été accomplie par l'affranchissement de la vie corporelle.

Le psaume de la sortie de soi, placé après l'inauguration, dont le titre se présente ainsi : « Pour la fin, psaume à David de la sortie de soi [d] », s'accorde avec les considérations précédentes : il conseille de sortir des réalités dont le contact est nuisible [2].

La remémoration du commandement

Dans les titres où figure l'expression « pour la remémoration [e] », la parole nous présente un très court enseignement pour le salut. En effet, comme la transgression du commandement divin a été pour les hommes « le chemin de leur

---

1. Les termes ἐγκαινισμός et ἐγκαινίζω, qui semblent à l'origine être une création des Septante pour désigner des cérémonies d'offrandes dédiées à YHWH (parmi lesquelles la fête de la Dédicace du Temple), contiennent dans la langue des Pères l'idée à la fois d'inauguration (d'une église) et de renouvellement (spirituel), voir *BA* 4, p. 126-127. Grégoire joue ici sur les deux sens qui sont soulignés par le parallèle entre les verbes ἀνακαινίζω et ἐγκαινίζω.

2. Chez PHILON, il existe une forme d'extase entendue, au sens étymologique, comme sortie de soi, fuite de l'intelligence qui sort d'elle-même pour se remplir de Dieu, cf. *Her.* 68-70.

λειαν [f]» τοῖς ἀνθρώποις ἐγένετο – οὐ γὰρ ἂν ἀπολώλαμεν, εἰ
30 τῇ μνήμῃ τὴν ἐντολὴν ἐφυλάξαμεν –, διὰ τοῦτο ὡς
PG 512   ἀντιφάρμακον τοῦ κατὰ τὴν λήθην πάθους τὴν ἀνάμνησιν τῆς
ἐντολῆς ὁ λόγος ἡμῖν ὑποτίθεται, ἐν δύο ψαλμῳδίαις τοῦτο
ποιῶν.

GNO 89   Ἐν οἷς δὲ « ἡ ἐξομολόγησις » πρόσκειται, ταῦτα παρὰ τῆς|
35 φωνῆς διδασκόμεθα· διπλῆς οὔσης ἐν τῇ γραφικῇ συνηθείᾳ τῆς
κατὰ τὴν ἐξομολόγησιν σημασίας, καὶ νῦν μὲν τὴν ἐξαγό-
ρευσιν, αὖθις δὲ τὴν εὐχαριστίαν ἐνδεικνυμένης, ἐνταῦθα κατ᾽
ἀμφοτέρας τὰς ἐννοίας πρὸς τὸν κατ᾽ ἀρετὴν βίον χειραγω-
γούμεθα. Ἥ τε γὰρ ἐξαγόρευσις χωρισμόν τε καὶ ἀλλο-
40 τρίωσιν τῶν κακῶν ἀπεργάζεται, τό τε πρὸς τὴν εὐχαριστίαν
πρόθυμον πλεονάζει τὴν παρὰ τοῦ εὐεργέτου χάριν ἐπὶ τῶν
εὐαισθήτως δεχομένων τὰς εὐποιίας. Πρόκειται οὖν ὁ ψαλμὸς
« εἰς ἐξομολόγησιν [g] » οὕτως, εἰ μέν τις ἁμαρτίας ὑποσμύχει
σε μνήμῃ, συμβουλεύων τὸ διὰ τῆς μετανοίας καθάρσιον. Εἰ δέ
45 σοι πρὸς τὸ κρεῖττον εὐοδοῦται ὁ βίος, βεβαίαν σοι ποιεῖ διὰ
τῆς πρὸς τὸ θεῖον εὐχαριστίας τὴν ἀμείνω προαίρεσιν.

« Ἡ δὲ στηλογραφία » καὶ τὸ « μὴ διαφθείρῃς » εἴτε μετ᾽
ἀλλήλων [h] εἴτε κεχωρισμένως [i] τισὶ τῶν ἐπιγραφῶν ἐφευ-
ρίσκοιτο, συμβουλὴν περὶ τῆς κατὰ τὴν μακροθυμίαν ἀρετῆς
50 περιέχουσι. Τὸ γὰρ « μὴ διαφθείρῃς » τοῦ Δαβὶδ ἐστιν ἡ φωνὴ
κωλύοντος τὸν ὑπασπιστὴν χρήσασθαι κατὰ τοῦ Σαοὺλ τῇ
πληγῇ [j], ἡ δὲ τῆς στηλογραφίας διάνοια τὸ δεῖν οἷόν τινι στήλῃ
τῷ μνημονικῷ τῆς ψυχῆς ἐγκεχαραγμένην ἔχειν τὴν τοιαύτην
φωνὴν ὡς ἂν ἐπὶ τῶν ὁμοίων πραγμάτων, εἴ τις περίστασις

AVB SLQXF

28-29 τοῖς ἀνθρώποις εἰς ἀπώλειαν L ‖ 34 δὲ + δέησις QXF ‖ ἡ : ἢ QXF ‖
41 πλεονάζει + καὶ AVB ‖ 43 ὑποσμήχει QF ‖ 44 διὰ om. A ‖ 51 τοῦ om.
QFv

f. Mt 7, 13   g. Ps 99, 1   h. Cf. Ps 56, 1 ; 57, 1 ; 58, 1   i. Cf. Ps 15, 1 ; 55,
1 ; 59, 1 ; 74, 1   j. Cf. 1 Rg 26, 9

perte [f] » – nous n'aurions pas péri, si nous avions gardé en mémoire son commandement –, pour cette raison, la parole nous présente comme antidote contre la maladie de l'oubli, la remémoration du commandement, et cela, dans deux psaumes.

La confession des fautes et l'action de grâces

Là où l'on trouve ajoutée la mention de « la confession », nous recevons de ce mot l'enseignement suivant [1]. Le sens de la confession est double dans l'usage de l'Écriture : elle désigne tantôt l'expression des fautes, tantôt l'action de grâces. Or ces deux notions nous conduisent à la vie vertueuse. Car si l'expression des fautes entraîne séparation et affranchissement du mal, l'ardeur à rendre grâces augmente la grâce du bienfaiteur à l'égard de ceux qui reçoivent avec une sensibilité vive ses bienfaits. Voilà donc ce que propose le psaume « pour la confession [g] » : si le souvenir d'un péché te brûle, il te conseille la purification par le repentir, mais si ta vie chemine facilement vers le mieux, il affermit, grâce à l'action de grâces envers la divinité, ton choix d'une vie supérieure.

La vertu de longanimité

« L'inscription sur une stèle » et l'expression « ne fais pas périr » se trouvent, dans certains titres, soit unies l'une à l'autre [h], soit séparées [i] : elles contiennent un conseil relatif à la vertu de longanimité. « Ne fais pas périr » est, en effet, la parole de David quand il cherche à empêcher son écuyer de frapper Saül [j] ; quant au sens de « l'inscription sur une stèle », c'est qu'il faut garder imprimée comme sur une stèle dans la partie de l'âme où siège la mémoire cette parole, pour

---

1. Sur cette définition de la confession, voir *supra* (20, 37 s.).

314   SUR LES TITRES DES PSAUMES

55 πρὸς τὴν τοῦ λελυπηκότος ἄμυναν τὸν θυμὸν ἡμῶν διανα-
στήσειεν, ἀναγινώσκοντες τῇ διανοίᾳ τὸ κωλυτικὸν τοῦ φόνου
πρόσταγμα καὶ αὐτοὶ πρὸς μακροθυμίαν τὸν θυμὸν κατευ-
νάσωμεν. Ἀκριβέστερον δὲ τὸν περὶ τούτων λόγον εἰς αὖθις
διαληψόμεθα πρὸς τὴν τῶν λοιπῶν ἐπιγραφῶν θεωρίαν ἐπανα-
60 δραμόντες.

ΚΕΦΑΛΑΙΟΝ Ζ΄

39. Χρὴ γὰρ καὶ τὸ ἀλληλούϊα, ὅ τί ποτε σημαίνει, κατα-
GNO 90   νοῆσαι | ὅπερ πολλοῖς τῶν ψαλμῶν ἐπιγραφὴ γίνεται [a]. Ἔστι
τοίνυν τὸ ἀλληλούϊα παρακέλευσις μυστικὴ πρὸς τὴν τοῦ Θεοῦ
ὑμνῳδίαν τὴν ἀκοὴν ἐπεγείρουσα, ἵνα τοιοῦτον ᾖ τούτου τὸ
5 σημαινόμενον ὅτι « Αἰνεῖτε τὸν Κύριον »· ἐν οἷς γὰρ μέρεσι τῆς
ἁγίας Γραφῆς αὕτη πρόσκειται ἡ φωνὴ λέγουσα « Αἰνεῖτε τὸν
Κύριον [b] », διὰ τοῦ ἀλληλούϊα ἐν ταῖς ἑβραϊκαῖς Γραφαῖς τὸ
τοιοῦτον σημαίνεται. Ἢ τάχα μᾶλλον γνωρίζει ὁ λόγος οὗτος
τῆς ὑποκειμένης ψαλμῳδίας τὴν δύναμιν λέγων αὐτὴν αἶνον
10 εἶναι Θεοῦ. Ποικίλως γὰρ ἐκ διαφόρων ὀνομάτων κατά τινα
συμβολικὴν σημασίαν τῆς θείας φύσεως δηλουμένης ἐν ταῖς
PG 513 Ἑβραίων φωναῖς· ἓν τῶν σημαντικῶν περὶ Θεοῦ ὀνομάτων
παρ᾽ Ἑβραίοις ἐστὶ καὶ τὸ « ἴα », τὸ δὲ « ἀλληλοῦ » αἶνος
νοεῖται. Καὶ μὴ θαυμάσῃς εἰ τὴν λεγομένην εὐθεῖαν ἐν τῇ

AVB SLQXF

55 ἡμῶν om. F ‖ 57 καὶ om. AVB ‖ αὐτοὶ : αὐτῇ AVL ‖ 57-58 κατευ-
νάσαμεν V ‖ 58 τούτου (sic) A ‖ 59-60 ἐπαναδράμωμεν L
39 4 τούτου : τοῦτο A ‖ 7 γραφαῖς : φωναῖς QXF ‖ 9 ὑπερκειμένης A ‖
10-12 κατά – ὀνομάτων om. ex homoeotel. A ‖ 11 τῆς : τῇ F^ac ‖ 13 παρὰ
AVBLXv ‖ ἐστὶ VBS : τισὶν AL φησὶ QXFv ‖ ἴα : ἵνα V^ac ‖ τὸ δὲ : καὶ τὸ
A ‖ ἀλληλούϊα V^ac ‖ 14 εὐηθείαν A

a. Cf. Ps 104, 1 – 106, 1 ; 110, 1 – 118,1 ; 134, 1 ; 135, 1 ; 145, 1 – 150, 1
b. Ps 116, 1 ; 134, l. 3 ; 146, 1 ; 148, l. 7

qu'en de semblables circonstances, si quelque situation excitait notre cœur à tirer vengeance du persécuteur, lisant en
pensée l'ordre empêchant le meurtre, nous calmions, nous
aussi, notre cœur par l'effet de la longanimité. Mais nous
saisirons à nouveau plus précisément le sens de cela [1] après
être revenus à l'examen du reste des titres.

CHAPITRE VII

Le sens de l'alléĺouia

39. Car il faut aussi comprendre la signification de l'allélouia, titre de nombreux psaumes [a]. L'alléĺouia est une exhortation mystique éveillant l'oreille à l'hymne de Dieu, s'il est
vrai que le sens d'une telle expression est : « Louez le Seigneur ». Car dans les parties de la sainte Écriture où est
ajoutée cette expression disant « Louez le Seigneur [b] », un tel
sens est donné, dans les Écritures des Hébreux, par l'allélouia [2]. Ou plutôt cette parole fait peut-être connaître le sens
du psaume en question, en disant qu'il est une louange de
Dieu. Car c'est de façon diverse, sous des noms différents,
d'après une signification symbolique, que les mots hébreux
révèlent la nature divine. L'un des noms qui signifient chez
les Hébreux Dieu est précisément « ia », tandis que « allélou »
est à comprendre comme une louange. Et ne sois pas surpris

1. Voir *infra* les chapitres 14 à 16.
2. Cf. Ps 146, 1 ; 148, 1. Au Ps 146 la traduction « louez le Seigneur » est
donnée par Théodotion selon les Hexaples (F. FIELD, *Origenis*, t. II, p. 302).

15 πτώσει τοῦ ὀνόματος τὸ τοιοῦτον σχῆμα τῆς φωνῆς ταύτης
ἐνδείκνυται. Οὐ γὰρ πρὸς τὴν παρ' ἡμῖν συνήθειαν τυποῦται καὶ
παρὰ τοῖς Ἑβραίοις τὰ ῥήματα, ἀλλ' ἕτερος τύπος τῆς παρ'
αὐτοῖς ἐκφωνήσεως τῶν ὀνομάτων παρὰ τὸν ἡμέτερον. Οὕτω
γοῦν τὸ τοῦ προφήτου ὄνομα ἡμεῖς μὲν κατὰ τὸν παρ' ἡμῖν
20 τύπον ἐξελληνίζοντες « Ἠλίαν » φαμέν, ἡ δὲ παρ' Ἑβραίοις
εὐγλωττία τὴν εὐθεῖαν τοῦ ὀνόματος « Ἠλιοὺ » λέγει. Οὕτως
οὖν καὶ ἐνταῦθα, ὅταν τὸν αἶνον ἐπ' εὐθείας πτώσεως σημᾶναι
βούληται, τῶν Ἑβραίων ἡ γλῶττα « ἀλληλοῦ » κατονομάζει.
Ἐπειδὴ δὲ ὁ αἶνος εἰς Θεὸν πάντως τὴν ἀναφορὰν ἔχει, τὸ δὲ
25 « ἴα » ἓν τῶν ἑρμηνευτικῶν τῆς θείας φύσεώς ἐστιν ὄνομα,
ὅλον κοινῇ τὸ ἀλληλούϊα « αἶνος Θεοῦ » ἑρμηνεύεται. Ὅταν
τοίνυν τοῦτο τὸ ῥῆμα προγεγραμμένον ᾖ τῆς ψαλμῳδίας,
νοητέον ἂν εἴη τὸ δεῖν πάντως τὸ ὑποκείμενον εἰς δοξολογίαν
GNO 91   ἀναγαγεῖν Θεοῦ. Οὕτω τοι καὶ τοῖς| τελευταίοις μάλιστα τῆς
30 βίβλου τῶν ψαλμῶν αἱ πολλαὶ τῶν τοιούτων ἐπιγραφῶν ἐνευρίσκονται, δι' ὧν ἔστιν ἐννοεῖν ὅτι τοῖς ἤδη πρὸς τὸ τέλειον
φθάσασι τῆς κατ' ἀρετὴν πολιτείας καὶ διὰ τῶν προλαβόντων
τῆς ψαλμῳδίας τμημάτων κατὰ τὴν νοηθεῖσαν ἐπ' αὐτῶν
θεωρίαν ἐκκαθαρθεῖσιν ἁρμόζει τὸ « αἰνεῖν τὸν Θεόν ᶜ » καὶ ἐν
35 τούτοις εἶναι, ἐν οἷς καὶ ἡ τῶν ἀγγέλων φύσις εἶναι πεπίσ-
τευται. Οὔτε γὰρ ἐκείνων μεμαθήκαμεν ἀσχολίαν ἄλλην τινὰ
πλὴν τοῦ αἰνεῖν τὸν Θεὸν οὔτε τοῖς κατ' ἀρετὴν τελείοις ἕτερόν
τι σπουδάζεται ἢ τὸ τὴν ζωὴν ἑαυτῶν αἶνον εἶναι Θεοῦ
παρασκευάσαι· ἐπεὶ τοίνυν οἱ τὴν ἐπιγραφὴν ἔχοντες τοῦ
40 « ἀλληλούϊα » πάντες σχεδὸν τῷ τελευταίῳ τμήματι τῆς
ψαλμῳδίας ἐνευρίσκονται, σαφῶς ἔστι κατανοῆσαι ὅτι πάσης

AVB SLQXF

18 ὀνομάτων : νοημάτων V (corr. V²) ‖ 22 ὅτε A ‖ εὐπ' (sic) L ‖
23 βούλεται AVBLQv ‖ ἀλληλούϊα AVB ‖ 24 δὲ¹ om. A ‖ 26 αἶνος + τοῦ (τοῦ
exp.) F ‖ 28-29 ἀναγαγεῖν (ἀγαγεῖν A) ante εἰς A ‖ 30-31 ἐφευρίσκονται *Don*
‖ 36 τινὰ om. A ‖ 40 χεδὸν (sic) V ‖ 41 ἐνευρίσκονται AVB : ἐνευρισκόμενοι
δι' οὗ μάλιστα L εὑρίσκονται cett.

c. Ps 150, 1

que la forme de ce mot indique ce qu'on appelle le cas direct du nom. Car les mots chez les Hébreux ne sont pas formés selon l'usage en vigueur chez nous, mais leur forme d'expression nominale est différente de la nôtre. Il en va ainsi, en tout cas, du nom du prophète que nous, nous traduisons en grec, selon la forme en vigueur chez nous, par « Élias », mais que le bon usage, chez les Hébreux, nomme, au cas direct, « Éliou ». Ainsi donc, ici aussi, quand elle veut signifier la louange au cas direct, la langue hébraïque la nomme « allélou » [1]. Et comme la louange est toujours relative à Dieu et que « ia » est un des noms qui traduisent la nature divine, le mot allélouia dans sa totalité se traduit par « louange de Dieu ». Quand, donc, ce mot est écrit en tête du psaume, il faudrait comprendre que son sujet doit toujours conduire à une glorification de Dieu. C'est ainsi qu'on trouve surtout à la fin du livre des psaumes la plupart des titres de ce genre : on peut comprendre que ceux qui sont désormais parvenus à l'étape ultime de la conduite vertueuse et qui, grâce aux sections précédentes du Psautier, ont été purifiés selon l'étude qu'ils ont conçue pour elles, sont disposés à « louer Dieu [c] » et à se trouver parmi ces réalités dans lesquelles se trouve aussi, croit-on, la nature des anges. Car nous savons qu'il n'y a pas pour eux d'autres occupations que de louer Dieu et que ceux qui ont atteint la vertu parfaite ne s'appliquent qu'à faire de leur existence une louange de Dieu. Donc, comme presque tous les psaumes intitulés « allélouia » se trouvent dans la dernière section du psautier, on peut comprendre clairement que la

---

1. Selon cette étymologie fantaisiste, la forme « allélou » serait la forme d'un substantif au nominatif.

ὑπέρκειται τῆς ὑψηλῆς διὰ τῶν ψαλμῶν ἀναβάσεως τὸ
τελευταῖον τμῆμα τῆς ψαλμῳδίας, ἐν ᾧ τὸ πλεῖστον Θεοῦ
44 αἶνός ἐστιν, ἤτοι εἰς τὸ αἰνεῖν τὸν Θεὸν παρακέλευσις.

ΚΕΦΑΛΑΙΟΝ Η΄

40. Λείπεται δὲ τῶν ἀνεπιγράφων τὴν αἰτίαν ὥς ἐστι
δυνατὸν κατανοῆσαι. Τὰ δὲ ἐν τῷ μέρει τούτῳ παρ' ἡμῶν
εὑρισκόμενα ἐν τῇ δοκιμασίᾳ τῶν ἐντυγχανόντων προκείσθω
ἢ δέξασθαι τὰ ἡμέτερα ἢ πρὸς μείζονα θεωρίαν προσάγειν
5 αὐτῶν τὴν διάνοιαν. Ταύτην τοίνυν τὴν διαφορὰν ἐν τοῖς ἀνεπιγράφοις κατενοήσαμεν. Τοῖς μὲν γὰρ αὐτῶν ἀντὶ ἐπιγραφῆς
ἡ <τῆς> ψαλμῳδίας γίνεται ἐπίνοια, ἐφ' ὧν κοινὸν καὶ παρ'
Ἑβραίοις καὶ παρ' ἡμῖν τὸ μὴ εἶναι ἄλλην ἐπιγραφὴν τῶν
ὑποκειμένων εἰ μὴ ταύτην μόνην τὴν τοῖς ῥητοῖς ἐμφαινομένην
10 διάνοιαν. Τοῖς δὲ λοιποῖς ἐπιγραφαὶ μέν εἰσιν ἐκκλησιαστικαί
τε καὶ μυστικαὶ καὶ « τῆς κατὰ τὸ μυστήριον ἡμῶν εὐσεβείας [a] » σημαντικαί, ἀλλὰ τοῖς Ἑβραίοις οὐκ εἰσὶ κατὰ τὴν
γεγενημένην | ἐν τῷ Εὐαγγελίῳ κατ' αὐτῶν κατηγορίαν, ὅτι
δόγμα ἔθεντο· « Εἴ τις ὁμολογήσειε τὸν Χριστόν, ἀπο-
15 συνάγωγος γένηται [b]. » Ὅσας τοίνυν ἐκεῖνοι τῶν ἐπιγραφῶν
κατενόησαν ἔνδειξίν τινα περιέχειν τοῦ μυστηρίου, ταύτας οὐ
παρεδέξαντο. Διὸ καὶ παρεσημήνατο δι' ἀκριβείας ἐπ' αὐτῶν
τὸ τοιοῦτον ὁ λόγος τῇ ἀναγνώσει τῆς ἐκκλησιαστικῆς ἐπιγραφῆς προστιθεὶς ὅτι παρ' Ἑβραίοις ἐστὶν ἀνεπίγραφος. Τῆς

PG 516
GNO 92

AVB SLQXF

43 πλεῖστον + τοῦ S
40 1 δὲ + ἀπὸ AVBSLXv ‖ 2 τούτῳ : τούτων QF ‖ 6 ἀντ' SQFv ‖ 7 ἡ : ἢ
ALXFv ‖ τῆς rest. *Don* ‖ ἀφ' Q ‖ 9 ἐπικειμένων V ‖ 11 ἡμῖν AVB ‖ 14 ἔθεντο
+ ἵνα S + ἵν' X ‖ 19 παρὰ XF

a. 1 Tm 3, 16   b. Jn 9, 22

dernière section du Psautier, où il y a très souvent une louange de Dieu ou une exhortation à louer Dieu, se situe au-delà de toute la sublime ascension accomplie grâce aux psaumes.

CHAPITRE VIII

Les psaumes sans titre

40. Il reste à comprendre, dans la mesure du possible, la raison des psaumes sans titre. Nos découvertes, dans cette partie, nous les proposons à l'appréciation des lecteurs, soit qu'ils admettent notre opinion, soit qu'ils poussent plus loin leur examen. La différence, donc, que nous avons observée parmi les psaumes sans titre est la suivante. Dans les uns, c'est le sens général du psaume qui tient lieu de titre : aussi bien chez les Hébreux que chez nous, les psaumes en question ne présentent pas d'autre titre que cette unique pensée manifestée dans leur texte. Dans les autres, les titres sont propres à l'Église, ont un sens mystique et traduisent « le mystère de notre piété [a] ». Ils n'existent pas pour les Hébreux, conformément à l'accusation portée contre eux dans l'Évangile, car ils ont adopté comme doctrine : « Si quelqu'un reconnaît le Christ, qu'il soit exclu de la Synagogue [b]. » Donc, tous les titres dont ceux-ci ont observé qu'ils contenaient une indication du mystère, ils ne les ont pas acceptés [1]. C'est pourquoi, justement, la parole a pris soin d'apposer en tête de ces psaumes une telle précision, en ajoutant à la lecture du titre propre à l'Église qu'il est sans titre chez les Hébreux [2]. Puisque cette division parmi les

1. Sur la polémique antijudaïque chez Grégoire de Nysse, voir notre étude dans les Actes de la treizième conférence de patristique d'Oxford, « L'antijudaïsme de Grégoire de Nysse et du Pseudo-Grégoire de Nysse », *Studia Patristica* XXXVII, Leyde 2001, p. 257-276.

2. Certains titres finissent dans la LXX par la formule : « anépigraphe chez les Hébreux. »

20 τοίνυν διαιρέσεως ταύτης ἐν τοῖς ἀνεπιγράφοις προεκτεθείσης, καιρὸς ἂν εἴη δι᾽ αὐτῶν τῶν ῥητῶν δοῦναι τῷ λόγῳ τὴν
μαρτυρίαν.

Ὁ προτεταγμένος τῶν ὅλων ψαλμὸς ἐπιγραφῆς οὐκ ἐδεήθη.
Φανερὸς γάρ ἐστι τοῖς ἀναγινώσκουσιν ὁ τῶν λεγομένων
25 σκοπός, ὅτι εἰσαγωγικὸς πρὸς φιλοσοφίαν ἐστὶν ἀποστῆναι
τοῦ κακοῦ συμβουλεύων καὶ ἐν τῷ ἀγαθῷ γενέσθαι καὶ
ὁμοιοῦσθαι τῷ Θεῷ κατὰ δύναμιν.

Ἀλλ᾽ ἐπειδὴ τὸ μὴ δεῖν ἀσεβεῖν ἐν τῇ ἀρχῇ τοῦ μακαρισμοῦ
προετάχθη[c], ὁ δεύτερος, ὅπως ἂν ἔξω τῆς ἀσεβείας γενώ-
30 μεθα, ὑποτίθεται τὸ εὐαγγελικὸν προαναφωνήσας μυστήριον,
ὥστε τρόπον τινὰ ἐπιγραφὴν τοῦ δευτέρου ψαλμοῦ τὸν πρῶτον
εἶναι· λέγει γὰρ τὴν διὰ σαρκὸς ἐκεῖ γένεσιν « τοῦ σήμερον μὲν
γεννηθέντος[d] » δι᾽ ἡμᾶς — χρόνου δὲ μέρος ἐστὶ τὸ « σήμερον » —, ἀεὶ δὲ ἐκ τοῦ Πατρὸς καὶ ἐν τῷ Πατρὶ ὄντος
35 Υἱοῦ καὶ Θεοῦ, τήν τε βασιλείαν ἐπὶ τῶν ἀβασιλεύτων, οἳ διὰ
τὸ μὴ « δουλεύειν[e] » Θεῷ ἐν « ἔθνεσιν[f] » ἦσαν κατειλεγμένοι
αὐτόνομοί τινες ὄντες, μᾶλλον δὲ « ἄνομοι[g] », τῷ τὸν θεῖον μὴ
παραδέξασθαι νόμον, ἀλλ᾽ « ἀπορρίψαι ἀφ᾽ ἑαυτῶν τὸν
ζυγόν[h] »· ζυγὸν δὲ λέγει τὴν ἐντολήν. Τῆς δὲ τοῦ παντὸς
40 ὑπερκειμένης βασιλείας καὶ ἐπὶ τούτοις ἐλθούσης, οἱ ποτὲ
ἀδέσποτοι Θεοῦ « κληρονομία[i] » γίνονται διὰ τῆς εἰς « τὸν
σήμερον| γεννηθέντα» πίστεως· τοῦτον λέγω «τὸν καταστάντα
βασιλέα[j] » ἐπ᾽ αὐτῶν· καὶ αὐτοὶ γεννηθέντες καὶ « βασιλεῖς[k] » γενόμενοι. Ἐφ᾽ ὧν « ἡ σιδηρᾶ ῥάβδος[l] », τουτέστιν ἡ

AVB SLQXF

25 εἰσαγωγικὸς : εἰ συναγωγικῆς Q ‖ 28 ἐν om. S ‖ 29-30 γενόμεθα F ‖
32 γέννησιν A ‖ 33 γενηθέντος (ν sl) V ‖ 36 ἐν om. AVB ‖ κατει-
λειμμένοι Q ‖ 37 ἄνομου (sic) F ‖ τῷ : τὸ A ‖ 40 τούτους X ‖ 41 κληρονό-
μοι A ‖ τὸν : τὸ vid. F ‖ 43 αὐτῶν : αὐτοὺς S ‖ 44 ὧν : ὃν B ‖ σιδηρὰ
QXF

---

c. Cf. Ps 1, 1   d. Ps 2, 7   e. Ps 2, 11   f. Ps 2, 1   g. 1 Co 9, 21   h. Ps 2,
3   i. Ps 2, 8   j. Ps 2, 6   k. Ps 2, 10   l. Ps 2, 9

psaumes sans titre a été mise en lumière, le moment est donc venu de rendre témoignage à la parole par les textes eux-mêmes.

LES DEUX PREMIERS PSAUMES

Le psaume placé en tête du livre n'a pas besoin de titre. Le but du texte est, en effet, clair pour les lecteurs : il introduit à la philosophie, en invitant à se détourner du mal, à vivre dans le bien et à ressembler, autant que possible, à Dieu [1].

Mais, puisqu'il est d'abord indiqué, au début de la bénédiction, qu'il ne faut pas être impie [c], le second psaume, afin que nous puissions être en dehors de l'impiété, suggère, en l'annonçant, le mystère de l'Évangile. Aussi le premier psaume est, d'une certaine manière, le titre du second [2] : ce dernier mentionne la naissance dans la chair, ici-bas, « de celui qui a été aujourd'hui engendré [d] » à cause de nous – « aujourd'hui » est une partie du temps –, mais qui éternellement est issu du Père et est dans le Père, Fils et Dieu ; et la royauté pour les hommes sans roi qui, parce qu'ils ne « servaient [e] » pas Dieu, étaient enrôlés parmi des « nations [f] », suivant en quelque sorte leurs propres lois, ou plutôt étant « sans loi [g] », car ils n'ont pas accepté la loi divine, mais « ont rejeté loin d'eux-mêmes le joug [h] » – par joug il veut dire le commandement. Mais puisque la royauté qui domine l'univers vient aussi sur eux, eux qui jadis étaient sans maître deviennent « l'héritage [i] » de Dieu par la foi en « celui qui a été aujourd'hui engendré » – je veux dire « celui qui a été établi roi [j] » sur eux – : à leur tour ils sont engendrés et deviennent « rois [k] ». En s'appliquant sur eux, « la verge de fer [l] », c'est-

---

1. Cf. I, ch. 1.
2. En Ac 13, 33, le Ps 2, 7 est cité par certains témoins comme appartenant « au psaume premier » et de nombreux Pères ont compté les Ps 1-2 pour un seul psaume ou ont signalé cet usage, voir J.-M. AUWERS, *Composition*, p. 97-100.

45 ἄτρεπτος δύναμις περιθρύψασα τὸ γήϊνόν τε καὶ «ὀστράκι-
νον ᵐ» εἰς τὴν ἀκήρατον φύσιν μετεστοιχείωσε, διδάξας ὅτι
μόνον ἐστὶ «μακάριον τὸ ἐπ' αὐτῷ πεποιθέναι ⁿ». Ταύτης δὲ
οὔσης τοῦ ψαλμοῦ τῆς διανοίας ἣν ἐξεθέμην, ἔξεστι τῷ
βουλομένῳ δι' αὐτῶν τῶν θείων ῥημάτων δοκιμάσαι τὴν
50 ἡμετέραν ὑπόληψιν, εἴπερ ἐφαρμόζει τὰ παρ' ἡμῶν εἰρημένα
«τῇ θεοπνεύστῳ Γραφῇ ᵒ».

41. Οἱ δὲ λοιποὶ τῶν ἀνεπιγράφων κατὰ τὸν προαποδοθέντα
λόγον ἡμῖν τῇ συναγωγῇ τῶν Ἑβραίων, οὐ τῇ τοῦ Θεοῦ
Ἐκκλησίᾳ, τοιοῦτοί εἰσιν. Ἐπὶ πάντων γὰρ ἔστιν εὑρεῖν τινα
PG 517   πάντως ἐπιγραφήν, ἣν ὁ Ἑβραῖος οὐ δέχεται διὰ τὸν τῆς εὐσε-
5 βείας λόγον, καὶ ἣν ὑπὸ ἀπιστίας οὐ παρεδέξαντο. Εἰσὶ δὲ οἱ
τοιοῦτοι ψαλμοί, ὡς ἐν κεφαλαίῳ μὲν εἰπεῖν, τὸν ἀριθμὸν δύο
καὶ δέκα, ὡς δ' ἂν καὶ ἀκριβέστερον τὰ περὶ αὐτῶν ἐκτεθείη
καὶ τὴν τάξιν τῆς ἀκολουθίας ἐφ' ἑκάστῳ γνωρίσωμεν· ὁ
δεύτερος καὶ τριακοστός, καὶ τεσσαρακοστὸς καὶ δεύτερος καὶ
10 ἐπὶ τούτοις ὁ ἑβδομηκοστός, εἶτα ὁ τρίτος μετ' αὐτόν, καὶ μετὰ
τούτους ὁ ἐνενηκοστός, εἶτα ὁ δεύτερος καὶ καθεξῆς ἕως τοῦ
ἕκτου, καὶ πάλιν ὁ ὄγδοος, καὶ τελευταῖος ἐν τοῖς ἀνεπιγράφοις ὁ ἑκατοστός τε καὶ τρίτος. Ἡ μὲν οὖν τάξις τῶν παρ'
Ἑβραίοις ἀνεπιγράφων ψαλμῶν αὕτη. Τὴν δὲ αἰτίαν τοῦ
15 μὴ παραδεχθῆναι παρ' αὐτῶν τὰς ἐπιγραφὰς ταύτας οὐκ

AVB SLQXF

47 αὐτῶν A ‖ δὲ om. X ‖ 48 τῆς διανοίας τοῦ ψαλμοῦ Q ‖ 51 γραφῇ : φωνῇ
AVBL
41 4 πάντως om. Q ‖ 5 καὶ om. SLQXF ‖ παρεδέξατο VS ‖ 6 τὸν ἀριθμὸν
εἰπεῖν AVBLX ‖ 7 δ' om. A ‖ 8 τάξιν : πρᾶξιν Q ‖ γνωρίσομεν SLXF ‖ ὁ om.
Q ‖ 9 καὶ³ om. B ‖ καὶ⁴ om. AVB ‖ 10 ἑβδομηκοστὸς + καὶ δεύτερος (καὶ
δεύτερος exp.) A ‖ εἶτα + καὶ Q ‖ αὐτὸν : αὐτῶν B ‖ 11 ὁ² + ϙS² ‖ ϙ ante ϛ'
S² ‖ 12 τελευταῖον X ‖ 13 ἑκατοστός τε : ἑκατοστότε A

m. 2 Co 4, 7 ; cf. Ps 2, 9   n. Ps 2, 12   o. 2 Tm 3, 16

à-dire la puissance immuable, a brisé ce qu'ils avaient de terrestre et d'« argileux [m] » et les a transformés en une nature pure, enseignant que seule est « bienheureuse la confiance en lui [n] ». Tel est le sens du psaume que je propose et chacun, s'il le souhaite, peut éprouver sur les paroles divines elles-mêmes notre conception pour voir si ce que nous avons dit correspond à « l'Écriture inspirée [o] ».

LES DOUZE PSAUMES SANS TITRE CHEZ LES HÉBREUX

41. Les autres psaumes qui sont sans titre, pour la raison que nous avons donnée, dans la Synagogue des Hébreux, mais non dans l'Église de Dieu, sont les suivants. Car, à tous, on peut toujours trouver un titre que l'Hébreu n'accepte pas parce qu'il exprime la piété, et que, par incrédulité, ils n'ont pas reçu. Les psaumes de ce type sont, pour résumer, au nombre de douze et, pour rendre plus exact ce que l'on proposera à leur sujet, faisons connaître aussi pour chacun sa place dans la suite du texte : le psaume trente-deux, le psaume quarante-deux à quoi s'ajoute le psaume soixante-dix, puis le psaume soixante-treize, ensuite le psaume quatre-vingt-dix, puis les psaumes quatre-vingt-douze à quatre-vingt-seize, encore le psaume quatre-vingt-dix-huit, enfin, dernier des psaumes sans titre, le psaume cent trois [1]. Tel est donc l'ordre des psaumes sans titre chez les Hébreux. Le refus de leur part d'admettre ces titres n'a pas d'autre cause, je crois,

---

1. On notera que le Ps 73 ne semble pas avoir porté la mention « anépigraphe chez les Hébreux », et c'est le seul de la liste à n'être pas commenté plus loin. Inversement, plusieurs titres de la LXX absents du TM ne sont pas mentionnés : ce sont les titres des Ps 104, 106, 113-117, 135, 136, 147.

ἄλλην οἶμαί τινα παρὰ τὴν εἰρημένην εἶναι· μᾶλλον δ᾽ ἂν ἡμῖν
ὁ περὶ τούτων λόγος εἰς ἀπόδειξιν ἔλθοι, εἰ δι᾽ ὀλίγων τινὰς
GNO 94   τῶν ἀνεπιγράφων| ψαλμῶν ἐξ ἐπιδρομῆς θεωρήσομεν, ὡς ἂν
ἡ κατηγορία τῆς τῶν Ἰουδαίων ἀγνωμοσύνης δι᾽ αὐτῆς τῆς
20   τῶν ῥητῶν θεωρίας τὸ πιστὸν ἔχοι.

Ἐπειδὴ τῷ ἐξ οὐρανῶν ἐπὶ τὴν γῆν ἐλθόντι κελεύει ὁ
ψαλμὸς ἐπαγάλλεσθαι, λέγων « Ἀγαλλιᾶσθε, δίκαιοι ἐν
Κυρίῳ [a] », ὡς τοῦ παντὸς ἐπιστατοῦντι καὶ ἐξ οὐκ ὄντος τὸ
πᾶν εἰς τὸ εἶναι παραγαγόντι [b] καὶ συντηροῦντι ἐν τῷ εἶναι τὰ
25   πάντα, οὗ τὸ πρόσταγμα οὐσία γίνεται. Αὕτη γὰρ τῶν θείων
ῥημάτων ἡ ἔννοια, ὅτι « Αὐτὸς εἶπε καὶ ἐγενήθησαν, αὐτὸς
ἐνετείλατο καὶ ἐκτίσθησαν [c]. » Οὗτος « μακάριον » ποιεῖ « τὸ
ἔθνος [d] » τὸ ἐπὶ τῷ ὀνόματι αὐτοῦ στηριζόμενον, ἡμᾶς λέγων
τὸ ἔθνος, οἷς ἡ ἐλπὶς τῆς σωτηρίας τὸ ὄνομα τοῦ Χριστοῦ
30   ἐστιν [e], ᾧ συνονομαζόμεθα οἱ πεπιστευκότες ὅτι « ἐξ οὐρανοῦ
ἐπέβλεψεν ὁ Κύριος [f] », τοῦ ἰδεῖν « πάντας τοὺς υἱοὺς τῶν
ἀνθρώπων ἐκ τοῦ ἑτοίμου κατοικητηρίου αὐτοῦ [g] ». Κατοικητήριον δὲ αὐτοῦ ἕτοιμον τὸ ἀεὶ ὂν τὸν Πατέρα ὠνόμασεν, οὗ
τὸ εἶναι ἀεί ἐστιν, οὐκ ἔκ τινος γενόμενον, ἀλλὰ πάντοτε
35   ἕτοιμον· καὶ οὐ ξενιζόμεθα ὅτι ἐξ ἐκείνου τοῦ ἑτοίμου κατοικητηρίου τοῖς τῶν ἀνθρώπων υἱοῖς καταμίγνυται υἱὸς ἀνθρώπου γενόμενος, διὰ τὸ πεπεῖσθαι, ὅτι αὐτός ἐστιν « ὁ πλάσας
καταμόνας τὰς καρδίας ἡμῶν [h] ». Εἰ γὰρ ἐκείνου πλάσμα ἡ
ἀνθρωπίνη φύσις, τί καινὸν ἐκ τοῦ μυστηρίου μανθάνομεν ;
40   Ὅτι ὁ δεσπότης τῆς φύσεως « εἰς τὰ ἴδια ἦλθεν [i] », ἀλλ᾽ οἱ

AVB SLQXF

17 ἦλθεν SLQXFv ‖ 18 θεωρήσωμεν AVBLX ‖ 20 ἔχει vid. X ‖ 21 τῷ :
τῶν V[ac] ‖ 22 ἀγαλλιᾶσθαι V ‖ 23 ἐπιστατῶν SLQXFv ‖ ἐξ om. Q ‖
24 παραγαγὼν SLQXFv ‖ συντηρῶν SLQXFv ‖ 26 ἐγεννήθησαν AQFv ‖
28 τὸ : τῷ A ‖ τῷ : τὸ V ‖ 30 συνονομαζόμεθα οἱ πεπιστευκότες :
συνονομάζεται πᾶς ὁ πεπιστευκὼς B ‖ οὐρανῶν S ‖ 31 ὁ om. LX ‖ τοὺς om.
v ‖ 32 ἐκ τοῦ : ἐξ S ‖ αὐτοῦ om. AVBL ‖ 35 ἑτοίμου om. QFv

a. Ps 32, 1   b. Cf. 2 M 7, 28 ; Sg 1, 14   c. Ps 32, 9   d. Ps 32, 12   e. Cf.
Ps 32, 21-22   f. Ps 32, 13   g. Ps 32, 14   h. Ps 32, 15   i. Jn 1, 11

que celle qui a été énoncée. Mais la raison nous en apparaîtra mieux démontrée, si nous examinons, en un survol rapide, certains des psaumes sans titre, afin que l'accusation portée contre l'ignorance des Juifs puisse être garantie par l'examen même des textes.

Les *Psaumes* 32 et 42

Ainsi, le psaume invite à faire honneur à celui qui est venu des cieux sur la terre, en disant : « Faites honneur, justes, au Seigneur [a] », car il dirige l'univers, du néant amène l'univers à l'être [b] et conserve toutes choses dans l'être, lui dont le commandement devient substance [1]. Tel est, en effet, le sens des paroles divines : « Lui-même a parlé et ils ont été, lui-même a commandé et ils ont été créés [c]. » Lui rend « bienheureuse la nation [d] » qui s'appuie sur son nom, voulant dire que la nation c'est nous pour qui l'espérance du salut est le nom du Christ [e], que nous partageons avec lui, nous qui croyons que « du ciel, le Seigneur a jeté les yeux [f] » pour voir « tous les fils des hommes, depuis sa demeure prête [g] ». Par sa demeure prête qui est éternelle, il a nommé le Père, dont l'existence est éternelle, puisqu'il ne procède pas de quelqu'un, mais est toujours prêt. Et nous ne sommes pas surpris que ce soit depuis cette demeure prête qu'il s'unisse, devenu fils d'homme, aux fils des hommes, parce que nous sommes convaincus que c'est « lui qui a façonné un à un nos cœurs [h]. » Car, si la nature humaine est son ouvrage, qu'apprenons-nous de neuf de ce mystère ? Que le maître de la nature « est venu dans son bien [i] », et que les Hébreux ne l'ont pas

---

1. Sur le principe de l'identité en Dieu du vouloir et de la substance des êtres, cf. *Hex* 72 B ; *Maced* 100, 6-7 ; *Quat uni* 11, 6-7 (« La volonté divine est substance »). Voir aussi M. ALEXANDRE, *Le commencement du Livre. Genèse I-V*, Paris 1988, p. 88-89.

Ἑβραῖοι αὐτὸν οὐκ ἐδέξαντο. Διὸ τούτοις ἡ ἐπιγραφὴ οὐκ
ἔστιν, οὐδὲ ὁ ἥλιος τῷ μὴ βλέποντι. Ὅθεν τὸν κατὰ σάρκα τοῦ
νόμου δρόμον, ὃν « ψευδῆ ἵππον » λέγει, καὶ πᾶσαν τὴν
σωματώδη τῶν ἐντολῶν κατανόησιν − τοῦτο δ᾽ ἂν εἴη ὁ
45 « γίγας » − ἄχρηστον εἰς σωτηρίαν | κρίνομεν· καθὼς δια-
βάλλει τὰ τοιαῦτα ὁ ψαλμῳδὸς δι᾽ αἰνίγματος λέγων· « Ψευδὴς
ἵππος εἰς σωτηρίαν ʲ », « καὶ γίγας οὐ σωθήσεται ἐν πλήθει
ἰσχύος αὐτοῦ ᵏ. » Βλέποντες δὲ ἐπὶ τὸν ῥυόμενον ἐκ θανάτου
τὰς ψυχὰς ἡμῶν διὰ τῆς οὐρανίας τροφῆς − καθὼς φησιν ὁ
50 προφήτης ὅτι « Ὀφθαλμοὶ Κυρίου ἐπὶ τοὺς φοβουμένους
αὐτόν, τοὺς ἐλπίζοντας ἐπὶ τὸ ἔλεος αὐτοῦ, ῥύσασθαι ἐκ θανάτου τὰς ψυχὰς αὐτῶν καὶ διαθρέψαι αὐτοὺς ἐν λιμῷ ˡ » −,
φαμὲν ἐκεῖνο, ὅτι « Ἡ ψυχὴ ἡμῶν ὑπομενεῖ τῷ Κυρίῳ ᵐ » τῷ
ἐξ οὐρανῶν ἡμᾶς ἐπιβλέψαντι καὶ ὅτι « Γένοιτο, Κύριε, τὸ
55 ἔλεός σου ἐφ᾽ ἡμᾶς, καθάπερ ἠλπίσαμεν ἐπὶ σέ ⁿ. » Διὰ ταῦτα
τὴν ἐπιγραφὴν τοῦ ψαλμοῦ τούτου ὁ Ἑβραῖος οὐ δέχεται.

Πάλιν κατὰ τὸν αὐτὸν τρόπον ὁ τεσσαρακοστός τε καὶ
δεύτερος τοῖς Ἑβραίοις ἐπιγραφὴν οὐκ ἔχει, δεικνύντος, οἶμαι,
τοῦ λόγου, ὅτι τὸ ἐν τῷ ψαλμῷ τούτῳ μυστήριον τοῖς ἑβραΐ-
60 ζουσι κατὰ τὴν αἵρεσιν ἀπαράδεκτον ἦν. « Εἰσελεύσε-
σθαι γὰρ εἰς τὸ θυσιαστήριον » ἐπαγγέλλεται « νέος ° » γενόμενος. Ἀλλὰ τῷ Ἑβραίῳ τοῦτο οὐκ ἔστιν. Οὐ γὰρ δέχεται τῷ
μυστηρίῳ τῆς σωτηρίας διὰ « τῆς ἄνωθεν γεννήσεως ᵖ »
ἀνανεᾶσαι.

GNO 95
PG 520

AVB SLQXF

41 τούτους vid. A ‖ ἡ Fˢˡ ‖ 43 καὶ : κατὰ QF ‖ 46 ὁ ψαλμῳδὸς τὰ τοιαῦτα
AVB ‖ 53 ὑπομένει L ‖ τῷ² : τὸ A ‖ 55 σέ : σοί L ‖ 56 τούτου τοῦ ψαλμοῦ
S ‖ τούτου om. Q ‖ 58 ἔχη Fᵃᶜ ‖ 59 τὸ : τῶν V ‖ 60-61 εἰσελεύσεται A ‖
62 τούτῳ X ‖ 64 ἀνανεῶσαι QF

j. Ps 32, 17   k. Ps 32, 16   l. Ps 32, 18-19   m. Ps 32, 20   n. Ps 32,
22   o. Ps 42, 4   p. Jn 3, 3. 7

reçu. Aussi le titre n'existe-t-il pas plus pour eux que le soleil pour l'aveugle. C'est pourquoi, la course de la loi selon la chair, qu'il appelle « cheval trompeur », et toute la compréhension corporelle des commandements – ce peut être le « géant » –, nous les jugeons inutiles au salut. De la même manière le psalmiste les rejette en énigme par ces mots : « Un cheval trompeur pour le salut [j] », « et un géant ne sera pas sauvé par la grandeur de sa force [k]. » Et, les yeux fixés sur celui qui arrache à la mort nos âmes par la nourriture céleste – selon les mots du prophète : « Les yeux du Seigneur sont sur ceux qui le craignent, sur ceux qui espèrent en sa miséricorde, pour arracher à la mort leurs âmes et les nourrir dans la famine [l] » –, nous disons : « Notre âme attend le Seigneur [m] » qui des cieux a jeté les yeux sur nous et « Puisse ta miséricorde, Seigneur, être sur nous, comme nous avons espéré en toi [n]. » C'est pourquoi l'Hébreu n'accepte pas le titre de ce psaume.

De la même manière encore, le psaume quarante-deux n'a pas de titre pour les Hébreux : le texte montre, je crois, que le mystère présent dans ce psaume n'était pas acceptable pour ceux qui suivent la secte des hébraïsants : devenu « jeune », il annonce qu' « il viendra à l'autel [o]. » Mais ce n'est pas possible pour l'Hébreu : il n'accepte pas de rajeunir par le mystère du salut, grâce à « la génération d'en haut [p] ».

42. Ἐν δὲ τῷ ἑβδομηκοστῷ τῆς ἐκκλησιαστικῆς ἐκδόσεως ἐπιγραφὴν ἐχούσης, « Ὑπὲρ τῶν υἱῶν Ἰωναδὰβ καὶ τῶν πρώτων αἰχμαλωτισθέντων [a] », παρὰ τοῖς Ἑβραίοις τοῦτο σεσίγηται. Ἡ δὲ αἰτία σαφὴς ὅτι φανερωτέρας τῆς εἰς τὸν Κύριον
5 προφητείας ἐν τούτοις οὔσης ἡ ἀπιστία τῶν Ἰουδαίων κατηγορεῖται, ὡς δέξασθαι τὴν φανερὰν τοῦ μυστηρίου διδασκαλίαν μὴ δυνηθέντων. Ὥσπερ γὰρ οἱ τοὺς ὀφθαλμοὺς νοσοῦντες ἢ οἱ τῷ πάθει τῆς ὑδροφόβης περιπεσόντες, οὔτε τῆς ἀκτῖνος οὗτοι τὴν προσβολὴν οὔτε τοῦ ὕδατος ἐκεῖνοι τὴν ὄψιν
10 τοῖς ὀφθαλμοῖς ὑποφέρουσιν, ἀλλὰ μεμυκόσι τοῖς βλεφάροις οἱ μὲν ἐμπαθεῖς τὰ ὄμματα τῆς ἀκτῖνος| χωρίζονται, οἱ δὲ ὑδροφοβοῦντες τῆς τοῦ ὕδατος ὄψεως. Τὸν αὐτὸν τρόπον καὶ ἡ τῶν Ἰουδαίων κακία διὰ τὸ μὴ θέλειν ὁμολογεῖν τὴν δόξαν τοῦ θείου κηρύγματος ἀπαράδεκτον ποιεῖ διὰ τῆς σιωπῆς τὴν
15 ἀλήθειαν. Ἔξεστι δὲ καὶ δι᾽ αὐτῆς τῆς ψαλμῳδίας ἐπιγνῶναι τὰ τῆς προφητείας αἰνίγματα. Λέγει γὰρ ἐν τῷ ἑβδομηκοστῷ, ἐν ᾧ περὶ « τῶν πρώτων αἰχμαλωτισθέντων » ἐστὶν ἡ ἐπιγραφή, ὡς ἐκ προσώπου τοῦ αἰχμαλώτου ὁ λόγος, ἄλλα τέ τινα πρέποντα τῇ τοῦ ἱκέτου φωνῇ καὶ ὅτι « Ῥῦσαί με ἐκ
20 χειρὸς ἁμαρτωλοῦ, ἐκ χειρὸς παρανομοῦντος καὶ ἀδικοῦντος [b] », τούτοις τοῖς ὀνόμασι τὸν αἰχμαλωτίσαντα ἡμῶν τὴν ζωὴν ἐνδεικνύμενος. Καὶ ἐν τοῖς ὑπολοίποις μετὰ πολλὰς τὰς παρακλητικὰς ἐκείνας φωνὰς τὴν ἐκ τῆς αἰχμαλωσίας γενομένην ἐπάνοδον διασημαίνει τῷ λόγῳ· ἐν οἷς φησιν, ὅτι
25 « Ὅσας ἔδειξάς μοι θλίψεις πολλὰς καὶ κακὰς καὶ ἐπιστρέψας ἐζωοποίησάς με, καὶ ἐκ τῶν ἀβύσσων τῆς γῆς πάλιν ἀνήγαγές

GNO 96 (left margin, line 11)
PG 521 (left margin, line 25)

AVB SLQXF

42 2 ἐπιγραφῆς (sic) V ‖ ἰωναβὰδ SF ‖ 4 σαφής (σαφή V) + ἐστιν AVB ‖ φανερωτέρα SL ‖ 6 μυστηρίου (ου sl) V ‖ 8 νοσοῦτες (sic) V ‖ οἱ om. A ‖ ὑδροφοβῆς AVB ‖ 9 οὗτοι om. AVB ‖ 10 ὑποφέρουσιν : ὑπομένουσιν F ‖ 11-12 οἱ δὲ οἱ δροφοβοῦντες (sic) X ‖ 13 τὸ : τοῦ AVBLX ‖ 16 αἰνίγματι V ‖ 17 πρώτως vid. S^sl al. man. (πρώτων S^tx) ‖ 19 πρέποντι V ‖ οἰκέτου XF ‖ 23 ἐκ (κ sl) V ‖ 24 διασημαίνη F

a. Ps 70, 1   b. Ps 70, 4

Le *Psaume 70*

42. Pour le psaume soixante-dix, la version de l'Église a bien un titre : « Au sujet des fils de Jonadab et des premiers captifs [a] », mais c'est un fait passé sous silence chez les Hébreux. La raison en est claire : comme la prophétie relative au Seigneur y est plus évidente, accusation est faite de l'incrédulité des Juifs coupables de n'avoir pas été capables d'accepter l'enseignement évident du mystère. Il en va, en effet, comme de ceux qui sont malades des yeux ou de ceux qui sont atteints du mal de l'hydrophobie [1] : les uns ne supportent pas sur leurs yeux l'assaut des rayons du soleil pas plus que les autres la vue de l'eau, mais ils se privent, en gardant leurs paupières closes, pour les malades des yeux, des rayons du soleil, pour les hydrophobes, de la vue de l'eau. De la même manière, la malice des Juifs, parce qu'ils ne consentent pas à reconnaître la gloire de la proclamation divine, leur fait renoncer à la vérité par le silence. Il est possible également en considérant le psaume lui-même de reconnaître les énigmes de la prophétie. Il dit, en effet, dans le psaume soixante-dix dont le titre est sur « les premiers captifs », comme si la parole venait de la personne du captif, entre autres expressions qui conviennent au langage du suppliant, celle-ci : « Arrache-moi de la main du pécheur, de la main de l'homme qui transgresse la loi et commet l'injustice [b] », désignant par ces mots celui qui a rendu notre existence captive. Et, dans la suite, après ces paroles d'exhortation qui sont nombreuses, il signifie le retour de la captivité par ces mots : « Que d'épreuves tu m'as montrées, nombreuses et mauvaises ! Mais tu t'es retourné et tu m'as rendu la vie, des abîmes de la terre tu m'as fait

1. Il s'agit de la rage.

με, ἐπλεόνασας ἐπ' ἐμὲ τὴν μεγαλωσύνην σου, καὶ ἐπιστρέψας
παρεκάλεσάς με [c].» Τοῦτο δὲ σαφέστερον ἐκ τῆς τοῦ μεγάλου Παύλου διδασκαλίας νοήσωμεν, πῶς ἐκ τῶν ἀβύσσων
30 ἀνάγεται ὁ τῷ βάρει τῆς ἁμαρτίας καθελκυσθεὶς εἰς τὴν
ἄβυσσον διὰ τοῦ κατελθόντος δι' ἡμᾶς εἰς τὴν ἄβυσσον. Περὶ
οὗ φησιν· « Μὴ εἴπῃς ἐν τῇ καρδίᾳ σου· Τίς ἀναβήσεται εἰς τὸν
οὐρανόν ; τουτέστι Χριστὸν καταγαγεῖν. Ἢ τίς καταβήσεται
εἰς τὴν ἄβυσσον ; τουτέστι Χριστὸν ἐκ νεκρῶν ἀναγαγεῖν [d].»
35 Ὅθεν γὰρ εἰσῆλθεν εἰς τὸν κόσμον ὁ θάνατος, ἐκεῖθεν πάλιν
καὶ ἐξῳκίσθη· δι' ἀνθρώπου εἰσῆλθε, δι' ἀνθρώπου καὶ
ἐξοικίζεται [e]. « Ὁ πρῶτος ἄνθρωπος » ἤνοιξε τῷ θανάτῳ τὴν
εἴσοδον· διὰ « τοῦ δευτέρου [f] » ἡ ζωὴ ἀντεισάγεται, ἧς ἡ
εἴσοδος ἀφανισμὸν τοῦ θανάτου ἐργάζεται. Διὰ τοῦτο ἐν τῇ
GNO 97 40 ἀβύσσῳ τοῦ θανάτου| κατεχομένου τοῦ αἰχμαλώτου ὑπὸ τοῦ
θανάτου, κατέβη διὰ τοῦ πάθους εἰς τὴν ἄβυσσον ταύτην, ἐφ' ᾧ
τε συναγαγεῖν ἑαυτῷ πάλιν ἐπὶ τὰ ἄνω τὸν βύθιον. Ταῦτα γὰρ
δι' ἀκριβείας ἡ μεγάλη τοῦ ἀποστόλου φωνὴ διεσάφησεν, ἄλλα
τε πολλὰ περὶ τούτων εἰπών φησι καὶ τοῦτο· « Ὥσπερ ἐν τῷ
45 Ἀδὰμ πάντες ἀποθνήσκομεν, οὕτως ἐν τῷ Χριστῷ πάντες
ζωοποιηθησόμεθα [g].» Διὰ τοῦτο τῆς ἐπιγραφῆς « ὑπὲρ τῶν
πρώτων αἰχμαλωτισθέντων » γίνεσθαι τὴν διὰ σαρκὸς οἰκονομίαν τοῦ Κυρίου βοώσης, βύουσι τὴν ἀκοὴν Ἑβραῖοι καὶ τὴν
ἐπιγραφὴν οὐ προσίενται.

AVB SLQXF

27 ἐπ' ἐμὲ om. L ‖ ἐπέστεψας L ‖ 29 νοήσομεν QXFv ‖ 30 ἁμαστίας (sic)
V ‖ 31 διὰ – ἄβυσσον om. ex homoeotel. AVB ‖ 32 τίς : τῆς F ‖ 35 γὰρ : καὶ
Q ‖ 36 καὶ[1] om. VB ‖ 38 δευτέρου + πάλιν S ‖ 39 τῷ θανάτῳ B ‖ 40-
41 κατεχομένου – θανάτου om. ex homoeotel. A ‖ 41 θανάτου : αἰχμαλώτου
S ‖ 42 ἑαυτὸν Q ‖ βυθὸν V ‖ 44 εἰπών : εἶπον A om. L ‖ 45 ἀπεθνήσκομεν
A ‖ 47 πρώτων om. AVB ‖ 48 κυρίου : θεοῦ S ‖ ἑβραῖοι : οἱ praem. et postea
exp. F ‖ 49 προσίενται : προσδέχονται AVBL

c. Ps 70, 20-21   d. Rm 10, 6-7   e. Cf. Rm 5, 12. 18 ; 1 Co 15, 21   f. 1 Co
15, 47   g. 1 Co 15, 22

remonter, tu as multiplié ta magnificence pour moi, tu t'es
retourné et tu m'as consolé [c]. » Concevons plus clairement
par l'enseignement du grand Paul comment celui qui est
attiré, par le poids du péché, dans l'abîme, est ramené des
abîmes grâce à celui qui est descendu à cause de nous dans
l'abîme. Il dit à ce propos : « Ne dis pas dans ton cœur : qui
montera au ciel ? c'est-à-dire pour en faire descendre le
Christ. Ou qui descendra dans l'abîme ? c'est-à-dire pour
faire remonter le Christ d'entre les morts [d]. » Car c'est par là
où la mort est entrée dans le monde qu'elle est à nouveau
encore bannie : par un homme elle est entrée, par un homme
elle est aussi bannie [e]. « Le premier homme » a ouvert à la
mort l'entrée, grâce « au second [f] » la vie est introduite à sa
place, elle dont l'entrée entraîne la disparition de la mort.
C'est pourquoi, quand le captif était retenu par la mort dans
l'abîme de la mort, il est descendu par sa passion dans cet
abîme pour ramener avec lui dans les hauteurs l'abîme. C'est
ce qu'a éclairci avec précision la grande voix de l'apôtre
quand il dit entre autres, là-dessus, ceci : « Comme tous, nous
mourons en Adam, tous aussi, nous revivrons dans le
Christ [g]. » C'est pourquoi, alors que le titre « au sujet des
premiers captifs » crie que le plan du Seigneur dans la chair
se réalise, les Hébreux bouchent leurs oreilles et n'admettent
pas le titre.

332   SUR LES TITRES DES PSAUMES (PS 90 ET 92)

43. Οὕτως ἐν τῷ ἐνενηκοστῷ τὴν αὐτὴν εὑρήσεις αἰτίαν τοῦ μὴ παραδέχεσθαι τοὺς Ἑβραίους τὴν δηλωτικὴν τῆς τοῦ Χριστοῦ θεοφανείας ἐπιγραφήν. Ἡμῖν μὲν γὰρ ὁ μνημονευθεὶς ψαλμὸς « αἶνός » ἐστιν « ᾠδῆς ᵃ ». Πᾶς γὰρ αἶνος εἰς
5 Θεὸν τὴν ἀναφορὰν ἔχει. Οἱ δὲ Ἑβραῖοι σιγῶσι τὸν αἶνον καὶ τοῖς αἰνοῦσι τὸν Κύριον σιγᾶν ἐγκελεύονται. Κωλύειν γοῦν ἐπιχειροῦσιν ἐν τῷ ἱερῷ τοὺς παῖδας αἰνεῖν ἐπὶ ταῖς εὐποιΐαις τὸν Κύριον, καθὼς στηλιτεύει αὐτῶν τὴν ἀγνωμοσύνην τὸ εὐαγγέλιον ᵇ. Αὐτὰ δὲ τοῦ αἴνου τῆς ᾠδῆς ταύτης τὰ ῥήματα
10 περιττὸν ἂν εἴη διὰ τῆς θεωρίας ἀποδεικνύειν πρὸς τὸν Κύριον βλέποντα, γυμνότερον αὐτῆς τῆς λέξεως τῶν γεγραμμένων τὴν τοιαύτην ἐμφαινούσης διάνοιαν.

Ὁ δὲ μετὰ τὸν πρῶτον καὶ ἐνενηκοστὸν ἔχει τι πάλιν ἐν τῇ ἐπιγραφῇ φανερώτερον, οὗ χάριν φεύγει ὁ Ἰουδαΐζων τὴν τῆς
15 ἐπιγραφῆς συγκατάθεσιν. Φησὶν γὰρ ἡ λέξις οὕτως· « Αἶνος ᾠδῆς τῷ Δαβὶδ εἰς τὴν ἡμέραν τοῦ σαββάτου, ὅτε | κατῴκισται ἡ γῆ ᶜ. » Τίς γὰρ οὐκ οἶδε τῶν παραδεδεγμένων τὸν περὶ τῆς εὐσεβείας λόγον, ὅτι τῇ ἡμέρᾳ τοῦ σαββάτου τὸ κατὰ τὸν θάνατον ἐνηργήθη μυστήριον, ἀκριβῶς κατὰ τὸν νόμον
20 ἀκινήτου μείναντος ἐπὶ τῆς ἐν τῷ μνήματι κοίτης ἐκείνου τοῦ σώματος ; Καὶ τὴν ἡμέραν ἐκείνην, ὅτε κατῳκίσθη ἡ γῆ ὑπὸ τοῦ οἰκιστοῦ ἡμῶν, ὃς διὰ τοῦ καταλῦσαι τὸν καθαιρέτην τῆς ἡμετέρας οἰκήσεως πάλιν τὸ ἐρειπωθὲν ἐξ ὑπαρχῆς ᾠκοδόμησεν ; Ὁ δὲ καθαιρέτης ἡμῶν ὁ θάνατος ἦν, ὃν τότε « κατήρ-

GNO 98

PG 524

AVB SLQXF

43 1 περὶ τοῦ Ϟʹ add. in mg AB ‖ 2 τοῖς ἑβραίοις A ‖ 3 θεοφανείας : ἐπιφανείας X ‖ ἡμῖν (ι p.c.) F ‖ 6 κύριον : θεὸν S ‖ γοῦν : γὰρ A ‖ 13 περὶ τοῦ ϞϚʹ add. in mg AB ‖ μετὰ + καὶ QF ‖ 16 τῷ : τοῦ BSLQXFv ‖ 18 ἡ ἡμέρα A ‖ 20 ἐπὶ om. AVBv ‖ τῆς : τῷ L om. v ‖ 22 τοῦ² : τὸ Lᵃᶜ (vid.) QFv ‖ 24 ὁ² om. Q

a. Ps 90, 1   b. Cf. Mt 21, 15-16   c. Ps 92, 1

Les *Psaumes* 90 et 92

43. Tu trouveras ainsi dans le psaume quatre-vingt-dix que c'est pour la même raison que les Hébreux n'acceptent pas le titre révélateur de la manifestation du Christ. Car le psaume en question est pour nous un « éloge de chant [a] », puisque tout éloge se réfère à Dieu. Mais les Hébreux taisent l'éloge et à ceux qui louent le Seigneur, ils ordonnent de se taire. Ils cherchent, en tout cas, à empêcher dans le sanctuaire les enfants de louer le Seigneur pour ses bienfaits, comme l'Évangile dénonce leur ignorance [b]. Quant aux paroles mêmes de l'éloge de ce chant, il serait superflu de montrer en les examinant qu'elles visent le Seigneur, car les mots mêmes du texte manifestent plus crûment la même idée.

Le psaume qui suit le quatre-vingt-onzième a dans son titre une expression encore plus explicite, ce qui explique que le Judaïsant se garde de l'approuver. Voilà, en effet, le texte : « Éloge d'un chant à David, pour le jour du sabbat quand la terre a été fondée [c]. » Qui, en effet, parmi ceux qui ont accepté la doctrine de la piété, ignore qu'au jour du sabbat le mystère qui concerne la mort a été accompli, quand ce corps, en parfaite conformité à la loi, est resté immobile sur sa couche, dans le tombeau [1] ? Qui ignore ce jour où la terre fut fondée par notre fondateur qui, en éliminant celui qui détruisait notre habitation, a rebâti, depuis le commencement, ce qui s'était effondré ? Or l'agent de notre destruc-

---

1. Cf. *Salut Pasch* 309 : « Le vrai repos du sabbat, que Dieu a béni et durant lequel le Seigneur s'est reposé après avoir accompli sa tâche quand il s'est plongé, pour le salut du monde, dans l'inertie de la mort... »

25 γησεν ᵈ », ὅτε ἡμῖν μὲν σαββατίζειν ἐδόκει μένων ἐν ᾧ ἦν
τόπῳ ἀκίνητος, τὴν δὲ τοῦ θανάτου κατηγωνίζετο δύναμιν
ὁδοποιῶν δι᾽ ἑαυτοῦ τοῖς τεθνεῶσι πᾶσι τὴν ἐκ τοῦ θανάτου
ἀνάστασιν. Ἀλλ᾽ οὐ δέχεται τὸ τοῦ σαββάτου μυστήριον « ὁ
ἐχθρὸς τοῦ σταυροῦ τοῦ Χριστοῦ ᵉ ». Διὸ καὶ οὗτός ἐστιν ὁ
30 αἶνος παρ᾽ αὐτοῖς ἀνεπίγραφος. Οὐ γὰρ συντίθενται, ὅτι οὗτός
ἐστιν « ὁ Κύριος ᶠ » ὃς καθ᾽ ἡμᾶς ἑαυτὸν σχηματίσας καὶ
τὴν ἡμετέραν αἰσχύνην περιβαλόμενος ἐν « τῇ τοῦ δούλου
μορφῇ ᵍ » πάλιν « ἐβασίλευσε » καὶ τὴν ἰδίαν « εὐπρέπειαν
ἐνεδύσατο » καὶ τὴν ἑαυτοῦ περιεβάλετο « δύναμιν ʰ ». Δύνα-
35 μις δὲ καὶ εὐπρέπεια τοῦ Υἱοῦ ὁ Πατήρ. Οὗτος λυθεῖσαν δι᾽
ἁμαρτίας τὴν ἀνθρωπίνην φύσιν πάλιν στερρὰν ἀπειργάσατο·
ὡς μηκέτι αὐτὴν πρὸς κακίαν ἀποσεισθῆναι μηδὲ τὸν ἐν
ἁμαρτίᾳ δέξασθαι σάλον ⁱ. Καὶ πολλὰ καὶ ἄλλα δι᾽ αἰνιγμάτων
ἀνευφημήσας τὴν χάριν, ποταμούς τινας μεγάλα ἠχοῦντας τῷ
40 λόγῳ προστίθησι, τὰς τῶν εὐαγγελίων, ὡς οἶμαι, λέγων
φωνάς ʲ. Καὶ τί χρὴ τὰ καθ᾽ ἕκαστον διεξιέναι τῶν ἐν τῇ
ψαλμῳδίᾳ γεγραμμένων, οὐδεμιᾶς οὔσης ἐν τοῖς θείοις ῥητοῖς
ἀμφιβολίας τοῦ εἰς ἐκεῖνον βλέπειν τὴν ὑμνῳδίαν « τὸν ἀνα-

GNO 99   βάντα Θεὸν ἐν ἀλαλαγμῷ ᵏ » καὶ τὰ μαρτύρια| αὐτοῦ διὰ τῆς
45 ἀγαθῆς ὁμολογίας ᵐ πιστώσαντα ˡ καὶ τὸ ἁγίασμα τοῦ Πνεύματος τῷ ἰδίῳ οἴκῳ τῆς Ἐκκλησίας ἐμπρέψαι ⁿ παρασκευά-
σαντα ;

AVB SLQXF

27 ὁ δὲ ποιῶν Q ‖ διὰ VBL ‖ 28 σαββάτου : θανάτου S ‖ 29 οὕτως
VB ‖ 30 συντίθεται VQFv ‖ 31 ὃς Gretserus Don : ὃ ASLQXFv ὁ VB ‖
32 περιβαλλόμενος ASLQv ‖ 36 ἀνθρωπίνην om. A ἀνθρωπίαν B ‖ 37 ἀπω-
σθῆναι Av ‖ 38 καὶ² om. Qv ‖ 39 τὴν χάριν om. V ‖ 42 θείοις ῥητοῖς :
ῥητοῖς τοῖς θείοις B ‖ 43 ἀμφιβολίας : τῆς praem. S ‖ τοῦ : τοὺς AVB ‖ 45 τὸ
om. X

d. He 2, 14   e. Ph 3, 18   f. Ps 92, 1   g. Ph 2, 7   h. Ps 92, 1   i. Cf. Ps
92, 1   j. Cf. Ps 92, 3   k. Ps 46, 6 ; cf. Ps 92, 4c   l. Cf. Ps 92, 5a   m. Cf. 1
Tm 6, 13   n. Cf. Ps 92, 5b

tion, c'était la mort qu' « il a réduite à l'impuissance [d] » quand il nous semblait observer le sabbat en restant dans un lieu où il était immobile, alors qu'en fait il combattait la puissance de la mort en ouvrant par lui-même à tous les morts la voie de la résurrection hors de la mort. Mais « l'ennemi de la Croix du Christ [e] » n'accepte pas le mystère du sabbat. C'est précisément la raison pour laquelle cet éloge est chez eux sans titre. Car ils ne conviennent pas que celui-ci est « le Seigneur [f] » qui, après avoir pris lui-même notre aspect et s'être couvert de notre honte sous « la forme de l'esclave [g] », « a régné » de nouveau, « s'est revêtu de sa beauté » propre et s'est couvert de sa propre « puissance [h] ». Or la puissance et la beauté du Fils, c'est le Père. Il a rendu la nature humaine affaiblie par le péché à nouveau ferme, si bien qu'elle n'est plus secouée au gré du mal et qu'elle ne reçoit pas non plus le tangage du péché [i]. Et après avoir célébré en énigmes de bien d'autres manières la grâce, il cite encore des fleuves au bruit retentissant, voulant parler, selon moi, des voix des Évangiles [j] [1]. A quoi bon passer en revue tout ce qui est écrit dans le psaume, alors que les paroles divines ne présentent aucune ambiguïté ? Cet hymne concerne bien ce « Dieu qui est monté au milieu des acclamations [k] », qui a confirmé ses témoignages [l] par la bonne confession [m] et qui fait en sorte que la sainteté de l'Esprit [2] convienne à sa propre maison [n], l'Église [3].

---

1. L'exégèse typologique des fleuves comme représentant les Évangiles peut être inspirée de celle qui, traditionnellement, les associe au fleuve de Gn 2, 6. 10 (la source du Paradis et le fleuve qui se sépare en quatre), cf. *Salut Pasch* 310-311 : « La source du Paradis dont l'eau nous est partagée par les quatre fleuves des Évangiles. »

2. On peut noter l'interprétation trinitaire du psaume, Grégoire ne mentionnant pas seulement le Fils, mais aussi le Père et l'Esprit.

3. L'interprétation du Ps 92 que propose Grégoire, exception faite du titre, reprend celle d'EUSÈBE, cf. *In Ps* 92, *PG* 23, 1184 D – 1185 D, 1193 B.

44. Ὡσαύτως καὶ τοῦ τρίτου μετὰ τὸν ἐνενηκοστὸν διὰ τὴν αὐτὴν αἰτίαν ὁ Ἑβραῖος τὴν ἐπιγραφὴν οὐ παραδέχεται· ἔχει δὲ ἡ λέξις τῆς ἐπιγραφῆς οὕτως· « Τῷ Δαβὶδ τετράδι σαββάτων, ἀνεπίγραφος παρ᾽ Ἑβραίοις ᵃ. » Τὸ δὲ ἐν τούτῳ μυστήριον τὴν
5 περὶ τὸ πάθος οἰκονομίαν προαγορεύει. Τῇ γὰρ πέμπτῃ τοῦ σαββάτου τῆς προδοσίας παρὰ τοῦ Ἰούδα γεγενημένης ἐν τῇ πρὸ ταύτης ἡμέρᾳ ὁ πάντα τὸν κόσμον δι᾽ ἑαυτοῦ λυτρούμενος ὑπὸ τοῦ προδότου τρόπον τινὰ πωλεῖται· οὕτω γὰρ καὶ παρὰ τῆς προφητείας Ἱερεμίου τὸ γεγονὸς ὀνομάζεται· « Καὶ ἔλα-
10 βον τὰ τριάκοντα ἀργύρια τὴν τιμὴν τοῦ τετιμημένου ᵇ. » Διὰ τοῦτο δέ, οἶμαι, πωλεῖται, ἵνα τῇ ἑαυτοῦ πράσει « τοὺς ὑπὸ τῆς ἁμαρτίας πεπραμένους ᵈ » « ἐξαγοράσῃ ᶜ »· ὅθεν προϊδὼν ὁ προφήτης τὸ ἐσόμενον θυμῷ τινι πρὸς τὸ γενόμενον διεγείρεται, « Θεὸν ἐκδικήσεων ᵉ » αὐτὸν ὀνομάζων καὶ « ὑψωθῆ-
15 ναι ᵍ » τὸν δι᾽ ἡμᾶς ταπεινωθέντα ᶠ παρακαλῶν « ἀποδοῦναί τε τοῖς ὑπερηφάνοις τὴν κατ᾽ ἀξίαν ἀντίδοσιν ᵍ », ὡς ἂν μὴ ἐπικαυχοῖντο οἱ ἁμαρτωλοὶ τῇ κακίᾳ ʰ. Πρὸς οὓς βοᾷ « ἄφρονας » αὐτοὺς καὶ « μωροὺς » ὀνομάζων τοὺς μὴ παραδε-
PG 525   ξαμένους τὴν τοῦ ὀφθέντος θεότητα. Ἴδιον γάρ ἐστι τοῦ
20 ἄφρονος, ὡς ἑτέρωθί φησι ⁱ, τὸ τὸν ὄντα Θεὸν μὴ εἶναι λέγειν. Βοᾷ δὲ πρὸς τοὺς τοιούτους ὅτι « Σύνετε ἄφρονες ἐν τῷ λαῷ,

AVB SLQXF

44 3 περὶ τῆς ϟγ᾽ add. in mg AB ‖ 3 οὕτως τῆς ἐπιγραφῆς B ‖ τετράδις V ‖ 4 παρὰ X ‖ 5 πέμτη (sic) V ‖ 6 τοῦ Sˢˡ ‖ γεγενημένη Fᵃᶜ ‖ 6-7 γεγενημένης – ἑαυτοῦ uncis incl. v ‖ 8 πολεῖται VᵃᶜQ ‖ 8-11 οὕτω – πωλεῖται om. ex homoeotel. Q ‖ 8 καὶ : ου vid. Fᵃᶜ ‖ 13 τὸˡ : τῷ vid. Fᵃᶜ ‖ 15 καλῶν (παρα add. in mg) A ‖ ἀποδοῦναί τε Par. Coislin. 190 (Nicétas) : <καὶ> ἀποδοῦναι Don ἀποδοῦναι cett. ‖ 20 ὡς : ὃς V ‖ λέγων vid. Aᵃᶜ

a. Ps 93, 1   b. Mt 27, 9 ; cf. Za 11, 13   c. Ga 3, 13 ; 4, 5   d. Rm 7, 14
e. Ps 93, 1   f. Cf. Ph 2, 8-9   g. Ps 93, 2   h. Cf. Ps 93, 3   i. Cf. Ps 13, 1 ; 52, 2

Le *Psaume* 93

44. Il en est de même pour le psaume quatre-vingt-treize dont, pour la même raison, l'Hébreu n'accepte pas le titre. Tel en est le texte : « A David, au quatrième jour des sabbats, sans titre chez les Hébreux [a]. » Le mystère qui s'y trouve annonce l'économie de la passion. Car, puisqu'au cinquième jour du sabbat eut lieu la trahison de Judas, c'est le jour précédent que celui qui rachète par sa propre personne le monde entier est vendu en quelque sorte par le traître. C'est ainsi, en effet, que la prophétie de Jérémie nomme ce qui s'est passé : « Et ils ont reçu les trente pièces d'argent, prix de celui qui a été apprécié [b]. » Il est vendu, je crois, pour « racheter [c] », par sa propre vente, « ceux qui ont été vendus par le péché [d] ». Aussi, voyant à l'avance ce qui allait se produire, le prophète est-il saisi d'une certaine fureur contre ce qui a lieu : il la nomme « Dieu des vengeances [e] » et il invite celui qui s'est abaissé [f] à cause de nous à « se lever et à rendre aux orgueilleux le salaire [g] » qu'ils méritent, pour que les pécheurs ne tirent pas gloire du mal [h]. Contre eux il crie, les nommant « insensés » et « fous », eux qui n'ont pas accepté la divinité de celui qui est apparu. Car le propre de l'insensé, comme il dit ailleurs [i], c'est de prétendre que le Dieu qui est n'existe pas. A de tels hommes il crie : « Comprenez, insensés

καὶ μωροί ποτε φρονήσατε ʲ. » Τίς « ὁ φυτεύσας τὸ οὖς » ; Τίς
« ὁ πλάσας τὸν ὀφθαλμόν ᵏ » ; Τίς « ὁ παιδεύων τὰ ἔθνη ˡ » ;
Τίς « ὁ γινώσκων τοὺς διαλογισμοὺς τῶν ἀνθρώπων ᵐ » ; Διὰ
GNO 100 25 τούτων γὰρ οἶμαι πάντων τὸν προφήτην τὰ κατὰ τὰς ἰάσεις|
μηνύειν θαύματα, δι’ ὧν ὀφθαλμοί τε ἐπλάσσοντο διὰ τοῦ
πτύσματος καὶ τῆς γῆς ⁿ πηλουργούμενοι, καὶ ἀκοαὶ τρόπον
τινὰ τοῖς ἐστερημένοις τῆς αἰσθήσεως ταύτης διὰ τῶν δακτύλων ἐνεφυτεύοντο °. Καὶ ὅσα ἐν τῷ κρυπτῷ τῶν νοημάτων
30 ἐλάνθανεν, παρὰ τοῦ βλέποντος « τὰς ἐνθυμήσεις αὐτῶν ᵖ »
διελέγετο. Ἐπειδὴ τούτοις ἐμβοῶν οὐκ ἠκούσθη, πρὸς τὸν
Κύριον ἐπιστρέφει τὸν λόγον καί φησιν· « Μακάριος ἄνθρωπος, ὃν ἂν παιδεύσῃς, Κύριε, καὶ ἐκ τοῦ νόμου σου διδάξῃς
αὐτόν �qᵘ »· ὡς τοῦ νόμου καθ’ ἑαυτὸν ὠφελοῦντος οὐδέν, εἰ μή
35 τις θεία διδαχὴ τὸ ἐγκείμενον αὐτῷ μυστήριον σαφηνίσειε·
καθὼς εἶπεν ὁ αὐτὸς οὗτος προφήτης, ὅτι « Ἀποκάλυψον τοὺς
ὀφθαλμούς μου, καὶ κατανοήσω τὰ θαυμάσια ἐκ τοῦ νόμου
σου ʳ. » Ἦ τάχα μακαρίζει τὸν ἐξ ἐθνῶν « τῷ πνευματικῷ
νόμῳ ˢ » πιστεύοντα, ὃς ἄνθρωπος ὢν τὸν πρὸ τούτου χρόνον
40 σαρκώδης τε καὶ « συμπαραβεβλημένος τοῖς κτήνεσιν ᵗ » ἐν τῇ
παιδεύσει τοῦ θείου νόμου, τῆς κατάρας εἰς εὐλογίαν ἀνα-
λυθείσης ᵘ, μακάριος γίνεται, ὅτι αὐτῷ μὲν ἀπὸ τῶν ἡμερῶν
τῶν πονηρῶν ἡ ὀργὴ πραΰνεται, ἐκείνῳ δὲ βόθρος ὀρύσσε-
ται ᵛ· εἶτα μικρὸν ὑποβὰς τὸν σκοπὸν λέγει τῆς κατὰ ἄνθρω-
45 πον τοῦ Κυρίου οἰκονομίας· « Εἰ μὴ ὅτι Κύριος ἐβοήθησέ

AVB SLQXF

22 φρονήσετε QF ‖ 24 γινώσκον V ‖ 25 τὰ om. AV ‖ 26 τοῦ om. VB ‖
30 ἐλάνθανον XF ‖ 31 ἐκβοῶν B ‖ 33 παιδεύσεις Xᵃᶜ ‖ διδάξεις AVQ ‖
37 θαυμάσια + τὰ VBL ‖ 38 τὸν : τῶν Aᵃᶜ ‖ 43 ἐκείνου SLQXFv ‖ βόθρος :
ὁ praem. SQXFv ‖ 44-45 ἄνθρωπον : τὸν praem. SQFv

j. Ps 93, 8   k. Ps 93, 9   l. Ps 93, 10   m. Ps 93, 11   n. Cf. Jn 9, 6   o. Cf.
Mc 7, 33   p. Mt 9, 4 ; 12, 25   q. Ps 93, 12   r. Ps 118, 18   s. Rm 7, 14
t. Ps 48,13. 21   u. Cf. Ga 3, 10-14   v. Cf. Ps 93, 13

parmi le peuple, et, vous, fous, devenez enfin sensés [j]. » Quel
est « celui qui a implanté l'oreille » ? Quel est « celui qui a
modelé l'œil [k] » ? Quel est « celui qui instruit les nations [l] » ?
Quel est « celui qui connaît les pensées des hommes [m] » ? Par
là le prophète révèle, je crois, les miracles des guérisons :
grâce à eux, des yeux étaient modelés, travaillés avec de la
boue grâce à la salive et à la terre [n], des oreilles, en quelque
sorte, étaient plantées avec les doigts sur ceux qui étaient
privés de ce sens [o], et tout ce qui se cachait dans le secret des
pensées était rapporté par celui qui voyait « leurs inten-
tions [p] ». Comme, malgré ses cris contre ces hommes, il n'a
pas été entendu, il tourne son discours vers le Seigneur et
dit : « Bienheureux l'homme que tu instruiras, Seigneur, et
que tu enseigneras d'après ta loi [q]. » Car la loi, par elle-même,
n'est d'aucun secours, si un enseignement divin n'éclaire pas
le mystère présent en elle, comme l'a dit ce même prophète :
« Dévoile mes yeux et je comprendrai les merveilles de ta
loi [r]. » Ou peut-être déclare-t-il bienheureux l'homme des
nations qui croit à « la loi spirituelle [s] » : alors qu'il était, dans
le temps précédent, un homme charnel, « mis au rang du
bétail [t] », il devient, par l'instruction de la loi divine, quand la
malédiction a été dissoute en une bénédiction [u], bienheureux, parce que pour lui la colère des jours mauvais s'est
adoucie, tandis que pour celui-là une fosse est creusée [v]. Puis,
un peu plus bas, il énonce le but du plan du Seigneur sur
l'homme : « Si ce n'était que le Seigneur m'a secouru, peu

μοι, παρὰ βραχὺ παρῴκησε τῷ ᾅδῃ ἡ ψυχή μου [w]. » Ἡ γὰρ
βοήθεια τοῦ Κυρίου οὐκ ἀφῆκεν ἡμᾶς τοῦ ᾅδου παροίκους
εἶναι. Καὶ ὅτι « κατὰ τὸ πλῆθος τῶν » ἐκ τῆς ἁμαρτίας
« ὀδυνῶν [x] » ἀντίρροπος ἐγένετο ἡμῖν ἡ ἰατρεία παρὰ τοῦ
50 ἰατρεύοντος· ἐν ᾧ τι καὶ μεῖζον φιλοσοφεῖ, τὸ μὴ ἐξ ἀϊδίου
εἶναι τὸ κακὸν δογματίζων. Φησὶ γὰρ ὅτι « Οὐ συμπροσέσται
σοι θρόνος ἀνομίας, ὁ πλάσσων κόπον ἐπὶ πρόσταγμα [y]. »
GNO 101   Τοῦτο δέ ἐστιν | ὅτι οὐ συνθεωρεῖταί σοι ἡ τῆς κακίας ἀρχή.
Ἀρχὴ γὰρ ὁ θρόνος, ὁ τὴν ἁμαρτίαν κτίζων διὰ προστάγ-
55 ματος [z]. Δι᾽ ὧν τὸ μὴ ἐξ ἀϊδίου τὴν κακίαν εἶναι μηδὲ εἰς ἀεὶ
παραμένειν αὐτὴν ἐνεδείξατο. Ὁ γὰρ μὴ ἀεὶ ἦν, οὐδὲ εἰς ἀεὶ
ἔσται. Καὶ τὸν τρόπον τῆς τοῦ κακοῦ ἀναιρέσεως διηγεῖται ἐν
τῇ τῶν Ἰουδαίων κατὰ τοῦ Κυρίου μιαιφονίᾳ τὸν ἀφανισμὸν τῆς κακίας προαγορεύων. Λέγει γὰρ ὅτι οὗτοι μὲν
60 « θηρεύσουσιν ἐπὶ ψυχὴν δικαίου, καὶ αἷμα ἀθῶον κατα-
δικάσονται [a] ». Τοῦτο δὲ ἐμοὶ σωτήριον γίνεται. Ὁ γὰρ κατα-
δικασθεὶς τῷ θανάτῳ Κύριος διὰ τούτου γίνεταί μοι καταφυγή, καὶ οὗτος ὁ Θεὸς εἰς βοηθὸν ἐλπίδος τοῖς πεπιστευκόσι

AVB SLQXF

46 τῷ ᾅδῃ post μου A ‖ 49 ἐγίνετο L ‖ 50 τι : τε AL om. VB ‖ μειζόνων
VB ‖ 50-51 φιλοσοφεῖ – ὅτι : ἐφάπτεται δογμάτων, δεικνὺς ὅτι οὐκ ἄναρχον
τὸ κακόν, οὕτωσι λέγων VB ‖ 51 οὐ : μὴ VB ‖ 53 τοῦτο δὲ ἐστιν : τουτέστιν
VB ‖ 53-57 ὅτι – ἔσται : οὐκ ἀΐδιον ἡ πονηρία ἀλλὰ πρόσκαιρον· τὴν μὴ
ἀπαγόρευσιν. ἀντὶ τῆς οὐρανοῦ (ρανοῦ eras. V) στερήσεως εἴληφος· οὐ γὰρ
συνῆν ἐξ ἀρχῆς τῷ θεῷ ἡ κακία καθ᾽ ὥς τινες τῶν ἀφρόνων ἐληρώδησαν·
ἀλλ᾽ οὐδὲ νῦν αὐτῷ συνυπάρχει οὔτε συνέσται ποτέ· ὦ γάρ τινι μὴ συνῆν
πώποτε· πῶς αὐτῷ (-τῶς V) συνθεωρηθήσεται· τίς γὰρ κοινωνία φωτὶ πρὸς
σκότος (κότος V)· ἢ τίς συμφώνησις χριστοῦ πρὸς βελίαρ· VB ‖ 56 εἰς om.
QF ‖ 57 τρόπον + δὲ VB ‖ τοῦ κακοῦ : τούτου VB ‖ 58 μιαιφονίαν A ‖ 58-59
τὸν – προαγορεύων om. VB ‖ 59 προσαγορεύων L ‖ 60 θηρεύουσιν AVBFv ‖
ἐπὶ om. X ‖ 61 δὲ + χυθέν· VB ‖ 62-63 διὰ – καταφυγή : τὸν βασιλεύοντα δι᾽
ἁμαρτίας θάνατον καταλύσας. ζωὴν ἄλυτον τῷ γένει τῶν ἀνθρώπων
ἐβράβευσεν ὅς μοι καταφυγὴ γέγονεν VB ‖ 63 οὕτως QF ‖ βοήθειαν A ‖ τοῖς
+ εἰς αὐτὸν VB

---

w. Ps 93, 17   x. Ps 93, 19   y. Ps 93, 20   z. Cf. Rm 7, 8-9   a. Ps 93, 21 ;
cf. Mt 27, 4

s'en serait fallu que dans l'Hadès n'eût habité mon âme [w]. »
Car le secours du Seigneur ne nous a pas laissé être les
habitants de l'Hadès : c'est que « contre la multitude des
douleurs [x] » du péché, les soins de celui qui nous soigne ont
fait contrepoids [1]. Là il avance un énoncé philosophique plus
grand encore, quand il enseigne la doctrine que le mal
n'existe pas de toute éternité. Il dit en effet : « Un trône
d'iniquité ne s'alliera pas avec toi, lui qui modèle une peine
sur un commandement [y]. » C'est-à-dire que le principe du
mal n'est pas considéré en même temps que toi : le principe,
c'est le trône, qui fonde le péché par un commandement [z].
Par là, il a montré que le mal n'existe pas de toute éternité,
pas plus qu'il ne demeure pour toujours. Car ce qui n'a pas
toujours existé, n'existera pas non plus pour toujours. Puis, il
rapporte la manière dont a eu lieu la destruction du mal en
annonçant la disparition de la malice lors de la souillure du
meurtre commise par les Juifs sur le Seigneur. Il dit en
effet que ceux-ci « tendront des pièges à l'âme d'un juste et
condamneront un sang innocent [a] ». Mais cela devient pour
moi un salut. Car le Seigneur qui a été condamné à mort
devient par là pour moi un refuge et ce Dieu est établi pour

---

1. Le terme ἀντίρροπος introduit l'idée d'une résistance à la pesanteur du
mal qui entraîne dans l'Hadès : c'est la reprise de l'image philonienne de
l'oscillation sur une balance entre deux tendances contraires (voir intr. de M.
Harl au *Quis heres* p. 117-118). Il existe en effet en l'homme une double
inclination, soit vers le bien (ἡ ἐπὶ τὸ κρεῖττον ῥοπή 2, 36 ; ἡ ἐπὶ τὰ κρείττω
ῥοπή 55, 62-63), soit vers le mal (ἡ πρὸς τὸ κακὸν ῥοπή 20, 32).

καθίσταται ᵇ, ὃς ἀποδιδοὺς ἐν τῇ δικαίᾳ κρίσει τὸ κατ᾽ ἀξίαν
65 ἑκάστῳ ἀφανιεῖ τὴν πονηρίαν τῶν ἡμαρτηκότων, οὐχὶ τὴν
φύσιν. Οὕτως εἰπὼν τῇ λέξει ὅτι « Καὶ ἀποδώσει αὐτοῖς

PG 528   Κύριος τὴν ἀνομίαν αὐτῶν, καὶ κατὰ τὴν πονηρίαν αὐτῶν ἀφανιεῖ αὐτοὺς Κύριος ὁ Θεός ᶜ »· σημαίνων διὰ τῶν εἰρημένων ὅτι
οἱ νῦν τῇ ἁμαρτίᾳ μεμορφωμένοι ἀφανισθήσονται. Τῆς γὰρ
70 κακίας οὐκ οὔσης, οὐδὲ ὁ κατ᾽ αὐτὴν μεμορφωμένος ἔσται·
ἀπολομένης οὖν τῆς κακίας καὶ ἐν μηδενὶ τοῦ τοιούτου χαρακτῆρος ὑπολειφθέντος, πάντες κατὰ Χριστὸν μορφωθήσον-
ται ᵈ καὶ μία πᾶσιν ἐξαστράψει μορφὴ ἡ ἐξ ἀρχῆς ἐπι-
βληθεῖσα τῇ φύσει ᵉ.

ΚΕΦΑΛΑΙΟΝ Θ′

GNO 102 | 45. Μετὰ ταῦτα πρόεισι κατὰ τὸ ἀκόλουθον μηδενὶ τῶν
μουσικῶν συγκεχρημένος ὀργάνων, ἀλλὰ διὰ τῆς ἰδίας φωνῆς
τὸν εὔφημον αἶνον διὰ τῆς ᾠδῆς ἀνατιθεὶς τῷ Θεῷ. Φησὶ γὰρ·
« Αἶνος ᾠδῆς τῷ Δαβίδ ᵃ. » Καὶ αὕτη δὲ τοῖς Ἑβραίοις ἡ ἐπι-
5 γραφὴ οὐκ ἔστι. Προκαλεῖται γὰρ τοὺς ἀκούοντας εἰς κοινωνίαν ἀγαλλιάματος καὶ εἰς ἀλαλαγμὸν ἐπινίκιον, « Δεῦτε,
λέγων, ἀγαλλιασώμεθα τῷ Κυρίῳ· ἀλαλάξωμεν τῷ Θεῷ τῷ
σωτῆρι ἡμῶν ᵇ. » Καί τινα πρὸς τῷ τέλει καταφορικωτέραν
ἀπειλὴν κατὰ τῶν ἀπιστούντων ἔχει τῶν τὴν αὐτὴν ἐπιδει-

AVB SLQXF

64 ἀποδώσει V δώσει B ‖ δικαιοκρισίᾳ VB ‖ 65 ἀφανιεῖ – ἡμαρτηκότων : προαφανίσας τὰ τῆς ἁμαρτίας βασίλεια VB ‖ 65-74 οὐχὶ – φύσει om.
VB ‖ 67 κατὰ om. SL ‖ 69 μεμορφωμένοι τῇ ἁμαρτίᾳ A ‖ 73 ἐπαστράψει
SLX
45 1 πρόσεισιν Vᵃᶜ ‖ 2 περὶ τοῦ ⳾η̅′ add. in mg AB ‖ 5 προσκαλεῖται Q ‖
8 τῷ : τὸ V

b. Cf. Ps 93, 22   c. Ps 93, 23   d. Cf. Ga 4, 19   e. Cf. Gn 1, 26 ; Rm 8, 29 ;
Ph 3, 21
45. a. Ps 94, 1a   b. Ps 94, 1bc

l'aide de l'espérance des croyants [b], lui qui, rendant par la justice de son jugement à chacun selon ce qu'il mérite, fera disparaître la méchanceté, non la nature des pécheurs. Tels sont ses mots : « Et le Seigneur leur rendra leur iniquité et selon leur méchanceté le Seigneur Dieu les fera disparaître [c]. » Il veut dire par ces mots que ceux qui ont aujourd'hui été conformés au péché disparaîtront. En effet, puisque la malice n'a pas d'existence, celui qui est conformé à elle, lui non plus, n'aura pas d'existence. Donc, puisque la malice a été détruite et qu'il n'en est resté aucune empreinte en rien, tous seront conformés au Christ [d] et brillera sur tous une unique forme qui, depuis le commencement, a été apposée sur la nature [e].

CHAPITRE IX

Les *Psaumes* 94 et 95

45. Puis il continue logiquement, sans recourir à aucun instrument de musique, mais en consacrant à Dieu de sa propre voix par le chant un éloge bienveillant. Il dit en effet : « Éloge d'un chant à David [a]. » Ce titre n'existe pas pour les Hébreux. Car il appelle ses auditeurs à communier dans l'exultation et à chanter dans l'allégresse la victoire par ces mots : « Venez, exultons dans le Seigneur ; poussons des cris d'allégresse vers Dieu, notre sauveur [b]. » Et, à la fin, il lance une menace particulièrement violente contre les incroyants

10 ξαμένων κακόνοιαν ἔν τε τοῖς τεσσαράκοντα ἔτεσι τῆς ἐν
ἐρήμῳ διαγωγῆς, ἐν οἷς τὸν εὐεργέτην παρώξυναν ᶜ καὶ μετὰ
ταῦτα τὴν δοθεῖσαν ἡμῖν διὰ τοῦ Εὐαγγελίου κατάπαυσιν τῆς
ἁμαρτίας μὴ προσδεχόμενοι, οἷς ἐξῆν « σήμερον ἀκούσασι τῆς
φωνῆς ᵈ » τοῦ δι᾽ ἡμᾶς εἰς τὸ σήμερον εἰσελθόντος καὶ ἐκ τῆς
15 προαιωνίου τε καὶ ἀϊδίου μεγαλειότητος ᵉ εἰς χρονικὴν γένεσιν
καταβάντος ἀνοῖξαι ἑαυτοῖς τὴν εἴσοδον τῆς ἀναπαύσεως.
Ἀλλ᾽ ἀεὶ τὴν πλάνην καὶ τὴν ἀπιστίαν ὁδηγὸν ἑαυτῶν προ-
βαλλόμενοι ᶠ ἔν τε τοῖς πρώτοις καὶ ἐν τοῖς μετὰ ταῦτα χρόνοις
ὅρκῳ ᵍ τῆς εἰσόδου τῆς εἰς τὴν κατάπαυσιν τοῦ Θεοῦ ἀπε-
20 κλείσθησαν. Πῶς γὰρ « ἂν εἰσέλθοιεν εἰς τὴν κατάπαυσιν ʰ »
οἱ ἑκουσίως ἑαυτοὺς τῆς εὐλογίας ἀλλοτριώσαντες ⁱ ;
    Οὕτω καὶ ὁ μετὰ τούτους ὁ πέμπτος τε καὶ ἐνενηκοστὸς
τοῖς μὲν ἑβραΐζουσιν ἀνεπίγραφος λέγεται· ἡμῖν δέ ἐστιν ᾠδὴ
μετὰ τὴν ἐπάνοδον τὴν ἐκ τῆς αἰχμαλωσίας τῷ Θεῷ ᾀσθεῖσα,
GNO 103 25 ὅτε ἀνῳκοδομήθη διαλυθεῖσα ἡ τῆς φύσεως | ἡμῶν κατα-
σκευή· οὕτω γὰρ ἡ τῆς ἐπιγραφῆς ἔχει λέξις· « Αἶνος ᾠδῆς, ὅτε ὁ
οἶκος ᾠκοδομήθη μετὰ τὴν αἰχμαλωσίαν, ἀνεπίγραφος παρ᾽
Ἑβραίοις ʲ. » Εὐθὺς δὲ τὸ τῆς καινῆς διαθήκης μυστήριον ἐν
προοιμίοις ἡ ψαλμῳδία εὐαγγελίζεται λέγουσα· « Ἄισατε τῷ
30 Κυρίῳ ᾆσμα καινόν ᵏ. » Εἰκότως δὲ ἡ ἐπιγραφὴ τοῦ ψαλμοῦ
τούτου παρὰ τοῖς Ἑβραίοις σεσίγηται, ὅτι μετὰ τὰς εὐαγγε-
λικὰς φωνάς, ἃς ἐν προοιμίοις τῆς ψαλμῳδίας πεποίηται, πρὸς

AVB SLQXF

10 ἐν² + τῇ A ‖ 11 οἷ Vᵃᶜ ‖ 11-12 μεταυτὰ L ‖ 12 ἀγγελίου (εὐ add. in mg
al. man. vid.) L ‖ 13 προσδεχόμενον L ‖ 14 ἐλθόντος S ‖ 15 spatium ıı litt. in
προαιωνίου inter ω et ν A ‖ τε om. A ‖ ἀειδίου A ‖ 19 τῆς¹ : τοῖς X ‖
20 εἰσέλθειεν X ‖ 21 ἀλλοτριώσαντας V ‖ 22 περὶ τοῦ ϟε᾽ add. in mg AB ‖ ὁ¹
om. A ‖ τούτοις A ‖ τε VBSLXF (de Q non constat) : om. Av ‖ 24 ᾀσθεῖσαν
SL ἀρθεῖσα F ‖ 28 τῆς om. QF ‖ 30 εἰκότος Vᵃᶜ ‖ 32 ἃς : αἱ L

c. Cf. Ps 94, 8-10a   d. Ps 94, 7   e. Cf. Ps 94, 3   f. Cf. Ps 94, 10bc   g. Cf.
Ps 94, 11a   h. Ps 94, 11b ; cf. He 3, 7-4. 11   i. Cf. Ga 3, 14   j. Ps 95, 1
k. Ps 95, 1

qui ont montré le même esprit mauvais tant pendant les quarante ans de leur séjour au désert, durant lesquels ils ont irrité leur bienfaiteur [c], que par la suite, en n'acceptant pas le repos du péché que nous a offert l'Évangile, alors qu'ils pouvaient, « s'ils écoutaient aujourd'hui la voix [d] » de celui qui, à cause de nous, est venu dans l'aujourd'hui et est descendu de la grandeur [e] éternelle qui précède les siècles dans la génération temporelle, s'ouvrir l'entrée du repos. Mais, en se proposant toujours la voie de l'errance [f] et de l'incroyance aussi bien dans les premiers temps que par la suite, ils se sont vu refuser par serment [g] l'entrée dans le repos de Dieu. Comment, en effet, « pourraient venir dans le repos [h] » ceux qui se sont volontairement exclus de la bénédiction [i] ?

Pareillement, le psaume suivant, quatre-vingt-quinze, est, dit-on, sans titre pour les hébraïsants ; mais, pour nous, c'est un chant adressé à Dieu après le retour de la captivité quand l'organisation de notre nature a été rebâtie après avoir été défaite. Tel est en effet le texte du titre : « Éloge d'un chant, quand la maison a été bâtie après la captivité, sans titre chez les Hébreux [j]. » Et aussitôt, dès le prologue, le psaume annonce la bonne nouvelle du mystère de la nouvelle alliance par ces mots : « Chantez au Seigneur un chant nouveau [k]. » C'est avec raison que le titre de ce psaume est passé sous silence chez les Hébreux. Car après les paroles de la bonne nouvelle qu'elle a placées dans le prologue du psaume, la

τοὺς ἐξ ἐθνῶν ἐπιγράφει τὸν λόγον ἡ προφητεία λέγουσα
« Ἐνέγκατε τῷ Κυρίῳ, αἱ πατριαὶ τῶν ἐθνῶν, ἐνέγκατε τῷ
35 Κυρίῳ δόξαν καὶ τιμήν [1] », καὶ « Προσκυνήσατε τῷ Κυρίῳ ἐν
αὐλῇ ἁγίᾳ αὐτοῦ [m] », καὶ « Ἄρατε θυσίας καὶ εἰσπορεύεσθε εἰς
τὰς αὐλὰς αὐτοῦ [n]. » Καὶ πᾶς ὁ ἐφεξῆς λόγος τοιοῦτός ἐστι τὴν
ἐπὶ τὰ ἔθνη τῆς εὐλογίας μετάστασιν προαγορεύων. « Εἴπατε
γάρ, φησίν, ἐν τοῖς ἔθνεσιν ὅτι Κύριος ἐβασίλευσε » καὶ λυθεῖ-
40 σαν ὑπὸ κακίας « τὴν οἰκουμένην κατώρθωσεν [o] », ὥστε
« ἀσάλευτον [o] » εἰς τὸ διηνεκὲς μένειν· ἐφ᾽ οἷς « εὐφραίνονται
οἱ οὐρανοὶ καὶ ἀγάλλεται πᾶσα ἡ γῆ [p] », σαλευομένων τῶν
θαλασσίων ὑδάτων σὺν τῷ ἰδίῳ πληρώματι. Δι᾽ ὧν τροπικῶς
τὴν ἐναντίαν ἐνδείκνυται δύναμιν ταρασσομένην τε καὶ
45 ἀστατοῦσαν ἐπὶ τῇ ἡμετέρᾳ ζωῇ, ὅταν « οὐρανοὶ » γενώμεθα
« τὴν δόξαν τοῦ Θεοῦ διηγούμενοι [q] » ἢ γῆ διὰ τῆς τῶν ἀρετῶν καρποφορίας εὐλογουμένη. « Σαλευθήτω γάρ, φησίν, ἡ
θάλασσα καὶ τὸ πλήρωμα αὐτῆς [r]. » « Χαρήσεσθαι δὲ τὰ
πεδία [s] » λέγει, τὸν ὁμαλὸν ἐν ἀρετῇ βίον « πεδία » λέγων, οὗ
50 καὶ ὁ Ἡσαΐας ἐν τοῖς ἰδίοις λόγοις ἄλλῳ μέμνηται τρόπῳ,
ἀναπληροῦσθαι μὲν κελεύων τὰς φάραγγας, καταστέλλειν δὲ
τοὺς βουνοὺς καὶ τὰ ὄρη [t]. Ὅπερ οὐδὲν ἕτερόν μοι δοκεῖ ἢ τὰς

| ἐλλείψεις τε καὶ ὑπερπτώσεις τῶν κατ᾽ ἀρετὴν ἐπιτηδευ-
μάτων θεραπεύειν βουλόμενος ταῦτα λέγειν, ὥστε μήτε δι᾽
55 ἐλλείψεως τοῦ ἀγαθοῦ τὸν τῆς ἀρετῆς λόγον κοιλαίνεσθαι μήτε
ἀνωμαλεῖν διὰ τῆς ὑπερπτώσεως. « Χαρήσεται γάρ, φησίν, τὰ
πεδία καὶ πάντα τὰ ἐν αὐτοῖς [s]. »

AVB SLQXF

33 ἐπιγραφή L ‖ 34 ἐθῶν V ‖ 36-37 καὶ¹ – αὐτοῦ om. ex homoeotel. AVB
‖ 38 προσαγορεύων L ‖ 39 κύριος : ὁ praem. L ‖ 41 ἐφ᾽ οἷς : ἐφ᾽ ἧς QF ‖ 42
οἱ om. LX ‖ 42-43 τῶν θαλασσίων Xᵐᵍ ‖ 46 ἡ AL ‖ 48 χαρήσεσθαι :
χαρίσεσθαι AF χαρήσεσθαι V χαρήσασθαι X ‖ 49 πεδία¹ : παιδία LQ παδία vid.
Fᵃᶜ ‖ πεδία² : παιδία L ‖ 50 ἐν om. QXF ‖ ἰδίαις vid. Q ‖ 55 ἐκλείψεως Q (vid.)
XF ‖ 57 πεδία : παιδία L

l. Ps 95, 7   m. Ps 95, 9   n. Ps 95, 8   o. Ps 95, 10   p. Ps 95, 11a
q. Ps 18, 2   r. Ps 95, 11b   s. Ps 95, 12   t. Cf. Is 40, 4

prophétie place en tête, à l'adresse des hommes des nations, la parole suivante : « Apportez au Seigneur, familles des nations, apportez au Seigneur gloire et honneur [1] » et « Prosternez-vous devant le Seigneur sur son saint parvis [m] » et « Apportez des sacrifices et entrez dans ses parvis [n]. » Toute la suite du texte est semblable : elle annonce le déplacement de la bénédiction vers les nations. Il dit en effet : « Dites parmi les nations que le Seigneur a régné et qu'il a raffermi la terre [o] » défaite par la malice, de sorte qu'elle reste à jamais « en dehors de l'agitation [o] ». Pour cette raison, « les cieux se réjouissent et toute la terre exulte [p] », tandis que les eaux des mers s'agitent avec tout ce qu'elles renferment. Par là, il montre figurativement que la puissance contraire est troublée et ébranlée devant notre existence, quand nous devenons « des cieux racontant la gloire de Dieu [q] » ou une terre bénie par sa fécondité en vertus. Il dit en effet : « Que la mer soit agitée et tout ce qu'elle renferme [r]. » Il dit que « les plaines se réjouiront [s] », entendant par « plaines » la vie qui offre une surface unie de vertu, ce qu'Isaïe aussi, d'une autre manière, évoque avec ses propres mots, quand il ordonne aux vallées de se combler et aux collines et aux montagnes de s'abaisser [t]. Il n'a pas d'autre but, me semble-t-il, par ces mots, que de vouloir soigner les manques et les excès des occupations vertueuses, faisant en sorte que par manque du bien le principe de la vertu ne soit pas miné, et que n'apparaissent pas non plus des aspérités provoquées par l'excès [1]. Car, dit-il, « les plaines se réjouiront et tout ce qui est en elles [s]. »

---

1. L'exégèse est inspirée par la définition de la vertu comme médiété qui remonte à ARISTOTE (*Eth. Nic.* 1107 a 2) et qu'on trouve notamment chez BASILE, cf. *In Ps.* 7, 10, *PG* 29, 244 D : « Celui-là a le cœur droit dont le raisonnement ne se laisse aller ni à l'excès ni au défaut, mais qui garde le droit chemin au milieu du sentier de la vertu (εὐθύς ἐστι τῇ καρδίᾳ ὁ τὸν λογισμὸν μὴ ἔχων ῥέποντα πρὸς ὑπερβολὴν μηδὲ ἔλλειψιν, ἀλλ' ἀπευθυνόμενος πρὸς τὸ μέσον τῆς ἀρετῆς). »

46. Παραπλησίως δὲ καὶ ὁ μετ᾽ αὐτὸν ψαλμὸς οὐ παρεδέχθη
τῇ τῶν Ἑβραίων ἐπιγραφῇ, διότι τὰ ἡμέτερα λέγει καὶ τῆς
ἡμετέρας γῆς τὴν κατάστασιν τῷ λόγῳ εὐαγγελίζεται. Ἀνα-
τίθησι γὰρ τῷ Δαβὶδ τὴν ψαλμῳδίαν ἡ ἐπιγραφὴ οὕτως
5 ἔχουσα· « Τῷ Δαβίδ, ὁπότε ἡ γῆ αὐτοῦ κατεστάθη [a]. » Τὸ δὲ
« αὐτοῦ » δηλονότι οὐ πρὸς τὸν Δαβίδ, ἀλλὰ πρὸς τὸν Θεὸν τὴν
σημασίαν ἔχει. Ἡ γὰρ πρότερον διὰ κακίας ἀποστᾶσα γῆ νῦν
διὰ τῆς ἐπιγνώσεως τοῦ Θεοῦ ἔσχε τὸ στάσιμον. Ἡμεῖς δὲ
πάντες ἐσμὲν ἡ γῆ τοῦ Θεοῦ, οἱ πρότερον ἐν τῷ ἀγαθῷ
10 ἀστατήσαντες καὶ διὰ τοῦτο ἐν κατάρᾳ γενόμενοι, μετὰ τοῦτο
δὲ τῆς κατάρας ἐξαιρεθέντες [b] καὶ τῆς ἐν τῷ ἀγαθῷ πάλιν
ἐπιτυχόντες στάσεως. Καὶ τοῦτο εὐθὺς ἡ ἀρχὴ τῆς ψαλμῳδίας
εὐαγγελίζεται, ὅτι τοῦ Κυρίου βασιλεύσαντος ἡ γῆ εὐφραίνεται. Ὡς ἂν εἴ τις λέγοι, ὅτι τοῦ ἡλίου λάμψαντος ἡ γῆ
15 φωτίζεται· οὕτως ἐπικρατούσης τοῦ Κυρίου τῆς βασιλείας ἐν
ἡμῖν ἐστιν ἡ εὐφροσύνη τῆς βασιλείας. Ἔχει δὲ ἡ λέξις οὕτως·
« Ὁ Κύριος ἐβασίλευσεν, ἀγαλλιάσθω ἡ γῆ· εὐφρανθήτωσαν
νῆσοι πολλαί [c]. » Καλῶς τὰς ψυχὰς τῶν ἐν τοῖς πειρασμοῖς τὸ
ἑδραῖόν τε καὶ ἀμετάθετον ἐπιδεικνυμένων « νήσους » ὠνόμα-
20 σεν, ἃς πάντοθεν μὲν διαλαμβάνει ἡ τῆς κακίας ἅλμη, οὐ μὴν
τοσοῦτον ἰσχύει προσπίπτουσα, ὡς καὶ σάλον τινὰ τῷ παγίῳ
τῆς ἀρετῆς ἐμποιῆσαι· εἶτα διὰ μέσου τούτων τὸ ἀθεώρητον
PG 532 τῆς θείας φύσεως ἐν τῇ νεφέλῃ καὶ τῷ γνόφῳ δι᾽
GNO 105 αἰνίγματος ἀποσημαίνει ὁ λόγος. | « Νεφέλη γάρ, φησί, καὶ
25 γνόφος κύκλῳ αὐτοῦ [d] », καὶ τὰ φοβερὰ τῆς ἀνταποδοτικῆς

AVB SLQXF

46 1 περὶ τοῦ ϟϛ᾽ add. in mg AB ‖ 6 δῆλον ὅτι F ‖ 13-14 ὅτι – εὐφραίνεται : post 15 φωτίζεται S om. QF ‖ 14 λέγῃ L λέγει (-οι sl) X ‖ 16 ἡ[1] om. B
‖ 17 ἀγαλλιάσεται AVBL ‖ εὐφρανθήσ<ο>νται S ἐφρανθήτωσαν v ‖ 18 τὸ
om. B ‖ 23 θείας om. A ‖ 24 ἀποσεμνύνει A ‖ φησί om. A ‖ 25 ἀνταποδοκῆς
(sic) V

a. Ps 96, 1a   b. Cf. Gn 3, 17 ; Ga 3, 10. 13   c. Ps 96, 1bc   d. Ps 96, 2

Le *Psaume* 96

46. De la même façon le psaume suivant n'a pas été admis à recevoir un titre des Hébreux, parce qu'il raconte ce qui nous concerne et annonce par la parole la bonne nouvelle de l'état stable de notre terre. Le titre adresse en effet le psaume à David en ces termes : « A David, quand sa terre a été rétablie [a]. » Or le mot « sa » se réfère évidemment non à David, mais à Dieu. Car la terre, qui s'est révoltée auparavant par malice, a obtenu aujourd'hui, par la connaissance de Dieu, la stabilité. Or nous, nous sommes tous la terre de Dieu : nous qui étions auparavant instables dans le bien et, pour cette raison, soumis à une malédiction, nous avons été ensuite soustraits à la malédiction [b] et nous avons retrouvé la stabilité dans le bien. Immédiatement le début du psaume annonce cette bonne nouvelle : puisque le Seigneur a régné, la terre se réjouit. Comme si l'on disait que, parce que le soleil a brillé, la terre est illuminée, ainsi, puisque le royaume du Seigneur domine, la joie du royaume est en nous. Tel est le texte : « Le Seigneur a régné, que la terre exulte, que de nombreuses îles se réjouissent [c]. » Il a heureusement nommé les âmes de ceux qui montrent au milieu des tentations fermeté et stabilité « des îles » que sépare de tous côtés la mer de malice, mais, assurément, sans être capable de se jeter contre elles au point d'aller jusqu'à ébranler la solidité de la vertu. Puis, au milieu d'elles, la parole signifie en énigme, dans la nuée et la ténèbre, l'invisibilité de la nature divine. Elle dit en effet : « Nuée et ténèbre autour de lui [d]. » Puis, après avoir

δυνάμεως ὑποδείξας, δι᾿ ὧν φησιν ὅτι « πῦρ ἐνώπιον αὐτοῦ προ-
πορεύσεται καὶ φλογιεῖ κύκλῳ τοὺς ἐχθροὺς αὐτοῦ ᵉ », ἐκκα-
λύπτει τὴν εὐαγγελικὴν φωταγωγίαν, « ἀστραπὰς » λέγων τοὺς
τοῦ θείου κηρύγματος λόγους, οἱ κατὰ πάσης τῆς οἰκου-
30 μένης ἐκλάμπουσιν· « Ἔφαναν γάρ, φησίν, αἱ ἀστραπαὶ αὐτοῦ
τῇ οἰκουμένῃ ᶠ »· καὶ τὸ ὕψος τῶν εὐαγγελικῶν μυστηρίων τῷ
ἐφεξῆς ὑποδείξας ἐν τῷ εἰπεῖν, ὅτι « Ἀνήγγειλαν οἱ οὐρανοὶ
τὴν δικαιοσύνην αὐτοῦ· καὶ εἴδοσαν πάντες οἱ λαοὶ τὴν δόξαν
αὐτοῦ ᵍ. » Τήν τε τῶν εἰδώλων καθαίρεσιν καὶ τὸν ἀφανισμὸν
35 τῆς τοιαύτης πλάνης προαγορεύσας, ἐν οἷς λέγει « Αἰσχυνθή-
τωσαν πάντες οἱ προσκυνοῦντες τοῖς γλυπτοῖς, οἱ ἐγκαυ-
χώμενοι ἐν τοῖς εἰδώλοις αὐτῶν ʰ », ἐπάγει τῶν ἀγαθῶν τὴν
σφραγῖδα, τὴν διὰ σαρκὸς γενομένην τοῦ Κυρίου τοῖς
ἀνθρώποις ἐμφάνειαν, λέγων· « Φῶς ἀνέτειλε τῷ δικαίῳ καὶ
40 τοῖς εὐθέσι τῇ καρδίᾳ εὐφροσύνη ⁱ. »

47. Καλῶς δὲ καὶ προσφυῶς ἡ τοῦ ἐφεξῆς ἀνεπιγράφου
ἀρχὴ πρὸς τὸ πέρας ταύτης τῆς ψαλμῳδίας συνάπτεται. Ἡ
γὰρ αὐτὴ δύναμις τῷ μὲν δικαίῳ φῶς τε καὶ εὐφροσύνη
γίνεται, ὀργὴ δὲ τῷ ἀπιστοῦντι λαῷ. « Ὁ Κύριος γάρ, φησίν,
5 ἐβασίλευσεν, ὀργιζέσθωσαν λαοί ᵃ. » Τίς οὗτος ὁ βασιλεύσας
Κύριος ; Ὁ τῆς ἀγγελικῆς τε καὶ οὐρανίας ὑπερκαθήμενος
φύσεως· διὰ γὰρ « τῶν Χερουβίμ » τὸ ἐξέχον τῆς ὑπερκοσμίου
δυνάμεως ὁ λόγος ἐνδείκνυται, οὗ ἡ βασιλεία διάλυσιν τοῦ
κακῶς συνεστῶτος ποιεῖ — οὐ γὰρ τὸ οὐράνιον τῶν ἐν ἡμῖν,

AVB SLQXF

28 φωταγίαν (sic) X ‖ 31 τὴν οἰκουμένην Q ‖ τῷ : τὸ VX ‖ 32 ὑποδεῖξαι L
‖ 35 λέγει : φησιν S ‖ 40 εὐθέσει A
47 4 γίνεται om. Q ‖ ὁ om. L ‖ γὰρ om. L ‖ 6 εὐαγγελικῆς Q ‖ οὐρανίας +
ἰσχύος S ‖ 7 φύσεως : κύριος QFv om. S ‖ 8 οὔ : οὐ L ‖ ἡ om. L ‖ βασίλεια
L ‖ διαλύουσι L ‖ 9 τῶν : τῷ V

e. Ps 96, 3   f. Ps 96, 4   g. Ps 96, 6   h. Ps 96, 7   i. Ps 96, 11
a. Ps 98, 1a

montré les effets redoutables de la puissance rétributrice qui
lui font dire qu'« un feu marchera devant lui et embrasera
tout autour ses ennemis [e] », elle dévoile l'illumination évangélique en appelant les paroles de la proclamation divine
« des éclairs » qui brillent sur toute la terre : « Ses éclairs ont
paru sur la terre [f] », dit-elle. Elle montre ensuite la hauteur
des mystères évangéliques par ces mots : « Les cieux ont
annoncé sa justice et tous les peuples ont connu sa gloire [g]. »
Après avoir prédit la destruction des idoles et la disparition
d'une telle erreur en disant : « Qu'ils aient honte tous ceux
qui se prosternent devant les images gravées, qui se glorifient
dans leurs idoles [h] », elle ajoute ce qui est le sceau des biens,
la manifestation aux hommes du Seigneur dans la chair, par
ces mots : « Une lumière s'est levée pour le juste et pour les
hommes droits de cœur, de la joie [i]. »

Les *Psaumes* 98 et 103

47. C'est de manière heureuse et avec à propos que le
début du psaume sans titre suivant se rattache à la fin de ce
psaume. Car la même puissance devient pour le juste lumière
et joie, mais colère pour le peuple incrédule. Il dit en effet :
« Le Seigneur a régné, que les peuples soient en colère [a]. »
Quel est ce Seigneur qui a régné ? Celui qui est assis
au-dessus de la nature angélique et céleste, car, par « les
Chérubins », la parole désigne l'éminence de la puissance
hypercosmique dont la royauté dissout le mauvais composé
− ce n'est pas ce qui en nous est céleste, mais terrestre

10 ἀλλὰ τὸ γήϊνον εἰς σάλον ἄγει —, οὑτωσὶ λέγων τῷ ῥήματι· « Ὁ
καθήμενος ἐπὶ τῶν Χερουβίμ· σαλευθήτω ἡ γῆ [b]. »

GNO 106   Καὶ τὰ | ἐφεξῆς παρίημι, ὡς ἂν μὴ πολὺν ὄχλον ἐπάγοιμι τῇ
ἀκολουθίᾳ τῆς ἐξηγήσεως τοσοῦτον εἰπών, ὅτι πάντα πρὸς ἕνα
καὶ τὸν αὐτὸν σκοπὸν βλέπει μέχρι τοῦ τέλους τῆς ψαλμῳδίας.
15 Διαμαρτύρεται γὰρ ὅτι οὗτος ὁ βασιλεύσας Θεὸς οὐ νῦν ἡμῖν
πέφηνε πρῶτον, ἀλλὰ καὶ τοῖς ὀνομαστοῖς τῶν προφητῶν
ἐμφανὴς ὁ αὐτός ἐστι. Διὸ Μωυσέως μέμνηται καὶ Ἀαρὼν καὶ
Σαμουήλ, ὧν ἕκαστος ἀπὸ τῆς εἰς τὸν Θεὸν εὐσεβείας
περίβλεπτός ἐστι καὶ ἀοίδιμος [c]. Προστίθησι δὲ τῷ λόγῳ καὶ
20 τῆς νεφέλης τὸν στύλον, ἐν ᾧ πρὸς αὐτοὺς ὁ Θεὸς διελέγετο [d],
διδάσκων, οἶμαι, τοὺς ἀπίστους διὰ τούτου μὴ ξενίζεσθαι πρὸς
τὴν δι' ἀνθρώπου γενομένην ἡμῖν τοῦ Θεοῦ ὁμιλίαν. Ὁ γὰρ
τότε ἐν τῷ στύλῳ τῆς νεφέλης λαλήσας Θεὸς μετὰ ταῦτα
« ἐφανερώθη ἐν σαρκί [e] » Ὥστε εἴ τις ἀναξίαν λέγοι τὴν σάρκα
25 τοῦ δι' αὐτῆς ἡμῖν τὸν Θεὸν λαλῆσαι, οὐδ' ἂν τῷ στύλῳ τῆς
νεφέλης τὴν ἀξίαν προσμαρτυρήσειεν. Τί γὰρ ἐν αὐτῇ τοιοῦτον, ὡς τῆς θείας μεγαλειότητος ἄξιον κρίνεσθαι ; Εἰ δὲ
πιστὸν τοῖς Ἰουδαίοις ἐστὶ τὸ ἐν στύλῳ νεφέλης τὸν Θεὸν
λαλῆσαι, μηδὲ τὸ ἐν σαρκὶ αὐτὸν λελαληκέναι ἄπιστον ἔστω,
30 ἄλλως τε καὶ τοῦ Ἡσαΐου τὴν σάρκα διὰ τῆς νεφέλης
PG 533   νοήσαντος· « Ἰδοὺ γάρ, φησί, Κύριος κάθηται ἐπὶ νεφέλης
κούφης [f]. » Καὶ τοὺς ἑπομένους αὐτῷ πάλιν ὁ αὐτὸς προφήτης
ὀνομάζει « νεφέλας », ἐν οἷς φησιν· « Τίνες οἵδε ὡς νεφέλαι
πέτανται [g] ; » Ὡς διὰ τῆς « τῶν νεφελῶν » ὁμωνυμίας τὸ

AVB SLQXF

10 σάλλον V ǁ 14 τοῦ F^sl ǁ 17 μωϋσέος SF ǁ 18 σαμουήλ : τοῦ praem.
AVBLv *Don* ǁ τὸν om. ASv ǁ 22 ἀνθρώπους A ǁ τοῦ θεοῦ om. QF ǁ 23 τῷ
F^sl ǁ 24 λέγει (-οι sl) X ǁ 30 ἀλλ' ὥστε Q ǁ 33 φησιν + ὅτι SLQXF ǁ τίνες :
τίς V ǁ οἶδεν V ǁ 34 πέτονται VBL ǁ νεφῶν QXF ǁ ὁμωνύας F

b. Ps 98, 1b   c. Cf. Ps 98, 6   d. Cf. Ps 98, 7   e. 1 Tm 3, 16   f. Is 19, 1
g. Is 60, 8

qu'elle ébranle – quand elle dit ces mots : « Celui qui est assis sur les Chérubins : que la terre soit ébranlée [b]. »

Je laisse de côté la suite pour ne pas trop gêner la logique de l'explication, me contentant de souligner que tout vise un seul et même but jusqu'à la fin du psaume. Il témoigne, en effet, que ce Dieu qui a régné ne nous est pas apparu d'abord à nous aujourd'hui, mais qu'il s'est manifesté aussi, lui, le même Dieu, aux célèbres prophètes. C'est pourquoi il mentionne Moïse, Aaron et Samuel qui sont, chacun, admirés et chantés pour leur piété envers Dieu [c]. Il ajoute à sa parole également la colonne de la nuée dans laquelle le Seigneur s'adressait à eux [d] : il enseigne par là, selon moi, aux incroyants à ne pas s'étonner de l'entretien avec Dieu que nous avons obtenu par l'intermédiaire d'un homme. Car Dieu qui parla alors dans la colonne de la nuée, ensuite « se manifesta dans la chair [e] », de telle sorte que, si l'on prétend que la chair n'est pas digne d'être le médiateur par lequel Dieu nous a parlé, on ne peut pas attester non plus la dignité de la colonne de la nuée. Car qu'y a-t-il en elle qui soit jugé digne de la grandeur divine ? Si les Juifs croient que Dieu a parlé dans une colonne de nuée, qu'ils ne trouvent pas non plus incroyable qu'il leur ait parlé dans une chair, d'autant plus qu'Isaïe a compris à travers la nuée la chair. Il dit en effet : « Voici que le Seigneur est assis sur une nuée légère [f]. » Et c'est encore le même prophète qui nomme ceux qui le suivent « nuées » là où il dit : « Qui sont ceux qui volent comme des nuées [g] ? » Ainsi, en employant le

35 συγγενὲς τῆς τοῦ Κυρίου σαρκὸς πρὸς τὴν λοιπὴν τῶν
ἀνθρώπων φύσιν ἐνδείξασθαι. Πρὸς τοῦτον οὖν τὸν Θεὸν τόν
ποτε μὲν διὰ νεφέλης, μετὰ ταῦτα δὲ διὰ σαρκὸς τοῖς
ἀνθρώποις λαλήσαντα, φησὶ προϊὼν ὁ Δαβίδ· « Κύριε ὁ Θεὸς
ἡμῶν, σὺ ἐπήκουες αὐτῶν· ὁ Θεός, σὺ εὐίλατος ἐγίνου αὐτοῖς
40 καὶ ἐκδικῶν ἐπὶ πάντα τὰ ἐπιτηδεύματα αὐτῶν ʰ. »

GNO 107 | Ὡς δ᾽ ἄν μή τις πρὸς τὴν οἰκονομίαν βλέπων εἰς ταπεινάς
τινας καὶ ἀνθρωπίνας ὑπολήψεις περὶ τὸ θεῖον κατολισθήσειεν,
ταύτην ἐπὶ τέλει τῆς ψαλμῳδίας ἐπάγει τὴν φωνὴν πρὸς ἡμᾶς
τρέψας τὸν λόγον· « Ὑψοῦτε Κύριον τὸν Θεὸν ἡμῶν καὶ
45 προσκυνεῖτε τῷ ὑποποδίῳ τῶν ποδῶν αὐτοῦ, ὅτι ἅγιός
ἐστιν ⁱ. » Τὴν δὲ διάνοιαν τῶν εἰρημένων ταύτην εἶναι ὑπο-
νοοῦμεν, ὅτι ὦ ἄνθρωποι, μεμήνυται μὲν ὑμῖν, ὡς δυνατὸν
δέξασθαι τὴν ἀνθρωπίνην ἀκοήν, τὰ θεῖα μυστήρια. Ὑμεῖς δὲ
διὰ τούτων ὁδηγηθέντες πρὸς τὴν εὐσεβῆ θεογνωσίαν, ὅσον
50 χωρεῖ ὑμῶν ὁ λογισμός, τοσοῦτον τοῦ Θεοῦ τὴν δόξαν
ὑψώσατε, εἰδότες ὅτι ὅσον ἂν ὑπερταθῇ ὑμῶν ἡ διάνοια καὶ
πᾶσαν παρέλθῃ ὑψηλὴν φαντασίαν ἐν ταῖς περὶ Θεοῦ ὑπολήψεσι, τότε τὸ παρ᾽ ὑμῶν εὑρισκόμενον καὶ προσκυνούμενον
οὐκ αὐτὴ ἡ μεγαλειότης τοῦ ζητουμένου ἐστίν, ἀλλὰ τὸ
55 ὑποπόδιον τῶν ποδῶν αὐτοῦ, τὸ ὑποβεβηκὸς διὰ τούτου καὶ
κάτω κείμενον τῆς διανοίας ἡμῶν συγκρίσει τῆς ἀνεφίκτου
καταλήψεως διερμηνεύων.

Εἶτα μετὰ τοῦτο οὐκ ὀλίγων ἐν τῷ μέσῳ παρεθέντων
ψαλμῶν, ἐν ἑκατοστῷ τρίτῳ, ὃν πολλοστὸν ἐν τοῖς καθ᾽
60 Ἑβραίους ἀνεπιγράφοις ἔταξεν, διαρρήδην θεολογεῖ τὸν

AVB SLQXF

35 λυπὴν V ‖ 37-38 τοῖς ἀνθρώποις διὰ σαρκὸς VB ‖ 38 προσιὼν Vᵃᶜ ‖
39 σὺ om. L ‖ ἐγένου BL ‖ 40 ἐπιδεύματα (sic) V ‖ 41 δ᾽ om. QF ‖ 42 κατο-
λίσθειεν X ‖ 44 ἡμῶν om. L ‖ 48 ἀνθρωπίνην om. QF ‖ 51 ὅσον ἂν codd. v :
ὅταν e corr. Don ‖ διανοί V ‖ 56 τῆς² Fᵖᶜ ‖ 57 διερμηνεύων codd. v : -νεύον
Jaeger Don ‖ 58 περὶ τοῦ ργ᾽ add. in mg AB ‖ παρεληλυθόντων A
παρελθόντων VB ‖ 59 πολλοστὸν : πολλοὶ τὸν L ‖ καθ᾽ : παρ᾽ v ‖ 60 ἑβραίας
A ἑβραίοις VB ‖ ἔταξεν : ἔδειξεν Av ‖ θεολογεῖ : ὁμολογεῖ S

h. Ps 98, 8   i. Ps 98, 5 ; cf. Ps 98, 9

même mot de « nuées », il montre la parenté de la chair du Seigneur avec le reste de la nature humaine. A ce Dieu, donc, qui a parlé alors aux hommes par une nuée, ensuite par une chair, David dit plus loin : « Seigneur notre Dieu, toi tu les as exaucés ; toi, Dieu, tu leur as été propice même en te vengeant de toutes leurs actions [h]. »

Mais, pour que personne, en voyant le plan divin, ne glisse dans des conceptions basses et humaines relatives à la divinité [1], il ajoute ces mots à la fin du psaume [2], en nous adressant la parole : « Exaltez le Seigneur notre Dieu et prosternez-vous devant l'escabeau de ses pieds, car il est saint [i]. » Le sens du texte est, selon notre conjecture, le suivant : hommes, c'est à vous qu'ont été révélés, autant que l'oreille humaine est capable de les recevoir, les mystères divins. Mais vous-mêmes, lorsque conduits par eux à la vraie connaissance de Dieu, vous avez exalté, autant que le permet votre raisonnement, la gloire de Dieu, vous saviez que votre esprit a beau se tendre au-dessus de lui-même et dépasser toute forme de représentation sublime dans ses conceptions relatives à Dieu, ce que vous trouvez alors et devant quoi vous vous prosternez ne se confond pas avec la majesté en elle-même de celui que vous cherchez, mais est l'escabeau de ses pieds – le prophète traduisant par cette expression ce qui en notre pensée est placé en-dessous et en bas par comparaison avec la compréhension qui lui est inaccessible.

Puis, ensuite, si on laisse de côté dans l'intervalle une quantité non négligeable de psaumes, au psaume cent trois, le dernier des psaumes qu'il a rangés dans la catégorie de ceux qui sont sans titre selon les Hébreux, il affirme expres-

1. Cf. 33, 19 s. qui abordait en termes proches le thème de l'apophatisme.
2. Grégoire paraît lire à la fin du psaume un texte que nous lisons au verset 5.

μονογενῆ Θεόν, ἐκείνῳ τῆς τοῦ παντὸς συστάσεως ἀνατιθεὶς
τὴν αἰτίαν. Λέγει γὰρ ἐπὶ τῆς τοῦ κόσμου κτίσεως τοῦ Δαβὶδ
ὄντα τὸν ψαλμὸν τοῦτον ἀνεπίγραφον εἶναι παρ᾽ Ἑβραίοις.
Σημαίνει δὲ τὸ ἐκείνους τὸν σκοπὸν τῆς προφητείας ταύτης μὴ
65 παραδέχεσθαι. Ἔχει δὲ ἡ ἐπιγραφὴ οὕτως· « Τοῦ Δαβὶδ ἐπὶ
τῆς τοῦ κόσμου γενέσεως, ἀνεπίγραφος παρ᾽ Ἑβραίοις [j]. » Τοῦ
δὲ ψαλμοῦ τούτου τὴν διάνοιαν ἐπὶ καιροῦ ἐκθησόμεθα, νῦν δὲ
ἡμῖν ἐξαρκέσει τοσοῦτον εἰπεῖν, ὅτι | ἡ αὐτὴ αἰτία, ἡ κατὰ τὴν
ἀπιστίαν λέγω τῶν Ἰουδαίων, καὶ τούτου τὴν ἐπιγραφὴν ἀπα-
70 ράδεκτον τοῖς Ἑβραίοις ἐποίησε.

ΚΕΦΑΛΑΙΟΝ Ι᾽

48. Χρὴ δὲ μηδὲ τὸ « διάψαλμα » παραδραμεῖν ἀθεώρητον.
Τοῖς μὲν οὖν πρὸ ἡμῶν μεταβολὴν τοῦ νοήματος ἢ προσώπου
ἢ πράγματος σημαίνειν ἐνομίσθη τὸ « διάψαλμα »· ἡμεῖς δὲ
τάς τε τῶν Πατέρων ὑπολήψεις οὐκ ἀποβάλλομεν καί τι καὶ
5 παρ᾽ ἑαυτῶν ἐννοῆσαι πρὸς τὴν τοῦ ῥητοῦ τούτου σημασίαν οὐ
κατοκνήσομεν. Τοιαύτην οὖν τινα τοῦ « διαψάλματος » κατελάβομεν τὴν διάνοιαν, ὅτι προϊούσης κατὰ τὸ ἀκόλουθον τῆς
ψαλμῳδίας, εἴ τις ἐγένετο μεταξὺ προφητεύοντος τοῦ Δαβὶδ

AVB SZ (l. 1) LQXF

70 spatium fere x litt. post ἐποίησε S
48 1 τέλος περὶ τῶν ἐπιγραφῶν add. in mg X ‖ 3 περὶ τοῦ διαψάλματος
ἑρμηνεία add. in mg V ἕως ὧδε (sic) περὶ τῶν ἐπιγραφῶν ἀπὸ τῶν ὧδε περὶ
τοῦ διαψάλματος add. in mg Z (non legitur in S) τ^ε π^ε τῶν ἐπιγραφῶν π^ε τὸ
διάψαλμα add. in mg. L περὶ τοῦ διαψάλματος add. in mg Q vel Q² XF ‖ 4
ἀποβάλομεν F ‖ 6 κατοκνήσαμεν V κατοκνήσωμεν B ‖ διαψάλματος (-ος p.c.)
F ‖ 8 ἥτις AQXFv

j. Ps 103, 1

1. Comme ce psaume ne sera plus mentionné, on a sans doute là un indice
de l'inachèvement du traité, à moins qu'il ne s'agisse d'un artifice rhétorique.

sément la divinité du Dieu monogène, lui attribuant la cause
de l'organisation de l'univers. Il affirme, en effet, que ce
psaume sur la création du monde, bien qu'il soit de David, est
sans titre chez les Hébreux. Il veut dire que ceux-ci n'admettent pas le but de cette prophétie. Tel en est le titre : « De
David, sur la genèse du monde, sans titre chez les
Hébreux [j]. » De ce psaume nous exposerons au moment
opportun le sens [1], qu'il nous suffise de dire maintenant
seulement ceci : la même cause, je veux parler de celle qui
concerne l'incroyance des Juifs, a également rendu ce titre
inacceptable aux Hébreux.

CHAPITRE X

Le sens du *DIAPSALMA*

L'enseignement du Saint-Esprit

48. Il ne faut pas non plus laisser sans examen le mot
« diapsalma ». Nos prédécesseurs ont pensé que le « diapsalma » désignait le changement de pensée, ou de personne,
ou de sujet [2]. Pour notre part, sans rejeter les conceptions des
Pères, nous ne craindrons pas d'avoir aussi notre propre idée
sur le sens de ce mot. Voici donc le sens de « diapsalma » que
nous avons saisi : dans le cours et l'enchaînement de la
psalmodie, si, pendant que David prophétisait, survenait une

---

2. De la préface aux *Libri in Psalmos* d'Origène, on a conservé le passage
suivant qui porte sur le *diapsalma* (*PG* 12, 1072 B) : « Souvent aussi, il se
produit au *diapsalma* un changement de pensée, quelquefois même un
changement de la personne qui parle » (trad. P. Nautin, *Origène*, p. 276).
Dans un autre fragment tiré, selon P. Nautin, des *Excerpta in totum Psalterium*, Origène écrit (*PG* 12, 1060 C) : « Les traducteurs ont-ils écrit
diapsalma à cause d'une mélodie musicale, d'un changement de rythme ou
pour un autre motif, à ton tour d'y réfléchir » (trad. Nautin, p. 281).

ἑτέρα τοῦ ἁγίου Πνεύματος ἔλλαμψις καὶ προσθήκη τις τοῦ
10 κατὰ τὴν γνῶσιν χαρίσματος ἐπ᾽ ὠφελείᾳ τῶν δεχομένων τὴν
προφητείαν, ἐπέχων ἑαυτοῦ τὴν φωνὴν καιρὸν ἐδίδου τῇ
διανοίᾳ δέξασθαι τῶν νοημάτων τὴν γνῶσιν τῶν γινομένων ἐν
αὐτῷ παρὰ τῆς θείας ἐλλάμψεως. Καὶ ὥσπερ πολλάκις τινὲς ἢ
ἐν ὁδῷ συμβαδίζοντες ἢ ἐν συμποσίοις τισὶν ἢ ἐν συλλόγοις
15 μετ᾽ ἀλλήλων διαλεγόμενοι, εἴ ποθεν ἀθρόως ἤχησις ταῖς
ἀκοαῖς προσβάλοι, παυσάμενοι τοῦ λόγου πρὸς τὸν ἦχον τῇ
διανοίᾳ συντείνονται, σχολὴν παρέχοντες δι᾽ ἡσυχίας τῇ ἀκοῇ
τοῦ γνῶναι τοῦ ἤχου τὴν δύναμιν, εἶτα παυσαμένης τῆς
προσηχούσης φωνῆς πάλιν τῶν πρὸς ἀλλήλους ἔχονται λόγων·
20 οὕτως ὁ μέγας Δαβὶδ ὑποφητεύων τῷ Πνεύματι, ἅ τε φθάσας
GNO 109   μεμαθήκει, | διεξήει τῇ μελῳδίᾳ· καὶ εἴ τι μεταξὺ λέγων ἐπε-
διδάσκετο, ὑπέχων τῷ πνευματικῶς ἐνηχοῦντι τὴν τῆς ψυχῆς
ἀκοὴν καὶ κατασιγάζων τὸ μέλος, ὧν ἂν πλήρης ἐγένετο νοημάτων, ταῦτα διεξήει πάλιν ἐνείρων τῇ μελῳδίᾳ τοὺς λόγους.
25 Ἔστιν οὖν τὸ « διάψαλμα », ὡς ἄν τις ὅρῳ περιλαβὼν εἴποι,
μεταξὺ τῆς ψαλμῳδίας γενομένη κατὰ τὸ ἀθρόον ἐπηρέμησις
πρὸς ὑποδοχὴν τοῦ θεόθεν ἐπεισκρινομένου νοήματος. Ἢ
οὕτω μᾶλλον ἄν τις ὁρίσαιτο τὸ « διάψαλμα » εἶναι διδασκαλίαν παρὰ τοῦ Πνεύματος τῇ ψυχῇ κατὰ τὸ ἀπόρρητον
30 ἐγγινομένην, τῆς περὶ τὸ νόημα τοῦτο προσοχῆς τὸ συνεχὲς
τῆς μελῳδίας ἐπικοπτούσης. Ὡς δ᾽ ἂν μὴ νομισθείη τοῖς
πολλοῖς σημεῖον γίνεσθαι τὴν σιωπὴν τοῦ ἐπιλελοιπέναι τὸν
προφητεύοντα τὴν τοῦ ἁγίου Πνεύματος δύναμιν, τούτου
χάριν τινὲς τῶν ἑρμηνέων ἀντὶ τοῦ « διαψάλματος » τὸ « ἀεὶ »

AVB SLQXF

9 ἔλλαψις (sic) V ‖ τις : τῇ L ‖ τοῦ² om. AVBL ‖ 11 ἐπεῖχεν QXF ‖ αὐτοῦ
QXF ‖ φωνὴν + καὶ QXF ‖ 15 ἀθρόον QF ‖ 16 παυσαμένου AVB ‖ 19 λόγον
V ‖ 20 τῷ om. v ‖ ἄστε VBLX ‖ 21 μεμαθήκη Q ‖ διεξείη ALQ διεξίει
VB ‖ 21-22 ἐδιδάσκετο A ὑπεδιδάσκετο L ‖ 22 πνευματικῶς codd. v :
πνεύματι τῷ Jaeger Don ‖ 24 διεξείη AL διεξίει VB ‖ 26 γενομένης Vac ‖
27 ἐπισκρινομένου Q ἐπικρινομένου v ‖ 28 ὁρίσαιτο : ὁρίσαι τὸ LQ ‖ τὸ om.
SQXF ‖ 31 μελῳδίας : ψαλμῳδίας QF ‖ μὴ om. A ‖ 32 γενέσθαι A ‖ τοῦ : τὸ
S

autre illumination du Saint-Esprit qui apportait la grâce d'un
supplément de connaissance susceptible d'assister ceux qui
recevaient la prophétie, il retenait sa voix et il offrait à sa
pensée l'occasion de recevoir la connaissance des idées qui lui
venaient de l'illumination divine. Comme, souvent, des gens
qui font route ensemble ou qui parlent entre eux à des festins
ou à des réunions, si soudain un bruit vient à frapper leurs
oreilles, s'arrêtent de parler et dirigent toute leur attention
vers le bruit pour avoir la possibilité d'entendre et de connaître dans le silence le sens de ce bruit, puis, quand le son a
cessé de retentir, reprennent leur entretien, ainsi le grand
David, se faisant l'interprète de l'Esprit, exposait par la
mélodie ce qu'il avait précédemment appris, et, s'il recevait
tout en parlant un enseignement supplémentaire, il tendait à
ce qui résonnait en lui spirituellement l'oreille de l'âme et
faisait taire son chant ; et les pensées dont il se pénétrait
alors, il les exposait en joignant à nouveau les paroles à la
mélodie. Donc, le « diapsalma », selon ce qu'on peut dire
dans le cadre d'une définition, c'est, au cours de la psalmodie, une halte soudaine pour accueillir la pensée d'origine
divine qui vient s'introduire. Ou bien l'on pourrait définir
plutôt le « diapsalma » comme l'enseignement de l'Esprit qui
se produit en secret dans l'âme, quand l'attention à cette
pensée brise la continuité de la mélodie. Et, pour que le
grand nombre n'interprète pas le silence comme le signe que
la puissance du Saint-Esprit abandonne celui qui prophétise,
pour cette raison, certains traducteurs, au lieu de « diapsalma » écrivent « toujours » dans ces intervalles, afin que, par

35 τοῖς διαλείμμασι τούτοις ἐγγράφουσιν, ὡς ἂν διὰ τούτου
μάθοιμεν ὅτι ἡ μὲν παρὰ τοῦ ἁγίου Πνεύματος ἐν τῇ ψυχῇ
διδασκαλία πάντοτε ἦν, ὁ δὲ ἑρμηνεύων τὰ ἐγγινόμενα θεόθεν
τῇ ψυχῇ νοήματα λόγος οὐ πάντοτε ἦν, ἀλλὰ τὸ μὲν ἐξεφώνει
τῆς διανοίας, τὸ δὲ ὑπεδέχετο. Ἐν ᾧ μὲν οὖν ἐξηγόρευε τὰ
40 ἐντυπωθέντα τῇ διανοίᾳ νοήματα, προήει δι᾿ ἀκολούθου ἡ
ψαλμῳδία· εἰ δέ τι τῶν θειοτέρων αὐτοῦ τὴν τῆς ψυχῆς ἀκοὴν
περιήχησεν, ὅλος τῆς ἀκροάσεως ἦν κατασιγάζων τὸ μέλος.

49. Ἀεὶ τοίνυν τοῦ ἁγίου Πνεύματος καὶ παρὰ τὸν τῆς
σιωπῆς καιρὸν ἐν αὐτῷ λαλοῦντος, ὁ λόγος ἐν διαλείμμασιν ἦν
– τὸ δὲ διάλειμμα παρὰ τῶν ἑρμηνευσάντων ὠνομάσθη
« διάψαλμα »· τῆς δὲ θεωρηθείσης ἡμῖν διαιρέσεως ἐν πάσῃ τῇ
GNO 110 5 βίβλῳ τῆς| ψαλμῳδίας τῆς πενταχῇ διῃρημένης δυνατόν ἐστι
καὶ ἐκ τούτων ἀληθῆ τὴν αἰτίαν ἀποδειχθῆναι, ἣν ἐνοήσαμεν,
ὅτι διά τινος προσαγωγῆς ἀεὶ πρὸς τὸ ὑψηλότερον δι᾿ ἑκάστου
τῶν τμημάτων χειραγωγεῖται ὁ δι᾿ αὐτῶν ὁδηγούμενος· μόνον
γὰρ τὸ τελευταῖον τῶν τμημάτων ἀπ᾿ ἀρχῆς εἰς τέλος ἐφ᾿
10 ἑκάστου ψαλμοῦ συνεχῆ τε καὶ ἀδιάσπαστον τὴν ὑμνῳδίαν
ἔχει, οὐδαμοῦ διαιρουμένην τῷ « διαψάλματι ». Ἥ τε γὰρ ἐφ᾿
ἑκάστου τῶν ἀναβαθμῶν ᾠδὴ [a] τοῦτον ἔχει τὸν τρόπον καὶ ὧν
ἐπιγραφή ἐστι τὸ « ἀλληλούϊα ». Δείκνυται γάρ, ὡς οἶμαι, διὰ
τῆς τοιαύτης παρατηρήσεως, ὅτι ἐν μὲν τοῖς ἄλλοις, ἅτε δὴ
PG 537 15 κατωτέροις οὖσι, χώραν ἔχει ὁ τὰ ὑψηλότερα ἐπεκδιδάσκων
νοήματα καὶ μεταξὺ παρενείρων τῇ ἀκολουθίᾳ τοῦ λόγου τῶν
πρὸς τὸ κρεῖττον δυναμένων ἀναγαγεῖν τὴν διάνοιαν. Ἡ δὲ διὰ
« τῶν ἀναβαθμῶν » τελείωσις καὶ οἷς προγραφή ἐστι τὸ
« ἀλληλούϊα », ἅτε δὴ τοῦ ἀκροτάτου τῶν πρὸς τὸ ἀγαθὸν

AVB SLQXF

35 ὡς + δ᾿ A ‖ τοῦτο V ‖ 38 λόγος om. Q ‖ 40 προήει : προείη AVBQ
προσηωει v ‖ 42 ὑπερήχησεν QXF‖ ὅλως V
49 l ἀεὶ : εἰ A ‖ 2 διαλείμματος V ‖ 4 πᾶσι Q ‖ 5 τῆς uncis incl. v om. Don
‖ 6 ἦν ἐνοήσαμεν X^{mg} ‖ 8 τῶν om. QF ‖ τμήματος QF ‖ διὰ L ‖ αὐτὸν Av ‖
9 τὸ om. v ‖ 16 παρενείρων + <τι> Jaeger Don ‖ τῶν + τε L ‖ 17 δυνάμεων
Q ‖ διὰ om. AVB ‖ 18 προγραφῆς (sic) V ‖ 19 τῶν : τὸν VB

a. Cf. Ps 119, 1 – 133, 1

là, nous apprenions que l'enseignement du Saint-Esprit dans l'âme était permanent, tandis que le discours qui traduit les pensées d'origine divine qui viennent dans l'âme n'était pas permanent : tantôt il exprimait sa pensée, tantôt il la recevait. Donc, lorsqu'il annonçait les pensées imprimées dans son esprit, la psalmodie avançait et suivait son cours ; mais si quelque inspiration plus divine retentissait à l'oreille de son âme, il était tout ouïe et faisait taire son chant.

La dernière section, un hymne sans intervalle

49. Donc, alors que le Saint-Esprit lui parlait toujours, même au moment du silence, le discours était dans des intervalles – l'intervalle a été appelé « diapsalma » par les traducteurs. Or, pour ce qui est de la division que nous avons observée dans l'ensemble du livre des psaumes qui se divise en cinq, il est possible de montrer à partir de là également que la raison que nous avons imaginée pour elle est vraie – par une avancée progressive à travers chacune des sections, celui qui est conduit par elles est guidé vers l'étape plus élevée. Car c'est seulement l'ultime section qui, du début à la fin, pour chaque psaume, présente un hymne continu et ininterrompu, puisqu'il n'est jamais divisé par le « diapsalma » : le chant pour chacun des degrés [a] a en effet ce caractère, comme les chants intitulés « allélouia ». Une telle observation montre, à mon avis, que dans le reste des psaumes, parce qu'ils sont inférieurs, se trouve celui qui ajoute à son enseignement des pensées plus élevées et les insère au fur et à mesure dans la suite de son discours, parmi celles qui sont susceptibles de faire avancer la pensée dans le sens du mieux. Mais la perfection par « les degrés » comme celle des psaumes dont l'en-tête est « allélouia », parce qu'elle

362   SUR LES TITRES DES PSAUMES (PS 3)

20 νοουμένων ἐπειλημμένη, οὐδεμιᾶς προσθήκης ἐστὶν ἐπιδεής,
αὐτὴ ἐν ἑαυτῇ διὰ πάσης κατηρτισμένη τῆς ἐν τῷ ἀγαθῷ
τελειώσεως· ὅπερ καὶ ἡ διάνοια τῆς ἐπιγραφῆς ἐπὶ τούτων
μαρτύρεται, «αἶνον Θεοῦ» τὸ ὑπερκείμενον ἅπαν κατονο-
μάζουσα. Ὥσπερ γὰρ ἡ κατὰ τὰς ἡλικίας τῶν σωμάτων
25 ἀναδρομὴ ὅρον ἔχει τὸ τῆς φύσεως στάσιμον, μεθ᾽ ὃ τὴν ἐπὶ τὸ
μεῖζον προσθήκην οὐ παραδέχεται, ἀλλ᾽ ἐν ἑαυτῷ διαμένει
πρὸς πάντα τὸν ὑπόλοιπον χρόνον, οὕτως ἐστὶ καὶ τῶν θείων
διδαγμάτων αὔξησίς τε καὶ στάσις, δι᾽ ὧν τούς τε νηπιώδεις
καὶ ἀτελεῖς τὴν διάνοιαν ταῖς καταλλήλοις τροφαῖς τιθηνου-
30 μένη διὰ γάλακτός τε καὶ τῶν τοιούτων εἰς αὔξησιν ἄγει, καὶ
GNO 111   τοῖς ἤδη τελείοις τὴν στερεὰν προτίθησι | τράπεζαν τοῖς διὰ
τῶν ἄλλων μαθημάτων προγυμνασθεῖσι τὰ τῆς ψυχῆς
αἰσθητήρια [b].

50. Οὐκοῦν τὸ μηδαμοῦ χρείαν γενέσθαι κατὰ τὸ ἔσχατον
τμῆμα τοῦ ἐν «διαψάλματι» τῶν ὑψηλοτέρων τι νοημάτων
ἐκδιδαχθῆναι τὸν ὑποφήτην τοῦ Πνεύματος σαφὲς ἂν εἴη τεκμήριον τὸν περὶ τούτου λόγον κατανοῆσαι, προθέντα ἐκεῖνα
5 τῆς ψαλμῳδίας τὰ μέρη τὰ διεσταλμένα τῷ «διαψάλματι»· ἐν
τῷ τρίτῳ τὴν γενομένην ἐκ τῆς τῶν ἐχθρῶν ἐπαναστάσεως
αὐτῷ συνοχήν τε καὶ ἀμηχανίαν προειπών [a], εἶτα διαστείλας
τὸ μέρος τῷ «διαψάλματι [b]», τὴν σωτήριον ἐκείνην φωνὴν
ἐπιθαρσήσας τῷ κατὰ τὸ ἀπόρρητον αὐτῷ ἐνηχήσαντι, ὅτι
10 «Σὺ δέ, Κύριε, ἀντιλήπτωρ μου εἶ, δόξα μου καὶ ὑψῶν τὴν

AVB SLQXF

20 ἐπιλημμένου Q ‖ 21 αὐτὴ Sᵃᶜ ‖ ἐν ἑαυτῇ : δι᾽ ἑαυτῆς Β ‖ διὰ πάσης : ἐν
ἁπάσης Β ‖ τῆς om. Α ‖ 22 ὅπερ + δὴ ν ‖ τῆς om. ν ‖ 23 ὑποκείμενον AVBL
‖ 24 τῶ (ν sl al. man.) V ‖ 25 μεθὸν V ‖ 26 αὐτῷ AVB ‖ 28 αὔξησις : ἡ praem.
Q ‖ 30 τοιούτων + καὶ AVBL ‖ 31 προτίθησι τὴν στερεὰν Β
50 3 εἰσδιδαχθῆναι Q ‖ 3-4 ἐκδιδαχθῆναι – τεκμήριον om. Α ‖ τεκμήριον
εἴη VB ‖ 4 τὸν...λόγον : ἐκ τῶν...λόγων Α ‖ προσθέντα ν ‖ 6 τῷ + γὰρ ν ‖
γινομένην X ‖ 8 σωτηρίαν L ‖ 9 τῷ : τὸ AVB ‖ ἐνηχήσαντι + εἰπὼν AVB ‖ 10
ἀντιλήμπτωρ L ‖ εἶ : ἡ L ‖ ὑψῶ (ν sl) F

b. Cf. He 5, 12. 14
a. Cf. Ps 3, 2   b. Ps 3, 3

vient couronner le sommet des pensées relatives au bien, n'a besoin d'aucun accroissement, faisant un avec elle-même par toute la perfection dans le bien. Ce dont témoigne aussi le sens du titre de ces psaumes nommant tout ce qui suit « louange de Dieu ». Car comme il en est de la croissance du corps suivant l'âge, qui a pour limite l'état naturel au-delà duquel il n'admet plus d'accroissement, mais demeure tel qu'il est pendant tout le temps qui lui reste, ainsi en va-t-il du développement et de la stabilité des enseignements divins qui permettent de nourrir les enfants dont l'esprit n'est pas formé par les nourritures appropriées – du lait ou des aliments semblables – pour les développer, et offrent la table solide à ceux qui sont déjà parfaits, eux qui, par les autres leçons, ont eu auparavant les sens de l'âme exercés [b].

Interprétation des premières occurrences du *diapsalma*

50. Si, donc, dans la dernière section, l'interprète de l'Esprit n'a jamais éprouvé le besoin d'être instruit dans un « diapsalma » d'une pensée plus sublime, ce peut bien être la preuve manifeste qu'il a compris la raison du « diapsalma » en ayant placé en tête ces parties du psautier qui se trouvent séparées par le « diapsalma ». Dans le troisième psaume, il évoque d'abord l'angoisse et l'impuissance que provoque en lui l'assaut ennemi [a], puis, après avoir séparé cette partie par le « diapsalma [b] », il fait confiance à celui qui a mystérieusement fait résonner en lui cette parole de salut : « Toi, Seigneur, tu es mon soutien, ma gloire et tu élèves ma

κεφαλήν μου ᶜ »· πάλιν ἐν διαλείμματι τὴν μελωδίαν ποιήσας,
μετὰ τὴν εὐχάριστον ἐκείνην φωνὴν ἣν πεποίηται λέγων
« Φωνῇ μου πρὸς Κύριον ἐκέκραξα, καὶ ἐπήκουσέ μου ἐξ ὄρους
ἁγίου αὐτοῦ ᵈ », διδάσκεται τίς ἐστι τῆς κοινῆς τῶν ἀνθρω-
15 πίνων κακῶν ἀμηχανίας ἡ λύσις. Καὶ τὸ κατὰ τὸ πάθος τοῦ
Κυρίου μυστήριον διδαχθεὶς ἐν τῇ γενομένῃ κατὰ τὸ ἀθρόον
ἐλλάμψει τοῦ Πνεύματος αὐτὸ τὸ πρόσωπον τὸ δεσποτικὸν
ὑποδύεται καί φησιν· « Ἐγὼ ἐκοιμήθην καὶ ὕπνωσα·
ἐξηγέρθην ὅτι Κύριος ἀντιλήψεταί μου ᵉ. » Τὸ δὲ δι᾿ ἀκριβείας
20 ἐκτίθεσθαι τὴν ἑκάστῳ τῶν ῥημάτων ἐγκειμένην διάνοιαν
παρέλκον ἂν εἴη, τοῦ λόγου πρὸς ἕτερα σπεύδοντος. Χρὴ
γὰρ πιστώσασθαι τὴν ἀποδοθεῖσαν περὶ τοῦ « διαψάλματος »
ἔννοιαν ἐξ αὐτῶν τῶν γεγραμμένων συνιστῶντας τὸν λόγον
καὶ ἐν τῷ τετάρτῳ « διαψάλματι », δι᾿ οὗ τὸ ἴσον μανθάνομεν.

GNO 112 | **51.** Πάσῃ γὰρ τρόπον τινὰ τῇ ἀνθρωπίνῃ φύσει περὶ τῆς τῶν
σπουδαζομένων ματαιότητος ἐμβοᾷ « βαρυκαρδίους » ὀνομάζων τοὺς υἱοὺς τῶν ἀνθρώπων, οἷς τὸ μάταιόν τε καὶ ἀνυπόστατον ψεῦδος ἐν ἀγάπῃ ἐστί ᵃ. Πάλιν ἐπηρεμήσας ὑποδείκ-
5 νυσιν ἐν τίνι ἐστὶν ἡ ἀλήθεια. « Γνῶτε γάρ, φησίν, ὅτι ἐθαυ-
μάστωσε Κύριος τὸν ὅσιον αὐτοῦ ᵇ »· δεικνύς, οἶμαι, διὰ « τοῦ
ὁσίου » τὸν Κύριον, καθὼς φησιν Μωυσῆς, ὅτι « Δίκαιος καὶ
PG 540   ὅσιος ὁ Κύριος ᶜ. » Εἶτα συμβουλὴν καταθέμενος, δι᾿ ὧν ἄν τις
ἐν καθαρότητι παρέλθοι τὸν βίον κριτής τε καὶ ἐπιγνώμων τῶν
10 τῆς ψυχῆς διανοημάτων γενόμενος, ἐν οἷς φησιν ὅτι « Ἃ

AVB SLQXF

12 πεποίητε V ποιεῖται (πε sl) F ‖ 14-15 ἀνθρώπων VB ‖ 19 ἀντιλήμψεται
L ‖ 20 ἑκάστων V ‖ 22 ἀποθεῖσαν Vᵃᶜᵗˣ ἀποδοθεῖσαν Vᵖᶜᵐᵍ ‖ περὶ om. A ‖
24 τετάρτῳ : δαυὶδ L ‖ διάψαλμα VBLQXF
51 4 ἐστί + καὶ AVB ‖ 5 ἀλήθεια + μᾶλλον δέ τίς ἐστιν ἡ ἀλήθεια SLX ‖
ἔγνωτε SLQXFv ‖ 7 μωσῆς L ‖ 8 ἄν : ὤν vid. Fᵃᶜ ‖ 10 διανομάτων (η sl al.
man.) V ‖ ὅτι om. QXF

c. Ps 3, 4   d. Ps 3, 5   e. Ps 3, 6

a. Cf. Ps 4, 3   b. Ps 4, 4   c. Dt 32, 4

tête [c]. » Produisant à nouveau la mélodie dans un intervalle après la parole d'actions de grâces qu'il a composée en ces termes : « De ma voix, j'ai crié vers le Seigneur et il m'a entendu depuis sa montagne sainte [d] », il apprend quelle est la délivrance de l'impuissance générale qu'entraînent les malheurs humains. Et instruit du mystère de la passion du Seigneur, sous l'illumination soudaine de l'Esprit, il revêt la personne même du maître et dit : « Pour ma part, je me suis endormi et j'ai dormi ; je me suis réveillé car le Seigneur me soutiendra [e]. » Il serait superflu d'exposer précisément le sens de chaque expression, alors que le discours nous presse vers d'autres. Il faut, en effet, confirmer le sens que nous avons donné du « diapsalma » à partir du texte lui-même en montrant son bien-fondé également dans le quatrième « diapsalma » dont nous tirons un enseignement semblable.

51. C'est, en effet, d'une certaine manière, à toute la nature humaine qu'il crie la vanité de ses aspirations en nommant les fils des hommes « des cœurs lourds » qui aiment le mensonge vain et inconsistant [a]. Après une nouvelle halte, il montre en quoi consiste la vérité : « Sachez, dit-il, que le Seigneur a jugé admirable son saint [b] », désignant, je crois, par « le saint » le Seigneur, comme le dit Moïse : « Juste et saint le Seigneur [c]. » Puis il donne le conseil, pour pouvoir franchir la vie dans la pureté, de devenir juge et examinateur des pensées de l'âme, par ces mots [1] : « Ce que vous dites en

---

1. Franchir la vie, c'est-à-dire mourir : voir d'autres exemples de la même expression réunis par M. Aubineau, *Virg*, p. 252, n. 1. Pour une analyse du sens de la κατάνυξις et des différentes interprétations du verset, voir M. Harl, « Les origines grecques du mot et de la notion de ' componction ' dans la Septante et chez ses commentateurs », *REAug* 32, 1986, repris dans *La langue de Japhet*, Paris 1994, p. 87 s.

λέγετε ἐν ταῖς καρδίαις ὑμῶν, ἐπὶ ταῖς κοίταις ὑμῶν
κατανύγητε [d] »· πάλιν πρὸς ἑαυτὸν ἀναχωρήσας τὴν ἀναίρεσιν
τῆς νομικῆς ζωοθυσίας αὐτός τε ἤκουσε καὶ ἐμβοᾷ τοῖς
ἀκούουσι· λέγει γὰρ μηδὲ ἐν ταῖς τῶν ἀλόγων ζῴων ἐπελπίζειν
15 σφαγαῖς τὸν τοῦ ψυχικοῦ καθαρσίου δεόμενον, ἀλλ' ἐπιγνῶναι
ποίαις « ὁ Θεὸς εὐαρεστεῖται θυσίαις [e] ». Διό φησιν· « Θύσατε
θυσίαν δικαιοσύνης καὶ ἐλπίσατε ἐπὶ Κύριον [f]. » Οὕτως καὶ
κατὰ τὸν ἕϐδομον τῶν ψαλμῶν προηγεῖται μὲν ὁ τῆς ἐντεύξεως λόγος, ἐν ᾧ δικαιολογεῖται πρὸς τὸν « δίκαιον κριτὴν [g] »
20 ὅτι οὐκ ἐξ ἀνταποδόσεως γίνεται παρὰ τῶν ἐχθρῶν ἡ κακία,
ἀλλ' ἐκεῖνοι ἀρχηγοὶ τῆς πονηρίας γίνονται· καὶ ὅτι ἴσον εἰς
ἁμαρτίαν οἴεται, καὶ προκατάρξαι κακίας καὶ τοῖς ἴσοις
ἀμύνασθαι τὸν ἀπάρχοντα [h]. Καὶ ταῦτα εἰπὼν πάλιν ὑπέχει
τὴν ἀκοὴν τῷ τὸ μέγα φανεροῦντι « τῆς εὐσεβείας μυστή-
25 ριον [i] », δι' οὗ γίνεται ἡ κατὰ τῶν ἀληθινῶν ἐχθρῶν παρὰ τοῦ
GNO 113   Κυρίου | ἐκδίκησις. Οὐ γὰρ ἔστιν ἄλλως καθαιρεθῆναι τῶν
ἀντικειμένων τὸ στῖφος, μὴ τοῦ Κυρίου ὑπὲρ ἡμῶν ἀνα-
στάντος· τῆς δὲ ἀναστάσεως θάνατον δεῖ πάντως προηγή-
σασθαι. Ὁ τοίνυν τὴν ἀνάστασιν τοῦ Κυρίου μηνύσας τὸ
30 συνημμένον τῇ ἀναστάσει συμπαρεδήλωσεν, λέγω δὴ τὸ κατὰ
τὸ Πάθος μυστήριον. Οὗ χάριν θεοφορηθεὶς ἐκ τῆς τοῦ
Πνεύματος τοῦ ἁγίου ἐπισκηνώσεως, « Ἀνάστηθι, φησί,
Κύριε, ἐν ὀργῇ σου, ὑψώθητι ἐν τοῖς πέρασι τῶν ἐχθρῶν
μου [j] », σημαίνων διὰ μὲν τῆς ὀργῆς τὴν ἀνταποδοτικὴν

AVB SLQXF

11 λέγεται V^{ac} ‖ 12 κατανύγηται V ‖ 16 θυσίαις + τῷ δικαίῳ L ‖ διό om.
L ‖ 21 ἀλλ' + ὅτι AVB ‖ 22 προκατάρξαι : τὸν προκατάρξαντα AVB
προκατάρξας L ‖ 23 ἀπάρχοντα : κατάρξαντα S ‖ ὑπηχεῖ AVB ‖ 24 τὸ μέγα
τῷ A ‖ 25 γίνεται om. S ‖ ἐχθῶν V ‖ 31 πάθος : πλῆθος L ‖ 32 φησίν A^{sl} al.
man. vid. ‖ 34 μου : σου ASv

d. Ps 4, 5   e. He 13, 16   f. Ps 4, 6   g. Ps 7, 12   h. Cf. Ps 7, 4-6   i. 1 Tm
3, 16   j. Ps 7, 7

votre cœur, sur vos lits éprouvez-en du remords [d]. » En faisant à nouveau retraite en lui-même, il a appris lui-même la
suppression du sacrifice d'animaux prescrit par la loi et il le
crie à ses auditeurs, car il affirme que l'homme qui cherche la
purification de l'âme ne place pas ses espoirs dans l'égorgement des bêtes dépourvues de raison, mais sait en quels
« sacrifices Dieu se complaît [e] ». C'est pourquoi il dit : « Sacrifiez un sacrifice de justice et espérez dans le Seigneur [f]. » Au
psaume sept également, c'est l'expression de la demande qui
se présente en premier : il y plaide devant le « juste juge [g] »
que ce n'est pas pour répondre au mal que les adversaires font
preuve de malice, mais que ceux-ci sont à l'origine de la
méchanceté ; et que c'est une même chose, selon lui, par
rapport au péché, d'être l'initiateur de la malice et de se
venger de celui qui commence par les mêmes moyens [h]. Puis,
sur ces paroles, il prête l'oreille à celui qui révèle le grand
« mystère de la piété [i] », par lequel s'accomplit la vengeance
du Seigneur contre les adversaires véritables. La troupe des
ennemis ne peut être détruite que si le Seigneur est ressuscité
pour nous ; or, il faut absolument qu'une mort précède la
résurrection. Donc, celui qui a annoncé la résurrection du
Seigneur a révélé en même temps ce qui est uni à la résurrection, je veux dire le mystère de la Passion. C'est pourquoi
divinement inspiré par l'inhabitation de l'Esprit saint, il
dit : « Ressuscite, Seigneur, dans ta colère, sois exalté
jusqu'aux termes de mes adversaires [j]. » Il désigne par la

35 δύναμιν τοῦ « δικαίου κριτοῦ » διὰ δὲ τῶν ἐφεξῆς τὸν ἀφανισμὸν τῆς κακίας. Ἐχθρὸν γὰρ τῇ φύσει μόνον τὸ ἐξ ἐναντίου
τῷ ἀγαθῷ θεωρούμενον, ὅπερ ἐστὶν ἡ κακία, ἧς τὸ πέρας
ἀφανισμός ἐστι καὶ εἰς τὸ μὴ ὂν μεταχώρησις. Ὁ τοίνυν εἰπὼν
ὅτι « Ὑψώθητι ἐν τοῖς πέρασι τῶν ἐχθρῶν μου » προμηνύει διὰ
40 τοῦ περατωθῆναι τῶν ἐχθρῶν τὴν κακίαν τὸ μηκέτι τὸν εἰς
κακίαν δρόμον τῇ ζωῇ ὑπολείπεσθαι. Ὡς γὰρ πέρας νόσου ἡ
ὑγίεια καὶ πέρας ὕπνου ἡ ἐγρήγορσις γίνεται − οὔτε δὲ ὁ
καθεύδων, ἕως ἐν τῷ ὕπνῳ ἐστί, πέρας τοῦ ὕπνου ἔχει οὔτε ὁ
νοσῶν [τῆς ὑγιείας] ἐν πέρατι τοῦ ἀρρωστήματος γίνεται·
45 ἀλλὰ διαδεξαμένης τὸν μὲν ἄρρωστον τῆς ὑγιείας, τὸν δὲ
GNO 114   καθεύδοντα τῆς ἐγρηγόρσεως | λέγομεν αὐτοὺς ἐν πέρατι
γεγενῆσθαι τοῦ ἐν ᾧ ἑκάτερος ἦν, τὸν μὲν τοῦ ὕπνου, τὸν δὲ
τῆς νόσου· οὕτω καὶ ἐνταῦθα τὴν εἰς τὸ μακάριον τῆς ἀνθρωπίνης φύσεως μεταβολὴν « πέρας τῶν ἐχθρῶν » κατωνόμασεν.

52. Ἕνα δὲ μόνον ἐξηλλαγμένον τρόπον « διαψάλματος » ἐν
πάσῃ τῇ βίβλῳ τῶν ψαλμῶν κατὰ τὸν ἔνατον ψαλμὸν
παρετηρήσαμεν. Οὐ γὰρ ἁπλῶς « διάψαλμά » φησιν, ἀλλ᾽
« ᾠδὴ διαψάλματος [a] ». Τάχα μὲν οὖν ἀνέστραπται κατά τι
5 σφάλμα γραφικὸν ὁ λόγος, ὥστε δεῖν λέγεσθαι μᾶλλον « ᾠδῆς

AVB SLQXF

35 τῶν : τὸν A ‖ 35-36 τὸν − κακίας : τὴν τοῦ διαβόλου κατάλυσιν VB ‖
37 τῷ ἀγαθῷ : τῇ φύσει X ‖ 37-49 ἧς − κατωνόμασεν : κακίαν δὲ οὐκ ἄν τις
ἁμάρτοι, τὸν διάβολον καλῶν· πέρας δὲ αὐτοῦ ἡ ἐξουσία ἐστίν· πρὸ γὰρ τῆς
τοῦ σωτῆρος ἐπιδημίας αὐτὸς τὴν οἰκουμένην ἐπλήρου βασιλεύων πάντων
τῶν γηγενῶν, καὶ τὸ θεῖον σέβας σφετεριζόμενος· μετὰ δὲ τὴν αὐτοῦ
παρουσίαν τῆς ἐξουσίας ἀφαιρεθεὶς· καὶ δραπέτου δίκην δεσμευθεὶς· ὑπὸ τῶν
ὑποχειρίων ἐμπαίζεσθαι καὶ καταπατεῖσθαι ὁ ποτὲ τύραννος καταδεδί-
κασται· καθά φησιν καὶ ὁ κύριος· ἰδοὺ δέδωκα ὑμῖν τὴν ἐξουσίαν τοῦ πατεῖν
ἐπάνω ὄφεων καὶ σκορπίων καὶ ἐπὶ πᾶσαν τὴν δύναμιν τοῦ ἐχθροῦ· καὶ τοῦτο
σαφῶς ἐπιστάμενος ὁ προφήτης εὔχεται λέγων· ἀνάστηθι κύριε ἐν ὀργῇ σου
καὶ ὑψώθητι καταπολεμήσας τὸν διάβολον εἰς πέρας αὐτοῦ τὸ βασίλειον
ἀγαγὼν VB ‖ 39 σου Sv ‖ 41 ἡ om. A ‖ 42 ὑγιεία SQXF ‖ ἡ om. A ‖ 44 νοσῶν
+ περὶ ALX + πρὸ S ‖ τῆς ὑγιείας (-γείας SQF) secl. Don ‖ πέρατι + παρὰ
QFv ‖ 48-49 ἀνθρωπίνη vid. Q
52 1 ἐξηλλαγμένου QF

a. Ps 9, 17

colère la puissance rémunératrice du « juste juge » et par ce qui suit la disparition du mal. Car le seul à être par nature un adversaire, c'est ce qu'on considère comme le contraire du bien, c'est-à-dire le mal : son terme c'est sa disparition et son passage au néant. Celui donc qui dit : « Sois exalté jusqu'aux termes de mes adversaires » annonce, du fait que la malice des adversaires est terminée, que la course au mal ne subsiste plus dans l'existence. Car, comme le terme de la maladie est la santé et le terme du sommeil le réveil – pas plus le dormeur, tant que dure son sommeil, ne met un terme à son sommeil que le malade ne sent un terme à son malaise ; mais, quand la santé a remplacé le malaise chez l'un et le réveil le sommeil chez l'autre, nous disons que chacun d'eux est arrivé au terme de l'état où il était, l'un le sommeil, l'autre la maladie –, de la même façon ici, la transformation de la nature humaine dans l'état bienheureux, il l'a nommée « terme des adversaires ».

Chant de *diapsalma*

52. Nous avons observé seulement une unique forme différente de « diapsalma » dans tout le livre des psaumes, au psaume neuf : il ne dit pas simplement « diapsalma », mais « chant d'un diapsalma [a] ». Peut-être l'expression a-t-elle été intervertie par une erreur de scribe, si bien qu'il faudrait lire

διάψαλμα» καὶ οὐκ «ᾠδὴν διαψάλματος».
προσήκει πρὸ ὀφθαλμῶν ἔχειν τὸ ἐν τῇ Ἀποκαλύψει τοῦ
Ἰωάννου ᵇ κείμενον κρῖμα κατὰ τῶν μεταποιούντων τὰ θεῖα
ἐκ προσθήκης ἢ ὑφαιρέσεως, φυλάσσοντες τὴν παραδοθεῖσαν
10 ἡμῖν ἐν τῷ μέρει τούτῳ τῆς Γραφῆς ἀκολουθίαν ἀναζητῆσαι
πειρασόμεθα τὴν αἰτίαν τοῦ «τῆς ᾠδῆς διαψάλματος», ἥτις
ἐστίν. Λογιζόμεθα τοίνυν ὅτι ἀπὸ τούτου καὶ μέχρις τοῦ
ἐφεξῆς «διαψάλματος» ἓν «διάψαλμα» ἦν, τοῦ ἁγίου Πνεύματος ἐντιθέντος τῷ Δαβὶδ τὰ τῆς προφητείας νοήματα. Ἀλλ᾽
15 οὐχ ὥσπερ ἐπὶ τῶν λοιπῶν, οὕτω καὶ ἐνταῦθα ἐγένετο. Ἐν μὲν
γὰρ τοῖς ἄλλοις οὐ κατὰ ταὐτὸν ἐνηργεῖτο ἥ τε κατήχησις ἡ
κατὰ τὸ ἀπόρρητον τῇ ψυχῇ παρὰ τοῦ Πνεύματος ἐγγινομένη
καὶ ἡ τῆς ἐντεθείσης αὐτῷ γνώσεως ἐξαγόρευσις· ἀλλὰ τῆς
καρδίας ἔνδοθεν διδασκομένης ὁ λόγος ἡσύχαζεν. Ἐνταῦθα δὲ
20 ὁμοῦ τὰ δύο καὶ κατὰ ταὐτὸν ἐνεργεῖται, καὶ παραγίνεται
αὐτῷ μεταξὺ προφητεύοντι ἡ τῶν ὑψηλοτέρων νοημάτων
διδασκαλία παρὰ τοῦ Πνεύματος καὶ τὸ συνεχὲς τῆς μελῳδίας
οὐ διακόπτεται· ἀλλ᾽ ἐμφυὲν τῷ ὀργάνῳ τοῦ προφήτου τὸ
Πνεῦμα τὸ ἅγιον, αὐτὸ κατὰ τὴν ἰδίαν γνώμην κινεῖ τὰ
25 φωνητικὰ αἰσθητήρια, ὡς μήτε τὴν ᾠδὴν διαλιπεῖν μήτε
ἐμποδισθῆναι | τὴν διδασκαλίαν τῷ φθόγγῳ· αὕτη γὰρ ἡ
διδασκαλία τοῦ Πνεύματος «τὸ μέλος» ἦν, καθὼς ὀνομάζει ὁ
Σύμμαχος.
    Ἐν πολλοῖς δὲ μέρεσιν τῆς ψαλμῳδίας εὑρισκομένης τῆς
30 τοιαύτης διαστολῆς, ἀρκοῦν ἂν εἴη διὰ τῶν εἰρημένων ἔφοδον
κοινὴν τῆς τοῦ «διαψάλματος» κατανοήσεως παρασχομένους
μηκέτι πᾶσιν δι᾽ ἀκριβείας ἐπεξιέναι τοῖς «διαψάλμασι».

AVB SLQXF

8 κείμενον om. QF ‖ 11 περασόμεθα (ι sl) V ‖ 14 τῷ : τοῦ L ‖ νήματα (ο sl)
V ‖ 16 οὐ om. ALQXF ‖ 18 ἀλλὰ + γὰρ QXF ‖ 20 καὶ¹ om. S ‖ καὶ παραγίνεται : καίπερ ἐγγίνεται L ‖ 22 παρὰ : διὰ Q ‖ 25 μήτε¹ : μηδὲ AVBL ‖
διαλειπεῖν VBL ‖ 26 αὐτὴ S ‖ 32 πάσῃ Q

---

b. Cf. Ap 22, 18-19

plutôt « diapsalma d'un chant » et non « chant d'un diapsalma ». Mais puisqu'il convient de garder sous les yeux la
condamnation qui se trouve dans l'Apocalypse de Jean [b] de
ceux qui modifient les divines paroles par un ajout ou un
retranchement, nous conserverons l'ordre qui nous a été
transmis dans cette partie de l'Écriture et nous chercherons
quelle raison explique le « chant d'un diapsalma ». Nous
pensons donc que de ce « diapsalma » au suivant, il y avait un
seul « diapsalma » où le Saint-Esprit inspirait à David les
pensées de la prophétie. Mais il n'en est pas allé là comme
pour le reste. Dans les autres cas, en effet, ce n'est pas en
même temps que s'accomplissaient l'instruction que l'Esprit
réalisait mystérieusement dans son âme et l'expression de la
connaissance qu'il lui avait inspirée, mais, pendant que l'intimité de son cœur s'instruisait, son discours faisait relâche.
Là, au contraire, les deux opérations se produisent ensemble
et sont simultanées : pendant qu'il prophétise, l'Esprit lui
inspire l'enseignement des pensées sublimes sans que la
continuité de la mélodie soit interrompue. Au contraire,
s'unissant à l'instrument du prophète, l'Esprit saint oriente
lui-même, selon son propre vœu, les organes de la voix, de
telle sorte que le chant n'est pas plus coupé que l'enseignement n'est gêné par le son. Car cet enseignement de l'Esprit,
c'était sa « mélodie », selon l'expression de Symmaque.

Puisqu'une telle pause se trouve dans de nombreuses
parties du Psautier, qu'il nous suffise d'avoir proposé par ce
que nous avons dit une introduction générale pour la compréhension du « diapsalma » sans passer en revue dans le
détail tous les « diapsalma » : il serait superflu et inutile, en

Παρέλκον γὰρ ἅμα καὶ περιττὸν ἐμφιλοχωροῦντα τοῖς ἐγνωσ-
34 μένοις διὰ τῶν ὁμολογουμένων μηκύνειν τὸν λόγον.

ΚΕΦΑΛΑΙΟΝ ΙΑ΄

53. Ἀλλὰ καὶ τοῦτο ἄν τις εἰκότως ἐπιζητήσειε, τί δήποτε
τῇ ἀκολουθίᾳ τῆς ἱστορίας ἀσύμφωνός ἐστιν ἡ τάξις τῆς
ψαλμῳδίας. Εἰ γάρ τις προσέχοι τῷ τε χρονικῷ διαστήματι, ἐν
ᾧ γέγονεν ἡ ζωὴ τοῦ Δαβὶδ καὶ τῇ τῶν πραγμάτων ἀκολουθίᾳ,
5 οὐκ ἂν εὕροι τὴν τῶν ψαλμῶν θέσιν τῇ τάξει τῆς ἱστορίας
συμβαίνουσαν. Φαμὲν τοίνυν ἐπὶ τὸν πρῶτον ἡμῶν τοῦ λόγου
σκοπὸν ἀνατρέχοντες, ὅτι οὐδενὸς τούτων μέλει τῷ διδασκάλῳ ἡμῶν. Διδάσκαλον γάρ, οἶμαι, ὀνομάζειν δεῖ τὸ Πνεῦμα
τὸ ἅγιον, καθώς φησιν ὁ Κύριος ὅτι « Ἐκεῖνος διδάξει ὑμᾶς
10 πάντα [a]. » Τούτῳ τοίνυν τῷ καθηγητῇ τῶν ψυχῶν ἡμῶν καὶ
διδασκάλῳ πάρεργα τὰ ἄλλα πάντα δοκεῖ, σπουδὴ δὲ τὸ
περισώσασθαι τοὺς ἐν τῇ ματαιότητι τῆς ζωῆς πλανωμένους
καὶ πρὸς τὴν ἀληθῆ ζωὴν ἐφελκύσασθαι. Παντὶ γὰρ τῷ κατά
τινα σκοπὸν κατορθουμένῳ τάξις τις ἔπεστι φυσική τε καὶ
15 ἀναγκαία ἡ δι᾽ ἀκολούθου κατορθοῦσα τὸ σπουδαζόμενον.
Ὥσπερ τοίνυν ἐπὶ τῶν λιθογλύφων, σκοπὸς μὲν αὐτοῖς τῆς
ἐργασίας ἐστὶ τὸ πρός τι τῶν ὄντων ὁμοιῶσαι τὸν λίθον, οὐκ

εὐθὺς δὲ τὸ ἔργον ἀπὸ τοῦ πέρατος ἄρχεται, | ἀλλ᾽ ἐπιτίθησιν
ἀναγκαίαν τινὰ τῇ σπουδῇ τάξιν ἡ τέχνη, ἧς ἄνευ οὐκ ἂν τὸ

AVB SLQXF

53 1 εἰκότος Q ‖ 2 σύμφωνός L ‖ 3 προσέχει Q ‖ τε om. Q ‖ τε χρονικῷ : τεχνικῷ (τε mg) V ‖ 5 πρόθεσιν B ‖ 6 ἐπὶ : ὅτι Q ‖ τοῦ
λόγου ἡμῶν X ‖ 7 μέλλει LQF ‖ 8 γὰρ + ἄν VBLQXF ‖ ὀνομάζει B ‖ δεῖν
VBSLQX ‖ 9 διδάξῃ L ‖ 11 πάρεργα + μὲν S ‖ πάντα F[mg] al. man. ‖ 13 τῷ :
τὸ Q ‖ 14 σκοπῷ A ‖ ἐπέστη vid. Q ‖ 16 τοίνυν om. VB ‖ 18 πέρας L ‖
19 ἀναγκαία V ‖ τῇ σπουδῇ om. A

a. Jn 14, 26

s'attardant sur ce qui est connu, d'allonger notre propos sur un sujet qui fait l'objet d'un accord.

CHAPITRE XI

LE SENS DE LA CONTRADICTION ENTRE L'ORDRE DES PSAUMES ET LA CHRONOLOGIE DES ÉVÉNEMENTS

53. Mais il serait également légitime de rechercher dans quelle mesure l'ordre du psautier ne s'accorde pas avec l'enchaînement historique. Car, si l'on prête attention à l'intervalle de temps dans lequel s'est déroulée la vie de David et à l'enchaînement des événements, on ne peut pas trouver de correspondance entre la place des psaumes et l'ordre de l'histoire [1]. Nous disons donc, en revenant au premier but de notre texte, que notre maître ne se soucie nullement de cela. Car il faut appeler maître, je crois, l'Esprit saint, selon la parole du Seigneur : « Celui-ci vous enseignera toutes choses [a]. » A ce guide et à ce maître de nos âmes tout semble négligeable, sauf le soin apporté à sauver ceux qui errent parmi les vanités de l'existence et à les attirer à l'existence véritable. Car pour tout ce qui se réalise suivant un certain but, il existe un ordre naturel et nécessaire qui réalise par un enchaînement progressif ce qui est recherché.

L'EXEMPLE DE LA SCULPTURE

Ainsi, il en va comme pour les sculpteurs dont le but du travail est de rendre la pierre semblable à un objet existant [2] : l'œuvre n'est pas commencée d'emblée par la fin, mais les règles de l'art imposent à leurs efforts un certain

---

1. Problème traditionnel dans les commentaires du Psautier posé par Origène, *In Ps*, *Praefatio*, *PG* 12, 1073 C – 1076 B, et Eusèbe, *In Ps* 51, 3, *PG* 23, 444C – 445 B.
2. Sur la comparaison avec la sculpture, cf. Plotin, *Enn.* I, 6, 9.

20 σπουδαζόμενον γένοιτο. Χρὴ γὰρ πρῶτον μὲν ἀπορρῆξαι τῆς
συμφυοῦς πέτρας τὸν λίθον. Εἶτα περικόψαι τὰς προβολὰς τῶν
ἀχρήστων πρὸς τὴν τοῦ προκειμένου μίμησιν ἐξεχόντων καὶ
οὕτως κοιλᾶναι διὰ τῆς ἐργασίας ἐκεῖνα τοῦ λίθου τὰ μέρη. Ὧν
ἐξαιρεθέντων, ἄρχεται περὶ τὸ λειπόμενον ἐνορᾶσθαι τὸ
25 σχῆμα τοῦ ζῴου, περὶ ὃ τὴν σπουδὴν ὁ τεχνίτης ἔχει· καὶ μετὰ
τοῦτο λεπτοτέροις τισὶ καὶ ὁμαλωτέροις ὀργάνοις περιξέειν τε
καὶ ἀπολεαίνειν τὴν τοῦ λίθου τραχύτητα, καὶ τότε τῆς ἀρχε-
τύπου μορφῆς ἐπιβάλλειν τῷ ὑπολελειμμένῳ τὴν ὁμοιότητα,
λαμπρύνειν τε μετὰ ταῦτα καὶ λειοτέραν ποιεῖν τοῦ λίθου τὴν
30 ἐπιφάνειαν, δι᾽ ὧν οἶδεν ἡ τέχνη τὸν τοιοῦτον ἐπιβάλλειν
κόσμον τῷ ἔργῳ· κατὰ τὸν αὐτὸν τρόπον πάσης ἡμῶν διὰ τῆς
ὑλικῆς προσπαθείας ὥσπερ ἀπολιθωθείσης τῆς φύσεως, ὁ
πρὸς τὴν θείαν ὁμοίωσιν λατομῶν ἡμᾶς λόγος ὁδῷ τινι καὶ
ἀκολουθίᾳ πρὸς τὸ τοῦ σκοποῦ πέρας προέρχεται, πρῶτον
35 χωρίζων ἡμᾶς οἷόν τινος συμφυοῦς πέτρας, τῆς κακίας λέγω,
ᾗ διά τινος σχέσεως ἦμεν προσπεφυκότες· εἶτα περικόπτει τῆς
ὕλης τὰ περιττά· μετὰ τοῦτο τυποῦν ἄρχεται πρὸς τὴν
ὁμοίωσιν τοῦ σκοποῦ τὸ ἐγκείμενον τῇ περιαιρέσει τῶν
κωλυόντων τὴν μίμησιν· καὶ οὕτως διὰ τῆς λεπτοτέρας τῶν
40 νοημάτων διδασκαλίας ἐπιξύων τε καὶ καταλεαίνων ἡμῶν τὴν
διάνοιαν, τότε διὰ τῶν τῆς ἀρετῆς τύπων ἐμμορφοῖ ἡμῖν τὸν
Χριστόν· οὗ κατ᾽ εἰκόνα ἐξ ἀρχῆς τε ἦμεν καὶ πάλιν γινό-
μεθα ᵇ.

AVB SLQXF

23 οὕτως om. X ‖ κοιλᾶν Av ‖ τὰ μέρη τοῦ λίθου S ‖ 24 λειπομένων Q ‖
26 περιξαίειν LX ‖ 27 τότε + τὴν LQXF ‖ 28 μορφὴν Fᵃᶜ ‖ ἐπιβαλεῖν L ‖
ὑπολειπομένῳ AVB ‖ 29 τελειοτέραν B ‖ 30 οἶδεν : οὐδὲν A ‖ ἐπιβάλειν Vᵃᶜ
vid. ‖ 31 ὑμῖν A ἡμῖν VB ‖ 32 φύσεως : ἀνθρωπότητος S ‖ 33 post ἡμᾶς add.
ὁ et eras. V ‖ 36 ᾗ : εἰ AVB ‖ 39 τῆς Vᵖᶜ ‖ 41 τὸν...τύπον Av ‖ 42-43 γενώμεθα
L

b. Cf. Gn 1, 26-27 ; Ga 4, 19 ; Rm 8, 29 ; Ph 3, 21

ordre sans lequel ils ne pourraient pas atteindre ce qu'ils recherchent. Il faut d'abord détacher la pierre du bloc attaché à elle, rogner ensuite tout autour les saillies parmi les proéminences inutiles pour l'imitation de l'objet proposé et de la même manière travailler la pierre en creusant ces parties qui, une fois enlevées, laisseront voir dans ce qui reste le début de la forme de l'être vivant qui fait l'objet des efforts de l'artiste ; et puis, au moyen d'outils plus fins, à la surface plus régulière, racler et lisser les aspérités de la pierre et alors donner à ce qui reste la ressemblance de la forme du modèle, enfin rendre brillante et plus unie la surface de la pierre, autant de procédés par lesquels l'art sait donner à l'œuvre une si grande beauté. De même, toute notre nature ayant été, pour ainsi dire, pétrifiée par l'inclination vers la matière, la parole qui nous taille à la ressemblance de Dieu suit, pour atteindre le but, un certain chemin et une certaine progression : tout d'abord, elle nous sépare, pour ainsi dire, d'une sorte de bloc de rocher attaché à nous, je veux dire la malice à laquelle nous étions portés par une certaine relation [1] ; puis elle rogne tout autour de la matière première le superflu ; après quoi elle commence à façonner l'objet à la ressemblance du but, en faisant disparaître ce qui s'oppose à l'imitation ; et ainsi, par l'enseignement plus fin des idées, en raclant et en polissant notre pensée, elle dessine en nous, au moyen des figures de la vertu, la forme du Christ à l'image de qui nous étions au commencement et nous sommes à nouveau [b].

1. Noter l'utilisation de la notion grammaticale et philosophique de relation (σχέσις) qui vient corriger celle de φύσις contenu dans le verbe προσφύω. Le mal, qui est non-être, est en l'homme d'une manière relative et non substantielle, selon un rapport seulement extrinsèque et accidentel. Sur l'emploi du terme chez les philosophes et les grammairiens, voir P. HOFF-MANN, « Les catégories που et ποτε chez Aristote et Simplicius », dans *Concepts et catégories dans la pensée antique*, Paris 1980, p. 231-235.

54. Τίς οὖν ἐστιν ἡ τῆς γλυφῆς τῶν ἡμετέρων ψυχῶν τάξις ;
Ἐν τῷ πρώτῳ τμήματι τῆς ψαλμῳδίας τῆς ἐν κακίᾳ ζωῆς

ἀπεσχίσθημεν· ἐν δὲ τοῖς ἐφεξῆς διὰ τῆς | προσεχοῦς ἀκολου-
θίας ἐπὶ τὸ τέλειον προήχθη ἡ μίμησις. Σύγκειται τοίνυν τῶν
5 ψαλμῶν ἡ τάξις, ἐπειδὴ τὸ σπουδαζόμενόν ἐστι τῷ Πνεύματι,
καθὼς εἴρηται, οὐχ ἱστορίαν ἡμᾶς διδάξαι ψιλήν, ἀλλὰ τὰς
ψυχὰς ἡμῶν δι᾽ ἀρετῆς κατὰ Θεὸν μορφῶσαι, ὡς ἐπιζητεῖ τὸ
τῆς διανοίας τῶν ἐν τοῖς ψαλμοῖς γεγραμμένων ἀκόλουθον,
οὐχ ὡς ἡ ἱστορικὴ βούλεται ἀκολουθία. Καθάπερ γὰρ ἐπὶ τοῦ
10 ἐκτεθέντος ἡμῖν τοῦ κατὰ τὴν γλυφὴν ὑποδείγματος πολλῶν
ἐστιν ὀργάνων πρὸς τὴν τοῦ ἀγάλματος ἀπεργασίαν χρεία τῇ
τέχνῃ — τὰ δὲ ὄργανα ταῦτα οὐχ ὁμοίως ἔχει πρὸς ἄλληλα
κατὰ τὸν τύπον τοῦ σχήματος, ἀλλὰ τὸ μὲν ἑλικοειδῶς κατὰ τὸ
ἄκρον τετύπωται, τὰ δὲ πριονώδη τὴν ἀκμὴν ἔχει· ἄλλα σμι-
15 λοειδῶς κατεσκεύασται ἑτέροις περιῆκται τὸ εἶδος εἰς ἡμι-
κύκλιον· πάντα δὲ ταῦτα καὶ τὰ τοιαῦτα κατὰ τὸν ἴδιον
ἕκαστον καιρὸν ὑπουργεῖ τῷ τεχνίτῃ —, οὕτως τῷ ἀληθινῷ
ἐπιστάτῃ τῷ τεχνικῶς διαγλύφοντι ἡμῶν τὰς ψυχὰς πρὸς τὴν
τοῦ θείου ὁμοίωσιν οἷον ὄργανά τινα λιθογλυφικὰ αἱ ψαλ-
20 μῳδίαι παρεσκευάσθησαν, τὴν δὲ τῶν ὀργάνων τούτων χρῆσιν
ἡ χρεία τῆς ἐργασίας εἰς τάξιν ἄγει. Καὶ οὐ μέλει τῷ τεχνίτῃ
πολυπραγμονεῖν, ποῖον ἐν τοῖς ὀργάνοις πρὸ τοῦ ἑτέρου
κεχάλκευται, ἵνα τὸ ἐν τῇ κατασκευῇ πρῶτον καὶ ἐν τῇ
συνεργίᾳ τῆς γλυφῆς γένηται πρῶτον. Ὁ γὰρ τῇ χρείᾳ
25 προσέχων πρῶτον καὶ δεύτερον καὶ πολλοστὸν ἐκεῖνο ποιεῖ, ὃ
συμβουλεύει ἡ χρεία. Εἴτε οὖν ἐν πρώτοις τὰ κατὰ τὸν Γολιὰθ
καὶ τὸν Σαούλ ἐστι πράγματα [a], εἴτε ἐν ἐσχάτοις τὰ κατὰ τὸν

AVB SLQXF

54 1 ψυχῶν om. A ‖ 4 ἤχθη AVB ‖ 6 ἀλλὰ (λ sl) V ‖ 10 πολῶν A ‖ 13
τὸ[1] : τὰ VB ‖ 14-15 σμηλοειδῶς VBLQXF ‖ 16 κατὰ om. AVB ‖ 21 ἡ F[sl] ‖
μέλλει LQ ‖ 23 κεχάλκευται : καὶ χάλκευται (ἐ ante χ eras.) V ‖ τὸ : τῷ A ‖
24 ὃ : οὐ L ‖ 25 ποιεῖν L ‖ 26 τὰ om. AVB ‖ 27 πραγματεία AVB ‖ τὰ om. Q

a. Cf. 1 Rg 17 – 31

54. Quel est donc l'ordre que suit la sculpture de nos âmes ? Dans la première section du Psautier, nous avons été séparés de la vie passée dans le vice ; celles qui suivent ont amené par un enchaînement continu l'imitation à sa perfection. L'ordre des psaumes est donc cohérent, puisque ce que recherche l'Esprit, comme on l'a dit, n'est pas de nous enseigner simplement l'histoire, mais de conformer nos âmes par la vertu à Dieu, selon ce que poursuit l'enchaînement du sens de ce qui est écrit dans les psaumes, non selon les exigences de l'enchaînement historique. Comme, en effet, dans l'exemple de la sculpture que nous avons exposé, il faut à l'art beaucoup d'instruments pour réaliser la statue – or ces instruments ne se ressemblent pas dans leur aspect caractéristique : l'un est façonné à son extrémité en forme de spirale, ceux-là présentent un tranchant en forme de scie, d'autres sont fabriqués en forme de ciseaux, d'autres sont disposés selon une forme semi-circulaire ; mais tous ceux-ci et de semblables, chacun à un moment qui lui est propre, assistent l'artiste –, de même le chef véritable qui sculpte avec art nos âmes à la ressemblance de la divinité avait à sa disposition les psaumes comme des instruments à tailler la pierre – et les besoins de l'exécution imposent un ordre à l'utilisation de ces instruments. De plus, l'artiste ne se soucie pas de savoir quel instrument a été forgé avant l'autre pour que le premier dont il dispose soit aussi le premier à l'aider pour l'exécution de la sculpture. Car celui qui prête attention au besoin réalise en premier ou en second ou à la suite ce que conseille le besoin. Ainsi la question de savoir si viennent en premier les événements relatifs à Goliath et à Saül [a] ou si viennent en dernier

PG 545

GNO 118

'Αβεσσαλὼμ καὶ τὸν Οὐρίαν [b] καὶ οἱ τοῦ Χουσὶ λόγοι [c] καὶ ἡ
κατὰ τὴν Βηρσαβεὲ συντυχία [d], μέλει τούτων οὐδὲν τῷ
30 μορφοῦντι διὰ τούτων τὰς καρδίας ἡμῶν, ἀλλ' ὅπως ἂν δι'
ἑκάστου τούτων γένοιτό τις πρὸς τὸ | ἀγαθὸν ἡμῖν συνεργία.

55. Πρὸς τοῦτο βλέπει καὶ ἡ πρὸς τὴν σωτηρίαν ἀκολουθία,
καὶ τάξις ἀρίστη γίνεται τῶν εἰς αὐτὸ τοῦτο συνεργούντων
ἡμῖν. Οἷον ὁ πρῶτος ἀπέστησεν τῆς πρὸς τὸ κακὸν συμφυΐας
τὸν ἄνθρωπον· ὁ δεύτερος τίνι προσκολληθῶμεν ὑπέδειξεν τὴν
5 διὰ σαρκὸς τοῦ Κυρίου προμηνύσας ἐμφάνειαν, καὶ δείξας ὅτι
τοῦτό ἐστι μακάριον τὸ ἐπ' αὐτῷ πεποιθέναι [a]· ὁ τρίτος τὸν
παρὰ τοῦ ἐχθροῦ σοι ἐπανιστάμενον πειρασμὸν [b] προμηνύει,
ὡς ἤδη σε χρισθέντα εἰς βασιλείαν διὰ τῆς πίστεως καὶ τῷ
ἀληθινῷ Χριστῷ [c] συμβασιλεύοντα οὐκ ἔξωθεν ἐπιχειρεῖ τοῦ
10 ἀξιώματος ἐκβάλλειν, ἀλλ' ἐξ αὐτοῦ σοῦ γενόμενος. Οὐ γὰρ
ἑτέρωθεν τὴν ἰσχὺν ἔχει καθ' ἡμῶν ὁ πολέμιος οὐδὲ παρ' ἄλλου
τινὸς ἀπὸ τοῦ ἀξιώματος ἐκβαλλόμεθα, εἰ μὴ αὐτοὶ πατέρες
τοῦ κακοῦ γεννήματος διὰ τῆς πονηρᾶς ὠδῖνος γενοίμεθα. Ὃς
ἀνταίρει τῇ βασιλείᾳ ἡμῶν καὶ ἐπανίσταται τότε καθ' ἡμῶν τὸ
15 κράτος λαμβάνων, ὅταν μολύνῃ τὰς συνοικούσας ἡμῖν ἐν
ὑπαίθρῳ τὸ ἄγος κατεργασάμενος [d]· τοῦτ' ἔστιν, ὅταν δημο-
σιεύσῃ τὴν τῶν ἀρετῶν ἡμῶν διαφθοράν, αἷς ποτε συνῳ-

AVB SZ (55 l. 2) LQXF

28 ἀβεσσαλὼμ X ‖ τοῦ F[sl] ‖ 29 μέλλει L ‖ 30 μεταμορφοῦντι QXF ‖ 31 τις :
τῆς F[ac]
55 2 [...] τῶν [...] τῶν [...] κοποῦ add. in mg S περὶ τῆς τῶν ψαλμῶν
ἐννοίας· καὶ τοῦ τούτων σκοποῦ add. in mg Z ‖ 3 ἡμῖν + ἀκολουθία καὶ τάξις
AVBLQXFv + spatium x litt S ‖ πρὸς om. S ‖ 7 ἐπιστάμενον A ἐφιστάμενον
v ‖ προμηνύσει v ‖ 9 ἔξωθεν + δέ τις SQXF ‖ 10 ἀξιώματός + σε ASLQXFv
Don ‖ ἐκβάλλειν ἀλλ' : ἐκλειν L ‖ ἐκβαλεῖν XF ‖ ἀλλ' + ὁ SXF ‖ αὐτοῦ +
τοῦ Av ‖ γεννώμενος S[pc] ‖ 11 ἑτέρωθι Q ‖ ἔχει τὴν ἰσχὺν Av ‖ πόλεμος V ‖
12 ἐκβαλόμεθα F ‖ 13 γενήματος F ‖ 15 μολύνει Q ‖ 16-17 δημοσιεύῃ QF ‖
17 διαφοράν V

b. Cf. 2 Rg 11 – 18   c. Cf. 2 Rg 17, 7-16 ; Ps 7, 1   d. Cf. 2 Rg 11, 2-5
55. a. Cf. Ps 2, 12   b. Cf. Ps 3, 2   c. Cf. Ps 2, 6-10   d. Cf. 2 Rg 16, 22

ceux relatifs à Absalom et à Ourie [b], les paroles de Chousi [c] et la rencontre avec Bersabée [d], voilà ce dont ne se soucie pas celui qui forme par ces moyens nos cœurs, lui qui veille, au contraire, à ce que chacun de ces exemples nous aide pour le bien.

LA SUCCESSION COHÉRENTE DES ONZE PREMIERS PSAUMES

55. C'est ce à quoi vise également l'enchaînement vers le salut et l'ordre de ce qui nous aide dans ce même but est excellent. Par exemple, le premier psaume a détourné l'homme de l'union au mal ; le second a montré à qui nous devons nous attacher en annonçant la manifestation dans la chair du Seigneur et en indiquant que la béatitude consiste à mettre sa confiance en lui [a] ; le troisième annonce l'épreuve que l'adversaire élève contre toi [b] : alors que tu as déjà été oint par la foi en vue de la royauté et que tu règnes avec l'Oint véritable [c], ce n'est pas de l'extérieur qu'il entreprend de te chasser de ta dignité, mais depuis ta propre personne. Car ce n'est pas d'ailleurs que l'ennemi tire sa force contre nous, et nous ne pouvons pas être non plus chassés par un autre de notre dignité, à moins d'être nous-mêmes les pères par une conception perverse du mauvais rejeton. Il se dresse et s'élève contre notre royauté en prenant le pouvoir contre nous quand il souille celles qui vivent avec nous en commettant en plein jour son sacrilège [d], c'est-à-dire quand il publie la corruption de nos vertus, avec lesquelles nous vivions alors.

κήσαμεν. Ἐπεὶ οὖν ἐν τοῖς πρώτοις οὔπω τετόνωται πρὸς τοὺς
ἀγῶνας ἡμῖν ἡ δύναμις, ὡς κατὰ στόμα ταῖς προσβολαῖς τοῦ
20 ἐναντίου συμπλέκεσθαι, καὶ τὸ φυγεῖν τοῦ τοιούτου τὴν
ἔφοδον οὐ μικρὸν εἰς ἀσφάλειαν τοῖς πολεμουμένοις ὁ λόγος
ὑπέδειξεν διὰ τοῦ κατὰ τὴν ἐπιγραφὴν ᵉ ὑποδείγματος, |
GNO 119   τοῦτό σε διδάσκων, ὅτι ὅταν σοι γένηται Ἀβεσσαλὼμ ὁ τῇ
κακίᾳ κομῶν, ὁ ἀδελφοκτόνος ᶠ, « τοῖς τε τιμίοις σου γάμοις
25 καὶ τῇ ἀμιάντῳ κοίτῃ ᵍ » ἐπιλυσσήσας, φεῦγε, καθώς φησιν ὁ
Κύριος, ἀπὸ πόλεως εἰς πόλιν ʰ, ἔνι γὰρ « τῷ ἀποδιδράσκειν
ἀπὸ προσώπου Ἀβεσσαλώμ, τοῦ τοιούτου υἱοῦ ⁱ », τὸν συλλε-
ξάμενον ἑαυτοῦ τὰς δυνάμεις τῇ συνεργίᾳ τοῦ ξύλου τοῦ ἐν
αὐτῷ τὴν πονηρὰν αὐτοῦ κόμην ἐκδήσαντος διὰ τῶν τριῶν
30 βελῶν ἀνελεῖν τὸν πολέμιον ʲ. Δῆλον δέ σοι πάντως ἐστὶ τὸ διὰ
τῆς ἱστορίας ὑποδεικνύμενον αἴνιγμα, ποῖον ἐκεῖνο τὸ ξύλον, ᾧ
προσηλώθη τῆς κακίας ἡ κόμη, ὅπερ ὁ ἀπόστολος « χειρό-
γραφον » ἁμαρτιῶν ὀνομάζει, καθώς φησιν ὅτι « Καὶ αὐτὸ
ἦρκεν ἐκ τοῦ μέσου προσηλώσας τῷ σταυρῷ ᵏ », τοῦτ' ἔστιν
35 τῷ ξύλῳ. Καὶ τίς ἡ τῶν βελῶν τριὰς ἡ μέσην βάλλουσα τοῦ
ἐχθροῦ τὴν καρδίαν, δι' ἧς γίνεται τοῦ « ἐσχάτου ἐχθροῦ ˡ » ὁ
θάνατος ; Ὡς δ' ἂν καίριον γένηται ἡμῖν τὸ περὶ τοῦ βέλους
νόημα, τῇ προφητείᾳ τοῦ Ἡσαΐου προσέξομεν, ὅς φησιν ἐκ

AVB SZ (l. 26) LQXF

19 ἡμῶν Fᵃᶜ ‖ 20 ἐναντίου : ἀλλοτρίου Av ‖ τὸ : τοῦ AVBSLXv ‖ 21 ὠφέ-
λειαν v ‖ 22 κατὰ om. X ‖ γραφὴν Av ‖ 24 τοῖς τε : τότε AVBLv ‖
25 ἐπιλυσσήσασι B ἐπιλύσας L ‖ 26 ἔνι : ἐν AVBLv ‖ τῷ : τὸ V om. S
(vid.) ZQXF ‖ 27 ἀπὸ : ἐκ S ‖ προσώπου + τοῦ Vᵃᶜ ‖ ἀβεσσαλώμ +
ἔστιν AVBLv ‖ τοῦ om. SLQX ‖ τὸν : τὸ AVBLQXF ‖ 29 αὐτῷ SQF ‖
30 ἀνεῖλεν L ‖ ἐστὶ om. Q ‖ τὸ διὰ om. V add. V² vid. ‖ 31 ὑποδεικνύμενον : ὑποφαινόμενον VB ‖ ᾧ : ὦ F ‖ 32 κώμη Q ‖ 33 καθὼς + που Q ‖
35 βαλοῦσα SLQXF ‖ 37 καίριος L ‖ 38 προσέξωμεν AVBQXF ‖ ὅς : ὡς
F

e. Cf. Ps 3, 1   f. Cf. 2 Rg 13, 28-29   g. He 13, 4   h. Cf. Mt 10,
23   i. Ps 3, 1   j. Cf. 2 Rg 18, 9-14   k. Col 2, 14   l. 1 Cor 15,
26

Comme, donc, dans les premiers psaumes, notre force n'a pas encore été affermie pour les luttes, au point de combattre de front les attaques de l'opposant, le texte a montré par l'exemple du titre [e] que fuir à son approche ne contribue pas peu à affermir ceux qui sont assaillis. Voici ce qu'il t'enseigne : chaque fois que vient sur toi Absalom [1], couvert de sa chevelure de malice, le meurtrier de son frère [f], qui s'attaque rageusement à « tes mariages honorables et à ta couche sans souillure [g] », fuis, comme dit le Seigneur, de ville en ville [h], car il est possible, « en s'enfuyant devant la personne d'Absalom, un tel fils [i] », de rassembler ses forces avec l'aide du bois qui a lié en lui sa chevelure maléfique et d'abattre l'ennemi de trois flèches [j]. Tu vois bien l'énigme que laisse entendre l'histoire, quel est ce bois, auquel a été clouée la chevelure de malice que l'apôtre nomme « l'acte rédigé » des péchés, selon ses mots : « Et il l'a supprimé en son milieu en le clouant à la croix [k] », c'est-à-dire au bois. Et quelle est la triade des flèches qui frappe en son milieu le cœur de l'adversaire et qui cause la mort du « dernier adversaire [l] » ? Pour que le sens de la flèche nous convienne, nous nous référerons à la prophétie

---

1. La tradition chrétienne a fait très tôt d'Absalom une figure du diable, cf. ORIGÈNE, *In Ps* 3, *PG* 12, 1120 A : « Les uns pensent qu'Absalom est l'image du traître Juda, les autres celle du diable. Méliton l'Asiate dit qu'il est la figure du diable se dressant contre la royauté du Christ, mais il a seulement mentionné ce point et ne s'est pas étendu davantage. »

προσώπου Κυρίου ὅτι « Ἔθηκέν με ὡς βέλος ἐκλεκτὸν καὶ ἐν
40 τῇ φαρέτρᾳ αὐτοῦ ὕψωσέν με ᵐ. » Τοῦτο τοίνυν τὸ βέλος « ὁ
ζῶν τοῦ Θεοῦ λόγος » ἐστὶ « καὶ τομώτερος ὑπὲρ πᾶσαν
μάχαιραν δίστομον ⁿ »· ὁ δὲ λόγος ἐστὶν ὁ Χριστός· τῷ δὲ
ὀνόματι τούτῳ τὸ τῆς τριάδος ὁμολογεῖται μυστήριον. Ἐν ᾧ
καὶ τὸν χρίσαντα καὶ τὸν χρισθέντα καὶ τὸ ᾧ ἐχρίσθη διδασ-
45 κόμεθα. Εἰ γὰρ ἕν τι τούτων λείποι, τὸ τοῦ Χριστοῦ ὄνομα οὐχ
ὑφίσταται. Τοῦτο τοίνυν τὸ ὄνομα ὅταν ἐν τῇ ἡμετέρᾳ ὑψωθῇ
φαρέτρᾳ, | τοῦτ᾽ ἔστιν, ὅταν ἐν τῇ ψυχῇ ἡμῶν διὰ πίστεως
γένηται — φαρέτρα γὰρ τοῦ λόγου ἐστὶν ἡ ψυχή —, τότε
ἀναιρετικὸν γίνεται τοῦ ἐπανισταμένου ἡμῖν καὶ διώκοντος, οὗ
50 ὁ ἀφανισμὸς ἐν τῷ ξύλῳ. Διὰ τοῦτο μετὰ τὸ φυγεῖν ἐν τῷ
καιρῷ τὸν ἐπανιστάμενον — ὃς εἷς μέν ἐστι τῇ φύσει, πλῆθος δὲ
γίνεται τῇ κακῇ συμμαχίᾳ —, καὶ εἰπεῖν ὅτι « Ἐπληθύνθησαν οἱ θλίβοντές με καὶ πολλοὶ ἐπανίστανται ἐπ᾽ ἐμὲ ᵒ » καὶ
ὅσα ἐκ τοῦ ἀκολούθου ἡ ψαλμῳδία περιέχει, τότε γίνεται ἡ τοῦ
55 νικᾶν ἀρχή. Ἡ γὰρ εὔκαιρος ἀπὸ τῶν ἐπανισταμένων φυγὴ τῆς
κατὰ τῶν ἐχθρῶν νίκης αἰτία γίνεται. Διὰ τοῦτο ἡ ἐφεξῆς
ψαλμῳδία « εἰς τὸ τέλος ᵖ » τὴν ἐπιγραφὴν ἔχει. Τέλος δὲ
παντὸς ἀγῶνος ἡ νίκη ἐστίν, καθὼς φθάσας ἡμῖν ὁ λόγος περὶ
τούτων ἐτεχνολόγησεν, καὶ ἐπειδὰν ἅπαξ τοῦ νικᾶν γεύσῃ,
60 ἐπάλληλοι νῖκαι κατὰ τῶν ἐχθρῶν κατορθοῦνται. Ἐν γὰρ τῇ
πρώτῃ νίκῃ, τῶν κατὰ τὸν βίον ἡδέων πρὸς τὰ τῆς ψυχῆς
ἀγαθὰ διαμιλλωμένων, ἐν σοὶ ἐκράτησεν τῆς ὑλικῆς ἀπάτης ἡ
πρὸς τὰ κρείττω ῥοπή. Καταγνοὺς γὰρ τῶν τὸ μάταιον
ζητούντων καὶ ἀγαπώντων τὸ ψεῦδος �q ἠλλάξω τῆς περὶ τὰ
65 φαινόμενα προσπαθείας τὴν τῶν ἀοράτων ἐπιθυμίαν.

AVB SLQXF

41 θεοῦ : κυρίου Av ‖ 44 τὸν χρισθέντα καὶ τὸν χρίσαντα v ‖ 45 τούτῳ X
των (τοῦ sl) F ‖ 46-47 ὅταν — ἔστιν Fᵐᵍ ‖ 46 ὑμετέρα A ‖ 51 τὴν φύσιν QF ‖
52 εἶπεν L ‖ ὅτι + τί (+ τι V) VBSLX ‖ 53 καὶ¹ om. X ‖ 58 ὁ λόγος ἡμῖν AVBv
‖ 59 ἐπειδὴ ἂν v ‖ 63 τὰ : τὸ A ‖ 65 τῇ...ἐπιθυμίᾳ Q

m. Is 49, 2   n. He 4, 12   o. Ps 3, 2   p. Ps 4, 1   q. Cf. Ps 4, 3

d'Isaïe qui dit au nom du Seigneur : « Il m'a établi comme une flèche élue et dans son carquois il m'a élevé [m]. » Cette flèche donc, c'est « la parole vivante de Dieu et plus coupante que tout glaive à deux tranchants [n] ». La parole est le Christ et par ce nom est reconnu le mystère de la triade. Par lui, nous apprenons à connaître celui qui oint, celui qui est oint et celui par qui il a été oint. Car si l'un de ces titres manque, le nom du Christ ne subsiste pas. Ce nom donc, quand il est élevé dans notre carquois, c'est-à-dire lorsque par la foi il est dans notre âme — l'âme est le carquois de la parole —, devient alors destructeur de celui qui se lève contre nous et nous poursuit, dont la destruction a lieu sur le bois. Aussi c'est après avoir fui au moment opportun celui qui se lève contre lui — il est un par nature, mais devient une foule par son alliance maléfique — et avoir dit : « Ils se sont multipliés, ceux qui me persécutent et ils sont nombreux à se lever contre moi [o] » et toute la suite du psaume, qu'a lieu le commencement de la victoire. Car la fuite opportune loin de ceux qui se lèvent pour attaquer entraîne la victoire sur les ennemis. Aussi le psaume suivant est-il intitulé « pour la fin [p] ». La fin de toute lutte est la victoire, comme notre discours l'a précédemment montré selon les règles de l'art [1], et quand tu as goûté une fois à la victoire, les victoires contre les adversaires s'obtiennent les unes après les autres : lors de la première victoire, quand les plaisirs de la vie luttaient contre les biens de l'âme, l'inclination pour le mieux a triomphé en toi de la tromperie matérielle. Car en condamnant ceux qui cherchent ce qui est vain et aiment le mensonge [q], tu as échangé la passion de l'apparence contre le désir de l'invisible.

1. Cf. 31.

56. Ἐν τῷ ἐφεξῆς ἄλλον τρόπον νικᾷς. Δύο γὰρ ὄντων τῶν ὑπὲρ τῆς θείας κληρονομίας ᵃ διαμαχομένων πρὸς ἀλλήλους καὶ τοῦ μὲν προβαλλομένου τὸν νόμον, σοῦ δὲ τὴν πίστιν, ὁ δίκαιος ἀγωνοθέτης σοι δίδωσιν κατ᾽ ἐκείνου τὰ νικητήρια, 5 ὥστε σοι τὴν καθαρὰν τῆς ψυχῆς κατάστασιν ἀνατολὴν ἡλίου γενέσθαι, ἀφεστηκότος τοῦ σκότους τὸν ὄρθρον ἐπάγοντος, ὃν « πρωῖαν ᵇ » ὀνομάζει ἡ ψαλμῳδία. Καὶ οὕτως ἔστιν εὑρεῖν ἀεὶ νίκην ἐκ νίκης τῷ ἀθλητῇ προσγινομένην, πρὸς τὸ μεῖζον |
GNO 121   πάντοτε καὶ περιφανέστερον προϊόντων τῶν ἐκ τῆς νίκης 10 κατορθωμάτων.

Πάλιν ἑτέρα διαδέχεται νίκη κατὰ τὸ ἀκόλουθον διὰ τῶν προδιηνυσμένων κατορθουμένη. Ὁ γὰρ τὴν κληρονομίαν γνωρίσας αὐτὸς καὶ « τῆς ὀγδόης ᶜ » μέμνηται· ἥτις πέρας τε τοῦ ἐνεστῶτος χρόνου γίνεται καὶ ἀρχὴ τοῦ μέλλοντος αἰῶνος. 15 Ἴδιον δὲ τῆς ὀγδόης τὸ μηκέτι καιρὸν εἰς παρασκευὴν ἀγαθῶν ἢ κακῶν ἐνδιδόναι τοῖς ἐν αὐτῇ γινομένοις, ἀλλ᾽ ὧν ἄν τις ἑαυτῷ καταβάληται διὰ τῶν ἔργων τὰ σπέρματα, τούτων ἀντιπαρέχειν τὰ δράγματα. Οὗ χάριν ἐνταῦθα ἐνεργεῖν νομοθετεῖ τὴν μετάνοιαν, ὡς « ἐν τῷ ᾅδῃ ᵈ » τῆς τοιαύτης 20 σπουδῆς ἀπρακτούσης, ταῖς αὐταῖς νίκαις ἐγγυμνασθέντα.

Πάλιν ἀπολύει πρὸς ἑτέρους ἀγῶνας ὁ λόγος· πάλιν ἀλείφει τῇ τῶν πειρασμῶν προσβολῇ. Ὁ αὐτὸς γὰρ πολέμιος ὁ Ἀβεσσαλὼμ ἐκεῖνος ὥσπερ ἀναγεννηθεὶς ἐξ ἡμῶν αὐτῶν τὸν πόλεμον τὸν καθ᾽ ἡμῶν ἐξαρτύεται, ὃν ἀποτρέπει φονῶντα

AVB SLQXF

56 1 ἐξῆς V ‖ 2 θείας : ἀληθείας v ‖ 3 σοῦ : τοῦ v ‖ 4 σοι : συ Q ‖ 5 τῆς ψυχῆς κατάστασιν om. Q ‖ 6 γενέσθαι + τούτων L ‖ ἀφεστηκότι AVBv ἀφεστηκόσι L ‖ σκότους + τοῦ *Vat. Pal. 247* (*Nicétas*) + <τοῦ> *Jaeger Don* ‖ 7 ἀεὶ εὑρεῖν ALXv ‖ ἀεὶ Vˢˡ al. man. vid. ‖ 11 νίκη om. Q ‖ 12 προδιηνυσμένων : προηγνυσμένων Q προδεικνυμένων v ‖ 17 καταβάλληται AVBLv ‖ 21 ἀπολύει : ἀπαλείφει v ‖ 23 ἀβεσαλὼμ X ‖ αὐτὸν AVBv ‖ 24 τὸν : τὸ Fᵃᶜ ‖ καθ᾽ : ἐξ AVBLv ‖ φονῶντα : φόνων τὰ (φονῶν τὰ a.c.) L φωνῶντα Qᵃᶜ

a. Cf. Ps 5, 1   b. Ps 5, 4   c. Ps 6, 1   d. Ps 6, 6

56. Au psaume suivant, tu es victorieux d'une autre manière. Vous êtes deux, en effet, à lutter l'un contre l'autre pour l'héritage [a] divin : l'un met en avant la loi, toi-même la foi. Mais c'est à toi, contre l'autre, que le juste président des jeux remet les prix de la victoire, si bien que le pur état de ton âme devient un lever de soleil, quand l'obscurité s'est retirée en amenant l'aube, que le psaume appelle « aurore [b] ». On peut ainsi découvrir que la victoire s'ajoute sans cesse à la victoire pour l'athlète, puisque les succès de la victoire entraînent vers ce qui est toujours plus grand et plus éclatant.

Une autre victoire à nouveau lui succède logiquement, obtenue grâce à celles qui ont précédé. Ainsi celui qui a connu lui-même l'héritage a aussi en mémoire le « huitième jour [c] » : il est le terme du temps présent et le début de l'éternité à venir. Or le propre du huitième jour, c'est de ne plus donner une occasion à la préparation des biens ou des maux à ceux qui se trouvent en lui, mais ce dont chacun pour son propre compte aura jeté par ses œuvres les germes, d'en fournir en retour la moisson. C'est pourquoi il prescrit d'accomplir alors son repentir, car « dans l'Hadès [d] » un tel zèle est sans effet, à celui qui s'est exercé par les mêmes victoires.

A nouveau la parole absout pour d'autres luttes, à nouveau elle frotte d'huile pour combattre l'attaque des tentations. Car le même ennemi, cet Absalom, pour ainsi dire régénéré à partir de nous-mêmes, prépare le combat contre nous, lui

25 καθ' ἡμῶν ἡ ἡμετέρα περὶ τοῦ πράγματος εὐβουλία, μᾶλλον δὲ
ἡ παρὰ τοῦ Θεοῦ συμμαχία. Τῶν γὰρ κατορθωθέντων αὐτῷ
χρηστῶν διὰ « τῶν λόγων Χουσὶ ᵉ » τῷ Θεῷ τὴν αἰτίαν

PG 549   ἀνατιθεὶς ταύτην τὴν εὐχαριστίαν πεποίηται. Περιττὸν δ' ἂν
εἴη τὰ τῆς ἱστορίας σοι δι' ἀκριβείας ἐκτίθεσθαι· πῶς πιστὸς
30 τοῦ Δαβὶδ ὢν ἐν τοῖς ὑπασπισταῖς, οὗτος ὁ Χουσὶ ἐν τοῖς
φίλοις τοῦ Ἀβεσσαλὼμ καταμίγνυται καὶ πιθανώτερος
γίνεται τῷ τυράννῳ τῆς τοῦ Ἀχιτόφελ συμβουλῆς ᶠ. Ὅθεν
συνέβη τούτου κατὰ τὴν εἰσήγησιν τῆς γνώμης κατα-
κρατήσαντος, αὐτὸν ὑφ' ἑαυτοῦ καταπνιγῆναι τὸν κατὰ τοῦ

GNO 122 35 Δαβὶδ τῷ Ἀβεσσαλὼμ συμβουλεύσαντα ᵍ. Ἄξιον δ' ἂν | εἴη
προσαγαγεῖν τῷ κατ' ἀρετὴν βίῳ καὶ τὰ τῆς ἱστορίας
αἰνίγματα. Πῶς ἡ σῴζουσα ἡμᾶς γνώμη ἀγχόνη γίνεται τοῦ
ἀντικειμένου· ἡ δὲ σωτήριος αὕτη γνώμη ἡ μὲν τῇ ἱστορίᾳ, ἡ
δὲ τῇ ψαλμῳδίᾳ ἐγγέγραπται. Ἡμῖν δὲ σκοπός ἐστι τὸν ἐν
40 τάξει τῶν ψαλμῶν εἱρμὸν κατανοῆσαι, δι' οὗ τῷ ἀγαθῷ
προσαγόμεθα. Οὐκοῦν τὴν ἐνταῦθα γνώμην τὴν ἀναιρετικὴν
τοῦ ἐπιβουλεύοντος ἡμῖν κατανοήσωμεν. Τίς οὖν ἐστιν αὕτη ;
Τὸ ἴσον εἰς κακίαν ἡγεῖσθαι ἄρχειν τε ἀδικίας καὶ ἀμύνεσθαι
τὸν ἀπάρξαντα. Τιμᾶται γὰρ ἑαυτῷ τῶν ἐσχάτων καὶ τῆς καθ'
45 ἑαυτοῦ τιμωρίας ὁριστὴς γίνεται, εἰ εὑρεθείη κακοῦ τὸ κακὸν
ὥσπερ ἐν συναλλάγματι διαμείψας καὶ ἀντιδοὺς τοῖς προ-
παρασχομένοις ὃ ἔλαβεν ʰ.

AVB SLQXF

25 εὐβουλία (β sl) V ‖ 26 κατορθωμάτων Av ‖ 28 ταύτῃ v ‖ 29 τὰ τῆς :
τὰς ABv τὰ V ‖ πῶς : ἡ ὡς L ‖ 30 τοῦ : ὁ AVBLv τῷ X ‖ ἐν om. SLQ (vid.)
XF ‖ 33-34 κατατήσαντος (κρα sl al. man. vid.) V ‖ 34 τὸν Vᵐᵍ ‖
37 γίνται (sic) V ‖ 39 τὸν : τὸ X ‖ 40 τάξει : τῇ praem. SLQXF ‖ 42 ἡμῶν S
‖ 43 ἀρχείη V ‖ ἀμύνασθαι QXF ‖ 44 τῶν om. v ‖ 46-47 προπαρεσχημένοις
AVBv

e. Ps 7, 1   f. Cf. 2 Rg 15, 32-34 ; 17, 7-16   g. Cf. 2 Rg 17, 23   h. Cf.
Ps 7, 5

dont l'ardeur à nous tuer est détournée par notre bon conseil devant la situation, ou plutôt par l'alliance de Dieu. Attribuant en effet à Dieu la cause de l'heureuse issue qu'ont entraînée pour lui « les paroles de Chousi [e] », il a composé cette action de grâces. Il serait superflu de t'exposer en détail les épisodes de l'histoire : comment ce Chousi, loyal écuyer de David, rejoint les amis d'Absalom et parvient à être plus persuasif devant le tyran que le conseil d'Achitophel [f]. Le résultat, puisqu'il fit prévaloir la sentence dont il était l'instigateur, ce fut que l'autre s'étrangla lui-même, lui qui avait conseillé Absalom contre David [g]. Il serait bon d'appliquer à la vie vertueuse également les énigmes de l'histoire : comment la sentence qui nous sauve devient la pendaison de l'ennemi. Cette sentence salvatrice figure d'ailleurs aussi bien dans l'histoire que dans le psaume. Mais notre but est de comprendre l'enchaînement ordonné des psaumes qui nous conduit au bien. Efforçons-nous donc de comprendre la sentence ici qui est destructrice de celui qui conspire contre nous. Quelle est-elle donc ? Considérer comme équivalent par rapport au mal d'être à l'origine d'une injustice et de se venger de celui qui a commencé [1]. Car il se condamne aux pires peines et il fixe son propre châtiment celui qui se trouve avoir échangé un mal contre un autre mal, comme dans un contrat, et rendu à ceux qui l'ont donné ce qu'il a reçu [h].

1. Cf. 51, 21.

57. Καὶ οὕτως μετὰ τοὺς ἀγῶνας τούτους πάλιν νικητὴς
ἀναδείκνυται. Διαδέχεται γὰρ ἐπιγραφὴ « τὸ ὑπὲρ τῶν
ληνῶν » προδεικνύουσα « τέλος ᵃ ». Τὸ δὲ τῶν ἀγώνων τέλος
νίκη ἐστίν. Πάλιν δὲ τὴν « ὑπὲρ τῶν ληνῶν » ἔννοιαν
5 ἐξαπλοῦσθαι τῷ λόγῳ περιττὸν ἂν εἴη, ἱκανῶς ἐν τοῖς κατὰ τὸν
ἴδιον τόπον ἐξητασμένοις προδηλωθεῖσαν. Ὥσπερ δὲ μετὰ
τὴν πρώτην ἐκ τοῦ Ἀβεσσαλὼμ φυγὴν ᵇ ἐν τῷ διακρῖναι τῶν
ἀληθινῶν πραγμάτων τὴν ματαίαν σπουδὴν ἀξιοῦται τῆς
νίκης, οὕτως καὶ νῦν μετὰ τοὺς ὁμοίους ἀγῶνας, τῷ « ὑπὲρ τῶν
10 ληνῶν » λόγῳ συμμάχῳ πρὸς τὸν ἀντίπαλον χρώμενος,
νικητὴς γίνεται διὰ « τοῦ καταλῦσαι τὸν ἐχθρὸν ἅμα καὶ
ἐκδικητήν ᶜ ». Ὃς διὰ τοῦτο καὶ ἐχθρὸς καὶ ἐκδικητὴς ὀνομάζεται, ὅτι αὐτὰ τὰ πρὸς ἁμαρτίαν αὐτοῦ δελεάσματα τιμωρία
τοῖς αἰσθανομένοις ἡ πικροτάτη ἐστί· καὶ δι' ὧν ἐφέλκεται
15 πρὸς τὴν τοῦ κακοῦ κοινωνίαν ἐν ἀπάτῃ τὸν ἄνθρωπον, αὐτὸ
ἐκεῖνο τὸ χαλεπώτατον τῆς τιμωρίας εἶδός ἐστιν. Οὕτως
ἑρμηνεύει τὴν διάνοιαν ταύτην ὁ θεῖος ἀπόστολος εἰπὼν| ὅτι·
« Τὴν ἀντιμισθίαν ἣν ἔδει τῆς πλάνης αὐτῶν ἐν ἑαυτοῖς ἀπο-
λαμβάνοντες ᵈ. » Τίς γὰρ ἂν γένοιτο πρὸς τιμωρίαν ἄλλη
20 χαλεπωτέρα ἐπίνοια τῆς κατὰ τὴν ἀσχημοσύνην ἀκαθαρσίας,
ἣν ἐν ἑαυτοῖς κατεργάζονται οἱ τῆς ἀσχημοσύνης ἐργάται ᵉ ;
Ὁ οὖν καταλύσας ἐν τῷ ἰδίῳ βίῳ τοῦ τοιούτου τὴν δύναμιν, ὃς
τιμωρεῖται τὸν ἐν κακίᾳ γενόμενον δι' αὐτοῦ τοῦ μετασχεῖν
τῆς κακίας, « ὁρᾷ τοὺς οὐρανοὺς ᶠ » καὶ « τὴν τῶν οὐρανῶν
25 ὑπερκαθημένην μεγαλοπρέπειαν ᵍ » καὶ τὸ τῆς φύσεως ἡμῶν
ἀξίωμα, τίνων τε ἄρχει καὶ τίσι συντεταγμένη ἐστίν. Τῷ γὰρ

AVB SLQXF

57 1 τούτῳ Fᵃᶜ ‖ 3 παραδεικνύουσα (add. in mg asteriscum) S ‖ 6 προδη-
λωθεῖσα AVBL ‖ 8 ἀληθῶν SLQXF ‖ 19 ἀλλ' ἡ L ‖ 23 γινόμενον V ‖
24 οὐρανοὺς : ἀνθρώπους ALv ‖ 25 ἡμῶν om. Av ‖ 26 τινῶν L ‖ τισὶ L

a. Ps 8, 1   b. Cf. 2 Rg 15, 13-17   c. Ps 8, 3   d. Rm 1, 27   e. Cf. Rm 1,
27   f. Ps 8, 4   g. Ps 8, 2

57. Et ainsi, après ces luttes, il est de nouveau proclamé vainqueur. Vient ensuite, en effet, le titre annonçant « la fin au sujet des pressoirs [a] ». Or la fin des luttes, c'est la victoire. Expliquer à nouveau par notre discours le sens de l'expression « au sujet des pressoirs » serait superflu, puisqu'il a été déjà suffisamment éclairé quand il s'agissait de l'examiner en son lieu propre [1]. De la même façon qu'après sa première fuite devant Absalom [b], pour avoir distingué des véritables questions le zèle inutile, il mérite la victoire, ainsi, maintenant aussi, après de semblables luttes, avec pour allié contre l'opposant la parole « au sujet des pressoirs », il devient victorieux « en anéantissant à la fois l'adversaire et le vengeur [c] ». La raison pour laquelle il est nommé aussi bien adversaire que vengeur, c'est que ses appâts qui entraînent au péché sont le châtiment le plus aigu pour ceux qui les percoivent et que les moyens mêmes d'attirer par tromperie l'homme dans la communion au mal sont la forme la plus pénible de châtiment. C'est ainsi que le divin apôtre interprète cette pensée en disant : « Recevant en eux-mêmes le salaire dû à leur égarement [d]. » Car quel autre châtiment plus pénible imaginer que l'impureté de l'indécence, que réalisent en eux-mêmes les artisans de l'indécence [e] ? Celui, donc, qui a anéanti dans sa propre vie la puissance d'un tel être qui châtie celui qui vit dans le mal par sa participation même au mal, « voit les cieux [f] », « la magnificence établie au-dessus des cieux [g] » et la dignité de notre nature, quels êtres elle commande et avec qui elle a été établie. En effet, dans le même temps, à la fois

1. Cf. 36.

αὐτῷ καὶ τῶν ἀλόγων ἡγεμονεύει καὶ τοῖς ἀγγέλοις διὰ
συγκρίσεως παρισουμένη μικρὸν ἐλαττοῦται [h]. Λόγος τοίνυν
ἐστὶν δι' οὗ γίνεται καὶ ἡ κατὰ τούτων ἀρχὴ καὶ ἡ πρὸς τοὺς
30 ἀγγέλους οἰκείωσις.

Πάλιν ἑτέρας ἐκδέχεται νίκης τρόπος, ὅταν ὑπερβὰς τὰ
PG 552   φαινόμενα τοῖς ἀπορρήτοις ἐμβατεύσῃς τῷ λόγῳ — Υἱὸς δὲ ὁ
λόγος — καὶ ἱκανὸς ἤδη γένῃ ταῖς προλαβούσαις νίκαις
ἐγγυμνασθεὶς « ὑπὲρ τῶν κρυφίων τοῦ υἱοῦ [i] » ψάλλειν διὰ τῆς
35 εὐαρμόστου τε καὶ ἐμμελοῦς θεωρίας. Καὶ πάλιν νικήσας τὸν
« ἐν κρυφίοις ἐνεδρεύοντα [j] » καθ' ἡμῶν θῆρα, ὥστε μηκέτι τοῦ
ἐχθροῦ τὸ καθ' ἡμῶν καύχημα περιλειφθῆναι — « ἵνα γὰρ
μὴ προσθῇ ἔτι τοῦ μεγαλαυχεῖν ἄνθρωπος ἐπὶ τῆς γῆς [k] » —,
τότε διὰ τῆς ἐκ τοῦ ἀκολούθου σοι προσγινομένης νίκης
40 τελειοτέραν τὴν εἰς τὸν Θεὸν πεποίθησιν ἔχων λέγεις· « Ἐπὶ
τῷ Κυρίῳ πέποιθα [l]. » Ἐν τῇ ἐφεξῆς νίκῃ, πάλιν « τῆς
ὀγδόης [m] » μεμνήσῃ, ἐν ᾗ « ἐξολοθρεύεται μὲν ἡ μεγαλορρή-
μων γλῶσσα καὶ τὰ δόλια χείλη [n] » καὶ ἡ κατὰ τοῦ Θεοῦ
GNO 124   μανία· « φυλαχθήσονται δὲ ἀπὸ τῆς γενεᾶς ταύτης καὶ εἰς τὸν
45 αἰῶνα [o] » οἱ μὴ ἐν κύκλῳ τῇ ἀσεβείᾳ συμπεριπατοῦντες [p],
ἀλλὰ τῆς εὐθείας ἐχόμενοι, ἥν « ἐνεκαίνισεν ἡμῖν ὁ Θεὸς ὁδὸν
πρόσφατόν τε καὶ ζῶσαν [q] ». Καὶ τί χρὴ τὰ καθ' ἕκαστον

AVB SLQXF

27 καὶ¹ + ἐπὶ AVBv ‖ 28 τοίνυν λόγος AVBv ‖ 29 καὶ¹ om. Av ‖ ἀρχὴ : εὐχὴ
V ‖ ἡ² om. v ‖ 31 ἑτέρας post νίκης Av ‖ 32 ἐμβατεύσῃ v ‖ 33 καὶ : κἂν v ‖
ἱκανῶς Av ‖ 33 γεγένηται LQ ‖ 34 ἐγγυμνασθῇ L ‖ υἱοῦ : δαυῒδ V ‖ ψάλλεις
AVBv ‖ 36 ἐγκρυφίοις F ‖ 37 περιληφθῆναι AVBL περιλειφθῆναι X ‖ 39 σου
v ‖ 40 λέγεις : εἴπῃς· ὅτι S καὶ εἰπὼν ὅτι L εἴποις QF εἴπῃς X ‖ 41 πέποιθ (sic)
V ‖ 42 μεμνήσει L ‖ 43 τὰ δόλια χείλη : τὰ χείλη τὰ δόλια Av ‖ 45 τῆς
ἀσεβείας AVBv ‖ περιπατοῦντες S ‖ 46 ὁδὸν om. SLQXF ‖ 47 τε om.
AVBv

---

h. Cf. Ps 8, 6-9   i. Ps 9, 1   j. Ps 9, 29-30   k. Ps 9, 39   l. Ps 10, 1
m. Ps 11, 1   n. Ps 11, 4   o. Ps 11, 8   p. Cf. Ps 11, 9   q. He 10, 20

elle dirige les bêtes dépourvues de raison et, rapprochée des anges par une comparaison, elle leur est légèrement inférieure [h]. C'est donc une parole où il s'agit aussi bien du commandement sur les premières que de la parenté avec les anges.

A nouveau un autre type de victoire prend la suite quand, franchissant le visible, tu t'avances dans les mystères par la parole – or la parole est le Fils – et que tu deviens désormais capable, entraîné par les précédentes victoires, de chanter le psaume « au sujet des secrets du fils [i] » grâce à la contemplation juste et harmonieuse. A nouveau tu es vainqueur de la bête qui « en secret nous dresse des embuscades [j] », de telle sorte que l'orgueil qu'éprouve l'adversaire contre nous n'est plus admis – « afin, en effet, que l'homme cesse de se grandir d'orgueil sur la terre [k] » ; alors, grâce à la succession des victoires que tu accumules, ta confiance en Dieu devient plus parfaite et tu peux dire : « Je mets ma confiance dans le Seigneur [l]. » A la victoire suivante, à nouveau tu te souviendras « du huitième jour [m] », au cours duquel « sont anéanties la langue au discours fier, les lèvres trompeuses [n] » et la folle opposition à Dieu ; mais « seront préservés de cette génération et pour l'éternité [o] » ceux qui ne rôdent pas autour de l'impiété [p], mais s'attachent à la voie droite que « Dieu a inaugurée pour nous, voie nouvelle et vivante [q] ». A quoi bon passer en revue chaque psaume en

διεξιέναι, ἱκανῶς σοι τῆς ἐφόδου ταύτης τὴν ἐπὶ τὰ κρείττω
πρόοδον διὰ τῆς τῶν ψαλμῶν τάξεώς τε καὶ ἐπιγραφῆς προδεικ-
50 νυούσης ; Οὐ μικρῶς ἡμῖν πρὸς τὴν τοιαύτην συμβαλλομένης
διάνοιαν τῆς προβληθείσης τοῖς ἔμπροσθεν λόγοις τῶν
ἐπιγραφῶν ἑρμηνείας.

ΚΕΦΑΛΑΙΟΝ ΙΒ΄

58. Ἀλλ᾽ ὅτι συνεπεράνθη τὸ πρῶτον τμῆμα τῆς διὰ τῶν
ψαλμῶν ἀναβάσεως ἐν τῷ τεσσαρακοστῷ, πάλιν ἡ τοῦ μακαρισμοῦ ἐπανάληψις γίνεται, ἄλλως τοῦ λόγου παρὰ τὴν ἀρχὴν
ὁριζομένου ἡμῖν τὸ μακάριον. Ἐν γὰρ τοῖς πρώτοις τὸ
5 ἀποστῆναι τοῦ κακοῦ μακάριον ἦν· ἐνταῦθα δὲ τὸ ἐπιγνῶναι τὸ
ἀγαθὸν μακαρίζεται [a]. Ἡ δὲ τοῦ ἀγαθοῦ φύσις, ἢ εἴ τι καὶ ὑπὲρ
τοῦτο δυνατόν ἐστιν ἐξευρεῖν ῥῆμα ἢ νόημα, οὗτος « ὁ μονογενής » ἐστι « Θεός [b] », ὃς « δι᾽ ἡμᾶς ἐπτώχευσεν πλούσιος
ὤν [c] »· οὗ τὴν ἐν σαρκὶ πτωχείαν τὴν διὰ τῆς εὐαγγελικῆς
10 ἱστορίας ἡμῖν ἐπιδειχθεῖσαν ἐνταῦθα προμηνύει ὁ λόγος,
μακαρίζων τὸν μετὰ συνέσεως τὴν πτωχείαν ἐκείνην γνωρί-
σαντα [d]· ὃς πτωχὸς μὲν κατὰ « τὴν τοῦ δούλου μορφήν [e] »,

AVB SLQXF

48 κρείττονω (ον exp.) V ‖ 49 διὰ – ψαλμῶν om. QF ‖ 50 μικρᾶς V ‖ ἡμῖν
post τοιαύτην QF ‖ 51 προβληθείσης : προδηλωθείσης S προσβολῆς δοθείσης
L

58 2 τεσσαρακοστῷ + ἐν ᾧ SLQXF ‖ 3 ἀλλ᾽ ὡς L ‖ 4 τὸ[1] : τὸν SL ‖ μακα-
ρίους S μακάριος X ‖ 7 τούτου Av ‖ 7-8 μογενής (vo sl al. man.) V ‖ 8 πλούσι
(sic) V ‖ 9 οὗ : οὗτοι QF[ac] ‖ τὴν[2] V[sl] al. man. vid. ‖ 11-12 γνωρίσαντι V ‖
12 τοῦ om. QF

a. Cf. Ps 40, 2-3   b. Jn 1, 18   c. 2 Co 8, 9   d. Cf. Ps 40, 2   e. Ph 2, 7

particulier, puisque cette approche te montre suffisamment le progrès vers le meilleur par l'ordre et le titre des psaumes ? Car à une telle pensée ne contribue pas peu, à nos yeux, l'interprétation des titres proposée dans les pages qui précèdent.

CHAPITRE XII

La progression dans la seconde section du Psautier

Le Psaume 40 : la connaissance du Dieu monogène

58. Mais, puisque la première section de l'ascension psalmique a été conclue avec le psaume quarante, s'y trouve la reprise de la proclamation de la béatitude, bien que la parole définisse pour nous l'état bienheureux autrement qu'au début. Dans les premiers psaumes, en effet, se séparer du mal c'était être bienheureux. Mais ici, c'est la connaissance du bien qui est dite bienheureuse [a]. Or, la nature du bien ou de tout ce qu'il est possible de découvrir encore, parole ou pensée, au-delà de ce dernier, c'est « le Dieu monogène [b] » qui « à cause de nous s'est fait pauvre malgré sa richesse [c] ». La parole annonce ici sa pauvreté dans la chair, exposée pour nous par l'histoire évangélique, déclarant bienheureux celui qui, avec intelligence, a connu cette pauvreté [d]. Mais lui, s'il est pauvre selon « sa condition d'esclave [e] », est pourtant

εὐλογητὸς δὲ κατὰ τὴν τῆς θεότητος φύσιν. « Πένητα γὰρ
αὐτὸν καὶ πτωχὸν ᶠ » ἐν προοιμίοις τῆς ψαλμῳδίας ὀνομάσας ὁ
15 λόγος, ἐπὶ τῷ τέλει τοῦ τμήματός φησιν· « Εὐλογητὸς Κύριος

GNO 125   ὁ Θεὸς τοῦ Ἰσραὴλ ἀπὸ τοῦ αἰῶνος καὶ εἰς τὸν αἰῶνα, γένοιτο,
γένοιτο ᵍ. »

Ὁ τοίνυν ἐπὶ τοῦτο φθάσας τὸ ὕψος ἑτέρας ἀναβάσεως ἄρχεται. Καταλιπὼν γὰρ τὸν πατέρα « τὸν Κορὲ ʰ » τὸν δι᾽ ὑπερη-
20 φανίας ἐπαναστάντα τῇ ἱερωσύνῃ καὶ διὰ τοῦτο καταπρη-
σθέντα τῷ πυρὶ καὶ καταχωσθέντα τῷ χάσματι καὶ ὑπόγειον
ἐξ ἁμαρτίας γενόμενον ⁱ, τῷ ἀληθινῷ Πατρὶ ἑαυτὸν εἰσποιεῖ
διὰ τῆς πίστεως, συνεὶς ʲ ὅσον ἐστὶ τὸ διάφορον Θεοῦ τέκνον
γενέσθαι ἢ τοῦ ἀποστάτου Κορὲ υἱὸν χρηματίζειν. Τυχὼν
25 τοίνυν τοῦ τέλους τῆς νίκης καὶ γνοὺς ὅσον ἐστὶ μεταξὺ τούτου
καὶ τοῦ πονηροῦ πατρὸς τὸ διάφορον, διαφαγών τε καὶ
ἐξαναλώσας ἐν ἑαυτῷ πᾶν θηριῶδες καὶ ἰοβόλον νόημα κατὰ

PG 553   τὴν τῶν ἐλάφων φύσιν, αἷς ἀφανιστικὴ τῶν ἑρπετῶν συνου-
σίωται δύναμις, μιμεῖται καὶ τῇ δίψῃ τὴν ἔλαφον καὶ πρὸς τὰς
30 θείας πηγάς – αὕτη δ᾽ ἂν εἴη ἡ θεία φύσις – διψητικῶς ἔχει –
ἡ μία τε οὖσα καὶ ἐν τριάδι θεωρουμένη. « Ὃν τρόπον γάρ,
φησίν, ἐπιποθεῖ ἡ ἔλαφος ἐπὶ τὰς πηγὰς τῶν ὑδάτων, οὕτως
ἐπιποθεῖ ἡ ψυχή μου πρὸς σέ, ὁ Θεός ᵏ. » Εἶτα παραμυθεῖται
τὴν δίψαν συνεχομένην τῇ ἐπιθυμίᾳ ˡ καὶ σπεύδουσα τοῦ
35 ποθουμένου τυχεῖν καὶ τὴν ἐν ὀλίγῳ τῆς τῶν ἀγαθῶν μετουσίας ἀναβολὴν ἐν συμφορᾷ ποιουμένη λέγει κατά τε τὸ μέσον
καὶ ἐπὶ τέλει τῆς ψαλμῳδίας· « Ἵνα τί περίλυπος εἶ, ἡ ψυχή

AVB SLQXF

13 τῆς om. Q ‖ 14 αὐτὸν καὶ Vᵐᵍ ‖ προοιμίας V ‖ 18 τούτῳ A ‖ 19 κατα-
λειπὼν AQ καταλιπὼν F ‖ 24 χρηματίζων L ‖ 27 ἐν om. A ἐν (ἐ p.c.) V ‖ 28
οἷς v ‖ 29 τῇ : τῷ v ‖ δίψει Av ‖ τὴν : τὸν v ‖ 30 ἡ om. AQv ‖ 32 ἡ : ὁ v ‖
34 σπεύδουσαν (ν sl V) VBSLQXF ‖ 36 ποιουμένην L ‖ λέγειν A λέγων
VBL

f. Ps 40, 2   g. Ps 40, 14   h. Ps 41, 1   i. Cf. Nb 16, 1-35   j. Cf. Ps 41, 1
k. Ps 41, 2   l. Cf. Ps 41, 3

béni selon sa nature divine. Car, si la parole l'a nommé
« indigent et pauvre [f] » au début du psaume, elle dit à la fin de
la section : « Béni le Seigneur, le Dieu d'Israël, depuis l'éternité et pour l'éternité ! Que cela soit, que cela soit [g] ! »

LES *PSAUMES* 41-44 : L'ABANDON DE CORÉ ET L'IMITATION DU CERF

Celui donc qui est parvenu à cette hauteur commence une
autre ascension. Ayant abandonné, en effet, « Coré [h] » son
père qui, par orgueil, s'est révolté contre le sacerdoce, qui,
pour cette raison, devint la proie des flammes, fut englouti
par l'abîme et se retrouva sous terre par son péché [i], il se
donne par la foi comme fils adoptif au père véritable, ayant
compris [j] combien il est différent d'être enfant de Dieu et de
porter le nom de fils de l'apostat Coré. Obtenant donc la
victoire finale, sachant l'étendue de la différence qui sépare le
méchant père de l'autre, il avale et détruit en lui toute pensée
bestiale et venimeuse suivant la nature des cerfs qui ont
comme propriété essentielle de faire disparaître les serpents.
Il imite également par la soif le cerf, et des sources divines il
est assoiffé – elles peuvent représenter la nature divine qui à
la fois est une et est contemplée dans une triade. Il dit en
effet : « Comme le cerf soupire après les sources des eaux,
ainsi mon âme soupire après toi, mon Dieu [k]. » Puis elle
cherche à apaiser sa soif soutenue par son désir [l] et, tandis
que dans son ardeur à obtenir l'objet de ses vœux, elle ressent
comme un malheur le bref délai dans la participation aux
biens, elle dit, au milieu et à la fin du psaume : « Pourquoi

μου ; » καὶ « Ἔλπισον ἐπὶ τὸν Θεόν ᵐ »· ὡς ἀληθῶς ἡμῖν τὴν ἀγαθὴν ἀπόλαυσιν τῆς θείας ἐλπίδος ἐγγυωμένης.

40   Καὶ οὕτως ἐπὶ τὸ ἑξῆς πρόεισιν, ἐν ᾧ διὰ τοῦ θείου θυσιαστηρίου γίνεται νέος ⁿ· καὶ κατὰ τὸν ἑξῆς πάλιν τοὺς ἐκ τοῦ Κορὲ τὸ γένος κατάγοντας νικητὰς ἀπεργάζεται· δεικνὺς ὅτι οὐκ ἀμβλύνεται τῇ δυσγενείᾳ τῶν πατέρων ᵖ ἡ παρὰ τῷ Θεῷ εὐδοκίμησις ᵒ. Καὶ ἐν τῇ ψαλμῳδίᾳ δὲ ταύτῃ τῷ Θεῷ τῆς
GNO 126 45 τῶν ἐχθρῶν καθαιρέσεως ἀναθεὶς τὴν αἰτίαν, ἐν οἷς φησιν· « Ἔσωσας γὰρ ἡμᾶς ἐκ τῶν θλιβόντων ἡμᾶς, καὶ τοὺς μισοῦντας ἡμᾶς κατήσχυνας �q », μετέρχεται εἰς τὴν ὑπὲρ τοῦ ἀγαπητοῦ ᾠδήν, ἵν᾽ οἱ πρότερον ἐκ τοῦ ἀποστάτου γενόμενοι, εἶτα νικηταὶ τοῦ πονηροῦ καταστάντες, διὰ συνέσεως εἰς τὸ
50   τῆς νίκης φθάσωσι τέλος· « Εἰς τὸ τέλος γὰρ εἰς σύνεσιν ᾠδὴ ὑπὲρ τοῦ ἀγαπητοῦ ʳ. » ᾽Εν ᾗ καὶ διδασκόμεθα τίς μέν ἐστιν οὗ ὁ θρόνος ἐξ ἀϊδίου ˢ ἐπιστατεῖ τῶν ὄντων, τίς δὲ παρθένος νυμφοστολεῖται αὐτῷ πρὸς συμβίωσιν, οὐκ ἄλλως ἀξιουμένη τῆς τιμῆς ταύτης, εἰ μὴ τοῦ πατρὸς αὐτῆς λήθην λάβοι ᵗ.

59. Καὶ ταύτην ἀναθεὶς τῷ ἀγαπητῷ τὴν ᾠδὴν πάλιν ἐπινίκιον « ὑπὲρ τῶν υἱῶν Κορὲ » διέξεισιν διὰ τῶν ἀπορρητοτέρων προάγων τὸν λόγον. « Ὑπὲρ γὰρ τῶν κρυφίων ᵃ » ἐστὶν ἡ τῆς ψαλμῳδίας ἐπαγγελία. ᾽Εν οἷς ἦχον ὑδάτων ᵇ καὶ
5   κίνησιν ἐθνῶν καὶ βασιλέων κλίσιν καὶ σάλον γῆς ᶜ διελθὼν τῷ λόγῳ καὶ « τὸν Κύριον πάσης δυνάμεως μεθ᾽ ἡμῶν ᵈ » εἶναι εἰπών· δι᾽ ὧν ἁπάντων τὴν διὰ σαρκὸς προαγορεύει τοῦ Κυρίου

AVB SLQXF

40 τὸ : τῷ B ‖ 41 τὸν : τὸ v ‖ τοὺς om. QF ‖ 43 ἀμβλύνει Av ‖ 45 ἐχθῶν V ‖ 46 ἐκ : ἀπὸ LXF ‖ 47 ὑπὲρ om. AVBv ‖ 48 ἵν᾽ : ἦν L ‖ 50 ἔφθασαν L ‖ 51 μέν – οὗ : δὲ Q μὲν (p.c. vid.) F
59 4 τῆς om. V ‖ 5 κλίσιν conieci : κλῆσιν codd. v Don ‖ 7 ἁπάντων : ὁ πάντων V ‖ προσαγορεύει VB

m. Ps 41, 6. 12   n. Cf. Ps 42, 4   o. Cf. Ps 43, 4   p. Cf. Ps 43, 2
q. Ps 43, 8   r. Ps 44, 1   s. Cf. Ps 44, 7   t. Cf. Ps 44, 10-12
a. Ps 45, 1   b. Cf. Ps 45, 4   c. Cf. Ps 45, 7   d. Ps 45, 8

es-tu triste, mon âme ? » et « Espère en Dieu [m] ! » Car c'est
vraiment la bonne jouissance que nous promet l'espérance
divine [1].

Et c'est ainsi qu'il avance vers le suivant, où, grâce à l'autel
divin, il devient jeune [n] [2]. D'après le psaume suivant, à nouveau il fait des descendants de Coré, continuateurs de sa race,
des vainqueurs, montrant que leur renom auprès de Dieu [o]
n'est pas émoussé par la mauvaise naissance de leurs pères [p].
Et après avoir, dans ce psaume, attribué à Dieu la cause de la
destruction des ennemis quand il dit : « Tu nous as sauvés de
ceux qui nous affligent et ceux qui nous haïssent tu les as
confondus [q] », il passe au chant sur le bien aimé où ceux qui,
d'abord issus de l'apostat, ont été ensuite consacrés vainqueurs de l'être maléfique, parviennent par l'intelligence à la
victoire finale : « Pour la fin, pour l'intelligence, chant au
sujet du bien aimé [r] », où nous apprenons encore qui il est, lui
dont le trône pour l'éternité [s] préside l'univers, d'autre part
quelle vierge est conduite à lui pour une communauté de vie,
n'étant jugée digne de cet honneur qu'à condition d'oublier
son propre père [t].

Les *Psaumes* 45-47 : l'annonce de l'incarnation, de la résurrection et de l'Église

59. Puis, après avoir dédié ce chant au bien aimé, il expose
à nouveau un chant de triomphe « au sujet des fils de Coré »,
développant son discours en termes plus mystérieux, car
l'annonce du psaume est « au sujet des secrets [a] ». Il y décrit
par son discours le grondement des eaux [b], le mouvement des
nations, l'abaissement [3] des rois, le tremblement de la
terre [c], et y affirme que « le Seigneur de toute puissance est
avec nous [d]. » Par tout cela, il annonce la manifestation dans

1. Cf. 12, 13 s.
2. Cf. 41, 60 s.
3. La forme κλῆσιν des manuscrits vient de la confusion entre η et ι due à
l'homophonie.

ἐμφάνειαν, ὅτε ἠχεῖ μὲν καὶ ταράσσεται τῶν δαιμόνων ἡ
φύσις, μεταβαίνει δὲ καὶ ὄρη ᵉ, τὰ γεώδη τῆς κακίας φρονή-
10 ματα, ἀκίνητα εἶναι δοκοῦντα τοῖς πάλαι καὶ ἀμετάθετα. Ὁ δὲ
τῆς εὐφροσύνης « ποταμὸς εὐφραίνει τοῦ Θεοῦ τὴν πόλιν », καὶ
« τὸ ἑαυτοῦ σκήνωμα ἁγιάζει ὁ ὕψιστος ᶠ » καὶ ὅσα τῆς
ἀκολουθίας ἔχεται ταύτης, δι᾽ ὧν τοῖς αἰνίγμασι τούτοις ὁ
λόγος προαγορεύει τὰ κρύφια.

60. Πάλιν ἐφ᾽ ἑτέραν μεταβαίνει νίκην ὁ λόγος, ᾗ πάντα
ἐπικροτεῖ τὰ ἔθνη καὶ ἐπαγάλλεται ᵃ, διότι « ἀνέβη ὁ Θεὸς ἐν
ἀλαλαγμῷ ᵇ. » Σαφὴς δέ σοι πάντως ἐστὶν ὁ τῆς ἀναβάσεως
λόγος διὰ τῆς ἑρμηνείας τοῦ Παύλου, ὅς φησιν μὴ εἶναι δυνα-
5 τὸν ἀναβῆναι, εἰ μὴ τὸ καταβῆναι προκαθηγήσαιτο ᶜ. Ὧι
GNO 127   ψάλλειν μετὰ συνέσεως πάντας ἐγκελεύσας ᵈ μεταβαίνει τῷ
λόγῳ πρὸς ὑψηλοτέραν κατάστασιν « τὴν δευτέραν τοῦ σαββάτου ᵉ » ὑπόθεσιν τῆς ᾠδῆς ποιησάμενος. Αὕτη δὲ εἰ μὲν κατὰ
PG 556   τὴν πρώτην τοῦ κόσμου σύστασιν θεωροῖτο, οὐρανοῦ τε καὶ
10 στερεώματός ἐστι κατασκευὴ καὶ τῶν ἐπουρανίων ὑδάτων
ἀπὸ τῶν ἐγγείων διάκρισις ᶠ. Εἰ δὲ πρὸς τὸ Εὐαγγέλιον
βλέποις, ἀληθῶς αὕτη ἐστὶν ἡ τὸν οὐρανὸν ἡμῖν κατα-
σκευάσασα. Εἰ γὰρ οὐρανὸς τὸ στερέωμα παρὰ τοῦ Θεοῦ
ὀνομάζεται ᵍ, ὁ δὲ Παῦλος νοεῖ τὴν εἰς τὸν Χριστὸν πίστιν τὸ
15 στερέωμα ʰ, τότε ἡμῖν ὄντως κατὰ τὴν πίστιν οὐρανὸς

AVB SLQXF

8 ὅτι v ‖ καὶ – δαιμόνων om. AVBv ‖ 9 δὲ : τε AVBv ‖ 11 τὴν πόλιν τοῦ θεοῦ
B ‖ 13 ἔχειται (sic) V ‖ 13-14 προαγορεύει ὁ λόγος AVBv
60 1 πάλιν (ι sl) V ‖ 2 ἐπικρατεῖ VB ‖ ἐπαγάλλεται : ἐπαγγέλλεται
ἀγαλλίασιν B ‖ 5 προκαθηγήσαιτο S Don : προκαθηγήσοιτο AVBLQXF
προκαθηγήσατο v ‖ ᾧ : ὁ A ὡς V ὃς v Don ‖ 6 πάντας om. X ‖ ἐγκελεύεται
ASLQXF ‖ 8 αὐτῇ L ‖ εἰ : ἡ AᵃᶜQ ‖ 9 τοῦ κόσμου om. AQv ‖ 11 ἀπὸ :
ὑπὸ AVBL ‖ ἐγγίων Q ἐγγείων (ε¹ p.c.) F ‖ 13 εἰ : ὁ v ‖ 15 τότε + γὰρ AVBv
‖ οὐρανὸς : ὁ praem. Q

e. Cf. Ps 45, 4   f. Ps 45, 5
60. a. Cf. Ps 46, 2   b. Ps 46, 6   c. Cf. Ep 4, 9   d. Cf. Ps 46, 7-8   e. Ps 47,
1 f. Cf. Gn 1, 6-8   g. Cf. Gn 1, 8   h. Cf. Col 2, 5

la chair du Seigneur, quand la nature des démons gronde et est ébranlée, quand des montagnes changent aussi de place [e], ces pensées terrestres du mal, elles qui paraissaient aux anciens immobiles et immuables. Et « le fleuve » de la joie « réjouit la cité de Dieu », « le Très Haut sanctifie son propre tabernacle [f] », et tout ce qui se rattache à cet enchaînement, par quoi la parole, grâce à ces énigmes, annonce les secrets.

60. A nouveau, la parole passe à une autre victoire, où toutes les nations applaudissent et se réjouissent [a] car « Dieu est monté dans une acclamation [b] » — la raison de l'ascension te devient parfaitement claire grâce à l'interprétation de Paul selon lequel l'ascension ne serait pas possible, si la descente n'avait précédé [c]. Après avoir invité chacun à chanter le psaume en son honneur avec intelligence [d], il passe par sa parole à une station plus élevée où il fait « du deuxième jour du sabbat [e] » l'argument du chant. Ce jour, si on le considère d'après la première organisation de l'univers, est l'établissement du ciel et du firmament, et la séparation des eaux supracélestes et des eaux terrestres [f]. Mais si on porte son regard vers l'Évangile, ce jour est véritablement celui qui a établi pour nous le ciel. Si, en effet, le firmament est nommé ciel par Dieu [g], si, selon la pensée de Paul, le firmament, c'est la foi au Christ [h], alors vraiment c'est selon la foi qu'un ciel

δημιουργεῖται, ὅτε παρῆλθεν ἡ τοῦ σαββάτου κατήφεια· καὶ
ἐγένετο ἡμῖν πιστὸν τὸ μυστήριον « τοῦ ὁρισθέντος Υἱοῦ Θεοῦ
ἐν δυνάμει κατὰ Πνεῦμα ἁγιωσύνης, ἐξ ἀναστάσεως νεκρῶν
Ἰησοῦ Χριστοῦ τοῦ Κυρίου ἡμῶν [i] », ὅς ἐστι τῷ ὄντι « μέγας
20 Κύριος καὶ αἰνετὸς σφόδρα [j] »· καὶ ὅσα κατὰ τὸ ἀκόλουθον ὁ
ψαλμὸς περιέχει, τὴν θείαν πόλιν ἐκείνην [k], ἣν καὶ « ὄρος
εὔριζον » ὀνομάζει καὶ « πάσης γῆς ἀγαλλίαμα » καὶ « Σιὼν
ὄρη [l] ». Ἐφ᾽ ἧς μάλιστα τὸ πάντων παραδοξότατον ἐκδιηγεῖται, ὅτι ἡ ποτὲ οὖσα « πλευρὰ τοῦ Βορρᾶ » νῦν γέγονε « πόλις
25 τοῦ βασιλέως τοῦ μεγάλου [m] », καὶ « ὁ Θεὸς ἐν ταῖς βάρεσιν
αὐτῆς γινώσκεται [n] », σαφῶς διὰ τούτων τὸ κατὰ τὴν
Ἐκκλησίαν θαῦμα μηνύων τῷ λόγῳ. Τὸ γὰρ βόρειον κλίμα
τῆς γῆς τῶν κατεσκιασμένων τε καὶ κατεψυγμένων ἐστίν,
ἀλαμπὲς ἀεὶ μένον καὶ τῶν ἡλιακῶν ἀκτίνων ἀμέτοχον. Οὗ
30 χάριν ἡ ἀντικειμένη δύναμις ἐν τῷ ὀνόματι « τοῦ βορείου »
διασημαίνεται. Ἡ τοίνυν ἐνοικοῦσά ποτε τῷ Βορρᾷ καὶ οὖσα
GNO 128   αὐτοῦ πλευρὰ αὕτη μεταταξαμένη | ἀπὸ τοῦ σκοτεινοῦ τε καὶ
κατεψυγμένου βίου Θεοῦ πόλις γίνεται καὶ βασιλείας ἐνδιαίτημα, ἧς ἐν ταῖς βάρεσιν ὁ Θεὸς γινώσκεται. « Βάρεις » δὲ
35 λέγει τὰς τῶν οἰκοδομημάτων περιγραφὰς ἐν τετραγώνῳ τῷ
σχήματι, δι᾽ ὧν τὰς ἑδραίας καὶ ὑψηλὰς τῶν ἀρετῶν πυργο-
ποιΐας τὰς ἐν ταῖς ψυχαῖς τῶν ἁγίων θεωρουμένας παραδηλοῖ
δι᾽ αἰνίγματος, ὡς ἐν μόνοις τοῖς τοιούτοις βίοις τοῦ Θεοῦ
γινωσκομένου καὶ τὰ ἐφεξῆς συνῳδὰ τοῖς προαποδεδομένοις

AVB SLQXF

16 ὅτι V ‖ τοῦ σαββάτου ἡ Q ‖ 17 θεοῦ om. QXF ‖ 19 χριστοῦ : κυρίου A
‖ ὅς : ὁ Vᵃᶜ ‖ 20 καὶ ὅσα S *Vat.* 754 *Don* : καὶ τὰ ὅσα AVBLQXFv ‖ 21-
22 εὔριζον ὄρος L ‖ 21 ὄρος Q ‖ 22 πάσης + τῆς VB ‖ 27 κλῆμα AVBLX ‖
29 ἀλλαμπὲς F ‖ 29-30 ἀεὶ – χάριν om. Q ‖ 30 τῷ : τὸ A ‖ 33 βίου Aᵐᵍ al.
man. vid. ‖ 38 ἐν om. AVBv ‖ 39 προαποδιδομένοις V προαποδεδειγμένοις
Q

i. Rm 1, 4   j. Ps 47, 2a   k. Cf. Ps 47, 2b   l. Ps 47, 2-3   m. Ps 47, 3
n. Ps 47, 4

est créé pour nous, lorsqu'a passé la tristesse du sabbat et que
devint pour nous objet de foi le mystère de « celui qui a été
établi fils de Dieu avec puissance selon l'esprit de sainteté par
sa résurrection des morts, Jésus-Christ notre Seigneur [i] » qui
est réellement « un grand Seigneur, tout à fait digne de
louanges [j] » ; et tout ce que le psaume contient par enchaînement logique, cette cité divine [k] qu'il nomme aussi « montagne bien enracinée » et « exultation de toute terre » et « montagnes de Sion [l] ». Surtout, à propos d'elle, il expose le plus
étonnant de tout : elle qui était jadis « le côté de Borée » est
devenue aujourd'hui « la cité du grand roi [m] » et « Dieu est
connu dans ses forteresses [n] », indiquant par là clairement
dans son discours la merveille de l'Église. Car la région
boréale est sur terre celle des réalités sombres et glacées,
restant toujours obscure et inaccessible aux rayons du soleil.
Voilà pourquoi le nom « boréal » signifie la puissance adverse.
Donc, celle qui habitait alors en Borée et était son côté,
passant en dehors de la vie sombre et glacée [1], devient la cité
de Dieu et le séjour de la royauté, elle dans les forteresses de
qui Dieu est connu. Il appelle « forteresses » les contours des
constructions de forme quadrangulaire par lesquelles il
révèle en énigme l'édification solide et sublime des tours de
vertu qui s'observe dans les âmes des saints, car c'est seulement dans de telles vies que Dieu est connu. Et ce qui suit
s'accorde avec ce qui vient d'être expliqué : « les rois s'y

---

1. Le terme καταψύχειν est employée par PHILON pour exprimer le
refroidissement de l'âme sous l'effet des passions qui a pour conséquence de
lui faire perdre sa chaleur vitale (cf. *Her.* 309 et note de M. Harl).

SUR LES TITRES DES PSAUMES (PS 47)

40 ἐστίν. « Συνήχθησαν γὰρ ἐν ταύτῃ οἱ βασιλεῖς ᵒ »· οὐ γὰρ
δουλευόντων, ἀλλὰ βασιλευόντων συνδρομὴ τὴν θείαν ἐκείνην
συνοικίζει πόλιν· « οἵτινες, φησίν, ἰδόντες, οὕτως ἐθαύμα-
σαν ᵖ »· καὶ τὴν αἰτίαν διηγεῖται τοῦ θαύματος, ἐπειδὴ οἱ
πρότερον κατοικοῦντες ἀναξίως τὴν πόλιν ταύτην, ὅτε ἦν
45 πλευρὰ τοῦ Βορρᾶ, « ἐταράχθησαν καὶ ἐσαλεύθησαν ᑫ » καὶ
« τρόμος ἐπελάβετο αὐτῶν ʳ » καὶ οὐ μόνον τρόμος, ἀλλὰ καὶ
πόνοι μιμούμενοι « ὠδῖνας τικτούσης ˢ ». Ἅπερ πάντα φησὶ
κατ᾽ αὐτῶν γεγενῆσθαι ὑπὸ τοῦ βιαίου πνεύματος τοῦ τὰ
πλοῖα τῆς ἀποστασίας συντρίβοντος τὰ κακῶς τῇ θαλάσσῃ τοῦ
50 βίου ἐπιπολάζοντα· « Ἐν πνεύματι γὰρ βιαίῳ, φησίν, συντρί-
ψεις πλοῖα Θαρσεῖς ᵗ. » Ὁ δὲ τῆς τῶν Πράξεων ἱστορίας τὴν
μνήμην ἔχων οὐκ ἀγνοεῖ τὴν βιαίαν πνοὴν τὴν ἐν τῷ ὑπερῴῳ
τοῖς μαθηταῖς γνωρισθεῖσαν ᵘ. Καὶ ὁ τῇ προφητείᾳ τοῦ Ἰωνᾶ
προσεσχηκὼς γινώσκει πάντως ὅτι τοῦ Θεοῦ ἀποστὰς ζητεῖ
55 πλοῖον τὸ ἐπὶ Θαρσεῖς ναυτιλλόμενον ᵛ. Εἶτα ὥσπερ δύο
προσώποις ἐπιμερισθεὶς ὁ λόγος, ἐν μὲν τοῖς προλαβοῦσιν τὸ
τοῦ προαγορεύοντος ὑποδύεται πρόσωπον, ἐν δὲ τοῖς ἐφεξῆς
τὰς τῶν ὑποδεξαμένων τὸν λόγον φωνὰς ὑποκρίνεται. Λέγει
γὰρ συντιθέμενος τῇ ἀληθείᾳ τῶν| προηγορευμένων ὡσανεὶ
60 παρ᾽ ἄλλου τινὸς τὰ εἰρημένα μαθών, ὅτι « Καθάπερ ἠκούσαμεν, οὕτως καὶ εἴδομεν ἐν πόλει Κυρίου τῶν δυνάμεων, ἐν
πόλει τοῦ Θεοῦ ἡμῶν ʷ. » Διὸ καὶ παρακελευομένους ἀλλήλοις
ἐποίησεν τοὺς ἐν ἡδονῇ θεασαμένους ἃ ἤκουσαν. Ἡ δὲ
παρακέλευσις ἦν τὸ « Κυκλώσατε Σιὼν καὶ περιλάβετε αὐτήν,

GNO 129
PG 557

AVB SLQXF

40 αὐτῇ S ‖ οἱ : om. S υἱοὶ Q ‖ 45 καὶ¹ Vˢˡ ‖ 47 πόνος S ‖ 48 κατ᾽αὐτῶν :
κατὰ ταὐτῶν A κατὰ ταὐτὸν S κατὰ τούτων v ‖ βιαίου : ἁγίου Q ‖ 50 ἐν :
καὶ praem. L om. QF ‖ φησίν βιαίῳ Av ‖ 50-51 συντρίψει L ‖ 53 ὁ om.
SLQXF ‖ 54 ὅτι + ὁ QXFv ‖ 59 προηγουμένων (-γορευμένων V² ᵖᶜ) AV Don
προσηγορευμένων L ‖ 61 καὶ om. LQXF ‖ ἴδομεν AVBQXFv ‖ 62 ἀλλήλους
B ‖ 63 ἠκούσαμεν Av ‖ 64 κυκλώσαται V ‖ περιλάβεται V ‖ περιλάβετε + τε
A ‖ αὐτήν om. S

o. Ps 47, 5   p. Ps 47, 6a   q. Ps 47, 6b   r. Ps 47, 7a   s. Ps 47, 7b
t. Ps 47, 8   u. Cf. Ac 1, 13 ; 2, 2   v. Cf. Jon 1, 3   w. Ps 47, 9

réunirent ᵒ. » Car ce ne sont pas des esclaves, mais des rois qui sont réunis et habitent cette cité divine, « eux qui, dit-il, ont vu et ont été au plus haut point émerveillés ᴾ ». Puis, il expose la cause de leur émerveillement, puisque ceux qui habitaient auparavant indignement cette cité, quand elle était le côté de Borée, « ont été troublés et agités ᑫ », « un tremblement s'est emparé d'eux ʳ » et non seulement un tremblement, mais aussi des peines imitant « les douleurs de celle qui accouche ˢ ». Tout cela, dit-il, se produisit contre eux sous l'effet du vent violent qui brise les navires de l'apostasie qui flottent vicieusement sur la mer de l'existence : « Avec un vent violent, dit-il, tu briseras les navires de Tharsis ᵗ. » Or, celui qui a en mémoire le récit des Actes n'ignore pas le souffle violent qui, à l'étage supérieur, se fit connaître aux disciples ᵘ. Et qui a prêté attention à la prophétie de Jonas sait parfaitement qu'après s'être éloigné, en apostat, de Dieu, il cherche un navire qui fasse voile vers Tharsis ᵛ. Puis, comme si le texte avait été partagé pour deux personnes, tandis qu'il endosse dans ce qui précède la personne de celui qui annonce, dans la suite il représente les voix de ceux qui ont accueilli la parole. Car il dit, conformément à la vérité de ce qui a été annoncé, comme s'il apprenait d'un autre ce qui a été dit : « Comme nous avons entendu, ainsi également avons-nous vu dans la cité du Seigneur des puissances, dans la cité de notre Dieu ʷ. » C'est pourquoi, il a représenté s'exhortant mutuellement ceux qui avaient contemplé avec plaisir ce qu'ils avaient entendu. L'exhortation était la suivante : « Encerclez

65 διηγήσασθε ἐν τοῖς πύργοις αὐτῆς, θέσθε τὰς καρδίας ὑμῶν εἰς
τὴν δύναμιν αὐτῆς καὶ καταδιέλεσθε τὰς βάρεις αὐτῆς ˣ »· καὶ
ὅσα κατὰ τὸ ἀκόλουθον περιέχει ὁ λόγος.

61. Μετὰ τοῦτο δὲ δι᾽ ἀκολούθου εἰς πᾶσαν τὴν γῆν δια-
φοιτᾷ τοῦ λόγου τὸ κήρυγμα, καὶ ὥσπερ ἦν πρὸ τῆς συγχύ-
σεως τῶν γλωσσῶν « χεῖλος ἓν πᾶσιν καὶ μία φωνή ᵃ », οὕτω
καὶ νῦν πάντα τὰ ἔθνη καὶ ἡ οἰκουμένη πᾶσα καὶ πάντες
5 ἄνθρωποι μία γίνονται ἀκοὴ καὶ καρδία μία ἑνὸς τοῖς πᾶσιν
ἐνηχοῦντος τοῦ λόγου. Πᾶσαν γὰρ κατὰ ταὐτὸν τὴν ἀνθρωπίνην φύσιν ἐκκλησιάσας καὶ θέατρον ἓν τὸν κόσμον ὅλον ἑαυτῷ
περιστήσας κοινῇ τοῖς πᾶσιν ἐμβοᾷ τὸν λόγον· « Ἀκούσατε,
λέγων, πάντα τὰ ἔθνη, ἐνωτίσασθε πάντες οἱ κατοικοῦντες τὴν
10 οἰκουμένην, οἵ τε γηγενεῖς καὶ υἱοὶ τῶν ἀνθρώπων ᵇ », κἂν
πλουτῶν τις ἐν ὑμῖν κἂν πενόμενος τύχῃ ᶜ. Ταύταις γὰρ ταῖς
τρισὶ συζυγίαις πᾶσαν γενικῶς διαλαμβάνει τὴν κατὰ τὸν βίον
τῶν ἀνθρώπων διαφοράν. Ἐν τῇ πρώτῃ συζυγίᾳ ἔθνη λέγει
πάντα καὶ τοὺς κατοικοῦντας τὴν οἰκουμένην· ὡς τῷ μὲν
15 ὀνόματι τῶν ἐθνῶν τὰς περιγραφὰς τῶν τόπων σημαίνεσθαι,
τῷ δὲ ἐφεξῆς λόγῳ τοὺς τῶν τόπων οἰκήτορας. | Γηγενεῖς δὲ
εἰπὼν καὶ ἀνθρώπων υἱοὺς τοὺς σαρκώδεις τε καὶ χοϊκοὺς καὶ
ἀλογωτέρους διακρίνει ἀπὸ τῶν σῳζομένων καί τινα ἐν αὐτοῖς
χαρακτῆρα τῆς ἀνθρωπίνης φύσεως ἐχόντων· ἴδιος δὲ χαρακ-

GNO 130

AVB SLQXF

65 διηγήσασθαι V ‖ αὐτῆς : αὐτοῖς Fᵃᶜ ‖ 65-66 θέσθε – αὐτῆς¹ (pro ὑμῶν
scr. ἡμῶν) Vᵐᵍ al. man. ‖ 67 ἔχει B

61 1 μετὰ + δὲ Vᵃᶜ ‖ τοῦτον SLQXF ‖ 3 ἓν : ἐν L ‖ καὶ μία om. V ‖ 4 πάντες
+ οἱ S ‖ 7 ὅλον τὸν κόσμον S ‖ 8 ἐμβοᾶτε Q ‖ 9 λέγων + ταῦτα SQF ‖ 10 οἵ
τε : εἴ τε (οἵ τε Xᵖᶜ al. man. vid.) SLQXF ‖ καὶ : εἴτε SLQXF ‖ κἂν : καὶ
Av ‖ 11 ὑμῖν : ἡμῖν Av ‖ 12 τὸν βίον om. QF ‖ 13 ἀνθρώπων : οὐρανῶν v ‖
14 τῷ : τῶν A τοῖς v ‖ 15 ὀνόμασι Av ‖ 16 τῷ : τῶν A ‖ 17 υἱοὺς ἀνθρώπων
S ‖ 18 αὐτοῖς S ‖ 19 ἐχόντων : σῳζόντων S

x. Ps 47, 13-14

a. Gn 11, 1 ; cf. Gn 11, 9   b. Ps 48, 2-3a   c. Cf. Ps 48, 3b

Sion et entourez-la, racontez dans ses tours, confiez vos cœurs à sa force et divisez ses forteresses [x] » et toute la suite s'y rattachant que le texte contient.

LE *PSAUME* 48 : L'UNIVERSALITÉ DE LA PROCLAMATION

61. Ensuite, logiquement, la proclamation de la parole s'étend à toute la terre, et, de la même manière qu'avant la confusion des langues il n'y avait « qu'une seule lèvre et qu'une unique voix pour tous [a] », ainsi aujourd'hui aussi, toutes les nations, le monde entier, tout homme sont une seule ouïe et un seul cœur quand le Verbe retentit unique en tous. Car il a rassemblé toute la nature humaine en un même lieu et a réuni autour de lui l'univers entier en un public unique pour crier à tous cette parole, disant : « Écoutez, toutes les nations, prêtez l'oreille, vous tous qui habitez le monde, enfants de la terre et fils des hommes [b] », que chez vous l'on soit riche ou pauvre [c]. En effet, par ces trois couples, il distingue d'une façon générale tout ce qui différencie la vie des hommes. Dans le premier couple, il mentionne toutes les nations et ceux qui habitent le monde, de telle sorte que le mot de nations signifie les frontières des territoires et l'expression suivante les habitants des territoires. En mentionnant des enfants de la terre et des fils d'hommes, il distingue les êtres charnels, terrestres et irrationnels de ceux qui sont sauvés et ont en eux une certaine empreinte de la nature humaine. Or, l'empreinte propre à l'homme, c'est la

20 τὴρ ἀνθρώπου ἡ πρὸς τὸ θεῖον ὁμοίωσις ᵈ. Ἡ δὲ κατὰ πενίαν τε
καὶ πλοῦτον ἀνισότης τοῦ βίου τὸ γενικώτατόν ἐστιν αἴτιον
τῆς ποικίλης τε καὶ πολυειδοῦς τῶν ἐν ἀνθρώποις πραγμάτων
ἀνωμαλίας. Τίς οὗτος ὁ ἐν τοσούτῳ καὶ τηλικούτῳ ἀκροα-
τηρίῳ δημηγορῶν ; Τίς ἄλλος ἢ ὁ μαρτυρῶν ἑαυτῷ ὅτι σοφίαν
25 λαλήσει καὶ σύνεσιν ; Λαλεῖ δὲ ταῦτα πάντως ὁ ἔχων « πνεῦμα
σοφίας τε καὶ συνέσεως ᵉ », τὴν μεγάλην ταύτην χάριν, τὴν ἐκ
προσοχῆς καὶ μελέτης κατορθουμένην. Οὐ γὰρ πρότερον εἶπεν
ἀνοίγειν τὸ στόμα πρὶν ὑποκλῖναι τὴν ἀκοὴν τῷ παραβάλλοντι
λόγῳ· « Τὸ στόμα μου, φησίν, λαλήσει σοφίαν καὶ ἡ μελέτη
30 τῆς καρδίας μου σύνεσιν ᶠ. » Καὶ πρῶτον « κλινῶ εἰς
παραβολὴν τὸ οὖς μου », καὶ τότε « ἀνοίξω ἐν ψαλτηρίῳ τὸ
πρόβλημά μου ᵍ ». Τίς οὖν ἡ σύνεσις καὶ τί τὸ πρόβλημα ; Οὐκ
οἶδεν, φησίν, ἡ τοῦ Θεοῦ κτίσις « πονηρᾶς τινος ἡμέρας ʰ »
κατασκευήν, ὡς μαρτυρεῖ τῆς κοσμογενείας ὁ λόγος ⁱ, ἀλλ' ἡ
35 ἁμαρτία τὴν ἀγαλλιάσιμον ἡμέραν φόβου καὶ τιμωρίας ἡμέραν
ἐποίησεν, ἣν ἐξῆν μὴ φοβεῖσθαι, εἰ μὴ ὁ τὴν πτέρναν ἡμῶν
ἐπιτηρῶν ὄφις, ᾧ ὄνομά ἐστιν ἡ ἀνομία, κύκλῳ τὴν πορείαν
PG 560   τοῦ βίου διέλαβεν ʲ, τῷ ἰδίῳ ὁλκῷ ταῖς ποικίλαις τῶν παθημάτων φολίσιν φοβερῶς ἐπιφρίσσων πανταχόθεν καὶ τραχυ-
40 νόμενος. Εἶτα διχῇ διελὼν πᾶσαν τὴν ψαλμῳδίαν, ἐν μὲν τῷ
πρώτῳ μέρει συμβουλὴν κατατίθεται τοῦ μὴ πρὸς ἄλλον
βλέπειν τινὰ λυτρωτήν· « οὔτε γὰρ ἀδελφὸς λυτροῦται »,
GNO 131 φησίν, οὔτε ἄλλος τις ἄνθρωπος| ἀλλ' ἢ αὐτὸς ἕκαστος ἑαυτὸν

AVB SLQXF

22 τῆς : τοῖς Fᵃᶜ ‖ ποικίλοις Q ‖ 23 τοιούτῳ L ‖ 23-24 ἀκροτηρίῳ VBQX ‖
24 ἑαυτῷ : ἐν αὐτῷ Av ‖ 25 λαλῇ V ‖ αὐτὰ Av ‖ πάντως om. AVBv ‖
26 ταύτην (ν p.c.) F ‖ χάριν (ν sl) V ‖ 31 οὖς (ς sl) V ‖ 33 κτῆσις X ‖ τινας
A ‖ 34 κοσμογενείας (-σ- sl) V κοσμογενίας ASLQ Don κοσμογονίας XF ‖
35 φόβου – ἡμέραν Xᵐᵍ ‖ τιμωρίας (ς p.c.) V ‖ ἡμέραν² om. V ‖ 37 ὄφις :
ἄφεσις Q ‖ ᾧ : ὃ A ‖ 38-39 παθῶν Av ‖ 40 διελὼν διχῇ B ‖ διελθὼν Av ‖ 41
μὴ om. X ‖ 43 οὔτε : οὔτ' Q

d. Cf. Gn 1, 26   e. Is 11, 2   f. Ps 48, 4   g. Ps 48, 5   h. Ps 48, 6   i. Cf.
Gn 1, 4   j. Cf. Ps 48, 6

ressemblance avec la divinité [d]. Quant à l'inégalité de vie liée à la pauvreté et à la richesse, elle est la cause la plus générale des disparités diverses et variées des affaires humaines. Quel est celui qui s'adresse à un auditoire si nombreux et si important ? Qui d'autre sinon celui qui dit en se prenant à témoin qu'il parlera sagesse et intelligence ? Or, il parle absolument ainsi celui qui possède « un esprit de sagesse et d'intelligence [e] », cette grande grâce que l'on obtient à force d'attention et de méditation. Il n'a pas prétendu, en effet, ouvrir la bouche avant d'avoir incliné son oreille vers la parole qui procède par parabole : « Ma bouche, dit-il, parlera sagesse et la méditation de mon cœur intelligence [f] » ; et, tout d'abord, « j'inclinerai vers une parabole mon oreille » et alors « je dévoilerai sur un psaltérion mon sujet [g] ». Quelle est donc l'intelligence et quel est le sujet ? La création de Dieu, dit-il, ne connaît pas l'établissement d'un « jour mauvais [h] », comme en témoigne le récit de la création du monde [i], mais le péché a fait du jour de réjouissance un jour de peur et de châtiment. Il n'aurait pas dû être un objet de peur si le serpent qui guette notre talon − il a pour nom l'iniquité − n'avait pas encerclé et coupé le chemin de la vie [j], quand de tous côtés, dans son mouvement rampant, il se couvrait d'aspérités et se hérissait, de manière redoutable, des écailles diverses des passions. Puis il a divisé en deux tout le psaume : dans la première partie, il donne le conseil de ne pas porter les yeux sur un autre qui rachète. Car, dit-il, « pas plus un frère ne rachète » qu'aucun autre homme, il n'y a que chacun personnellement à pouvoir se faire pardonner, s'il

ἐξαιτήσεται, ἐὰν « δῷ τῷ Θεῷ ἐξίλασμα ἑαυτοῦ καὶ τὴν τιμὴν
45 τῆς λυτρώσεως τῆς ψυχῆς αὐτοῦ ᵏ »· ὃ βούλεται συμβουλὴν
πρὸς ὑπεροψίαν τῶν μάτην σπουδαζομένων γενέσθαι τὴν
σπουδαζομένην ἐν τῷ βίῳ τούτῳ κατὰ τὸ μάταιον ἀκολουθίαν.
Πῶς ἐν ἀνονήτοις διάγουσι κόποις οἱ ἄνθρωποι, ὡς ἀεὶ
ζήσεσθαι προσδοκῶντες ; Πῶς τὴν διὰ τοῦ θανάτου κατα-
50 φθορὰν οὐκ ἐλπίζουσιν οἱ τοὺς πρὸ αὐτῶν ἀποθνήσκοντας
βλέποντες ¹ ; Καὶ ὅτι ἄφρονες ὡς ἀληθῶς εἰσιν καὶ ἀνόητοι οἱ
οὐκ εἰδότες, ὅτι μετὰ τὸν τῇδε βίον ἄλλοις καταλείψουσι τὸν
πλοῦτον αὐτῶν, αὐτοὶ δὲ τάφοις εἰς τὸ διηνεκὲς παροικήσουσιν, οἱ τὰ ὀνόματα αὐτῶν οὐκ ἐν οὐρανοῖς διὰ τῆς
55 ὑψηλοτέρας ζωῆς ἀπογράψαντες, ἀλλ᾿ ἐν τῇ γῇ ὀνομαστοὶ
γενέσθαι ποθήσαντες ᵐ, ἀνωνύμους ἑαυτοὺς ἐν τῇ ἄνω πόλει
ἐποίησαν. Τούτων δὲ πάντων αἴτιον τὸ μὴ συνιέναι τὸν
ἄνθρωπον τῆς ἰδίας τιμῆς, ἀλλὰ πρὸς τὰς κτηνώδεις ἡδονὰς
ἑκουσίως κατασυρῆναι ⁿ, λαιμῷ καὶ γαστρὶ καὶ τῷ μετὰ
60 γαστέρα ῥύπῳ γενόμενον ἔκδοτον. Τοῦτο τῆς πρώτης διαιρέσεως τοῦ ψαλμοῦ τὸ μέρος. Τὸ δὲ λειπόμενον ἐν ἄλλοις ἔχει
τὴν κατηγορίαν. Πάλιν δὲ εἰς τὸ αὐτὸ ῥῆμα περαιοῦται ὁ
λόγος ᵒ, τοῦτο, οἶμαι, φιλοσοφούσης ἡμῖν τῆς προφητείας, ὅτι
τὸ πρῶτον αἴτιον τῆς τῶν κακῶν εἰσόδου τὸ ἀποκτηνωθῆναι

AVB SLQXF

44 ἐξαιτήσηται L ‖ ἐὰν + δὲ A + γε v ‖ δῷ om. A δώσει v ‖ ἑαυτὸν
SQXF ‖ 45 δ : ᾧ SLQXF ‖ 46 lacunam exstare ante vel post γενέσθαι coni.
Don ‖ γενέσθαι + διαβάλλει ὁ προφήτης Vat. Pal. 247 (Nicétas) ‖ 47
σπουδαζομένην iteratum a scriba antiquo coni. Don ‖ 48 ἀνοήτοις AVBv ‖
κόποις διάγουσιν S ‖ οἱ om. SLQXF ‖ 49 προσδοκῶντες (ω p.c.) F ‖ 51 εἰσιν
ὡς ἀληθῶς Av ‖ 52 ὅτε vid. Vᵃᶜ ‖ καταλείψωσι VB ‖ 53 αὐτῶν : αὐτοῦ vid.
Fᵃᶜ ‖ 53-54 παροικήσουσιν (ω add. sl prima manus vid.) A παροικήσωσιν
VB ‖ 54 οὐρανοῖς : οἷς V ‖ 55-56 γενέσθαι ὀνομαστοὶ AVBv ‖ 59 ἑκούσιος Vᵃᶜ
‖ 61 τὸ¹ om. VB ‖ 62 ῥῆμα (η p.c.) F

k. Ps 48, 8-9   l. Cf. Ps 48, 10   m. Cf. Ps 48, 11-12   n. Cf. Ps 48, 13
o. Cf. Ps 48, 21

« donne à Dieu sa propre expiation et le prix du rachat de son âme [k] ». C'est pourquoi il veut que la conséquence des vains attachements de cette vie devienne une incitation à mépriser l'attachement à de vains objets [1]. Comment les hommes peuvent-ils passer leur temps en souffrances inutiles, comme s'ils s'attendaient à vivre toujours ? Comment ne craignent-ils pas la destruction de la mort, eux qui voient ceux qui les précèdent mourir [1] ? Et parce qu'ils sont vraiment fous et insensés ceux qui ignorent qu'après la vie ici-bas, ils laisseront à d'autres leur richesse, tandis qu'eux-mêmes demeureront à jamais dans des tombeaux, eux qui n'ont pas écrit leur nom dans les cieux par une vie plus élevée, mais ont désiré se faire un nom sur la terre [m], se sont rendus anonymes dans la cité d'en haut. Et la raison de tout cela, c'est que l'homme ne comprend pas son propre honneur, mais s'est laissé volontiers entraîné à des plaisirs bestiaux [n], livré à son gosier, à son ventre et à la souillure du bas ventre. Telle est la partie du psaume qui relève de sa première division. Celle qui reste présente l'accusation en d'autres termes. Et, à nouveau, le texte s'achève sur la même parole [o], la prophétie nous proposant, je crois, la philosophie suivante : la première raison de

---

1. Le texte présente des difficultés et a peut-être été mal transmis. J. Mc Donough supposait une lacune et attribuait à un copiste la répétition de σπουδάζω.

65 τὸν ἄνθρωπον τοῖς ζωωδεστέροις παθήμασιν. Γενομένης δὲ
ἡμῖν ἐκ χάριτος τῆς θεραπείας τοῦ τοιούτου κακοῦ διὰ τοῦ
ἐπισκεψαμένου ἐν οἰκτιρμῷ τὸ ἀνθρώπινον, πάλιν ἀφέντες
« τὸν ἀγαθὸν ποιμένα ᴾ » ὑπὸ τοῦ θανάτου ποιμαίνονται οὐ

GNO 132   πρὸς τὴν | οὐρανίαν ἀλλὰ πρὸς τὴν ἐν ᾅδου νομὴν ἑαυτοὺς
70 ἐπικλίναντες πρόβατα τοῦ ᾅδου γινόμενοι. Φησὶ γὰρ ὅτι « Ὡς
πρόβατα ἐν ᾅδῃ ἔθεντο, θάνατος ποιμανεῖ αὐτούς �q. » Καὶ
οὕτως ἐκ δευτέρου γίνεται πάλιν διὰ τῆς ἁμαρτίας ἡ τῆς τιμῆς
τῆς κατὰ χάριν γενομένης ἡμῖν ἀναισθησία καὶ πρὸς τὸν
ἄλογον βίον καταφορά. Πᾶν γὰρ τὸ ἔξω τοῦ ἀληθινοῦ λόγου
75 γινόμενον ἀλογία ἐστίν. Ἴδιον δὲ τοῦ κτήνους τὸ ἄλογόν τε καὶ
ἀνόητον ʳ.

ΚΕΦΑΛΑΙΟΝ ΙΓ′

62. Τὰ δὲ καθ᾽ ἕκαστον τῶν ἐν τῇ ψαλμῳδίᾳ δι᾽ ἀκριβείας
ἐπὶ λέξεως ἀναγράφειν περιττὸν ἂν εἴη, πολλῆς εὐκολίας
οὔσης τῷ βουλομένῳ διὰ τῶν εἰρημένων καὶ τὰ παρεθέντα
κατανοῆσαι, ὥστε οὐδὲν οἶμαι δεῖν μηκύνειν διὰ πολυλογίας
5 τὸν λόγον· ἢ τοῦτο μόνον ἀναγκαῖόν ἐστιν ἐπαναλαβεῖν ἐκ τῶν
προεξητασμένων, ὅτι δι᾽ ἀμφοτέρων εὐεργετεῖ τὴν ἀνθρωπίνην φύσιν ὁ μέγας Δαβίδ, δι᾽ ὧν τε προτυποῖ συμβολικῶς τὴν
σωτηρίαν ἡμῶν καὶ δι᾽ ὧν ὑποδείκνυσι τοῖς ἀνθρώποις τῆς
μετανοίας τὸν τρόπον, οἷόν τινα τέχνην ἐπιβάλλων τούτῳ τῷ

AVB SLQXF

65 τοῖς : τῆς X ‖ 66 χάριστος (sic) V ‖ 67 ἐν om. Av ‖ 69 οὐράνιον v ‖
70 τοῦ om. VSᵃᶜ ‖ ᾅδου om. V ‖ γενόμενοι AQv ‖ 71 ποιμαίνει L ‖ 73 ἡμῖν
γενομένης Av ‖ γινομένης QF ‖ 74 καταφορᾷ LQ
62 1 τῶν om. S ‖ 4 παλιλογίας S παλαιολογίας L παλλιλογίας X
παληλογίας F ‖ 4-5 τὸν λόγον διὰ πολυλογίας S ‖ 7 ὦ V ‖ 8 ὧν (v sl) L ‖
9 ἐπιβαλὼν SLQXF

p. Jn 10, 11   q. Ps 48, 15   r. Cf. Ps 48, 21

l'entrée du mal, c'est l'abrutissement de l'homme par les passions animales ; or, alors que nous avons reçu par grâce de celui qui a visité avec compassion l'humanité le soin d'un tel mal, ils ont à nouveau abandonné « le bon pasteur [p] » et c'est la mort qui les fait paître, eux qui se sont penchés non vers le pâturage céleste, mais vers celui de l'Hadès et sont devenus des brebis de l'Hadès. Car il dit : « Comme des brebis, ils ont été placés dans l'Hadès : la mort les fait paître [q]. » Et ainsi, pour la seconde fois, le péché entraîne à nouveau l'inconscience devant l'honneur qui nous a été fait par grâce et la descente dans la vie irrationnelle. Car tout ce qui a lieu en dehors de la raison véritable est déraison. Or le propre de la bête est d'être sans raison et sans intelligence [r].

CHAPITRE XIII

LE *PSAUME* 50 : LE REPENTIR DE DAVID

62. Il serait superflu de passer en revue minutieusement chacun des psaumes, un par un et mot par mot, puisque ce qu'on a dit permet à celui qui le souhaite de comprendre très facilement également les passages voisins. Aussi n'est-il pas, selon moi, nécessaire d'allonger, en se montrant prolixe, le discours, ou, du moins, faut-il seulement revenir, en se fondant sur nos considérations antérieures, sur le fait que le grand David est le bienfaiteur de la nature humaine, à la fois parce qu'il préfigure symboliquement notre salut et parce qu'il montre aux hommes la façon de se repentir, appliquant pour ainsi dire une certaine méthode pour réaliser cela dans le

PG 561   10 κατορθώματι διὰ τῆς πεντηκοστῆς ψαλμῳδίας, δι᾽ ἧς ἄλλη
νίκη κατὰ τοῦ ἀντιπάλου ἡμῖν ἑτοιμάζεται. Τὸ γὰρ εἰδέναι
τῶν κακῶν ἑαυτοὺς ἐκκαθαίρειν τῆς διηνεκοῦς κατὰ τοῦ
ἐχθροῦ νίκης παρασκευὴ γίνεται καὶ ὑπόθεσις. Ἀδιαλείπτου
γὰρ ἡμῖν οὔσης ἐν τῷ βίῳ τῆς πάλης τῆς γενομένης « πρὸς τὸν
15 κοσμοκράτορα τοῦ σκότους τούτου καὶ πρὸς τὰ πνευματικὰ
GNO 133   τῆς πονηρίας ἐν τοῖς ἐπουρανίοις ᵃ »· | ἐπειδὴ ἓν μόνον ἀντι-
πάλαισμα καὶ πρὸς πᾶσαν πειρατηρίου προσβολὴν ἔχομεν τὴν
μετάνοιαν, ὁ τοῦτο ἐν ἑαυτῷ κατορθώσας διὰ παντὸς νικητὴς
γίνεται τοῦ ἀεὶ προσπαλαίοντος.

20   Μετὰ τοῦτο δὲ κἂν ἡ ἱστορία ἐν ταῖς ἐπιγραφαῖς τὸ
ἀνακόλουθον ἔχῃ, ἀλλ᾽ ὁ νοῦς πρὸς τὴν ἀκολουθίαν συνήρτη-
ται. Πολὺ γὰρ μεταγενέστερον τὸ κατὰ τὴν Βηρσαβεὲ καὶ τὸν
Οὐρίαν ἔργον ᵇ τοῦ κατὰ τὸν Ἰδουμαῖον τὸν Δωὴκ ἐστιν διηγήματος ᶜ. Τοῦτο μὲν γὰρ ἐν ἀρχαῖς τῆς τοῦ Σαοὺλ τυραννίδος
25 ἐγένετο, ἐκεῖνο δὲ μικρὸν πρὸ τοῦ τέλους τῆς τοῦ Δαβὶδ
βασιλείας συνέβη. Ἀλλ᾽ οὐ μέλει τῷ πνευματικῷ λόγῳ τῆς
χρονικῆς τε καὶ σαρκίνης τῶν πραγμάτων τάξεως. Τί γάρ με
τοσοῦτον ὀνίνησιν ἐν πρώτοις τὸ κατὰ τὸν Ἰδουμαῖον μαθεῖν
καὶ μετὰ ταῦτα τὸ κατὰ τὴν Βηρσαβεὲ διδαχθῆναι ; Τίς ἀρετὴ
30 διὰ τούτου ; Ποία πρὸς τὸ κρεῖττον ἀνάβασις ; Τίς πρὸς τὴν
τῶν ὑψηλῶν ἐπιθυμίαν διδασκαλία ; Εἰ δὲ μαθὼν τὰ ἐν τῷ
πεντηκοστῷ μυστήρια, ὅσα κατὰ τὸ βαθύτερον περιέχει ὁ

AVB SLQXF T (l. 23-24. 26)

12 τῆς + διόλου V ‖ 13 ἀδιαλήμπτου (sic) L ‖ 14 γινομένης QXF ‖
15 σκότους + τοῦ αἰῶνος S ‖ 18-20 τοῦτο – μετὰ om. ex homoeotel. Q ‖ 18-19
γίνεται νικητής S ‖ 20 κἂν : καὶ Av ‖ ἤ om. Q ‖ 21 ἀκόλουθον
B ‖ ἔχει AVᵖᶜLQv ‖ 23 ἐστιν + τὸ AVBv ‖ 23-24 διηγήματος T coni. Jaeger
Don : διήγημα cett. ‖ 24 ἐν + ταῖς X ‖ 26 μέλλει ALQ ‖ πνευματικῷ T coni.
Don : πνεύματι (post πνι add. sl forte τι vel τῷ F vel al. man.)
cett. ‖ λόγου SQX ‖ 31 ἐπιθυμιῶν AVBSLXv ‖ διδασκαλίαν Lv ‖ μάθω
SQXF ‖ 32 προέχει Q

a. Ep 6, 12   b. Cf. Ps 50, 2 ; 2 Rg 11, 2-5. 14-17   c. Cf. Ps 51, 2 ;
1 Rg 21 – 22

psaume cinquante, où une autre victoire sur l'opposant est apprêtée pour nous. Car savoir se purifier du mal, c'est ce qui prépare et fonde la victoire perpétuelle sur l'adversaire, puisqu'incessante est pour nous durant la vie la lutte à mener « contre le souverain de ce monde de ténèbres et contre les esprits de malice qui sont dans les régions célestes [a] ». Or, comme justement notre seul et unique moyen de combattre chaque assaut d'une tentation, c'est le repentir, celui qui a réussi cela en lui-même devient le permanent vainqueur de celui qui sans cesse l'attaque.

Et même si, par la suite, l'histoire ne suit pas, dans les titres, l'enchaînement chronologique, le sens cependant suit un enchaînement. L'épisode de Bersabée et d'Ourie [b] est, en effet, bien postérieur au récit relatif à l'Idouméen Doèk [c] : celui-ci est situé au début de la tyrannie de Saül, celle-là est arrivée un peu avant la fin de la royauté de David. Mais la parole inspirée ne se soucie pas de l'ordre chronologique et charnel des événements. Car, en quoi m'est-il à ce point utile d'apprendre d'abord l'histoire de l'Idouméen et, ensuite, d'être informé de celle de Bersabée ? Quelle vertu trouver à travers cela ? Quelle sorte d'ascension vers le mieux ? Quel enseignement qui fasse désirer les réalités sublimes ? Mais si, en apprenant tous les mystères du psaume cinquante que le

λόγος, καὶ μετ᾽ ἐκείνου τὸ πρὸς τὴν κατάλυσιν τοῦ ἀντιπάλου
δοθὲν ἡμῖν φάρμακον διδαχθείην, τὸ τῆς μετανοίας λέγω,
35 ὥστε διὰ τούτου με πάντοτε νίκη τῇ κατὰ τοῦ ἐχθροῦ συνεθί-
ζεσθαί τε καὶ ἐγγυμνάζεσθαι, σκόπησον ὅπως προσβαίνω
κατὰ τὸ ἀκόλουθον τῇ ἐφεξῆς ἀνόδῳ, νίκην ἐκ νίκης
μεταλαμβάνων.

63. Ἀναγνώσομαι δέ σοι τῆς ἱστορικῆς ἐπιγραφῆς τὴν
ἀκολουθίαν ἔχουσαν οὕτως· « Εἰς τὸ τέλος συνέσεως τῷ Δαβὶδ
GNO 134   ἐν τῷ ἐλθεῖν Δωὴκ τὸν Ἰδουμαῖον καὶ | ἀναγγεῖλαι τῷ Σαοὺλ
καὶ εἰπεῖν αὐτῷ· Ἦλθεν Δαβὶδ εἰς τὸν οἶκον Ἀβιμέλεχ ᵃ. » Δι᾽
5 ὧν διδάσκομαι ὅτι τοῦτο μὲν εἰς τὸ τέλος τῆς νίκης ἄγει, ὅταν
σύνεσις καθηγῆται τοῦ βίου καθ᾽ ὁμοιότητα τοῦ μεγάλου
Δαβίδ· καὶ τότε μάλιστα λυπῶ τὸν Δωὴκ τὸν τῆς ἐμῆς
σωτηρίας τύραννον, ὅταν ἐν τῷ οἴκῳ τοῦ ἱερέως γένωμαι καὶ
ὅταν ἡμιόνων ὑπηρέτης, μηκέτι μοι κατὰ πρόσωπον
10 συμπλέκεσθαι δύναμιν ἔχων, λάθρα κατ᾽ ἐμοῦ τὴν ἐπιβουλὴν
ἐξαρτύηται τῷ κατ᾽ ἐμοῦ φονῶντι τὴν παρὰ τῷ ἱερεῖ διαγωγήν
μου καταμηνύων ᵇ. Δῆλον δ᾽ ἂν εἴη τίνες εἰσὶν αἱ ἡμίονοι, ὧν
ἐπιστατεῖ οὗτος ὁ Ἰδουμαῖος ὁ τὴν ἄγονον βουκολῶν φύσιν, ἐν
ᾗ τοῦ Θεοῦ ἡ εὐλογία τόπον οὐχ εὗρεν, ἥ φησιν ἐξ ἀρχῆς τὸν
15 πληθυσμὸν ἐντιθεῖσα τῇ κτίσει, ὅτι « Αὐξάνεσθε καὶ πληθύνεσθε ᶜ. » Οὐ γὰρ ἐκ Θεοῦ ὁ πληθυσμὸς τῇ κακίᾳ· ὡς οὐδὲ ἐξ
ἀλλήλων ἐστὶν ἡ τοῦ γένους τῶν ἡμιόνων διαδοχή, ἀλλ᾽ ἀεὶ

AVB SLQXF

33 κατ᾽ ἐκείνου B ‖ τοῦ : τὸ A ‖ 34 διδαχθείην VBv : διδαχθείη A διδαχθῶ
SQXF διδαχθείεν L ‖ τὸ : ἐν τῷ AVBv ‖ λέγω : λόγῳ AFv ‖ 35 ὥστε : ἐπὶ τὸ
vid. S ὡς τὸ L ‖ νίκη τῇ : νικητὴν SQXF ‖ τοῦ om. L ‖ 36 ὅπως : ὅσον QF ‖
προβαίνω Q ‖ 37 ἀνόδῳ om. S

63 4 ἀβιλεχ (με sl al. man.) V ‖ 5 μὲν : με VB ‖ 6 καθηγεῖται ALQXv ‖ 8
ὅταν om. AVBv ‖ γενόμενος AVBv ‖ 10 ἐπιβολὴν L ‖ 11 ἐξαρτύεται v ‖
13 ἄγονον + ἡ L ‖ 17 διδαχῇ L ‖ ἀεὶ : εἰ L

a. Ps 51, 1-2   b. Cf. 1 Rg 21, 8 ; 22, 9 s.   c. Gn 1, 28

texte contient selon le sens plus profond, j'ai pu être avec lui aussi instruit du remède qui nous a été donné pour détruire l'opposant – je veux parler du repentir –, de telle sorte que je me suis habitué et entraîné, grâce à lui, à vaincre toujours l'adversaire, considère comment je m'approche progressivement de la montée suivante, échangeant victoire contre victoire.

LE *PSAUME* 51

La lutte contre Doèk, le berger des mules stériles

63. Mais je vais te citer l'enchaînement du titre historique qui se présente ainsi : « Pour la fin, d'intelligence en l'honneur de David, lorsque Doèk l'Iduméen est venu annoncer à Saül et lui dire : David est venu dans la maison d'Abimélech [a]. » J'apprends par là que la situation qui conduit à la victoire finale est celle où l'intelligence dirige la vie à la ressemblance du grand David ; et que j'attriste particulièrement Doèk, le tyran de mon salut, quand je me trouve dans la maison du prêtre, et quand, serviteur de mules, il n'a plus la force de m'attaquer de face, mais prépare en cachette une machination contre moi, en dénonçant à celui qui veut ma mort ma présence auprès du prêtre [b] [1]. On peut voir clairement qui sont les mules que commande cet Iduméen : il fait paître la nature stérile, en qui la bénédiction de Dieu n'a pas trouvé place, elle qui, d'emblée, a prescrit à la création de se multiplier par ces mots : « Croissez et multipliez [c]. » Car la multiplication en mal ne procède pas de Dieu, comme la succession de l'espèce des mules ne procède pas non plus

---

1. Sur Doèk, voir P. Devos, « Doèk dans l'hagiographie byzantine chez S. Augustin et dans une lettre de S. Basile », *Analecta Bollandiana* 111 (1993), p. 69-80 et 258.

καινοτομεῖ τὸ ζῷον ἡ φύσις τὸ μὴ ὂν ἐν τῇ κτίσει δι' ἑαυτῆς
παρασοφιζομένη καὶ παρεισάγουσα. Δῆλον δὲ πάντως διὰ τῶν
20 εἰρημένων ἐστὶ πρὸς τίνα σκοπὸν βλέπει ὁ λόγος. Εἰ γὰρ
PG 564   « πάντα ὅσα ἐποίησεν ὁ Κύριος καλὰ λίαν [d] », ἡ δὲ ἡμίονος ἔξω
τοῦ καταλόγου τῶν ἐν τῇ κτίσει γεγονότων ἐστίν, δῆλον ἂν εἴη
ὅτι πρὸς κακίας ἔνδειξιν τὸ ὄνομα τοῦτο ὑπὸ τῆς ἱστορίας
παρείληπται. Οὔτε ἐκ Θεοῦ οὖν τὴν ὕπαρξιν ἔχει οὔτε γενο-
25 μένη ὡς γίνεται διαρκεῖ τῇ ὑποστάσει πρὸς τὸ ἴδιον. Ὡς γὰρ οὐ
συντηρεῖ δι' ἑαυτῆς ἑαυτὴν ἡ τῶν ἡμιόνων φύσις, οὕτως οὐδὲ ἡ
κακία μένει κατὰ τὸ διηνεκὲς ἡ αὐτὴ φυλασσομένη, ἀλλὰ
πάντοτε γίνεται ἄλλη ὑπ' ἄλλου ζωογονουμένη, ὅταν τὸ
εὐγενὲς καὶ γαῦρον τῆς ἐν ἡμῖν φύσεως καὶ ταχὺ καὶ ὑψαύ-
30 χενον πρὸς ἐπιθυμίαν τῆς ὀνώδους τε καὶ ἀλόγου συζυγίας
κατολισθήσῃ.

GNO 135   Ὁ τοίνυν| ἀλλόφυλος ἐκεῖνος Δωὴκ ὁ τῷ Σαοὺλ κατὰ τοῦ
Δαβὶδ γενόμενος ἄγγελος, ὁ τῆς ἀγόνου ἀγέλης τῶν ἡμιόνων
νομεύς, οὐκ ἄν τις ἕτερος εἴη παρὰ τὸν πονηρὸν ἄγγελον τὸν
35 διὰ τῶν ποικίλων τῆς ἁμαρτίας παθημάτων τὴν ἀνθρωπίνην
ψυχὴν πρὸς τὸ κακὸν ἐφελκόμενον· ἣν ὅταν ἴδῃ ὅτι ἐν τῷ οἴκῳ
τοῦ ἀληθινοῦ ἱερέως ἐστίν, ἀδυνατῶν πλῆξαι αὐτὴν τοῖς τῶν
ἡμιόνων λακτίσμασιν, τότε καταμηνύει πρὸς τὸν ἄρχοντα τῆς
πονηρίας « τοῦ πνεύματος τοῦ ἐνεργοῦντος ἐν τοῖς υἱοῖς τῆς
40 ἀπειθείας [e] ». Ὁ δὲ ἐρριζωμένος « ὡς ἐλαία κατάκαρπος ἐν τῷ

AVB SLQXF

21 κύριος : θεὸς S ‖ 24 οὖν ἐκ θεοῦ S ‖ οὖν om. L ‖ 24-25 γινομένη S ‖
27 ἡ αὐτὴ : αὐτῇ AVBL ‖ 28 ἄλλη om. v ‖ ὑπὸ B ‖ 30 ἀνώδους Av ‖ 31 κατο-
λισθήσει L ‖ 32 τῷ : τοῦ v ‖ 34 τις om. Av ‖ τὸν² : τῶν A ‖ 36 ἐφελκόμενος
AVB ‖ ἣν : ἵν' AQFv ἣν V ‖ 37 ἀδυνατὸν F^ac ‖ αὐτὸν AVBLv ‖ 40 ἀπηθείας
(ἀπαθ- a.c.) F ‖ ὡσεὶ AVB ‖ 40-41 ὡς – κατάκαρπος post θεοῦ Q

d. Gn 1, 31   e. Ep 2, 2

de leur croisement, mais à chaque fois la nature crée à nouveaux frais l'animal, faisant preuve de perversité en inventant et en introduisant d'elle-même ce qui n'existe pas dans la création. On voit très clairement d'après ce qu'on a dit quel but vise la parole. Car si « tout ce qu'a fait le Seigneur est très bon [d] », mais que la mule ne fait pas partie du catalogue des créatures, il est clair que l'histoire emploie ce nom pour désigner la malice. Elle ne tient donc pas de Dieu son existence, pas plus qu'une fois née de la manière dont elle naît, elle n'a les moyens suffisants pour subsister selon sa particularité. Car comme la nature des mules ne se conserve pas par elle-même, de la même manière la malice ne subsiste pas non plus en se gardant continuellement la même, mais elle devient toujours autre, recevant la vie d'un autre, quand la noblesse et la fierté de notre nature, sa rapidité et sa nuque haute se laissent aller à désirer l'union asinienne et irration-nelle [1].

Cet étranger, donc, Doèk, qui se fit auprès de Saül le porteur d'un message hostile à David, le berger du troupeau stérile des mules, ne peut être autre que le méchant messager qui attire, grâce aux passions diverses du péché, l'âme humaine vers le mal. Chaque fois qu'il voit qu'elle se trouve dans la maison du prêtre véritable, et qu'il est incapable de la frapper par les ruades de ses mules, alors il dénonce au prince de méchanceté « l'esprit qui agit sur les fils de la désobéissance [e] ». Mais celui qui est enraciné « comme un

---

1. L'union est celle du cheval et de l'âne : l'homme perd sa nature noble au contact de celle de l'âne et devient asinien. L'image est remodelée par Grégoire, mais on reconnaît l'inspiration platonicienne, cf. *Phaed.* 81 e : « Ceux qui se sont adonnés à la mangeaille, à l'impudicité, à la boisson, sans aucune retenue, revêtent naturellement la forme des ânes » (trad. P. Vicaire, *CUF*), *Tim.* 91 e, et philonienne, cf. *Gig.* 31 à propos des âmes alourdies : « Elles sont incapables de regarder en haut vers les révolutions célestes ; au contraire, la nuque entraînée vers le bas (κάτω ἑλκυσθεῖσαι τὸν αὐχένα), elles ont pris racine en terre, à la manière des quadrupèdes. »

οἴκῳ τοῦ Θεοῦ [f] » ἐκείνους ποιεῖται κατὰ τοῦ τυράννου τοὺς λόγους, οὓς ἐν τῇ ψαλμῳδίᾳ ἠκούσαμεν, λέγων· « Τί ἐγκαυχᾷ ἐν κακίᾳ ὁ δυνατὸς ἀνομίαν [g] », οὗ « ἡ γλῶσσα ὡσεὶ ξυρὸν ἠκονημένον [h] », οἷς ἂν ἐπαχθῇ ἀποσυλῶσα τῶν τριχῶν τὴν
45 εὐπρέπειαν καὶ τὰς ἑπτὰ τῶν βοστρύχων σειρὰς [i] ἐν αἷς ἐστιν ἡ δύναμις ἡμῶν ἀποτέμνουσα ; Νοεῖς δὲ πάντως ἐκ τῆς ἑβδομάδος τῶν πνευματικῶν βοστρύχων τὴν ἔννοιαν, καθὼς ὁ Ἡσαΐας τὴν ἑπταχῇ γινομένην τοῦ Πνεύματος χάριν ἀπηριθμήσατο [j]· ὧν ἀποτμηθέντων, καθὼς ἐπὶ τοῦ Σαμψὼν
50 συνέβη, ἕπεται τῶν ὀφθαλμῶν ἡ ἀπώλεια καὶ τὸ ἐπιγέλαστον εἶναι τοῖς ἀλλοφύλοις, ὅταν μεθύωσιν [k].

64. Ἐπάγει δὲ μετὰ τὸ εἰπεῖν, δι' ὧν ὑπογράφεται τὰ τοῦ ἐν κακίᾳ δυνατοῦ ἰδιώματα [a], ὅτι ὁ Θεὸς τοῦτον μὲν καθαιρήσει εἰς τέλος· τέως δὲ νῦν ἐκτιλεῖ καὶ μεταναστεύσει ἀπὸ τοῦ θείου σκηνώματος, καὶ ἐκ τῆς τῶν ζώντων γῆς ἀνορύξει τὰ τῆς
5 πονηρίας αὐτοῦ καὶ πικρίας ῥιζώματα [b] καὶ ὅσα τούτοις κατὰ τὸ ἀκόλουθον περιέχει ἡ ψαλμῳδία πρὸς τὴν αὐτὴν διάνοιαν βλέποντα· δι' ὧν κατορθοῦται τὸ βέβαιον| τῶν, καθὼς εἶπεν ὁ θεῖος ἀπόστολος [c], ἐρριζωμένων ἐν τῇ πίστει. « Ἐγὼ γάρ, φησίν, ὡσεὶ ἐλαία κατάκαρπος ἐν τῷ οἴκῳ τοῦ Θεοῦ μου
10 ἤλπισα ἐπὶ τὸ ἔλεος τοῦ Θεοῦ εἰς τὸν αἰῶνα » καὶ τὸ ὑπὲρ τοῦτο διάστημα, οὗ μέτρον ἐστὶν ἡ ἀπειρία, ὅπερ « αἰώνων » ὀνομάζει « αἰῶνα [d] ». Ἐν τούτῳ καὶ τὴν εὐχαριστίαν κατὰ τὸ ἀΐδιον

GNO 136

AVB SLQXF

41 ποιήται V ποιεῖ QF ‖ 42 λέγων om. QF ‖ 44 ἀποσυλοῦσα BS ἀποσυλᾶ QXF ‖ 45 ἑπτὰ : ἓξ QXF ‖ 46 ἀποτέμνει QXF ‖ 47 πνεύματι (corr. man. al. vid.) V ‖ ὁ om. AVBv ‖ 48 γινομένη X
64 3 ἐκτίλει A ἐκτείλη VB ἐκτίλει SLQXF ‖ μεταναστήσει v ‖ 4 ἀνορύσσει L ‖ 7-8 τῶν post ἀπόστολος AVBv ‖ 8 ἐρριζωμένον X ‖ ἐν om. S ‖ 9 μου om. VS ‖ 11 μέτρου A ‖ αἰὼν ὧν L ‖ 12 τοῦτο A τούτο F

---

f. Ps 51, 10   g. Ps 51, 3   h. Ps 51, 4   i. Cf. Jg 16, 13-14. 19   j. Cf. Is 11, 2   k. Cf. Jg 16, 21. 25

a. Cf. Ps 51, 5-6   b. Cf. Ps 51, 7   c. Cf. Col 2, 7   d. Ps 51, 10

olivier qui porte des fruits dans la maison de Dieu [f] » compose contre le tyran ces paroles que nous entendons dans le psaume, disant : « Pourquoi te glorifies-tu, toi le puissant en malice, de ton iniquité [g] », toi dont « la langue est comme un rasoir aiguisé [h] », elle qui dépouille ceux contre lesquels elle est appliquée de leur belle chevelure et qui coupe les sept tresses de boucles [i] en quoi réside notre puissance ? Et tu peux parfaitement comprendre, à partir du nombre sept, le sens des boucles spirituelles, de la même façon qu'Isaïe a dénombré sept parties de la grâce de l'Esprit [j]. Après qu'elles ont été coupées, comme ce fut le cas pour Samson, viennent la destruction des yeux et la moquerie de la part des étrangers quand ils sont ivres [k].

L'enracinement dans la foi

64. Puis il ajoute, après avoir énoncé ce qui représente les traits distinctifs du puissant en malice [a], que Dieu le détruira pour toujours ; mais qu'aujourd'hui, il l'arrachera et l'éloignera de la tente divine, et de la terre des vivants il déterrera les racines de sa méchanceté et de son aigreur [b], et tout ce que le psaume contient à la suite de ces paroles qui va dans le même sens. Par là, est réalisé l'affermissement de ceux qui, selon les paroles du divin apôtre [c], sont enracinés dans la foi. Car, dit-il, « pour ma part, comme un olivier qui porte du fruit dans la maison de mon Dieu, j'ai espéré en la miséricorde de Dieu pour les siècles » et pour l'intervalle qui est au-delà, dont l'infini est la mesure, qu'il nomme « les siècles des siècles [d] ». Dans cet intervalle aussi, il promet d'adresser

τῷ Θεῷ προσοίσειν κατεπαγγέλλεται λέγων· « Ἐξομολογή-
σομαί σοι εἰς τὸν αἰῶνα »· σὺ γάρ μοι τὰ ἄξια τῆς εὐχαριστίας
15 « ἐποίησας ᵉ ». « Καὶ ὑπομενῶ, φησί, τὸ ὄνομά σου ᶠ. »
Ἀγαθὸν γάρ ἐστιν ἡ ὑπομονὴ τοῖς ὁσίοις σου ᵍ. Ὥσπερ δὲ ἡ
πολύχρωμος αἴγλη ἐν διαφόρῳ τῷ τῆς βαφῆς ἄνθει λεληθότως
πρὸς τὸ ἑτερόχρουν μεταβαίνει, προσφυῶς τὰς ἄκρας τῶν

PG 565   χρωμάτων αὐγὰς ἀλλήλαις καταμιγνύουσα, οὕτως ἔστιν ἰδεῖν
20 καὶ τῆς ψαλμῳδίας ταύτης κατὰ τὸ ἄκρον τὴν τοῦ νοήματος
ἀκτῖνα τῷ προοιμίῳ τῆς τοῦ παρακειμένου ψαλμοῦ λαμπηδόνος δι' ἀκολούθου προσμιγνυμένην· ὥστε λανθάνειν τὸ
μέσον τούτων, αὐτομάτως τῆς διανοίας ἀπὸ τούτου πρὸς τὴν
ὑπερκειμένην ψαλμῳδίαν καταμιχθείσης. Ὁ γὰρ « ὡς ἐλαία
25 κατάκαρπος » ῥιζωθεὶς « ἐν τῷ οἴκῳ τοῦ Θεοῦ ʰ » καὶ τὸ ἑδραῖόν
τε καὶ ἀμετακίνητον τοῦ κατὰ τὴν πίστιν στερεώματος ⁱ ἐν
ἑαυτῷ βεβαιώσας καὶ τὴν ἐλπίδα τοῦ θείου ἐλέους δι' εὐχαριστίας τῇ ἀπειρίᾳ τῶν αἰώνων συμπαρατείνας θυμῷ χρῆται
κατὰ τῶν ἀφραινόντων, ὧν κεφάλαιον τῆς ἀφροσύνης τὸ τὸν
30 ἀληθῶς ὄντα, « τὸν ἐπὶ πάντων καὶ ἐν πᾶσιν ʲ », τοῦτον μὴ
εἶναι λέγειν. Τοιούτων γάρ, φησίν, καὶ τοσούτων ὄντων –
πρῶτον τοῦ Θεοῦ δείκνυσι τὴν ὑπὲρ τῶν ἀνθρώπων προμή-
θειαν· ἐφ' οὗ τὸ τῶν ἐλπίδων βέβαιον οὕτως ἀμετάθετόν ἐστιν,

GNO 137   ὡς μὴ κάμνειν τῇ ἀϊδιότητι τῶν| αἰώνων τὸν πόθον συνεκ-
35 τεινόμενον –, πῶς « λέγει ὁ ἄφρων ἐν τῇ καρδίᾳ αὐτοῦ· Οὐκ
ἔστι Θεός ; Διεφθάρησαν καὶ ἐβδελύχθησαν ᵏ » ἐν τοῖς τοιούτοις τῆς διανοίας ἐπιτηδεύμασιν.

AVB SZ (l. 27) LQXF

14 τὸν om. S ‖ σὺ : σοὶ VB ‖ 15 ὑπομένω L ‖ 18 προσφυὰς Q ‖ 19 ἐστιν
(sic) F ‖ 20 καὶ om. AVBv ‖ τὴν om. S ‖ 21 παρεγκειμένου Q ‖ 23 αὐτόματος
Vᵃᶜ ‖ 24 ὑποκειμένην v ‖ καταμιχθείσης : καμιχθείσης (τ supra α add.) V
<κατενεχθείσης> Jaeger Don ‖ 25 ῥιζωθεῖ (ς add. al. man. vid.) L ‖
27 ἐλέους Z ἐλέ S : ἐλαίου cett. Don ‖ 29 ἀφρενόντων L ‖ 30 ἀληθινῶς v ‖
31 τοσούτων : τοιούτων v ‖ 33 μετάθετόν B

e. Ps 51, 11a   f. Ps 51, 11b   g. Cf. Ps 51, 11c   h. Ps 51, 10   i. Cf.
Col 2, 5   j. Ep 4, 6   k. Ps 52, 2

éternellement à Dieu une action de grâces par ces mots : « Je te confesserai pour les siècles, car ce que tu as fait [e] », toi pour moi, mérite l'action de grâces. « Et, dit-il, j'attendrai ton nom [f] », car l'attente est un bien pour tes saints [g]. Et, comme l'éclat multicolore passe imperceptiblement dans la variété des fleurs de sa teinte à une autre couleur, en mélangeant avec à propos les unes aux autres les extrémités des couleurs éclatantes, de même il est également possible de voir, à l'extrémité de ce psaume, le rayon de la pensée s'enchaîner et se mêler à la lumière du prologue du présent psaume, de telle sorte que l'entre-deux reste imperceptible, puisque spontanément la pensée de là vient se mélanger au psaume suivant. Car celui qui, « comme un olivier qui porte du fruit », a pris racine « dans la maison de Dieu [h] » et qui a affermi en lui-même l'assise solide et inébranlable du firmament de la foi [i] et a étendu l'espérance de la miséricorde [1] divine, par l'action de grâce, aussi loin que l'infini des siècles, est saisi de colère contre les fous dont l'essentiel de la folie consiste à prétendre que celui qui est véritablement, « qui est sur tous et en tous [j] », celui-là n'existe pas. Car, dit-il, alors qu'il y a tant de réalités si grandes – de Dieu il montre d'abord la prévoyance pour les hommes : la fermeté des espoirs mis en lui est à ce point inébranlable que le désir ne s'épuise pas, lui qui est aussi étendu que l'éternité des siècles –, comment peut-il se faire que « le fou dise dans son cœur : Il n'y a pas de Dieu ? Ils se sont corrompus et sont devenus abominables [k] » en occupant ainsi leur pensée.

1. La leçon proposée par S, ἐλέους, est peut-être une correction, mais elle s'impose (cf. 64, 10).

65. Φθορὰ γάρ ἐστιν ὡς ἀληθῶς καὶ διάλυσις τοῦ συνεστῶτος ἡ τοῦ ὄντως ὄντος ἀπόπτωσις. Πῶς γὰρ ἄν τις ἐν τῷ
εἶναι εἴη, μὴ ἐν τῷ ὄντι ὤν ; Πῶς δ᾽ ἄν τις μένοι ἐν τῷ ὄντι, μὴ
πιστεύων τῷ ὄντι ὅτι ἔστιν ; Ὁ δὲ ἀληθῶς ὢν Θεός ἐστι
5 πάντως, καθὼς τῷ μεγάλῳ Μωυσεῖ ἡ ὀπτασία τῆς θεοφανείας
μαρτύρεται [a]. Ὁ οὖν ἐκβάλλων τῆς ἑαυτοῦ διανοίας τοῦ Θεοῦ
τὸ εἶναι ἐκ τοῦ ἐκεῖνον μὴ εἶναι λέγειν ἑαυτοῦ τὸ εἶναι διέφθειρεν ἔξω τοῦ ὄντος γενόμενος. Διὰ τοῦτό φησιν, ἐπειδὴ ἀπὸ
τοῦ Θεοῦ ἐξέκλιναν, εὐθὺς ἠχρειώθησαν οἱ πάντες [b], οἷόν τι
10 σκεῦος ἀπόβλητον καταγνωσθὲν ἀχρηστίαν [c]. Τὸ δὲ τῷ καλῷ
ἄχρηστον τὴν πρὸς τὸ κακὸν ἐπιτηδειότητα διὰ τῆς πρὸς τὸ
κρεῖττον ἀναρμοστίας σαφῶς ἐπιδείκνυσιν. Ἐπεὶ οὖν διὰ
ταῦτα « ὁ Κύριος ἐκ τοῦ οὐρανοῦ ἐπὶ τοὺς υἱοὺς τῶν ἀνθρώπων
διέκυψεν [d] »· ὁ δὲ τοιοῦτος λόγος τὴν ἐν ἀνθρώποις τοῦ Κυρίου
15 συναναστροφὴν προμηνύει, ὅτε τοῖς προκαθηγουμένοις πρὸς
τὴν ἀπιστίαν τοῖς ἱερεῦσίν τε καὶ Φαρισαίοις καὶ γραμμα-
τεῦσιν ἅπαν ἐπηκολούθησε τὸ ὑπήκοον· ἐκεῖνοι γὰρ ἦσαν οἱ
τοῖς βλασφήμοις ἑαυτῶν ὀδοῦσι τὸν λαὸν σπαράσσοντές τε καὶ
διεσθίοντες· διὰ τοῦτό φησιν ὅτι « Ἐκεῖ φοβηθήσονται φόβον,
20 οὗ οὐκ ἦν φόβος [e] », « οἱ ἐσθίοντες τὸν λαόν μου βρώσει
ἄρτου [f] », ὅμοιον πάσχοντες τῷ πάθει τῶν ὑδροφοβούντων.
Οἷς εἴ πως δυνηθείη παραδεχθῆναι τὸ ὕδωρ, ἰαματικὸν ἔσται
τοῦ πάθους τῷ κάμνοντι· ἀλλὰ φοβοῦνταί πως τὸ ἐπὶ σωτηρίᾳ
προκείμενον καὶ ἀλλοτριοῦνται τοῦ σῴζοντος, φόβῳ τοῦ μὴ

AVB SLQXF

65 2 ὄντως : ὄντος Q ‖ ἀπόπτωσις ὄντος QF ‖ 5 μωϋσῇ S μωσῇ L μωσεῖ
QFv ‖ 6 ἐκβάλων X ἐκβαλὼν F ‖ 7 ἐκείνου A ‖ λέγεν V ‖ 7-8 ἔφθειρεν B ‖
8 ὄντος : εἶναι S ὄντως Q ‖ ἐπιδὴ Vᵃᶜ ‖ 10 τὸ : τῷ VL ‖ 10-11 τὸ − ἄχρηστον
Xᵐᵍ ‖ 11 διὰ om. X ‖ 14 ἔκυψεν Q ‖ 15 προσκαθηγουμένοις Q ‖ 16 τοῖς om.
B ‖ 20 μου + ἐν SQXF ‖ 23 ἀλλὰ (λ sl) V ‖ τὸ : τῷ Q

a. Cf. Ex 3, 14   b. Cf. Ps 52, 4   c. Cf. 1 Tm 4, 4 ; 2 Tm 2, 21   d. Ps 52,
3   e. Ps 52, 6   f. Ps 52, 5

Le *Psaume* 52

La victoire sur l'incrédulité

65. C'est bien, en effet, véritablement une corruption et une dissolution du composé [1] que la chute hors de celui qui est réellement. Comment pourrait-on être dans l'être sans être dans celui qui est ? Comment pourrait-on demeurer dans celui qui est, sans croire à l'existence de celui qui est ? Or, celui qui est vraiment, c'est nécessairement Dieu, comme la vision de la théophanie en témoigne pour le grand Moïse [a]. Celui, donc, qui chasse de sa pensée l'existence de Dieu en prétendant que ce dernier n'existe pas, a corrompu sa propre existence, en se mettant en dehors de celui qui est. Aussi, dit-il, à peine se sont-ils détournés de Dieu qu'ils sont devenus tous inutiles [b], comme un vase condamné pour inutilité est rejeté [c]. Ce qui est inutile pour le bien désigne clairement l'aptitude au mal par son incompatibilité avec le mieux. Pour cette raison donc, « le Seigneur depuis le ciel s'est penché sur les fils des hommes [d] ». Une telle parole annonce la vie du Seigneur avec les hommes, quand ceux qui étaient les guides de l'incrédulité, prêtres, pharisiens et scribes, étaient suivis par tous les auditeurs. Il s'agissait, en effet, de ceux qui, de leurs dents blasphématrices, déchirent le peuple et le dévorent. C'est pourquoi il dit : « Ils trembleront de crainte là où n'était pas la crainte [e] », « ceux qui dévorent mon peuple comme un morceau de pain [f] », souffrant d'un mal semblable à celui des hydrophobes. Si les malades pouvaient recevoir de l'eau, elle serait capable de guérir leurs souffrances, mais ils craignent ce qui est disposé pour leur salut et, se rendant étrangers à ce qui sauve, ils se préparent à eux-mêmes, par

---

1. L'homme est un être composé d'un élément terrestre, mauvais, et d'un élément qui fait de lui l'image de Dieu. Seul le second élément lui donne l'être. Sur le mauvais élément, cf. 47, 8 s. et 67, 31.

25 ἀπολέσθαι κατασκευάζοντες ἑαυτοῖς τὴν ἀπώλειαν. Οὕτως |
κἀκεῖνοι, τῆς πηγῆς αὐτοῖς ἐμβοώσης· « Εἴ τις διψᾷ, ἐρχέσθω
πρός με καὶ πινέτω ᵍ », τῇ λύσσῃ τῆς ἀπιστίας προκατει-
λημμένοι τὰ τῆς ψυχῆς αἰσθητήρια, ἐφοβοῦντο φόβον, οὗ οὐκ
ἦν φόβος, τὸ ποτὸν τῆς σωτηρίας ἀποστρεφόμενοι, οὐκ εἰδότες
30 ὅτι ἐν γενεᾷ δικαίων ὁ Θεὸς γίνεται ʰ, ὁ διδοὺς ἐκ Σιὼν τὸ
σωτήριον τῷ Ἰσραὴλ καὶ τὴν αἰχμαλωσίαν τοῦ λαοῦ αὐτοῦ
ἀπὸ τοῦ πονηρῶς διὰ τῆς ἁμαρτίας ἡμᾶς αἰχμαλωτίσαντος
πάλιν πρὸς ἑαυτὸν ἐπιστρέφων, ὅτε γίνεται ἐν εὐφροσύνῃ καὶ
ἀγαλλιάματι ὁ ἀληθινὸς Ἰσραηλίτης καὶ ὁ πνευματικὸς
35 Ἰακώβ ⁱ. Ἡ μὲν οὖν διάνοια τῆς ψαλμῳδίας, καθὼς ἔξεστιν
εὑρεῖν δι' αὐτῶν προϊόντα τῶν λέξεων τῆς ψαλμῳδίας,
τοιαύτη. Ἡ δὲ ἐπιγραφὴ τοῦ ψαλμοῦ συμβαίνει πρὸς τὴν
διάνοιαν. Ἐπινίκιον γὰρ εἶναι τὸν λόγον τῆς ψαλμῳδίας ἡ
ἐπιγραφὴ σημαίνει διὰ χορείας ἐν συνέσει γινόμενον· « Εἰς τὸ
40 τέλος γάρ, φησίν, ὑπὲρ Μαελέθ, συνέσεως τῷ Δαβίδ ʲ »·
« χορεία » δὲ τὸ Μαελὲθ ἑρμηνεύεται καὶ ἀντὶ τοῦ « εἰς τὸ
τέλος » ἕτεροι τῶν ἑρμηνέων « ἐπινίκιον » ἐκδεδώκασιν.

Πάλιν διὰ τῶν ἀκολούθων προϊὼν ὁ δρόμος, καταλλήλως
τοῖς διὰ τῆς προκοπῆς εὑρισκομένοις νοήμασιν ἐφαρμόζει τὰ
45 τῆς ἱστορίας αἰνίγματα, ὅταν ἄπρακτος γένηται καθ' ἡμῶν ὁ
Δωὴκ ἐκεῖνος ὁ Ἰδουμαῖος τὴν ἐπαμφοτερίζουσαν τῶν ἡμιόνων φύσιν ἐν ἑαυτῷ νομεύων. Εἴρηται δὲ τοῦτο καὶ ἐν τοῖς

AVB SLQXF

26 ἐκβοώσης AVBv ‖ 27 τῇ : τῆς Vᵃᶜ ‖ 31 τῷ : τοῦ SQXF ‖ 32 πονηρῶς (πο
sl al. man.) V ‖ ἡμῶν A ‖ αἰχμαλωτεύσαντος Q ‖ 34 ὁ² om. v ‖ 35 post
ψαλμῳδίας add. τοιαύτη et sl punctis del. A ‖ 35-36 καθὼς – ψαλμῳδίας
om. ex homoeotel. S ‖ 36 διὰ Av ‖ αὐτῶν : τῶν A τὸν v ‖ προϊόντων QF ‖
39 γενόμενον SQXF ‖ 40 μαελὲθ + ὁ διὰ χορείας v ‖ 40-41 συνέσεως – μαελὲθ
om. ex homoeotel. AQv ‖ 41 τὸ¹ : τῷ ALQF Don ‖ τὸ² om. SLQXF ‖
42 ἑρμηνευτῶν VB ‖ 43 δρόμος : λόγος Qv ‖ 44 εὑρισκόμενος Av ‖ 46 ἰου-
δουμαῖος V ‖ 47 ἐν¹ om. VB ‖ τοῖς om. v

g. Jn 7, 37   h. Cf. Ps 13, 5   i. Cf. Ps 13, 7 ; 52, 7   j. Ps 52, 1

crainte de périr, leur perte. De la même manière, ceux-ci, quand la source leur crie : « Si quelqu'un a soif, qu'il vienne à moi et qu'il boive [g] », ayant les sens de leur âme saisis par la rage de l'incrédulité, tremblaient de crainte, là où n'était pas la crainte, et se détournaient de la boisson du salut, ne sachant pas que Dieu est avec la postérité des justes [h], lui qui fait sortir de Sion le salut et le donne à Israël et qui ramène à nouveau à lui la captivité de son peuple en l'éloignant de celui qui par malice nous a rendus captifs du péché, tandis que sont dans la joie et l'allégresse le véritable Israélite et Jacob l'inspiré [i]. Tel est donc le sens du psaume, comme il est possible de le découvrir en parcourant les mots mêmes du psaume. Le titre du psaume correspond à son sens, car le titre signifie que la parole du psaume est un chant de victoire réalisé avec intelligence au moyen d'une danse chorale. Il dit en effet : « Pour la fin, au sujet de Maeleth, d'intelligence en l'honneur de David [j]. » Maeleth se traduit par « danse chorale » et, au lieu de « pour la fin », d'autres interprètes traduisent « chant de victoire ».

L'impuissance de Doèk

La course avance à nouveau avec cohérence et fait correspondre, d'une manière adaptée, au sens qui se découvre progressivement les énigmes de l'histoire, quand ce Doèk l'Idouméen qui fait paître en lui-même la nature ambiguë des mules devient impuissant contre nous. On a dit dans ce qui

φθάσασιν, ὅτι ἡ ἁμαρτία διὰ τοῦ ζώου τούτου σημαίνεται. Ὡς
γὰρ αὕτη ἐπαμφοτερίζοντος ἐκείνου τοῦ | ξύλου ἐστὶ καρπός,
50 ὃν « καλὸν καὶ πονηρὸν ᵏ » ὀνομάζει ὁ λόγος, καλὸν μὲν διὰ τὸ
κεκαλύφθαι τὴν ἁμαρτίαν τῷ τῆς ἡδονῆς δελεάσματι, ἣν ἀντὶ
καλοῦ μετέρχονται οἱ τοῦ σώματος φίλοι· πονηρὸν δὲ πάλιν,
ὅτι εἰς πικρὸν καταλήγει πέρας τὸ νῦν ὡς καλὸν σπουδα-
ζόμενον· οὕτως ἔστιν ἑκατέρας φύσεως, ἵππου τε καὶ ὄνου, τὰ
55 σύμβολα περὶ τὸ ὑποκείμενον ζῷον ἰδεῖν· ὡς εἶναι τὴν ἡμίονον
τὸ αὐτὸ καὶ ἵππον καὶ ὄνον οὐ διῃρημένως ἑκάτερον, ἀλλ' ἐν ἑνὶ
τὰ δύο, τῆς διπλῆς τῶν ζῴων φύσεως πρὸς τὴν τοῦ καινοῦ
τούτου ζῴου ἀπεργασίαν κατακραθείσης. Ὅταν τοίνυν μηνυτὴς γένηται τῷ τυράννῳ τῆς παρὰ τῷ ἱερεῖ διαγωγῆς ἡμῶν ὁ
60 ἀλλόφυλος ἐκεῖνος, ὃν ἐνοήσαμεν, εἶτα ἡμεῖς τὸν ἐν κακίᾳ
καυχώμενον καὶ ἐν ἀνομίᾳ κεκτημένον τὴν δύναμιν [1], διὰ τῆς
θείας συμμαχίας καθέλωμέν τε τῆς δυναστείας καὶ προθέ-
λυμνον αὐτὸν ἐκ τῆς γῆς τῶν ζώντων ἀναρριζώσωμεν ᵐ,
ἐλαία γενόμενοι τῷ πλήθει τῶν καρπῶν ἀγαλλομένη καὶ
65 βρίθουσα, καὶ διὰ τῆς εἰς Θεὸν ἐλπίδος δυναμωθέντες ⁿ
χορεύσωμεν κατὰ τοῦ ἡττηθέντος τὰ ἐπινίκια· τότε κατὰ
λόγον τοῖς ὑψηλοτέροις προσβαίνομεν, ὄντως κατὰ τὴν ἐν τῷ
Ἄισματι φωνήν, « ὄρη διαπηδῶντες καὶ βουνοῖς ἐφαλλό-
μενοι º ».

66. Τί οὖν ἐστι τοῦτο τὸ ὄρος, ἐφ' ὃ νῦν ὁ λόγος ἐκ τοῦ
προτέρου ὄρους τῶν νοημάτων μεθάλλεται ; Ἄλλη νίκη

AVB SLQXF

49 αὐτὴ Lv ‖ ἐπ' ἀμφοτέριζον Q ‖ 50 μὲν : καὶ v ‖ 51 τῷ : τὸ AQ ‖
δελεάματι S ‖ 56 αὐτὸν V ‖ ἐν om. Q ‖ 57-58 καινοῦ τούτου om. v ‖ 58
κατακριθείσης (-κρισθ- F) QXF ‖ 59 ὁ om. LX ‖ 61 ἐν om. Q ‖ 62 καθέλομέν
Q ‖ τε : τι F ‖ 63 ἀναρριζώσομεν L ‖ 66 χορεύσομεν AV ‖ 68 βουνοῦς (sic) F
66 1 ὃ : ᾧ AS ὧν v ‖ 2 ἄλλη : ἀλλ' ἡ L

k. Gn 2, 17   l. Cf. Ps 51, 3   m. Cf. Ps 51, 7   n. Cf. Ps 51, 9-10   o. Cant
2, 8

précède que cet animal signifie le péché. Comme celui-ci est le fruit de cet arbre ambigu que le texte appelle « bien et mal [k] » – bien, car le péché est recouvert par l'appât du plaisir qu'au lieu du bien poursuivent les amis du corps ; mal inversement, car ce que l'on recherche maintenant comme un bien s'achève sur une fin amère ; de même, on peut voir dans l'animal proposé les symboles de ces deux natures, le cheval et l'ânesse, au point que la mule est en même temps cheval et ânesse, les deux n'étant pas séparés, mais faisant un, puisque la double nature de ces animaux a été mêlée pour produire ce nouvel animal. Quand, donc, cet étranger, dont nous avons compris le sens, dénonce au tyran notre séjour auprès du prêtre, puis quand nous-mêmes, de cet homme qui se glorifie en malice et possède le pouvoir d'iniquité [1], grâce à l'alliance divine, nous détruisons la puissance, quand nous le déracinons en profondeur de la terre des vivants [m], devenus un olivier heureux d'être chargé d'une masse de fruits, et quand, fortifiés par notre espérance en Dieu [n], nous célébrons par des chœurs de danse les chants de la victoire remportée sur le vaincu : alors, logiquement, nous accédons à des hauteurs plus élevées et nous nous conformons parfaitement aux mots du Cantique, « sautant sur les montagnes et bondissant sur les collines [o] » [1].

LE *PSAUME* 53 : LE COMBAT CONTRE LES ZIPHÉENS ET LA DESTRUCTION DU MAL

66. En quoi consiste donc cette montagne sur laquelle bondit la parole depuis la précédente montagne spirituelle ?

---

1. L'évocation des montagnes et des collines est appelée par le texte des *Règnes*. 1 Rg 23, 14 mentionne « la montagne de Ziph ». Au verset 19, les Ziphéens disent à Saül que David est caché « sur la colline d'Ékhéla ».

πάλιν καὶ ἄλλοι ἐπὶ τῇ νίκῃ ὕμνοι οἱ διὰ συνέσεως τῷ Δαβὶδ
κατορθούμενοι· οἱ δὲ κινοῦντες τοὺς ἀγῶνάς εἰσιν οὐκέτι
5 ἡμιόνων ἀγέλη, ἀλλὰ Ζιφαίων ἔθνος. Οἱ τοῖς στενοῖς τῆς
αὐχμώδους διαβάσεως προσκαθήμενοι, ὅταν κωλῦσαι τὴν διὰ
τοῦ στενοῦ πορείαν ἡμῶν ἀδυνατήσωσιν, τότε πάλιν πρὸς τὸν

GNO 140   Σαοὺλ ἀνατρέχουσιν| τὸν ἐπὶ τῇ σωτηρίᾳ ἡμῶν λυπούμενον·
« Εἰς τὸ τέλος γάρ, φησίν, συνέσεως ἐν ὕμνοις τῷ Δαβίδ, ἐν τῷ

PG 569   10 ἐλθεῖν τοὺς Ζιφαίους καὶ εἰπεῖν τῷ Σαοὺλ Ἰδοὺ Δαβὶδ κέκρυπται παρ᾽ ἡμῖν ᵃ. » Πάντως δὲ ὁ τὴν ἱστορίαν οὐκ ἀγνοῶν οἶδεν
στενόν τινα καὶ αὐχμώδη τόπον ἐν τῷ μέρει τούτῳ μνημο-
νευόμενον. Διὰ δὲ τῆς ἀπεστενωμένης διόδου τὴν εὐαγγελικὴν
ἐκείνην τῆς βασιλείας ὁδὸν ἐνοήσαμεν, ἣν κωλύουσι μὲν οἱ
15 Ζιφαῖοι, τοῦτ᾽ ἔστιν τὸ ἀλλόφυλον τῶν δαιμόνων ἔθνος, οἱ
ὑπηρέται τῆς ἀντικειμένης δυνάμεως· εὑρίσκουσιν δὲ οἱ ὀλίγοι
οἱ τὴν πλατεῖαν ἀποστρεφόμενοι ᵇ. Ἔχει δὲ ἡ λέξις τῆς ἱστορίας οὕτως· « Οὐκ ἰδοὺ Δαβὶδ κέκρυπται ἐν Μασερὰ παρ᾽ ἡμῖν
ἐν τοῖς στενοῖς ἐν τῷ βουνῷ ᶜ ; » Ἀληθῶς γὰρ τῇ στενῇ ταύτῃ
20 οἱ κατὰ Θεὸν ζῶντες ἐναποκρύπτονται. Δείκνυσι δὲ ταύτην
ἡμῖν τὴν ὁδὸν ἡ Καινὴ Διαθήκη, δι᾽ ἧς ἔστι πρὸς τὴν ἀκρο-
τάτην τοῦ ὄρους κορυφὴν ἀνελθεῖν, ἣν « βουνὸν » ὀνομάζει ὁ
λόγος τῆς ἱστορίας. Ὅταν οὖν τὴν στενὴν ἐκείνην ὁδὸν ἀνεμπο-
δίστως παρέλθωμεν, Ζιφαῖοι τῷ τυράννῳ τὴν σωτηρίαν ἡμῶν
25 καταμηνύουσιν. Ἡμεῖς δὲ τῷ ὀνόματι τοῦ σεσωκότος τὴν
δυναστείαν τῆς εἰς τὸ καλὸν κρίσεως ἡμῶν ἀνατίθεμεν λέγον-

AVB SLQXF

3 πάλην V ‖ οἱ om. AVBv ‖ 5 ζηφαίων Av ζηφαῖον VB ‖ οἱ F ‖ 6 προ-
καθήμενοι Av ‖ 7 ἀδυνατήσουσι Q ‖ 7-8 τότε – ἀνατρέχουσιν om. v ‖ 8 ἀνα-
τρέχωσιν VB ‖ 9 τὸ om. Q ‖ τῷ² : τὸ V ‖ 10 ζηφαίους AVBv ‖ σαοὺλ + οὐκ
S ‖ 12 τινα om. Av ‖ 13 ἀποστενωμένης Q ‖ 14 ἐκείνην om. v ‖ 15 ζηφαῖοι
AVBv ‖ οἱ : ἡ L ‖ 16 οἱ om. S ‖ 18 μεσαρὰ VB ‖ 21 δι᾽ om. B ‖ 24 ζηφαῖοι
ABv ‖ 26 τῆς : τὴν Q

a. Ps 53, 1-2   b. Cf. Mt 7, 13-14   c. 1 Rg 23, 19

C'est encore une autre victoire et d'autres hymnes de victoire qui sont accomplis avec intelligence en l'honneur de David. Ceux qui provoquent les combats ne sont plus un troupeau de mules, c'est la nation des Ziphéens. Eux qui sont installés près des défilés à l'aride traversée, quand ils sont incapables de nous barrer l'accès par le défilé, accourent alors chez Saül que notre salut mécontente. Il dit, en effet : « Pour la fin, intelligence avec hymnes en l'honneur de David, quand les Ziphéens vinrent dire à Saül : voici que David est caché chez nous [a]. » Celui qui n'ignore pas l'histoire sait bien qu'il est fait mention dans cette partie d'un lieu étroit et aride. Le passage rétréci, c'est, selon notre conception, cette voie royale de l'Évangile que barrent les Ziphéens, c'est-à-dire la nation étrangère des démons, les serviteurs de la puissance adverse, mais que trouve le petit nombre qui s'est détourné de la voie large [b]. Tel est le texte de l'histoire : « Ne voilà-t-il pas que David est caché à Masera, chez nous, dans les défilés, sur la colline [c] ? » C'est vraiment, en effet, dans ce défilé que ceux qui vivent selon Dieu se cachent. Et le Nouveau Testament nous montre cette voie par où l'on peut monter au plus haut sommet de la montagne, que le récit historique appelle « colline ». Quand, donc, nous franchissons sans obstacle cette voie étroite, les Ziphéens dénoncent au tyran notre salut. Mais nous, nous attribuons au nom de celui qui nous a sauvés le pouvoir de nous juger selon le bien, par ces mots :

τες· « Ὁ Θεός, ἐν τῷ ὀνόματί σου σῶσόν με, καὶ ἐν τῇ δυνάμει
σου κρινεῖς με [d]. » Τὸ γὰρ γενόμενον ὡς προσδοκώμενον ὑπὸ
τοῦ λόγου διεσχημάτισται, οὕτω τῆς Γραφῆς τῆς κατὰ τὸν
30 χρόνον ἀκριβείας ὑπερορώσης. Καὶ γὰρ τὸ ἐσόμενον ἡ
προφητεία πολλάκις ὡς παρῳχηκὸς διηγήσατο καὶ τὸ γεγονὸς
ὡς προσδοκώμενον, ὡς καὶ ἐν ταύτῃ τῇ ψαλμῳδίᾳ κατὰ τὸ
πέρας ἔστιν ἰδεῖν. Οὐ γὰρ εἶπεν ὅτι « Ἐν τοῖς ἐχθροῖς μου
ἐπόψεται » ἀλλ' « ἐπεῖδεν ὁ ὀφθαλμός μου [e] »· δι' ὧν ταῦτα
35 μανθάνομεν ὅτι τῷ Θεῷ οὔτε τι μέλλει οὔτε τι παρῴχηκεν,
ἀλλ' ἐν τῷ ἐνεστῶτι τὰ πάντα ἐστίν. Ὥστε κἂν τοῦ παρῳχη-
κότος | κἂν τοῦ μέλλοντος περὶ τῆς θείας δυνάμεως ἔμφασίν
τινα περιέχῃ τὰ ῥήματα, τοῦ ἐνεστῶτος οὐκ ἐξῆλθεν ἡ ἔννοια.
Λέγει τοίνυν πρὸς τὸν Θεὸν ὁ τῆς αὐχμώδους τε καὶ στενῆς
40 ἐπιβὰς καὶ φυγαδεύσας τὸ τῶν Ζιφαίων συγκρότημα, ὅτι Ἐν
τῷ σῷ ὀνόματι γέγονεν ἡμῖν ἡ σωτηρία καὶ ἐν τῇ δυναστείᾳ
σου ἡ ἐν τῷ καλῷ κρίσις τὴν ἰσχὺν ἔχει καὶ εἰς ἀεὶ ταῦτα
γενήσεται. Καὶ προσκαλεῖται ὑπὲρ τούτων τὴν θείαν ἀκοὴν
πρὸς τὴν τῆς εὐχαριστίας ἀκρόασιν [f], λέγων τῶν ἀλλοτρίων
45 τὴν ἐπανάστασιν καὶ τῶν ἐν κακίᾳ κραταιῶν τὴν τῆς ψυχῆς
αὐτοῦ ζήτησιν [g], ὧν οὐ προηγεῖται ὁ Θεός, ἀλλ' ὁ ἐκ τοῦ
ἐναντίου νοούμενος. Διὰ τοῦτο γάρ φησιν· ἐκεῖνοι μὲν « οὐ
προέθεντο τὸν Θεὸν ἐνώπιον αὐτῶν [h] », « ἐμοὶ δὲ ὁ Θεὸς
βοηθεῖ [i] », ὁ ἐπαναστρέφων τὰ κακὰ τοῖς τῆς κακίας εὑρεταῖς,
50 καὶ διὰ τῆς ἀληθείας ἐξαφανίζων ἅπαν ὅσον ἐστὶν τῆς

GNO 141 *(marginal, left)*

AVB SLQXF

28 κρίνον L κρῖνον X ‖ γενώμενον Q ‖ 31 παροχικὸς Q ‖ 32 καὶ ὡς ἐν VB
‖ 33 ἔστιν om. v ‖ 34 ἐπίδεν VBL ‖ μου + ἐν τοῖς ἐχθροῖς μου Q ‖ 35 οὔτε −
μέλλει om. ex homoeotel. v ‖ 37 κἂν : καὶ v ‖ 38 περιέχη : ἔχη ABv ἔχει V
περιέχει LQX ‖ ἡ om. V ‖ 40 φυγαδεύσας (γα sl) V ‖ τὸ : τῷ Q ‖ ζηφαίων
ABv ‖ συγκράτημα L ‖ 41 ἡ om. V ‖ 46 ὁ[1] om. Av ‖ ὁ[2] A[sl] al. man. vid. ‖
47 ἐνοούμενος Q ‖ 48 ὁ om. VB

d. Ps 53, 3   e. Ps 53, 9   f. Cf. Ps 53, 4   g. Cf. Ps 53, 5ab   h. Ps 53, 5c
i. Ps 53, 6

« Mon Dieu, par ton nom, sauve-moi et, par ta puissance, tu me jugeras [d]. » Le texte présente, en effet, ce qui a eu lieu comme une réalité attendue, l'Écriture négligeant ainsi l'exactitude temporelle. Et, de fait, la prophétie décrit souvent ce qui se passera comme passé et ce qui est arrivé comme une réalité attendue, comme il est également possible de le voir à la fin de ce psaume. Car il n'a pas dit : « Mon œil jettera un regard de mépris sur mes ennemis », mais « a jeté [e] ». Par là, nous apprenons que pour Dieu, rien n'est à venir ni n'est passé, mais que tout réside dans le présent. Aussi, bien que du passé ou du futur appliqués à la puissance divine la lettre des textes contienne une certaine expression, l'esprit n'a pas quitté le présent. Voilà donc ce que dit à Dieu celui qui a mis le pied sur la voie étroite et aride et a banni la troupe des Ziphéens : Par ton nom nous avons obtenu le salut, et par ta puissance le jugement selon le bien conserve sa force, et cela pour toujours. Puis, il invite pour cela l'oreille divine à écouter son action de grâces [f], mentionnant l'assaut des étrangers et la quête de son âme par les puissants en malice [g] qui ne sont pas guidés par Dieu, mais par celui considéré comme son opposant. C'est pourquoi il dit : ceux-ci « n'ont pas mis Dieu devant eux [h] », mais, « moi, Dieu vient à mon aide [i] », lui qui retourne le mal contre les inventeurs du mal et, par la vérité, fait disparaître tout ce qui est hostile et

ἀληθείας ἐχθρὸν καὶ ἀλλόφυλον ʲ. Ἐγὼ δέ, φησίν, ἐν ᾧ ἐσώθην
ὀνόματι, τούτῳ εὐχαριστήσω, ὅτι ἀγαθὸν ἡ εὐχαριστία ἐφ' οἷς
ἔξω τε τῶν θλίψεων ἐγενόμην καὶ τὸν ἀφανισμὸν τῶν ἐχθρῶν
τοῖς ὀφθαλμοῖς κατενόησα ᵏ. Ἐπὶ τούτῳ γὰρ ὁ προφητικὸς
55 ὀφθαλμὸς εὐφραίνεται, ὅταν μηκέτι μηδὲν ἐκ τοῦ ἐναντίου τῇ
ἀρετῇ θεωρῆται· τῆς γὰρ κακίας ἐξαιρεθείσης, ἥτις πρὸς τὴν
ἀρετὴν εἰς ἐχθροῦ τάξιν ἀντικαθίσταται, οὐκέτι τὸ τῶν ἐχθρῶν
ὑπολειφθήσεται ὄνομα· πῶς γάρ τις ἐχθρὸς ἔτι κληθήσεται,

PG 572

μηκέτι τῆς ἔχθρας ζώσης, ἣν ἀπέκτεινεν ἡ εἰρήνη, καθὼς
60 φησιν ὁ ἀπόστολος ¹ ; Ὡς δ' ἂν ἀκολούθως ἐφαρμοσθείη τὰ
ῥηθέντα νοήματα τοῖς ῥήμασι τῆς ψαλμῳδίας, αὐτὴν ἐπὶ

GNO 142

λέξεως ἀνάγνωθι | τὴν ψαλμῳδίαν, τὴν ἐν τῷ πεντηκοστῷ
τρίτῳ κατὰ τὸ ἀκόλουθον τεταγμένην, ὅτε τῶν Ζιφαίων ἤδη
κρείττων γενόμενος καὶ ἐπιδὼν τὴν τῆς κακίας πανωλεθρίαν,
65 πάλιν ἐν συνέσει τῆς ἄνωθεν καταστὰς συμμαχίας ὕμνον προσάγει τῷ Θεῷ ἐπινίκιον. Οὕτω γὰρ ὁ τῆς ἐπιγραφῆς περιέχει
λόγος· « Εἰς τὸ τέλος ἐν ὕμνοις συνέσεως τῷ Δαβὶδ ᵐ. »

67. Ὥσπερ δὲ κατὰ τοὺς σωματικοὺς ἀγῶνας, οὐ τοῖς
αὐτοῖς ἀντιπάλοις οἱ ἀθληταὶ παραμένουσιν, ὧν ἂν ἐν νεότητι
κατὰ τὴν παλαίστραν κρατήσωσιν, ἀλλ' αὐξηθείσης αὐτοῖς
τῆς δυνάμεως πρὸς μείζονάς τε καὶ ἰσχυροτέρους ἀνταγω-
5 νιστὰς ἀποδύονται, κἂν ἐκείνων κρατήσωσιν, κατὰ τῶν
ὑπερεχόντων κονίζονται, πάντοτε τῇ προσθήκῃ τῆς δυνάμεως

AVB SLQXF T (l. 56)

51 ἐν om. v ‖ 53 τὸν ἀφανισμὸν : τὴν συντριβὴν VB ‖ 54 τοῦτο AVBXv ‖
55 μηδὲν – ἐναντίου om. VB ‖ 56-60 θεωρῆται – ἀπόστολος : εἴη πολέμιόν τι·
τῆς γὰρ πάντων εἰρήνης φανερωθείσης. οὐκ ἔτι τῶν πολεμίων δύναμις
ἀπολείπεται (ὑπολείπεται B) VB ‖ 56 θεωρῆται FT Don : θεωρεῖται cett. ‖
58 ὑποληφθήσεται L ‖ πῶς : οὐ QF ‖ 59 καθὼς : ὡς Q ‖ 61 ῥηθέντα : εἰρημένα X ‖ 63 ζηφαίων ABv ‖ 63-64 κρείττων ἤδη Q ‖ 64 κρεῖττον AVB ‖ καὶ
om. v ‖ 66 τῷ om. QF
67 5 ἀποδύωνται AVB ‖ 6 κομίζονται L

---

j. Cf. Ps 53, 7   k. Cf. Ps 53, 3. 8-9   l. Cf. Ep 2, 14. 16   m. Ps 54, 1

étranger à la vérité [j]. Et, pour ma part, dit-il, je rendrai grâce à ce nom par lequel j'ai été sauvé parce que c'est un bien de rendre grâce pour avoir échappé aux tribulations et pour avoir considéré de mes yeux la disparition des adversaires [k]. Car l'œil prophétique se réjouit quand il n'observe plus rien qui soit contraire à la vertu : puisque le mal a été détruit, lui qui s'oppose à la vertu en position d'adversaire, le nom des adversaires ne subsistera plus. Comment, en effet, quiconque pourra-t-il être encore appelé adversaire puisque l'adversité ne vit plus, elle que la paix a tuée, selon la parole de l'apôtre [l] ? Afin que le sens énoncé s'accorde logiquement aux paroles du psaume, lis mot à mot le psaume lui-même qui se trouve de façon logique à la place cinquante-trois : à ce moment, désormais plus fort que les Ziphéens, il a assisté à la destruction complète du mal et, à nouveau établi dans l'intelligence de l'alliance d'en haut, il adresse à Dieu un hymne de victoire. C'est en effet ce que contient le texte du titre : « Pour la fin, avec hymnes d'intelligence en l'honneur de David [m]. »

LE *PSAUME* 54 : LA VICTOIRE SUR LA CITÉ DU MAL ET L'ESPÉRANCE EN DIEU

67. Comme, dans les combats physiques, les athlètes ne gardent pas les mêmes adversaires qu'ils dominent à la palestre dans leur jeunesse, mais, avec le développement de leur force, se dévêtent pour affronter des rivaux plus grands et plus vigoureux et, s'ils les dominent, se frottent de poussière pour affronter des lutteurs encore supérieurs, combattant toujours d'une manière proportionnée à la croissance de leur force contre des adversaires plus puissants ; de la même

καταλλήλως πρὸς τοὺς δυνατωτέρους τῶν ἀντιπάλων ἀγωνι-
ζόμενοι· κατὰ τὸν αὐτὸν τρόπον καὶ ὁ διὰ τοσούτων <ἀγώ-
νων> ταῖς κατὰ τῶν ἐχθρῶν νίκαις ἐγγυμνασθεὶς ἐπισημοτέ-
10 ρας τὰς νίκας ἑαυτῷ ποιεῖ, πρὸς τοὺς ἐπισημοτέρους τε καὶ
μείζονας τῶν ἀνταγωνιστῶν συμπλεκόμενος. Καὶ διὰ τοῦτο
προκαλεῖται τὴν ἀκοὴν τοῦ ἀγωνοθέτου λέγων « Ἐνώτισαι, ὁ
Θεός, τὴν προσευχήν μου ᵃ », καὶ προσέχειν αὐτοῦ τῇ ἀθλήσει
παρακαλεῖ, « Πρόσχες μοι, λέγων, καὶ εἰσάκουσόν μου ᵇ. »
15 Καὶ ὑποδείκνυσι διὰ τοῦ λόγου τῶν ἀγώνων τοὺς πόνους,
λύπην καὶ ἀδολεσχίαν καὶ ταραχὴν καρδίας καὶ φωνὴν ἐχθροῦ
καὶ θλῖψιν ἁμαρτωλοῦ διηγούμενος ᶜ, οἷόν τινα κρατήματα
παλαιστρικὰ καταγινόμενα παρὰ τῶν ἀνταγωνιζομένων αὐτῷ
τῷ ἀγωνοθέτῃ ἐπιδεικνύμενος. Καὶ ἔτι πρὸς τούτοις καρδίας
20 ταραχὴν καὶ δειλίαν θανάτου καὶ φόβον καὶ τρόμον καὶ ζόφον
τὴν ζωὴν αὐτοῦ πᾶσαν διαλαβόντα ᵈ, ὧν πάντων μίαν ἐπίνοιαν
GNO 143   εὕρατο πρὸς τὸ κρεῖττόν τε καὶ | ἀνώτερον τῆς τοσαύτης
συνοχῆς γενέσθαι, τὸ πτερωθῆναι αὐτὸν τοῖς τῆς περιστερᾶς
ὠκυπτέροις καὶ μετάρσιον γενόμενον ἐκεῖ παῦσαι τὴν πτῆσιν ᵉ
25 ἐν ἐκείνῳ τῷ τόπῳ, ὃς τῶν κακῶν πάντων ἔρημος ὢν εὐθαλής
ἐστιν τοῖς θειοτέροις. « Αὐλισθεὶς γάρ, φησίν, ἐν τῇ ἐρήμῳ ᶠ »,
ἀπὸ τῆς κάτω ὀλιγοψυχίας καὶ ἀπὸ τῆς τῶν πειρασμῶν
καταιγίδος ἐκεῖ προσδέξασθαι τοῦ Θεοῦ τὴν σωτηρίαν ᵍ, ὅπου
ἀφανίζεται ἡ κακία. Ὁ γὰρ καταποντισμὸς τὸν ἀφανισμὸν
30 ἑρμηνεύει· διότι πᾶν τὸ ἐν βυθῷ γεγονὸς ἀφανίζεται. Βυθισμὸς

AVB SLQXF

8-9 ἀγώνων coni. *Jaeger Don* ‖ 10 ἑαυτῶν v ‖ 12 προσκαλεῖται AVBv ‖
ἐνώτισον v ‖ ὁ : ὦ v ‖ 13 μου + καὶ μὴ ὑπερίδῃς τὴν δέησίν μου Av ‖ ἀθλήσει : δεήσει S ‖ 14 μοι om. X ‖ 16 ἐχθρῶν QF ‖ 17 ἁμαρτωλῶν QF ‖ 18 γινό-
μενα S *Athos Dion*. 114 (*Nicétas*) *Don* ‖ 21 πᾶσαν : πάντα QF ‖ 22 εὕρετο
QF ‖ κρείττων S ‖ ἀνώτερος SL ‖ 23 πτεραθεῖναι vid. Q ‖ 25 θαλής v ‖
28 καταιγίδος + λέγων S ‖ 30 γεγονὼς L

a. Ps 54, 2   b. Ps 54, 3a   c. Cf. Ps 54, 3b-4   d. Cf. Ps 54, 5-6   e. Cf.
Ps 54, 7   f. Ps 54, 8   g. Cf. Ps 54, 9

manière, celui qui s'est entraîné tant de fois par ses victoires
sur ses adversaires, se procure des victoires plus éclatantes en
s'attaquant à des rivaux plus éclatants et plus grands. C'est
pourquoi il en appelle à l'oreille du président des jeux en
disant : « Écoute, mon Dieu, ma prière [a] », et l'invite à prêter
attention à sa lutte en disant : « Prête-moi attention et exauce-
moi [b]. » Et il montre par sa parole les peines des combats : il
raconte l'affliction, le chagrin [1], le trouble du cœur, la voix de
l'adversaire et la tribulation du pécheur [c] – présentant pour
ainsi dire au président des jeux lui-même certaines prises que
ses rivaux lui appliquent à la lutte ; et, en outre, il rapporte
encore que le trouble du cœur, l'effroi de la mort, la crainte,
le tremblement et les ténèbres ont envahi toute son existence [d]. Il n'a trouvé contre tout cela qu'une seule invention qui
lui permette de dominer une si grande détresse et de s'élever
au-dessus d'elle : se munir des ailes rapides de la colombe, et
une fois dans les airs, cesser alors son vol [e] en ce lieu qu'on
déserté tous les maux et qui abonde en réalités plus divines [2]
Car, « séjournant, dit-il, dans le désert [f] », loin de l'abatte-
ment de l'âme et de la tempête des tentations, il a reçu là-bas
le salut de Dieu [g], là où disparaît le mal. Car la submersion
signifie la disparition : tout ce qui se trouve dans l'abîme

---

1. Sur le sens d'ἀδολεσχία comme tristesse, chagrin, trouble, voir M.
Harl, « Le Ps. 118 et l'influence du grec 'biblique' », dans *La langue de
Japhet*, p. 193-196.

2. Sur les ailes de l'âme chez Grégoire, voir M. Harl, « Références
philosophiques et références bibliques du langage de Grégoire de Nysse
dans ses *Orationes in Canticum canticorum* », dans *La langue de Japhet*,
p. 238-239.

οὖν ἁμαρτίας ἐστὶ καὶ ἀπώλεια ἡ τοῦ συνεστῶτος τῆς κακίας
διάλυσις. Διὰ τοῦτό φησι καταποντίζεσθαι παρὰ τοῦ Θεοῦ τὸ
κακὸν ἐν τῷ καταδιαιρεῖσθαι τὰς γλώσσας τῶν ἐπὶ κακῷ
συμφρονούντων [h]. Καὶ ὅσα ἐφεξῆς περιέχει ἡ τῆς ψαλμῳδίας
35 ταύτης διάνοια, τὴν τῆς πόλεως ὑπογραφὴν τὴν ὑπὸ τῶν
πονηρῶν ἐπιτηδευμάτων συνῳκισμένην, πάντα πρὸς τὸ αὐτὸ
βλέπει. Λέγει γὰρ καὶ ἀπαριθμεῖται τοὺς κακοὺς τῆς πόλεως
PG 573   ταύτης οἰκήτορας, « ἀνομίαν » λέγων « καὶ ἀντιλογίαν ἐν τῇ
πόλει [i] » διὰ νυκτὸς περιπολούσας τὸ τεῖχος [j], καὶ πάλιν ἀνο-
40 μίαν καὶ κόπον καὶ ἀδικίαν ἀναστρεφομένας ἐν τῷ μέσῳ τοῦ
ἄστεως [k]. Δείκνυσι δὲ καὶ τὸν κακὸν δῆμον τὸν τὰς πλατείας
αὐτῆς πληροῦντα, ὀνομάζων « τόκον καὶ δόλον [l] »· καὶ τούτων
τῶν εἰρημένων πάντων τὸ βαρύτατον τὴν ὑπόκρισιν εἶναι
λέγει, ἢ τὸ ἰσόψυχόν τε καὶ ἀγαπητικὸν ὑποδυομένη σχῆμα [m]
45 κρύπτει τὸν δόλον τῷ χρηστῷ προκαλύμματι [n]. Διὰ τοῦτο
ἀξίους τῶν τοιούτων ἐνοίκων « ὁ δίκαιος κριτὴς [o] » τοὺς
ἐποίκους ἐκπέμπει. Βούλει μαθεῖν τὰ τῶν ἐποίκων ὀνόματα ;
« Ἐλθέτω, φησίν, θάνατος ἐπ᾽ αὐτοὺς καὶ καταβήτωσαν εἰς
ᾅδου ζῶντες [p]. » Καὶ πάντα περὶ αὐτῶν τὰ σκυθρωπὰ διὰ τοῦ
50 λόγου παραδείξας ἐπάγει τὴν γλυκεῖαν ἐκείνην φωνήν, ἐν ᾗ καὶ
GNO 144   νενίκηκε τὴν πόλιν | αὐτῷ πληρώματι, λέγων· « Ἐγὼ δὲ
ἐλπιῶ ἐπὶ σέ [q]. » Πλήρωμα δὲ λέγει τῆς πόλεως ταύτης
« ἄνδρας αἱμάτων καὶ δολιότητος [r] » τοὺς οὐδὲν εἶδος πονηρᾶς
ἡμέρας ἡμισεύοντας [s] οὐδὲ ἀτελῆ τὴν πονηρίαν ἐπιδεικνυμέ-

AVB SLQXF

35 πόλεως + ὑποδείξω B ‖ 37 βλέπειν V ‖ κακοὺς om. S ‖ 40 ἀνατρεφομέ-
νας ALν ἀναστρεφομένους Q ‖ 41 ἄστεος SQXF^pcν ‖ κακὸν : μακάριον QF ‖
42 ὀνομάζει L ‖ τοῦτο QXF ‖ 43 τῶν – πάντων iter. S ‖ 46 τῶν om. V ‖
47 ἐποικίων AVBLν ‖ 48 καὶ om. L ‖ 48-49 εἰς ᾅδου : ἐπάδου L ‖ 49 πάντας
A ‖ τὰ περὶ αὐτῶν B ‖ 51 λέγων om. S ‖ 54 ἡμισιεύοντας VBL ‖ ἀτελεῖ L

h. Cf. Ps 54, 10a   i. Ps 54, 10b   j. Cf. Ps 54, 11a   k. Cf. Ps 54, 11b
l. Ps 54, 12   m. Cf. Ps 54, 14   n. Cf. Ps 54, 15   o. Ps 7, 12   p. Ps 54,
16   q. Ps 54, 24d   r. Ps 54, 24b   s. Cf. Ps 54, 24c

disparaît. La dissolution du mauvais composé, c'est donc l'engloutissement et la destruction du péché. C'est pourquoi il dit que le mal est englouti par Dieu pendant que les langues de ceux qui se préoccupent du mal sont divisées [h]. Et toute la pensée contenue dans la suite de ce psaume, la description de la cité colonisée par les occupations mauvaises, tout a la même visée. Il cite, en effet, et énumère les mauvais habitants de cette cité, disant qu' « iniquité et discorde, dans la cité [i] », de nuit, font le tour du rempart [j] [1], et, à nouveau, qu'iniquité, souffrance et injustice retournent au milieu de la ville [k]. Il montre aussi le peuple mauvais qui remplit ses larges voies, le nommant « usure et ruse [l] ». Et le plus grave de tout ce qui est cité, c'est, dit-il, l'hypocrisie qui se revêt d'une apparence fraternelle et aimable [m] et cache la ruse sous un voile honorable [n]. C'est pourquoi « le juste juge [o] » envoie de nouveaux habitants bien dignes des premiers. Veux-tu connaître le nom des nouveaux habitants ? « Que la mort vienne sur eux, dit-il, et qu'ils descendent dans l'Hadès vivants [p]. » Et, après avoir montré par son discours tout leur triste sort, il ajoute cette douce parole par laquelle il est victorieux de la cité avec sa population, disant : « Moi, j'espérerai en toi [q]. » Or la population de cette cité, dit-il, ce sont « des hommes de sang et de ruse [r] » qui ne réduisent de moitié aucun aspect d'un jour mauvais [s] et ne font pas non plus preuve d'une méchanceté

---

1. Bel exemple de synthèse entre platonisme et christianisme que l'emploi du verbe περιπολεῖν dans cette paraphrase du Ps 54, 10-11. Grégoire le reprend en effet au *Theaet*. 176 a : « C'est la nature mortelle, c'est ce lieu-ci que, fatalement, les maux parcourent dans leur ronde (περιπολεῖ). Il faut donc tenter de fuir d'ici là-bas le plus vite possible. » Il est l'héritier de PHILON qui cite textuellement ce passage en *Fug*. 63. Mais on peut relever également un autre parallèle : dans le commentaire qu'il propose de ce texte au chapitre intitulé *D'où viennent les maux*, PLOTIN précise quels sont ces maux, *Enn*. I, 8, 6, 7 : « Sur terre existent l'injustice (ἀδικία) et le désordre : telle est la nature mortelle et ce lieu-ci. »

55 νους, ἀλλ᾽ ἐν τῷ κακῷ τὸ τέλειον ἔχοντας, ὧν πάντων νικητὴς
γίνεται τῇ μιᾷ ταύτῃ φωνῇ, ᾗ τὴν πρὸς τὸν Θεὸν καταμηνύει
διάθεσιν λέγων· « Ἐγὼ ἐλπιῶ ἐπὶ σέ. »

ΚΕΦΑΛΑΙΟΝ ΙΔ΄

68. Τούτοις ἐπελθὼν τοῖς νοήμασιν ὁ φιλόπονος αὐτὸς
ἀναγνώτω τὰ θεόπνευστα τῆς ψαλμῳδίας ῥήματα, ὡς ἂν μὴ
δι᾽ ἡμῶν ὄχλος ἐπεισαχθείη τῷ γράμματι πάντα κατὰ λέξιν
ἐκτιθεμένων καὶ μηκυνόντων τὴν ἐφ᾽ ἑκάστῳ νοήματι θεω-
5 ρίαν. Ὥσπερ δὲ οἱ τὴν ἀνωφερῆ καὶ δυσπόρευτον ὁδὸν
ἀνιόντες, ὅταν μεταξὺ καθέδρας τινὸς ἐπιτυχόντες τὸ πολύ τε
καὶ σύντονον τοῦ κόπου διαναπαύσωσι, πάλιν τῆς δυνάμεως
αὐτοῖς ἀναρρωσθείσης πρὸς τὴν ἄνοδον τῶν ὑπερκειμένων
ἑαυτοὺς ἐπεγείρουσιν· οὕτως καὶ ὁ τῆς ἀρετῆς ὁδοιπόρος, οὗ
10 τὰ διαβήματα νῖκαι κατὰ τῶν ἀντιπάλων εἰσίν, ὡς ἡ ἐπιγραφὴ
τοῦ παρελθόντος μαρτύρεται, τῇ κατορθωθείσῃ νίκῃ ἑαυτὸν
τονώσας πάλιν πρὸς τὴν ὑπερκειμένην συντείνεται· μεγάλης
γὰρ οὔσης καὶ ταύτης τῆς ἀγωνίας, ἧς ἐν τῷ μνημονευθέντι
ψαλμῷ κατεκράτησεν, λύπης καὶ ἀδολεσχίας καὶ ταραχῆς [a],
15 ἔχθρας τε καὶ ἀκοῆς· τοῦτο γάρ ἐστιν ἡ φωνὴ ἡ τοῦ ἐχθροῦ· καὶ
τῆς ἐκ τῶν ἁμαρτωλῶν θλίψεως καὶ τῆς τῶν ἐγκοτούντων
ὀργῆς [b], δι᾽ ὧν γίνεται ταραχή τε διανοίας καὶ δειλία θανάτου
GNO 145   καὶ φόβος καὶ τρόμος καὶ σκότος [c] καὶ τὰ| τοιαῦτα. Ὁ τοίνυν

AVB SLQXF

56 ᾗ : om. X οὗ v ‖ τὸ θεῖον S ‖ 57 ἐγὼ + δὲ Bv
68 2 θεόπνευστα (ν sl) V ‖ 3 ἐπεισαχείη (ε² sl) V ‖ γράμματι om. AVBv ‖
4 ἐκτιθεμένῳ AVBv ‖ μηκύνοντι AVBv ‖ ἑκάστων V ‖ 7 ἀναπαύσωσι
AVSLXv ἀναπαύσωμεν B ‖ 8 ἄνωδον XᵃᶜF² ᵖᶜ ‖ 9 ἑαυτοῖς Q ‖ ἐπαγείρουσιν
VB ἀπεγείρουσι Q ‖ 11 κατορθωθείσῃ : κατορθώσει τῇ Av ‖ 12 προτείνεται
Q ‖ 13 καὶ om. QF ‖ ταύτης : post ἀγωνίας Q post τῆς F ‖ 14 λύπας L ‖
ταραχὰς L ‖ 15 ᾗ² secl. Jaeger Don

a. Cf. Ps 54, 3   b. Cf. Ps 54, 4   c. Cf. Ps 54, 5-6

imparfaite, mais atteignent la perfection dans le mal. D'eux tous, il devient vainqueur par cette unique parole par laquelle il révèle sa disposition envers Dieu en ces termes : « Moi j'espérerai en toi. »

CHAPITRE XIV

LE *PSAUME* 55 : UN NOUVEAU COMBAT VICTORIEUX

D'une victoire à l'autre

68. Parvenu à ces pensées, que celui qui ne recule pas devant l'effort lise lui-même les paroles inspirées du psaume, de peur que nous n'introduisions de la confusion dans le texte en présentant tout mot à mot et en allongeant l'examen à propos de chaque pensée. De la même manière que ceux qui gravissent une route montante et difficile à emprunter, quand, en chemin, ils ont trouvé un endroit où s'asseoir, y relâchent la grande tension de leur effort et, après avoir repris possession de leurs moyens, s'encouragent à monter la pente suivante ; ainsi celui qui emprunte la voie de la vertu, dont les pas sont des victoires remportées sur les opposants, comme en témoigne le titre du psaume précédent, rassemble à nouveau ses forces tendues par le succès de sa précédente victoire pour la suivante. Car elle était grande cette lutte qu'il a remportée, dans le psaume mentionné, contre l'affliction, le chagrin et le trouble [a], l'adversité et l'écoute – c'est la voix de l'adversaire –, et contre la tribulation des pécheurs et la colère de ceux qui tourmentent [b] : ils provoquent trouble de l'esprit, effroi devant la mort, crainte, tremblement, ténèbres [c] et choses semblables. Celui donc qui a eu le dessus sur

τοιούτων τε καὶ τοσούτων ὑπερσχὼν ἀντιπάλων ἐν τῷ πτερῷ
20 τῆς ὡς περιστερᾶς ἐπιφανείσης τῷ βίῳ ᵈ, καὶ μεταναστὰς ἀπὸ
τῶν ἐν τῇ κακίᾳ ὑλομανούντων ἐπὶ τὴν ἔρημον ᵉ τῆς πονηρᾶς
τῶν ζιζανίων βλάστης ᶠ, ἐν ᾧ γίνεται ἡ κατάπαυσις ᵍ, τῷ
πόλιν ὅλην τῶν ἀντικειμένων αὐτῷ πληρώματι τῶν ἐποικούντων νικῆσαι, ἧς οἰκήτορες ἀνομία καὶ κόπος καὶ ἀντιλογία
25 τόκος τε καὶ δόλος ʰ καὶ θάνατος καὶ ζωῆς εἰς ᾅδου κατά-
βασις ⁱ καὶ τὸ πάντων κάκιστον γένος, τῶν ἀεὶ κατοικούντων ἡ
ὑπόκρισις, ἡ τῇ ἐνδείξει τῆς ὁμοψυχίας τὴν ἐπιβουλὴν ἐνερ-
γοῦσα ʲ· ἧς κρείττων γίνεται ὁ παντὶ τῷ τῆς ἰδίας ζωῆς χρόνῳ
συμπαρατείνων τὴν εἰς τὸ θεῖον πεποίθησιν· « ἑσπέραν
30 γὰρ καὶ πρωΐαν καὶ μεσημβρίαν ᵏ » εἰπὼν ὅλον περιλαμβάνει
PG 576 τὸ ἡμερήσιον μέτρον, ἐν ᾧ ταῦτα λέγει ὧν ὁ Θεὸς ἐπακούειν
ἀνέχεται ˡ, λυτρούμενος διὰ εἰρήνης τὴν ζωὴν ἀπὸ τῶν οὕτω
προσεγγιζόντων αὐτῷ ἐν πολλῷ τῷ συστήματι ᵐ, οὓς
« ἄνδρας αἱμάτων » ὀνομάζει « καὶ δολιότητος ⁿ » καὶ ἐν κακίᾳ
35 τελείους. Τοσούτων τοίνυν καὶ τοιούτων διὰ τοῦ ἐλπίζειν ἐπὶ
τὸν Θεὸν ° κατακρατήσας, πάλιν ὥσπερ τινὰ λήθην τῶν διη-
νυσμένων ποιησάμενος πόνων ᵖ τοῖς ἰσχυροτέροις τε καὶ
μείζοσιν τῶν ἀνταγωνιστῶν ἐπεγείρεται. Ἰδοὺ γὰρ οἷον πόνον
ἑαυτῷ διὰ τῶν ἀγώνων προστίθησιν· « Ὑπὲρ τοῦ λαοῦ, φησίν,
40 τοῦ ἀπὸ τῶν ἁγίων μεμακρυμμένου �q. » Ὁ δὲ λαὸς οὗτος ἅπαν
ἐστὶν τὸ ἀνθρώπινον πλήρωμα, ὅπερ ὁ χωρισμὸς τῶν ἁγίων

AVB SLQXF

19 τε om. S ‖ 21 τὴν : τὸν L ‖ πονηρίας AVBLv ‖ 23-24 ἐποικούντων codd.
v : ἐνοικούντων *Jaeger Don* ‖ 24 ἧς : οἷς L ‖ ἀντιλογία + καὶ SLQXF ‖ 25 τε
om. SLQX ‖ δόλος : λόγος L ‖ ζωὴ SLQXF ‖ ζωῆς (-ἡ SQXF) + ἡ SQXF ‖
27 ἐνδείξῃ Q ‖ 28 κρεῖττον AVBL ‖ ἰδίας Xᵐᵍ ‖ 32 λυπούμενους S ‖ εἰρήνης : εἰρημένης X ‖ 36-37 δεικνυμένων v ‖ 37 πόνων om. QF ‖ 39 προτίθησι
L ‖ 40 μεμακρυμμένον F

d. Cf. Ps 54, 7   e. Cf. Ps 54, 8   f. Cf. Mt 13, 25   g. Cf. Ps 54, 7b   h. Cf.
Ps 54, 10-12   i. Cf. Ps 54, 16   j. Cf. Ps 54, 14-15   k. Ps 54, 18a   l. Cf. Ps
54, 18b   m. Cf. Ps 54, 19   n. Ps 54, 24b   o. Cf. Ps 54, 24d   p. Cf. Ph 3,
13   q. Ps 55, 1

de pareils et si nombreux opposants avec l'aile semblable à celle de la colombe qui est apparue à notre existence [d], s'est exilé loin de ceux qui poussent dans le bois de la malice pour gagner le lieu qu'a déserté [e] le germe maléfique de l'ivraie [f] et où se trouve le repos [g], grâce à sa victoire remportée sur la cité entière des ennemis avec l'ensemble même de ses nouveaux habitants : ses habitants sont l'iniquité, la souffrance, la discorde, l'usure, la ruse [h], la mort, la descente de la vie dans l'Hadès [i] et, espèce la pire de toutes, l'hypocrisie de ses habitants permanents, qui, sous les dehors de la concorde, ourdit sa machination [j]. Mais il est plus fort que cette cité, celui qui étend à tout le temps de sa propre vie sa confiance en la divinité : en citant « soir, matin et midi [k] », il embrasse la mesure entière du jour où il dit ce que Dieu accepte d'entendre [l], puisqu'il délivre par la paix son existence de ceux qui s'approchent ainsi de lui en troupe massive [m], ceux qu'il nomme « des hommes de sang et de ruse [n] », parfaits en malice. Après, donc, l'avoir emporté sur un si grand nombre d'hommes de ce genre en mettant son espoir en Dieu [o], à nouveau, après avoir, pour ainsi dire, oublié les peines qu'il a endurées jusqu'au bout [p], il s'encourage à affronter des rivaux plus puissants et plus grands. Voici, en effet, à quel genre de peines dans les luttes il se soumet : « Au sujet du peuple, dit-il, qui s'est trouvé éloigné des saints [q]. » Or, ce peuple, c'est l'ensemble de l'humanité que la séparation des

ἐντολῶν πολλῷ τινι καὶ ἀπείρῳ τῷ μεταξὺ διαστήματι τοῦ
Θεοῦ διετείχισεν· τοῦτον ἀνακαλεῖται διὰ τῆς πρὸς τὸν
ἀντίπαλον νίκης, ἔπαθλον τῶν ἀγώνων τὴν τῶν ἀπολωλότων
45 σωτηρίαν ποιούμενος, οὗ χάριν καὶ ἐνστηλιτεύεται τὸ κατ-
όρθωμα ἐν | ἀνεξαλείπτῳ γραφῇ διαιωνιζούσης τῶν γεγονό-
των τῆς μνήμης. Γίνεται οὖν ἡ νίκη « τῷ Δαβὶδ εἰς στηλογραφίαν, ὁπότε, φησίν, ἐκράτησαν αὐτὸν οἱ ἀλλόφυλοι ἐν Γέθ ʳ ».

69. Ὡς δ᾽ ἂν μὴ παραδράμῃ ἡμᾶς ἡ διὰ τῶν αἰνιγμάτων τῆς
ἱστορίας ὑφαινομένη διάνοια τῷ λόγῳ, συντέμνων δι᾽ ὀλίγου
ἐπιδραμοῦμαι τὴν ἱστορίαν. Φθόνος ἐνεφύη κατὰ τοῦ Δαβὶδ
τῷ τυραννικῷ Σαοὺλ ἐπὶ τῇ νίκῃ τοῦ Γολιὰθ ἐν τῇ εὐφημίᾳ
5 τῶν διὰ χορείας φαιδρυνομένων τῇ νίκῃ ᵃ· καὶ πάσαις ἐπι-
νοίαις λάθρᾳ τε καὶ ἐκ τοῦ προδήλου τὸν κατ᾽ αὐτοῦ φόνον ὁ
Σαοὺλ ἐξηρτύετο, νῦν μὲν κρύβδην τὰς ἐπιβουλὰς συσκευά-
ζων, αὖθις δὲ διὰ τοῦ προδήλου τῶν ὅπλων ἁπτόμενος καὶ
συγκινῶν κατ᾽ αὐτοῦ τὸ ὑπήκοον. Πολλῆς δὲ πολλάκις προσ-
10 αχθείσης πείρας παρὰ τοῦ Σαοὺλ τῷ Δαβὶδ τέλος παρὰ τοῖς
Γεθθαίοις γενόμενος πόλιν ᾤκησεν τῶν ἀλλοφύλων μίαν ἑκουσίως παραχωρησάντων αὐτῷ, ἐν ᾗ μετὰ τῶν συνασπιστῶν ἦν,
δύο νομίμοις γυναιξὶ συνοικῶν, ὧν ἡ μὲν ἦν Ἰσραηλῖτις, ἡ δὲ
τῶν κατὰ τὸν Κάρμηλόν τινος δυναστευόντων γενομένη γυνὴ
15 μετὰ θάνατον ἐκείνου τῷ Δαβὶδ συνοικήσασα. Ταῦτα περιέχει
ἡ ἱστορία ᵇ.

Τὸ τοίνυν κεκρατῆσθαι αὐτὸν ἐν τοῖς ἀλλοφύλοις οὐ τὴν ἐπὶ
κακῷ γενομένην σύλληψιν περὶ αὐτοῦ διασημαίνει — οὐ γὰρ

AVB SLQXF

42 πολλῇ A ‖ μεταξὺ (τα sl) V
69 1 τῆς τῶν αἰνιγμάτων QF ‖ 2 διάνοια : θεωρία SLQXF ‖ τὸν λόγον
QF ‖ συντεμὼν SLQXF ‖ 3 ἐνεφύει Av ‖ 4 τυράννῳ S ‖ 9 συγκικῶν v ‖ 9-
10 προαχθείσης L ‖ 11 γεθθαίοις LF γεθαίοις v ‖ ᾤκισεν A ‖ 13 ἦν om.
VB ‖ ἰσραηλίτης L ‖ 14 κάρμιλόν v ‖ 17 τὸ : τοῦ AVBLX ‖ 18 γινομένην
X

---

r. Ps 55, 1
a. Cf. 1 Rg 18, 6-9   b. Cf. 1 Rg 27, 2-6

saints commandements a coupé de Dieu par un intervalle entre eux immense et infini. C'est lui qu'il appelle par sa victoire sur l'opposant, en faisant du salut de ceux qui étaient perdus la récompense des luttes. C'est pourquoi justement le succès est inscrit sur une stèle : la mémoire des évènements se conserve éternellement sur un écrit ineffaçable. La victoire revient donc « à David pour une inscription sur une stèle, lorsque, dit-il, les étrangers s'emparèrent de lui à Gueth [r] ».

L'histoire de David et Saül

69. Afin que nous ne perdions pas la trace du sens tissé par le texte à travers les énigmes de l'histoire, je vais retracer, en la résumant brièvement, l'histoire. De la jalousie envers David avait été inspirée au tyrannique Saül du fait de sa victoire sur Goliath quand l'acclamaient celles qui dansaient en chœur et rayonnaient de la joie de la victoire [a]. Aussi Saül cherchait par tous les moyens, secrètement ou ouvertement, à le faire tuer, tantôt en préparant en cachette ses machinations, tantôt en prenant ouvertement les armes et en lançant ses serviteurs contre lui. Après maintes et maintes tentatives menées par Saül contre David, celui-ci arriva finalement chez les Guéthéens où il habita une cité, puisque les étrangers lui en cédèrent volontiers une ; là, il avait avec lui ses compagnons d'arme et vivait avec ses deux épouses légitimes : l'une était Israélite et l'autre avait été la femme de l'un des chefs du Carmel avant de vivre, après la mort de ce dernier, avec David. Voilà ce que contient l'histoire [b].

L'interprétation de l'histoire

Qu'il ait été soumis au pouvoir des étrangers ne signifie pas dans son cas que la capture a eu lieu pour son malheur – il

οὕτως ἐγένετο –, ἀλλὰ τὴν ἀγαπητικὴν φιλοφροσύνην τε καὶ
20 διάθεσιν. Τὸν γὰρ ἐκ τῆς πατρῴας γῆς ἐλαυνόμενον οἱ
Γετθαῖοι παρ᾽ ἑαυτοῖς κατοικίζουσιν. Τί οὖν ἄρα οὗτος ὁ τοῦ
Ἰεσσαὶ Δαβὶδ ὁ ἐξ ἀνθρώπων ἄνθρωπος τοσοῦτον τοῖς ἰδίοις
ἄθλοις κατώρθωσεν, ὡς πᾶσαν τὴν ἀνθρωπίνην φύσιν διὰ τῆς
GNO 147 τῶν ἁγίων ἐντολῶν παραβάσεως μακρυνθεῖσαν ἀπὸ| τοῦ Θεοῦ
25 πάλιν ἀνακαλέσασθαι κἀκείνῳ μηνῦσαι τὰ τῆς στηλογραφίας
αἰνίγματα – «στηλογραφίαν» δέ τις «τὴν θεόπνευστον
Γραφὴν ᶜ» ὀνομάζων οὐχ ἁμαρτήσεται –, ἢ δῆλόν ἐστι διὰ τῆς
κατὰ τὴν ἱστορίαν συμφράσεως, ὅτι τοσοῦτός ἐστιν ὁ ἔξω τῶν
τῆς Ἰουδαίας ὅρων γενόμενος καὶ πόλιν ἐν ἀλλοφύλοις
30 ἑαυτῷ συνοικήσας καὶ διπλῷ συναναπαυόμενος γάμῳ, τὴν μὲν
PG 577 τοῦ ἰσραηλιτικοῦ γένους, τὴν δὲ ἐκ τῶν ἀλλοφύλων τῷ
θαλάμῳ παραδεξάμενος, ὥστε εἰ χρὴ τρανότερον τὸν περὶ
τούτου λόγον ἀπογυμνῶσαι, οὗτος ἐκεῖνός ἐστιν ὁ νικητής τε
ὁμοῦ καὶ νυμφίος ; Δι᾽ ὧν μὲν γὰρ κατηγωνίσατο «τὸν τὸ
35 κράτος ἔχοντα τοῦ θανάτου ᵈ», «ὁ δυνατὸς ἐν πολέμῳ ᵉ» τὸν
ἄπειρον τοῦτον λαὸν τὸν ἐν τῷ ἅδῃ κρατούμενον εἰς ἐλευθερίαν
ἐξείλετο. Τοῦ δὲ Ἰσραηλίτου λαοῦ φθόνῳ καὶ ζηλοτυπίᾳ πρὸς
τὸν κατ᾽ αὐτοῦ φόνον ὁρμήσαντος κρατεῖται δι᾽ εὐνοίας παρὰ
τῶν ἀλλοφύλων καὶ πόλιν ἐν αὐτοῖς συνίστησιν, τὴν Ἐκκλη-
40 σίαν λέγω, ἐν ᾗ κρατύνει τὴν ἑαυτοῦ βασιλείαν ὁ εἰπὼν τοῖς
ὑπὸ τὸν νόμον τεταγμένοις ὅτι «Ἀρθήσεται ἀφ᾽ ὑμῶν ἡ

AVB SLQXF

19 σωφροσύνην S ‖ 21 γεθθαῖοι LF γεθαῖοι v ‖ τίς QF ‖ 22 ιεσσὲ
ABLv ‖ ἀνθρώπων + ὡς QF ‖ 24 ἁγίων Xᵐᵍ ‖ ἀπὸ : ὑπὸ F ‖ 25 κἀκεῖνο L ‖
στηλογραφίαν (v sl) A ‖ 26 τις om. L ‖ 28 ὅτι om. SL ‖ τοσοῦτόν V ‖
29 ἰουδαίας : φύσεως B ‖ πάλιν AVB ‖ 30 ἑαυτὸν V ‖ συνοικίσας v ‖ 32 ὥστε
om. SLQXF ‖ εἰ : ἢ SLX om. QF ‖ τρανώτερον v ‖ 32-33 τρανότερον post
λόγον Av ‖ 37 ἐξείλατο AVBL ‖ 38 φθόνον VQᵃᶜ ‖ ὁρμήσαντας A ‖ 39 ἐν
αὐτοῖς : ἑαυτοῖς Vᵃᶜ ‖ 40 λέγων L ‖ 41 τὸν : τοῦ Av om. QF ‖ νόμον : σαοὺλ
AVBLv ‖ ἀφ᾽ ὑμῶν om. Q

c. 2 Tm 3, 16   d. He 2, 14   e. Ps 23, 8

n'en a pas été ainsi –, mais traduit une disposition et un
sentiment d'amour bienveillant. Car lui qui a été chassé de la
terre de ses pères, les Guéthéens l'établissent chez eux. Qu'a
donc réussi de si grand par ses combats ce David, fils de Jessé,
un homme issu des hommes, au point d'aller rappeler toute
la nature humaine éloignée de Dieu par la transgression des
saints commandements et de lui révéler les énigmes de l'inscription sur une stèle – or, on ne se trompera pas en nommant « l'Écriture inspirée [c] » « inscription sur une stèle » –,
sinon ce qui est évident par le contexte historique ? C'est bien
un si grand homme qui est sorti des frontières de la Judée, a
habité seul une cité au milieu d'étrangers, a trouvé le repos par
un double mariage en recevant dans sa chambre une femme de
la race d'Israël et une autre d'origine étrangère. Par conséquent – s'il faut dévoiler de façon plus pénétrante le texte à ce
sujet – celui-ci est à la fois ce vainqueur et cet époux : par son
triomphe sur « celui qui a le pouvoir de la mort [d] », cet homme
« puissant au combat [e] » a revendiqué la liberté pour ce peuple
innombrable retenu dans l'Hadès ; d'autre part, tandis que le
peuple d'Israël, par jalousie et envie, poussait à le tuer, il est,
par bienveillance, soumis au pouvoir des étrangers et il
institue parmi eux une cité, je veux dire l'Église, où établit
son royaume celui qui a dit à ceux qui étaient soumis à la
loi : « Le royaume vous sera retiré pour être confié à une

βασιλεία καὶ δοθήσεται ἔθνει ποιοῦντι τοὺς καρποὺς αὐτῆς [f]. »
Ἐν ταύτῃ τῇ πόλει ἐστὶ μέν τι καὶ τῆς ἰσραηλιτικῆς εὐγενείας
κατὰ τὴν προφητικὴν ἀναφώνησιν, ἥ φησιν ὅτι « Ἐν
45 ἐκκλησίαις εὐλογεῖτε τὸν Θεὸν Κύριον ἐκ πηγῶν Ἰσραήλ [g]. »
Οἱ γὰρ κατάρξαντες τοῦ λόγου τῆς πίστεως, οἱ κήρυκες τῆς
ἀληθείας, οἱ θεμελιωταὶ τῆς Ἐκκλησίας, οἱ μαθηταὶ λέγω καὶ
ἀπόστολοι [h], ἐκ πηγῶν ἦσαν τοῦ Ἰσραήλ. «Ἄρχοντες, φησίν,
Ἰούδα, ἡγεμόνες αὐτῶν ἄρχοντες Ζαβουλών, ἄρχοντες
50 Νεφθαλείμ [i]. » Διὰ σημείων τινῶν καὶ συμβόλων προσημαίνει
ἡ | προφητεία τὰ τοῦ γένους τῶν μαθητῶν ἰδιώματα, ἐν οἷς
ἐστι καὶ ὁ νεώτερος Βενιαμὶν διὰ τῆς ἐκστάσεως παιδευθεὶς τὰ
μυστήρια [j] καὶ « ἐκ σπέρματος Ἀβραὰμ καὶ φυλῆς Βενιαμίν [k] », Παῦλος ὁ θεῖος ἀπόστολος. Πλὴν εἰ καὶ τῇ Ἰσραη-
55 λίτιδι συνοικεῖν ὁ βασιλεὺς ἱστορεῖται, ἀλλ' ἀγαπᾶται πλεῖον ἡ
Ἀβιγαία, ᾗ συνῴκει τὸ πρότερον ὁ Καρμήλιος Νάβαλ, ὁ
κυνικὸς ἐπίκλην, ὁ τραχὺς ἐκεῖνος καὶ ὄρειος, ὁ τὰ πρόβατα
κείρων [l]. Οὗ διαφθαρέντος, συνοικεῖ τῷ βασιλεῖ ἡ γυνὴ καὶ
βασιλέων γίνεται μήτηρ.

70. Ἡ μὲν οὖν ἐπιγραφὴ τῆς ψαλμῳδίας τοσαῦτα περιέχει
μυστήρια, τὴν ὑπὲρ τοῦ λαοῦ τοῦ μακρυνθέντος ἀπὸ τῶν ἁγίων
νίκην σημαίνουσα καὶ τὴν ἐπὶ τοῖς κατορθώμασιν ὑπὲρ τῶν
ἀλλοφύλων στήλην, ἥτις διὰ τῶν ἐν αὐτῇ γραμμάτων τοῖς μὲν

GNO 148

AVB SLQXF

42 ἔθνη L ἔθνος Q ‖ 43 τῇ om. v ‖ τι om. S ‖ ἰσραηλικῆς (sic) V ‖ 46 οἱ[2] om.
Q ‖ κήρυκες : οἰκήτορες Q ‖ 48 ἀπόστολοι : οἱ praem. L ‖ 49 ζαβουλὼν + καὶ
L ‖ 50 νεφθαλίμ V νεφθαλί L ‖ 52 ἐστι om. SLQXF ‖ βενιαμεὶν AX βενιαμὴν
F ‖ 53-54 καὶ[1] – βενιαμὶν om. Q ‖ βενιαμεὶν X βενιαμὴν F ‖ 55 ἱστόρηται
SQXF ‖ ἀγαπᾶτε L ‖ πλέον S ‖ 56 ἀβιμαία S[ac] ἀβιγαίλ F[ac] vel F[pc] ‖ ὁ[2] : ᾧ
ASQXF
70 l περιέχει + τὰ Q ‖ 2 ἀπὸ : ὑπὸ V ‖ 3 νίκην om. Av ‖ σημαίνουσα VBv
Don : διασημαίνουσα A om. SLQXF ‖ καὶ om. SLQXF ‖ 4 τοῖς : τῆς SLQXF

---

f. Mt 21, 43   g. Ps 67, 27   h. Cf. Ep 2, 20   i. Ps 67, 28   j. Cf. Ps 67, 28 ;
1 Co 15, 8-9   k. Rm 11, 1   l. Cf. 1 Rg 25, 2-4. 39-43

nation qui lui fera produire ses fruits [f]. » Dans cette cité se
trouve aussi une part de la noblesse d'Israël, selon la proclamation prophétique qui dit : « Dans des assemblées, bénissez
Dieu, le Seigneur, vous qui sortez des sources d'Israël [g]. » En
effet, ceux qui ont été à l'origine de la parole de la foi, les
hérauts de la vérité, les fondateurs de l'Église, je veux dire les
disciples et les apôtres [h], sortaient des sources d'Israël :
« Princes, dit-il, de Juda, leurs chefs, princes de Zaboulon,
princes de Nephtalim [i]. » Par certains signes et symboles, la
prophétie signifie à l'avance les caractéristiques de la race des
disciples, parmi lesquels se trouve aussi le plus jeune, Benjamin, instruit par l'extase des mystères [j], « de la semence
d'Abraham et de la tribu de Benjamin [k] », c'est-à-dire Paul, le
divin apôtre. Mais si le roi, rapporte l'histoire, vit également
avec l'Israélite, il chérit pourtant davantage Abigaia avec
laquelle vivait auparavant Nabal, du Carmel, surnommé le
chien, ce rude montagnard qui faisait la tonte des trou-
peaux [l]. Après sa disparition, sa femme vit avec le roi et
devient la mère de rois.

L'alliance de Dieu

70. Le titre du psaume contient donc de si grands mystères : il révèle la victoire « pour le peuple qui a été éloigné des
saints » et la stèle célébrant les étrangers pour leurs succès,
qui, par les inscriptions qu'elle contient, est dressée comme

5 ἀπὸ τῆς ἀπιστίας τῶν Ἰουδαίων ὄνειδος ἔστηκεν, τοῖς δὲ διὰ
πίστεως σωζομένοις ὁδηγία πρὸς τὸ ἀγαθὸν καὶ ὑπόδειγμα.
Αὐτὰ δὲ τῆς ψαλμῳδίας τὰ ῥήματα μᾶλλόν πως δοκεῖ οὐ
τοσοῦτον πρὸς τὸν ἐκ τοῦ Δαβὶδ ἀναφανέντα βασιλέα βλέπειν,
ὅσον πρὸς αὐτὸν τὸν Δαβὶδ τὸν κατὰ τῆς κακίας ἀγωνιστὴν καὶ
10 τῆς ἀρετῆς ἐργάτην. Οὐκ ἂν δέ τις ἀπάδειν εἴποι τὰ τῆς
ψαλμῳδίας νοήματα πρὸς τὰ τῆς ἐπιγραφῆς αἰνίγματα. Ὁ γὰρ
πρὸς τὴν θεολογίαν ἀληθῶς καὶ καθ' ὃν δεῖ τρόπον βλέπων
σύμφωνον ἀποδείξει πάντως τὸν βίον τῇ πίστει. Τοῦτο δὲ οὐκ
ἄλλως εἰ μὴ τῆς σαρκικῆς ἐπαναστάσεως [a] διὰ τῶν τῆς ἀρετῆς
15 ἐπιτηδευμάτων καταπεσούσης. Ἀρετῆς δὲ κεφάλαιον ἡ τοῦ
Θεοῦ συμμαχία, ἧς| ἀξιοῦται ὁ τὸν θεῖον ἔλεον ἑαυτῷ διὰ τῆς
ζωῆς οἰκειούμενος. Ὥσπερ δὲ εἴ τις λῃστοῦ τινος ἐπελθόντος
ἢ ἀνδροφόνου κατὰ τὸ ἀθρόον ἐπικαλοῖτο τῶν φίλων τινὰς εἰς
βοήθειαν οὐκ ἀρκῶν ἑαυτῷ πρὸς τὴν τῶν κινδύνων ἀποφυγήν,
20 οὕτω καὶ ἐνταῦθα ἐναγώνιος ὢν διὰ τῆς πρὸς τὸν ἄνθρωπον
συμπλοκῆς — « ἄνθρωπον [b] » δὲ λέγων, ὅλα τῇ περιληπτικῇ
φωνῇ τὰ τῆς φύσεως ἐνδείκνυται πάθη — ἐπικαλεῖται τὴν
ἄνωθεν βοήθειαν, πατεῖσθαι λέγων παρὰ τοῦ πολεμοῦντος καὶ
τῷ πανημερίῳ τῆς μάχης ἀπαγορεύειν τε καὶ ἐκθλίβεσθαι [c].
25 Μηδὲ γὰρ μόνον τυγχάνειν τὸν διὰ τῶν ἀγώνων αὐτῷ
συμπλεκόμενον, ἀλλὰ δῆμον ἐχθρῶν εἶναι τὸν ἕνα ἄνθρωπον.

GNO 149 (left margin, line 16)

PG 580 (left margin, line 19)

AVB SLQXF

5 ἀπὸ τῆς om. SQXF ‖ ἰουδαίω Q ‖ 5-6 διὰ πίστεως : διαπιστίας B ‖ 8 ἐκ
τοῦ Δαβὶδ om. Av ‖ 11 γραφῆς v ‖ 12 δεῖ : δὴ A ‖ βλέπων τρόπον VBSLQXF
‖ 14 εἰ : om. SLX ἔσται QF ‖ 16 τὸν : τὸ AVB om. v ‖ ἔλαιον AVBv ‖ 16-17
διὰ τῆς ζωῆς om. QF ‖ 17 οἰκειούμενος : εἰσοικησάμενος QF ἐπισπώμενος X
‖ οἰκειούμενος (εἰσοικησάμενος QF) ante ἔλεον QF ‖ 17-19 ὥσπερ – ἑαυτῷ
om. QF ‖ 17 ἥτις X ‖ 19 ἀποφυγεῖν Q ‖ 20 οὗτος QF ‖ 21 λέγων codd. v :
λέγω Jaeger Don ‖ ὅλα codd. : om. v ὅσα Jaeger Don ‖ 22 τὴν om. S ‖ 23 ἄνω
X ‖ 24 ἐκθλίψεσθαι X

a. Cf. Ps 55, 5   b. Ps 55, 2. 12   c. Cf. Ps 55, 2

un blâme à l'égard de ceux qui suivent l'incroyance des Juifs
et comme un chemin ou un exemple vers le bien pour ceux
qui sont sauvés par leur foi. Quant aux paroles mêmes du
psaume, elles semblent plutôt viser non pas tant celui qui,
descendant de David, a été proclamé roi que David lui-même,
le combattant du mal et le pratiquant de la vertu. Mais on ne
peut prétendre que le sens du psaume ne concorde pas avec
les énigmes du titre. Celui, en effet, qui se tourne vraiment et
de la manière qui convient vers la connaissance de Dieu
montrera que sa vie correspond totalement à sa foi ; et cela
n'est possible que si l'assaut charnel [a] est retombé grâce aux
activités de la vertu. Or l'essentiel de la vertu, c'est l'alliance
de Dieu dont est jugé digne celui qui s'est, par son existence,
concilié la miséricorde divine. Comme si quelqu'un, en cas
d'attaque soudaine d'un voleur ou d'un meurtrier, appelait
des amis au secours parce qu'il ne peut à soi seul échapper
aux dangers, de même ici aussi, en pleine lutte rapprochée
avec l'homme (en disant « homme [b] », il désigne par ce terme
générique les passions de la nature en leur totalité), il appelle
le secours d'en haut, disant qu'il est foulé aux pieds par son
ennemi, épuisé et tourmenté par le combat de toute la journée [c], car loin que ce soit une personne seule qui se trouve aux
prises dans les luttes avec lui, l'homme unique est, en fait, un
peuple d'adversaires. En effet, dit-il, « mes adversaires m'ont

« Κατεπάτησαν γάρ με, φησίν, οἱ ἐχθροί μου ὅλην τὴν
ἡμέραν ᵈ », « ἀπὸ ὕψους ᵉ » βάλλοντες διὰ τὸ γενέσθαι τοῦ
πατουμένου ὑπέρτεροι. Καὶ οὐκ ἐν ἡμέρᾳ ἐστὶν οὐδὲ ἐν φωτὶ τὸ
30 γινόμενον· οὐ γὰρ ἂν ἐφοβήθην ὑπὸ τοῦ φωτὸς συμμαχού-
μενος. Διὰ τοῦτό φησιν· « Ἡμέρας οὐ φοβηθήσομαι ᶠ », δηλῶν
κατὰ τὸ σιωπώμενον τὸ διὰ τοῦ σκότους αὐτῷ παρὰ τῶν
ἐχθρῶν τὸν φόβον ἐπάγεσθαι. Ἀλλ᾽ ἑαυτῷ ἡμέραν ὁ τοιοῦτος
ποιεῖ διὰ τοῦ ἐλπίζειν ἐπὶ τὸ φῶς, δι᾽ οὗ τὸ σκότος ἐξαφα-
35 νίζεται· « Ἡμέρας γὰρ οὐ φοβηθήσομαι· ἐγὼ δὲ ἐλπιῶ ἐπὶ
σέ ᶠ. »

71. Τάχα δὲ ἄν τις μᾶλλον καθίκοιτο τῆς τῶν γεγραμμένων
διανοίας τὸ τῆς ἐπιγραφῆς αἴνιγμα βλέπων. Ἕως γὰρ ἦν ὁ
τῶν ἀνθρώπων λαὸς τῶν ἁγίων ἀγγέλων μεμακρυμμένος,
κατεπατεῖτο ὑπὸ τῶν παθημάτων τῆς φύσεως, ἐν τῷ διαρκεῖ
5 τοῦ πολέμου ἀπαγορεύων καὶ συνθλιβόμενος καὶ ἐκ τῶν
ὑπερκειμένων βαλλόμενος καὶ ἐν νυκτὶ τὸν φόβον ἔχων· ὅτε δὲ
ἤλπισεν ἐπὶ τὸν Θεόν ᵃ, τὴν περὶ τὰ μάταια πεπλανημένην
GNO 150   ἐλπίδα οἷόν τι | ἄχθος ἀποσεισάμενος, τότε ἐπήνεσεν τοὺς
ἑαυτοῦ λόγους, οἵτινές εἰσιν ἡ ὁμολογία τῆς πίστεως. « Ἐπὶ
10 τῷ Θεῷ γάρ, φησίν, ἐπαινέσω τοὺς λόγους μου ᵇ. » Ἀλλὰ
τούτους, φησίν, τοὺς ἐπαινετοὺς λόγους οἱ ἐχθροί μου βδε-
λύσσονται, τοὺς κατ᾽ ἐμοῦ λογισμοὺς εἰς κακὸν ἐφευρίσ-
κοντες ᶜ καὶ λανθάνουσαν καὶ κεκρυμμένην ἐν τῷ παροικεῖν
τὴν ἐπιβουλὴν διασκευάζοντες, οἱ τὸ ἴδιον ἑαυτῶν ἐπιτήδευμα

AVB SLQXF

27 με om. B ‖ φησίν om. X ‖ 28 τὸ : τοῦ AVBv ‖ 30 ὑπὸ S : ἀπὸ cett.
Don ‖ 31 διὰ – φησιν om. Q ‖ 35 γὰρ om. Av
71 1 δ᾽ ἄν S ‖ καθήκοιτο L καθίκοι QF ‖ καθίκοιτο μᾶλλον X ‖ 2 ἐνῆν
SLQXF ‖ 3 λαὸς : βίος S ‖ 4 κατεπατεῖτο : καὶ ἐπατεῖτο Av ‖ 5-6 καὶ² –
βαλλόμενος iter. F ‖ 8 τι : τὸ ALFv ‖ 10 γὰρ θεῷ L ‖ 12-13 εὑρίσκοντες v ‖
13 λανθάνουσα (-ν add. al. man. vid.) A λανθάνουσι vid. Lᵃᶜ ‖ κεκρυμμένην
(κε sl) V ‖ 14 αὐτῶν Q

d. Ps 55, 3a   e. Ps 55, 3b   f. Ps 55, 4

a. Cf. Ps 55, 2-4. 5b   b. Ps 55, 5a   c. Cf. Ps 55, 6

foulé aux pieds tout le jour [d] », frappant « d'une hauteur [e] »
parce qu'ils étaient au-dessus de celui qu'ils foulaient aux
pieds. Et l'événement n'a pas lieu de jour pas plus qu'en
pleine lumière, car je n'aurais pas eu peur en ayant la lumière
pour allié [1]. C'est pourquoi il dit : « Je n'aurai pas peur des
jours [f] », révélant tacitement que ses adversaires suscitent en
lui la peur par l'obscurité. Mais un tel homme se ménage un
jour par son espoir en la lumière qui abolit l'obscurité : « Je
n'aurai pas peur des jours, mais, pour ma part, j'espérerai en
toi [f]. »

71. On atteindrait peut-être davantage le sens du texte en
considérant l'énigme du titre. En effet, tant que le peuple des
hommes se trouvait éloigné des saints anges, il était foulé aux
pieds par les passions de la nature, épuisé et tourmenté par la
longueur du conflit et, rejeté loin des êtres supérieurs, il
trouvait la peur dans la nuit ; mais lorsqu'il eut espéré en
Dieu [a], après avoir renversé, tel un fardeau, l'errance de vains
espoirs, alors il a loué ses propres paroles, qui constituent la
confession de la foi. Car, dit-il, « en Dieu je louerai mes
paroles [b] ». Mais mes adversaires, dit-il, détestent ces paroles
dignes d'éloge, ils conçoivent des pensées contre moi en vue
du mal [c] et préparent leur machination, secrète et cachée, en
s'installant à côté, eux qui, en exerçant leur propre activité,

---

1. Seule la leçon de S, ὑπὸ, donne un sens satisfaisant. Quant à l'emploi
de la première personne qui semble reprendre celle du psaume, il est
possible qu'il faille corriger le texte et lire, au lieu de « je n'aurais pas eu
peur », la troisième personne « il n'aurait pas eu peur ».

452 SUR LES TITRES DES PSAUMES (PS 55)

15 ποιοῦντες οὐ παύονται ἀεί μου τὴν πτέρναν ἐπιφυλάσσοντες ᵈ.
Τοῦτο γὰρ « τοῦ ἐξ ἀρχῆς ἀνθρωποκτόνου ᵉ » τὸ ἔργον, τὸ
ἐπιτηρεῖν τοῦ ἀνθρώπου τὴν πτέρναν ᶠ. Ἀλλ' εἰ καὶ βαρεῖα
τῶν πολεμίων ἡ προσβολή, διὰ τῆς συμμαχίας τῆς σῆς
ἀπωσθήσονται, προῖκα τοῖς ἀνθρώποις παρὰ σοῦ γινομένης
20 τῆς σωτηρίας, « οὐκ ἐξ ἔργων τῶν ἐκ δικαιοσύνης ᵍ », ἀλλ' ἐκ
μόνης τῆς σῆς χάριτος. « Ὑπὲρ γὰρ τοῦ μηθενὸς σώσεις
αὐτούς ʰ.» Καὶ πᾶσα καθεξῆς ἡ τῆς ψαλμῳδίας ἀκολουθία
τὴν ἀνάκλησιν τῆς ἀνθρωπίνης φύσεως ἑρμηνεύει. Ἧς τὸ
κεφάλαιον τῆς κατὰ τοῦ ἀντιπάλου νίκης ἐστὶν ἀνεξάλειπτον,
25 ὥσπερ στήλης τῆς τοῦ Θεοῦ φιλανθρωπίας μνημόσυνον πάσῃ
τῇ κτίσει πρὸς ὑπόθεσιν δοξολογίας προκείμενον. Διό φησι
τοῖς τελευταίοις τῆς ψαλμῳδίας πρὸς ταύτην τὴν στήλην
βλέπων· « Ἐπὶ τῷ Θεῷ αἰνέσω ῥῆμα, ἐπὶ τῷ Κυρίῳ αἰνέσω
λόγον, ἐπὶ τῷ Θεῷ ἤλπισα ⁱ.» Δι' ὃν τὸν τῆς σαρκὸς φόβον
30 οὐκέτι δέδοικα ʲ. Καὶ « ἐν ἐμοί, φησίν, εὐχαὶ ἃς ἀποδώσω δι'
αἰνέσεως, ὅτι ἐρρύσω τὴν ψυχήν μου ἐκ θανάτου καὶ τοὺς
πόδας μου ἀπὸ ὀλισθήματος ᵏ ». « Ὀλίσθημα » δὲ λέγει τὴν
παρατροπὴν τῆς διὰ τῶν ἐντολῶν πορείας, ἀφ' ἧς τὸ πτῶμα
ἐγένετο. Ἐλευθερωθεὶς οὖν τοῦ θανάτου καὶ ἀνορθωθεὶς | ἐκ
35 τοῦ πτώματος, ἐν προσώπῳ γίνεται τοῦ Θεοῦ, οὗ τὸ πρῶτον
τῶν ὑπὸ τῆς ἐντολῆς ἀπηγορευμένων ἐμφαγὼν ἀπεφοίτησε,
τῇ σκιᾷ τῆς συκῆς ἑαυτὸν ὑπ' αἰσχύνης ἐγκρύψας ˡ. Ἀπολα-

---

15 μου ἀεὶ VB ‖ 16 τοῦ om. Av ‖ τὸ² : τοῦ L ‖ 19 ἀποστήσονται QF
ἀπωθήσονται v ‖ τοῖς : τῆς F ‖ γενομένης QF ‖ 21 σῆς om. L ‖ μηδενὸς
SLQXF Don ‖ μηδενὸς + φησί SLX ‖ σώσῃς VB ‖ 22 ἐπαυτούς L ‖ αὐτούς
+ φησίν QF ‖ 23 τὸ om. v ‖ 26 κτήσει VB ‖ 28 κυρίῳ : θεῷ QF ‖ ἐναίσω (sic)
V ‖ 30 εὐχαὶ : αἱ praem. VBLX ‖ ἀποδώσω + σοι VBSLX ‖ δι' om. QF ‖
32 ἀπὸ : ἐξ VBX ‖ 34 οὖν + ἐκ S ‖ 35 ἐν : ἐκ v ‖ οὗ τὸ : οὕτω SL ‖ 36
ἀπηγορευομένων v ‖ ἀπεφύτησεν ALv ‖ 37 ἐκκρύψας X

---

d. Cf. Ps 55, 7   e. Jn 8, 44   f. Cf. Gn 3, 15   g. Tt 3, 5   h. Ps 55, 8
i. Ps 55, 11-12   j. Cf. Ps 55, 5. 12   k. Ps 55, 13-14   l. Cf. Gn 3, 6-8

ne cessent de surveiller perpétuellement mon talon [d], car c'est l'œuvre de « celui qui est homicide depuis le commencement [e] » de guetter le talon de l'homme [f]. Mais, même si l'attaque des ennemis est pénible, grâce à ton alliance ils seront repoussés, car tu donnes gratuitement le salut aux hommes, « non d'après les œuvres de justice [g] », mais par ta seule grâce. En effet, « pour rien tu les sauveras [h] ». Et toute la suite du psaume traduit le rappel de la nature humaine, dont l'essentiel, la victoire sur l'opposant, est ineffaçable, comme une stèle, mémorial de l'amitié de Dieu proposé à toute la création pour être le sujet de sa louange. C'est pourquoi il dit à la fin du psaume en regardant cette stèle : « En Dieu je louerai un discours, dans le Seigneur je louerai une parole, en Dieu j'ai espéré [i]. » A cause de lui, je n'éprouve plus la crainte de la chair [j] ; et « je dois, dit-il, des prières que j'acquitterai par la louange, parce que tu as arraché mon âme à la mort et mes pieds à un faux pas [k]. » Par « faux pas », il veut dire l'écart par rapport au chemin des commandements, qui a entraîné la chute. Libéré donc de la mort et relevé de la chute, il se tient devant la face de Dieu, dont il s'était écarté au début en mangeant ce qui était défendu par le commandement avant de se cacher par honte à l'ombre du figuier [l]. Ayant donc à nouveau recouvré la confiance, il est restitué à la

βῶν οὖν πάλιν τὴν παρρησίαν ἀποκαθίσταται τῷ φωτὶ τῷ
ζῶντι. « Εὐαρεστήσω γάρ, φησί, Κυρίῳ ἐν φωτὶ ζώντων ᵐ »,
40 ὅθεν καταρχὰς διὰ τῆς ἁμαρτίας ἀπεξενώθη.
72. Καὶ περὶ μὲν τούτων τοσαῦτα. Οὐ γὰρ οἶμαι δεῖν τὰ καθ᾽
ἕκαστον φιλοπονώτερον ἐξετάζοντα εἰς ἀμετρίαν παρατείνειν
τὸν λόγον. Πολλῶν δὲ ὄντων ἐν ταῖς ἱεραῖς ὑμνῳδίαις τῶν
ἐπινικίων ψαλμῶν, οὓς ἡ ἐπιγραφὴ τοῦ τέλους ἐνδείκνυται καὶ
5 πολυτρόπως τῆς κατὰ τῶν ἀντιπάλων νίκης ἐν τούτοις
θεωρουμένης, ἴδιόν τινα λόγον ἔοικεν ἔχειν ἡ διὰ τῶν τῆς
ἱστορίας αἰνιγμάτων σημαινομένη κατὰ τοῦ προσπαλαίοντος
νίκη· ταύτης λέγω τῆς ἱστορίας, ᾗ τὰ περὶ τοῦ Σαοὺλ
διεξέρχεται· ἐν οἷς ἡ τῶν ψαλμῶν τάξις οὐκ ἐκ τῆς ἀκολουθίας
10 τῶν ἱστορικῶν συνέστη πραγμάτων, ἀλλὰ τοῖς κατὰ προκοπὴν δι᾽ ἀρετῆς τελειουμένοις ἐπηκολούθησεν, ἕκαστον τῶν
ἐν τοῖς πράγμασι δηλουμένων εἰς ἔνδειξιν τῆς κατὰ τὴν ἀρετὴν
αὐξήσεως καταλλήλως ἁρμόσασα, καὶ πρῶτα καὶ τελευταῖα
κατὰ τὸν λόγον τῆς ἀρετῆς δι᾽ ἀκολούθου ταχθῆναι καὶ μὴ τῇ
15 ὑλικῇ συντυχίᾳ τῶν πραγμάτων δουλεῦσαι τὴν τάξιν. Διά τοι
τοῦτο μετὰ πολλὰ ἑρμηνεύεται ἡ πρὸ πολλῶν πραγμάτων
γεγενημένη κατὰ τὸ σπήλαιον συνδρομὴ τοῦ τε Σαοὺλ τοῦ
πρὸς τὸν φόνον διώκοντος καὶ τοῦ Δαβὶδ τοῦ τὸν φόνον
ἐκκλίνοντος. Ἐν ᾧ πρὸς τὸ ἐναντίον ἀνεστράφη τοῦ φόνου ἡ
20 ἐξουσία, ὡς τὸν ἐπὶ θανάτῳ διωκόμενον, τοῦτον ἐφεστάναι τῇ
τοῦ φονῶντος σφαγῇ, καὶ ἐν ἐξουσίᾳ σχόντα τὴν κατὰ τοῦ

AVB SLQXF T (l. 13)

40 ἀπεξενώθ S ἀπεξενώθην QXF

72 4 οὓς : οἷς S ‖ 5 τῶν : τὸν F ‖ 7 τοὺς προσπαλαίοντας v προπαλαίοντος
Q ‖ 8 ταύτην QF ‖ λέγων Q ‖ τὴν ἱστορίαν QF ‖ ᾗ : ἢ S ἐν QF ‖ τὰ : τῷ
QF ‖ 9 ἐκ om. Vᵃᶜ ‖ 10 συνέστηκε BX ‖ 10-11 κατ᾽ ἀρετῆς διὰ προκοπὴν Q
‖ 11 τελειουμένοις om. B ‖ 12 ἐν om. V ‖ τῆς κατὰ Vˢˡ al. man. ‖ 13 καὶ¹ : ὡς
T ‖ 15 τοι om. v ‖ 17 γενομένη S ‖ 19 ἐκκλίναντος v ‖ ἀπεστράφη V ‖ 21 ἐν
om. v ‖ ἐξουσίαν v

m. Ps 55, 14

lumière vivante. En effet, « je plairai, dit-il, au Seigneur dans la lumière des vivants [m] », dont il avait été banni à l'origine par le péché.

L'ordre des psaumes traduit le progrès vertueux : l'exemple du PSAUME 56

72. Mais assez là-dessus, car je ne crois pas qu'il faille se donner la peine d'examiner davantage chaque détail et prolonger démesurément le propos. Et, puisque les psaumes de victoire sont nombreux dans les hymnes sacrés, indiqués par l'intitulé « fin », et puisque la victoire sur les opposants y est diversement conçue, la victoire remportée sur l'adversaire qui est signifiée par les énigmes de l'histoire a, semble-t-il, une raison particulière — je veux parler de l'histoire qui expose ce qui concerne Saül. Dans ces énigmes, l'ordre des psaumes n'est pas constitué d'après l'enchaînement des faits historiques, mais accompagne ceux qui se perfectionnent en progressant par la vertu : il fait harmonieusement correspondre chacun des faits révélés au cours des événements à une indication de progrès vertueux, si bien que le début et la fin sont placés dans une suite logique conforme à la vertu sans que l'ordre soit soumis au hasard matériel des événements. C'est pour cette raison qu'est représentée après bien des événements la rencontre qui a eu lieu bien avant, dans la grotte, de Saül qui était à sa poursuite pour le tuer et de David qui cherchait à éviter d'être tué. Ici le pouvoir de tuer s'est inversé et retourné : celui qui était poursuivi pour être mis à mort se trouve en mesure d'assassiner celui qui cherche à le tuer, et, alors qu'il a le pouvoir de se venger de son ennemi, il

GNO 152 πολεμίου| τιμωρίαν, στῆσαι μέχρι τῆς ἐξουσίας τὴν δύναμιν
ἀντὶ τοῦ πολεμίου τὸν ἑαυτοῦ θυμὸν ἐν ἑαυτῷ ἀποκτείναντα ᵃ.
Τὰ μὲν οὖν τῆς ἱστορίας πᾶσι πρόδηλα πάντως ἐστὶν οἷς οὐκ
25 ἐν παρέργῳ τὰ θεῖα σπουδάζεται, ἐροῦμεν δὲ διὰ βραχέων, ὡς
ἂν οἷόν τε ᾖ συντεμόντες ἐν ὀλίγῳ τὸ περὶ τούτου διήγημα.
Ἔρημός τις ἦν τόπος κατὰ τὴν Ἰουδαίαν, ἐν ᾧ διωκόμενος ὁ
Δαβὶδ ὑπὸ ἀμηχανίας ηὐλίζετο ᵇ. Ἐν τούτῳ τι σπήλαιον
εὐρύχωρον ἦν, δι᾽ ἑνὸς στομίου τοὺς ἐν αὐτῷ καταδυομένους
30 παραδεχόμενον. Τοῦ δὲ Σαοὺλ ἀναζητοῦντος τὸν Δαβὶδ καὶ
πανστρατιᾷ διερευνωμένου τὴν ἔρημον, καταφεύγουσιν ὑπ᾽
ἀνάγκης αὐτός τε ὁ Δαβὶδ καὶ οἱ μετ᾽ ἐκείνου ὑπὸ τὸ σπήλαιον.
Ὄντων δὲ ἤδη τούτων ἐν τῷ σπηλαίῳ, εἴσω γίνεται τοῦ
στομίου καὶ ὁ Σαοὺλ μετ᾽ ἐκείνους, ἐφ᾽ ᾧ τε πρός τι τῶν
35 ἀναγκαίων παρασκευάσασθαι, ἀγνοῶν τὴν αὐτομάτως
συμβᾶσαν κατὰ τῆς σωτηρίας αὐτοῦ στρατηγίαν. Ὡς οὖν ἐφ᾽
ἑαυτοῦ ἦν καὶ τὴν διπλοΐδα περιελόμενος παρ᾽ ἑαυτόν που
κατέθετο καταφανὴς ὢν διὰ τῆς ἐκ τοῦ στομίου αὐγῆς τοῖς
ἔνδον ὑποκρυπτομένοις τῷ ζόφῳ, τοῖς μὲν ἄλλοις ἦν γνώμη
40 πᾶσιν τοῖς μετὰ τοῦ Δαβὶδ ἐπιδραμεῖν τῷ ἐχθρῷ καὶ
ἀμύνασθαι τὸν ἐπὶ τὸ φονεῦσαι παραγενόμενον, ὡς τοῦ Θεοῦ
PG 584 δεδωκότος τοῖς ἐπὶ θανάτῳ διωκομένοις τὸν ἐχθρὸν
ὑποχείριον. Ὁ δὲ Δαβὶδ τούτοις μὲν ἀπεῖπε τὴν ὁρμὴν
ἀθέμιτον κρίνας τὴν κατὰ τοῦ βασιλέως αὐτῶν ἐπιχείρησιν.
45 Γυμνώσας δὲ τῆς θήκης τὸ ξίφος καὶ λεληθότως παραστὰς τῷ

AVB SLQXF

22 στῆσαι + καὶ v ‖ μέχρι : μετὰ v ‖ 23 ἐν ἑαυτῷ om. QF ‖ 24 πρόδηλον
v ‖ 31 πανστρατὶ QF ‖ 32 ἐκεῖνον A ‖ 34 ᾧ : ὃ X ‖ τε om. QXF ‖
35 αὐτομάτος Vᵃᶜ ‖ 38 διὰ τῆς iter. F ‖ στομίου : στόματος F ‖ αὐγῆς : αὐτῆς
L ‖ 41 τὸ : τῷ SL ‖ φονεύειν F ‖ 45 λεληθότος QX

a. Cf. Ps 56, 1 ; 1 Rg 24, 1-23   b. Cf. Ps 54, 8

retient, aux limites de ses forces, sa puissance, en tuant, au lieu de son ennemi, en lui son propre courroux [a].

David épargne Saül

Même si ces événements historiques sont bien connus de tous ceux qui ne se préoccupent pas accessoirement des choses divines, nous les exposerons pourtant brièvement en en résumant et en en abrégeant autant que possible le récit. Il y avait un lieu désertique en Judée où David poursuivi séjournait faute de ressources [b]. Il y avait là une grotte spacieuse où il n'était possible de s'introduire que par une seule ouverture. Or, tandis que Saül est à la recherche de David et fouille le désert avec toute son armée, David lui-même et ses compagnons trouvent refuge par nécessité dans la grotte. Ceux-ci sont déjà dans la grotte quand Saül à son tour, après eux, s'engage dans l'ouverture pour satisfaire un besoin nécessaire, ignorant la campagne contre son salut qui s'était organisée d'elle-même. Donc comme il était seul et qu'il avait ôté son manteau qu'il avait déposé près de lui, il était bien visible, dans la lumière que ménageait l'ouverture, de ceux qui étaient cachés au fond dans les ténèbres. Aussi tous les compagnons de David voulurent-ils se précipiter sur leur adversaire et tirer vengeance de celui qui se trouvait là pour tuer, puisque Dieu venait de leur livrer leur adversaire, à eux qu'il poursuivait pour les mettre à mort ; mais David les arrêta dans leur élan, jugeant qu'il était illicite de s'en prendre à leur roi. Il retira alors son épée de son fourreau et se

Σαοὺλ κατόπιν, ἀμάρτυρον ἔχων κατ' αὐτοῦ τὴν ἐγχείρησιν· ὁ
γὰρ ἐν τῷ σπηλαίῳ ζόφος ἐπικρύπτων τὴν ὄψιν παρηρεῖτο τῶν
γινομένων τὸν ἔλεγχον· δυνάμενος τοίνυν | μιᾷ πληγῇ κατὰ
τῶν μεταφρένων διὰ τῆς καρδίας ὅλον διελάσαι τὸ ξίφος, τοῦ
50 μὲν σώματος Σαοὺλ οὔτε ἥψατο οὔτε ἐμέλλησεν. Ἀποτέμνει
δὲ τῷ ξίφει λαθὼν ἐκεῖνον τὸ τῆς διπλοΐδος πτερύγιον, ὡς ἂν
μαρτυρήσειε μετὰ ταῦτα τῆς εἰς τὸν Σαοὺλ φιλανθρωπίας ἡ
χλανὶς τῇ τοῦ πτερυγίου τομῇ τῆς κατὰ τοῦ σώματος αὐτοῦ
πληγῆς τὴν ἐξουσίαν δεικνύουσα.

73. Δι' ἧς ἐγένετο φανερὸν ὅπως ὁ Δαβὶδ τὴν μακροθυμίαν
πεπαίδευτο, ὃς ξίφος ἔχων ἐν τῇ παλάμῃ γυμνόν, ὑποκειμένου τῇ χειρὶ τοῦ πολεμίου σώματος, ἐν ἐξουσίᾳ τοῦ ἀνελεῖν
ὑπάρχων, νικήσας καὶ τῷ λογισμῷ τὸν θυμὸν καὶ τῷ θείῳ
5 φόβῳ τὴν τῆς πληγῆς ἐξουσίαν, οὐ μόνον τοῦ ἰδίου θυμοῦ
κρείττων ἐγένετο, ἀλλὰ καὶ τὸν ὑπασπιστὴν πρὸς τὸν τοῦ
Σαοὺλ φόνον ὁρμήσαντα κατέστειλεν ἐκείνῃ τῇ ἀοιδίμῳ
φωνῇ εἰπὼν πρὸς αὐτόν· « Μὴ διαφθείρῃς ᵃ » « τὸν χριστὸν
Κυρίου ᵇ. » Προέρχεται οὖν ὁ Σαοὺλ ἐκ τοῦ σπηλαίου γινώσ-
10 κων τῶν γεγονότων οὐδὲν καὶ περικεκομμένον περιβαλὼν
ἑαυτῷ τὸ χλανίδιον. Ὁ δὲ Δαβὶδ συνεξελθὼν αὐτῷ κατόπιν
μετὰ τῆς καθ' ἑαυτὸν ἀσφαλείας καὶ προκαταλαβὼν τὸ
ὑπερκείμενον τοῦ σπηλαίου γεώλοφον, προτείνει τῇ χειρὶ τὸ

AVB SLQXF T (l. 54 ; 9)

47 περιηρεῖτο AVB παρητεῖτο QF περιεῖργε v ‖ 48 γινωσκομένων Q ‖
ἔλεγχον (γ sl) V ‖ 50 ἐμέλλησεν v Don : ἐμέλησεν codd. ‖ 51 τῷ : τὸ X ‖
52 μαρτυρήσει (-ε sl) Q ‖ 53 χλανὶς + <διὰ> Jaeger Don ‖ τῇ...τομῇ Athos
Dion. 114 (Nicétas) : τῆς...τομῆς codd. v Don ‖ 54 δεικνυούσης T
73 2 ἐπεπαίδευτο AVBv ‖ 5 ἐξουσίαν + καὶ SL ‖ τοῦ om. v ‖ 6 κρεῖττον
AVBLX ‖ γενόμενος SL ‖ τοῦ om. (τοῦ sl A²) ABLQ ‖ 7 post σαοὺλ add. ἐκ
τοῦ σπ et punctis sl del. A ‖ καταστείλας SL ‖ 7-8 ἐκείνην τὴν ἀοίδιμον
φωνὴν QXF ‖ τῇ om. v ‖ 8 χρηστὸν VL ‖ 9 οὖν T Athos Dion. 114 (Nicétas)
v Don : γοῦν cett. ‖ 12 τὸ : τὸν v ‖ 13 τὸ om. v

a. Ps 56, 1 ; 1 Rg 26, 9   b. 1 Rg 24, 7 ; 26, 9

plaça derrière Saül, à son insu, sans qu'il y ait de témoin de son action contre lui, car les ténèbres de la grotte cachaient le spectacle et empêchaient de dévoiler ce qui se passait. Donc, alors qu'il pouvait d'un seul coup sur le dos lui transpercer le cœur de toute la longueur de son épée, il ne toucha pas au corps de Saül pas plus qu'il ne tenta de le faire. Mais à son insu il coupe avec l'épée la frange de son manteau, pour qu'ensuite le vêtement puisse témoigner de son amitié envers Saül, en montrant par la coupure de la frange qu'il avait le pouvoir de frapper son corps.

David, héros maître des passions

73. Cela fit voir clairement comment David était instruit en longanimité : lui qui avait à la main une épée nue, le corps de son ennemi livré à son bras et le pouvoir de le supprimer, il triompha aussi bien par le raisonnement de son courroux que par la crainte de Dieu du pouvoir de frapper, et non seulement il fut plus fort que son propre courroux, mais il calma aussi son écuyer alors qu'il se précipitait pour tuer Saül, en s'adressant à lui avec cette parole fameuse : « Ne fais pas périr [a] » « l'oint du Seigneur [b] » [1]. Saül s'avance donc hors de la grotte sans rien savoir de ce qui s'est passé et recouvert du vêtement mutilé. Mais David, sortant derrière lui avec l'assurance qui lui est propre et occupant le premier la colline qui surplombe la grotte, tend de son bras la frange qui n'était

---

1. La formule se trouve en 1 R 26, 9 dans certains manuscrits (voir *BA* 9, 1 *ad. locum*) sous cette forme : « David dit à Abessa : ' Ne le fais pas périr, car qui portera sa main sur l'oint du Seigneur ? ' ». Le ch. 24 que réécrit ici Grégoire dit seulement aux versets 7-8 : « David dit à ses hommes : ' Pas question pour moi de par le Seigneur ! Malheur si je fais cette chose à mon seigneur, l'oint du Seigneur : porter ma main sur lui, car celui-ci est l'oint du Seigneur. ' Et David persuada ses hommes par ses paroles, et il ne les laissa pas se lever et sacrifier Saül. » Mais Grégoire ne fait qu'imiter les rédacteurs des *Règnes* qui ont rapproché délibérément les ch. 24 et 26 qui développent un même motif narratif (voir la note de *BA* sur 24, 2-23). Il fait d'ailleurs allusion dans les deux chapitres suivants à l'épisode rapporté en 1 R 26.

πτερύγιον. Τοῦτο δὲ οὐδὲν ἕτερον ἦν ἢ τρόπαιον κατὰ τῶν
15 πολεμίων ἀναίμακτον. Καὶ ἐμβοήσας τῷ Σαοὺλ μεγάλῃ τῇ
φωνῇ τὴν καινὴν ταύτην καὶ θαυμαστὴν ἀριστείαν ἐκδιηγεῖται, ἣν λύθρος αἵματος οὐκ ἐμίανεν, ᾗ καὶ ὁ ἀριστεὺς ἐνίκησεν
καὶ ὁ ἡττηθεὶς περισῴζεται. Οὐ γὰρ τῷ πτώματι τοῦ πολεμίου
μαρτυρεῖται τοῦ Δαβὶδ ἡ ἀριστεία· ἀλλ᾽ ἐν τῷ περισώσασθαι
20 τοῦ κινδύνου τὸν ἀντικείμενον φανερωτέρα γίνεται ἡ ὑπεροχὴ
GNO 154   τῆς δυνάμεως, ᾧ τοσοῦτον περιῆν τῆς | πεποιθήσεως μὴ τῇ
ἀπωλείᾳ τῶν ἀντιτεταγμένων πιστεύειν τὴν ἑαυτοῦ σωτηρίαν,
ἀλλὰ καὶ περιόντων τῶν ἐπιβουλευόντων ὡς οὐδενὸς λυποῦν-
τος τὸ ἀσφαλὲς ἔχειν. Μᾶλλον δὲ τοῦτο διὰ τῆς ἱστορίας
25 παιδεύει ὁ λόγος, ὅτι ὁ κατ᾽ ἀρετὴν προέχων οὐ κατὰ τῶν
ὁμοφύλων, ἀλλὰ κατὰ τῶν παθῶν ἀνδρίζεται. Ἀναιρεῖται οὖν
διὰ τῆς τοιαύτης τοῦ Δαβὶδ ἀριστείας ὁ ἐν ἀμφοτέροις θυμός·
τοῦ μὲν διὰ τοῦ λογισμοῦ τὴν ἰδίαν ἀνελόντος ὀργὴν καὶ τὴν
ἀμυντικὴν ὁρμὴν κατασβέσαντος, τοῦ δὲ Σαοὺλ διὰ τῆς
30 γενομένης αὐτῷ φιλανθρωπίας τὴν κατὰ τοῦ Δαβὶδ κακίαν
ἀπονεκρώσαντος. Οἷα γὰρ μετὰ ταῦτα πρὸς τὸν νικητὴν
ἀποφθέγγεται ὑπ᾽ αἰσχύνης τῶν τετολμημένων καταδυόμενος
καὶ θρήνῳ καὶ δάκρυσι τὴν ἐνδιάθετον αὐτοῦ τῆς κακίας
ἀποστροφὴν ἐνδεικνύμενος, ἔξεστιν ἐξ αὐτῆς τῆς ἱστορίας
35 μαθεῖν [c].

AVB SLQXF

15 πολεμίων : ἀντιπάλων Av ‖ σαοὺ A ‖ τῇ om. Av ‖ 16 καινὴν : κλινὴν
L ‖ 17 ἐμίανεν + ἐν LQXF ‖ ᾗ : εἰ AVB om. S ‖ 18 τῷ : τὸ Q ‖ 20 τοῦ om. vid.
Q ‖ ἡ : καὶ v ‖ 27 τοῦ δαβὶδ om. V ‖ 28 ἀνελθόντος V ἑλόντος v ‖ 29 ὁρμὴν
κατασβέσαντος : ὀργὴν κατασκευάσαντος v ‖ 30 γινομένης AVBL ‖ 31 μετὰ
ταῦτα post νικητὴν QF ‖ 32 τολμημένων X ‖ 33 θρηνῶν S θρηνων (sic) L ‖ 34
τῆς om. v

c. Cf. 1 Rg 24, 17

rien d'autre que le trophée non maculé de sang pris sur les ennemis. Criant alors à Saül d'une voix forte, il raconte cet exploit extraordinaire et admirable que le sang et la poussière n'ont pas souillé, dont le héros est sorti vainqueur et le vaincu sauf. Car ce n'est pas la chute de son ennemi qui atteste l'exploit de David, mais c'est parce qu'il a sauvé du danger son opposant que la supériorité de sa force est plus éclatante : il surabondait de confiance au point de ne pas faire reposer son salut sur la perte de ceux qui le combattaient, mais de conserver son assurance, même lorsque les conspirateurs abondaient, dans la pensée que personne ne cherchait à lui nuire. Ou plutôt la parole enseigne, à travers l'histoire, que celui qui excelle en vertu n'exerce pas son courage viril contre ses compatriotes, mais contre ses passions. Cet exploit de David supprime donc le courroux chez l'un et l'autre : l'un, grâce au raisonnement, supprime sa colère et éteint son impulsion à se venger [1], tandis que Saül, grâce à l'amitié dont il a été l'objet, mortifie sa méchanceté envers David. Car les paroles qu'ensuite il adresse au vainqueur quand, submergé de honte pour ce qu'il a osé faire, il montre par sa lamentation et ses larmes une répulsion intérieure pour sa méchanceté, on peut les apprendre par l'histoire elle-même [c].

---

1. Le passage se situe dans la tradition des *De ira*, voir, par exemple, PLUTARQUE, *De cohib. ira* 454 a-c.

74. Ἡ μὲν οὖν ὑπόθεσις τῆς ἕκτης καὶ πεντηκοστῆς ψαλμῳδίας, ὅσον ἐκ τῶν ὑπὸ τῆς ἱστορίας δηλουμένων, ἐστὶν αὕτη.
Αὐτὰ δὲ τῆς ἐπιγραφῆς τὰ ῥήματα, δι' ὧν ἡ κατὰ τὸ σπήλαιον
συντυχία δηλοῦται, τοῦτον ἔχει τὸν τρόπον· « Εἰς τὸ τέλος μὴ
5 διαφθείρῃς, τῷ Δαβὶδ εἰς στηλογραφίαν, ἐν τῷ αὐτὸν ἀποδιδράσκειν ἀπὸ προσώπου Σαοὺλ εἰς τὸ σπήλαιον ᵃ. » Ὡς δ' ἂν
ἐφαρμοσθείη τοῖς ἐπιγεγραμμένοις τὰ τῆς ψαλμῳδίας νοήματα, καιρὸς ἂν εἴη δι' ὀλίγων καὶ τὴν ἐν τούτοις θεωρίαν
κατανοῆσαι προδιεξελθόντας τὰ θεόπνευστα ῥήματα. « Ἐλέη-
10 σόν με, ὁ Θεός, ἐλέησόν με, ὅτι ἐπὶ σοὶ πέποιθεν ἡ ψυχή μου,
καὶ ἐν τῇ σκιᾷ τῶν πτερύγων σου ἐλπιῶ, ἕως οὗ παρέλθῃ ἡ
ἀνομία ᵇ. » Τῆς εἰς τὸν Θεὸν πεποιθήσεως ὁ ψαλμῳδὸς καὶ τῆς
βεβαίας εἰς αὐτὸν ἐλπίδος τὸν θεῖον ἔλεον ἀντιδοθῆναι παρα-
καλεῖ, « ἕως οὗ, φησίν, ἡ ἀνομία παρέλθη ». Ὡς δ' ἂν | φανε-
15 ρώτερον ἡμῖν τὸ νόημα γένοιτο, οὑτωσὶ τὸν λόγον διαλη-
ψόμεθα· ἄστατός ἐστι καὶ παροδικὴ τῆς ἁμαρτίας ἡ φύσις,
οὔτε κατὰ τὸ πρῶτον συνυποστᾶσα τῇ κτίσει παρὰ τοῦ τὸ πᾶν
ὑποστησαμένου καὶ οὐσιώσαντος οὔτε πρὸς τὸ διηνεκὲς τοῖς
οὖσι συνδιαμένουσα. Τὰ μὲν γὰρ ἐκ τοῦ ὄντος ὄντα καὶ ἐν τῷ
20 εἶναι διὰ παντὸς διαμένει· εἰ δέ τι ἔξω τοῦ ὄντος ἐστίν, οὗ ἡ
οὐσία οὐκ ἐν τῷ εἶναι, ἀλλ' ἐν τῷ ἀγαθὸν μὴ εἶναι τὴν
ὑπόστασιν ἔχει, τοῦτό ἐστιν ὁ ἐπιδωμάτιος χόρτος ᶜ, ἄρριζός
τις καὶ ἄσπαρτος καὶ ἀνήροτος, κἂν πρὸς τὸ παρὸν διοχλήσῃ
τῇ ἀνυποστάτῳ βλάστῃ, τοῖς μέντοι καθήκουσι χρόνοις, ἐν τῇ
25 τοῦ παντὸς πρὸς τὸ ἀγαθὸν ἀποκαταστάσει ᵈ, παρέρχεταί τε

74 2 ἐστὶν αὕτη : τοιαύτη ἐστίν v ‖ 3 αὐτὰ : ταῦτα QF ‖ 4 συντυχία (υ² p.c.)
F ‖ 6 ἀπὸ : ἐκ S ‖ 8 εἴη : ἔτι A ‖ 12 τῆς² + εἰς QF ‖ 14 ἀνομία + μου QF ‖ 15-
16 διαληψώμεθα AVBv ‖ 17 κτίσει L ‖ 19 συνδιανέμουσα A ‖ τῷ : τὸ F ‖
20 διανέμει A μένει VB ‖ ὄντος : δέοντος V ‖ οὗ om. B ‖ ἡ om. v ‖ 21 ἀγαθὸν : τὸ praem. Q ‖ 23 ἀνήρωτος B ‖ 25 τε om. QF

a. Ps 56, 1   b. Ps 56, 2   c. Cf. Ps 128, 6 ; Is 37, 27   d. Cf. Ac 3, 21

La disparition du mal

74. Tel est donc le sujet du psaume cinquante-six, autant qu'il ressort des indications de l'histoire. Les paroles mêmes du titre, qui indiquent la rencontre dans la grotte, ont cette forme : « Pour la fin, ne fais pas périr, à David pour une inscription sur une stèle, quand il fuit loin de Saül dans la grotte [a]. » Pour faire correspondre aux paroles du titre les pensées du psaume, le moment est sans doute venu de parcourir brièvement les paroles inspirées pour en comprendre également le sens. « Aie pitié de moi, mon Dieu, aie pitié de moi, car en toi mon âme a confiance, et, à l'ombre de tes ailes, j'espérerai jusqu'à ce que soit passée l'iniquité [b]. » Le psalmiste demande à recevoir en échange de sa confiance en Dieu et de son ferme espoir en lui la miséricorde divine, « jusqu'à ce que, dit-il, l'iniquité soit passée ». Pour nous rendre plus claire la pensée, nous comprendrons ainsi le texte : la nature du péché est instable et passagère, puisqu'elle n'a pas été fondée au commencement par celui qui a fondé l'univers et lui a donné l'être, pas plus qu'elle ne persiste perpétuellement avec ce qui existe. En effet, les êtres issus de celui qui est persistent aussi toujours dans l'être ; mais si une réalité est en dehors de celui qui est, si sa substance n'a pas son fondement dans l'être, mais dans le fait qu'elle n'est pas un bien, c'est là de l'herbe sur un toit [c], sans racine, sans semailles ni labours [1] : même si présentement elle tourmente par son germe inconsistant, pourtant, au temps qui convient, lors de la restauration de l'univers dans le bien [d], elle passe et

---

1. Cf. Homère, *Od.* IX, 123.

464   SUR LES TITRES DES PSAUMES (PS 56)

καὶ ἀφανίζεται, ὡς μηδὲν ἴχνος τοῦ νῦν ἐπιπολάζοντος ἡμῖν
κακοῦ ἐν τῇ κατ᾽ ἐλπίδα προκειμένῃ ζωῇ ὑπολείπεσθαι. « Ἔτι
γὰρ ὀλίγον, φησίν, καὶ οὐ μὴ ὑπάρξῃ ὁ ἁμαρτωλός, καὶ
ζητήσεις τὸν τόπον αὐτοῦ καὶ οὐ μὴ εὑρεθῇ ᵉ. »

30   Φιλοσοφεῖ τοίνυν ἐν προοιμίοις τῆς ψαλμῳδίας ὁ λόγος ἐν
ὑψηλοῖς δόγμασι φυσιολογῶν τὴν κακίαν. Διδάσκει γὰρ ὅτι
μέχρις ἐκείνου τῆς τοῦ ἐλέους συμμαχίας δεόμεθα, ἕως ἂν
παρέλθῃ τὸν βίον ἡμῶν ἡ κακῶς τῷ βίῳ ἐπιδημήσασα ἀνομία.
Τὴν δὲ τοιαύτην ἡμῖν συμμαχίαν χαρίζεται τὸ πεποιθέναι τῇ
35   δυνάμει τοῦ συμμαχοῦντος καὶ τῇ σκιᾷ τῶν πτερύγων τοῦ
Θεοῦ καθοπλίζεσθαι ᶠ. Σκιὰν δὲ θείων πτερύγων ἀντὶ περιβολῆς ἡμῖν γινομένην τὰς ἀρετάς τις νοῶν οὐχ ἁμαρτήσεται.
Αὐτὸ μὲν γὰρ τὸ θεῖον ὅ τί ποτε τῇ φύσει ἐστίν, ἀνέφικτον
μένει τῇ ἀνθρωπίνῃ φύσει καὶ ἄληπτον, ἄνω που κατὰ τὸ
40   ἄφραστον τοῦ λογισμοῦ τῶν ἀνθρώπων ὑπερπετόμενον.

GNO 156   Χαρακτὴρ δέ τις τῆς ἀφράστου φύσεως διὰ | τῆς τῶν ἀρετῶν
σκιαγραφίας τοῖς πρὸς αὐτὴν ὁρῶσιν ἐγγίνεται, ὡς πᾶσαν
σοφίαν καὶ φρόνησιν καὶ ἐπιστήμην καὶ πᾶσαν ἔφοδον τῆς
καταληπτικῆς ἐπινοίας οὐκ αὐτὰς εἶναι τὰς θείας πτέρυγας,
45   ἀλλὰ τὴν τῶν θείων πτερύγων σκιάν. Μεγάλη δὲ αὕτη ἡμῖν
ἐστιν ἡ εὐεργεσία κἂν σκιὰ ᾖ. « Κεκράξομαι γάρ, φησίν, πρὸς
τὸν Θεὸν τὸν ὕψιστον, τὸν Θεὸν τὸν εὐεργετήσαντά με ᵍ », διὰ
τῆς σκιᾶς ταύτης, ἣν ἐξ ὕψους ἀπέστειλεν τῷ κάτω βίῳ ʰ.
Ἔσωσεν γάρ με ʰ διὰ τοῦ ἐπισκιάσαντος ἐν τῇ νεφέλῃ
50   Πνεύματος ⁱ, καὶ τοὺς ἐν ταῖς προτέραις ψαλμῳδίαις καταπα-

AVB SLQXF

26 ἐπιπελάζοντος B ‖ 27 ἀπολείπεσθαι v ‖ 28 ὑπάρξει VBLQF ‖ 30 φιλο-
σοφῇ Q ‖ 31 φυσιολογῶν (-σ- sl) V ‖ 32 ἐλέου V ‖ 34 τοιαύτην om. QF ‖
συμμαχίαν ἡμῖν QF ‖ 37 γενομένην QXF ‖ τις : post νοῶν SLX om. QF ‖
38 ὅ om. L ‖ θεῖον post ποτε L ‖ 39 μένειν L ‖ 42 σκιογραφίας VBX ‖ αὐτὸν
VBL αὐτὸ QXF ‖ 43 φρόνησιν : σύνεσιν S ‖ 44 εἶναι + μόνον B ‖ 45 θείων om.
SLQXF ‖ ἡμῖν αὕτη AVBv ‖ 46 κἂν : καὶ AVBv ‖ σκιᾷ VLQ ‖ ᾖ : om. AVv
ἣν QF ‖ 47 τὸν⁴ om. v ‖ 49 γάρ om. AVBLv ‖ με : μὲν A

e. Ps 36, 10   f. Cf. Ps 56, 2   g. Ps 56, 3   h. Cf. Ps 56, 4a   i. Cf. Ex 40,
35 ; Mt 17, 5

disparaît, si bien qu'aucune trace du mal qui nous domine ne demeure dans la vie qui nous est proposée en espérance. Car « encore un peu de temps, dit-il, et le pécheur n'existera plus, et tu chercheras son lieu et il ne sera pas découvert [e] ».

L'ombre des ailes divines

La parole, donc, présente dans le prologue du psaume une philosophie aux sublimes doctrines en traitant de la nature du mal. Elle enseigne en effet que nous avons besoin de l'alliance de la miséricorde jusqu'à ce que l'iniquité qui s'est établie funestement en cette vie soit passée au-delà de notre vie. Or une telle alliance nous est offerte par la confiance en la puissance de celui qui fait alliance et par l'armure que donne l'ombre des ailes de Dieu [f]. Par l'ombre des ailes divines qui nous tient lieu de vêtement, on n'aura pas tort d'entendre les vertus. Car cela même que le divin est par nature demeure inaccessible à la nature humaine et hors de sa portée, car il vole de manière ineffable au-dessus du raisonnement humain. Mais une certaine empreinte de sa nature ineffable se forme par l'esquisse [1] des vertus en ceux qui la regardent. Et ainsi toute sagesse, prudence et science, tout accès à la pensée compréhensive, s'ils ne sont pas eux-mêmes les ailes divines, sont néanmoins l'ombre des ailes divines. C'est pour nous un grand bienfait, même si c'est une ombre. Car « je crierai, dit-il, au Dieu très haut, au Dieu qui m'a fait du bien [g] » par cette ombre qu'il a envoyée d'en haut sur la vie d'ici-bas [h]. En effet, il m'a sauvé [h] par l'Esprit qui m'a recouvert de son ombre dans la nuée [i] et ceux qui m'ont foulé

---

1. La σκιαγραφία est un terme de peinture qui désigne un dessin ombré, un décor peint en perspective. PLATON emploie la même image, cf. *Rsp.* 365 c.

τήσαντας νῦν εἰς τὴν τῶν ὀνειδιζομένων ἀντιπεριήγαγεν
τάξιν ʲ. « Ἐξαπέστειλεν γὰρ ὁ Θεὸς τὸ ἔλεος αὐτοῦ καὶ τὴν
ἀλήθειαν αὐτοῦ καὶ ἐρρύσατο τὴν ψυχήν μου ἐκ μέσου σκύμνων ᵏ. » Σκύμνοι δὲ ὄντως μοι ἦσαν αἱ ἁμαρτίαι τὸ πρότερον,
55 ἤτοι σκύμνοι λεόντων, οἳ τῷ φοβερῷ χάσματι καὶ ταῖς τῶν
ὀνύχων ἀκμαῖς κατεσπάρασσον. Ἀλλ᾽ ἦλθον οἱ σύμμαχοι, ὁ
ἔλεός τε καὶ ἡ ἀλήθεια, ἡ καλὴ συζυγία. Οὔτε γὰρ ἄκριτος ὁ
ἔλεος οὔτε ἀνελεὴς ἡ ἀλήθεια. Καὶ διὰ τούτων ἐλευθεροῦμαι
τῆς μετὰ τῶν σκύμνων τούτων διαγωγῆς. Τὰ δὲ θηρία ταῦτα,
60 φησίν, « υἱοὶ ἀνθρώπων » εἰσίν, ὧν « οἱ ὀδόντες ὅπλα καὶ βέλη
καὶ ἡ γλῶσσα αὐτῶν μάχαιρα ὀξεῖα ¹ ». Οὐκ οἶδεν ἡ τῆς
φύσεως ἡμῶν κατασκευὴ τὰ αἰσθητὰ βέλη ταῦτα τοῖς ἀνθρωπίνοις στόμασιν ἀντὶ ὀδόντων ἐγκείμενα, ἀλλ᾽ ὅταν τις
ὁμοιωθῇ πρὸς τὸ πάθος καὶ μεταμορφωθῇ πρὸς τὴν ἐπικρα-
65 τοῦσαν κακίαν, ἀπολέσας τὴν κατὰ φύσιν μορφὴν θηρίον
γίνεται. Διὰ τοῦτο λεόντων μνησθεὶς « τοὺς υἱοὺς τῶν ἀνθρώπων » τὰ θηρία ὠνόμασεν, ὧν ὀδόντες καὶ γλῶσσα τὰ τοῦ
πολέμου ὄργανα. |

75. Ὁ οὖν τοσοῦτον ὑπεραρθεὶς τῶν ἐναντίων, ὡς ὑπὸ τὴν
σκιὰν τῶν θείων πτερύγων αὐλίζεσθαι καὶ ἀπὸ τῆς γῆς εἰς τὴν
ἐπουράνιον λῆξιν ἀναληφθῆναι – « Ἐξαπέστειλεν γάρ, φησίν,
ἐξ οὐρανοῦ, καὶ ἔσωσέν με ᵃ » –, οὐκέτι πρὸς τὰ περί-
5 γεια βλέπει, ἀλλὰ τὴν ἐν τοῖς ἐπουρανίοις δόξαν περιερ-
γάζεται, « Ὑψώθητι, λέγων, ἐπὶ τοὺς οὐρανούς, ὁ Θεός, καὶ

AVB SLQXF

51 τὴν : τοὺς Q ‖ 54 μου QF ‖ 56 αὐχμαῖς L ‖ 59 σκύμνω V ‖ τούτων om.
QF ‖ διαγωγῆς (ω sl) V ‖ 61 μάχαιρα : ἡ praem. L ‖ 62 ἐσθητὰ B ‖ βέλη :
μέλη v ‖ 62-63 ἀνθρώποις V ‖ 63 τις om. Q ‖ 65 ἀποτελέσας B ‖ 67 τὰ om.
VB ‖ θηρία om. Av ‖ ὧν : ᾧ v

75 1 τῶν ἐναντίων : τὴν διάνοιαν Av ‖ 3 οὐράνιον AVBv ‖ 4-5 τὰ περίγεια : τὰς πτερυγὰς SQXF ‖ 5 οὐρανίοις Q

ʲ. Cf. Ps 56, 4b   ᵏ. Ps 56, 4-5a   ¹. Ps 56, 5cd
ᵃ. Ps 56, 4a

aux pieds dans les psaumes précédents, il les a maintenant fait rentrer dans le rang de ceux qui sont blâmés [j]. Car « Dieu a envoyé sa miséricorde et sa vérité, et il a arraché mon âme du milieu des petits fauves [k] ». Mes péchés auparavant étaient vraiment des petits fauves ou des petits de lions qui déchiraient de leur terrible gueule et des pointes de leurs griffes. Mais les alliés vinrent, la miséricorde et la vérité, ce beau couple, car la miséricorde n'est pas absence de jugement, pas plus que la vérité n'est absence de miséricorde ; et, grâce à eux, je serai libéré d'une existence en compagnie de ces petits fauves. Ces bêtes, dit-il, ce sont « les fils des hommes », dont « les dents sont des armes et des traits, et la langue un glaive acéré [l] ». La constitution de notre nature ne connaît pas ces traits sensibles qui remplacent les dents dans la bouche des hommes, mais quand quelqu'un s'est rendu semblable à la passion et a pris la forme du vice tout puissant, il perd sa forme naturelle et devient une bête. C'est pourquoi, après avoir fait mention des lions, il a nommé « les fils des hommes », ces bêtes dont les dents et la langue sont les instruments du combat.

La gloire de Dieu

75. Celui donc qui s'est tant élevé au-dessus de ses opposants au point de séjourner à l'ombre des ailes divines et d'être emporté loin de la terre vers son lot céleste – « Il a envoyé, dit-il, du ciel et il m'a sauvé [a] » – ne considère plus ce qui entoure la terre, mais s'enquiert de la gloire présente parmi les êtres célestes, disant : « Sois exalté au-dessus des

ἐπὶ πᾶσαν τὴν γῆν ἡ δόξα σου [b] ». Καὶ διηγούμενος τὰς τῶν
ἐχθρῶν προσβολὰς ἐκείνους φησὶν αὐτοῖς τοῖς ἑαυτῶν κακοῖς
περιστρέφεσθαι τοῖς βόθροις ἐγκαταπίπτοντας. Φησὶ γὰρ ὅτι·
10 « Παγίδα ἡτοίμασαν τοῖς ποσί μου καὶ κατέκαμψαν τὴν ψυχήν
μου. Ὤρυξαν πρὸ προσώπου μου βόθρον, καὶ ἐνέπεσον εἰς
αὐτόν [c]. » Αὐτὸς δὲ ἐν ἑτοίμῳ εἶναί φησιν τοῦ τὴν θείαν δόξαν
δι᾽ εὐφημίας ὑμνεῖν [d], ὡς μακάριος τῆς τοσαύτης μεγαλο-
φυΐας ἐκεῖνος, οὗ ἡ καρδία πρὸς εὐφημίαν τῆς θείας δόξης
15 ἡτοίμασται, χωροῦσα ἐν ἑαυτῇ τὸ ἀχώρητον· εὐτρεπής τε
εἶναι λέγων καὶ ἕτοιμος, οὐκ ἀναβάλλεται τὴν ᾠδήν, ἀλλὰ
προσκαλεῖται τὰ ζῶντα ἑαυτοῦ ὄργανα ὀνομαστὶ πρὸς τὴν τῆς
ὑμνῳδίας ὑπηρεσίαν καλῶν, « Ἐξεγέρθητι, λέγων, ψαλτήριον
καὶ κιθάρα [e] », ὅπερ τοῦ διπλοῦ ἀνθρώπου τοῦ φαινομένου τε
20 καὶ κεκρυμμένου τὴν ἐναρμόνιον συνῳδίαν πρὸς τὴν θείαν
δοξολογίαν ἐνδείκνυται [f]· καὶ ὑπακούει τῷ καλοῦντι τὰ
ὄργανα. Ὁ δὲ καιρὸς τῆς τοιαύτης μουσικῆς ὄρθρος ἐστίν.
Οὐδενὶ γὰρ τῶν μὴ ἀποθεμένων τὰ ἔργα τοῦ σκότους [g] ἡ δόξα
τοῦ Θεοῦ διεγείρεται [h]. « Ἐξεγερθήσομαι » οὖν « ἐν τῷ
25 ὄρθρῳ [i] », φησὶ πρὸς τὸν καλοῦντα τὸ ψαλτήριόν τε καὶ ἡ
κιθάρα. Καὶ οὕτως ἐπαγγέλλεται πληρώσειν τῷ Θεῷ τὴν
εὐχαριστίαν, ἣν « ἐξομολόγησιν » λέγει, « ἐν λαοῖς » πληρου-
μένην καὶ « ἐν ἔθνεσι [j] ». Μερίζεται γὰρ πρὸς τὰ δύο ταῦτα
GNO 158   ὀνόματα κατὰ | τὸ ἴσον ἡ χάρις τῆς πίστεως, πρός τε τοὺς
30 λαοὺς καὶ τὰ ἔθνη. « Οὐ γὰρ Ἰουδαίων ὁ Θεὸς μόνον, ἀλλὰ καὶ
ἐθνῶν, ἐπείπερ εἷς ὁ Θεός, ὃς δικαιώσει περιτομὴν ἐκ πίστεως
καὶ ἀκροβυστίαν διὰ τῆς πίστεως [k] »· διὰ τοῦτο καθάπερ

AVB SLQXF

8 ἐκείνοις Av ‖ αὐτοῖς : αὐτοὺς QF ‖ ἑαυτῶν : αὐτῶν X ‖ 9 περιτρέπεσθαι
SQXF ‖ καταπίπτοντας AVBv ἐγκαταπίπτοντες X ‖ 11 μου² om. V ‖
ἔπεσαν L ‖ 15 αὐτῇ B ‖ τὸ : τὸν Q ‖ εὐπρεπής A ‖ 16 ἕτοιμος + καὶ AVB
Don ‖ 17 αὐτοῦ Qv ‖ 23 οὐδενὶ : οὐδὲ AVBv ‖ 24 διεγείγερται V ‖ 25 τε om.
SQF ‖ ἡ om. V ‖ 26 πληρῶσιν BQ ‖ 28 ἐν om. AVB Don ‖ 32 καὶ om. v

b. Ps 56, 6   c. Ps 56, 7   d. Cf. Ps 56, 8   e. Ps 56, 9b   f. Cf. 1 Co 15,
45-47   g. Cf. Rm 13, 12   h. Cf. Ps 56, 9a   i. Ps 56, 9c   j. Ps 56, 10
k. Rm 3, 29-30

cieux, ô Dieu, et au-dessus de toute la terre ta gloire [b]. » Puis il décrit les attaques des adversaires et affirme que ceux-ci sont renversés par leur propre vice et tombent dans leurs fosses. Il dit en effet : « Ils ont préparé un lacs pour mes pieds et ils ont courbé mon âme. Ils ont creusé devant ma face une fosse et ils y sont tombés [c]. » Lui-même, dit-il, est prêt à chanter et à louer la gloire divine [d], comme est bienheureux pour une telle grandeur celui dont le cœur a été préparé à louer la gloire divine en contenant en lui ce qui ne peut être contenu. S'affirmant disponible et prêt, il ne diffère pas le chant, mais convoque ses vivants instruments en les appelant par leur nom pour servir son hymne, disant : « Levez-vous, psaltérion et cithare [e] », ce qui indique le concert pleinement harmonieux de l'homme double, visible et caché [1], pour la glorification divine [f]. Alors les instruments répondent à celui qui les appelle. Le moment favorable pour une telle musique est l'aube, car la gloire de Dieu ne se lève [h] pour aucun de ceux qui n'écartent pas les œuvres de l'obscurité [g]. « Je me lèverai » donc « à l'aube [i] », disent à celui qui les appelle le psaltérion et la cithare. Et ainsi il promet d'accomplir l'action de grâces pour Dieu, qu'il nomme « confession », accomplie « parmi les peuples » et « parmi les nations [j] ». La grâce de la foi est partagée en effet à égalité entre ces deux noms, entre les peuples et les nations. Car « Dieu n'est pas seulement celui des Juifs, mais aussi celui des nations, puisqu'il n'y a qu'un seul Dieu qui justifiera la circoncision en vertu de la foi et le prépuce grâce à la foi [k] » ; pour cette

---

1. Cf. 27, 30 où ces instruments figurent les vertus (le psaltérion est le nom qui désigne la harpe et la cithare celui d'une variété de lyre). Pour Eusèbe (*In Ps* 56, 9, *PG* 23, 513 B), le psaltérion représente l'âme et la cithare le corps.

PG 589

διπλοῦ τινος ῥεύματος τῆς θείας εὐλογίας ἐπ᾽ ἄμφω χυθείσης, πῇ μὲν ἐπὶ τοὺς λαούς, πῇ δὲ πρὸς τὰ ἔθνη διαιρεθείσης, ὑπὲρ
35 ἀμφοτέρων ἡ προφητεία τῷ Θεῷ προσάγει τὴν εὐχαριστίαν, ὅτι τῆς ἁμαρτίας εἰς ἄπειρον αὐξηθείσης ὑπερέχει ἐν τῷ ἰδίῳ μεγέθει ὁ τοῦ Θεοῦ ἔλεος [1] καὶ αὐτοῦ τοῦ οὐρανίου ὕψους ὑπεράνω γενόμενος. « Μέγα γάρ, φησίν, ἐπάνω τῶν οὐρανῶν τὸ ἔλεός σου [m]. » Τὰ δὲ ῥήματα τῆς ὑπὲρ τούτων δοξολογίας
40 οἶμαι τὰς τελευταίας εἶναι τῆς ψαλμῳδίας φωνάς, ἐν οἷς φησιν· « Ὑψώθητι ἐπὶ τοὺς οὐρανοὺς ὁ Θεός, καὶ ἐπὶ πᾶσαν τὴν γῆν ἡ δόξα σου [n]. » Ὅσον γὰρ πλεονάζει κατὰ γῆν ἡ τοῦ Θεοῦ δόξα διὰ τῶν σῳζομένων ἐκ πίστεως ἐπαυξομένη, τοσοῦτον αἱ ὑπερκόσμιοι δυνάμεις ἐπὶ τῇ σωτηρίᾳ ἡμῶν ἀγαλλιώμεναι τὸν
45 Θεὸν ἀνυμνοῦσί τε καὶ δοξάζουσι, καθώς φησιν ἐπὶ τῶν ποιμένων ἡ ἐπουράνιος στρατιά, ὅτε εἶδον οἱ ἄγγελοι ἐπὶ γῆς τὴν εἰρήνην τὴν ὑπὲρ τῆς ἐν ἀνθρώποις εὐδοκίας τῷ βίῳ ἡμῶν ἐπιφανεῖσαν, ὅτι· « Δόξα ἐν ὑψίστοις Θεῷ [o]. »

ΚΕΦΑΛΑΙΟΝ ΙΕ΄

GNO 159

76. Τούτου δὲ τοῦ ὕψους τῆς ψαλμῳδίας ἡ ὑπερκειμένη διαδοχὴ τοσοῦτον ἐπὶ τὸ μεγαλειότερον διαφέρει, ὅσον | ἐξ αὐτῶν ἔστι τῶν γεγραμμένων μαθεῖν. Καὶ ὥσπερ ἐν τοῖς

AVB SLQXF

33 διπλοῦ om. QF ‖ 34 πρὸς : ἐπὶ VB ‖ διαιρεθείσης V ‖ 37 οὐρανοῦ V^ac ‖ 39 σου : αὐτοῦ QF ‖ δὲ om. v ‖ 40 φωνάς om. QF ‖ 42 γῆν : τὴν praem. QXF (vid.) ‖ δόξα² : δοξολογία AVBv ‖ δόξα² + ἡ v ‖ 43 ἐπαυξανομένης F ‖ τοσοῦτον (o¹ p.c.) F ‖ 44 ὑπερκόσμιαι Q (vid.) F ὑποκόσμιοι v ‖ τῇ om. S ‖ σωτηρίᾳ τῇ B ‖ σωτηρίᾳ + τῶν ἀνθρώπων S ‖ ἀγαλλόμεναι S ἀγαλλιόμεναι Q ‖ 45 τε om. S ‖ δοξολογοῦσιν AVB Don ‖ 46 ποιμαίνων AL ‖ ἴδον AVBLv ‖ 47 τῆς : τοῖς VLQ ‖ 48 ἐν om. VL
76 3 ἐστι F

1. Cf. Ps 56, 11   m. Ps 107, 5   n. Ps 56, 12   o. Lc 2, 13-14

raison, puisque la bénédiction divine comme un double courant s'est répandue sur les deux en se divisant tantôt vers les peuples, tantôt vers les nations, la prophétie adresse à Dieu l'action de grâces pour l'un et l'autre, car, si le péché a crû à l'infini, la miséricorde de Dieu, dans sa grandeur, est au-delà [l] en étant même au-dessus de la hauteur du ciel, car « grande, dit-il, au-dessus des cieux est ta miséricorde [m] ». Et ce sont bien des paroles prononcées à leur gloire, selon moi, que les derniers mots du psaume, où il dit : « Sois exalté au-dessus des cieux, ô Dieu, et sur toute la terre ta gloire [n]. » Car plus la gloire de Dieu surabonde sur terre, croissant grâce à ceux qui sont sauvés en vertu de la foi, plus les puissances hypercosmiques exultant de joie pour notre salut chantent et glorifient Dieu, comme le dit l'armée céleste pour les bergers, quand les anges ont vu sur terre la paix manifestée dans notre vie pour la bonne volonté parmi les hommes : « Gloire dans les hauteurs à Dieu [o]. »

CHAPITRE XV

LA GRANDEUR DU *PSAUME* 57

76. Le psaume suivant qui est au-delà l'emporte en grandeur sur la hauteur de ce psaume-ci autant qu'on peut l'apprendre de la lettre même du texte. Comme entre cou-

δρομεῦσιν ὁ τὸν νικητὴν τῶν ἄλλων παραδραμὼν μείζονα τοῦ
5 προτέρου τὴν δόξαν ἤρατο κρείττων ἐπιδειχθεὶς τοῦ προτρέ-
χοντος, οὕτως ἔοικεν ἡ ἑβδόμη τε καὶ πεντηκοστὴ ψαλμῳδία,
μεγάλης ἐπιδειχθείσης κατ᾽ ἔννοιαν τῆς προδιηνυσμένης,
νικᾶν αὐτὴν τῇ μεγαλοφυΐᾳ τοῖς ἰδίοις νοήμασιν· ὡς γὰρ ἐκείνη
κατὰ τῶν ἄλλων εἶχε τὰ νικητήρια, οὕτως αὕτη τῆς ὑπερε-
10 χούσης τῶν ἄλλων τὸ πλέον ἔχει· καὶ ταύτῃ γὰρ μαρτυρεῖ τὴν
νίκην ἡ «εἰς τὸ τέλος» ἐπιγραφή. Ἀλλ᾽ ἔοικε μὴ τοσοῦτον τὴν
τῶν ἀντιπάλων ἧτταν, ἀλλὰ τὸν ἐν τοῖς ἀγαθοῖς πλεονασμὸν ἐπὶ ταύτης τῆς νίκης ὁ λόγος διαμαρτύρεσθαι· ἔχει δὲ τῆς
ἐπιγραφῆς οὕτως ἡ λέξις· «Εἰς τὸ τέλος, μὴ διαφθείρῃς, τῷ
15 Δαβὶδ εἰς στηλογραφίαν ᵃ.» Ποσάκις ᵇ ὁ τῆς μακροθυμίας
ἀγωνιστὴς ἐπὶ τῷ στεφάνῳ τῆς νίκης ταύτης ὑπ᾽ αὐτοῦ τοῦ
ἀγωνοθέτου ἀνακηρύσσεται, καὶ αὐτοῦ τάχα τοῦ Πνεύματος
τοῦ ἁγίου θαυμαστικῶς τὴν φωνὴν ταύτην πολλάκις ἀνα-
λαμβάνοντος, ὡς κρείττονα οὖσαν τῆς τῶν ἀνθρώπων
20 δυνάμεως καὶ τῶν τῆς φύσεως ὅρων ὑπερεκπίπτουσαν. Μόνης
γὰρ τῆς ἀσωμάτου τε καὶ ἀΰλου φύσεως τὸ τοιοῦτον ἦν εἰπεῖν,
ἧς οὐδὲν πάθος τῶν ἀνθρωπίνων προσάπτεται. Ἄνθρωπος δέ
τις ὢν καὶ θυμὸν συνουσιωμένον ἔχων τῇ φύσει, πάσχων τε
κακῶς παρὰ τοῦ μηδεμίαν μὲν εἰληφότος εἰς τὸ
25 κακὸν ἀφορμήν, πολλῶν δὲ καὶ μεγάλων ἀγαθῶν ἠξιω-
μένου, ὑπέρ τε τῆς κοινῆς ἀρχῆς καὶ ὑπὲρ τῶν εἰς αὐτὸν

AVB SLQXF

5 εὕρατο QXF ‖ κρεῖττον AVB ‖ 9 τῶν (ν sl al. man. vid.) V ‖ 10-11 τῇ νίκῃ
S ‖ 11 ἡ om. V ‖ τὸ om. SLX ‖ 12 post ἀντιπάλων add. νίκην et punctis sl del.
A ‖ 13 διαμαρτύρασθαι VQF διαμαρτύρεται X ‖ 14 ἡ λέξις οὕτως B ‖ 14-15
εἰς στηλογραφίαν ante εἰς τὸ τέλος B ‖ 15 εἰ (εἰς A al. man. vid.) AV ‖ 22-23
δὲ τίς F ‖ 23 ἔχων : ἔχον A om. L ‖ τε : μὲν SLQXF ‖ 24 μὲν : αἰτίαν QXF ‖
25 ὁρμήν Q ‖ δὲ om. AVBv ‖ 26 κενῆς Αν καινῆς VB

a. Ps 57, 1   b. Cf. Ps 56, 1 ; 57, 1 ; 58, 1

reurs, celui qui a dépassé le vainqueur des autres a remporté une gloire plus grande que le précédent en s'étant révélé meilleur que celui qui courait en tête, de même le psaume cinquante-sept, bien que le sens du psaume achevé précédemment se soit révélé grand, semble l'emporter en grandeur par ses idées. Car, comme celui-là avait remporté sur les autres les prix de la victoire, celui-ci, de la même manière, a l'avantage sur celui qui était supérieur aux autres ; et son titre « pour la fin » atteste sa victoire. Mais la parole semble attester pour cette victoire moins la défaite des opposants que la surabondance en biens. Le texte du titre est le suivant : « Pour la fin, ne fais pas périr, à David pour une inscription sur une stèle [a]. » Combien de fois [b] le combattant de la longanimité est-il proclamé pour cette couronne victorieuse par le président des jeux lui-même et peut-être même par l'Esprit saint qui reprend souvent avec admiration cette parole, vu qu'elle est supérieure à la puissance humaine et qu'elle outrepasse les limites de la nature ! Car il appartenait seulement à la nature incorporelle et immatérielle de parler ainsi, elle qui est sans attache avec aucune passion humaine. Or il s'agit d'un homme, avec comme propriété consubstantielle à sa nature le courroux, victime de celui qui n'a obtenu aucun prétexte pour lui faire du mal, mais qui a été jugé digne de grands et nombreux biens, à la fois pour le gouvernement public et

ἐκεῖνον γεγενημένων, οὗτος μετανάστης ὑπ' αὐτοῦ τοῦ τῆς
εὐποιΐας τετυχηκότος καὶ φυγὰς γίνεται τῆς οἰκείας ἑστίας ἐπὶ
θανάτῳ παρὰ τοῦ εὖ πεπονθότος συνελαυνόμενος. Ἄλλοτε
GNO 160 30 ἄλλον ὑπὸ ἀμηχανίας ἐπιὼν τόπον | ἐρήμοις ἐναυλιζόμενος,
ἀκρωρείαις προσφεύγων, ἀλλοφύλων ἱκέτης γινόμενος, ἐν
ἐνδείᾳ τῶν ἀναγκαίων κακοπαθῶν, ὕπαιθρος τὰ πολλὰ δια-
καρτερῶν πολλάκις παρ' αὐτοῦ τὸν μέχρι θανάτου κίνδυνον
ὑποστάς, νῦν μὲν αὐτοχειρίᾳ διὰ τῆς λόγχης πρὸς τὸν κατ'
35 αὐτοῦ φόνον ὁρμήσαντος [c], πάλιν δὲ τὸν οἶκον, ἐν ᾧ διῆγεν, διὰ
τῶν δορυφόρων διαλαβόντος, ὡς ἂν μὴ φύγοι τὸν θάνατον [d],
PG 592 εἶτα πανταχοῦ πολυπραγμονοῦντος ἐν οἷς ηὐλίζετο καὶ οἳ
κατέφευγεν καὶ παρὰ τίνας ᾔει καὶ πρὸς οὓς μετανίστατο· καὶ
ἐπειδὴ δὶς αὐτῷ συνέδραμεν ἡ τοῦ ἀποκτεῖναι τὸν ἐχθρὸν
40 εὐκαιρία, νῦν μὲν ἐν τῷ σπηλαίῳ ἀπροόπτως τοῦ Σαοὺλ ταῖς
τοῦ Δαβὶδ ἐμπεσόντος χερσίν· πάλιν δὲ κατὰ τὴν σκηνήν, ὅτε
ὁ μὲν τῷ ὕπνῳ πάρετος ἦν, ὁ δὲ Δαβὶδ ἐφειστήκει καθεύδοντι,
ὅτε πᾶσαν ἐξῆν αὐτῷ τὴν ὀργὴν ἐν τῷ φόνῳ τοῦ διώκοντος
αὐτὸν ἀποπληρῶσαι, οὔτε αὐτὸς τὴν χεῖρα ἐπήγαγεν καὶ τῷ
45 πρὸς τὴν ἀναίρεσιν σπεύδοντι « Μὴ διαφθείρῃς [e] » λέγει. Θεοῦ
τις ἄντικρύς ἐστιν ἡ φωνὴ τὴν φθορὰν ἐπὶ τοῦ ἀνθρώπου
κωλύουσα.

Διὰ τοῦτο καθάπερ οἱ ἐπισημότερα ποιοῦντες τὰ ἐν τοῖς
λίθοις χαράγματα εἰς βάθος ἐντέμνουσι τῇ γλυφῇ τῶν στοι-
50 χείων τοὺς χαρακτῆρας πολλάκις ἐπάγοντες τὴν γραφίδα τοῖς

AVB SLQXF

28 οἰκίας V ‖ 29 ἄλλοτε : ἄλλον τε QF ἄλλοτε (spatium I litt. post o) X ‖
31 γενόμενος AVBSLQv ‖ ἐν secl. Jaeger Don ‖ 34 αὐτοχειρίᾳ SQXF :
αὐτόχειρ AVBLv αὐτόχειρος Athos Dion. 114 (Nicétas) αὐτοχειρὶ coni.
Don ‖ 35 ὁρμήσαντα B ‖ 36 φύγῃ SQF ‖ 37 οἵ coni. Jaeger Don : οἷς codd.
v ‖ 38 κατέφαγεν v ‖ καὶ[1] om. v ‖ εἴη AVBSLQv ‖ 40 ἀπροόπτος V[ac] ‖
τοῦ : τῷ A ‖ 42 ὁ[1] : ω vid. F[ac] ‖ 44 ἀποπλῆσαι L ‖ 46 τίς F ‖ 47 κωλυούσας
Q ‖ 50 ἐπάγοντος AVB

c. Cf. 1 Rg 19, 9-10   d. Cf. 1 Rg 19, 11   e. 1 Rg 26, 9

pour ce qui le concernait personnellement : cet homme est
banni par celui-là même qui a profité de son bienfait, il
devient un exilé loin du foyer familial, persécuté pour être
mis à mort par celui à qui il a fait du bien. Étant sans
ressource, il passe d'un lieu à un autre, il campe dans des
déserts, se réfugie sur les sommets, se fait le suppliant
d'étrangers, souffre de manquer du nécessaire, endure son
sort la plupart du temps à découvert, résistant souvent aux
dangers mortels tendus par l'autre qui, un jour, s'est précipité pour le tuer de sa main avec sa lance [c], puis a encore fait
cerner par ses gardes la demeure où il vivait pour qu'il ne
puisse échapper à la mort [d], cherchait ensuite partout à savoir
en quels lieux il campait, où il s'était réfugié, aux côtés de qui
il se déplaçait et chez qui il se trouvait banni. Et à deux
reprises s'est présentée à lui l'heureuse occasion de tuer son
adversaire, une fois dans la grotte à l'improviste lorsque Saül
était tombé aux mains de David, une autre fois dans la tente [1]
quand il était relâché dans son sommeil, tandis que David se
tenait au-dessus de lui endormi : lorsqu'il pouvait épancher
toute sa colère par le meurtre de son poursuivant, lui-même
n'a pas porté la main contre lui et à celui qui avait hâte de le
supprimer il affirme : « Ne fais pas périr [e]. » Elle est issue
directement de Dieu la parole qui interdit pour l'homme la
destruction.

Une action exemplaire

C'est pourquoi, comme ceux qui cherchent à rendre plus
distinctes les figures sur la pierre, gravent en profondeur les
caractères en ciselant les lettres et enfoncent souvent le
ciseau sur les reliefs, de la même manière, par une reprise

---

1. 1 R 26, 5 indique seulement que « Saül dormait dans un chariot [ou un
véhicule d'apparat] ».

τύποις, οὕτως διὰ τῆς συνεχοῦς ἐπαναλήψεως τὸ Πνεῦμα τὸ
ἅγιον τρανότερον καὶ εὔδηλον ἐν τῇ στήλῃ τῆς μνήμης ἡμῶν
τὴν μεγάλην ταύτην ῥῆσιν γενέσθαι παρασκευάζει, ὡς ἂν
τρανόν τε καὶ ἀσύγχυτον ἐντετυπωμένον ἡμῖν τοῦτο τὸ
55 γράμμα ἐν τῷ καιρῷ τῶν παθημάτων ἀναγινώσκοιτο. Πρὸς
τοῦτο γὰρ οἶμαι τὴν τοῦ ἁγίου Πνεύματος οἰκονομίαν ὁρᾶν,
GNO 161   ὥστε τὰ προλαβόντα τῶν ἁγίων ἀνδρῶν | κατορθώματα εἰς
ὁδηγίαν προκεῖσθαι τῷ μετὰ ταῦτα βίῳ, πρὸς τὸ ἴσον τε καὶ
ὅμοιον ἀγαθὸν προαγούσης ἡμᾶς τῆς μιμήσεως. Ὅταν γὰρ
60 διοιδήσῃ πρὸς τὴν τοῦ παροξύνοντος ἄμυναν ἡ ψυχὴ καὶ ζέσῃ
τῷ θυμῷ τὸ περικάρδιον αἷμα κατὰ τοῦ λελυπηκότος, τότε
πρὸς ταύτην τις ἀναβλέψας τὴν στήλην, ἣν τὸ ἅγιον Πνεῦμα
τῷ Δαβὶδ ἀνεστήσατο, καὶ τὴν ἐν αὐτῷ φωνὴν ἀναγνούς, ἣν ὁ
Δαβὶδ ὑπὲρ τοῦ φονῶντος ἐφθέγξατο, καταστορέσει πάντως
65 τὴν ἐν τῇ ψυχῇ τῶν λογισμῶν ταραχήν, πόθῳ τῆς τῶν ὁμοίων
μιμήσεως καταπραΰνων τὸ πάθος.

77. Πάρεστι δὲ τὸ μέγεθος τοῦ διὰ προκοπῆς ἐπὶ τὸν
βαθμὸν τῆς ψαλμῳδίας ταύτης ἀναβεβηκότος καὶ δι᾽ αὐτῶν
κατιδεῖν τῶν τῆς ψαλμῳδίας ῥημάτων ὅσον τοῦ παρῳχηκότος
μεγέθους ὑπερανέστηκεν. Οὐκέτι γὰρ οὔτε τὸ πατεῖσθαι παρὰ
5 τῶν ἐχθρῶν αἰτιᾶται οὔτε τὸν ἔλεον εἰς συμμαχίαν ἐφέλκεται [a], ἀλλ᾽ ἄνω γενόμενος, ὥσπερ ἔκ τινος ὑψηλῆς σκοπιᾶς,
τοῖς κάτω κατὰ τὰ κοῖλα τῆς τοῦ βίου τῶν ἀνθρώπων
ὑπωρείας διάγουσιν ἐλεγκτικῶς ἐμβοᾷ ταῦτα λέγων· « Ὦ

AVB SLQXF

51 τῆς om. X ‖ 52 τρανώτερον VBv τρανοτέραν LX ‖ 57 κατορθώματα
ἀνδρῶν QF ‖ 58 τὸ : τὸν V ‖ 60 ζέσει A ‖ 61 προλυπήσαντος SLQXF ‖ 63-64
ἀνεστήσατο – δαβὶδ om. ex homoeotel. Q ‖ 64 φωνῶντος V ‖ ἐδέξατο
(ἐφθέγξατο p.c. F^{mg}) QF^{ac} ‖ καταστορέσῃ Q ‖ 66 καταπραΰνον V^{ac}
77 1 πάρεστη AV ‖ 4 ὑπερανέστησεν v ‖ 5 ἔλαιον Q ‖ 7 τοῖς : τῆς V^{ac} ‖
τῆς : τοῖς S ‖ 8 ἐλεγκτικῶς (ὡς p.c.) F

a. Cf. Ps 56, 4

continuelle, l'Esprit saint cherche à rendre plus claire et plus évidente sur la stèle de notre mémoire cette grande parole, pour que nous puissions lire, imprimée clairement et sans confusion en nous, cette inscription, quand surviennent les passions. Car ce que vise, selon moi, le plan du Saint-Esprit, c'est à proposer les belles actions passées des hommes saints comme guides aux générations suivantes, puisque leur imitation nous conduit à un bien égal et semblable. En effet, lorsque l'âme s'enfle pour se venger de quelqu'un qui l'irrite et que le sang qui entoure le cœur bouillonne de colère contre l'auteur de l'offense [1], alors en levant les yeux vers cette stèle que le Saint-Esprit a fait ériger en l'honneur de David et en y lisant cette parole que David a prononcée pour celui qui voulait le tuer, on apaisera complètement le trouble des raisonnements qui règne dans l'âme et on adoucira, par le désir d'imiter une conduite semblable, la passion.

Un nouveau progrès dans l'ascension

77. Quant à la grandeur de celui qui, par son progrès, est monté sur l'échelon que constitue ce psaume, il est possible de voir également par les paroles mêmes du psaume combien elle surpasse la grandeur antérieure. Car il n'allègue plus le fait d'être foulé aux pieds par ses adversaires, pas plus qu'il ne cherche à s'attirer l'alliance de la miséricorde [a] ; mais, parvenu à cette hauteur, comme d'un observatoire élevé, à ceux qui vivent en bas dans les creux du piémont qu'est la vie humaine, il crie ces reproches en disant : « Hommes, de quoi

---

1. La définition de la colère comme ζέσις τοῦ περὶ καρδίαν αἵματος est souvent utilisée par Grégoire et remonte à ARISTOTE, *De anima* 403 a 30 – b 1.

ἄνθρωποι, τί λαλεῖτε καὶ πράσσετε ; Ἆρα δικαιοσύνη ἐστὶ τὸ
10 λαλούμενον ; Ἆρα δι' εὐθύτητος τὴν κρίσιν προσάγετε ; Καὶ
μὴν ὁρῶ ὅτι ἐν γῇ μὲν ὑμῶν εἰσιν αἱ καρδίαι, καὶ πᾶν ἐγκάρδιον
κίνημα ἔργον ἐστὶ καὶ οὐχὶ νόημα. Εὐθὺς γὰρ ὁμοῦ τῷ
συστῆναι τὸ κακὸν ἐν τῇ διανοίᾳ συμπλέκεται τὸ ἔργον διὰ τῶν
χειρῶν τοῖς νοήμασιν.» Ταῦτα σαφηνείας χάριν μικρόν τι
15 παραφράσας τῆς ψαλμικῆς λέξεως ἐξεθέμην τὰ ῥήματα
ἔχοντα οὕτως· « Εἰ ἀληθῶς ἄρα δικαιοσύνην λαλεῖτε, εὐθείας
κρίνετε, υἱοὶ τῶν ἀνθρώπων ; Καὶ γὰρ ἐν καρδίᾳ ἀνομίας
ἐργάζεσθε ἐν τῇ γῇ, ἀδικίαν αἱ χεῖρες ὑμῶν συμπλέκουσιν b. »

GNO 162 | Εἶτα ἐπάγει σχετλιάζων ὑπὲρ τῶν τῆς σωτηρίας ἐκπεπτω-
20 κότων τὰς μετὰ ταῦτα φωνάς, « Ἀπηλλοτριώθησαν, λέγων, οἱ
ἁμαρτωλοὶ ἀπὸ μήτρας, καὶ ἀπὸ γαστρὸς ἐπλανήθησαν c ».

PG 593   Γνοίης δ' ἂν τὸ λεγόμενον ἐξετάσας τίς ἡ πρώτη τῆς ἀνθρωπίνης συστάσεως μήτρα, καὶ τίς γαστὴρ ἡ κυοφορήσασα τὸ
ἀνθρώπινον. Οἶμαι γὰρ μὴ ἄλλην εἶναί τινα παρὰ τὴν τοῦ Θεοῦ
25 φιλανθρωπίαν καὶ ἀγαθότητα, ἀφ' ἧς ἐπλάσθημέν τε καὶ
ἐγεννήθημεν. Εἶπεν γὰρ· « Ποιήσωμεν ἄνθρωπον κατ' εἰκόνα
ἡμετέραν καὶ καθ' ὁμοίωσιν d », « ὁ πλάσας καταμόνας τὰς
καρδίας αὐτῶν e ». Καὶ πάλιν φησίν· « Υἱοὺς ἐγέννησα καὶ
ὕψωσα, αὐτοὶ δέ με ἠθέτησαν f. » Καὶ μυρίας ἔστι τοιαύτας

AVB SLQXF

9-10 ἄρα – λαλούμενον iter. A ‖ 10 ἄρα – προσάγετε om. V ‖ εὐθύτητα Q
εὐθύτητ F ‖ προάγετε SLQF ‖ 12 τῷ : τὸ QF ‖ 13 ἐν om. S ‖ 14 χάριν om.
QF ‖ τι om. V ‖ 15 παραφράσας Athos Dion. 114 (Nicétas) v Don :
παραφράσαι cett. ‖ ψασμικῆς V ‖ τὰ om. v ‖ 16 ἄρα Q ‖ εὐθεία L ‖
17 κρίνεται V κρίνατε Q ‖ υἱοὶ : οἱ praem. L ‖ ἀνομίαν Av ‖ 18 ἐργάζεσθαι
Q ‖ 19 τῶν Vˢˡ al. man. ‖ 20 ταύτας L ‖ λέγων : om. QF Xˢˡ ‖ 21 γαστρὸς :
τῆς praem. AVBL Don ‖ 23-24 τὸν ἄνθρωπον L ‖ 24 τινα om. v ‖ 25 ἀφ' : ἐφ'
AVBL ‖ 26 ἐγενήθημεν L ‖ γὰρ + ὅτι S ‖ 27 καθ' om. L ‖ 28 αὐτῶν : ἡμῶν
vid. Fᵃᶜ ‖ πάλιν (ν sl) V ‖ 29 ἔστι : ειτι L ‖ ἔστι + τὰς LQX

b. Ps 57, 2-3   c. Ps 57, 4   d. Gn 1, 26   e. Ps 32, 15   f. Is 1, 2

parlez-vous et que faites-vous ? Est-ce donc de justice que
vous parlez ? Est-ce donc avec droiture que vous appliquez
votre jugement ? Je vois bien que vos cœurs sont sur terre et
que tout mouvement du cœur est une activité, non une
pensée. Car, aussitôt que le mal s'établit dans l'esprit, les
mains combinent l'activité avec les pensées . » C'est par souci
de clarté qu'en les paraphrasant [1] quelque peu j'ai présenté
les mots du texte du psaume qui sont les suivants : « Si
vraiment c'est bien de justice que vous parlez, jugez-vous
d'une manière droite, fils des hommes ? Car, dans votre cœur,
vous produisez des iniquités sur la terre, vos mains combinent l'injustice [b]. » Puis il ajoute, en une plainte pour ceux
qui sont déchus du salut, les paroles qui suivent, disant : « Les
pécheurs se sont éloignés de la matrice et loin du ventre ils
ont erré [c][2]. »

Le ventre et la matrice

Tu peux savoir, en examinant ce qui est dit, quelle est la
première matrice de la constitution humaine et quel est le
ventre qui a porté en ses entrailles l'humanité. Car je crois
qu'ils ne sont autres que l'amitié et la bonté de Dieu par
lesquelles nous avons été modelés et enfantés. Il a dit en
effet : « Faisons un homme selon notre image et selon notre
ressemblance [d] », « celui qui a modelé un à un leur cœur [e] ».
Et il dit encore : « J'ai enfanté des fils et je les ai élevés, mais
eux m'ont rejeté [f]. » Et il est possible de recueillir dans la

---

1. Sur la paraphrase dans l'exégèse, voir Introduction, p. 58.
2. La préposition ἀπό peut aussi avoir un sens temporel, « dès la matrice,
dès le ventre », mais Grégoire va insister sur l'idée d'éloignement et de
distance par rapport à la matrice divine.

30 φωνὰς ἐκ τῆς ἁγίας Γραφῆς ἀναλέξασθαι, δι' ὧν ἐπιγινώσκεται τίς ἡ πλάσασα ἡμᾶς γαστὴρ καὶ τίς ἡ μήτρα ἡ εἰς φῶς
προαγαγοῦσα διὰ γεννήσεως. Πρὸς ταῦτα οὖν βλέπων ὁ
σχετλιάζων ἐπὶ τῇ ἀπωλείᾳ τῶν ἀφεστηκότων ὀδύρεται·
θρῆνος γὰρ ἄντικρύς ἐστιν ἡ φωνὴ δι' ἧς τοὺς ἁμαρτωλοὺς
35 ὀλοφύρεται, Πῶς ἠλλοτριώθησαν, λέγων, οἱ ἁμαρτωλοὶ ἀπὸ
μήτρας ; Πῶς ἀπὸ τῆς γαστρὸς ἐπλανήθησαν τὸ ψεῦδος πρὸ
τῆς ἀληθείας τιμήσαντες, ὧν ὁ θυμὸς πρὸς τὸν πατέρα τοῦ
ψεύδους τὸν πρῶτον ὄφιν ἔχει τὴν ὁμοιότητα [g] ; «Ὡσεὶ
ἀσπίδος, φησίν, κωφῆς καὶ βυούσης τὰ ὦτα αὐτῆς, ἥτις οὐκ
40 εἰσακούσεται φωνὴν ἐπαδόντων, φαρμακοῦται φαρμακευομένη παρὰ σοφοῦ [h]. » Ταύτην γὰρ ἐνεῖδον τοῦ θηρίου τὴν φύσιν
οἱ περὶ ταῦτα σοφοί· ὅτι θυμῷ διαπιμπραμένη ἀπο-
κρατεῖ τὸ πνεῦμα τῇ φάρυγγι καὶ οὐ προΐεται ἀσκοῦ δίκην τῇ
GNO 163   τοῦ | πνεύματος ἐναπολήψει περιοιδαίνουσα, ὡς πάντα ἐπ'
45 αὐτῆς ἀργὰ μένειν καὶ ἄπρακτα, ὅσα θηρίων θέλγητρα διά
τινος φυσικῆς ἀντιπαθείας παρὰ τῶν τὰ τοιαῦτα σοφῶν ἐξηυ-
ρέθη. Νοεῖν δὲ δίδωσι διὰ τούτων ὅτι ἀνήκοος μένει τῶν ἐν
κακίᾳ κεκρατημένων ἡ καρδία, τῆς παρὰ τῶν διδασκάλων
ἐπαγομένης αὐτοῖς θεραπείας.

78. Καὶ πᾶσα δὲ ἡ τῆς ψαλμῳδίας ἀκολουθία διὰ θρήνου
προῆκται τῷ τῇ ἀπωλείᾳ τῶν δειλαίων ἐπιστενάζοντι. Προ-
αναφωνεῖ γὰρ κατ' αὐτῶν τὸ ἐσόμενον λέγων· «Ὁ Θεὸς

AVB SLQXF

30-31 ἐπιγινώσκεται V ‖ 31 τίς[1] om. S ‖ ἡ[2] S[sl] ‖ μήτηρ v ‖ 32 προά-
γουσα S ‖ 33 ἐφεστηκότων AVB ‖ 35 λέγων om. Av ‖ 36 τὸ + δὲ Av ‖ 38 ὄφιν
om. Av ‖ 39 φησίν om. SQF ‖ ἥτις : εἴ τις L ‖ 40 φωνῆς QF ‖ φαρμακοῦται : φαρμακοῦτε X φαρμακοῦ τε v ‖ 41 ἐνίδον AVBLv ‖ τοῦ θηρίου om.
QF ‖ 42 θυμὸν v ‖ 43 τὸ πνεῦμα om. QF ‖ τῇ[1] : τῷ QF ‖ 44 ἐν ἀπολήψει
LFv ‖ 46-47 ἐξευρέθη QXF ‖ 47 τῶ V[ac] (τῶν V[pc] al. man. vid.) ‖ 49 αὐτῆς X
78 l θρήνων S ‖ 3 γὰρ om. QF

g. Cf. Ps 57, 4-5a ; Jn 8, 44 ; Gn 3, 1   h. Ps 57, 5b-6

sainte Écriture d'innombrables formules de ce genre, qui font connaître quel est le ventre qui nous a modelés et quelle est la matrice qui nous a conduits à la lumière par la génération. Considérant donc cela, celui qui se plaint pleure sur la destruction de ceux qui se sont éloignés, car c'est ouvertement une lamentation, la parole où il gémit sur les pécheurs, disant : Comment les pécheurs se sont-ils éloignés de la matrice ? Comment ont-ils erré loin du ventre en préférant le mensonge à la vérité, eux dont la fureur est semblable au père du mensonge, au premier serpent [g]. « Comme, dit-il, d'un aspic sourd, bouchant ses oreilles, qui n'écoutera pas la voix des enchanteurs, quand il se voit administrer un remède par un sage [h]. » Car les savants en la matière ont observé la nature de cette bête : se consumant de fureur, elle réprime son souffle dans son gosier et ne le laisse pas s'échapper, se gonflant, comme une outre, par la rétention de l'air. En conséquence, est vain et sans effet sur elle tout ce que les savants en ce domaine ont trouvé pour charmer les bêtes par une antipathie naturelle [1]. Il fait concevoir par là que le cœur des hommes au pouvoir du mal demeure indocile quand les maîtres leur appliquent un traitement.

La ressemblance avec le serpent et le lion

78. Et toute la suite du psaume est une lamentation conduite par celui qui gémit sur la destruction de ces malheureux. Car il annonce ce qui leur arrivera de funeste :

---

1. Les savants qu'il évoque sont sans doute les auteurs de *Physica*, traités apparus au IIIe s. av. J.-C. : le premier d'entre eux, Bolos le Démocritéen (200 av. J.-C.) est notamment l'auteur d'un Περὶ συμπαθειῶν καὶ ἀντιπαθειῶν, qui étudie l'antipathie du serpent et des feuilles de chêne, du serpent et du raifort noir (Voir A. J. Festugière, *Révélation*, I, p. 195 s.).

συντρίψει τοὺς ὀδόντας αὐτῶν ἐν τῷ στόματι αὐτῶν ᵃ. »

5 Ποίους ὀδόντας, ἢ δηλαδὴ τοὺς τοῦ καρποῦ τῆς παρακοῆς
βρωτῆρας, τοὺς τῶν ἡδονῶν τῆς γαστρὸς ὑπηρέτας — οὓς
« ὅπλα καὶ βέλη ᵇ » διὰ τῆς προλαβούσης ψαλμῳδίας
ὠνόμασεν —, δι᾽ ὧν « ὁ τῆς ἀληθείας λόγος ᶜ » κατασπα-
ράσσεται ; « Καὶ τὰς μύλας τῶν λεόντων, φησί, συνέθλασεν ὁ
10 Κύριος ᵈ. » Γνοίης δ᾽ ἂν τίνας ὠνόμασε λέοντας, εἰ μάθοις τῶν
θηρίων τούτων τὰ ἰδιώματα. Λέγουσι γὰρ εἶναι τοὺς λέοντας
ἐνδιαστρόφους τὸ ὄμμα, ὧν σαρκοβόρος ἡ φύσις καὶ τῷ αἵματι
φίλη. Οἶδας δὲ πάντως τὸ αἴνιγμα τῆς τῶν ὀμμάτων
διαστροφῆς τῶν μὴ πρὸς τὸ εὐθὺ βλεπόντων, καὶ τῆς ἀηδίας
15 τοῦ ἄσθματος τῶν εἰς βλασφημίαν κεχρημένων τῷ στόματι
καὶ διὰ τοῦτο συγγενῶς ἐχόντων πρὸς τὴν τῆς ἁμαρτίας
δυσωδίαν. Καὶ ὅσα νοεῖται διὰ τοῦ ἄσθματος, ὅτι σάρξ καὶ
αἷμα, ὅπερ μάλιστα τρέφει τῶν λεόντων τὴν φύσιν, ταῦτα εἰς
τὴν τοῦ Θεοῦ βασιλείαν ἀπόβλητα ᵉ. Ἐν γὰρ τῷ καιρῷ τῆς
20 τῶν ἀξίων τιμῆς, οὗτοι, φησίν, ἐξουδενωθήσονται, τῇ ἀστάτῳ
φύσει τῶν ὑλικῶν πραγμάτων οἷς προσῳκειώθησαν κατὰ τὸν
βίον συγκαταρρέοντες. « Ἐξουδενωθήσονται γάρ, φησίν, ὡς|
GNO 164   ὕδωρ διαπορευόμενον ᶠ. » Ὁ γὰρ πονηρὸς κατὰ τῶν ψυχῶν
ἡμῶν τοξότης, ὁ « τὰ πεπυρωμένα βέλη ᵍ » τῆς ἁμαρτίας κατὰ
PG 596 25 τῆς ἀνθρωπίνης εὐθύνων ζωῆς, οὐ παύεται κατ᾽ αὐτῶν τοξα-
ζόμενος, ἕως ἂν αὐτῶν ἐκνευρώσῃ τὴν δύναμιν. « Ἐντενεῖ
γάρ, φησίν, τὸ τόξον αὐτοῦ, ἕως οὗ ἀσθενήσουσι ʰ » καὶ
γένωνται κηρὸς τηκόμενος ᶦ πρὸς πᾶν εἶδος τοῦ κατὰ τὴν

AVB SLQXF

5 ἢ om. SLQXF ‖ δηλαδὴ (δηληδὴ L) + τοὺς τῆς παρακοῆς BVSLQXF ‖
τοῦ καρποῦ om. Av ‖ 7 διὰ τῆς ψαλμῳδίας τῆς προλαβούσης S ‖ 8 ὁ om. v ‖
9 συνέθλασεν φησί B ‖ 11 λέον V ‖ 12 φύσης Vᵃᶜ ‖ 13 ὀνομάτων A ‖
15 ἄσματος X ‖ 17 νοῆται F ‖ σάρξ (ξ sl) V ‖ 18 λέον V ‖ 19 τὴν : τὸν Qˢˡ om.
v ‖ 21 οἷσπερ (περ del.) V ‖ 23 κατὰ om. S ‖ 25-26 τοξεύων QF ‖ 26 ἂν om.
AVBQFv ‖ ἐκνευρώσει QF ‖ 27 φησίν om. QF ‖ ἀσθενήσωσι SLQXF Don ‖
28 γίνονται v

a. Ps 57, 7a   b. Ps 56, 5   c. Ep 1, 13   d. Ps 57, 7b   e. Cf. 1 Co 15, 50
f. Ps 57, 8a   g. Ep 6, 16   h. Ps 57, 8b   i. Cf. Ps 57, 9a

« Dieu brisera leurs dents dans leur bouche [a]. » De quelles
dents s'agit-il sinon de celles qui dévorent le fruit de la
désobéissance, les servantes des plaisirs du ventre – qu'il a
nommées dans le psaume précédent « armes et traits [b] » – par
lesquelles « la parole de la vérité [c] » est déchiquetée ? Et,
dit-il, « le Seigneur a broyé les molaires des lions [d] ». Tu peux
savoir à qui il a donné le nom de lions, si tu apprends les
particularités de ces bêtes. On raconte en effet que les lions
ont les yeux qui dévient, qu'ils sont naturellement carnivores
et amateurs de sang [1]. Or tu connais certainement le sens
figuré de la déviation oculaire de ceux qui ne regardent pas
droit, de l'haleine déplaisante de ceux qui utilisent leur
bouche pour blasphémer et, pour cette raison, sont parents
de l'odeur fétide du péché. Et tout ce à quoi fait penser cette
haleine, c'est-à-dire la chair et le sang, qui sont les nourritures privilégiées pour la nature des lions, tout cela est rejeté en
vue du royaume de Dieu [e]. Au moment, en effet, où ceux qui
le méritent seront honorés, ceux-ci, dit-il, seront réduits au
néant, emportés par la nature instable du flux des réalités
matérielles dont ils se sont rendus parents durant leur vie.
Car, dit-il, « ils seront réduits au néant comme une eau qui
passe [f] ». En effet, le funeste archer de nos âmes, qui dirige
« les traits enflammés [g] » du péché contre l'existence
humaine, ne cesse de tirer sur elles, jusqu'à ce qu'il ait rompu
leur force : « Il tend, dit-il, son arc jusqu'à ce qu'ils soient
sans force [h] » et deviennent de la cire qui, en fondant [i], se

1. A l'origine, le régime du lion était végétarien selon BASILE (*De crea-
tione hominis*, II, 6, *SC* 160, p. 240). C'est seulement quand Dieu concéda
aux hommes l'usage de tous les aliments (Gn 9, 3, cf. Gn 1, 30) que « les
autres animaux reçurent aussi la liberté d'en manger. Depuis lors le lion est
carnivore. »

484 SUR LES TITRES DES PSAUMES (PS 57)

ἁμαρτίαν χαρακτῆρος εὐκόλως μορφούμενος· καὶ τούτοις ἔτι
30 προστίθησι τὰς ὀδυρτικὰς ἐκείνας κατὰ τῶν δειλαίων φωνάς,
« Ἔπεσεν πῦρ, λέγων, καὶ οὐκ εἶδον τὸν ἥλιον ʲ ». Σαφηνίζει
δὲ τοῦ ῥητοῦ τούτου τὴν ἔννοιαν ἕτερος τῶν ἑρμηνέων, τὴν
παρὰ καιρὸν γενομένην ἀπὸ τῆς μήτρας ὀλίσθησιν τοῦ ἀμβλώ-
ματος ἑρμηνεύσας τούτοις τοῖς ῥήμασιν· « Ἔκτρωμα, φησίν,
35 γυναικὸς οὐχ ὁραματισθήσεται ἥλιον. » Ἐπεὶ τοίνυν παρὰ τὴν
ἀρχὴν τῆς ψαλμῳδίας φησὶν ὅτι « ἀπηλλοτριώθησαν οἱ
ἁμαρτωλοὶ ἀπὸ μήτρας καὶ ἀπὸ γαστρὸς ἐπλανήθησαν ᵏ »,
ὅπερ ταὐτόν ἐστι τῷ ἠμβλώθησαν, αἴτιον δὲ τοῦ τοιούτου
πάθους αὐτῶν λέγει τὴν πρὸς τὸν ὄφιν τε καὶ τὴν ἀσπίδα
40 ὁμοίωσιν ¹, διὰ τοῦτο καὶ νῦν τὸν ἴσον ἐπαναλαβὼν λόγον φησὶ
ὅτι ἀτελεῖς ἐν τῷ λόγῳ τῆς φύσεως καὶ ἀμβλωθρίδιοι διὰ
κακίας γενόμενοι ἐξωλίσθησάν τε καὶ ἔπεσον αὐτοὶ ἀπὸ τῆς
νοηθείσης ἡμῖν ἐκείνης μήτρας, πῦρ καθ᾽ ἑαυτῶν γενόμενοι διὰ
τῆς ὑλικῆς προαιρέσεως· οὗ χάριν οὐκ ἀνέβλεψαν πρὸς τὸν
45 ἥλιον. Ἐνδείκνυται δὲ διὰ « τοῦ ἡλίου » « τὸ ἀληθινὸν φῶς ᵐ »,
πρὸς ὃ ἡ ἀτελεσφόρητος τῶν Ἰουδαίων γονὴ οὐκ ἀνέβλεψεν.
Καὶ ὁ ἐφεξῆς λόγος ἁρμόζει κατὰ τὸ ἀκόλουθον τῷ προάγοντι.
Ὁ γὰρ ἐκεῖ « κωφὴν ἀσπίδα » ὠνόμασεν, τοῦτο νῦν μεταβαλὼν
ἀσύνετον ἄκανθαν ⁿ λέγει· ἐκ γὰρ τοῦ ἀκοῦσαι τὸ συνιέναι
50 γίνεται· ὁ δὲ τὴν ἀκοὴν οὐ δεξάμενος συναποβάλλει πάντως
μετὰ τῆς ἀκοῆς καὶ τὴν σύνεσιν.

AVB SLQXF

29 μορφούμενος : τυπούμενος S ‖ 31 καὶ om. ALX ‖ ἴδον AVBLv ‖
32 ῥητοῦ : ῥῃ V ‖ 38 τῷ : τὸ AVQXF ‖ 41 λόγῳ + φησὶν B ‖ ἀμβωθρίδιοι (ρ
sl) V ‖ 42 γινόμενοι AVLXF γεγινόμενοι B ‖ ἐξ ὤσθησαν Q ‖ ἔπεσαν
AVBv ‖ 45 διὰ : ἐκ v ‖ ἀληθινὸν : νοητὸν S ‖ 49 ἄκανθα B ‖ τὸ : τοῦ L ‖
συνεῖναι SL ‖ 50 ἀποβάλλει QXF ‖ 51 τὴν ἀκοὴν Q

j. Ps 57, 9b   k. Ps 57, 4   l. Cf. Ps 57, 5   m. Jn 1, 9 ; 1 Jn 2, 8   n. Cf.
Ps 57, 10a

moule facilement dans toutes les formes qu'imprime le
péché. Et il ajoute encore ces paroles de plainte sur les
malheureux : « Un feu est tombé et ils n'ont pas vu le soleil [j]. »
Un autre traducteur [1] éclaire le sens de cette expression, en
traduisant la chute du fœtus qui a eu lieu à contretemps hors
de la matrice par ces mots : « Un avorton de femme, dit-il, ne
verra pas le soleil. » Donc, puisqu'au début du psaume, il dit
que « les pécheurs se sont éloignés de la matrice et loin du
ventre ont erré [k] », ce qui revient à dire qu'ils ont été avortés,
et puisqu'il affirme que la cause d'un tel malheur, c'est leur
ressemblance avec le serpent et l'aspic [l], pour cette raison,
reprenant encore maintenant le même propos, il affirme que,
restés incomplets selon la loi de la nature et devenus avortons
par le vice, ils ont glissé et sont tombés d'eux-mêmes hors de
cette matrice dont nous avons donné le sens, devenus un feu
pour eux-mêmes par leur choix matériel. Voilà pourquoi ils
n'ont pas levé les yeux vers le soleil. Par « soleil », il désigne
« la lumière véritable [m] » vers laquelle le rejeton non venu à
terme des Juifs n'a pas levé les yeux. Et la parole suivante
s'accorde logiquement avec ce qui précède. Car ce qu'il a
nommé là « aspic sourd », il l'a maintenant changé et il parle
d'épine sans intelligence [n]. Écouter permet, en effet, de faire
preuve d'intelligence et celui qui n'a pas accepté l'écoute
rejette aussi totalement avec l'écoute l'intelligence.

---

1. Sur ce traducteur, voir Introduction, p. 51.

79. Διὰ τοῦτο ὥσπερ ἐκεῖ μὲν γενικώτερον μνημονεύσας
τοῦ κατὰ τὸν ὄφιν ὀνόματος ἐπάγει τὸ εἶδος τοῦ θηρίου τὸ ἐν
τῷ γένει πικρότατον, τὴν ἀσπίδα λέγων· οὕτω καὶ ἐνταῦθα,
οἷον ἐν γένει τινὶ τὸ τῆς ἀκάνθης ὄνομα προεκθέμενος ἐπά-
5 γει τὸ χαλεπώτερον ἐν ταῖς ἀκάνθαις εἶδος, « τὴν ῥάμνον ᵃ »
εἰπών, ἧς ὀξεῖαι μὲν αἱ ἀκμαί, συνεχεῖς δὲ αἱ προβολαί,
βλαπτικαὶ δὲ τῶν προσεγγιζόντων καὶ ἰώδεις αἱ ἀμυχαί. Πλὴν
ἀλλὰ κἂν ἄκανθα ᾖτε, φησίν, κἂν ἐν ἀκάνθαις ἡ ῥάμνος, ὡς ἔτι
οἴεσθε ζῆν – οὐ γὰρ ἀληθῶς ζῇ ὁ τὴν ἀληθῆ μὴ ἔχων ζωήν –,
10 ἡ ὀργὴ καταπίεται ὑμᾶς· καὶ ὥσπερ τῶν ἁμαρτωλῶν ἡ ζωὴ
οὐκ ἀληθῶς ἐστιν ὃ λέγεται, ἀλλ' ὀνομάζεται μόνον – τὸ γὰρ
τῆς ἀληθινῆς ζωῆς διεζευγμένον, ζωὴ οὐκ ἔστιν – · οὕτως
καὶ ἐπὶ τοῦ Θεοῦ ἡ ὀργή, κἂν τοῖς ἁμαρτωλοῖς τοῦτο καὶ
φαίνηται καὶ παρ' αὐτῶν ὀνομάζηται, οὐδὲν μᾶλλόν ἐστιν
15 ὀργή, ἀλλ' ὡς ὀργὴ τοῖς οὕτω τὴν κατὰ τὸ δίκαιον τοῦ Θεοῦ
ἀντιδιδομένην ἀμοιβὴν ὀνομάζουσι. Τοῦτο οὖν ἐστιν τὸ « Ὡσεὶ
ζῶντας καὶ ὡσεὶ ἐν ὀργῇ καταπίεται ὑμᾶς ᵇ », οὔτε ἐν ἀληθινῇ
ζωῇ ὄντας, οὔτε ἀληθῶς ἐκεῖνος ἐν ὀργῇ θεωρούμε-
νος.

20   Εἶτά φησιν· « Εὐφρανθήσεται δίκαιος ὅταν ἴδῃ ἐκδίκησιν ᶜ », οὐχ ὡς ἐπιχαίρων τοῖς ἀπολλυμένοις, ἀλλ' ὡς ἐκ
παραλλήλου τὰ ἑαυτοῦ πρὸς τὰ ἐκείνων ἀντιτιθεὶς τότε
μακαρίσει ἑαυτὸν τῆς εὐβουλίας, ὅτι μὴ ἐν ἐκείνοις ἐγένετο, ἐν
οἷς ὁρᾷ τῶν ἁμαρτωλῶν τὴν ἐκδίκησιν. Τὴν γὰρ τῶν ἰδίων

AVB SLQXF

79 1 μὲν om. SQF ‖ 6 αἱ¹ uncis incl. v ‖ 7 αἱ om. L ‖ 8 κἂν¹ : καὶ AVBLv
‖ 9 οἴεσθαι AVBv ‖ ὁ om. AVBLv ‖ 10 καταπίετε F ‖ 11 οὐκ + ἂν AVBv ‖
ἀλλὰ SLX ‖ 12 διεζευγμένον V ‖ 14 φαίνεται (φεν- A) AVBSLXv ‖ ὀνομάζεται
AVBSLXv ‖ 15 ἀλλ' – ὀργὴ om. ex homoeotel. Q ‖ 16 διδομένην SQF ‖
17 καὶ om. QF ‖ ὡσεὶ : ὡς v ‖ ὑμᾶς : αὐτοὺς S ‖ οὔτε Athos Dion. 114
(Nicétas) : οὐκ v Don om. cett. ‖ ἀληθινῇ + δὲ SQXF ‖ 18 ζωῇ + μὴ V ‖
22 ἀνατιθεὶς Av ‖ 23 μακαρίσῃ L ‖ 24 ἰδίων : δικαίων Q

---

a. Ps 57, 10a   b. Ps 57, 10b   c. Ps 57, 11a

La pureté éclatante du juste

79. Aussi, comme là, après avoir mentionné, à titre générique, le mot de serpent, il ajoute l'espèce de bête la plus
pernicieuse du genre, citant l'aspic ; ici également, de la
même façon, après avoir introduit le mot d'épine comme s'il
s'agissait d'un genre, il ajoute l'espèce la plus désagréable
d'épines, citant « le nerprun [a] » dont les pointes sont piquan-
tes, les pousses denses et les égratignures dangereuses et
vénéneuses quand on s'en approche. Néanmoins, vous avez
beau être une épine, dit-il, vous avez beau être le nerprun au
milieu des épines, tels que vous vous imaginez encore vivre
– car il ne vit pas vraiment celui qui n'a pas la vie véritable –,
la colère vous engloutira ; et comme la vie des pécheurs n'est
pas vraiment ce qu'on dit, mais un simple nom – car ce qui
est séparé de la vie véritable n'est pas vie –, ainsi en va-t-il
également de la colère attribuée à Dieu : la chose a beau
apparaître aux pécheurs et recevoir d'eux ce nom, ce n'en est
pas plus de la colère, mais comme de la colère aux yeux de
ceux qui nomment ainsi la juste rétribution donnée par Dieu.
Cela c'est donc la parole : « Comme des vivants et comme
dans une colère il vous engloutira [b] », vous qui n'êtes pas dans
la véritable vie, pas plus que celui-ci n'est vraiment considéré
comme en proie à de la colère.

Puis il dit : « Le juste se réjouira, quand il verra la punition [c]. » Non qu'il se réjouisse du sort de ceux qui sont
perdus, mais parce qu'il met en parallèle sa propre situation
avec la leur, il s'estimera alors bienheureux de sa prudence,
puisqu'il ne s'est pas trouvé avec ceux chez qui il voit la
punition des pécheurs. Il constatera plutôt la pureté de ses

PG 597   25 χειρῶν καθαρότητα τῇ πρὸς τὸ λύθρον τῶν ἁμαρτωλῶν
ἀντεξετάσει μᾶλλον κατόψεται. « Τὰς χεῖρας αὐτοῦ, φησίν,
νίψεται ἐν τῷ αἵματι τοῦ ἁμαρτωλοῦ ᵈ. » Οἴδαμεν δὲ ὅτι οὐκ
GNO 166   ἄλλου τινὸς χάριν νιπτόμεθα ἢ ἵνα τῷ ὕδατι τὸν ῥύπον| ἀπο-
κλυσώμεθα· ὁ δὲ τοῦ αἵματος μολυσμὸς οὐκ ἀποκαθαίρει τὸν
30 προϋπάρχοντα ῥύπον, ἀλλ' αὐτὸς γίνεται ῥύπος. Οὐκοῦν
ὥσπερ τὸ λευκὸν χρῶμα τῇ ἀντιπαραθέσει τοῦ αἵματος
ἐκδηλότερον γίνεται, οὕτως καὶ ἡ τῶν χειρῶν τοῦ δικαίου
καθαρότης διὰ τῆς τοῦ ἐναντίου συγκρίσεως λαμπροτέρα
καθίσταται. Τὸ γὰρ νῦν ἀπιστούμενον ὅτι τίς ἐστι τοῖς διὰ τῶν
35 τῆς ἀρετῆς πόνων ἑκουσίως κακοπαθήσασι μετουσία τοῦ
κρείττονος, τότε διὰ τῆς πείρας φανερωθήσεται· ὁ γὰρ ταῦτα
βλέπων ἐρεῖ ὅτι ἦν, ὡς ἔοικεν, τῷ δικαίῳ καρπὸς ἀποκείμενος
ἐν τῇ δικαίᾳ τοῦ Θεοῦ κρίσει ᵉ. Ὁρᾷς οἵας ἐπιβέβηκεν
ἀκρωρείας ὁ λόγος ; Ὅσον ὑπεραίρει τῶν προδιηνυσμένων
40 τοῖς ψαλμοῖς τὸ μέγεθος ;

ΚΕΦΑΛΑΙΟΝ Ις′

80. Ἀλλ' οὐδὲ οὗτος ὅρος τῆς εἰς τὸ ὕψος ἀναβάσεως τοῖς δι'
ἀρετῆς προκόπτουσι γίνεται. Ὁ γὰρ μετὰ τοῦτον τῇ ἀκολουθίᾳ τῆς τάξεως ὢν ὑπὲρ τοῦτον καὶ τῇ μεγαλοφυΐᾳ τῆς
θεωρίας εὑρίσκεται. Πάλιν δὲ ἡ ἐπιγραφὴ ἀνακηρύσσει τὸν
5 στεφανίτην· πάλιν ἡ ἐπ' αὐτῷ στήλη τὸ ὑπὲρ ἄνθρωπον εἶναι
τὴν τοιαύτην νίκην μαρτύρεται. « Εἰς τὸ τέλος γάρ, φησί, μὴ
διαφθείρῃς ᵃ. » Εἴρηται πολλάκις ὅτι νίκη ἐστὶ τοῦ τέλους τὸ

AVB SLQXF

25 τὸ : τὸν LQXF ‖ 26 τὰς om. v ‖ φησίν om. Q ‖ 26-27 νίψεται φησίν
SLX ‖ 32 ἡ om. V ‖ 34 εὐπιστούμενον Fᵃᶜ ‖ 37 ἐρεῖ om. QF ἐρεῖς X ‖ ὅτι :
om. QF τί X ‖ ἦν om. QF ‖ 39 προδιηνυσμένων : προδεικνυμένων ἐν v
80 1 τῆς : τὸ Lᵃᶜ ‖ 2 τοῦτον : τοῦτο L ‖ 3 τάξεως : λέξεως Q ‖ ὢν om. v ‖
4 ἀνακηρύσσουσα v ‖ 5 πάλιν : uacat L ‖ ἡ om. Av ‖ αὐτῶν v

d. Ps 57, 11b   e. Cf. Ps 57, 12
a. Ps 58, 1

mains par comparaison avec le sang souillé des pécheurs. « Ses mains, dit-il, il les lavera dans le sang du pécheur [d]. » Or nous savons que nous nous lavons dans le seul but de nettoyer dans l'eau notre souillure. Cependant la tache de sang ne purifie pas la souillure antérieure, mais devient elle-même une souillure. Donc, comme la couleur blanche ressort avec plus d'éclat par contraste avec le sang, ainsi la pureté des mains du juste brille également davantage par comparaison avec son contraire. Car ce que l'on ne croit pas maintenant, que ceux qui ont souffert volontairement les épreuves de la vertu participent en quelque manière au mieux, sera alors rendu manifeste par l'expérience : à ce spectacle, on dira qu'il y avait, semble-t-il, un fruit réservé au juste dans le juste jugement de Dieu [e]. Tu vois quel sommet le texte a atteint ! Combien sa grandeur dépasse ce qui a été accompli dans les psaumes précédents !

CHAPITRE XVI

LE *PSAUME* 58 : UN COURONNEMENT

80. Mais ce psaume n'est pas le terme de la montée vers la hauteur pour ceux qui progressent par la vertu. On peut reconnaître, en effet, que celui qui vient après dans l'ordre de la succession est au-delà également par la grandeur de sa pensée. A nouveau le titre proclame le combat pour la couronne, à nouveau la stèle qui lui est consacrée atteste qu'une telle victoire dépasse un homme. Car il dit : « Pour la fin, ne fais pas périr [a]. » Nous avons maintes fois dit que la fin signifie

σημαινόμενον, καὶ οὐδὲν χρὴ πάλιν ἐφερμηνεύειν τῷ λόγῳ τὸ
ἐγνωσμένον. Τὸ δὲ « μὴ διαφθείρῃς », ἡ φιλάνθρωπος αὕτη
10 φωνὴ καὶ πᾶσαν μακροθυμίας ὑπερβολὴν παριοῦσα, μείζονος
ἐπιβέβηκεν ἐν τῷ τόπῳ τούτῳ τῆς διανοίας. Τίς γὰρ οὐκ οἶδεν
ὅτι πρόχειρος μὲν εἰς εὐποιΐαν ἐστὶ καὶ τῶν ἐπιτυχόντων
ἕκαστος ἐπὶ τῶν μηδεμίαν προενδειξαμένων κακίαν ; Πολλά-
GNO 167   κις δὲ καὶ μικρᾶς | τινος λύπης προγεγενημένης, ὁ μὲν μεγα-
15 λοψυχότερος ἤνεγκε τὴν ἐπὶ τοῖς μικροῖς ἀηδίαν καὶ ἐν τῷ
καιρῷ τῆς εὐποιΐας οὐκ ἀπετράπη τοῦ ποιῆσαι καλῶς τὸν ἐπὶ
μετρίοις λυπήσαντα· ὁ δὲ μικροφυὴς τὴν διάνοιαν, κἂν βραχύ
τι τὸ παροξῦνον τύχῃ, πᾶσαν ἐπαφίησιν αὐτῷ τὴν ἀμυντικὴν
δύναμιν καιροῦ τινος εἰς κακοποιΐαν λαβόμενος. Οὐκοῦν οὐκ
20 ἴσον τὸ θαῦμα, κἂν ὅμοιον τὸ εὐεργέτημα τύχῃ, ἐπί τε τοῦ
μηδὲν προπεπονθότος κακῶς καὶ ἐπὶ τοῦ δι' εὐποιΐας ἀμειψα-
μένου τὸν προλυπήσαντα. Τούτου χάριν, ὡς ἂν μάλιστα τὸ ἀπα-
ράθετόν τε καὶ ἀζήλωτον ἐπιδειχθείη τῆς τοῦ Δαβὶδ μακροθυμίας, ἥτις αὐτὴν μικροῦ δεῖν μιμεῖται τῆς θείας φύσεως τὴν
25 ἀπάθειαν, παρατίθησι τὴν πονηρὰν ἐκείνην τοῦ Σαοὺλ μανίαν.
Εἴρηται γάρ, φησίν, τῷ Δαβὶδ ἡ τοῦ « μὴ διαφθείρῃς » φωνή, ἣν
τῇ μνήμῃ τῶν ἐπιγενομένων ἐνστηλιτεύει, οὐχ ὅτε φιλικῶς πρὸς
αὐτὸν εἶχεν ὁ τύραννος, ἀλλ' ἤδη γεγενημένων ἐκείνων, « ὅτε
ἀπέστειλε Σαοὺλ εἰς τὸν οἶκον αὐτοῦ τοῦ θανατῶσαι αὐτόν [b] ».
30   Πάντως δὲ οὐκ ἀγνοεῖς, ὁ φιλομαθής, τὸ μέρος τῆς ἱστο-
PG 600   ρίας, τὸ ὑπὸ τῆς ἐπιγραφῆς σημαινόμενον· πῶς ἐπειδὴ
κατέστη τῷ Σαοὺλ ἡ ἐκ τοῦ δαιμονίου πνεύματος πτόησις, τοῦ
ἁγίου Δαβὶδ διὰ τοῦ ψαλτηρίου τὴν ἐκ τοῦ πάθους ταραχὴν

AVB SLQXF

8 οὐδὲν : οὐ SQXF ‖ 14 προσγεγενημένης AVBv ‖ 15 μικροῖς : νεκροῖς
ALX ἀνιαροῖς VB ‖ 16 τοῦ : τοῦτο Av ‖ 18 παροξυνόμενον X ‖ τὴν iter.
A ‖ 21 κακὸν AVBv ‖ δι' om. v ‖ εὐποιΐαις v ‖ 25 τοῦ : τῷ SQXF ‖
27 ἐνστηλιτεύῃ ABS Don ‖ 32 ἡ om. X ‖ πτόησις (ποίησις F) ante πνεύματος
QF ‖ διὰ ante τοῦ² add. in mg L²

b. Ps 58, 1

la victoire, et il n'est nullement nécessaire de proposer à nouveau une interprétation de ce qui est connu. L'expression « ne fais pas périr », cette parole amicale qui surpasse toutes les formes éminentes de longanimité, a atteint en ce lieu une signification plus grande. Qui ne sait que chacun, même parmi les premiers venus, est disposé à faire du bien à ceux qui ne lui ont manifesté aucune malveillance ? En revanche, souvent, même pour un léger tort, alors que l'homme plus magnanime [1] supporte ce léger désagrément et, au moment d'accomplir un bienfait, ne renonce pas à faire du bien à celui qui lui a causé modérément du tort, l'esprit mesquin, lui, même si la contrariété est mince, saisit une occasion quelconque de faire du mal pour lancer contre l'autre tous ses moyens de vengeance. On ne porte donc pas une égale admiration, même si leur bienfait est semblable, à celui qui n'a subi aucun préjudice et à celui qui a répondu au tort causé par un bienfait. Aussi, pour souligner le caractère incomparable et sans rival de la longanimité de David qui imite, à peu de choses près, l'impassibilité même de la nature divine [2], met-il en parallèle cette folie méchante de Saül. En effet, la parole « ne fais pas périr », qu'il grave sur une stèle pour le souvenir des générations postérieures, est prononcée, dit-il, par David, non lorsque le tyran se comportait en ami avec lui, mais, après ces événements, « lorsque Saül envoya des gens dans sa maison pour le mettre à mort [b] ».

Tu n'ignores rien, toi qui aimes à t'instruire, de la partie de l'histoire évoquée par le titre : comment, quand la terreur inspirée par l'esprit du démon s'était emparée de Saül, et que le saint, David, grâce au psaltérion, cherchait à calmer le

---

1. Sur le thème de la magnanimité, voir notre article « La magnanimité de David dans l'*In inscriptiones Psalmorum* de Grégoire de Nysse », *St. Patr.* XXXII (1997), p. 208-212.

2. Sur l'apathie chrétienne, voir M. SPANNEUT, « L'impact de l'*apatheia* stoïcienne sur la pensée chrétienne jusqu'à saint Augustin », dans A. GONZÁLEZ BLANCO – J.M. BLÁZQUEZ MARTÍNEZ, *Cristianismo y aculturación en tiempos del Imperio Romano*, *Antigüedad y Cristianismo* 7, Murcia 1990, p. 39-52 (sur Grégoire, p. 45 s.).

κατευνάσαντος, παρεστῶσαν ἑαυτῷ τὴν λόγχην εὑρὼν ὁ
35 Σαοὺλ τῷ εὐεργέτῃ ἑαυτοῦ ἐπαφίησιν εὐθύνας κατ' αὐτοῦ τὴν
αἰχμήν· τοῦ δὲ κατὰ θείαν συμμαχίαν τῆς βολῆς ἑαυτὸν ὑπεκστήσαντος τῷ τοίχῳ διὰ βάθους ἐμπήγνυται ἡ τῆς αἰχμῆς
προσβολή [c]. Ἐξέδραμεν δὲ τῶν βασιλείων, ἐν τῷ ἰδίῳ οἴκῳ
ἐγένετο μεταβληθήσεσθαι τοῦ βασιλέως τὸν θυμὸν διὰ μετα-
40 νοίας ἐλπίσας.

GNO 168   **81.** | Τοῦ δὲ Σαοὺλ δορυφόρους ἐν κύκλῳ τῇ οἰκίᾳ τοῦ
Δαβὶδ περιστήσαντος καὶ δημίοις τὸν κατ' αὐτοῦ φόνον ἐντειλαμένου μόλις διὰ θυρίδος τινὸς καταβαλὼν ἑαυτὸν εἰς τὸ
ὕπαιθρον καὶ διαλαθὼν τὴν φρουρὰν ἔξω τῶν κινδύνων
5 κατέστη [a]· καὶ μεταναστὰς ἄλλοτε ἄλλον ἐπήρχετο τόπον ὑπὸ
ἀμηχανίας τοῖς ἀήθεσιν ἀνθρώποις ἐπιπλανώμενος. Καὶ
οὕτως κατελήφθη ὑπὸ τοῦ Σαοὺλ πανστρατιᾷ κυκλώσαντος τὸ
γεώλοφον, ᾧ μετὰ τῶν περὶ αὐτὸν ὁ Δαβὶδ προσφεύγει, καὶ
νυκτὸς ἀναβολὴν πρὸς τὸν θάνατον αὐτῷ παρασχομένης —
10 ὑπερέθετο γὰρ ὁ Σαοὺλ ἐπὶ τὸν ὄρθρον τὴν τοῦ διωκομένου
σφαγήν — ἐπιστὰς τῇ σκηνῇ τοῦ πολεμίου καὶ καταλαβὼν ἐπί
τινος εὐνῆς λελυμένον τῷ ὕπνῳ οὐ μόνον τὴν ἰδίαν ἐπέσχεν
χεῖρα σπεύδουσαν ἴσως τῷ θυμῷ χαρίσασθαι, ἀλλὰ καὶ τὸν
ὑπασπιστὴν ἤδη κατὰ τοῦ Σαοὺλ πρὸς τὴν σφαγὴν ἐπι-
15 κύψαντα — « Πατάξω γάρ, φησίν, καὶ οὐ δευτερώσω [b] » —
ἀπάγει τῆς ὁρμῆς τῇ μεγάλῃ ταύτῃ καὶ ἀοιδίμῳ φωνῇ, « Μὴ

AVB SLQXF

34 αὐτῷ Q ‖ 35 ἑαυτοῦ : αὐτοῦ BF ‖ ἰθύνας SQXF ‖ 36 βουλῆς V ‖
ὑπεκστήσαντος (σ¹ sl) V ‖ 37 τοίχῳ : τύχῳ A ‖ 38 προσβολῆς Vᵃᶜ ‖
ἐξέδραμεν δὲ : καὶ ὃς (ὡς L) ἐκδραμὼν SLQXF ‖ 39 ἐγένετο SQXF Don : om.
cett. v ‖ τὸν Vˢˡ
81 1 τῇ : τῆς Vᵃᶜ ‖ 2-3 ἐντειλάμενος AVBv ‖ ἐντειλαμένου + ἐπειδὴ
SLQXF ‖ 3 εἰς τὸ om. Q ‖ τὸ Fˢˡ ‖ 6 ἤθεσιν A ἠθάσιν v ‖ 7 οὕτως + δὲ
AVBv ‖ τὸ : τὸν v ‖ 8 ᾧ : ἐν praem. AVBv ὃ Q ‖ αὐτὸν v Don : αυτὸν AVBL
αὐτὸν SQXF ‖ προσπεφεύγει BLX ‖ 11 ἐπίσταται AVBX ἐπιστᾶτε vid. Lᵖᶜ
ἐφίσταται Qv ‖ 13 θυμῷ + τὸ L ‖ 14-15 ὑποκύψαντα QXF ‖ 16 ἀπάγῃ Fᵃᶜ

c. Cf. 1 Rg 19, 9-10
a. Cf. 1 Rg 19, 11-12   b. 1 Rg 26, 8

trouble produit par la passion, Saül trouve, placée à côté de lui, la javeline et la lance sur son bienfaiteur en en dirigeant contre lui la pointe ; mais lui évite le trait grâce à l'alliance divine, et la pointe, dans son élan, s'enfonce profondément dans le mur [c]. Il a quitté alors les domaines royaux et s'est installé dans sa maison, espérant voir le courroux du roi se modifier sous l'effet du repentir.

Saül à la merci de David, modèle de magnanimité

81. Mais Saül plaça des soldats autour de la maison de David et commanda aux bourreaux de le tuer ; lui cependant, non sans peine, se jetant d'une fenêtre, se retrouva à l'air libre, échappa à la garde et se mit hors de danger [a]. Exilé, il passa alors tantôt dans un lieu, tantôt dans un autre, errant sans ressources avec ses hommes qui n'en avaient pas l'habitude. Et ainsi il est surpris par Saül qui a encerclé avec toute son armée la colline où David et les siens ont trouvé refuge. Comme un délai d'une nuit lui était accordé jusqu'à sa mort – Saül avait différé jusqu'à l'aurore le meurtre de celui qu'il poursuivait –, il se présenta devant la tente de son ennemi et le surprit sur un lit, relâché dans son sommeil ; néanmoins, non seulement il retint sa propre main qui avait sans doute hâte de s'abandonner à son courroux, mais il détourne aussi de son ardeur son écuyer qui se penchait déjà pour tuer Saül – il dit en effet : « Je frapperai et je ne m'y prendrai pas à deux fois [b] » – par cette grande et fameuse parole, disant :

διαφθείρῃς », εἰπών, τὸν πρὸς τὴν καθ᾽ ἡμῶν διαφθορὰν ἐπει-
γόμενον. Οὐ τοῦτο δὲ μόνον ἐστὶν τὸ θαυμαστὸν ἐν τῷ
πράγματι, ὅτι ζωὴν χαρίζεται τῷ κατὰ τῆς ζωῆς αὐτοῦ
20 ἅπαντα πράσσοντι, ἀλλ᾽ ὅτι πρὸς βασιλείαν χρισθεὶς ὁ Δαβὶδ
καὶ εἰδὼς μὴ ἄλλως ἂν μετασχεῖν τοῦ ἀξιώματος, εἰ μὴ ἐκ
ποδῶν γένοιτο ὁ Σαούλ, κρεῖττον ἔκρινεν διὰ τῆς μακροθυμίας
κακοπαθεῖν ἐν ἰδιωτικῇ ταπεινότητι ἢ θυμὸν κατὰ τοῦ λελυπηκότος ἐκπλήσας ἐπιβῆναι τῆς βασιλείας. Διὰ τοῦτο συμ-
25 παρεγράφη τῇ τῆς φιλανθρωπίας φωνῇ τὸ « Ὅτε ἀπέστειλεν
Σαοὺλ εἰς τὸν οἶκον τοῦ Δαβὶδ τοῦ θανατῶσαι αὐτόν [c] ». Οὐ
GNO 169   γὰρ τότε ἐρρέθη, ὅτε ταῦτα ἐγένετο, | ἀλλὰ προφέρει ὁ λόγος
εἰς τὴν τοῦ θαύματος ἐπίτασιν, ὅτι ταῦτα εἶπεν ὁ ἐκεῖνα
παθών.

82. Περιττὸν δὲ οἶμαι νῦν παρενθεῖναι τῷ λόγῳ πρὸς ἔτερα
σπεύδοντι τί τὸ ἐν τῇ ἱστορίᾳ ζητούμενον, πῶς, εἰπόντος τοῦ
λόγου ὅτι ἐπάταξε ὁ Σαοὺλ τὸν Δαβὶδ τῇ λόγχῃ, ἐπάγει ἡ
ἱστορία ὅτι κατὰ τοῦ τοίχου ἦλθε τὸ δόρυ, ὁ δὲ Δαβὶδ διε-
5 σώθη [a], καὶ ὅτι ἐπὶ τῆς κλίνης τοῦ Δαβὶδ αὐτὸς μὲν οὐχ
εὑρίσκεται, ἀλλ᾽ ἀντ᾽ ἐκείνου κενοτάφια καὶ ἧπαρ αἰγῶν [b],
ὅπερ τοῖς τότε εἰς ἀποτροπιασμὸν θανάτου ἔκ τινος συνηθείας
ἐγίνετο, ὥστε τὸν ἐν ἀρρωστίᾳ γενόμενον ὑπεξάγεσθαι μὲν τῆς
κλίνης, τὴν δὲ τοῖς τεθνηκόσιν ἐπιβαλλομένην στολὴν ἐπι-
10 τιθέναι τῷ κραββάτῳ καὶ ἧπαρ αἰγῶν. Δῆλον γὰρ ἂν εἴη τοῖς

AVB SZ (l. 18) LQXF

17 τὸν om. AVBL ‖ 18 ἐστὶν : <ὕπ>εστι S ὕπεστι (-έστη Q) ZLQXF ‖
19 αὐτοῦ om. SLQXF ‖ 20 ἀλλό τι A ‖ ὅτι : ἔτι V ‖ 21 ἂν : om. A ante ἄλλως
v ‖ 22 κρείττων L ‖ 24 ἐκπλήσας (κ sl) V ‖ 24-25 συμπεριγράφει Av ‖
25 φιλανθρωπίας : ψαλμῳδίας QF ‖ 26 τοῦ¹ om. AVBv ‖ θανατῶσα (ε sl) V ‖
27 προσφέρει QF ‖ 28 τὴν : ϯ Fˢˡ
82 2 τί om. SLQXF ‖ 3 ὁ om. AVBv ‖ 4 τοῦ om. AVBQFv ‖ τὸ δόρυ : ἡ
λόγχη (γρ. τὸ δόρυ sl al. man.) Q ‖ 7 συνηθείας S Athos Dion. 114 (Nicétas)
Don : συνηθείας τὸ τοιοῦτον cett. ‖ 8 ἐγένετο VX ‖ ἐν – γενόμενον : ἄρρωστον
AVBv ‖ 9-10 ἐπιτεθέναι L ‖ 10 τῷ : τὸ Vᵃᶜ ‖ αἰγῶν + ὅπερ τοῖς τότε εἰς
ἀποτροπιασμὸν θανάτου ἐγίνετο ὡς δεδήλωται QF

c. Ps 58, 1
a. Cf. 1 Rg 19, 10   b. Cf. 1 Rg 19, 13. 16

« Ne fais pas périr » celui qui s'active pour notre destruction. Et l'admirable ne consiste pas seulement en ce qu'il fait grâce de la vie à celui qui faisait tout pour attenter à la sienne, mais en ce que David, oint pour régner et sachant qu'il n'aurait part à cette dignité que si Saül se trouvait écarté, jugea préférable dans sa longanimité de subir l'épreuve d'une humiliation personnelle plutôt que de parvenir à la royauté en épanchant son courroux contre celui qui lui faisait du tort. C'est pourquoi on trouve écrit à côté de cette parole d'amitié ceci : « Quand Saül envoya des gens dans la maison de David pour le tuer [c]. » Ces mots n'ont pas, en effet, été dits alors, quand les événements que j'ai rapportés se sont produits, mais le texte souligne, pour faire grandir l'admiration, que c'est la victime d'un tel sort qui les a prononcés.

Une prophétie de l'œuvre du Christ

82. Je crois superflu d'introduire maintenant une parenthèse dans notre discours tandis qu'il se hâte vers d'autres questions, sur la nature de ce qui est cherché dans l'histoire : comment, tandis que le texte rapportait que Saül cherchait à frapper David de sa javeline, l'histoire ajoute que la lance est allée contre le mur, mais que David fut sauf [a], que sur son lit ce n'est pas David en personne qu'on trouve, mais à sa place des cénotaphes [1] et un foie de chèvre [b]. Cela servait aux gens de l'époque, en vertu d'un certain usage, à détourner la mort par un sacrifice expiatoire, de telle sorte que celui qui se trouvait malade était retiré de son lit, tandis que le vêtement qui recouvre les morts était placé sur la couche avec un foie de chèvre. Car il est sans doute clair pour les plus ardents au

___

1. Sur les cénotaphes, les ' sarcophages vides ', qui sont la traduction de l'hébreu *teraphim*, voir *BA* 9, 1 p. 93-96.

φιλοπονωτέροις, ὅτι προφητεία τῆς κατὰ τὸν Κύριον
οἰκονομίας ἐστὶν ἡ ἱστορία. Δαίμονες ἦσαν ἐν Σαοὺλ τῷ
τυράννῳ· τούτους ἀπελαύνει ὁ εἰς βασιλείαν χρισθεὶς τῷ τῆς
κιθάρας ὀργάνῳ κατ᾽ αὐτῶν ἐνεργήσας τὴν πτόησιν· ὁ δὲ
15 καταληφθεὶς ὑπὸ τῶν συνόντων αὐτῷ δαιμόνων πατάσσει τῇ
λόγχῃ τὸν διὰ τῆς κιθάρας τὴν κατὰ τῶν δαιμόνων ἰσχὺν
ἐνδειξάμενον, ἀλλ᾽ ὁ τοῖχος δέχεται ἀντὶ τοῦ Δαβὶδ τὴν
πληγήν· ὁ δὲ διασῴζεται. Μετὰ ταῦτα ὁ ἐπιβουλευθεὶς παρὰ
τοῦ Σαοὺλ ζητεῖται ἐπὶ τῆς κλίνης, καὶ ὁ μὲν οὐχ εὑρίσκεται,
20 κενοτάφια δὲ ἀντ᾽ ἐκείνου ἡ κλίνη ἔχει καὶ ἧπαρ αἰγῶν.

Φανερὰ δὲ πάντως ἐστὶν ἡ διὰ τῶν αἰνιγμάτων τῆς ἱστορίας
ἀκολουθία πρὸς τί βλέπει· ὅτι διὰ μὲν τοῦ Δαβὶδ ὁ ἐκ τοῦ Δαβὶδ
προμηνύεται, τὸν δὲ Χριστὸν ὁ χρισθεὶς διασημαίνει· καὶ ὅτι ἡ
κιθάρα τὸ ἀνθρώπινόν ἐστιν ὄργανον, ἡ δὲ ἐκ ταύτης | ᾠδὴ ὁ
25 διὰ τοῦ σαρκωθέντος φανερωθεὶς ἡμῖν λόγος, οὗ ἔργον ἐστὶν
ἀφανίσαι τὴν ἐκ δαιμόνων παραφοράν, ἵνα μηκέτι ὦσιν « οἱ
θεοὶ τῶν ἐθνῶν τὰ δαιμόνια ᶜ ». Ἀλλ᾽ ὁ βασιλεὺς ἐκεῖνος ὁ ἐν
ἑαυτῷ τοὺς δαίμονας ἔχων, ὅταν ὑποχωρήσῃ τὰ πνεύματα τῇ
ᾠδῇ τοῦ τὸ ὄργανον ἐπὶ τούτῳ ἁρμοσαμένου πατάσσει αὐτὸν
30 τῷ δόρατι — τὸ δὲ δόρυ ξύλον ἐστὶ σιδήρῳ καθωπλισμένον —,
ἀλλὰ δέχεται ἀντ᾽ ἐκείνου ὁ τοῖχος τὸ δόρυ. Τοῖχον δὲ νοοῦμεν
τὴν γηΐνην οἰκοδομήν, δι᾽ ἧς τὸ σῶμα καταμανθά-
νομεν, περὶ ὃ τὸ ξύλον βλέπομεν τοῦ σταυροῦ καὶ τὸν σίδηρον·
ὁ δὲ Δαβὶδ ἐκεῖνος ὁ χριστός τε καὶ βασιλεὺς ᵈ ἔξω τοῦ πάθους
35 ἐστίν. Ἡ γὰρ θεότης ἐν τῷ σταυρῷ τε καὶ τοῖς ἥλοις οὐ γίνεται.

PG 601

GNO 170

AVB SLQXF

15 καταλειφθεὶς SLXF || ὑπὸ : ἀπὸ SQXF || 18 ὁ² : οὖν QF || 19 ζητεῖ τὰ
QXF || 21 διὰ τῶν : διάνοια Av || αἰνιγμάτων + τῶν Q + καὶ v || 22 μὲν διὰ
AVBv || ὁ ἐκ τοῦ δαβὶδ om. B || 27 ἀλλ᾽ ὁ : ἀλλὰ SLQXF || ἐκεῖνος : μόνος
L || 28 αὐτῷ QF || ἔχων + ὃς SQXF || 29 τοῦ τὸ : τοῦτο AQv || ἁρμοσάμενον
v || αὐτὸν om. v || 30 δόρυ : δόρατι Q || καθωπλισμένον σιδήρῳ S || 35 τε om.
QF || οὐ om. A

c. Ps 95, 5   d. Cf. 1 Rg 16, 12-13

travail que l'histoire est une prophétie du plan du Seigneur. Le tyran Saül avait en lui des démons : celui qui a été oint pour la royauté les chasse par son instrument, la cithare, en provoquant la terreur en eux. Mais lui, qui est possédé par les démons qui l'entourent frappe de sa javeline celui qui, par sa cithare, a fait preuve de sa force contre les démons ; cependant, au lieu de David, c'est le mur qui reçoit le coup tandis que lui est sauf. Ensuite, on vient chercher sur le lit celui qui a été l'objet de la machination de Saül : lui, on ne le trouve pas, à sa place le lit contient des cénotaphes et un foie de chèvre.

On voit bien ce que vise l'enchaînement à travers les énigmes de l'histoire. Par David, c'est celui qui est issu de David qui est annoncé, et l'oint désigne le Christ. La cithare est l'instrument humain ; le chant qu'elle produit, la parole qui nous a été manifestée par celui qui s'est fait chair, dont l'œuvre est de faire disparaître le dérangement inspiré par des démons afin que « les démons » ne soient plus « les dieux des nations [c] ». Or ce roi qui possède en lui les démons, lorsque les esprits cèdent au chant de celui qui a accordé l'instrument pour cela, le frappe avec sa lance – la lance est un bois armé de fer –, mais à sa place c'est le mur qui reçoit la lance. Par mur, nous entendons la demeure terrestre que nous interprétons comme le corps autour duquel nous voyons le bois et le fer de la croix. Mais ce David, oint et roi [d], échappe à la passion. La divinité, en effet, ne se trouve pas dans la croix et les clous.

83. Μελχὸλ δὲ ἀκούσαντες τὴν ἐκ τοῦ Σαοὺλ γενομένην, ἣ
Δαβὶδ ἐκοινώνησεν ᵃ, οὐ ξενιζόμεθα πρὸς τὸ ἀκόλουθον βλέποντες. Οἴδαμεν γὰρ ὅτι « ὁ Θεὸς θάνατον οὐκ ἐποίησεν ᵇ »,
ἀλλὰ πατὴρ ἐγένετο τοῦ θανάτου ὁ τῆς κακίας βασιλεὺς ὁ
5 ἑαυτὸν τῆς ζωῆς στερήσας. « Φθόνῳ γὰρ διαβόλου ὁ θάνατος
εἰσῆλθεν ᶜ »· « ἐβασίλευσε δὲ ὁ θάνατος ἀπὸ Ἀδὰμ ᵈ » καὶ
ἕως τοῦ νόμου ᵉ, ὃν βούλεται μηκέτι βασιλεύειν ἐν ἡμῖν ὁ
ἀπόστολος ἐν τῷ θνητῷ ἡμῶν σώματι ᶠ. « Ὁ οὖν ὑπὲρ παντὸς
τοῦ θανάτου γευσάμενος ᵍ » ἐν τῷ οἴκῳ τῆς γενομένης ὑπὸ τοῦ
10 νοηθέντος ἡμῖν Σαοὺλ γίνεται, ὄνομα δὲ αὐτῇ Μελχόλ. Τοῦ δὲ
ὀνόματος τούτου τὸ σημαινόμενον « βασιλείας » ἐστὶν διὰ τὸ
μέχρι τότε βασιλεύειν τὴν ἁμαρτίαν τῆς φύσεως. Ἐνταῦθα δὲ
γενόμενος αὐτὸς μὲν διὰ θυρίδος ἐξέρχεται. Σημαίνει | δὲ ἡ
θυρὶς τὴν ἐπὶ τὸ φῶς πάλιν ἐπάνοδον τοῦ ἑαυτὸν « τοῖς ἐν
15 σκότει καὶ σκιᾷ θανάτου καθημένοις ʰ » δείξαντος. Τὰ δὲ
κενοτάφια αὐτοῦ ἐπὶ τῆς κλίνης ὁρᾶται. Φησὶ γὰρ καὶ ὁ
ἄγγελος τοῖς ἐν τῷ μνήματι ζητοῦσι τὸν Κύριον· « Τί ζητεῖτε
τὸν ζῶντα μετὰ τῶν νεκρῶν ; οὐκ ἔστιν ὧδε, ἠγέρθη ⁱ. » « Ἴδε
ὁ τόπος ἐν ᾧ ἔκειτο ʲ. » Τὸν τάφον, ἐν ᾧ ἐτάφη, εἶδον οἱ
20 ζητοῦντες τὸν Κύριον κενὸν τοῦ ζητουμένου σώματος. Μόνα
δὲ ἦν ἐν αὐτῷ τὰ ἐντάφια. Οὐκοῦν νοοῦμεν ὅτι τὴν ἀνάστασιν
τοῦ Κυρίου σημαίνει τὴν ἐπὶ τοῦ τάφου τὰ ἐπὶ τῆς κλίνης τοῦ

AVB SLQXF

83 1 μελχὸν B μελχὼ QF ‖ γινομένην LQXFv ‖ 2 ξενιζώμεθα v ‖ 3 οὐ
ποίησεν (κ vel καὶ sl) V ‖ 5 τῆς ζωῆς ἑαυτὸν QF ‖ στερήσας : χωρίσας S ‖ 6
εἰσῆθεν (sic) V ‖ ἀπὸ + τοῦ Q ‖ ἀδὰμ (ἀ sl) V ‖ 7 ἕως : μέχρι QF ‖ ὃν : οὐ v
‖ 8 παντὸς : τοῦ παντὸς S πάντων coni. *Don* ‖ 9 τοῦ¹ om. S ‖ γενομένης
Athos Dion. 114 (*Nicétas*) : om. cett. post 10 σαοὺλ *Don* ex *Oxoniensis. Bod.
Roe 4* (catena in Psalmos) ‖ 10 σαοὺλ + διαφθορᾶς SLX + αὐτῷ F ‖ μελχόν
B μελχώ QF ‖ 11 βασιλεία Q ‖ 12 μέχρις AVBL ‖ τῇ ἁμαρτίᾳ
LQXF ‖ δὲ om. V ‖ 18 τῶν : τὸν X ‖ 19 ἐν ᾧ¹ iter. L ‖ ἴδον AVBLv ‖ 20 κενὸν :
καὶ QF ‖ 21 δὲ om. QF

a. Cf. 1 Rg 18, 20-21. 27   b. Sg 1, 13   c. Sg 2, 24   d. Rm 5, 14   e. Cf.
Rm 5, 13-14   f. Cf. Rm 6, 12   g. He 2, 9   h. Lc 1, 79 ; cf. Mt 4, 16 ; Is 9,
1   i. Lc 24, 5-6   j. Mt 28, 6 ; cf. Mc 16, 6

83. Et nous ne sommes pas étonnés d'entendre mentionner Melchol, la fille de Saül, mariée à David [a], si nous considérons l'enchaînement. Nous savons en effet que « Dieu n'a pas fait la mort [b] », mais qu'est devenu père de la mort le roi du vice qui s'est privé de la vie. Car « c'est par la jalousie du diable que la mort est venue [c] » et « la mort a régné d'Adam [d] » jusqu'à la Loi [e], dont l'apôtre ne veut plus le règne en nous, dans notre corps mortel [f]. Celui, donc, qui « pour tout homme a goûté la mort [g] » se trouve dans la maison de celle qui est née de Saül dont nous avons donné le sens, et son nom est Melchol. Ce nom signifie « royauté », parce que, jusqu'alors, le péché régnait sur la nature. Une fois là, il sort de lui-même par une fenêtre. Or la fenêtre signifie le retour à la lumière de celui qui s'est manifesté à ceux qui sont « assis dans l'obscurité et l'ombre de la mort [h] ». On voit sur le lit ses cénotaphes, car l'ange dit également à ceux qui cherchent le Seigneur dans le tombeau : « Pourquoi cherchez-vous le vivant parmi les morts ? Il n'est pas ici, mais il est ressuscité [i]. » « Voici le lieu où il gisait [j]. » Ceux qui cherchaient le Seigneur virent la tombe où il était enseveli vide du corps qu'ils cherchaient. Seuls s'y trouvaient les vêtements funéraires. Nous comprenons donc que les cénotaphes sur le

Δαβὶδ κενοτάφια, δι' ὧν γίνεται ὁ ἀληθινὸς τοῦ θανάτου ἡμῶν
ἀποτροπιασμός.

25   Τοῦ δὲ τρωθέντος τοίχου, ὃν ἀντὶ τοῦ σώματος ἐνοήσαμεν,
αἷμα μὴ ἔχοντος, ὡς ἂν μὴ παραλειφθείη τὸ καιριώτατον τῶν
εἰς τὸ μυστήριον νοουμένων, δι' οὗ ἐλυτρώθημεν, τὸ αἷμα
λέγω, τοῦτο ἐν τοῖς κενοταφίοις εὑρίσκεται· μόνον γὰρ ἐν τοῖς
σπλάγχνοις τὸ ἧπαρ αἵματός ἐστι πηγή τε καὶ ἐργαστήριον, οὗ
30   χωρὶς ἀδύνατόν ἐστι συστῆναι τὴν φύσιν τοῦ αἵματος. Εἰ οὖν
ἐκ τοῦ ἥπατος τὸ αἷμα, ἐν δὲ τοῖς κενοταφίοις τὸ ἧπαρ, οὐδὲ τὸ
αἷμα λείπει τῷ γενομένῳ τῇ φύσει τῶν ἀνθρώπων ἀπο-
τροπιασμῷ τοῦ θανάτου· τὸ δὲ γένος τοῦ ζῴου τούτου, οὗ τὸ
ἧπαρ ἐλήφθη, ταῖς ἱλεωτικαῖς ὑπὲρ τῶν ἁμαρτιῶν θυσίαις
35   ἀποτεταγμένον ἐστίν ᵏ. Οὐ μόνον δὲ τοῦτο, ἀλλὰ καὶ ἐκ τοῦ
αὐτοῦ γένους καὶ εἰς τὸ πάσχα παραλαμβάνεται· καὶ ἀποπεμπτικὸν τῆς τοῦ λαοῦ ἁμαρτίας τὸ ζῷον τοῦτό φησι δεῖν ὁ
Μωυσῆς ποιεῖσθαι, ὅτε εἰς διπλῆν ἐνέργειαν μερίζεται. Καὶ
δύο προτεθέντων χιμάρων ἐκ διακληρώσεως, τὸ μὲν ἀνα-
40   τίθεται τῷ Θεῷ, τὸ δὲ τῇ ἁμαρτίᾳ ἐκπέμπεται ἐπὶ τὴν
ἔρημον ¹. Διὰ πάντα οὖν ταῦτα καὶ τὰ τοιαῦτα τούτου τοῦ
ζῴου τὸ ἧπαρ εἰς τὴν τοῦ αἵματος ἔνδειξιν παρελήφθη, δι' οὗ
τῶν ἐπιθανατίως νενοσηκότων ὁ ἀποτροπιασμὸς τοῦ θανάτου
ἐγένετο διὰ τῆς ἐκ νεκρῶν ἀναστάσεως τοῦ Κυρίου ἡμῶν, ἣν
45   σημαίνει τὸ κενοτάφιον.

PG 604

GNO 172

AVB SLQXF

23 δι' – ὁ : οὐκοῦν νοοῦμεν QXF ‖ ἀληθινὸς : οὕτως γενόμενον τὸν QF ‖ 24
ἀποτροπιασμὸν QF ‖ 25 τρωθέντος : σταυρωθέντος Q ‖ 26 ἔχοντα Q ἔχοντ F
‖ παραλειφθείη : ἄρα λειφθείη AVBv ‖ 28 ἐν τοῖς : ῥητοῖς v ‖ 30 ἀδύνατός Q
‖ τοῦ om. Q ‖ 31 τὸ³ : τῷ AQ ‖ 34 ἧπαρ : υπαρ B ‖ ἐλείφθη AVB ‖ τῶν Vᵖᶜ:
τῷ V ‖ 36–37 ἀποπεμπτικὸν τῆς : ἀποπεντηκοστῆς L ‖ 38 ὅτε : εἴτε Q ‖
ἐνέργειαν + τὸ ζῷον τοῦτο SLQXF + [τὸ ζῷον τοῦτο] Don ‖ 39 προτιθέντων
VQF ‖ χειμάρρων ABL χειμάρων VQ ‖ μὲν + ἐν VB ‖ 41 καὶ – τοιαῦτα : om.
QFᵐᵍ

k. Cf. Nb 7, 16 s.   l. Cf. Lv 16, 5-22 ; Ex 12, 5

lit de David signifient la résurrection du Seigneur, celle en rapport avec la tombe, par laquelle est opéré le véritable détournement expiatoire de notre mort.

Comme sur le mur blessé, qui tient lieu de corps selon notre interprétation, il n'y a pas de sang, pour que ne soit pas omise la principale des réalités relatives au mystère par lequel nous avons été rachetés, je veux dire le sang, celui-ci se trouve dans les cénotaphes. Le foie est, en effet, le seul des organes qui soit une source et une officine de sang. Sans lui, il est impossible à la nature du sang de se former [1]. Si donc le sang vient du foie et si le foie est dans les cénotaphes, le sang lui non plus n'est pas absent du détournement, par un sacrifice expiatoire, de la mort qui a eu lieu pour la nature humaine. Cette espèce animale, à qui on a pris le foie, a été réservée aux sacrifices de propitiation pour les péchés [k]. Et ce n'est pas tout : c'est également la même espèce qu'on prend précisément pour la Pâque. Et Moïse dit qu'il faut employer cet animal pour écarter le péché du peuple, quand il est séparé pour une double action : deux chevreaux sont proposés par tirage au sort, l'un est offert à Dieu, l'autre est chassé dans le désert pour le péché [l]. Donc, pour toutes ces raisons et d'autres semblables, c'est de cet animal qu'on a pris le foie pour désigner le sang : grâce à lui, pour ceux qui étaient mortellement malades, a eu lieu le détournement par sacrifice expiatoire de la mort, par la résurrection des morts de notre Seigneur, qui est le sens du cénotaphe.

---

1. Cf. *Op hom* 245 A : « Les conduits du sang ont, pour ainsi dire, leur source dans le foie. » L'idée remonte à Empédocle et est partagée par Galien.

84. Ἀλλὰ καιρὸς ἂν εἴη καὶ τὸν ἐν τῇ ψαλμῳδίᾳ νοῦν διὰ
βραχέων ἐπιδραμεῖν ἔχοντα οὕτως· μερίζει τὸν λόγον ἡ προφητεία. Ὁ μὲν γὰρ ὑπὲρ ἡμῶν πρὸς τὸν Θεὸν γίνεται ἐκ τοῦ
κοινοῦ τῆς φύσεως προσαγόμενος· ὁ δὲ πρὸς ἡμᾶς ἐκ τοῦ ὑπὲρ
5 ἡμῶν ἀναδεξαμένου τὸ πάθος. Τὰ μὲν οὖν ὑπὲρ ἡμῶν ἐστὶ
ταῦτα· « Ἐξελοῦ με, λέγων, ἐκ τῶν ἐχθρῶν μου, ὁ Θεός, καὶ
ἐκ τῶν ἐπανισταμένων ἐπ᾽ ἐμὲ λύτρωσαί με » καὶ « ἐκ τῶν
ἐργαζομένων τὴν ἀνομίαν καὶ ἐξ ἀνδρῶν αἱμάτων[a] » οἳ
« ἐθήρευσαν τὴν ψυχήν μου » καὶ « ἐπέθεντο[b] » ἰσχυρῶς οὐδὲν
10 παρ᾽ ἡμῶν προπεπονθότες κακόν. Οὐ γὰρ ἥμαρτόν τι κατ᾽
ἐκείνων, οὐδέ ἐστιν ἀνομία τις παρ᾽ ἡμῶν ἐπὶ βλάβῃ τῶν
ἐχθρῶν ἐνεργηθεῖσα[c], ἐφ᾽ ᾗ καὶ παροξύνονται. Ἄνευ ἀνομίας
ἦν ἡμῖν ὁ πρῶτος δρόμος[d]. Ἀλλ᾽ ἰδοὺ τὰ πάντα, φησίν, οἷά
ἐστι. « Ἴδε[e] » καὶ « πρόσχες τοῦ ἐπισκέψασθαι[f] ». Καὶ μὴ
15 ἀναβάλῃ διὰ φιλανθρωπίας τὴν κατὰ τῶν πεπλημμεληκότων
ἐκδίκησιν. « Μὴ οἰκτειρήσῃς γάρ, φησίν, πάντας τοὺς ἐργα-
ζομένους τὴν ἀνομίαν[g]. »

Εἶτα μετάγει τὸν λόγον ἐπὶ τὸ ὑπερκείμενον πρόσωπον καί
φησιν ὡς ἐκ προσώπου τοῦ τῆς εὐχῆς ἐπακούσαντος ὅτι οὗτοι
20 οἱ ἐχθροὶ εἰς τὴν ἑσπέραν ἑαυτῶν ἐπιστρέψουσιν[h]. Ὅπερ
οὐδὲν ἄλλο ἐστὶν ἢ ὅτι εἰς τὸ ἐξώτερον σκότος συνελα-
σθήσονται[i]. Ἡ γὰρ ἑσπέρα σκότους γίνεται ἀρχή τε καὶ
μήτηρ. « Καὶ λιμώξουσιν ὡς κύων[j]. » Οἷς γὰρ οὐκ ἔστι
σωτηρίας ἐφόδιον, | ἐξ ἀνάγκης ἢ ἐκ τοῦ λιμοῦ τῶν ἀγαθῶν

GNO 173

AVB SLQXF

84 2 ἐπιδραμην (sic) F ‖ 4 προσαγομένης AVBLv ‖ 6 ἐξελοῦμαι AQ
ἐξελῶμαι F ‖ 7 λύτρωσά (ι sl) V ‖ καὶ : ῥύσαι με SQF ‖ 8 αἱμάτων + σῶσόν
με SQF ‖ 9 ἐπέθεντο + ἐπ᾽ ἐμὲ SQXF ‖ 10 ἡμάρτομεν VF ἡμάρτωμεν Q ‖ τί
QF ‖ 12 καὶ om. QF ‖ 13 ὁ om. QXF ‖ δόμος (ρ sl) V ‖ 13-14 φησίν post ἰδοὺ
VB post ἐστι QF ‖ 15 τὴν om. v ‖ πλημμελη κηκότων SQF ‖ 18 τὸ : τοὺς A ‖
ὑπερκειμένων Fᵃᶜ ‖ 21-22 συνελαθήσονται LX ‖ 24 ἀγαθῶν : παθῶν L

a. Ps 58, 2-3   b. Ps 58, 4ab   c. Cf. Ps 58, 4c   d. Cf. Ps 58, 5a   e. Ps 58,
5b   f. Ps 58, 6b   g. Ps 58, 6c   h. Cf. Ps 58, 7   i. Cf. Mt 8, 12   j. Ps 58,
7

L'homme s'adresse à Dieu et le Christ à l'homme

84. Mais le moment est venu de parcourir brièvement également le sens du psaume qui est le suivant : la prophétie divise le texte, car une partie est adressée pour nous à Dieu de la part de notre nature dans son ensemble ; l'autre nous est destinée de la part de celui qui a souffert pour nous la passion. Les paroles, donc, qui sont pour nous, sont les suivantes : « Arrache-moi, dit-il, à mes adversaires, mon Dieu, et de ceux qui se dressent contre moi délivre-moi », et « de ceux qui commettent l'iniquité et des hommes de sang [a] » qui « ont pourchassé mon âme » et « ont attaqué [b] » violemment sans avoir subi le moindre préjudice de notre part. Car je n'ai pas péché contre eux et nous n'avons pas commis non plus pour nuire à nos adversaires d'iniquité [c] qui puisse précisément les irriter. La première course fut pour nous sans iniquité [d]. Mais vois, dit-il, tout ce qui existe : « Vois [e] » et « songe à aller examiner [f] ». Et ne diffère pas par amitié la punition des fautifs : « N'aie pas pitié, dit-il, de tous ceux qui commettent l'iniquité [g]. »

L'intérieur et l'extérieur de la cité

Puis il passe la parole à la personne transcendante et dit au nom de la personne qui a exaucé la prière : ces adversaires retourneront vers leur propre soirée [h], ce qui revient à dire qu'ils seront poussés vers l'obscurité du dehors [i], car la soirée est principe et mère d'obscurité. « Et ils seront affamés comme un chien [j]. » En effet, ceux qui n'ont pas la ressource du salut seront nécessairement poursuivis par la misère que

504   SUR LES TITRES DES PSAUMES (PS 58)

25 ἐπακολουθήσει ταλαιπωρία. Οὕτως ἐλίμωξεν ἐν τῷ ἄδῃ ὁ
πλούσιος, τῆς θείας δρόσου ἔρημος ὤν· καὶ διὰ τὸ ἀπαρά-
σκευον τοῦ τοιούτου ἀγαθοῦ εἶναι τῇ φλογὶ κατεφλέγετο ᵏ.
Ἀλλὰ καὶ « κυκλώσουσι πόλιν ¹ », φησίν. Ὅπερ τοιοῦτόν μοί
τινα νοῦν ὑποσημαίνειν δοκεῖ· ἐπειδὴ πᾶν τὸ ἀχρεῖόν τε καὶ
30 ἀπόβλητον ὡς πρὸς τὴν τῶν ζώντων χρῆσιν ἔξω ῥίπτεται τῆς

PG 605   πόλεως εἴτε τι νεκρὸν καὶ διεφθορὸς εἴτε δυσώδης τις κόπρος,
περὶ ἃ ὑπὸ τῆς τοῦ λιμοῦ ἀνάγκης οἱ κύνες ἐξευρίσκονται τῷ
ῥύπῳ τῷ ἐκ τῆς πόλεως ἐκβαλλομένῳ ἐμβιοτεύοντες, διὰ
τούτου τῶν ἐν ἀρετῇ καὶ κακίᾳ ζώντων τὴν διαφορὰν διδάσ-
35 κων ὁ λόγος ἐν τῷ τῆς πόλεως διασημαίνει αἰνίγματι· πόλιν
λέγων τὴν ὑπὸ τῆς ἀρετῆς συνῳκισμένην εὐπρεπῆ τε καὶ
εὐδιάθετον πολιτείαν· τὰ δὲ ἔξω τῆς πόλεως τὴν ἐκ τοῦ
ἐναντίου παραθεωρουμένην κακίαν δηλοῖ, ἐν ᾗ πᾶσα ἡ τοῦ
ἀστειοτέρου βίου ἀποβολή, ἥ τις ἐστὶν δυσώδης ἁμαρτία, ἔκ τε
40 τῆς σήψεως τῶν σωμάτων καὶ ἐκ τῆς ῥυπαρᾶς κόπρου
συνισταμένη εὑρίσκεται. Οὐκοῦν τῆς μὲν πόλεως οἰκήτωρ
ἐστὶν τὸ μέγα καὶ τίμιον χρῆμα, ὁ ὄντως ἄνθρωπος καὶ τὸν ἐξ
ἀρχῆς ἐπιβληθέντα χαρακτῆρα τῇ φύσει ᵐ διὰ τοῦ βίου
μεμορφωμένον ἔχων. Ὁ δὲ περὶ τὰ ἔξω τῆς πόλεως ἀνα-
45 στρεφόμενος κύων ἐστὶν καὶ οὐκ ἄνθρωπος, ὥστε φανερὸν
εἶναι παντὶ πῶς χρὴ διακρίνειν τοὺς κύνας ἀπὸ τῶν κατὰ φύσιν
ἀνθρώπων, οὐκ ἐκ τοῦ σχήματος λέγω τῆς τοῦ σώματος
διαπλάσεως, ἀλλ' ἐκ τῆς κατὰ τὸν βίον διαφορᾶς. Ὁ γὰρ τῆς
ἐναρέτου πόλεως ἔνοικος ἀληθῶς ἐστιν ἄνθρωπος· εἰ δέ τις
50 περὶ τὴν δυσώδη ἀκολασίαν ἢ τὴν περιττωματικὴν πλεο-

AVB SLQXF

25 ἐν om. A ‖ 27 ἀγαθοῦ om. v ‖ κατεφλέγετο (λ sl) V ‖ 28 μοί : post ὅπερ
S Xˢˡ ‖ 29 νοῦν Lᵖᶜ al. man. vid. : οὖν L ‖ πᾶν τὸ : πάντα L ‖ τε om. Q ‖
31 τι om. AVBv ‖ νεκρὸς B ‖ 32 τῆς om. X ‖ 33 ἐκβαλομένῳ F ‖ ἐμβιοῦντες
QXF ‖ 34 τοῦτο QXF ‖ διαφορὰν Aᵖᶜ ᵐᵍ : διαφθορὰν Aᵗˣ ‖ 39 ἢ om.
AVBLv ‖ ἁμαρτία + ἢ AVBv ‖ 44 πόλεω (sic) X

k. Cf. Lc 16, 19-24   l. Ps 58, 7   m. Cf. Gn 1, 26-27

provoque la faim des biens. Ainsi le riche a été affamé dans l'Hadès, privé de la rosée divine, et, parce qu'il ne s'était pas préparé à un tel bien, il a été consumé par la flamme [k]. Mais il dit aussi : « Ils encercleront une cité [1] », ce qui me semble sous-entendre un sens comme celui-ci : puisqu'on jette hors de la cité tout ce qui est inutile et méprisable pour ce qui concerne l'usage des vivants, qu'il s'agisse soit d'une réalité morte et corrompue, soit d'une ordure infecte, autour desquelles on trouve les chiens qui, sous l'empire de la faim, vivent dans la souillure rejetée par la cité, par là la parole enseigne la différence entre ceux qui vivent dans la vertu et ceux qui vivent dans le vice et la traduit par l'énigme de la cité. Par cité, il veut dire le régime bien réglé et bien ordonné, formé par la vertu ; au contraire, ce qui est en dehors de la cité révèle le mal qui est mis en regard avec son contraire : en lui se trouve tout le rejet de la vie civilisée, c'est-à-dire une sorte de péché infect, constitué à partir de la putréfaction des corps et de la souillure ordurière [l]. Est donc un habitant de la cité l'être grand et estimable, l'homme véritable que sa vie a conformé à l'empreinte apposée sur la nature dès l'origine [m] ; au contraire, celui qui se tourne vers ce qui est en dehors de la cité est un chien et non un homme, de telle sorte que chacun voit clairement comment distinguer les chiens des hommes par nature, je veux dire non d'après l'aspect de leur conformation physique, mais d'après la différence de leur vie. Car celui qui habite la cité vertueuse est vraiment un homme ; mais s'il s'adonne à l'intempérance infecte ou à la cupidité excrémentielle, que l'on peut justement nommer

---

1. Cf. *Virg* XII, 3, 22 s. à propos de la drachme perdue : « Par ' cette drachme que l'on cherche ', il suggère assurément l'image du roi, non point entièrement perdue mais cachée sous l'ordure. Par ordure (κόπρον), il faut entendre, je pense, la souillure (ῥυπαρίαν) de la chair. » La source de Grégoire serait ici, selon M. Aubineau, MÉTHODE D'OLYMPE pour qui l'ordure désigne « les passions qui enténèbrent et obscurcissent l'âme » (*Symp.* IX, 4, 11).

νεξίαν, ἣν κυρίως ἄν τις ὀνομάσειε κόπρον, ἢ περὶ τὰ ἄλλα τῆς
κακίας εἴδη τὴν σπουδὴν ἔχοι, ἔξω τοῦ κύκλου τῆς πόλεως |
ἐκείνης πλανώμενός τε καὶ περιέρπων βοᾷ καθ᾽ ἑαυτοῦ τὸ
κύων εἶναι, μεταπλασθείσης ἀπὸ τῆς εἰς τὸν Θεὸν ὁμοιότητος
55 ἐπὶ τὸ κυνῶδες τῆς φύσεως. Νοεῖς δὲ πάντως διὰ τῶν κυνῶν
τὸν ἀρχέγονον κύνα τὸν σαρκοβόρον τε καὶ ἀνθρωποκτόνον,
καθώς φησιν ἡ Γραφή [n].

85. Καὶ τὰ ἐφεξῆς τοῦ ψαλμοῦ διαγράφει τὴν κυνώδη ζωήν.
Ἀντὶ γὰρ τῆς ὑλακῆς φθόγγον τινὰ διὰ στόματος αὐτῶν
γενέσθαι λέγει, καὶ ἀντὶ τῶν κυνοδόντων ῥομφαίαν τοῖς
χείλεσιν ὑποκεκρύφθαι φησίν, οὕτω λέγων τοῖς ῥήμασιν·
5 « Ἰδοὺ ἀποφθέγξονται ἐν τῷ στόματι αὐτῶν καὶ ῥομφαία ἐν
τοῖς χείλεσιν αὐτῶν [a]. » Ἀλλὰ τὰ φοβερὰ ταῦτα τοῖς τὸν Θεὸν
ἐν ἑαυτοῖς ἔχουσι γέλως ἐστίν. « Σὺ γάρ, φησίν, Κύριε,
ἐκγελάσῃ αὐτούς [b] »· ἐγὼ δὲ « τὸ κράτος μου πρὸς σὲ
φυλάξω [c]. » Καὶ μετ᾽ ὀλίγα προμηνύει τὴν ὁρισθεῖσαν ὑπὸ τοῦ
10 Θεοῦ ἐπὶ τοῦ ἰδίου πλάσματος οἰκονομίαν. Φησὶ γάρ· « Μὴ
ἀποκτείνῃς αὐτούς », ἀλλὰ « κατάγαγε αὐτοὺς [d] » ἀπὸ τοῦ
ὕψους τῆς κακίας εἰς τὸ ἐπίπεδόν τε καὶ ὁμαλὸν τῆς κατὰ Θεὸν
πολιτείας. Ὅπερ δὴ καὶ Παῦλος ὁ μέγας καὶ ὁ βαπτιστὴς

AVB SLQXF

52 εἴδη : ἤδη AQ ‖ ἔχει SLQXF ‖ 54 τὸν om. AS

85 1 κτηνώδη VB ‖ 3 γίνεσθαι SQXF ‖ 7 κύριος v ‖ 8 ἐγγελάσῃς V
ἐγγελάσῃ B ἐκγελάσῃς Q ‖ αὐτοῖς V[ac]F ‖ 9 ὁρισθεῖσαν : γενομένην VB ‖
10 οἰκονομίαν : φιλανθρωπίαν VB ‖ γὰρ + ὅτι SL ‖ 12 κακίας : ἀπιστίας
VB ‖ κακίας + αὐτῶν S ‖ 12-13 κατὰ − πολιτείας : σῆς ἐπιγνώσεως VB ‖
13 παῦλος : ὁ praem. QXF

n. Cf. Jn 8, 44

a. Ps 58, 8   b. Ps 58, 9a   c. Ps 58, 10a   d. Ps 58, 12ac

ordure, ou à toute autre forme de vice, il erre et rampe en dehors de l'enceinte de cette cité et se crie à lui-même qu'il est un chien, puisque sa nature a quitté sa ressemblance avec Dieu pour prendre la forme du chien. Or, tu conçois parfaitement à travers les chiens le premier chien, carnivore et homicide, comme le dit l'Écriture [n].

La destruction du péché et la victoire sur les opposants

85. Et la suite du psaume décrit l'existence de chien. En effet, remplaçant l'aboiement, une parole, affirme-t-il, traverse leur bouche, et, remplaçant les canines, un glaive, dit-il, est dissimulé sous leurs lèvres. Il affirme ainsi textuellement : « Voici qu'ils parleront dans leur bouche et un glaive est sur leurs lèvres [a]. » Mais ces réalités redoutables font rire ceux qui ont Dieu en eux. En effet, dit-il, « toi, Seigneur, tu te riras d'eux [b] », mais moi, « je garderai chez toi ma force [c] ». Puis, peu après, il annonce le plan défini par Dieu pour son propre ouvrage. Il dit en effet : « Ne les tue pas », mais « fais-les descendre [d] » de la hauteur de leur vice sur le sol plat et uni d'une condition en rapport avec Dieu. Ce que précisément aussi bien le grand Paul que Jean le Baptiste ont fait :

Ἰωάννης ἐποίησεν. Ἐν Παύλῳ μὲν « καθαιρουμένου παντὸς
15 ὑψώματος τοῦ κατὰ τῆς θείας γνώσεως ἐπαιρομένου ᵉ »· ὑπὸ
δὲ Ἰωάννου κατὰ τὴν προφητείαν Ἡσαΐου παντὸς ὄρους καὶ
βουνοῦ πρὸς τὸ ταπεινὸν κατασπωμένου ᶠ. Δι' ὧν μανθάνομεν
ὅτι τῶν μὲν ἀνθρώπων ἀφανισμὸς οὐκ ἔσται, ἵνα μὴ τὸ θεῖον
GNO 175   ἔργον | ἀχρειωθῇ τῷ ἀνυπάρκτῳ ἀφανιζόμενον. Ἀλλ' ἀντ'
20 αὐτῶν ἀπολεῖται ἡ ἁμαρτία καὶ εἰς τὸ μὴ ὂν περιστήσεται.
« Ἁμαρτία γάρ, φησίν, στόματος αὐτῶν καὶ λόγος χειλέων
αὐτῶν ᵍ » καὶ ὑπερηφανία καὶ ἀρὰ καὶ ψεῦδος ʰ « ἐν τῇ
PG 608   ὀργῇ τῆς συντελείας οὐχ ὑπάρξουσιν ⁱ ». Ὧν μηκέτι ὄντων,
« γνώσονται, φησίν, ὅτι ὁ Θεὸς δεσπόζει τοῦ Ἰακὼβ καὶ τῶν
25 περάτων τῆς γῆς ʲ.» Μηδαμοῦ γὰρ ὑπολειφθείσης κακίας,
πάντως ἔσται τῶν περάτων δεσπότης ὁ Κύριος, τῆς νῦν
βασιλευούσης τῶν πολλῶν ἁμαρτίας ἐκ ποδῶν γενομένης.
Εἶτα πάλιν τὸν αὐτὸν ἐπαναλαμβάνει λόγον περὶ τῶν ἐπι-
στρεφόντων εἰς ἑσπέραν καὶ λιμωττόντων ὡς κύων καὶ ἐν
30 κύκλῳ περιερχομένων τὴν πόλιν ᵏ, δηλῶν, οἶμαι, διὰ τῆς τοῦ
λόγου ἐπαναλήψεως ὅτι καθ' ἑκάτερον οἱ ἄνθρωποι κατά τε τὸ
πονηρὸν καὶ τὸ κρεῖττον, ἐν οἷς ἂν νῦν γένωνται, ἐν τοῖς αὐτοῖς

AVB SLQXF

14-15 ἐν – ὑψώματος : παῦλος μὲν καθαιρῶν πᾶν ὕψωμα VB ‖ 15 τοῦ –
ἐπαιρομένου : ἐπαιρόμενον κατὰ τῆς θείας γνώσεως (ἐπιγνώσεως Β) VB ‖
15-16 ὑπὸ δὲ ἰωάννου : ἰωάννης δὲ ἐξομαλίζων καὶ λεαίνων VB ‖ 16-17
παντὸς – βουνοῦ : πάντα βουνὸν· καὶ πᾶν ὄρος· τὸ τραχὺ τῆς κακίας
ἀνάστημα· VB ‖ 17-24 κατασπωμένου – ὅτι : τῆς ἀρετῆς καὶ ἰσόπεδον
πανταχόθεν δὲ τῆς ἀπιστίας ἐλαμένης· καὶ τῆς θείας γνώσεως
ἀντεισαγομένης VB ‖ 18 ὅτι om. A ‖ 19 τῷ : τὸ A ‖ 22 καὶ³ om.
A ‖ τῇ Qˢˡ ‖ 24 ἰακωβῆ vid. Q ‖ 25 μηδαμῶς Av ‖ γὰρ + τῆς εἰδωλολατρίας
VB ‖ κακίας om. VB ‖ 26 νῦν : ποτὲ VB ‖ 27 ἁμαρτίας τῶν πολλῶν VB ‖
γενομένης + ἣν ἁμαρτίαν στόματος αὐτῶν φησίν· καὶ λόγον χειλέων αὐτῶν·
καὶ ὑπερηφανίαν· καὶ ἀρὰν καὶ ψεῦδος VB ‖ 28 τὸν uncis incl. v ‖ 29 κυνῶν
v ‖ ἐν om. VB ‖ 30 περιεχομένων A ‖ 31 ἑκάτεροι Q ‖ οἱ om. Q ‖ τὸ : τὸν
V ‖ 32 νῦν om. VB ‖ γένονται A

e. 2 Co 10, 5   f. Cf. Lc 3, 5 ; Is 40, 3-5   g. Ps 58, 13a   h. Cf. Ps 58,
13bc   i. Ps 58, 14a   j. Ps 58, 14b   k. Cf. Ps 58, 15

avec Paul, « est renversée toute hauteur qui se dresse contre la connaissance de Dieu [e] », tandis que par Jean, selon la prophétie d'Isaïe, toute montagne et toute colline sont tirées vers le bas [f]. Par là nous apprenons qu'il n'y aura pas disparition des hommes, afin que l'œuvre divine ne soit pas rendue inutile en disparaissant par son inexistence. Mais à leur place, le péché sera détruit et réduit au néant. Car, dit-il, « péché de leur bouche et parole de leurs lèvres [g] », orgueil, imprécation et mensonge [h], « dans la colère de l'accomplissement, ne subsisteront pas [i] ». Quand cela ne sera plus, « ils sauront, dit-il, que Dieu est le maître de Jacob et des extrémités de la terre [j]. » En effet, nulle malice ne subsistant nulle part, le Seigneur sera totalement maître des extrémités, puisque le péché qui règne aujourd'hui sur le plus grand nombre aura été écarté. Puis il reprend encore la même parole sur ceux qui retournent vers la soirée, sont affamés comme un chien et font le tour de la cité [k], révélant, je crois, par la reprise du texte, que les hommes, sous le double rapport du mal et du mieux dans lesquels ils se trouvent aujourd'hui, seront

καὶ μετὰ ταῦτα γενήσονται. Ὁ γὰρ νῦν δι᾽ ἀσεβείας κύκλῳ
περιπατῶν καὶ μὴ ἐμβιοτεύων τῇ πόλει μηδὲ τὸν ἀνθρώπινον
35 ἐπὶ τοῦ ἰδίου βίου χαρακτῆρα φυλάσσων, ἀλλὰ ἀποθηριού-
μενος διὰ τῆς προαιρέσεως καὶ κύων γενόμενος οὗτος καὶ τότε
τῆς ἄνω πόλεως ἐκπεσὼν ἐν λιμῷ τῶν ἀγαθῶν κολασθήσεται.
Ὁ δὲ νικητὴς τῶν ἐναντίων καὶ προϊὼν – καθώς φησιν ἑτέρωθί
που ὁ ψαλμῳδός – ἐκ δυνάμεως εἰς δύναμιν[1] καὶ
40 νίκην νίκῃ διαμειβόμενος, « Ἄισομαι, λέγει, τῇ δυνάμει σου,
καὶ ἀγαλλιάσομαι τὸ πρωὶ τὸ ἔλεός σου, [ὅτι ἐγενήθης
ἀντιλήπτωρ μου καὶ καταφυγή μου, καί σοι πρέπει ἡ δόξα εἰς
τοὺς αἰῶνας τῶν αἰώνων[m] ». Ἀμήν.]

AVB SLQXF

34 καὶ om. v ‖ τὸν : τὸ BL ‖ 35 ἀλλὰ : ἀλλ᾽ VB καὶ SLQXF ‖ 36 γινόμενος
B ‖ 40 νίκην : post νίκη A νίκη L ‖ νίκη om. v ‖ ἄσωμαι L ‖ 41 τῷ ἐλέει S ‖
41-43 ὅτι – ἀμήν om. SLQXF ‖ 43 ἀμὴν + τοῦ ἁγίου γρηγορίου νύσσης εἰς
τὰς ἐπιγραφὰς τῶν ψαλμῶν A

---

1. Cf. Ps 83, 8   m. Ps 58, 17

encore par la suite dans la même situation. Car celui qui, par impiété, rôde autour de la cité et n'y vit pas ne conserve pas non plus l'empreinte humaine sur sa propre vie, mais se transforme en bête par son choix, et devient un chien : celui-ci sera alors aussi chassé de la cité d'en haut, tombera dans une faim des biens et sera châtié. Mais le vainqueur des opposants, comme il s'avançe – ainsi que le dit ailleurs le psalmiste – de puissance en puissance [l] et échange victoire contre victoire, dit : « Je chanterai pour ta puissance et je célébrerai à l'aube ta miséricorde, [parce que tu es devenu mon soutien et mon refuge [m] », et la gloire te convient pour les siècles des siècles. Amen.]

APPENDICE I

On trouvera ci-dessous un relevé des citations bibliques dont le texte diffère de celui des éditions de référence. Les plus nombreuses sont bien sûr celles des *Psaumes*. Est d'abord cité le texte du traité, puis celui retenu par les éditeurs modernes ; les parenthèses contiennent les variantes mentionnées dans leur apparat et concernent, sauf indication contraire, le dernier mot cité [1].

A. L'Ancien Testament

Liste des leçons différentes de celles de l'édition *Septuaginta*, Göttingen 1931 s. – pour les *Psaumes*, l'édition de référence est celle de A. Rahlfs, vol. X, Göttingen 1931 (= Ra). En dehors des *Psaumes*, nous avons relevé six variantes et nous citons en outre deux leçons isolées, attestées l'une par L (Gn 1, 26), l'autre par A (Si 15, 9) :

Gn 1, 26   77, 27 καὶ καθ᾽ ὁμοίωσιν (καθ om. L)
            Septuaginta I (Göttingen, 1974) donne plusieurs références à l'omission de καθ᾽ dont GregNys *GNO* V 336 VI 458
Dt 32, 4d   51, 8 ὅσιος ὁ Κύριος : (+ ὁ F[b]) Κύριος *Septuaginta* III, 2 (1977)

---

1. Nous signalons la plupart des variantes du texte, mais il n'est pas toujours aisé de distinguer entre une citation proprement dite du texte source et sa réécriture par l'exégète.

1 R 23, 19 66, 18 ἐν Μασερᾶ (Μεσαρὰ VB) παρ'ἡμῖν ἐν τοῖς στενοῖς ἐν τῷ βουνῷ : παρ'ἡμῖν ἐν Μεσσαρα ἐν τοῖς στενοῖς ἐν τῇ Καινῇ ἐν τῷ βουνῷ Ra

1 R 26, 9 76, 45 μὴ διαφθείρῃς : μὴ ταπεινώσῃς (μὴ διαφθείρῃς OL) Ra

Pr 3, 10 36, 37 αἱ ληνοὶ ὑπερβλύζωσιν (ὑπερεκβλύζουσιν AVB) : αἱ ληνοί σου ἐκβλύζωσιν (Field, Origenis : ἄλλος : ὑπερεκβλύζωσιν) Ra

Sg 2, 24a 83, 5 ὁ θάνατος : (+ ὁ Cyr. Alex.) θάνατος Septuaginta XII, 1 (1962)

Si 15, 9 27, 60 ὡραῖος (+ ὁ A) αἶνος : ὡραῖος αἶνος (la leçon de A est signalée par l'éditeur avec des parallèles, notamment Jean Chrysostome) Septuaginta XII, 2 (1965)

Is 49, 2 55, 40 ἐν τῇ φαρέτρᾳ αὐτοῦ ὕψωσέν με : ἐν τῇ φαρέτρᾳ αὐτοῦ ἐσκέπασέν με Septuaginta XIV (1967)

Les psaumes

Lorsqu'elles divergent du texte de Rahlfs [1], les citations attestent la recension lucianique (L) [2] et la plus vieille recension africaine (R). C'est le cas des Psaumes suivants : 4, 5 ;

1. La classification donnée par Rahlfs est la suivante : Basse Égypte (B''= B S Bo...), Haute Égypte (U''= U 2013 Sa...), Occidental (R''= R [recension africaine] La^R La^G Aug...), Origénien (2005 1098 GaHi Uulg), Lucianique (L''= L Tht Sy He Su Th Ch...), Mixte (A''= A 1219 55), voir Septuaginta X, 1931 p. 6-70 ; A. RAHLFS, Septuaginta-Studien, 2, Göttingen 1907 (l'auteur note p. 236 que la recension lucianique ne joue dans aucun autre livre de l'Ancien Testament un rôle semblable à celui qui est le sien pour le Psautier et qui est parallèle à celui qu'elle joue dans l'histoire du Nouveau Testament, puisque ces deux ouvrages ont connu une énorme diffusion) et Verzeichnis der griechischen Handschriften des Alten Testaments, Göttingen 1914, p. 339-372, 390-410. Sur la question de la recension lucianique, voir M. HARL ET AL., La Bible grecque des Septante, Paris 1988, p. 168 s. Dans son étude sur Astérius, W. KINZIG montre, après une enquête exhaustive du texte biblique cité, que cet auteur utilise un Psautier à dominante lucianique avec des variantes surtout égyptiennes (il ne présente pas de leçons communes significatives avec Grégoire dont le texte n'est pas antiochien), cf. In Search of Asterius. Studies on the Autorship of the Homilies on the Psalms, Göttingen 1990, p. 176-225.

2. Souvent aussi les leçons de l'Alexandrinus (A) qui, dans les Psaumes, atteste la recension lucianique.

10, 5 ; 29, 1 ; 32, 1 ; 32, 22 ; 33, 1 ; 36, 28 ; 38, 1 ; 47, 9 ; 48, 3. 8. 15 ; 49, 16 ; 53, 3 ; 55, 4. 5. 14 ; 56, 7 ; 57, 2. 6. 7. 9. 11 ; 58, 1. 2. 13. 14. 17 ; 59, 1 ; 67, 27. 28 ; 70, 21 ; 71, 1 ; 89, 1. 2. 3. 8. 12. 16. 17 ; 92, 1 ; 93, 12. 20. 23 ; 95, 1. 10 ; 96, 1. 3 ; 98, 1. 6 ; 103, 1 ; 106, 2. 3. 16. 22. 24. 27. 30. 40 ; 118, 18. L'expression ἀνεπίγραφος παρ' Ἑβραίοις que Grégoire lit dans certains titres appartient également à la tradition lucia-nique (par exemple au Ps 103). Il n'est pas possible de préciser davantage, d'autant que les manuscrits de l'*In Inscr.* présentent beaucoup de variantes dans leurs citations bibli-ques. Les différents copistes ont manifestement voulu retoucher et harmoniser les citations d'après un texte courant pour eux. Ainsi, en cas d'écart entre le texte de Rahlfs et notre texte, les leçons que nous retenons figurent parfois dans son apparat et, inversement, il arrive que celles que nous écartons – que ce soit celles d'un manuscrit isolé ou d'une famille de manuscrits – soient retenues par lui. En cas de texte identi-que, les leçons que nous écartons sont souvent représentées dans son apparat. Les exemples suivants l'illustrent :

Ps 89, 14a 19, 4 τοῦ ἐλέους σου (+ κύριε S) : τοῦ ἐλέους σου (+ κύριε *L*Tht^P) Ra

Ps 98, 1b 47, 4 ὁ (om. L) Κύριος : ὁ (om. B') Κύριος Ra

Dans ces conditions, le choix d'éditer telle leçon plutôt que telle autre est difficile et peut prêter facilement à la critique. Il n'est pas vraiment possible de rattacher tel manuscrit ou telle famille de manuscrits à une tradition particulière. Il arrive même que le texte de l'*In Inscr.* présente deux leçons divergentes d'une même citation à quelques pages d'intervalle. C'est le cas au Ps 40, 14 :

11, 14 ὁ Θεὸς (+ τοῦ L) Ἰσραὴλ 58, 16 ὁ Θεὸς τοῦ Ἰσραὴλ : ὁ Θεὸς (+ τοῦ R*L*^pau) Ἰσραηλ Ra

Dans ce cas extrême, la leçon de L peut s'expliquer par un souci d'harmonisation tandis que l'absence d'article dans les autres manuscrits (11, 14) peut être due à l'influence des doxologies finales des Ps 71 et 105 citées à la suite du Ps 40, 14. En général, l'interprétation des différentes leçons est délicate. Il est probable que certaines variantes, surtout quand elles sont isolées, traduisent une volonté d'harmoniser selon la tradition majoritaire un texte peu attesté, comme le montre l'exemple suivant avec la variante proposée par S :

Ps 32, 14a   41, 32 ἐκ τοῦ (ἐξ S) ἑτοίμου : ἐξ ἑτοίμου Ra

Devant les problèmes que pose l'édition du texte des citations, voici les principes que nous avons suivis : nous ne retenons pas les variantes isolées présentées par un ou deux manuscrits ; quand le commentaire de Grégoire favorise le choix d'une leçon (ainsi au Ps 89, 12), c'est celle que nous retenons ; quand il n'y a pas d'enjeu de sens ou qu'une raison grammaticale ne joue pas, nous optons pour les leçons des manuscrits de la première classe dont l'antiquité a été démontrée pour d'autres œuvres de Grégoire, ce qui nous fait nous écarter du texte de notre prédécesseur à deux reprises pour retrouver le texte de Rahlfs :

Ps 55, 8a   71, 21 μηθενὸς (μηδενὸς SLQXF) : μηθενὸς (μηδενὸς R) Ra
Ps 57, 8b   78, 27 ἕως οὗ ἀσθενήσουσι (-σωσι SLQXF) : ἕως οὗ ἀσθενήσουσιν (-σωσιν L^d) Ra

Avant de présenter la liste des divergences de notre édition avec l'édition Rahlfs, nous donnons le relevé des variantes intéressantes que nous n'avons pas retenues dans le texte des citations du traité et qui ne sont pas signalées dans l'apparat de Rahlfs – formes encore non répertoriées :

Ps 4, 4a   51, 5 ἔγνωτε SLQXF : γνῶτε Ra
Ps 29, 1   38, 7 τῷ οἴκῳ S : τοῦ οἴκου Ra
Ps 32, 13a   41, 30 ἐξ οὐρανῶν S : ἐξ οὐρανοῦ Ra
Ps 32, 13a   41, 31 ἐπέβλεψεν Κύριος LX : ἐπέβλεψεν ὁ Κύριος Ra
Ps 32, 14a   41, 32 κατοικητηρίου AVBL : + αὐτοῦ Ra
Ps 32, 22a   41, 55 ἐπὶ σοί L : ἐπὶ σέ Ra

Ps 37, 1	29, 17 εἰς ἐπανάμνησιν AVB ἐπ' ἀνάμνησιν LQXF : εἰς ἀνάμνησιν Ra
Ps 43, 8a	58, 46 ἀπὸ τῶν θλιβόντων LXF : ἐκ τῶν θλιβόντων Ra
Ps 47, 8	60, 50 πνεύματι QF : ἐν πνεύματι Ra
Ps 47, 13a	60, 64 περιλάβετε S : + αὐτήν Ra
Ps 48, 3a	61, 10 εἴ τε γηγενεῖς εἴ τε SLQXF : οἵ τε γηγενεῖς καὶ Ra
Ps 51, 11a	64, 14 εἰς αἰῶνα S : εἰς τὸν αἰῶνα Ra
Ps 56, 1	74, 6 ἐκ προσώπου S : ἀπὸ προσώπου Ra
Ps 67, 28c	69, 49 Ζαβουλὼν καὶ L : Ζαβουλων Ra
Ps 72, 25a	13, 62 ὑπάρχει μοι SLXF : μοι ὑπάρχει Ra
Ps 89, 6a	17, 10 ἀνθήσοι VLQF : ἀνθήσαι Ra
Ps 92, 1	43, 16 τοῦ Δαβὶδ BSLQXF : τῷ Δαυιδ Ra
Ps 93, 17b	44, 46 ἡ ψυχή μου τῷ ᾅδη A : τῷ ᾅδη ἡ ψυχή μου Ra
Ps 93, 21a	44, 60 θηρεύουσιν AVBF : θηρεύσουσιν Ra
Ps 96, 1c	46, 17 εὐφρανθήσονται S : εὐφρανθήτωσαν Ra
Ps 98, 5a (9a)	47, 44 τὸν Θεὸν L : + ἡμῶν Ra
Ps 106, 6a	21, 25 πρὸς τὸν Κύριον VL : πρὸς Κύριον Ra
Ps 106, 13a	22, 22 ἐκέκραξαν SLXF : + πρὸς Κύριον Ra
Ps 106, 17a	22, 39 ἀντελάβετο A : + αὐτῶν Ra
Ps 106, 24a	24, 11 τὰ ἔργα τοῦ Θεοῦ SL : τὰ ἔργα Κυρίου Ra
Ps 118, 18b	44, 37 τὰ ἐκ τοῦ νόμου VBL : ἐκ τοῦ νόμου Ra

Parmi les leçons divergentes entre notre édition et celle de Rahlfs, nous mentionnons tout d'abord celles que Rahlfs ne signale pas dans son apparat, puis celles qu'il y fait figurer :

Relevé des citations éditées sous une forme qui n'a pas été signalée par Rahlfs :

Ps 17, 1	29, 42 ἐν ἡμέραις ὅτε : ἐν ἡμέρᾳ ᾗ Ra
Ps 32, 14a	41, 32 ἐκ τοῦ ἑτοίμου : ἐξ ἑτοίμου Ra
Ps 32, 18a	41, 50 ὀφθαλμοὶ Κυρίου : οἱ ὀφθαλμοὶ Κυρίου Ra
Ps 36, 10b	74, 29 οὐ μὴ εὑρεθῇ : οὐ μὴ εὕρῃς Ra
Ps 48, 2a	61, 8 ἀκούσατε (+ ταῦτα SQF) : ἀκούσατε ταῦτα Ra
Ps 51, 10a	64, 9 τοῦ Θεοῦ μου (om. VS) : τοῦ Θεοῦ Ra
Ps 52, 5b	65, 20 οἱ ἐσθίοντες : οἱ ἔσθοντες (κατεσθίοντες RL'Th55) Ra

518 APPENDICE I

Ps 53, 2	66, 10 Ἰδοὺ (Οὐκ ἰδοὺ S) : Οὐκ ἰδοὺ Ra
Ps 56, 9c	74, 24 ἐν τῷ ὄρθρῳ : ὄρθρου Ra
Ps 57, 4b	77, 21. 78, 37 καὶ ἀπὸ γαστρὸς ἐπλανήθησαν : ἐπλα-
	νήθησαν ἀπὸ γαστρός Ra
Ps 57, 10b	79, 17 ζῶντας καὶ ὡσεὶ : ζῶντας ὡσεὶ Ra
Ps 58, 1	80, 28-29. 81, 25-26 ἀπέστειλεν Σαοὺλ εἰς τὸν οἶκον :
	ἀπέστειλεν Σαοὺλ καὶ ἐφύλαξεν τὸν οἶκον Ra
Ps 59, 1	34, 19 ὑπὲρ τῶν ἀλλοιωθησομένων : τοῖς ἀλλοι-
	ωθησομένοις ἔτι (om. BoR″GaL^{dʹ}″He1219) Ra
Ps 93, 20a	44, 51 οὐ συμπροσέσται : μὴ συμπροσέσται Ra
Ps 96, 1	46, 5 κατεστάθη (= papyrus Bodmer XXIV) :
	καθίσταται Ra
Ps 106, 1	20, 38 ὅτι ἀγαθός : ὅτι χρηστός Ra
Ps 106, 6b	21, 26 ἐξήγαγεν : ἐρρύσατο Ra
Ps 106, 42a	26, 44 φοβηθήσονται : εὐφρανθήσονται Ra
Ps 150, 3a. 5a	27, 27. 39 αἰνεῖτε τὸν Κύριον : αἰνεῖτε αὐτὸν Ra

Relevé des citations éditées sous une forme qui n'a pas été
retenue par Rahlfs :

Ps 4, 5bc	51, 10-11 ἃ λέγετε ἐν ταῖς καρδίαις ὑμῶν, ἐπὶ ταῖς
	κοίταις : λέγετε ἐν ταῖς καρδίαις ὑμῶν καὶ ἐπὶ ταῖς
	κοίταις Ra [1]
Ps 10, 5b	10, 11 καὶ ὁ ἀγαπῶν τὴν ἀδικίαν : ὁ δὲ ἀγαπῶν (+ τὴν
	URL′A') ἀδικίαν Ra
Ps 23, 1	29, 58 μία σαββάτων : τῆς (om. L^{pau}) μιᾶς σαββάτων
	Ra
Ps 29, 1	38, 7 τοῦ οἴκου Δαβίδ : τοῦ οἴκου· τῷ (om. URL^b)
	Δαβιδ Ra
Ps 32, 1	41, 22 δίκαιοι ἐν Κυρίῳ : δίκαιοι ἐν τῷ (om. L′)
	Κυρίῳ Ra
Ps 32, 20a	41, 53 ὑπομενεῖ (-μένει L) : ὑπομένει (-μενεῖ Sa) Ra
Ps 32, 22a	41, 54-55 Κύριε, τὸ ἔλεός σου : τὸ ἔλεός σου, Κύριε
	(ante τὸ U'RL″A') Ra
Ps 33, 1	29, 39 ὅτε : ὁπότε (ὅτε L^{pau}Tht^p) Ra

1. Ce choix de Rahlfs, fondé sur un état textuel plus proche de l'hébreu
attesté par l'ancienne version latine de la Septante utilisée notamment par
Cyprien (La^G Cyp), est commenté par M. HARL, « Les origines grecques du
mot et de la notion de ' componction ' dans la Septante et chez ses commentateurs », *REAug* 32, 1986, repris dans *La langue de Japhet*, Paris 1994, p.
86.

Ps 36, 28e   10, 10-11 ἐξολοθρευθήσεται : ἐξολεθρευθήσεται (-λοθ- B 2046 *L*'55) Ra (= Ps 36, 38a : 10, 10)

Ps 38, 1   29, 18. 52 τῷ Ἰδιθοὺμ : τῷ Ιδιθουν (Ιδιθουμ 2013 R'Ga *L*''A') Ra

Ps 41, 6   58, 37 ἡ ψυχή μου : ψυχή (2013 et Origène ; ἡ ψυχή μου cett.) Ra

Ps 47, 9a   60, 61 οὕτως καὶ (om. LQXF) : οὕτως (+ καὶ R'*L*''2013'Aug Su 55) Ra

Ps 48, 3a   61, 10 υἱοὶ : οἱ (om. R 1098 *L*ᵈT ThtᴾHe 55) υἱοὶ Ra

Ps 48, 8b   61, 44 ἐξίλασμα ἑαυτοῦ : ἐξίλασμα αὐτοῦ (ἑαυτοῦ *L*'1219) Ra

Ps 48, 15a   61, 71 θάνατος ποιμανεῖ (ποιμαίνει L) : θάνατος ποιμαίνει (ποιμανεῖ S'R 1098 Ga *L*''A') Ra

Ps 49, 16b   32, 51 ἐκδιηγῇ (διηγῇ LF) : διηγῇ (ἐκδιηγῇ A*L* Thtᴾ) Ra

Ps 52, 3a   65, 13 ὁ Κύριος : ὁ Θεὸς (dominus Laᴳ) Ra

Ps 53, 3b   66, 28 κρινεῖς με (κρῖνόν X) : κρῖνόν με (κρινεῖς *L* Thtᴾ'55) Ra

Ps 55, 4   70, 31. 35 ἡμέρας οὐ φοβηθήσομαι· ἐγὼ δὲ ἐλπιῶ ἐπὶ σέ : ἡμέρας (+ οὐ 2013'*L*''55 Su Th) φοβηθήσομαι, ἐγὼ δὲ ἐπὶ σοὶ (σε S *L*''2013 1219') ἐλπιῶ (ante ἐπὶ *L*''1219) Ra

Ps 55, 5a   71, 9 ἐπὶ τῷ Θεῷ : ἐν (ἐπὶ R) τῷ Θεῷ Ra

Ps 55, 13   71, 30 ἐν ἐμοὶ εὐχαὶ ἃς ἀποδώσω δι'αἰνέσεως : ἐν ἐμοί, ὁ Θεός, αἱ (om. R *L*ᵃ'55) εὐχαὶ ἃς ἀποδώσω αἰνέσεώς σοι (om. B) Ra

Ps 55, 14b   71, 32 ἀπὸ (ἐξ VBX) : ἐξ (ἀπὸ R*L*') Ra

Ps 56, 7d   75, 11 ἐνέπεσον : ἐνέπεσαν (-σον *L*'1219) Ra

Ps 57, 2b   77, 16-17 εὐθείας κρίνετε, υἱοὶ : εὐθεῖα (εὐθείας *L*') κρίνετε, οἱ (om. R *L*ᵃThtᴾ 1219') υἱοὶ Ra

Ps 57, 6b   77, 40 φαρμακοῦται φαρμακευομένη : φαρμάκου τε φαρμακευομένου (φαρμακοῦται φαρμακευομένη R *L*'1219' – Th Mops reprobat) Ra

Ps 57, 7a   78, 4 ὁ Θεὸς συντρίψει : ὁ Θεὸς συνέτριψεν (συντρίψει R *L*''55 Bo Sa) Ra

Ps 57,7b   78, 9-10 ὁ Κύριος : (+ ὁ R *L*'55) Κύριος Ra

Ps 57, 9b   78, 31 ἔπεσεν : ἐπέπεσε (ἔπεσεν *L*''Th) Ra

Ps 57, 11   79, 20 ὅταν ἴδη ἐκδίκησιν : ὅταν ἴδη ἐκδίκησιν ἀσεβῶν (om. S'Ga Aug *L*' 55 = TM) Ra

Ps 58, 1   80, 28. 81, 25 ὅτε : ὅποτε (ὅτε *L*ᵖᵃᵘ) Ra

Ps 58, 2b   84, 7 ἐπανισταμένων : ἐπανιστανομένων (-ταμένων *L*' 1219) Ra

Ps 58, 13a 85, 21 ἁμαρτία...λόγος : ἁμαρτίαν...λόγον (ἁμαρτία... λόγος R L Tht^P') Ra

Ps 58, 14b 85, 24 Ἰακὼϐ καὶ : Ιακωϐ (+ καὶ R"Vulg L"Su Th) Ra

Ps 58, 17d 85, 42 καταφυγή μου (verset cité seulement par AVB) : καταφυγή (+ μου R"Ga L"55 2010) Ra

Ps 67, 27b 69, 45 Κύριον : τὸν (om. R^a L'55) Κύριον Ra

Ps 67, 28c 69, 50 Νεφθαλείμ (νεφθαλί L) : Νεφθαλι (Νεφθαλειμ S' Sa La^G Aug Ga L'1219') Ra

Ps 70, 21a 42, 27 ἐπλεόνασας ἐπ' ἐμὲ (om. L) : ἐπλεόνασας (+ ἐπ' ἐμὲ Sa R'L"1219) Ra

Ps 71, 1 29, 35 Σολομῶντα : Σαλωμων (Σολομωντα L^pau) Ra

Ps 71, 18 11, 14 Κύριος ὁ Θεὸς Ἰσραὴλ : Κύριος ὁ Θεὸς (ὁ Θεὸς Sa Ga Hi ; om. cett.) ὁ Θεὸς Ἰσραηλ Ra

Ps 82, 10 10, 26 αὐτοὺς ὡς τὴν Μαδιὰμ καὶ τὸν Σισάρα : αὐτοῖς (αὐτοὺς R L^d He 1219) ὡς τῇ Μαδιαμ καὶ τῷ (τὸν 1219) Σισαρα Ra

Ps 89, 1 14, 9. 15, 2. 29, 54. 33, 49 προσευχή τῷ Μωυσῇ ἀνθρώπῳ : προσευχή τοῦ Μωυσῇ ἀνθρώπου (τῷ... ἀνθρώπῳ S L^b"A) Ra

Ps 89, 2c 15, 23 αἰῶνος καὶ : αἰῶνος (+ καὶ Vulg L"A") Ra

Ps 89, 3b 15, 31 υἱοὶ τῶν ἀνθρώπων : υἱοὶ (+ τῶν R L^a'1219') ἀνθρώπων Ra

Ps 89, 8a 17, 23 ἐναντίον σοῦ : ἐνώπιόν (ἐναντίον L' 55) σου Ra

Ps 89, 12b 18, 18-19 τοὺς πεπαιδευμένους τὴν καρδίαν : τοὺς πεπεδημένους (πεπαιδευ- B"Sa Sy 1219) τῇ καρδίᾳ (τὴν καρδίαν L^pau) Ra

Ps 89, 16 19, 11 καὶ ἐπὶ τὰ ἔργα : καὶ (+ ἐπὶ R"Ga L"A") τὰ ἔργα Ra

Ps 89, 17c 19, 24 καὶ τὸ ἔργον τῶν χείρων ἡμῶν κατεύθυνον : om. Ra (add. L'A'S Ga Aug^var = TM)

Ps 92, 1 43, 15 αἶνος ᾠδῆς τῷ Δαϐὶδ εἰς τὴν ἡμέραν τοῦ σαϐϐάτου : εἰς τὴν ἡμέραν τοῦ προσαϐϐάτου (σαϐϐάτου La^G L^d T Tht^PA') [...]· αἶνος ᾠδῆς τῷ Δαυιδ (αἶνος-Δαυιδ ante εἰς Sa R"Ga L^pau) Ra

Ps 93, 8a 44, 21 σύνετε ἄφρονες : σύνετε δὴ (om. Ga Sy), ἄφρονες Ra

Ps 93, 12a 44, 33 ὃν ἂν : ὃν ἂν σὺ (om. La^G L"Su A'O = TM) Ra

Ps 93, 20b 44, 52 ἐπὶ πρόσταγμα : ἐπὶ προστάγματι (πρόσταγμα A L') Ra

Ps 93, 23a 44, 66 αὐτοῖς Κύριος : αὐτοῖς (+ Κύριος R'Aug L"A') Ra

Ps 95, 1 45, 26 αἶνος ᾠδῆς, ὅτε ὁ οἶκος ᾠκοδομήθη μετὰ τὴν

αἰχμαλωσίαν : ὅτε ὁ οἶκος ᾠκοδομεῖτο (-μηθη *L*ᵇ)
μετὰ τὴν αἰχμαλωσίαν (ὅτε-αἰχ post Δαυιδ S Vulg
L'A) ᾠδὴ (αἶνος ᾠδῆς *L*ᵈ1219) τῷ Δαβιδ Ra

Ps 95, 10a   45, 39 ὅτι Κύριος : ὁ (ὅτι Ga *L*'A'') Κύριος Ra

Ps 96, 1   46, 5 ὁπότε : ὅτε (ὁπότε *L*ᵇ) Ra

Ps 96, 3a   46, 26 ἐνώπιον : ἐναντίον (ἐνώπιον *L*' 55) Ra

Ps 98, 1c   47,11 Χερουβίμ: Χερουβιν (Χερουβιμ B'Ga Aug *L*') Ra

Ps 98, 6b   10, 20 ἐπικαλουμένοις αὐτόν : ἐπικαλουμένοις τὸ
ὄνομα αὐτοῦ (τὸ – αὐτοῦ : αὐτόν *L*ᵖᵃᵘ) Ra

Ps 98, 6c   10, 21 εἰσήκουεν : ἐπήκουσεν (εἰσήκουεν *L*'') Ra

Ps 103, 1   47, 65-66 τοῦ Δαβιδ ἐπὶ τῆς τοῦ κόσμου γενέσεως :
τῷ (τοῦ A) Δαβιδ (+ ἐπὶ τῆς τοῦ κόσμου γενέσεως He
*L*ᵃ') Ra

Ps 106, 2-3 20, 48 ἐχθροῦ καὶ : ἐχθροῦ (+ καὶ *L*''1219) Ra

Ps 106, 4   21, 6. 12 ἐπλανήθησαν ἐν τῇ ἐρήμῳ ἐν ἀνύδρῳ ὁδόν·
πόλιν κατοικητηρίου οὐχ εὗρον : ἐπλανήθησαν ἐν τῇ
ἐρήμῳ ἐν ἀνύδρῳ, ὁδὸν πόλεως (πόλιν S) κατοικητηρίου οὐχ εὗρον Ra

Ps 106, 16b 22, 35 συνέθλασε : συνέκλασεν (συνέθλασεν Α''*L*
Thtᵖ) Ra

Ps 106, 22a 23, 28-29 θυσάτωσαν αὐτῷ : θυσάτωσαν (+ αὐτῷ Bo
L''A' 2029) Ra

Ps 106, 24a 24, 11 εἶδον : εἴδοσαν (εἶδον *L*'A 2029) Ra

Ps 106, 27a 24, 35-36 ἐταράχθησαν καὶ : ἐταράχθησαν (+ καὶ
R''Ga Thtᵖ'He Sᶜ 2029) Ra

Ps 106, 29a 24, 46-47 ἔστησε τὴν καταιγίδα εἰς αὔραν : ἐπέταξεν
τῇ καταιγίδι, καὶ ἔστη (ἔστησε καταιγίδα αὐτῆς S)
εἰς αὔραν Ra

Ps 106, 30b 24, 54 θελήματος αὐτοῦ : θελήματος αὐτῶν (αὐτοῦ
S'*L*'' Su 2040 A'' 2029) Ra

Ps 106, 40a 26, 18-19 καὶ ἐξεχύθη... ἐπ'ἄρχοντας αὐτῶν (om.
SLQXF) : (+ καὶ *L*ᵖᵃᵘ) ἐξεχύθη... ἐπ'ἄρχοντας (+
αὐτῶν Bo *L*''A') Ra

Ps 118, 18b 44, 37 θαυμάσια : θαυμάσιά σου (om. Sa R''Ga *L*''55)
Ra

Ps 144, 1   32, 63-64 αἴνεσις τοῦ Δαβίδ : αἴνεσις τῷ (τοῦ B)
Δαυιδ Ra

B. Le Nouveau Testament

Les citations attestent la forme antiochienne du Nouveau
Testament à laquelle est apparentée la recension lucianique

de l'Ancien Testament [1]. Nous citons les versions différentes de celles de l'édition Nestle – Aland (*Novum Testamentum Graece*, 26ᵉ édition, Stuttgart 1979) :

Mt 6, 14   32, 59-60 ἀφήσει καὶ ὑμῖν ὁ πατὴρ ὁ οὐράνιος τὰς ἁμαρτίας ὑμῶν : ἀφήσει καὶ ὑμῖν ὁ πατὴρ ὑμῶν (om. 251 356 470 1229) ὁ οὐράνιος (+ τὰ παραπτώματα ὑμῶν L 13 1604c) Nestle [2]

Mt 8, 12   26, 16 διὰ τοῦ κλαυθμοῦ καὶ (+ τοῦ S) βρυγμοῦ : ὁ κλαυθμὸς καὶ ὁ βρυγμὸς Nestle [3]

Mt 21, 43   69, 41-42 ἡ βασιλεία καὶ : ἡ βασιλεία τοῦ Θεοῦ καὶ Nestle [4]

Mt 28, 6   83, 18 οὐκ ἔστιν ὧδε, ἠγέρθη. ἴδε ὁ τόπος ἐν ᾧ ἔκειτο : οὐκ ἔστιν ὧδε· ἠγέρθη γὰρ καθὼς εἶπεν· δεῦτε ἴδετε τὸν τόπον ὅπου ἔκειτο Nestle [5]

1. J. A. Brooks (*Testament*) recense les citations du NT dans l'ensemble de l'œuvre de Grégoire et cherche à établir l'identité du texte cité à partir de tables de fréquence. Son étude confirme les résultats auxquels était parvenu H. H. Oliver (*The Text of the Four Gospels as quoted in the Moralia of Basil the Great*, Emory University 1961) qui concluait que Basile était très proche de la recension K de Von Soden et que son texte se rattachait au type byzantin. Ces conclusions peuvent être étendues au texte de Grégoire qui « may be an early and weak Byzantine witness » (Brooks, *ibid.*, p. 103). Mais il note à propos de *Matthieu* qu'on trouve aussi des éléments qui se rattachent au type occidental et même alexandrin (p. 71). Enfin, en conclusion, il suppose que « the byzantine stream had its origin in the fifty copies Eusebius was ordered by Constantine to prepare for the churches of Constantinople » (p. 267. Cf. L. Vaganay, C. B. Amphoux, *Initiation à la critique textuelle du Nouveau Testament*, Paris 1986, p. 162-168. Bart D. Ehrman, Michael W. Holmes, *The Text of the New Testament in Contemporary Research. Essays on the* Status Quaestionis. *A Volume in Honor of Bruce M. Metzger*, Grand Rapids, Michigan 1995).

2. Brooks note (*Testament*, p. 35) : « There is no evidence for Gregory's τὰς ἁμαρτίας, but it shows that he knew the addition of τὰ παραπτώματα ὑμῶν, but substituted a synonym. »

3. Non recensé par Brooks.

4. « There is no other evidence for the omission of τοῦ θεοῦ » (Brooks, *Testament*, p. 48).

5. Le verset peut aussi bien être une citation de Lc 24, 5 (οὐκ ἔστιν ὧδε, ἀλλὰ ἠγέρθη) ou de Mc 16, 6 (ἠγέρθη, οὐκ ἔστιν ὧδε· ἴδε ὁ τόπος ὅπου ἔθηκαν αὐτόν). La deuxième partie du verset semble mêler des réminiscences de Mt et Mc (cf. Brooks, *Testament*, p. 88-89, qui relève une variante ἴδον qui s'applique en fait à εἶδον [83, 19] et non à ἴδε).

Lc 2, 14   75, 46-47 ἐπὶ γῆς τὴν εἰρήνην τὴν ὑπὲρ τῆς ἐν ἀνθρώποις
εὐδοκίας : ἐπὶ γῆς εἰρήνη ἐν ἀνθρώποις εὐδοκίας (-ία *R*)
Nestle [1]

Jn 6, 44   21, 30-31 οὐδεὶς ἔρχεται πρός με, ἐὰν μὴ ὁ πατήρ μου
(om. VSX) βούληται ἑλκύσαι αὐτόν : οὐδεὶς δύναται
ἐλθεῖν πρός με ἐὰν μὴ ὁ πατὴρ (+ μου P⁶⁶ 157) [...]
ἑλκύσῃ αὐτόν Nestle [2]

Jn 7, 37   65, 26 εἴ τις διψᾷ : ἐάν (εἰ H⁰¹⁴ Διδ Αθ d'après l'apparat
Von Soden) τις διψᾷ Nestle [3]

Jn 9, 22   40, 14 δόγμα ἔθεντο, εἴ τις ὁμολογήσειε τὸν Χριστόν,
ἀποσυνάγωγος γένηται : συνετέθειντο οἱ Ἰουδαῖοι ἵνα
ἐάν τις αὐτὸν (om. Α) ὁμολογήσῃ χριστόν, ἀποσυνάγωγος γένηται Nestle [4]

Jn 14, 26   53, 9-10 ἐκεῖνος διδάξει ὑμᾶς πάντα : ἐκεῖνος ὑμᾶς
διδάξει πάντα (ὑμᾶς πάντα 213 245 346 1241 1546 Eus)
Nestle [5]

Jn 15, 5   36, 17 ἐγὼ (+ εἰμι S) ἡ ἄμπελος : ἐγώ εἰμι ἡ ἄμπελος
Nestle [6]

Rm 1, 4   60, 17-19 υἱοῦ Θεοῦ (om. QXF) ... Ἰησοῦ Χριστοῦ (om.
L) [7] : υἱοῦ Θεοῦ...Ἰησοῦ Χριστοῦ Nestle

Rm 3, 30   75, 31 ἐπείπερ [8] εἷς : εἴπερ (επειπερ RD*Gᵖᵐ) εἷς Nestle

Rm 5, 14   83, 6-7 ἀπὸ (+ τοῦ Q) Ἀδὰμ καὶ ἕως (μέχρι QF) τοῦ
νόμου : ἀπὸ Ἀδὰμ μέχρι Μωυσέως Nestle [9]

Rm 11, 1   69, 53 ἐκ σπέρματος Ἀβραὰμ καὶ φυλῆς Βενιαμίν : ἐκ
σπέρματος Ἀβραάμ, φυλῆς Βενιαμίν Nestle [10]

---

1. Brooks, *Testament*, p. 77
2. « The omission of δύναται or the addition of βούληται or the substitution of ἔρχεται and ἑλκύσαι are due to loose quotation » (Brooks, *Testament*, p. 119).
3. Non relevé par Brooks.
4. « There is no evidence for εἰ instead of ἐάν or for τὸν before χριστόν »
(Brooks, *Testament*, p. 124. Il lit en 40,14 de notre traité la forme
ὁμολογήσει).
5. Cf. Brooks, *Testament*, p. 129
6. « There is no evidence for the omission of εἰμι » (Brooks, *Testament*,
p. 130).
7. Variantes non relevées par Brooks.
8. Brooks (*Testament*, p. 162) juge cette leçon comme la plus probable.
9. « There is no evidence for the substitution of ἕως τοῦ νόμου for μέχρι
Μωυσέως » (Brooks, *Testament*, p. 163).
10. « There is no evidence for καὶ » (Brooks, *Testament*, p. 179).

Ep 3, 15   26, 43 ἐν οὐρανῷ : ἐν οὐρανοῖς (-νῷ P^{075 0150}) Nestle [1]
Ep 6, 12   62, 15 τὸν κοσμοκράτορα τοῦ σκότους (+ τοῦ αἰῶνος S)
            τούτου καὶ πρὸς τὰ πνευματικά : τοὺς κοσμοκράτορας
            τοῦ σκότους (τοῦ αἰῶνος Rpl) τούτου, πρὸς τὰ πνευ-
            ματικὰ Nestle [2]
Ph 2, 11   27, 52-53 πᾶσα γλῶσσα ἐξομολογήσεται, ἐπουρανίων
            καὶ ἐπιγείων καὶ καταχθονίων ὅτι : πᾶν γόνυ κάμψῃ
            ἐπουρανίων καὶ ἐπιγείων καὶ καταχθονίων, καὶ πᾶσα
            γλῶσσα ἐξομολογήσηται ὅτι Nestle [3]
Col 2, 14   55, 34 προσηλώσας τῷ σταυρῷ : προσηλώσας αὐτὸ τῷ
            σταυρῷ Nestle [4]
He 10, 20   57, 47 πρόσφατόν τε καὶ ζῶσαν : πρόσφατον καὶ ζῶσαν
            Nestle [5]

1. Cf. Brooks, *Testament*, p. 214.

2. « There is no evidence for τὸν κοσμοκράτορα or καὶ after τούτου »
(Brooks, *Testament*, p. 219 qui juge très douteuse la leçon retenue par UBS).

3. Il s'agit d'une citation libre de Grégoire qui le cite ailleurs littéralement (cf. Brooks, *Testament*, p. 223).

4. Brooks, à propos de Col 2,14 (*Testament*, p. 227), ne mentionne pas
cette variante.

5. « There is no evidence for τε » (Brooks, *Testament*, p. 249). Grégoire
cite également sous cette forme le verset en *C. E.* III, 21, 23-24.

APPENDICE II

Nous avons déjà souligné l'importance de la chaîne de Nicétas qui reproduit les deux tiers du traité. Nous donnons ici le relevé de tous les passages cités. On mesurera tout le travail du caténiste qui compose son commentaire pour chaque psaume en puisant parfois ses citations dans des chapitres très éloignés les uns des autres [1].

Préface

Elle a été publiée par A. Mai à partir du *Vaticanus Pal. 247* et reproduite en *PG* 69.

PG 69 704 D 11 – 705 A 1 : 48, 1-3 (διάψαλμα)
       705 A 8-D 9 : 48, 3 – 49, 4
       705 D 9 – 708 A 5 : 50, 5-20 (résumé)
       708 A 7-9 : 39, 12-14 (réécrit)
       708 B 12-D 2 : 32, 20-38, puis 32, 42-45
       708 D 3 – 709 A 3 : 32, 2-9
       712 A 10-B 5 : 6, 8 (ἔοικε)-14 (ἡρμοσμένη)

---

1. Nous donnons d'abord jusqu'au Ps 52 les folios du *Vat. Palat. gr. 247* qui propose la chaîne jusqu'au Ps 76. Mais comme nous avons constaté, après G. DORIVAL (*Chaînes*, t. 3, p. 512), qu'il présente un texte détérioré par rapport au *Taurinensis B I 5* et à l'*Athos Dionysiou 114*, nous citons ce dernier quand il donne un texte plus développé. A partir du Ps 53 (lacune du *Vat.*), nous citons les folios de l'*Athos Dion. 114* jusqu'au Ps 72 et, à partir du Ps 80, ceux du *Paris. Coislinianus 190* qui contient la chaîne du Ps 80 au Ps 150.

712 B 6-11 : 7, 17-21 (ὕδωρ)
712 B 11-14 : 7, 27 puis résumé de 7, 36-37
712 C-D : 7, 38 (δείκνυσι) – 8, 23

Chaîne

Vaticanus Palat. gr. 247 (complété par l'*Athos Dionys. 114*)

Ps 1 [1]	f. 6-11 :	2, 1-9
		2, 21-23
		2, 27-42
		12, 4-10
		12, 10-12
Ps 2	f. 11ᵛ :	40, 23-27
		40, 28-48 (ἐξεθέμην)
Ps 3	f. 16 :	55, 3-56 (γίνεται)
		(= *Taurin. B I 5*, f. 5)
	f. 17ᵛ :	50, 6 (τὴν)-10
	f. 18ᵛ :	50, 12 (μετὰ)-18
Ps 4	f. 20ʳ⁻ᵛ :	31, 6-25 (ἐπεὶ – παρασκευάζῃς)
	f. 20ᵛ :	32, 3-5 puis 32, 28-45 (résumé)
		puis 32, 46-50
	f. 26ʳ⁻ᵛ :	9, 22-50 (οἱ – αἰσχύνη)
	f. 27ᵛ :	9, 14-21 (βαρυκαρδίους – δοκοῦντα)
Ps 5	f. 27ᵛ-28 :	35, 13-20
	f. 28 :	56, 1-10 (κατορθωμάτων)
Ps 6	f. 32ᵛ :	35, 35-36 puis 35, 32-34
Ps 7	f. 39ᵛ :	56, 21-26 (συμμαχία)
		56, 37-38 (ἡ – ἀντικειμένου) puis 56, 42-47
	f. 42ʳ⁻ᵛ :	51, 18-49 (κατωνόμασεν)
Ps 8	f. 54ᵛ :	57, 12-30 (διὰ – οἰκείωσις)
Ps 9	f. 59 :	35, 2-12
	f. 67ᵛ :	52, 1-23 (résumé)
	f. 73ᵛ :	57, 35-37
Ps 11	f. 80 :	57, 42-47 (ζῶσαν)
Ps 29	f. 161 :	38, 1-3 (ἔννοιαν)
		38, 8 (ἐὰν)-20
Ps 30	f. 166 :	38, 24 (ἐκστῆναι)-25
Ps 32	f. 174 :	40, 1-2 (résumé)

1. La chaîne est éditée pour les Ps 1 et 150 par G. DORIVAL (*Chaînes*, t. 3, p. 528-533). Nous reprenons son analyse en la complétant.

LA CHAÎNE DE NICÉTAS 527

40, 10-11 (μυστικαί)
40, 12-19 (ἀλλὰ – ἀνεπίγραφος)
41, 5-49 (εἰσὶ – τροφῆς) (avec quelques omissions)
41, 53-56 (φαμὲν – δέχεται)

Ps 37   *Athous Dion. 114* seul à donner au f. 86ᵛ : 38, 26-32 (ὑποτίθεται)
Ps 40   f. 225ᵛ :   58, 1-17 (γένοιτο) ¹
Ps 41   f. 226 :   58, 18-39 ²
  Athos Dion. 114 seul à donner au f. 98ᵛ : 12, 2-4 (αἵρεσιν)
                           12, 10 (ἡ)-12
                    f. 99 :   12, 17-32
                           (τὸ – ἔλαφος)
Ps 42   f. 232 :   41, 57 (πάλιν)-64
Ps 44   f. 244 :   34, 1-13 (μεταβολή)
      f. 244ʳ⁻ᵛ :   34, 73 (μᾶλλον)-86
Ps 45   *Athos Dion. 114* seul à donner au f. 115 : 59, 3-14 (ὑπὲρ – κρύφια)
Ps 46   *Athos Dion. 114* seul à donner au f. 118ᵛ : 60, 1-5 (προκαθηγήσαιτο)
Ps 47   f. 264 :   60, 6-20 (μεταβαίνει – σφόδρα)
      f. 265ᵛ :   60, 21-39 (τὴν – γινωσκομένου)
      f. 266ᵛ :   60, 39-55
      f. 267 :   60, 55-64 (Σιὼν)
Ps 48   f. 269 :   61, 1-6 (τοῦ λόγου)
      f. 270 :   61, 23-24 (τίς – δημηγορῶν)
      f. 270 :   61, 12-23 (ἀνωμαλίας)
      f. 272 :   61, 24-32
      f. 273 :   61, 32-40 (οὐκ – τραχύνομενος)
      f. 274 :   61, 41-44 (πρὸς – ἑαυτοῦ)
      f. 274ᵛ :   61, 46-53 (τὴν – παροικήσουσιν)
      f. 275ᵛ :   61, 54-57 (τὰ – ἐποίησαν)
                61, 57-60 (αἴτιον – ἔκδοτον)
L'*Athos Dion. 114* ajoute au f. 123ᵛ : 61, 6-8

1. Cet extrait est précédé d'un résumé où Nicétas présente la division du Psautier en cinq livres.
2. Avant de citer Grégoire, Nicétas commence par résumer le sens de la première section : πάσης τῆς τῶν ψαλμῶν πραγματείας πενταχῇ τετμημένης ὡς εἴρηται, τὸ πρῶτον τμῆμα τοὺς ἐν κακίᾳ ζῶντας ἵστησι τῆς ἀτόπου πλάνης· ἐφέλκεται δὲ τὴν τοῦ κρείττονος αἵρεσιν· ἡ δὲ πρώτη πρὸς τὸ ἀγαθὸν εἴσοδος, ἡ τῶν ἐναντίων ἐστὶν ἀπόστασις δι'ἧς γίνεται ἡ μετοχὴ τοῦ βελτίονος.

Ps 50   f. 286ᵛ :   62, 8 (ὑποδείκνυσι) -19 (résumé)
Ps 51   f. 293 :   63, 5-15 (διδάσκομαι – πληθύνεσθε)
                      63, 25-27 (ὡς – φυλασσομένη)
                      63, 32-43 (ὁ – δυνατὸς)
        f. 293ᵛ :   63, 43-51

Au Ps 51, nous citons le texte de l'*Athos Dionysiou 114*, meilleur et plus complet :

Ps 51   f. 138ᵛ-109 : 63, 5-24 (παρείληπται)
        f. 139 :   65, 49-53 (ἐπαμφοτερίζοντος – σπουδαζό-
                      μενον)
                      63, 24-43 (δυνατὸς)
                      63, 43-51
Ps 52   f. 296 :   37, 28-34 (ὅταν – Λαζάρου)
                      64, 35 – 65, 8 (πῶς – γενόμενος)
        f. 296ᵛ :   65, 8-12 (ἐπιδείκνυσιν)
        f. 297 :   65, 15-19 (τοῖς – διεσθίοντες)
                      65, 21-29 (ὅμοιον – ἀποστρεφόμενοι)
        L'*Athos Dion. 114* ajoute au f. 140 : 65, 38-42

Athos Dionysou 114

Ps 53   f. 141ᵛ-142 : 66, 5-67 (οἱ – Δαβίδ)
                      33, 17-33
Ps 54   f. 142ᵛ-143 : 67, 1 (ὥσπερ)-26
                      68, 20-22 (μετανάστας – βλάστης) [le caté-
                      niste ajoute ἔνθα κατάστασις εἰρηνικὴ καὶ
                      ἐρημία πάθων]
                      67, 26 – 68, 5 (θεωρίαν)
        f. 145 :   68, 28-35 (τελείους)
Ps 55   f. 146ᵛ-147 : 68, 39 – 69, 59 (μήτηρ)
        f. 147 :   70, 4-6 (ἥτις – ὑπόδειγμα)
                      70, 1-2 (ἡ μὲν – μυστήρια)
                      70, 7-10 (αὐτὰ – ἐργάτην)
                      71, 22-26 (καὶ – προκείμενον)
                      70, 11 – 71, 9 (ὁ – πίστεως)
        f. 147ᵛ :   71, 11-12 (ἐφευρίσκοντες)
                      71, 13-17 (πτέρναν)
        f. 148 :   71, 34-35 (ἐλευθερωθεὶς – πτώματος)
                      71, 32-34 (ὀλίσθημα – ἐγένετο)
                      71, 35-40 (ἀπεξενώθη)
Ps 56   f. 148ʳ-ᵛ :   72, 27 – 73, 6 (ἔρημος – ἐγένετο)
                      72, 22-23

		73, 6 – 74, 1
	f. 149 :	38, 47-57 (κατευνάσωμεν)
		34, 29 (ὡς)-30
	f. 149ʳ⁻ᵛ :	74, 12 (τῆς)-45
		74, 46-52
		74, 58-59 (καὶ – διαγωγῆς)
		74, 61 (οὐκ)-68
	f. 150 :	75, 1-7 (σου)
		75, 10-12 (αὐτόν)
		75, 13-15 (ὡς – ἀχώρητον)
		75, 15-21 (ἐνδείκνυται)
	f. 150ᵛ :	75, 21-29 (πίστεως)
		75, 32-34 (διὰ – ἔθνη)
		75, 30-31 (οὐ – ἐθνῶν)
		75, 34-35
		75, 36-38
		75, 42 (ὅσον)-48
Ps 57	f. 151 :	76, 15-66
	f. 151ᵛ :	76, 16-29
	f. 151ᵛ :	77, 19-21
	f. 152 :	77, 22-37 (τιμήσαντες)
	f. 152ᵛ :	77, 39-41 (σοφοῦ)
		77, 41 – 78, 2 (ἐπιστενάζοντι)
	f. 153 :	78, 5-8
		78, 10-19 (γνοίης – ἀπόβλητα)
		78, 19-22
	f. 153ᵛ :	78, 23-26
		78, 27-29 (μορφούμενος)
		78, 29-46
	f. 154 :	78, 47 – 79, 19
	f. 154ʳ⁻ᵛ :	79, 21-24 (ἐκδίκησιν)
	f. 154ᵛ :	79, 24-34 (καθίσταται)
		79, 34-38 (κρίσει)
Ps 58	f. 154ᵛ-155 :	80, 4 (πάλιν) – 81, 2
	f. 155 :	81, 3 – 82, 5 (διεσώθη)
		82, 14
		82, 5-12 (ἱστορία)
	f. 155ʳ⁻ᵛ :	82, 22 – 83, 23 (ὁ – θανάτου)
	f. 155ᵛ :	83, 43-45
	f. 155ᵛ-74 :	84, 1 – 85, 40 (σου)
Ps 59	f. 76ᵛ :	34, 15-72
Ps 70	f. 180ᵛ-181 :	42, 1-49
Ps 72	f. 186 :	11, 1 s. (résumé)

		12, 32 – 13, 23 (κρίσις)
	f. 188ᵛ :	13, 49-50
	f. 189 :	13, 51-52 (προστίθησιν)
		13, 54-57
		13, 58-61 (ἀλλοτριώση)
	f. 189ʳ⁻ᵛ :	13, 23-48 (διαπτύει)
	f. 189ᵛ :	13, 62-67 (φύσις)
		13, 70-72

Paris. Coisl. 190

Ps 89	f. 28 :	14, 1 – 15, 18 (γενεᾷ)
	f. 28ᵛ :	15, 18-21
	f. 29 :	15, 23-29 (τὸ δὲ – ταπείνωσιν)
		15, 29-38
		16, 4-24 (ὅτι – κρίνεται)
	f. 29ᵛ :	17, 1-11 (φύσις)
	f. 30 :	17, 12-17 (πλέον – ἡσυχάζοντος)
		17, 19-29
		17, 29-44 (ὡς τό – θεραπεύοντος)
		19, 30-32
		20, 4-15 (ἐξαφανίζει)
	f. 30ᵛ :	17, 44-52
		18, 1-7 (ὑπομένουσι)
		18, 10-13 (ἐνεργουμένης)
		18, 7-10
	f. 31 :	18, 19 – 19, 26
Ps 90	f. 32 :	43, 4-12
Ps 92	f. 37ᵛ :	43, 13-47
Ps 93	f. 39ᵛ :	44, 4-17
	f. 40ᵛ :	44, 21-31
	f. 41 :	44, 17-20 (λέγειν)
		44, 31-38 (σου)
		44, 38-44
	f. 42ᵛ :	44, 50-64 (καθίσταται)
	f. 43 :	44, 64-74
Ps 94	f. 43 :	45, 1-21
Ps 95	f. 45ᵛ :	45, 23-26
		45, 28 (εὐθὺς)-56
Ps 96	f. 48 :	46, 2-16
	f. 48ᵛ :	46, 18 (καλῶς)-22
		46, 22-24

	f. 49 :	46, 24-30
	f. 49ᵛ :	46, 31-35
	f. 50 :	46, 37-40
Ps 98	f. 53ᵛ :	47, 5-36 (τίς – ἐνδείξασθαι)
	f. 54 :	47, 36-38
		47, 41-57
Ps 99	f. 54ᵛ :	38, 42-46
	f. 79ᵛ (sur Ps 104, 1) : 38, 35-42	
Ps 101	f. 59 :	33, 34-37
		33, 41-48
Ps 103	f. 66ᵛ :	47, 60-70 (réécrit)
Ps 104	f. 79 :	39, 2-8 (σημαίνεται)
		39, 13-14 (τὸ δὲ – νοεῖται)
		39, 24 (αἶνος)-44
Ps 106	f. 95 :	19, 27 – 20, 3 (δυνάμενον)
		20, 17-36
		20, 38-47
		20, 50 (τὴν)-59
		20, 59-62
		21, 1-25
		21, 29-34 (ἐσμέν)
		21, 35 (ὅτι)-40
	f. 97ᵛ :	22, 1-11 (πάλιν – ἀθέτησις)
		22, 14 (κόπος)-19
		22, 21-22
		22, 24-25
		22, 27 (οὐκοῦν)-34
		22, 36-40
	f. 98ᵛ :	23, 1-8 (συγκαθέλκουσα)
		23, 9-26
	f. 99ᵛ :	24, 1-15
	f. 100 :	24, 15-32 (μεμαθήκαμεν)
		24, 32 – 25, 5
		25, 7 – 26, 17
	f. 101ᵛ :	26, 19-44
		26, 50-65 (κυρίου)
		26, 65-78
Ps 119	f. 161 :	49, 4-11
		50, 1-3 (πνεύματος)
		49, 11-33
Ps 150	f. 258ᵛ :	27, 46-54
		28, 20-43

I. INDEX SCRIPTURAIRE

Le premier chiffre de la colonne de droite renvoie au paragraphe, le suivant à la ligne. Les chiffres en italique indiquent les allusions.

ANCIEN TESTAMENT

NOUVEAU TESTAMENT

II. INDEX DU VOCABULAIRE

Le premier chiffre renvoie au numéro du paragraphe, le suivant à la ligne.
L'astérisque signale les mots dont c'est l'unique occurrence dans le corpus
nysséen.

A. INDEX DES NOMS PROPRES

Ἀαρών 10, 19; 47, 17
Ἀβειρών 10, 25
*Ἀβεσσαλώμ 54, 28; 55, 23. 27; 56,
   23. 31. 35; 57, 7
*Ἀβιγαία 69, 56
Ἀβιμέλεχ 29, 40; 63, 4
Ἀβραάμ 19, 12. 14; 69, 53
Ἄγγαιος 29, 50
Ἀδάμ 42, 45; 83, 6
Αἰγύπτιος 14, 19
Αἴγυπτος 14, 22
*Αἱμάν 29, 18
Ἀμβακούμ 32, 14
Ἀσάφ 29, 53
Ἀχιτόφελ 56, 32
Βαλαάμ 14, 41
Βενιαμίν 69, 52. 53
Βηρσαβεέ 29, 46; 54, 29; 62, 22. 29
*Γέθ 68, 48
*Γετθαῖος 69, 11. 21
Γολιάθ 37, 9; 54, 26; 69, 4
Δαβίδ 6, 2. 28; 7, 17; 8, 3. 20; 29, 12.
   23. 25; 31, 49; 32, 64; 33, 34. 37;
   34, 20. 25. 31; 37, 9; 38, 2. 6. 7.

23. 50; 43, 16; 44, 3; 45, 4; 46, 4.
5. 6; 47, 38. 62. 65; 48, 8. 20; 52,
14; 53, 4; 56, 30. 35; 62, 7. 25; 63,
2. 4. 7. 33; 65, 40; 66, 3. 9. 10. 18.
67; 68, 47; 69, 3. 10. 15. 22; 70, 8.
9; 72, 18. 28. 30. 32. 40. 43; 73, 1.
11. 19. 27. 30; 74, 5; 76, 15. 41.
42. 63. 64; 80, 23. 26. 33; 81, 2. 8.
20. 26; 82, 3. 4. 5. 22. 34; 83, 2. 23
Δαθάν 10, 24
Δωήκ 29, 41; 62, 23; 63, 3. 7. 32; 65,
   46
Ἑβραῖος 29, 12. 56. 61; 39, 12. 13.
   17. 20. 23; 40, 8. 12. 19; 41, 2. 4.
   14. 41. 56. 58. 62; 42, 3. 48; 43, 2.
   5; 44, 2. 4; 45, 4. 28. 31; 46, 2; 47,
   60. 63. 66. 70
Ἑλλάς 37, 2
*Ζαβουλών 69, 49
Ζαχάριος 29, 50
*Ζεβεέ 10, 27
*Ζήβ 10, 27
*Ζιφαῖος 29, 41; 66, 8. 10. 15. 24.
   40. 63
Ἡλίας 39, 20. 21
Ἡσαΐας 45, 50; 47, 30; 55, 38; 63,
   48; 85, 16
Θαρσίς 60, 51. 55

B. INDEX DES MOTS GRECS

A été retenu un choix de termes
importants dans la pensée de Grégoire de Nysse et caractéristiques de
son exégèse (ne figurent pas dans
l'index les mots des citations bibliques sauf, parfois, ceux qui sont
repris par Grégoire).

ἀγαπητικός 67, 44; 69, 19
ἀγαπητός 29, 35; 31, 45; 33, 31; 58, 48. 51; 59, 1
ἀγγελικός 27, 41; 28, 33; 37, 21. 33; 47, 6
ἄγγελος 27, 38. 47; 37, 23. 39. 41; 39, 35; 57, 27. 30; 63, 33. 34; 71, 3; 75, 46; 83, 17
ἀγνοεῖν 32, 30; 60, 52; 66, 11; 72, 35; 80, 30
ἄγνοια 26, 77
ἀγνωμοσύνη 21, 38; 41, 19; 43, 8
ἄγονος 21, 15; 34, 64; 63, 13. 33
ἀγύμναστος 4, 12
ἀγών 31, 6. 7. 13. 33. 35. 59; 37, 5. 47; 55, 19. 58; 56, 21; 57, 1. 3. 9; 66, 4; 67, 1. 8. 15; 68, 39. 44; 70, 25
ἀγωνία 68, 13
ἀγωνίζεσθαι 37, 3; 67, 7
ἀγώνισμα 37, 31
ἀγωνιστής 70, 9; 76, 16
ἀγωνοθέτης 56, 4; 67, 12. 19; 76, 17
ἀδελφοκτόνος 55, 24
ἀδέσποτος 40, 41
ἄδηλος 32, 34
ἀδιάδοχος 14, 27
ἀδιάλειπτος 62, 13
ἀδιαλείπτως 27, 59
ἀδιάσπαστος 49, 10
ἀδιαστάτως 14, 28
ἄδυτος 13, 27
ἀεικίνητος 7, 8
*ἀετώδης 20, 11
ἀθεώρητος 6, 8; 8, 27; 46, 22; 48, 1
ἀθλεῖν 31, 10
ἄθλησις 31, 8. 18. 34; 67, 13
ἀθλητής 31, 42. 55; 56, 8; 67, 2
ἀθλητικός 31, 54
ἆθλον 31, 12; 37, 4; 69, 23
ἀίδιος 27, 12; 44, 50. 55; 45, 15; 58, 52; 64, 12

ἀιδιότης 64, 34
αἴνιγμα 8, 7. 24; 25, 30; 32, 25; 34, 41; 35, 26; 36, 10; 37, 30; 41, 46; 42, 16; 43, 38; 46, 24; 55, 31; 56, 37; 59, 13; 60, 38; 65, 45; 69, 1. 26; 70, 11; 71, 2; 72, 7; 78, 13; 82, 21; 84, 35
αἰνιγματώδης 5, 4
αἰνίσσεσθαι 2, 41
ἀκαθαρσία 57, 20
ἀκατανόητος 28, 40; 35, 9
ἀκατάπτωτος 31, 33; 37, 37
ἀκατάσκευος 2, 29; 8, 33
ἀκηδιᾶν 33, 40. 46
ἀκήρατος 4, 17; 17, 21; 40, 46
ἀκίνητος 4, 14; 12, 6; 15, 11; 22, 8; 43, 20. 26; 59, 10
*ἀκλυδώνιστος 24, 3
ἀκολουθεῖν 20, 3; 34, 74
ἀκολουθία 2, 28; 7, 24; 25, 14; 27, 3; 34, 38; 41, 8; 47, 13; 49, 16; 52, 10; 53, 2. 4. 34; 54, 3. 9; 55, 1; 59, 13; 61, 47; 62, 21; 63, 2; 71, 22; 72, 9; 78, 1; 80, 2; 82, 22
ἀκόλουθος 1, 11. 13; 3, 4. 7. 17; 9, 55; 13, 68; 17, 19; 18, 14. 20; 20, 1; 26, 18; 27, 15; 28, 7; 30, 4. 21; 31, 26. 28; 34, 39. 68. 69; 45, 1; 48, 7. 40; 53, 15; 54, 8; 55, 54; 56, 11; 57, 39; 60, 20. 67; 61, 1; 62, 37; 64, 6. 22; 65, 43; 66, 63; 72, 14; 78, 47; 83, 2
ἀκολούθως 66, 60
ἀκρισία 13, 27. 40
ἄκριτος 74, 57
ἀκρόασις 7, 18; 48, 42; 66, 44
ἀκροατήριον 61, 23
ἀκροατής 6, 25
ἀλαμπής 60, 29
ἀλλοιοῦν 14, 52; 29, 29. 39; 31, 39; 34, 1. 11. 14. 15. 20. 70. 83; 36, 7
ἀλλοίωσις 15, 12; 34, 3. 6. 7. 12. 56. 73. 76. 79. 80. 86

ἄντικρυς 23, 21; 76, 46; 77, 34
ἀντιπαθεία 77, 46
ἀντιπάλαισμα 62, 16
ἀντίπαλος 31, 19; 37, 12; 57, 10; 62,
    11. 33; 67, 2. 7; 68, 10. 19. 44; 71,
    24; 72, 5; 76, 12
ἀντιπαράθεσις 79, 31
*ἀντιπεριάγειν 74, 51
ἀντίρροπος 44, 49
ἀντιτάσσειν 73, 22
ἀντιφάρμακος 38, 31
ἀνυμνεῖν 25, 1; 27, 45; 75, 45
ἀνύπαρκτος 9, 16; 17, 38; 85, 19
ἀνυπαρξία 26, 23. 31
ἀνυπόστατος 17, 32. 36; 18, 10; 19,
    30; 51, 3; 74, 24
*ἀνωμαλεῖν 45, 56
ἀνωμαλία 13, 7; 61, 23
ἀνώνυμος 61, 56
ἀνωφερής 68, 5
ἀοίδιμος 47, 19; 73, 7; 81, 16
ἀόρατος 14, 17. 32; 35, 10; 55, 65
ἀπᾴδειν 70, 10
ἀπάθεια 80, 25
ἀπαράδεκτος 41, 60; 42, 14; 47, 69
ἀπαριθμεῖν 63, 48; 67, 37
ἀπατᾶν 13, 47
ἀπάτη 12, 5; 13, 66; 19, 31; 37, 22;
    55, 62; 57, 15
ἀπατηλός 9, 47
ἀπειρία 13, 39; 15, 21; 64, 11. 28
ἄπειρος 68, 42; 69, 36; 75, 36
ἀπεμφαίνειν 33, 33
ἀπιστεῖν 45, 9; 47, 4; 79, 34
ἀπιστία 41, 5; 42, 5; 45, 17; 47, 69;
    65, 16. 27; 70, 5
ἄπιστος 47, 21. 29
ἀπογράφειν 61, 55
ἀπογυμνοῦν 69, 33
ἀποδεικνύειν 43, 10
ἀποδεικνύναι 8, 1; 49, 6; 70, 13
ἀπόδειξις 41, 17

ἀποδύειν 31, 7; 67, 5
ἀποθήκη 36, 12
ἀποθηριοῦν 85, 35
ἀποκαθαίρειν 79, 29
ἀποκατάστασις 74, 25
ἀπόκρισις 2, 18
ἀποκτηνοῦν 61, 64
ἀπόλαυσις 9, 44; 13, 17; 36, 30; 58,
    39
ἀπολογία 16, 17
ἀπολύειν 56, 21
ἀπολύτρωσις 20, 57
*ἀπομηκύνειν 25, 16
ἀπονεκροῦν 73, 31
ἀποξενοῦν 22, 6; 71, 40
ἀποπληροῦν 27, 18; 76, 44
ἀπόπτωσις 26, 11; 65, 2
ἀπόρρητος 5, 4; 48, 29; 50, 9; 52, 17;
    57, 32; 59, 2
ἀποσαρκοῦσθαι 26, 28
ἀποσεμνύνειν 4, 28
ἀποσημαίνειν 46, 24
ἀποστασία 60, 49
ἀπόστασις 12, 11
ἀποστάτης 58, 24. 48
ἀποστατικός 17, 15; 24, 49
ἀποστροφή 23, 14; 73, 34
ἀποτελεῖν 7, 17; 27, 43; 28, 32; 32, 17
ἀποτρέπειν 3, 33; 4, 31; 56, 24; 80,
    16
*ἀποτρεπτικός 3, 35
ἀποτροπιασμός 82, 7; 83, 24. 32. 43
ἀπρακτεῖν 56, 20
ἄπρακτος 65, 45; 77, 45
ἀράχνη 17, 43
ἀράχνιον 17, 33; 20, 4. 9. 14
*ἀραχνώδης 19, 30
ἀριστεία 34, 32; 73, 16. 19. 27
ἀριστεύς 73, 17
ἁρμόζειν 7, 30; 39, 34; 72, 13; 78, 47;
    82, 29

δυσωπεῖν 15, 9; 17, 2
*ἑβραΐζειν 41, 59; 45, 23
ἑβραϊκός 29, 47; 39, 7
ἐγγυμνάζειν 56, 20; 57, 34; 62, 36; 67, 9
ἐγκαινίζειν 38, 9. 17; 57, 46
ἐγκαινισμός 29, 16; 38, 2. 7. 21
ἐγκελεύειν 43, 6; 60, 6
ἐγκωμιάζειν 13, 19
ἐγκώμιον 3, 23
ἐγχαράσσειν 38, 53
ἐγχαυνοῦν 8, 14; 37, 31
ἑδραῖος 46, 19; 60, 36; 64, 25
εἱρμός 7, 11; 56, 40
εἰσάγειν 4, 9
εἰσαγωγή 4, 24
εἰσαγωγικός 40, 25
*εἰσήγησις 56, 33
εἰσηγητής 14, 11
εἴσοδος 12, 11; 28, 13; 42, 38. 39; 45, 16. 19; 61, 64
εἰσποιεῖν 19, 15; 58, 22
ἐκβοᾶν 23, 26
*ἐκδεῖν 55, 29
ἐκδέχεσθαι 14, 29; 22, 15; 26, 60; 31, 42; 37, 14; 57, 31
ἐκδιδάσκειν 50, 3
ἐκδιδόναι 37, 2; 65, 42
ἐκδιηγεῖσθαι 20, 34; 21, 4; 22, 2; 32, 51; 60, 23; 73, 16
ἐκδίκησις 44, 14; 51, 26; 79, 20. 24; 84, 16
ἐκδικητής 57, 12
ἔκδοσις 42, 1
ἔκθεσις 34, 39
ἐκκαθαίρειν 37, 34; 39, 34; 62, 12
ἐκκαλύπτειν 8, 37; 9, 21; 46, 28
ἐκκλησία 5, 23; 25, 2. 6; 41, 3; 43, 46; 60, 27; 69, 39. 45. 47
ἐκκλησιάζειν 61, 7
ἐκκλησιαστικός 29, 55; 40, 10. 18; 42, 1

ἐκλάμπειν 46, 30
ἐκμετρεῖν 18, 9; 35, 43
*ἐκνευροῦν 78, 26
ἐκπεριλαμβάνειν 26, 4
*ἐκπυροῦν 26, 29
ἐκφωνεῖν 48, 38
ἐκφώνησις 32, 4; 39, 18
*ἐλεγκτικῶς 77, 8
ἔλεγχος 72, 48
ἐλευθερία 69, 36
ἐλευθεροῦν 14, 21; 71, 34; 74, 58
ἔλλαμψις 48, 9. 13; 50, 17
ἔλλειψις 45, 53. 55
ἐμβοᾶν 44, 31; 51, 2. 13; 61, 8; 65, 26; 73, 15; 77, 8
ἐμμελής 57, 35
ἐμμορφοῦν 53, 41
*ἐμπαρέχειν 21, 20
ἐμπεριέχειν 15, 19
ἐμφαίνειν 40, 9; 43, 12
ἐμφάνεια 46, 39; 55, 5; 59, 8
ἐμφανής 47, 17
ἐμφανίζειν 14, 35
ἔμφασις 32, 20; 37, 6; 66, 37
ἐμφιλοχωρεῖν 52, 33
ἐμφύειν 52, 23; 69, 3
ἔμψυχος 3, 23; 23, 24; 33, 44
ἐναγώνιος 37, 10; 70, 20
ἐναπολήγειν 11, 4
*ἐναπόληψις 77, 44
ἐναργῶς 17, 3; 24, 25
ἐνάρετος 25, 29; 35, 32; 84, 49
ἐναρμόνιος 75, 20
ἐνατενίζειν 14, 17
ἔνδειξις 30, 6; 33, 9; 40, 16; 63, 23; 68, 27; 72, 12; 83, 42
*ἐνδεσμεῖν 20, 7
ἐνδιάθετος 33, 45; 73, 33
ἐνδιαίτημα 24, 32; 60, 33
ἐνείρειν 8, 34; 48, 24
ἐνέργεια 13, 2; 17, 15; 18, 11; 26, 65; 28, 39; 34, 8; 35, 42; 83, 38

ἠθικός 32, 40
ἦθος 8, 10. 17; 32, 36. 44
ἡλιακός 14, 28; 60, 29
ἥλιος 7, 20. 34; 13, 37; 14, 26; 35, 15.
   46. 48; 41, 42; 46, 14; 56, 5; 78,
   31. 35. 45
ἡμίονος 63, 9. 12. 17. 21. 26. 33. 38;
   65, 46. 55; 66, 5
ἡμισεύειν 67, 54
ἡνία 25, 41
ἡσύχαζειν 17, 16; 52, 19
ἡσυχία 14, 16; 24, 46; 48, 17
ἧττα 76, 12
ἡττᾶν 37, 38; 65, 66; 73, 18
*ἠχεῖν 27, 50; 43, 39; 59, 8
ἤχησις 48, 15
ἦχος 27, 27. 33. 37. 43. 56; 28, 27.
   31; 32, 18. 23. 26; 48, 16. 18; 59, 4
θαρσεῖν 19, 9
θέαμα 13, 37; 17, 19
θεᾶσθαι 60, 63
θέατρον 61, 7
*θέλγητρον 77, 45
*θεμελιωτής 69, 47
θεογνωσία 35, 2. 6; 47, 49
θεοειδής 9, 27
θεολογεῖν 47, 60
θεολογία 5, 5; 70, 12
θεολογικός 2, 10
θεόπνευστος 18, 15; 29, 8; 40, 51; 68,
   2; 69, 26; 74, 9
θεότης 13, 1; 44, 19; 58, 13; 82, 35
θεοφάνεια 43, 3; 65, 5
θεοφορεῖν 51, 31
θέσις 20, 59; 38, 3; 53, 5
θεωρεῖν 2, 8; 4, 35; 6, 17. 22. 29; 7,
   37; 9, 32; 27, 15; 28, 12; 41, 18;
   49, 4; 51, 37; 58, 31; 60, 9. 37; 66,
   56; 72, 6; 79, 18
θεώρημα 5, 5
θεωρητικός 32, 33. 40

θεωρία 1, 21; 9, 3. 12; 14, 17; 20, 2;
   29, 6; 30, 12. 18; 38, 59; 39, 34;
   40, 4; 41, 20; 43, 10; 57, 35; 68, 4;
   74, 8; 80, 4
θήρ 57, 36
θήραμα 9, 54; 20, 10
θηρεύειν 9, 52; 20, 11; 44, 60; 84, 9
θηρίον 9, 53; 12, 22. 23. 24. 31; 20,
   10; 26, 40; 74, 59. 65. 67; 77, 41.
   45; 78, 11; 79, 2
θηριώδης 58, 27
θρῆνος 36, 31; 73, 33; 77, 34; 78, 1
θυμός 17, 13. 15. 18; 18, 9. 17; 25,
   38; 36, 31; 38, 55. 57; 44, 13; 64,
   28; 72, 23; 73, 4. 5. 27; 76, 23. 61;
   77, 37. 42; 80, 39; 81, 13. 23
θυσία 23, 29; 45, 36; 51, 16. 17; 83,
   34
ἰαματικός 65, 22
ἴασις 44, 25
ἰατρεία 44, 49
ἰατρεύειν 44, 50
ἰατρικός 2, 3
ἰατρός 4, 20
ἰδικός 30, 24
ἰδιότης 3, 12; 9, 7
ἰδίωμα 64, 2; 69, 51; 78, 11
ἰδιωτικός 81, 23
ἱκετηρία 14, 52; 32, 5
ἱκέτης 42, 19; 76, 31
ἰουδαΐζειν 43, 14
*ἰσόψυχος 67, 44
ἱστορεῖν 14, 33. 42; 69, 55
ἱστορία 8, 20; 10, 15; 29, 36; 30, 15;
   31, 57; 37, 9; 53, 2. 5; 54, 6; 55,
   31; 56, 29. 36. 38; 58, 10; 60, 51;
   62, 20; 63, 23; 65, 45; 66, 11. 17.
   23; 69, 2. 3. 16. 28; 72, 7. 8. 24;
   73, 24. 34; 74, 2; 80, 30; 82, 2. 4.
   12. 21
ἱστορικός 30, 13. 18; 31, 58; 34, 37.
   40. 71; 54, 9; 63, 1; 72, 10
ἱστουργία 17, 38

μελαίνειν 14, 23
μέλας 34, 81
μελέτη 2, 37; 6, 5; 12, 8; 31, 32; 61, 27. 29
μελοποιός 8, 28
μέλος 6, 18. 20; 8, 29. 30. 34; 31, 30; 32, 4. 29. 30; 48, 23. 42; 52, 27
μελωδεῖν 6, 5; 32, 27
μελωδία 6, 9. 25; 8, 3. 7. 24. 34; 27, 29; 32, 3. 27. 32; 48, 21. 24. 31; 50, 11; 52, 22
μερίζειν 3, 14; 10, 16; 28, 31; 34, 44; 75, 28; 83, 38; 84, 2
μερικός 4, 30; 10, 29
μέρος 5, 20; 6, 23; 7, 32. 34. 38; 9, 41; 10, 30; 11, 10. 24; 12, 28; 13, 65; 14, 4. 8; 16, 9; 20, 2. 60; 27, 12; 32, 17; 34, 35; 39, 5; 40, 2. 33; 50, 5. 8; 52, 10. 29; 53, 23; 61, 41. 61; 66, 12; 80, 30
μεσιτεύειν 14, 51
μεταβαίνειν 34, 7; 59, 9; 60, 1. 6; 64, 18
μεταβάλλειν 14, 41; 24, 44; 36, 6. 33; 37, 2; 78, 48; 80, 39
μετάβασις 20, 24
μεταβολή 34, 13. 18. 77; 48, 2; 51, 49
μεταλαμβάνειν 30, 19; 34, 82; 62, 38
μεταμορφοῦν 74, 64
μετάνοια 38, 44; 56, 19; 62, 9. 18. 34; 80, 39
μεταξύ 48, 8. 21. 26; 49, 16; 52, 21; 58, 25; 68, 6. 42
μεταπλάσσειν 84, 54
μεταποιεῖν 12, 39; 14, 30; 21, 25; 25, 18; 52, 8
μεταποίησις 31, 40
μεταρρυθμίζειν 22, 38
μετάρσιος 67, 24
μετασκευάζειν 22, 3. 22. 37
μετάστασις 34, 78; 45, 38
μεταστοιχειοῦν 35, 40; 40, 46
μεταχωρεῖν 9, 48

μεταχώρησις 51, 38
μετέχειν 2, 23. 26; 13, 36; 57, 23; 81, 21
μετουσία 10, 7; 12, 31; 15, 14; 34, 9; 38, 14; 58, 35; 79, 35
μετοχή 12, 12
μέτριος 80, 17
μετρίως 1, 18
μέτρον 8, 10. 18; 17, 48; 28, 5; 64, 11; 68, 31
μηχύνειν 52, 34; 62, 4; 68, 4
μηνύειν 44, 26; 47, 47; 51, 29; 60, 27; 69, 25
μηνυτής 26, 61; 65, 58
μήτηρ 69, 59; 84, 23
μήτρα 77, 21. 23. 31. 36; 78, 33. 37. 43
μιαίνειν 73, 17
μιαιφονία 44, 58
*μικροπρεπῶς 13, 27
μικροφυής 80, 17
μιμεῖσθαι 14, 57; 27, 27; 58, 29; 60, 47; 80, 24
μίμημα 7, 29
μίμησις 53, 22. 39; 54, 4; 76, 59. 66
μιμνήσκειν 36, 35; 45, 50; 47, 17; 56, 13; 57, 42; 74, 66
μίξις 7, 6
μῖσος 3, 20
μνῆμα 43, 20; 83, 17
μνήμη 3, 25; 10, 15; 26, 47; 34, 28. 40. 70; 38, 30. 44; 60, 52; 68, 47; 76, 52; 80, 27
μνημονεύειν 43, 3; 66, 12; 68, 13; 79, 1
μνημονικός 34, 29; 38, 53
μνημόσυνον 14, 43; 71, 25
μοῖρα 13, 14
μολύνειν 55, 15
μολυσμός 79, 29
μονογενής 47, 61; 58, 7
μονοειδής 6, 19; 10, 6

III. INDEX THÉMATIQUE

TABLE DES MATIÈRES

SOURCES CHRÉTIENNES

Fondateurs : † H. de Lubac, s.j.
† J. Daniélou, s.j.
† C. Mondésert, s.j.
Directeur : J.-N. Guinot

Dans la liste qui suit, dite « liste alphabétique », tous les ouvrages sont rangés par nom d'auteur ancien, les numéros précisant pour chacun l'ordre de parution depuis le début de la collection. Pour une information plus complète, on peut se procurer au secrétariat de « Sources Chrétiennes », 29, rue du Plat, 69002 Lyon (France), Tél. : 04 72 77 73 50, deux autres listes :

1. la « liste numérique », qui présente les volumes et leurs auteurs actuels d'après les dates de publication ; elle indique les réimpressions et les ouvrages momentanément épuisés ou dont la réédition est préparée.
2. la « liste thématique », qui présente les volumes d'après les centres d'intérêt et les genres littéraires : exégèse, dogme, histoire, correspondance, apologétique, etc.

LISTE ALPHABÉTIQUE (1-466)

Thérapeutique des maladies helléniques : *57* (2 vol.)

THÉODOTE
Extraits (*Clément d'Alex.*) : *23*

THÉOPHILE D'ANTIOCHE
Trois livres à Autolycus : *20*

VICTORIN DE POETOVIO
Sur l'Apocalypse et autres écrits :
423

VIE D'OLYMPIAS : *13 bis*

VIE DE SAINTE MÉLANIE : *90*

VIE DES PÈRES DU JURA : *142*

SOUS PRESSE

ARISTIDE, **Apologie.** B. Pouderon.

BARSANUPHE ET JEAN DE GAZA, **Correspondance.** Volume III. P. De Angelis-
Noah, F. Neyt, L. Regnault.

CYPRIEN DE CARTHAGE, **A Démétrien.** J.-C. Fredouille.

FACUNDUS D'HERMIANE, **Défense des trois chapitres.** Tome I. A. Fraïsse.

GRÉGOIRE LE GRAND (PIERRE DE CAVA), **Commentaire sur le Premier Livre des
Rois.** Tome V. A. de Vogüé.

Livre d'heures ancien du Sinaï. M. Ajjoub.

PAMPHILE, EUSÈBE DE CÉSARÉE, **Apologie pour Origène.** Tome II. R. Amacker,
É. Junod.

PROCHAINES PUBLICATIONS

AMBROISE DE MILAN, **Caïn et Abel.** M. Ferrari, L. Pizzolato, M. Poirier.

Les Apophtegmes des Pères. Tome II. J.-C. Guy (†).

BERNARD DE CLAIRVAUX, **Sermons sur le Cantique.** Tome IV. R. Fassetta,
P. Verdeyen

CYRILLE D'ALEXANDRIE, **Lettres festales.** Tome IV. P. Évieux, M. Forrat.

GRÉGOIRE LE GRAND, **Homélies sur les Évangiles.** Tome I. R. Étaix, B. Judic,
C. Morel.

RÉIMPRESSIONS RÉALISÉES EN 2001

31. EUSÈBE DE CÉSARÉE, **Histoire ecclésiastique.** G. Bardy.
57.2. THÉODORET DE CYR, **Thérapeutique des maladies helléniques.** Tome II.
P. Canivet.
92. DOROTHÉE DE GAZA, **Œuvres spirituelles.** L. Regnault, J. de Préville.
109. JEAN CASSIEN, **Institutions cénobitiques.** J.-C. Guy.
163. GUIGUES II LE CHARTREUX, **Lettre sur la vie contemplative.** E. Colledge,
J. Walsh et un chartreux.

RÉIMPRESSIONS PRÉVUES EN 2002

ACHEVÉ D'IMPRIMER
EN MARS 2002
SUR LES PRESSES
DE
L'IMPRIMERIE F. PAILLART
À ABBEVILLE

DÉPÔT LÉGAL : 1ᵉʳ TRIMESTRE 2002
Nᵒ D'IMP. 11440. Nᵒ D. L. ÉDIT. 11695